JONATHAN FRANZEN

Die Korrekturen ROMAN

Aus dem Amerikanischen
von Bettina Abarbanell

ROWOHLT

Die Originalausgabe erschien 2001 unter dem Titel
«The Corrections» bei Farrar, Straus and Giroux,
New York

Lektorat Ulrike Schieder

7. Auflage Oktober 2002

Satz Stempel Garamond PostScript, PageMaker
bei Pinkuin Satz und Datentechnik, Berlin
Druck und Bindung Clausen & Bosse, Leck
Printed in Germany
ISBN 3 498 02086 2

Die Schreibweise entspricht den Regeln
der neuen Rechtschreibung.

Für David Means und Genève Patterson

ST. JUDE

DER IRRSINN einer herbstlichen Prärie-Kaltfront, näher kommend. Es war deutlich zu spüren: Etwas Furchtbares würde geschehen. Die Sonne tief am Himmel, ein winziges Licht, ein erkaltender Stern. Windstoß auf Windstoß der Unordnung. Die Bäume rastlos, die Temperaturen fallend, die ganze nördliche Religion der Dinge aufs Ende gerichtet. Keine Kinder in den Gärten. Länger werdende Schatten auf gelblichem Zoysia-Gras. Aus Roteichen, Nadeleichen, weißen Sumpfeichen regnete es Eicheln auf Häuser ohne Hypothek. Sturmfenster zitterten in den leeren Schlafzimmern. Dazu das Summen und Hicksen eines Kleidertrockners, das näselnde Gezänk eines Laubsaugers, das Reiferwerden heimischer Äpfel in einer Papiertüte, der Geruch des Benzins, das Alfred Lambert, nach dem Streichen des kleinen Korbsofas am Morgen, zum Reinigen des Pinsels benutzt hatte.

Drei Uhr am Nachmittag war eine Zeit der Gefahr in den gerontokratischen Vororten von St. Jude. Alfred hatte seit dem Mittagessen in seinem großen blauen Sessel geschlafen und war gerade aufgewacht. Nun lag sein Nickerchen hinter ihm, und die nächsten Lokalnachrichten kamen erst um fünf. Zwei leere Stunden waren eine Nebenhöhle, in der Infektionen keimten. Er rappelte sich hoch und stand neben der Tischtennisplatte, vergebens horchend, ob Enid sich oben regte.

Überall im Haus läutete eine Alarmglocke, die außer Alfred und Enid niemand hörte. Es war die Alarmglocke der Angst. Sie klang wie eine jener schweren schmiedeeisernen Schüsseln mit elektrischem Klöppel, die Schulkinder bei Feueralarmübungen nach draußen treiben. Mittlerweile läutete sie seit so vielen Stunden, dass die Lamberts die Botschaft «Glocke läutet» schon gar nicht mehr hörten – so, wie man bei jedem Geräusch, wenn es nur lange genug anhält, schließlich sämtliche Bestandteile einzeln wahrnimmt (und bei jedem Wort, wenn man es nur lange genug anstarrt, nichts als eine Reihe toter Buchstaben sieht), hörten sie bloß noch einen Klöppel, der wie rasend auf einen Metallkörper hieb, hörten keinen reinen Ton, sondern ein grobkörniges Nacheinander von Schlägen, über dem sich ein Bogen klagender Obertöne wölbte; sie läutete seit so vielen Tagen, dass sich der Klang für gewöhnlich im Hintergrund verlor, nur manchmal nicht, in den frühen Morgenstunden, wenn sie im Wechsel, mal der eine, mal der andere, schweißgebadet erwachten und erkannten, dass eine Glocke in ihren Köpfen läutete, solange sie zurückdenken konnten; sie läutete seit so vielen Monaten, dass das Geräusch zu einer Art Metageräusch geworden war, dessen An- und Abschwellen nichts mehr mit dem Rhythmus von Schallwellen zu tun hatte, sondern allein mit dem viel, viel langsamer zu- und abnehmenden *Bewusstsein* dieses Geräuschs, einem Bewusstsein, das immer dann besonders geschärft war, wenn das Wetter selbst von Angst gepeinigt schien. Dann hatten Enid und Alfred – sie auf Knien vor den geöffneten Schubladen im Esszimmer, er unten im Keller, den katastrophalen Zustand der Tischtennisplatte inspizierend – jeder für sich das Gefühl, sie müssten vor Angst zerspringen.

Der Angst etwa, die von den Rabattmarken kam, dort in der Schublade neben den Kerzen in Designer-Herbstfarben. Die Marken wurden von einem Gummiband zusammengehalten, und Enid hatte gerade entdeckt, dass die Fristen (vom Hersteller oft schwungvoll mit Rot umrandet) schon vor Monaten, wenn nicht gar Jahren abgelaufen waren: dass diese hundert und so viel Rabattmarken, deren Gesamtwert mehr als sechzig Dollar betrug (im Chiltsville-Supermarkt, wo sie den Markenwert verdoppelten, theoretisch sogar 120 Dollar), samt und sonders nutzlos geworden waren. Tilex, sechzig Cent Rabatt. Excedrin

PM, einen Dollar Rabatt. Und die Fristen bezogen sich nicht auf die jüngere Vergangenheit: Sie waren *historisch.* Die Alarmglocke läutete seit *Jahren.*

Sie schob die Marken wieder zwischen die Kerzen und schloss die Schublade. Was sie suchte, war ein Brief, der einige Tage zuvor als Einschreiben gebracht worden war. Alfred hatte den Postboten an die Tür klopfen hören und so laut «Enid! Enid!» gerufen, dass er gar nicht mitbekam, wie sie «Ich gehe schon, Al!» antwortete. Weiter ihren Namen rufend, war er immer näher gekommen, aber da der Absender des Briefs die Axon Corporation, 24 East Industrial Serpentine, Schwenksville, PA, war und es gewisse Aspekte der wirtschaftlichen Lage des Axon-Unternehmens gab, über die Enid Bescheid wusste, Alfred hingegen, wie sie inständig hoffte, nicht, hatte sie den Brief rasch irgendwo, und zwar nicht mehr als fünf Meter von der Haustür entfernt, versteckt. Dann war Alfred aus dem Keller aufgetaucht, hatte mit der Lautstärke eines Bulldozers *«Da ist jemand an der Tür!»* gebrüllt, und sie hatte, fast schreiend, geantwortet: «Der Postbote! Der Postbote!», woraufhin er den Kopf schüttelte, weil das Ganze so verworren war.

Enid war sicher, dass sie selber einen klareren Kopf bekommen würde, wenn sie sich nicht alle fünf Minuten fragen müsste, was Alfred im Schilde führte. Aber sosehr sie sich auch bemühte, sie konnte ihn einfach nicht dazu bringen, sich für das Leben zu interessieren. Wenn sie ihn ermunterte, sich doch wieder einmal seinem Labor zuzuwenden, sah er sie an, als hätte sie den Verstand verloren. Wenn sie ihn fragte, ob es nicht irgendetwas im Garten zu tun gebe, sagte er, die Beine täten ihm weh. Wenn sie ihn darauf aufmerksam machte, dass die Männer ihrer Freundinnen allesamt Hobbys hatten (Dave Schumpert seine Glasmalerei, Kirby Root seine raffinierten Chalets als Nistkästen für Rotfinken, Chuck Meisner die stündliche Überprüfung seines Aktiendepots), tat er so, als wolle sie ihn von einer wichtigen Arbeit abhalten, und worin bestand die? Darin, die Gartenmöbel zu streichen? Mit dem Korbsofa war er nun schon seit dem Labor Day beschäftigt. Das letzte Mal, als er die Gartenmöbel gestrichen hatte, war er, wenn sie sich recht erinnerte, nach zwei Stunden mit dem Sofa fertig gewesen. Jetzt verschwand er Morgen für Morgen in seiner Werkstatt, und als sie sich nach einem Monat einmal zu ihm hineingewagt hatte, um nachzusehen, wie es voranging, hatte sie entdeckt, dass er über die Beine des Sofas nicht hinausgekommen war.

Es schien, als wollte er lieber allein sein. Er sagte, der Pinsel sei ihm zwischendurch eingetrocknet, deshalb dauere es so lange. Er sagte, Korbmöbel abschmirgeln sei wie eine Blaubeere schälen. Er sagte, es gebe hier unten Grillen. Da verspürte sie leichte Atemnot, aber vielleicht war es auch nur der Geruch des Benzins oder die Feuchtigkeit in der Werkstatt, die wie Urin roch (und doch unmöglich Urin sein konnte). Sie flüchtete die Treppe hinauf, um den Brief von Axon zu suchen.

Sechs Tage die Woche kamen mehrere Pfund Post durch den Schlitz in der Haustür, und da sich im Erdgeschoss nichts Nebensächliches anhäufen durfte – der Eindruck, den diese Wohnräume hervorrufen sollten, war ja gerade, dass niemand hier wohnte –, hatte Enid eine taktische Aufgabe von beträchtlicher Schwierigkeit zu bewältigen. Sie selbst hätte sich niemals als Guerillera bezeichnet, doch genau das war sie: eine Guerillera. Tagsüber verbrachte sie Material von Depot zu Depot, der regierenden Macht oft nur einen winzigen Schritt voraus. Abends dann, im Licht einer hübschen, doch zu schwachen Wandlampe und an einem viel zu kleinen Tisch, der in der Frühstücksnische stand, führte sie alle möglichen Manöver durch: beglich Rechnungen, prüfte Kontoauszüge, versuchte, die Jahresabrechnung der Krankenversicherung zu entziffern und sich einen Reim auf die dritte, in drohendem Ton gehaltene Mahnung eines medizinischen Labors zu machen, das die unverzügliche Begleichung von ausstehenden $ 0,22 einforderte, während der ausgewiesene Kontostand von $ 0,00 eindeutig besagte, dass sie nicht das Geringste schuldig geblieben war, und sich im Übrigen auch nirgends eine Adresse fand, an die man den Scheck hätte senden können. Schon möglich, dass die erste und zweite Mahnung irgendwo vergraben waren, aber angesichts der widrigen Bedingungen, unter denen Enid ihren Feldzug unternahm, hatte sie kaum mehr als eine schemenhafte Vorstellung davon, wo sich die anderen Mahnungen an einem bestimmten Abend befanden. Vielleicht in dem Schrank, der im Familienzimmer stand, das war denkbar, aber dann schaute sich die regierende Macht in Person Alfreds dort gerade eine Nachrichtensendung an und ließ den Fernseher in einer Lautstärke laufen, die dröhnend genug war, ihn wach zu halten, ja hatte zudem alle Lichter eingeschaltet, und es war nicht gänzlich auszuschließen, dass beim Öffnen der Schranktür, einem Wasserfall gleich, diverse Kataloge und *House Beautiful*-Hefte und Merrill-Lynch-Rechenschaftsberichte herausgeschossen und -gerutscht kämen und Alfreds Zorn entfachen würden. Ebenso wenig war auszuschließen, dass die Mahnungen gar nicht dort waren, immerhin führte die regierende Macht willkürliche Razzien ihrer Depots durch und drohte, «den ganzen Krempel wegzuwerfen», falls Enid dort nicht endlich einmal aufräumte. Aber da Enid zu sehr damit beschäftigt war, besagte Razzien zu hintertreiben, um je richtig zum Aufräumen zu kommen, ging infolge erzwungener Standortwechsel und Deportationen jeglicher Anschein von Ordnung verloren, auch das allerletzte bisschen, und so konnte es passieren, dass irgendeine Nordstrom-Einkaufstüte mit halb abgerissenem Plastikgriff, die vorübergehend hinter einem Staubwedel verstaut gewesen war, das ganze vielgestaltige Elend einer Flüchtlingsexistenz enthielt: vereinzelte *Good Housekeeping*-Ausgaben, Schwarzweißschnappschüsse von Enid aus den vierziger Jahren, an welken Salat erinnernde Rezepte auf stark säurehaltigem, braunstichigem Papier, die Telefon- und Gasrechnungen des laufenden Monats, eine detaillierte erste Mahnung des medizinischen Labors, in der alle Selbstzahler angewiesen wurden, künftige Buchungen von unter 50 Cent zu ignorieren, ein Gratisfoto von ihrer Kreuzfahrt – Enid und Alfred mit Blumenkränzen auf dem Kopf, aus hohlen Kokosnüssen irgendein Getränk schlürfend – sowie die letzten noch vorhandenen Kopien der Geburtsurkunden von zweien ihrer Kinder.

Enids scheinbarer Feind war Alfred, doch zur Guerillera machte sie das Haus. Es nahm sie beide in die Pflicht. Die Einrichtung war von der Art, die kein Durcheinander duldete. Stühle und Tische von Ethan Allen. Blümchengeschirr und Kristall hinter gläsernen Schranktüren. Unvermeidliche Ficusbäume, unvermeidliche Norfolkkiefern. Hefte von *Architectural Digest*, auf der Glasplatte des Wohnzimmertischs aufgefächert. Touristischer Krimskrams: Porzellan aus China, eine Wiener Spieluhr, die Enid aus Pflichtgefühl und Erbarmen von Zeit zu Zeit aufzog und öffnete. Sie spielte «Strangers in the Night».

Unglücklicherweise fehlte Enid das nötige Temperament und Alfred das neurologische Rüstzeug, um ein solches Haus zu führen. Das wütende Geschrei, in das Alfred ausbrach, sooft er Hinweise auf Guerilla-Aktionen entdeckte – eine bei helllichtem Tag auf der Kellertreppe überraschte Nordstrom-Tüte zum Beispiel, die ihn beinahe zu Fall gebracht hätte –, war das Geschrei einer Regierung, die regierungsunfähig geworden war. Neuerdings hatte er eine Vorliebe dafür entwickelt, seine Rechenmaschine Kolonnen sinnloser achtstelliger Zahlen ausspucken zu lassen. Nachdem er den größten Teil eines Nachmittags damit zugebracht hatte, fünfmal hintereinander die Sozialversicherungsbeiträge der Putzfrau auszurechnen, wobei er vier verschiedene Ergebnisse ermittelt und sich schließlich für die einzige Zahl ($ 635,78) entschieden hatte, die am Ende zweimal dastand (das richtige Ergebnis lautete $ 70,00), hatte sich Enid ihrerseits zu einer nächtlichen Razzia in seinem Aktenschrank entschlossen und sämtliche dort deponierten Steuerunterlagen beschlagnahmt, was die Wirtschaftlichkeit des Haushalts durchaus hätte steigern können, wären die Unterlagen nicht zusammen mit einigen irreführend alten *Good Housekeeping*-Heften, die die einschlägigeren Dokumente unter sich begruben, in einer Nordstrom-Tüte gelandet, eine strategische Schlappe, die zur Folge hatte, dass die Putzfrau die Formulare selber ausfüllte, Enid nur noch die Schecks ausstellte und Alfred den Kopf schüttelte, weil das Ganze so verworren war.

Es ist das Schicksal der meisten Tischtennisplatten in privaten Kellerräumen, dass sie am Ende für andere, hoffnungslosere Spiele herhalten müssen. Seit seiner Pensionierung beanspruchte Alfred das östliche Ende der Platte für Bankangelegenheiten und Korrespondenz. Am westlichen Ende stand der tragbare Farbfernseher, denn ursprünglich hatte Alfred vorgehabt, sich hier unten, in seinem großen blauen Sessel sitzend, die täglichen Lokalnachrichten anzuschauen, aber mittlerweile verschwand der Apparat fast völlig zwischen Stapeln von *Good Housekeeping*-Heften, Weihnachtsplätzchendosen und barocken, doch stümperhaft gemachten Kerzenhaltern, die Enid aus purem Zeitmangel noch immer nicht zum Trödel gebracht hatte. Die Tischtennisplatte war das einzige Feld, auf dem der Bürgerkrieg in aller Offenheit tobte. Am östlichen Ende wurde Alfreds Rechenmaschine aus dem Hinterhalt von Topflappen mit Blumendruck, Souvenir-Untersetzern vom Epcot Center und einem Kirschentkerner angegriffen, den Enid seit dreißig Jahren besaß und nie benutzte, während Alfred am westlichen Ende aus keinem für Enid auch nur entfernt begreiflichen Grund einen aus Kiefernzapfen und farbig besprühten Hasel- und Paranüssen geklebten Kranz in seine Einzelteile zerlegte.

Östlich der Tischtennisplatte befand sich die Werkstatt, die Alfreds metallurgisches Labor beherbergte. Sie war inzwischen zur Heimstatt einer Kolonie stummer, staubfarbener Grillen geworden, die sich, sobald man sie aufschreckte, wie eine Hand voll fallen gelassener Murmeln über den ganzen Raum verteilten, wobei manche kreuz und quer durcheinander schossen, andere wiederum, beschwert vom Gewicht ihres üppigen Protoplasmas, ins Schwanken kamen und zu Boden stürzten. Sie zerplatzten allzu leicht, und zum Aufwischen war mehr als ein Kleenex nötig. Enid und Alfred waren mit zahllosen Unbilden geschlagen, die sie für außergewöhnlich, übergroß, ja für beschämend hielten, und die Grillen gehörten dazu.

Der graue Staub böser Flüche und die Spinnweben der Zauberei bildeten eine dicke Schicht auf dem alten elektrischen Lichtbogenofen, den Gefäßen mit exotischem Rhodium, finsterem Kadmium und kräftigem Wismut, den handbedruckten, von Dämpfen, die aus einer Glasstöpselflasche voll *aqua regia* entwichen, braun gewordenen Etiketten und dem Notizblock mit kleinen Karos, dessen jüngster Eintrag in Alfreds Handschrift fünfzehn Jahre zurücklag, also aus der Zeit stammte, bevor allenthalben der Verrat begonnen hatte. Ein so alltägliches und freundliches Ding wie ein Bleistift befand sich noch immer an jener Stelle der Werkbank, an der Alfred es in einem anderen Jahrzehnt zufällig abgelegt hatte; die vielen Jahre, die seither vergangen waren, erfüllten ihn nun mit einer Art Feindseligkeit. Asbesthandschuhe hingen an einem Nagel zwischen den Urkunden zweier US-amerikanischer Patente, deren Rahmen durch die Feuchtigkeit verzogen und gesprungen waren. Auf der Abdeckhaube des Binokularmikroskops lagen große Stücke abgeplatzter Farbe. Die einzigen staubfreien Gegenstände im Raum waren das Korbsofa, eine Büchse Rost-Oleum mit ein paar Pinseln darin sowie mehrere Yuban-Kaffeedosen, die sich, wie Enid trotz immer stärkerer Geruchsindizien zu glauben beschlossen hatte, gewiss nicht mit dem Urin ihres Mannes füllten, denn was um alles in der Welt sollte ihn, dem keine zehn Schritt entfernt ein hübsches kleines Badezimmer zur Verfügung stand, dazu bringen, in eine Yuban-Dose zu pinkeln?

Westlich der Tischtennisplatte stand Alfreds großer blauer Sessel. Der Sessel wirkte, überpolstert, wie er war, ein wenig gouverneurshaft. Er war aus Leder, roch aber wie der Innenraum eines Honda der Luxusklasse. Wie etwas Modernes und Medizinisches und Undurchlässiges, von dem man den Geruch des Todes mit einem feuchten Tuch mühelos abwischen konnte, bevor der Nächste Platz nahm, um darin zu sterben.

Der Sessel war die einzige größere Anschaffung, die Alfred jemals ohne Enids Einverständnis gemacht hatte. Als er nach China fuhr, um mit chinesischen Eisenbahningenieuren zu verhandeln, hatte Enid ihn begleitet, und sie hatten gemeinsam eine Teppichfabrik besucht, um sich einen Teppich für ihr Familienzimmer zu kaufen. Nicht gewohnt, Geld für sich selber auszugeben, wählten sie einen der billigsten Teppiche, mit einem schlichten blauen Muster aus dem *Buch der Wandlungen* auf gleichmäßig beigem Hintergrund. Einige Jahre später, kurz nachdem er bei der Midland Pacific Railroad aufgehört hatte, beschloss Alfred, den alten, nach Kuh riechenden schwarzen Lederarmstuhl, in dem er fernsah und zu Mittag schlief, durch einen neuen zu ersetzen. Er wollte etwas Bequemes, natürlich, doch da er sein Leben lang für andere gesorgt hatte, brauchte er mehr als das: Er brauchte ein Denkmal für sein Bedürfnis nach Bequemlichkeit. Also machte er sich allein auf den Weg in ein teures Möbelgeschäft und wählte einen Sessel fürs Leben. Einen Ingenieurssessel. Einen Sessel, der so wuchtig war, dass selbst ein wuchtiger Mann sich darin verlor; einen Sessel, der starker Beanspruchung standhalten würde. Und da das blaue Leder so ungefähr zum Blau des chinesischen Teppichs passte, blieb Enid nichts anderes übrig, als die Aufstellung des Sessels im Familienzimmer hinzunehmen.

Bald jedoch begannen Alfreds Hände, entkoffeinierten Kaffee auf den beigen Flächen des Teppichs zu verschütten, und herumtobende Enkelkinder hinterließen Beeren- und Buntstiftspuren, und Enid beschlich das Gefühl, dass der Teppich ein Fehler gewesen war. Ihr schien, dass sie in ihrem lebenslangen Bemühen, Geld zu sparen, etliche solcher Fehler gemacht hatte. Irgendwann meinte sie sogar, es wäre besser gewesen, sie hätten überhaupt keinen Teppich gekauft. Schließlich, als Alfreds Mittagsschläfchen tiefer und einer Verzauberung immer ähnlicher wurden, fasste sie sich ein Herz. Von ihrer Mutter hatte sie vor Jahren eine kleine Summe geerbt. Zum Kapital waren Zinsen gekommen, manche Aktien hatten sich ziemlich vorteilhaft entwickelt, und jetzt verfügte sie über ein eigenes Einkommen. Sie überlegte, wie sich das Familienzimmer neu gestalten ließe, und entschied sich für Grün- und Gelbtöne. Sie bestellte Stoffe. Ein Tapezierer kam, und Alfred, der seinen Mittagsschlaf vorübergehend im Esszimmer hielt, sprang auf, als hätte er schlecht geträumt.

«Dekorierst du *schon wieder* alles um?»

«Es ist mein eigenes Geld», sagte Enid. «Und jetzt geb ich es aus.»

«Und was ist mit dem Geld, das *ich* verdient habe? Was ist mit der Arbeit, die *ich* geleistet habe?»

Früher hatte dieses Argument stets gewirkt – es war, sozusagen, die verfassungsmäßige Grundlage für die Rechtfertigung seiner Tyrannei gewesen –, jetzt aber zog es nicht mehr. «Der Teppich ist fast zehn Jahre alt, und die Kaffeeflecken kriegen wir nie wieder raus», entgegnete Enid.

Alfred wies auf den blauen Sessel, der unter dem Plastiküberwurf des Tapezierers aussah wie etwas, das im Kipplader zu einem Kraftwerk transportiert werden sollte. Er zitterte, ungläubig, fassungslos, dass Enid diesen vernichtenden Einwand gegen ihre Anschauungen, jene *eine* Sache, die so überwältigend offensichtlich gegen ihre Pläne sprach, einfach vergessen haben sollte. Es war, als wäre die ganze Unfreiheit, in der er seine sieben Lebensjahrzehnte verbracht hatte, in jenem sechs Jahre alten, im Grunde jedoch brandneuen Sessel verkörpert. Er grinste, und sein Gesicht glühte, so grässlich, so unentrinnbar vollkommen war seine Logik.

«Und was passiert mit dem Sessel?», fragte er. *«Was passiert mit dem Sessel?»*

Enid schaute den Sessel an. Ihr Gesichtsausdruck war gequält, mehr nicht. «Ich habe den Sessel noch nie gemocht.»

Das war vermutlich das Schlimmste, was sie Alfred sagen konnte. Der Sessel war der einzige Hinweis, den er je auf seine eigenen Vorstellungen von der Zukunft gegeben hatte. Enids Worte erfüllten ihn mit solcher Traurigkeit – er empfand so viel Mitleid, so viel Solidarität mit dem Sessel, so viel verblüfften Kummer über Enids Verrat –, dass er die Folie abzog, in die Arme des Sessels sank und einschlief.

(Daran konnte man Orte der Verzauberung erkennen: an Menschen, die auf diese Weise einschliefen.)

Als feststand, dass beides verschwinden musste, der Teppich ebenso wie Alfreds Sessel, wurden sie den Teppich ohne Mühe los. Enid hatte in der kostenlosen Lokalzeitung inseriert, und schon ging ihr eine nervöse, vogelhafte Frau ins Netz, die immer noch Fehler machte und ihre schlampig zusammengerollten Fünfziger aus der Handtasche hervorholte, sie mit zittrigen Fingern auseinander pulte und glatt strich.

Aber der Sessel? Der Sessel war ein Denkmal und ein Symbol und durfte nicht von Alfred getrennt werden. Man konnte ihn nur umstellen, und darum landete er im Keller, und Alfred folgte ihm. So kam es, dass im Haus der Lamberts, wie in St. Jude, wie im ganzen Land, das Leben unterirdisch gelebt wurde.

Enid hörte, wie Alfred oben Schubladen auf- und zumachte. Immer wenn sie ihre Kinder besuchen wollten, wurde er unruhig. Ihre Kinder zu besuchen, das war offenbar das Einzige, was ihm noch am Herzen lag.

Vor den schlierenlos sauberen Fenstern des Esszimmers herrschte das Chaos. Der rasende Wind, die verneinenden Schatten. Enid hatte überall nach dem Brief der Axon Corporation gesucht, aber sie konnte ihn nicht finden.

Alfred stand im Elternschlafzimmer und fragte sich, warum die Schubladen seiner Kommode offen waren, wer sie geöffnet hatte, ob er selbst es gewesen war. Er konnte nicht anders, als Enid die Schuld an seiner Verwirrung zu geben. Daran, dass sie ihr durch bloße Zeugenschaft zur Existenz verhalf. Daran, dass sie selber existierte, als eine Person, die diese Schubladen womöglich geöffnet hatte.

«Al? Was machst du da?»

Er drehte sich zur Tür um, in der sie aufgetaucht war. Dann begann er einen Satz: «Ich habe –», doch wenn er überrumpelt wurde, war jeder Satz ein Abenteuer im Wald, und sobald er die Lichtung, an der er den Wald betreten hatte, nicht mehr sah, bemerkte er, dass die Brotkrumen, die er zu seiner Orientierung hatte fallen lassen, von Vögeln aufgepickt worden waren, leisen, flinken, pfeilgeschwinden Dingern, die er in der Dunkelheit nicht recht ausmachen konnte, obwohl sie ihn in ihrem Hunger so zahlreich umschwärmten, dass es schien, als wären *sie* die Dunkelheit, als wäre die Dunkelheit nicht gleichförmig, keine Abwesenheit von Licht, sondern etwas Wimmelndes, Korpuskelhaftes, und in der Tat hatte er als emsiger Teenager in *McKay's Treasury of English Verse* für «dämmrig» das Wort «crepuscular» gefunden, woraufhin die Korpuskeln der Biologie, die Blutkörperchen nämlich, für immer in sein Verständnis dieses Wortes eingeflossen waren, sodass er sein gesamtes Erwachsenenleben hindurch die Dämmerung als Korpuskularität wahrgenommen hatte, vergleichbar der Körnigkeit eines hoch empfindlichen Films, wie man ihn benutzte, wenn man bei schummriger Innenbeleuchtung fotografieren wollte, vergleichbar auch einer Art düsteren Verfalls; daher die Panik eines Mannes, den man, verraten und verkauft, tief im Wald allein gelassen hatte, wo die Dunkelheit eine Dunkelheit von Staren war, die den Sonnenuntergang verfinsterten, oder von schwarzen Ameisen, die ein totes Opossum stürmten, eine Dunkelheit, die nicht einfach nur da war, sondern die Wegmarkierungen, die er vernünftigerweise ausgelegt hatte, um sich nicht zu verlaufen, regelrecht verschlang; in der Sekunde jedoch, da er begriff, dass er die Orientierung verloren hatte, wurde die Zeit wunderbar langsam, und er entdeckte bis dahin nie geahnte Ewigkeiten im Abstand zwischen einem Wort und dem nächsten oder, besser gesagt: Er war gefangen in den Lücken zwischen den Wörtern und konnte bloß dastehen und zusehen, wie die Zeit ohne ihn weitereilte, wobei der gedankenlose, jungenhafte Teil von ihm blindlings durch den Wald davonstürzte, bis er außer Sichtweite war, während er, gefangen, der erwachsene Al, mit sonderbar unpersönlicher Spannung abwartete, ob der von panischem Schrecken erfüllte kleine Junge, auch wenn er nun nicht mehr wusste, wo er war oder an welcher Stelle er den Wald dieses Satzes betreten hatte, es vielleicht trotzdem schaffen würde, auf die Lichtung zu stolpern, auf der Enid, ohne irgendwelche Wälder wahrzunehmen, auf ihn wartete – «meinen Koffer gepackt», hörte er sich sagen. Das klang richtig. Possessivpronomen, Substantiv, Verb. Vor ihm stand ein Koffer, eine wichtige Bestätigung. Er hatte nichts verraten.

Aber Enid hatte schon wieder etwas gesagt. Der Ohrenarzt hatte behauptet, er sei leicht schwerhörig. Alfred runzelte die Stirn, weil er sie nicht verstanden hatte.

«Heute ist *Donnerstag*», sagte sie, lauter. «Wir fahren doch erst *Samstag*.»

«Samstag!», echote er.

Da schimpfte sie mit ihm, und für eine Weile zogen sich die Vögel der Dämmerung zurück, aber draußen hatte der Wind die Sonne ausgeblasen, und es wurde sehr kalt.

DER VERSAGER

UNSICHER KAMEN SIE den langen Gang herunter, Enid ihre lädierte Hüfte schonend, Alfred mit schlackerigen Handgelenken durch die Luft paddelnd, während seine Füße schlecht kontrolliert auf den Flughafenteppich klatschten, beide mit Nordic-Pleasurelines-Taschen über der Schulter und ganz auf den Boden konzentriert, um die gefährliche Strecke jeweils drei Schritt im Voraus auszumessen. Für jeden, dem auffiel, wie sie die Augen von den dunkelhaarigen, vorbeihastenden New Yorkern abwandten, für jeden, der einen Blick auf Alfreds Strohhut warf, einen Hut so hoch wie Iowa-Mais am herbstlichen Labor Day, oder auf den gelben Wollstoff der Hose, die sich über Enids schiefe Hüfte spannte, war offensichtlich, dass sie aus dem Mittelwesten stammten und Angst hatten. Für Chip Lambert jedoch, der hinter der Sicherheitsschranke auf sie wartete, waren sie Killer.

Chip hatte die Arme abwehrend vor der Brust verschränkt und hob eine Hand, um an dem schmiedeeisernen Niet in seinem Ohr zu ziehen. Er hatte Sorge, dass er sich den Niet aus dem Ohrläppchen reißen könnte – dass selbst der größte Schmerz, den die Nerven in seinem Ohr erzeugen konnten, geringer wäre als der, den er jetzt brauchte, um Haltung zu bewahren. Von seinem Platz bei den Metalldetektoren aus beobachtete er, wie ein himmelblauhaariges Mädchen seine Eltern auf dem Gang überholte, ein himmelblauhaariges Mädchen im College-Alter: eine äußerst begehrenswerte Fremde mit gepiercten Lippen und Brauen. Wenn er nur eine Sekunde lang mit diesem Mädchen Sex haben könnte, dann, das wurde ihm schlagartig klar, wäre er imstande, seinen Eltern selbstbewusst gegenüberzutreten, und wenn er im Minutentakt weiter mit ihr Sex haben könnte, solange seine Eltern in der Stadt waren, dann wäre er sogar in der Lage, ihren gesamten Besuch zu überstehen. Chip war ein großer, durchtrainierter Mann mit Krähenfüßen und spärlichem, buttergelbem Haar; falls das Mädchen ihn bemerkt hatte, mochte sie gedacht haben, dass er für das Leder, das er trug, ein bisschen zu alt war. Als sie an ihm vorbeieilte, zog er heftiger an seinem Niet, um den Schmerz darüber, dass sie für immer aus seinem Leben verschwand, zu lindern und seine Aufmerksamkeit auf seinen Vater zu lenken, dessen Gesicht aufleuchtete, als er unter so vielen Fremden einen Sohn entdeckte. Blitzartig vorschnellend wie ein in tiefem Wasser zappelnder Mann, stürzte sich Alfred auf Chip und packte dessen Hand samt Gelenk, als wären sie ein Seil, das man ihm zugeworfen hatte. «Na!», sagte er. «Na!»

Hinter ihm tauchte hinkend Enid auf. «Chip», rief sie, «was hast du mit deinen *Ohren* gemacht!»

«Dad, Mom», murmelte Chip durch die Zähne, in der Hoffnung, dass das himmelblauhaarige Mädchen schon außer Hörweite war. «Schön, euch zu sehen.»

Er hatte Zeit für einen subversiven Gedanken über die Nordic-Pleasurelines-Taschen seiner Eltern – entweder die Mitarbeiter von Nordic Pleasurelines verschickten solche Taschen an jeden, der eine Kreuzfahrt bei ihnen buchte, als zynisches Mittel einer wohlfeil wandelnden Reklame, als praktisches Mittel der Kennzeichnung von Kreuzfahrtteilnehmern, damit sie in den Häfen leichter zu handhaben waren, oder als günstiges Mittel zur Bildung von Teamgeist, oder aber Enid und Alfred hatten die Taschen von einer früheren Nordic-Pleasurelines-Kreuzfahrt extra aufbewahrt und aus einem irregeleiteten Gefühl der Loyalität beschlossen, sie bei ihrer bevorstehenden Kreuzfahrt abermals zu tragen; so oder so war Chip entsetzt, wie bereitwillig seine Eltern sich zu Vektoren der Firmenwerbung machten –, bevor er die Taschen selber schulterte und es auf sich nahm, den LaGuardia Airport und New York City und sein Leben und seine Kleidung und seinen Körper mit den enttäuschten Augen seiner Eltern zu betrachten.

Als wäre er zum ersten Mal hier, bemerkte er das schmutzige Linoleum, die Fahrer, die wie Attentäter aussahen und Schilder mit fremder Leute Namen hochhielten, das Gewirr von Kabeln, die aus einem Loch in der Decke baumelten. Deutlich hörte er das Wort *motherfucker*. Jenseits der großen Fenster auf der Gepäckebene schoben zwei Männer aus Bangladesch ein fahruntüchtiges Taxi durch Regen und wütendes Gehupe.

«Wir müssen um vier am Pier sein», sagte Enid zu Chip. «Und ich glaube, Dad hat gehofft, mal deinen Schreibtisch beim *Wall Street Journal* zu sehen.» Sie hob die Stimme. «Al? Al?»

Obwohl im Nacken inzwischen gebeugt, war Alfred immer noch eine imposante Erscheinung. Sein Haar war weiß und dicht und glänzend wie das Fell eines Eisbären, und die kräftigen langen Muskeln seiner Schultern, an die Chip sich nur allzu gut erinnerte, so oft, wie er sie hatte spielen sehen, wenn Alfred ein Kind, meistens ihn selber, versohlte, füllten den grauen Tweed seines Sportsakkos ganz und gar aus.

«Al, hast du nicht gesagt, du würdest gern sehen, wo Chip arbeitet?», rief Enid.

Alfred schüttelte den Kopf. «Keine Zeit.»

Das kreisende Kofferkarussell beförderte nichts.

«Hast du deine Tablette genommen?», fragte Enid.

«Ja», sagte Alfred. Er schloss die Augen und wiederholte langsam: «Ich habe meine Tablette genommen. Ich habe meine Tablette genommen. Ich habe meine Tablette genommen.»

«Doktor Hedgpeth hat ihm nämlich was Neues verschrieben», erklärte Enid Chip, der ziemlich sicher war, dass sein Vater in Wahrheit keinerlei Interesse geäußert hatte, sein Büro zu sehen. Und da Chip nichts mit dem *Wall Street Journal* zu schaffen hatte – das Blatt, für das er unbezahlte Beiträge schrieb, hieß *Warren Street Journal: Monatsschrift der Transgressiven Künste*; außerdem war er erst kürzlich mit der Arbeit an einem Drehbuch fertig geworden und hatte einen Teilzeitjob als Korrektor bei der Anwaltskanzlei Bragg Knuter & Speigh, seit er vor fast zwei Jahren seine Stelle als Assistenzprofessor im Fachbereich Text-Artefakte am D— College in Connecticut verloren hatte, Resultat eines Vergehens, das mit einer jungen Studentin zu tun hatte und gerade noch so eben keinen juristischen Tatbestand erfüllte, im Übrigen jedoch, obwohl seine Eltern nie davon erfuhren, die Parade seiner Großtaten unterbrach, mit denen seine Mutter zu Hause in St. Jude prahlen konnte; er hatte seinen Eltern erzählt, er habe aufgehört zu lehren, um eine Karriere als Schriftsteller zu verfolgen, und als seine Mutter vor kurzem unbedingt Einzelheiten hören wollte, hatte er das *Warren Street Journal* erwähnt, dessen Namen sie falsch verstand und sofort an ihre Freundinnen Esther Root und Bea Meisner und Mary Beth Schumpert ausposaunte, und obwohl Chip bei seinen monatlichen Anrufen zu Hause zahlreiche Gelegenheiten gehabt hätte, sie aufzuklären, hatte er das Missverständnis im Gegenteil noch genährt; und spätestens hier wurden die Dinge einigermaßen komplex, nicht nur weil man das *Wall Street Journal* in St. Jude kaufen konnte und seine Mutter nie davon gesprochen hatte, dass sie seine Beiträge gesucht und nicht gefunden habe (ein Teil von ihr mithin sehr genau wusste, dass er nicht für diese Zeitung schrieb), sondern auch weil der Autor von Artikeln wie «Kreativer Ehebruch» und «Schmutzigen Motels zu Ehren» daran mitwirkte, in seiner Mutter ebenjene Art von Illusion am Leben zu erhalten, die das *Warren Street Journal* zerstören wollte, und er mit seinen neununddreißig Jahren seinen Eltern die Schuld daran gab, was aus ihm geworden war – aus all diesen Gründen also war er froh, als seine Mutter das Thema fallen ließ.

«Sein Zittern ist viel besser geworden», fügte Enid für Alfred unhörbar hinzu. «Die *einzige* Nebenwirkung könnte sein, dass er Halluzinationen bekommt.»

«Das ist eine ganz ordentliche Nebenwirkung», sagte Chip.

«Doktor Hedgpeth sagt, was er hat, ist ein ganz leichter Fall und mit Medikamenten fast völlig in den Griff zu kriegen.»

Alfred behielt die Gepäckband-Höhle im Auge, während bleiche Reisende einen Platz am Karussell zu ergattern versuchten. Ein Gewirr aus Schrittmustern war auf dem Linoleum entstanden, grau von den Schadstoffen, die der Regen heruntergespült hatte. Das Licht hatte die Farbe von Reiseübelkeit. «New York City!», sagte Alfred.

Enid schaute missbilligend auf Chips Hose. «Die ist doch nicht etwa aus *Leder*, oder?»

«Doch.»

«Und wie wäschst du die?»

«Sie ist aus Leder. Sie ist wie eine zweite Haut.»

«Spätestens um vier müssen wir am Pier sein», sagte Enid.

Das Karussell hustete und spuckte ein paar Koffer aus.

«Chip, hilf mir mal», sagte sein Vater.

Kurz darauf wankte Chip mit allen vier Reisetaschen seiner Eltern hinaus in den vom Wind zerzausten Regen. Alfred schlurfte vorneweg, mit den ruckartigen Bewegungen eines Mannes, der, einmal in Schwung gekommen, wusste, dass es nicht gut wäre, wenn er anhalten und von neuem losgehen müsste. Enid hinkte hinterher, auf den Schmerz in ihrer Hüfte bedacht. Sie hatte zugenommen, war vielleicht auch ein wenig geschrumpft, seit Chip sie das letzte Mal gesehen hatte. Hübsch war sie immer gewesen, doch für Chip war sie so sehr eine Persönlichkeit und so wenig irgendetwas anderes, dass er, selbst wenn er ihr genau ins Gesicht starrte, keine Ahnung hatte, wie sie wirklich aussah.

«Was ist das – Schmiedeeisen?», fragte Alfred, während die Taxischlange vorwärts kroch.

«Ja», sagte Chip und griff sich ans Ohr.

«Sieht aus wie ein alter 50-mm-Niet.»

«Ja.»

«Was macht man damit – falzen? Hämmern?»

«Er ist gehämmert», sagte Chip.

Alfred zuckte zusammen und sog, leise pfeifend, Luft ein.

«Wir machen eine ‹Luxus-Herbstfarben-Kreuzfahrt›», sagte Enid, als sie in einem Taxi saßen und durch Queens rasten. «Erst geht es rauf nach Quebec, und dann können wir uns den ganzen Weg zurück am herrlichen Farbenspiel des Laubs erfreuen. Dad hat unsere letzte Kreuzfahrt so genossen. Nicht wahr, Al? Fandst du die Kreuzfahrt nicht herrlich?»

Die Backsteinpalisaden am Ufer des East River bezogen vom Regen wütende Prügel. Chip hätte sich einen sonnigen Tag gewünscht, eine klare Sicht auf Sehenswürdigkeiten und blaues Wasser, Ausblicke, die nichts zu verbergen hatten. An diesem Morgen waren die einzigen Farben, die man durch die Scheiben sah, die verschmierten Rottöne der Bremslichter.

«Dies ist eine der großen Städte der Welt», sagte Alfred erregt.

«Wie geht's dir denn so, Dad», raffte Chip sich auf zu fragen.

«Bisschen besser, und ich wär im Himmel, bisschen schlechter, und ich wär in der Hölle.»

«Wir freuen uns über deine neue Stelle», sagte Enid.

«Eine der großen Zeitungen des Landes», sagte Alfred. «Das *Wall Street Journal*.»

«Aber findet ihr nicht auch, dass es hier nach Fisch riecht?»

«Wir sind ziemlich nah am Meer», sagte Chip.

«Nein, das bist du.» Enid lehnte sich hinüber und vergrub ihr Gesicht in Chips Lederärmel. «Deine Jacke riecht *enorm* nach Fisch.»

Er machte sich von ihr los. «Mutter. Bitte.»

Chips Problem war, dass er sein Selbstvertrauen verloren

hatte. Vorbei die Zeiten, da er sich ein *épater les bourgeois* erlauben konnte. Abgesehen von seiner Wohnung in Manhattan und seiner hübschen Freundin Julia Vrais hatte er so gut wie nichts mehr vorzuweisen, was ihn davon zu überzeugen vermocht hätte, dass er ein funktionierender Erwachsener männlichen Geschlechts war – keine Erfolge wie sein Bruder Gary, der Banker und Vater von drei Kindern war, oder wie seine Schwester Denise, die mit zweiunddreißig Jahren ein blendend gehendes neues Spitzenrestaurant in Philadelphia führte. Chip wollte eigentlich sein Drehbuch längst verkauft haben, aber der Entwurf war erst am Dienstag nach Mitternacht fertig geworden, und danach hatte er drei Vierzehnstundenschichten bei Bragg Knuter & Speigh einlegen müssen, um das Geld für seine Augustmiete aufzubringen und den Eigentümer des Apartments, in dem er wohnte, im Hinblick auf seine September- und Oktobermiete in Sicherheit zu wiegen, und dann musste er für ein Mittagessen einkaufen und seine Wohnung sauber machen und schließlich, irgendwann vor Anbruch des heutigen Tages, eine lang aufgesparte Xanax schlucken. Fast eine Woche war vergangen, ohne dass er Julia gesehen oder mit ihr gesprochen hatte. Auf die vielen fahrigen Nachrichten, die er in den letzten achtundvierzig Stunden auf ihrem Anrufbeantworter hinterlassen hatte, auf seine Bitten, am Samstag um zwölf zum Mittagessen mit ihm, seinen Eltern und Denise in seine Wohnung zu kommen und seinen Eltern gegenüber nach Möglichkeit nicht zu erwähnen, dass sie mit jemand anderem verheiratet war, hatte Julia mit totalem Telefon- und E-Mail-Schweigen geantwortet, woraus vermutlich auch ein selbstbewussterer Mann als Chip beunruhigende Schlüsse gezogen hätte.

Es regnete so stark in Manhattan, dass Wasser an den Fassaden herunterströmte und über den Abflussrosten der Rinnsteine aufschäumte. Vor seinem Wohnhaus an der East Ninth Street nahm Chip Geld von Enid entgegen, reichte es durchs Schiebefenster nach vorn, und obwohl der turbantragende Fahrer sich bedankte, merkte er sofort, dass das Trinkgeld zu klein ausgefallen war. Er zog zwei Dollarscheine aus seinem Portemonnaie und ließ sie dicht neben der Schulter des Taxifahrers hin und her baumeln.

«Das genügt, das genügt», quiekte Enid und griff nach Chips Handgelenk. «Er hat doch schon danke gesagt.»

Aber das Geld war weg. Alfred versuchte die Tür zu öffnen, indem er an der Fensterkurbel zog. «Der hier ist es, Dad», sagte Chip, beugte sich vor und ließ die Tür aufschnappen.

«Wie viel war das?», fragte Enid, als sie unter der Markise vor Chips Haus auf dem Gehweg standen und der Fahrer das Gepäck aus dem Kofferraum wuchtete.

«Ungefähr fünfzehn Prozent», sagte Chip.

«Wohl eher zwanzig, denk ich.»

«Klar, los doch, streiten wir uns darüber.»

«Zwanzig Prozent ist zu viel, Chip», meldete sich Alfred mit dröhnender Stimme zu Wort. «Das ist nicht angemessen.»

«Schönen Tag auch noch», wünschte der Taxifahrer ohne erkennbare Ironie.

«Ein Trinkgeld gibt man für Service und Benehmen», sagte Enid. «Wenn Service und Benehmen besonders gut sind, würde ich vielleicht fünfzehn Prozent geben. Aber wenn man *automatisch* –»

«Ich habe mein Leben lang Depressionen gehabt», sagte Alfred oder schien es zu sagen.

«Wie bitte?», sagte Chip.

«Die Jahre der Depression haben mich verändert. Sie haben den Wert eines Dollars verändert.»

«Sprechen wir jetzt von einer Wirtschaftsdepression oder was?»

«Und wenn der Service wirklich mal besonders gut oder schlecht ist», fuhr Enid fort, «hat man keine Möglichkeit mehr, es durch Geld zum Ausdruck zu bringen.»

«Ein Dollar ist immer noch eine Menge Geld», sagte Alfred.

«Fünfzehn Prozent, wenn der Service exzeptionell ist, wirklich exzeptionell.»

«Ich frage mich, warum wir ausgerechnet darüber reden müssen», sagte Chip zu seiner Mutter. «Warum darüber und nicht über irgendwas anderes.»

«Wir würden beide wahnsinnig gern sehen», erwiderte Enid, «wo du arbeitest.»

Chips Portier Zoroaster eilte herbei, um den Lamberts mit dem Gepäck zu helfen und sie in den störrischen Aufzug des Gebäudes zu verfrachten. Enid sagte: «Neulich in der Bank habe ich deinen alten Freund Dean Driblett getroffen. Jedes Mal wenn ich ihn treffe, erkundigt er sich nach dir. Er war ganz beeindruckt von deinem neuen Posten bei der Zeitung.»

«Dean Driblett war ein Klassenkamerad von mir, kein Freund», sagte Chip.

«Er und seine Frau haben gerade ihr viertes Kind bekommen. Ich habe dir doch erzählt, dass sie sich draußen in Paradise Valley dieses *riesenhafte* Haus gebaut haben, oder? Hattest du nicht acht Schlafzimmer gezählt, Al?»

Alfred schaute sie lange und ohne zu blinzeln an. Chip lehnte sich gegen den Schalter zum Türenschließen.

«Dad und ich waren im Juni zu ihrer Einzugsparty eingeladen. Es war sagenhaft. Sie hatten eine Cateringfirma beauftragt, und es gab *Pyramiden* von Shrimps. Echte Shrimps, in Pyramiden! So etwas hab ich noch nie gesehen.»

«Pyramiden von Shrimps», sagte Chip. Die Fahrstuhltür hatte sich endlich geschlossen.

«Also, jedenfalls ist es ein phantastisches Haus», sagte Enid. «Es hat mindestens sechs Schlafzimmer, und weißt du, es sieht so aus, als würden sie die alle noch voll kriegen. Dean ist irrsinnig erfolgreich. Er hat eine Rasenpflegefirma gegründet, als er gemerkt hat, dass das Beerdigungsgeschäft nichts für ihn ist, du weißt ja, sein Stiefvater ist Dale Driblett, die Driblett Chapel, und jetzt hängen seine Reklameschilder überall, und außerdem hat er noch eine Gesundheitspflege-Organisation gegründet. Ich hab's in der Zeitung gelesen, es ist die am schnellsten expandierende in St. Jude, sie heißt DeeDeeCare, genau wie seine Rasenpflegefirma, und auch für die gibt's jetzt überall Reklameschilder. Ein richtiger Unternehmer, würde ich sagen.»

«La-a-a-ah-mer Fahrstuhl», sagte Alfred.

«Ist ein Vorkriegsgebäude», erklärte Chip mit gepresster Stimme. «Ein sehr begehrtes Haus.»

«Aber weißt du, was er seiner Mutter zum Geburtstag schenkt? Es soll eine Überraschung sein, hat er mir gesagt, aber dir kann ich es ja ruhig schon erzählen. Er fährt mit ihr für acht Tage nach Paris. Zwei Erste-Klasse-Tickets, acht Nächte im Ritz! Das ist typisch Dean, er hat ja so viel Familiensinn. Aber kannst du dir das vorstellen, so ein Geburtstagsgeschenk? Al, meintest du nicht, das Haus allein hat wahrscheinlich eine Million Dollar gekostet? Al?»

«Das Haus ist groß, aber nicht solide gebaut», sagte Alfred plötzlich mit Nachdruck. «Die Wände sind wie aus Papier.»

«Alle Neubauten sind so», sagte Enid.

«Du hast mich gefragt, ob mich das Haus beeindruckt hat. Ich fand es protzig. Ich fand auch die Shrimps protzig. Armselig war das.»

«Vielleicht waren sie ja tiefgekühlt», sagte Enid.

«Die Menschen sind mit so was leicht zu beeindrucken», sagte Alfred. «Reden dann monatelang von den Shrimpspyramiden. Du hörst es ja selbst», wandte er sich an Chip wie an einen neutralen Beobachter, «deine Mutter redet heute noch davon.»

Einen Augenblick lang kam Chip sein Vater vor wie ein liebenswerter alter Fremder; doch er wusste genau, unter der

Oberfläche war Alfred einer, der brüllen und gnadenlos streng sein konnte. Als Chip seine Eltern das letzte Mal in St. Jude besucht hatte, vier Jahre war das her, hatte er seine damalige Freundin Ruthie dabeigehabt, eine wasserstoffblonde junge Marxistin aus dem Norden Englands, die, nachdem sie schon Enids Gefühle auf vielerlei Weise verletzt hatte (sie steckte sich im Haus eine Zigarette an, lachte schallend über Enids Lieblingsaquarell vom Buckingham Palace, erschien ohne BH zum Abendessen und probierte nicht einen einzigen Bissen von dem «Salat» aus Wassernüssen, Erbsen und Cheddarwürfeln in dicker Mayonnaise-Soße, den Enid zu besonderen Anlässen immer zubereitete), auch Alfred so lange reizte und stichelte, bis er herausplatzte, «die Schwarzen» würden noch der Ruin dieses Landes sein, «die Schwarzen» seien unfähig, mit Weißen zusammenzuleben, sie erwarteten, dass die Regierung für sie sorge, sie wüssten überhaupt nicht, was harte Arbeit sei, ihnen mangele es vor allem an *Disziplin*, es werde noch mit einem *Gemetzel auf den Straßen* enden, ja, einem *Gemetzel auf den Straßen*, und es kümmere ihn einen Dreck, was Ruthie von ihm halte, sie sei schließlich Gast in *seinem* Haus und in *seinem* Land, und sie habe kein Recht, Dinge zu kritisieren, von denen sie nichts verstehe, woraufhin Chip, der Ruthie vorher gewarnt hatte, dass seine Eltern die spießigsten Menschen von ganz Amerika seien, sie anlächelte, als wolle er sagen: *Siehst du? Genau wie angekündigt.* Als Ruthie ihn keine drei Wochen später abservierte, hielt sie ihm vor, er gleiche seinem Vater mehr, als ihm offenbar bewusst sei.

«Al», sagte Enid, als der Fahrstuhl mit einem Ruck zum Stehen kam, «du musst zugeben, dass es eine sehr, sehr nette Party war und *sehr* nett von Dean, uns einzuladen.»

Alfred, schien es, hatte sie gar nicht gehört.

Vor Chips Wohnung lehnte ein durchsichtiger Plastikregenschirm, den Chip erleichtert wiedererkannte: Er gehörte Julia

Vrais. Gerade bugsierte er das elterliche Gepäck aus dem Fahrstuhl, da flog seine Wohnungstür auf, und heraus trat Julia. «Oh. Oh!», sagte sie, als wäre sie aus dem Konzept gebracht. «Du bist schon da!»

Auf Chips Uhr war es 11:35. Julia trug einen formlosen lavendelfarbenen Regenmantel und hatte eine DreamWorks-Einkaufstüte in der Hand. Ihr Haar, lang und von der Farbe dunkler Schokolade, war vom Regen und der feuchten Luft dicht und voll. Wie jemand, der freundlich mit großen Tieren spricht, sagte sie «Hi» zu Alfred und noch einmal extra «Hi» zu Enid. Die Lamberts bellten Julia ihre Namen zu, streckten ihr die Hände entgegen und drängten sie so in die Wohnung zurück, wo Enid sie mit Fragen zu bombardieren begann, Fragen, aus denen Chip, der mit dem Gepäck hinterherkam, alle möglichen Subtexte und versteckten Erwartungen heraushörte.

«Wohnen Sie in der Stadt?», fragte Enid. *(Sie leben doch nicht etwa mit unserem Sohn in wilder Ehe, oder?)* «Und Sie arbeiten auch in der Stadt?» *(Stehen Sie in Lohn und Brot? Sie kommen doch wohl nicht aus einer dieser sonderbaren, snobistischen, vermögenden Ostküstenfamilien?)* «Sind Sie hier aufgewachsen?» *(Oder stammen Sie vielleicht aus einem Staat jenseits der Appalachen, wo die Menschen warmherzig, erdverbunden und selten Juden sind?)* «Ach, und lebt Ihre Familie noch in Ohio?» *(Haben Ihre Eltern etwa den moralisch bedenklichen modernen Schritt getan, sich scheiden zu lassen?)* «Haben Sie Brüder oder Schwestern?» *(Sind Sie ein verwöhntes Einzelkind oder eine Katholikin mit zahllosen Geschwistern?)*

Kaum hatte Julia diese erste Prüfung bestanden, wandte Enid ihr Augenmerk der Wohnung zu. In einer Krise seines Selbstvertrauens hatte Chip erst kürzlich versucht, sie vorzeigbar zu machen. Er hatte Fleckenentferner gekauft und den großen Samenfleck von der roten Chaiselongue beseitigt, hatte die Wand aus Weinkorken eingerissen, mit denen er im Tempo eines halben Dutzends Merlot und Pinot Grigio pro Woche die Nische über seinem Kamin vermauert hatte, und zuletzt die Nahaufnahmen männlicher und weiblicher Genitalien, die Zierde seiner Kunstsammlung, von der Badezimmerwand abgenommen und durch drei Urkunden ersetzt, die Enid vor langer Zeit unbedingt für ihn hatte rahmen lassen müssen.

Bevor er an diesem Morgen zum Flughafen aufgebrochen war, hatte er aus Sorge, zu viel von sich preisgegeben zu haben, seine Selbstdarstellung ein wenig korrigiert, indem er sich ganz in Leder kleidete.

«So groß ungefähr ist Dean Dribletts Badezimmer», sagte Enid. «Meinst du nicht auch, Al?»

Alfred drehte seine zuckenden Hände um und musterte ihre Rücken.

«Ein dermaßen riesenhaftes Badezimmer hatte ich vorher noch nie gesehen.»

«Enid, du hast keinen Takt», sagte Alfred.

Chip hätte auffallen können, dass auch das eine taktlose Bemerkung war, implizierte sie doch, dass sein Vater die Kritik an der Wohnung teilte und Enid nur rügte, weil sie sie äußerte. Aber Chip war unfähig, sich auf etwas anderes als den Föhn zu konzentrieren, der aus Julias DreamWorks-Tüte hervorlugte. Es war der Föhn, den sie in seinem Badezimmer aufbewahrte. Ja, sie schien in der Tat im Begriff, die Wohnung zu verlassen.

«Dean und Trish haben einen Whirlpool, eine Dusche *und* eine Badewanne, alles separat», fuhr Enid fort. «Und zwei Waschbecken, eins für ihn, eins für sie.»

«Tut mir Leid, Chip», sagte Julia.

Er hob eine Hand, um sie aufzuhalten. «Sobald Denise hier ist, essen wir», kündigte er seinen Eltern an. «Ein ganz einfaches Mittagessen. Macht es euch schon mal bequem.»

«War nett, Sie beide kennen zu lernen», rief Julia Enid und

Alfred zu. Dann sagte sie, leiser, zu Chip: «Denise ist gleich da. Du wirst schon zurechtkommen.»

Sie öffnete die Tür.

«Mom, Dad», sagte Chip, «nur eine Sekunde.»

Er folgte Julia, ließ die Tür hinter sich ins Schloss fallen.

«Das ist ganz schlechtes Timing», sagte er. «Ganz, ganz schlecht.»

Julia schüttelte sich die Haare von den Schläfen. «Ich bin froh, dass ich zum ersten Mal in einer Beziehung das tue, was für *mich* gut ist.»

«Na prima. Das ist ein großer Schritt nach vorn.» Chip gab sich Mühe zu lächeln. «Aber was ist mit dem Drehbuch? Liest Eden es?»

«Ich denke, irgendwann dieses Wochenende vielleicht.»

«Und du?»

«Ich hab's gelesen, mhm.» Julia schaute weg. «Größtenteils.»

«Meine Idee war», sagte Chip, «dass da gleich zu Beginn ein ‹Berg› ist, über den der Zuschauer erst mal rüber muss. Etwas Störendes an den Anfang setzen: Das ist ein klassisches Verfahren der Moderne. Gegen Ende wird's dann noch richtig spannend.»

Julia drehte sich ohne eine Antwort zum Fahrstuhl um.

«Hast du das Ende schon gelesen?»

«Ach, Chip», sagte sie unglücklich, «dein Drehbuch beginnt mit einem sechs Seiten langen Vortrag über Phallusängste im Drama der Tudorzeit!»

Das war ihm bewusst. Seit Wochen war er fast jede Nacht vor Tau und Tag aufgewacht, der Magen in Aufruhr, die Zähne aufeinander gepresst, und hatte mit der albtraumhaften Gewissheit gerungen, dass ein längerer akademischer Monolog über das Drama der Tudorzeit im ersten Akt eines kommerziellen Drehbuchs nichts zu suchen hatte. Oft brauchte er Stunden – musste erst aufstehen, umherlaufen, Merlot oder Pinot Grigio trinken –, bis er seine Überzeugung, dass ein theorielastiger Anfangsmonolog nicht nur kein Fehler, sondern das größte Plus des Drehbuchs war, zurückgewonnen hatte; doch jetzt genügte ein einziger Blick in Julias Gesicht, und er wusste: Er hatte sich getäuscht.

In aufrichtiger Zustimmung zu ihrer Kritik nickte er, öffnete die Wohnungstür und rief: «Eine Sekunde, Mom, Dad. Nur eine Sekunde.» Doch kaum hatte er die Tür erneut zugezogen, fielen ihm die alten Argumente wieder ein. «Aber weißt du», sagte er, «die ganze Geschichte ist in diesem Monolog vorgezeichnet. In komprimierter Form enthält er alle Themen: Geschlecht, Macht, Identität, Wahrhaftigkeit, und der springende Punkt ist … warte. Warte doch. Julia?»

Mit verlegen gesenktem Kopf, so, als habe sie irgendwie gehofft, er würde ihr Fortgehen nicht bemerken, wandte sich Julia vom Fahrstuhl ab und sah ihn an.

«Der springende Punkt ist doch», sagte er, «dass das Mädchen in der ersten Reihe des Seminarraums sitzt und sich den Vortrag *anhört*. Das ist ein essenzielles Bild. Die Tatsache, dass *er* den Diskurs bestimmt –»

«Und es ist ziemlich gruselig», sagte Julia, «wie du ständig von ihren Brüsten redest.»

Auch das traf zu. Dass es zutraf, kam Chip allerdings unfair, ja grausam vor, weil er ohne den Reiz, sich die Brüste seiner jungen Hauptdarstellerin auszumalen, überhaupt nicht den Mumm gehabt hätte, das Drehbuch zu schreiben. «Wahrscheinlich hast du Recht», sagte er. «Obwohl ein Teil der Körperlichkeit auch Absicht ist. Das ist ja die Ironie, verstehst du, dass sie sich von seinem Verstand angezogen fühlt und er sich von ihren –»

«Aber für eine Frau», sagte Julia halsstarrig, «ist das beim Lesen ’n bisschen wie im Supermarkt vor der Geflügelvitrine. Brust, Brust, Brust, Schenkel, Bein.»

«Ich kann ja ein paar von diesen Stellen streichen», sagte Chip leise. «Ich kann auch den Eingangsvortrag kürzen. Aber ich möchte, dass da ein ‹Berg› ist –»

«Jaja, über den der Zuschauer erst rüber muss. Klasse Idee.»

«Bitte komm rein und iss mit uns. Bitte. Julia?»

Die Fahrstuhltür hatte sich auf Julias Knopfdruck hin geöffnet.

«Ich finde es für eine gewisse Person ein ganz klein wenig beleidigend.»

«Aber das bist doch nicht du. Es basiert nicht mal auf dir.»

«Ach so, toll. Es sind die Brüste einer anderen.»

«Herrje. Bitte. Eine Sekunde.» Chip drehte sich zu seiner Wohnungstür um, öffnete sie und erschrak, als er diesmal Auge in Auge seinem Vater gegenüberstand. Alfreds große Hände zitterten heftig.

«Dad, hallo, nur noch eine Minute.»

«Chip», sagte Alfred, «bitte sie zu bleiben! Sag ihr, wir möchten, dass sie bleibt!»

Chip nickte und machte dem alten Mann die Tür vor der Nase zu, in den wenigen Sekunden aber, in denen er abgelenkt gewesen war, hatte der Fahrstuhl Julia verschluckt. Chip drückte auf den Knopf, um ihn wieder nach oben zu rufen, und als das nichts nützte, riss er die Feuerschutztür auf und rannte die gewundene Lieferantentreppe hinunter. *Nach einer Reihe brillanter Vorlesungen, in denen er das uneingeschränkte Verfolgen des Lustprinzips als Strategie zum Sturz der Bürokratie des Rationalismus gefeiert hat, wird* BILL QUAINTENCE, *ein gut aussehender junger Professor im Fachbereich Text-Artefakte, von seiner schönen Studentin* MONA, *die ihn anhimmelt, verführt. Ihre wild-erotische Affäre hat allerdings kaum begonnen, als Bills von ihm getrennt lebende Ehefrau* HILLAIRE *ihnen auf die Schliche kommt. In einer spannungsgeladenen Auseinandersetzung, die das Aufeinanderprallen der Therapeu-*

tischen und der Transgressiven Weltsicht symbolisiert, ringen Bill und Hillaire um die Seele der jungen Mona, die auf zerknitterten Laken nackt zwischen ihnen liegt. Hillaire gelingt es, Mona mit ihrer kryptisch-repressiven Rhetorik zu verführen, woraufhin Mona Bill öffentlich anprangert. Bill verliert seinen Job, entdeckt jedoch bald darauf E-Mail-Dokumente, die beweisen, dass Hillaire Mona Geld zugesteckt hat, um seine Karriere zu zerstören. Auf dem Weg zu seinem Anwalt, dem er eine Diskette mit dem belastenden Beweismaterial geben will, wird sein Wagen von der Straße abgedrängt und stürzt in den tosenden Fluss D—; die Diskette treibt aus dem gesunkenen Auto heraus und wird von den endlosen, unbezähmbaren Strömungen ins tosende, erotisch-chaotische Meer getragen. Der Unfall wird als Selbstmord eingestuft, und in der letzten Szene des Films wird Hillaire als Bills Nachfolgerin in die Fakultät aufgenommen und hält vor einer Gruppe von Studenten, zu der auch ihre diabolische lesbische Geliebte Mona gehört, eine Vorlesung über die Übel des uneingeschränkten Lustprinzips: So weit das eine Seite füllende Exposé, das Chip mithilfe einiger Handbücher, die er sich gekauft hatte, zustande gebracht und eines Wintermorgens an eine in Manhattan ansässige Filmproduzentin gefaxt hatte, die Eden Procuro hieß. Fünf Minuten später hatte sein Telefon geklingelt, und die kühle, ausdruckslose Stimme einer jungen Frau sagte: «Einen Moment bitte, Eden Procuro möchte Sie sprechen», die kurz darauf selbst in den Hörer schrie: «Das ist zauberhaft, zauberhaft, zauberhaft, zauberhaft, *zauber*haft!» Inzwischen waren jedoch anderthalb Jahre vergangen. Inzwischen war aus dem eine Seite füllenden Exposé ein 124 Seiten starkes Drehbuch mit dem Titel «Akademische Würden» geworden, und Julia Vrais, die schokoladenbraunhaarige Frau, der jene kühle, ausdruckslose Persönliche-Assistentinnen-Stimme gehörte, lief ihm gerade davon, und alles, was er zu sehen oder woran er zu denken vermochte, während er die

Treppen hinunterstürmte, um sie aufzuhalten – wobei er die Füße seitwärts setzte, damit er immer drei oder gar vier Stufen auf einmal nehmen konnte, und bei jeder Landung die Treppenhausspindel packte, um mit einem Ruck seine Flugrichtung umzukehren –, war ein unseliges Stichwort in seiner nahezu photographisch genauen geistigen Konkordanz der besagten 124 Seiten:

3: schwellende Lippen, volle, runde **Brüste**, schmale Hüften und
3: über dem Kaschmirpullover, der sich eng an ihre **Brüste** schmiegt
4: hingerissen vor, während ihre vollkommenen jugendlichen **Brüste** begierig
8: (schaut auf ihre **Brüste**)
9: (schaut auf ihre **Brüste**)
9: (seine Augen magisch angezogen von ihren vollkommenen **Brüsten**)
11: (schaut auf ihre **Brüste**)
12: (im Geist ihre vollkommenen **Brüste** liebkosend)
13: (schaut auf ihre **Brüste**)
15: (schaut wieder und wieder auf ihre vollkommenen jugendlichen **Brüste**)
23: (Umklammerung, und ihre vollkommenen **Brüste** drängten sich an sein
24: dass der hemmende BH ihre subversiven **Brüste** freigeben würde.)
28: mit rosafarbener Zunge eine schweißglänzende **Brust** zu liebkosen.)
29: phallisch aufragende Warze ihrer schweißnassen **Brust**
29: ich mag deine **Brüste**.
30: absolut überwältigt von deinen honigsüßen, schweren **Brüsten**.

33: (HILLAIREs **Brüste**, zwei Gestapo-Pistolenkugeln gleich, können
36: ein Blick, so spitz, als wolle er ihr damit in die **Brüste** stechen und ihnen die Luft ablassen
44: arkadischen **Brüste** mit strengem puritanischem Frottee und
45: kauernd, verlegen, das Handtuch an ihre **Brüste** gepresst.)
76: ihre unschuldigen **Brüste** jetzt eingehüllt in militaristisches
83: ich vermisse deinen Körper, ich vermisse deine vollkommenen **Brüste**, ich
117: während die Scheinwerfer unter Wasser wie zwei milchweiße **Brüste** verblassen

Und vermutlich gab es noch mehr solcher Stellen! Mehr, als ihm in Erinnerung waren! Und die beiden einzigen Leser, die jetzt zählten, waren Frauen! Chip kam es so vor, als verlasse Julia ihn, weil in «Akademische Würden» zu oft von *Brüsten* die Rede war und der Anfang etwas Zähflüssiges hatte, ja als bestehe, wenn er diese wenigen offenkundigen Mängel korrigieren könnte, und zwar sowohl in Julias Exemplar des Drehbuchs als auch, noch wichtiger, in jenem anderen, das er mit Laserdrucker auf elfenbeinfarbenem, gehämmertem 120-Gramm-Papier eigens für Eden Procuro erstellt hatte, als bestehe dann also nicht nur Hoffnung für seine Finanzlage, sondern auch für seine Chancen, jemals wieder Julias (Julias!) unschuldige, milchweiße Brüste freilegen und liebkosen zu dürfen. Was zu dieser Stunde des Tages, wie an fast jedem anderen späten Vormittag der vergangenen Monate, eine der letzten Tätigkeiten auf Erden war, von denen er sich immer noch mit einer gewissen Berechtigung Trost für all sein Versagen versprach.

Als er aus dem Treppenhaus in die Halle trat, wartete der Fahrstuhl dort bereits darauf, seinen nächsten Benutzer zu quälen. Durch die offene Eingangstür sah Chip ein Taxi das «Frei»-Zeichen ausschalten und davonfahren. Zoroaster wischte von draußen hereingewehtes Wasser vom Schachbrettmarmor des Hallenfußbodens. «Auf Wiedersehen, Mister Chip!», spöttelte er, keineswegs zum ersten Mal, als Chip hinausrannte.

Große Regentropfen, die auf den Gehweg klatschten, ließen einen frischen, kühlen Nebel aufsteigen. Durch den Perlenvorhang aus Wasser, das von der Markise herunterlief, sah Chip Julias Taxi vor einer gelben Ampel abbremsen. Direkt gegenüber hatte ein zweites Taxi angehalten, um einen Fahrgast aussteigen zu lassen, und Chip überlegte kurz, ob er diesen Wagen nehmen und den Fahrer bitten sollte, Julia zu folgen. Die Idee war verlockend; es gab jedoch Hindernisse.

Eines davon war, dass er sich damit wohl des schlimmsten jener Vergehen schuldig machen würde, für die ihn die Rechtsabteilung des D— Colleges einst in einem scharfen, moralisierenden Juristenbrief zu verklagen oder gerichtlich zu verfolgen gedroht hatte. Unter anderem waren ihm damals Betrug, Vertragsbruch, Entführung, Sexuelle Nötigung, Ausschank alkoholischer Getränke an eine Studentin unterhalb des gesetzlichen Mindestalters sowie Besitz und Verkauf einer verbotenen Substanz zur Last gelegt worden. Doch letztlich war es der Vorwurf der *Belästigung* – der «obszönen», «aufdringlichen» und «ausfälligen» Telefonanrufe sowie des bewussten Übergriffs auf die Privatsphäre einer jungen Frau –, der Chip wirklich Angst eingejagt hatte und das noch immer tat.

Ein unmittelbareres Hindernis war, dass er nur vier Dollar in seiner Brieftasche hatte, weniger als zehn Dollar auf seinem Girokonto, keinen nennenswerten Kredit auf irgendeiner seiner Karten und nicht die geringste Aussicht auf weitere Korrekturaufträge bis Montagnachmittag. Wenn er bedachte, wie sich Julia bei ihrer letzten Begegnung vor sechs Tagen ausdrücklich beschwert hatte, dass er «immer nur» zu Hause bleiben und Spaghetti essen und sie «immer nur» küssen und mit ihr ins Bett gehen wolle (sie hatte gesagt, sie habe manchmal das Gefühl, für ihn sei Sex eine Art Medizin, und wenn er nicht einfach losgehe und sich mit Crack oder Heroin selber verarzte, liege das wahrscheinlich bloß daran, dass Sex nichts koste und er ein so fürchterlicher Geizkragen geworden sei; sie hatte gesagt, jetzt, da sie selbst ein verschreibungspflichtiges Medikament schlucke, komme es ihr manchmal so vor, als tue sie das für sie beide zusammen, was sie doppelt unfair finde, weil sie das Medikament nicht nur von ihrem Geld bezahle, sondern auch noch in Kauf nehme, dass es ihre Lust auf Sex ein wenig mindere; sie hatte gesagt, wenn Chip bestimmen könnte, würden sie wahrscheinlich nicht mal mehr ins Kino gehen, sondern sich das ganze Wochenende bei heruntergelassenen Jalousien im Bett wälzen und danach Spaghetti aufwärmen), ja wenn er all dies bedachte, fürchtete er, dass der Mindestpreis für jedes weitere Gespräch mit ihr ein überteuertes Mittagessen – auf Mesquiteholz gegrilltes Herbstgemüse und eine Flasche Sancerre – wäre, das zu bezahlen er nun einmal keine Möglichkeit sah.

Und so stand er da und tat gar nichts, während die Ampel auf Grün sprang und Julias Taxi seinem Blickfeld entschwand. Der Regen peitschte das Pflaster mit weißen, verseucht aussehenden Tropfen. Aus dem Taxi auf der anderen Straßenseite war eine langbeinige Frau in engen Jeans und fabelhaften schwarzen Stiefeln gestiegen.

Dass diese Frau Chips kleine Schwester Denise war – d. h. die einzige attraktive junge Frau auf diesem Planeten, die mit den Augen zu verschlingen oder in Gedanken zu beschlafen er weder berechtigt noch geneigt war –, schien der langen Reihe von Gemeinheiten an diesem Morgen bloß eine weitere hinzuzufügen.

Denise hatte einen schwarzen Schirm, eine Spitztüte Blumen und ein mit Bindfaden verschnürtes Kuchenpaket bei sich. Sie stakste um die Pfützen und Stromschnellen auf dem Asphalt herum und stellte sich zu Chip unter die Markise.

«Hör zu», sagte Chip, ohne sie anzuschauen, mit nervösem Grienen. «Du musst mir einen Riesengefallen tun. Bitte halt hier die Stellung, während ich zu Eden fahre und mir mein Drehbuch wiederhole. Ich muss da unbedingt noch schnell ein paar Korrekturen anbringen.»

Als wäre er ein Caddie oder Diener, gab Denise ihm ihren Schirm, um sich Wasser und Dreck von den Säumen ihrer Jeans zu wischen. Denise hatte das dunkle Haar und die blasse Haut ihrer Mutter, vom Vater hingegen den einschüchternden Gestus moralischer Autorität. Sie war es, die Chip quasi befohlen hatte, seine Eltern zu fragen, ob sie nicht in New York Station machen und mit ihnen zu Mittag essen wollten. Wie die Weltbank, die einem lateinamerikanischen Schuldnerstaat die Bedingungen diktiert, so hatte sie geklungen, denn unglückseligerweise schuldete Chip ihr Geld. Er schuldete ihr, was beim Zusammenzählen von zehntausend und fünftausendfünfhundert und viertausend und tausend Dollar auch immer herauskam.

«Weißt du», erklärte er, «Eden will das Drehbuch irgendwann heute Nachmittag lesen, und finanziell gesehen ist es natürlich entscheidend, dass wir –»

«Du kannst jetzt nicht weg», sagte Denise.

«Es dauert nur eine Stunde», sagte Chip, «höchstens anderthalb.»

«Ist Julia hier?»

«Nein, sie ist wieder gegangen. Sie hat kurz hallo gesagt und ist dann gegangen.»

«Habt ihr etwa Schluss gemacht?»

«Ich weiß nicht. Sie nimmt neuerdings irgend so ein Medikament, und ich bin nicht mal sicher –»

«Moment mal. Moment. Willst du jetzt zu Eden, oder willst du hinter Julia her?»

Chip berührte den Niet in seinem linken Ohr. «Neunzig Prozent zu Eden.»

«Ach, Chip.»

«Nein, hör zu», sagte er, «sie spricht von ‹Gesundheit›, als hätte das Wort eine absolute, zeitlose Bedeutung oder so.»

«Meinst du jetzt Julia?»

«Seit drei Monaten schluckt sie irgendwelche Pillen, die sie unglaublich abstumpfen lassen, und diese Abgestumpftheit nennt sie dann geistige Gesundheit! Genauso gut könnte man Blindheit als Hellsicht definieren: ‹Jetzt, da ich blind bin, sehe ich, dass es nichts zu sehen gibt.›»

Denise seufzte und ließ ihren Blumenstrauß auf den Boden hängen. «Und was soll das heißen? Willst du hinter ihr herfahren und ihr die Medizin wegnehmen?»

«Es soll heißen, dass das Gesamtsystem unserer Kultur fehlerhaft ist», sagte Chip. «Es soll heißen, dass die Bürokratie sich das Recht anmaßt, bestimmte Geisteszustände als ‹krank› zu definieren. Mangelnde Lust, Geld auszugeben, wird so zu einem Krankheitssymptom, das eine teure medikamentöse Behandlung erfordert, die ihrerseits die Libido zerstört, mit anderen Worten: die Lust auf das einzige Vergnügen im Leben, das es umsonst gibt, sodass die betreffende Person für kompensatorische Vergnügungen *noch* mehr Geld ausgeben muss. So betrachtet ist geistige ‹Gesundheit› geradezu definiert als die Fähigkeit zur aktiven Teilnahme an der Konsumgesellschaft. Indem du dich in die Medizin einkaufst, kaufst du dich ins Kaufen ein. Und es soll heißen, dass ich persönlich gerade dabei bin, den Kampf mit einer kommerzialisierten, medizinisierten, totalitaristischen Moderne zu verlieren.»

Denise schloss ein Auge und öffnete das andere ganz weit. Ihr offenes Auge glich beinahe schwarzem, auf weißem Porzellan perlendem Balsamico-Essig. «Wenn ich einräume, dass dies durchaus interessante Themen sind», sagte sie, «hörst du dann auf, darüber zu reden, und kommst mit rauf?»

Chip schüttelte den Kopf. «Im Kühlschrank ist pochierter Lachs. Und Crème fraîche mit Sauerampfer. Und ein Salat aus grünen Bohnen und Haselnüssen. Den Wein, das Baguette und die Butter wirst du schon finden. Es ist gute frische Butter aus Vermont.»

«Hast du mal dran gedacht, dass Dad krank ist?»

«Es dauert bloß eine Stunde. Höchstens anderthalb.»

«Ich habe dich gefragt, ob du mal dran gedacht hast, dass Dad krank ist.»

Chip sah seinen Vater zitternd und flehend im Türrahmen stehen. Um dieses Bild auszublenden, versuchte er, sich vorzustellen, wie er mit Julia oder dem himmelblauhaarigen Mädchen oder Ruthie schlief, mit irgendeiner, doch alles, was er vor seinem inneren Auge heraufbeschwören konnte, war eine rachsüchtige, furienartige Horde abgetrennter Brüste.

«Je schneller ich zu Eden komme und meine Korrekturen anbringe», sagte er, «umso eher bin ich zurück. Wenn du mir wirklich helfen willst.»

Ein freies Taxi kam die Straße herunter. Chip beging den Fehler hinzusehen, was Denise augenblicklich missverstand.

«Ich kann dir nicht noch mehr Geld geben», sagte sie.

Er zuckte zurück, als hätte sie ihn angespuckt. «Herrgott, Denise –»

«Ich würd's ja gern tun, aber es geht nicht.»

«Ich hab dich doch gar nicht um Geld gebeten!»

«Weil ich nicht weiß, wo das enden soll.»

Er drehte sich auf dem Absatz um und lief, lächelnd vor Wut, im strömenden Regen Richtung University Place. Er befand sich knöcheltief in einem brodelnden grauen, bürgersteigförmigen See. Er hielt Denise' Schirm fest umklammert, klappte ihn nicht auf, und dennoch schien es ihm eine Gemeinheit, ja schien es *nicht seine Schuld* zu sein, dass er bis auf die Knochen nass wurde.

Bis vor kurzem und ohne groß darüber nachzudenken, hatte Chip geglaubt, man könne in Amerika erfolgreich sein, auch wenn man nicht viel Geld verdiente. Er war immer ein guter Schüler gewesen, und da sich schon früh gezeigt hatte, dass er für nahezu jede ökonomische Aktivität ungeeignet war (abgesehen vom Kaufen: Das konnte er gut), hatte er beschlossen, sein Leben den geistigen Dingen zu widmen.

Seit Alfred einmal in sanftem Ton, aber mit Nachdruck angemerkt hatte, er sehe nicht, wozu Literaturwissenschaften gut sein sollten, und Enid in ihren blumigen, zweiwöchentlichen Briefen, dank deren sie viele Dollars an fernmündlichen Gesprächen sparte, immer wieder darauf zurückgekommen war, dass Chip seine Promotion in den Geisteswissenschaften, die doch «zu gar nichts nütze» sei, an den Nagel hängen solle («Ich sehe deine alten Wissenschaftstrophäen vor mir», schrieb sie, «und male mir aus, was ein fähiger junger Mann wie du der Gesellschaft als Arzt alles zu geben hätte, denn weißt du, Dad und ich hatten immer gehofft, wir hätten Kinder großgezogen, die auch an andere denken, nicht nur an sich selbst»), seither war Chip, der seinen Eltern beweisen wollte, dass sie sich irrten, ganz entschieden zu harter Arbeit motiviert gewesen. Also war er wesentlich früher aufgestanden als seine Kommilitonen, die bis zwölf oder eins ihren Gauloise-Kater ausschliefen, und hatte jene Preise, Beihilfen und Stipendien angehäuft, die im akademischen Königreich die gültige Währung waren.

Sein einziger Misserfolg in den ersten fünfzehn Jahren seines Erwachsenenlebens stammte aus zweiter Hand. Tori Timmelman, seine Freundin im College und noch lange danach, war eine Feministin, deren Empörung über das patriarchalische System der akademischen Wertschätzung und dessen phallometrischen Leistungsmaßstäbe mit der Zeit solche Formen annahm, dass sie sich am Ende weigerte (oder außerstande war), ihre Dissertation zum Abschluss zu bringen. Chip war damit groß geworden, seinen Vater darüber predigen zu hören, dass es Männerarbeit und Frauenarbeit gebe und der Unterschied zwischen beidem unbedingt gewahrt werden müsse; im Geist der Korrektur dieser Kindheitserfahrung blieb er fast ein Jahrzehnt mit Tori zusammen. In der kleinen Wohnung, die sie sich teilten, kümmerte er sich um die gesamte Wäsche und weitgehend auch ums Putzen, Kochen und Katzeversorgen. Er las für Tori die Sekundärliteratur und half ihr ein ums andere Mal, Kapitel ihrer Doktorarbeit, die sie vor lauter Empörung nicht zu schreiben in der Lage war, zu skizzieren. Erst als das D— College ihm einen Fünfjahresvertrag mit Aussicht auf Festanstellung anbot (während Tori, noch immer ohne akademischen Grad, einen auf zwei Jahre begrenzten Job an einer landwirtschaftlichen Hochschule in Texas annahm), war sein Vorrat an männlichem Schuldbewusstsein endgültig aufgezehrt, und er ging seiner Wege.

So kam er nach D—, ein qualifizierter Dreiunddreißigjähriger, der auf eine lange Publikationsliste verweisen konnte und dem der Dekan, Jim Leviton, praktisch eine Anstellung auf Lebenszeit versprochen hatte. Noch bevor das erste Semester zu Ende war, schlief er mit der jungen Historikerin Ruthie Hamilton, hatte sich im Tennis mit Leviton zusammengetan und diesem den Fakultätsmeistertitel im Doppel beschert, der ihm zwanzig Jahre in Folge durch die Lappen gegangen war.

Das D— College, angeblich elitär, doch höchst mittelmäßig ausgestattet, war auf Studenten angewiesen, deren Eltern die vollen Studiengebühren zahlen konnten. Um solche Studenten anzulocken, hatte das College ein 30 Millionen Dollar teures Freizeitzentrum, drei Espresso-Bars und zwei klotzige «Residenzen» gebaut, die weniger Studentenwohnheimen als Gestalt gewordenen Vorwegnahmen jener Hotels ähnelten, in denen die jungen Leute in ihrer gut dotierten Zukunft absteigen würden. Massenhaft Ledersofas gab es dort und unzählige Computer, damit sichergestellt war, dass kein Student, der sich zu immatrikulieren erwog, und auch kein Vater oder keine Mutter bei einem Besuch je einen Raum betrat, und sei es der Speisesaal oder der Sportgeräteschuppen, in dem nicht mindestens eine freie Tastatur zu entdecken war.

Die jüngeren Fakultätsmitglieder lebten dagegen in ziemlicher Verwahrlosung. Chip hatte mit seiner zweigeschossigen Wohneinheit, in einem feuchten Schlackensteingebäude in der Tilton Ledge Lane am westlichen Ende des Campus, noch Glück gehabt. Von seiner Terrasse hinter dem Haus blickte er auf einen Bach, der den College-Administratoren als Kuyper's Creek, allen anderen als Carparts Creek bekannt war, denn jenseits davon befand sich ein sumpfiger Autofriedhof, der zum Connecticut State Department of Corrections gehörte, dem Amt für Jugendkriminalität. Zwanzig Jahre lang hatte das College vor Landes- und Bundesgerichten geklagt, um dieses Feuchtbiotop vor der «Ökokatastrophe» zu bewahren: der Trockenlegung und dem Bau einer Strafvollzugsanstalt mittlerer Sicherheitsstufe.

Solange die Sache mit Ruthie noch gut gelaufen war, hatte Chip alle ein, zwei Monate Kollegen, Nachbarn und den einen oder anderen altklugen Studenten zum Abendessen in die Tilton Ledge Lane eingeladen und ihnen Langusten, Lammrücken, Wildbret mit Wacholderbeeren und Retro-Dessertscherze wie Schokoladenfondue vorgesetzt. Manchmal, spät in der Nacht, am Kopf eines Tisches thronend, auf dem leere kalifornische Weinflaschen sich aneinander drängten wie die Hochhäuser Manhattans, fühlte sich Chip sicher genug, die Runde auf seine Kosten zu unterhalten, sich ein wenig zu öffnen und Peinliches aus seiner Kindheit im Mittelwesten zu erzählen. Etwa, dass sein Vater nicht nur Überstunden bei der Midland Pacific Railroad gemacht, seinen Kindern vorgelesen, Garten und Haus in Ordnung gehalten und allabendlich eine Aktenmappe voll Geschäftsunterlagen durchgearbeitet, sondern auch noch Zeit gefunden hatte, im Keller seines Hauses mit großem Ernst ein metallurgisches Labor zu betreiben, in dem er oft bis nach Mitternacht seltsame Legierungen elektrischen und chemischen Belastungen aussetzte. Und dass Chip im Alter von dreizehn für die butterweichen Alkalimetalle, die sein Vater im Kerosinbad aufbewahrte, den schamhaften kristallinen Kobalt, das dralle, schwere Quecksilber, die Mattglas-Absperrhähne und den Eisessig entflammt war und sich im Schatten des väterlichen ein eigenes Juniorlabor eingerichtet hatte. Und dass er, angespornt von Alfred und Enid, die sein neues naturwissenschaftliches Interesse entzückte, sein junges Herz daran gehängt hatte, einen Preis beim regionalen Wissenschaftswettbewerb von St. Jude zu gewinnen. Und dass er in der Stadtbücherei von St. Jude eine Arbeit über Pflanzenphysiologie ausgegraben hatte, die zugleich unverständlich und einfach genug war, um als das Werk eines brillanten Achtklässlers durchzugehen. Und dass er ein hell ausgeleuchtetes kleines Treibhaus gebaut hatte, in dem er Hafer züchten wollte, die jungen Sämlinge gewissenhaft fotografiert, wochenlang sich selbst überlassen und schließlich, als er die Sämlinge wiegen und die Wirkung von *Gibberellinsäure* im Verbund mit einem *unbekannten chemischen Faktor* bestimmen wollte, festgestellt hatte, dass aus dem Hafer ausgetrockneter, schwärzlicher Schleim geworden war. Dass er trotzdem weitergemacht und die «korrekten» Versuchsergebnisse auf Millimeterpapier übertragen hatte, wobei er erst rückwärts vorgegangen war, um eine Liste von Sämlingsgewichten mit einer gewissen kunstvollen zufälligen Streuung zu fabrizieren, und dann vorwärts, um sicherzustellen, dass die fiktiven Daten auch wirklich die «korrekten» Resultate ergaben. Und dass ihm der erste Platz beim Wissenschaftswettbewerb eine einen Meter hohe versilberte Siegesgöttin mit Flügeln sowie die Bewunderung seines Vaters eingetragen hatte. Und dass er ein Jahr später, ungefähr zu der Zeit, als sein Vater das erste seiner beiden amerikanischen Patente erwarb (obwohl er sich häufig genug über Alfred aufregte, gab Chip sich Mühe, seinen Gästen einen Eindruck davon zu vermitteln, was für ein Gigant der alte Mann auf seine Weise war), dass er also ein Jahr später vorgegeben hatte, in einem Park unweit von einigen Headshops, einem Buchladen und dem Haus eines mit Tischfußball und Billard ausgestatteten Freundes Zugvögel zu beobachten. Und dass er dort in einem Hohlweg auf ein Versteck mit primitivsten Pornozeitschriften gestoßen war, über deren aufgequollenen Seiten er zu Hause im Kellerlabor, wo er, anders als sein Vater, nie ein richtiges Experiment durchgeführt oder auch nur den mindesten Stich wissenschaftlicher Neugier verspürt hatte, endlos die Spitze seines Gliedes wund gerieben hatte, ohne zu begreifen, dass dieses quälende Hin- und Herstreichen einen Orgasmus regelrecht unterdrückte (ein Detail, an dem seine Essensgäste, von denen viele ganz der Schwulentheorie verpflichtet waren, besonderen Gefallen fanden) und dass er als Belohnung für seine Lügen und seine Selbstbefleckung und seine Faulheit eine zweite Siegesgöttin mit Flügeln gewonnen hatte.

Von Rauchschwaden umhüllt, fühlte sich Chip, während er seine verständnisvollen Kollegen beim Essen unterhielt, in dem Wissen geborgen, dass seine Eltern kein falscheres Bild davon hätten haben können, wer er war und für welchen Werdegang er sich eignete. Zweieinhalb Jahre lang, bis zu jenem katastrophalen Thanksgiving in St. Jude, hatte er am D— College nicht das geringste Problem. Doch dann gab Ruthie ihm den Laufpass, und um das Vakuum zu füllen, das sie hinterließ, nahm eine Studienanfängerin, gewissermaßen im Sturzflug, ihren Platz ein.

Melissa Paquette war die begabteste Studentin im Proseminar «Konsum oder Kritik: Vom Umgang mit Texten», das er in seinem dritten Frühling am D— College unterrichtete. Melissa war eine majestätische, theatralische Person, neben der offenbar keiner der anderen Studenten sitzen wollte, einerseits, weil sie sie nicht leiden konnten, andererseits, weil sie immer in der ersten Reihe saß, unmittelbar vor Chip. Mit ihrem langen Hals und den breiten Schultern sah sie nicht direkt schön aus – eher prächtig vielleicht. Ihr Haar war völlig glatt und von der Kirschholzfarbe frischen Motoröls. Sie trug Kleider aus Ramschläden, die ihr nicht unbedingt schmeichelten: eine buntkarierte Männer-Freizeitkombi aus Polyester, ein Trapezkleid mit Paisleymuster, einen grauen Monteursanzug, auf dessen linke Brusttasche der Name *Randy* gestickt war.

Mit Leuten, die Melissa für Schwachköpfe hielt, hatte sie keine Geduld. Als sich in der zweiten Sitzung von «Konsum oder Kritik» Chad, ein netter junger Kerl mit Dreadlocks (in jedem Kurs am D— College saß mindestens ein netter junger Kerl mit Dreadlocks) darin versuchte, die Theorien von Thorstein «Webern» zusammenzufassen, fing Melissa an, Chip verschwörerisch anzugrinsen. Sie rollte die Augen, bildete mit dem Mund das Wort «Veblen» nach und griff sich ins Haar. Es dauerte nicht lange, und Chip achtete weit mehr auf ihre Pein als auf Chads Vortrag.

«Entschuldige, Chad», unterbrach sie ihn schließlich. «Heißt er nicht Veblen?»

«Vebern. Veblern. Sag ich doch.»

«Nein, du hast Webern gesagt. Er heißt Veblen.»

«Veblern. Okay. Vielen Dank, Melissa.»

Melissa warf ihr Haar zurück und schaute, nach erfolgreicher Mission, wieder zu Chip. Den bösen Blicken, die ihr von Chads Freunden und Sympathisanten zugeworfen wurden, schenkte sie keine Beachtung. Um sich von ihr zu distanzieren, schlenderte Chip in eine ferne Ecke des Raums und bat Chad, mit seiner Zusammenfassung fortzufahren.

Am selben Abend, vor dem Studentenkino in der Hillard-Wroth-Halle, schob und drängelte sich Melissa durch die Menge, um Chip mitzuteilen, wie sehr sie Walter Benjamin verehre. Sie stand, fand er, zu dicht neben ihm. Sie stand auch ein paar Tage danach, bei einem Empfang für Marjorie Garber, zu dicht neben ihm. Sie kam quer über den Lucent Technologies Lawn (ehemals South Lawn) galoppiert, um ihm eine der kurzen Hausarbeiten in die Hand zu drücken, die in «Konsum oder Kritik» jede Woche zu schreiben waren. Sie erschien wie aus dem Nichts auf dem Parkplatz, der unter dreißig Zentimeter hohem Schnee begraben lag, und half ihm mit ihren in Fäustlingen steckenden Händen und ihrer beträchtlichen Spannweite beim Ausbuddeln seines Wagens. Sie trampelte mit ihren fellbesetzten Stiefeln einen Pfad frei. Sie hörte nicht auf, die Eisschicht auf seiner Windschutzscheibe zu bearbeiten, bis er sie am Handgelenk packte und ihr den Kratzer wegnahm.

Chip war Beisitzer in dem Ausschuss gewesen, der die neuen, strengen Richtlinien für Kontakte zwischen Fakultätsmitgliedern und Studenten des Colleges festgelegt hatte. Nirgendwo war dort die Rede davon, dass ein Student einem Professor nicht helfen dürfe, dessen Auto vom Schnee zu befreien, und da Chip sich überdies seiner Selbstdisziplin gewiss war, hatte er eigentlich nichts zu befürchten. Und doch begann er schon bald, in Deckung zu gehen, wann immer er Melissa auf dem Campus erspähte. Er wollte nicht, dass sie angaloppiert kam und sich zu dicht neben ihn stellte. Und als er sich bei der Überlegung ertappte, ob ihre Haarfarbe aus der Tube stammte oder nicht, klopfte er sich sofort auf die Finger. Er fragte sie auch nie, ob sie es gewesen war, die am Valentinstag den Strauß Rosen und an Ostern die Michael-Jackson-Figur aus Schokolade vor die Tür seines Büros gelegt hatte.

Im Seminar rief er Melissa ein bisschen seltener auf als andere. Mit besonderer Aufmerksamkeit überschüttete er dagegen Chad, ihre Nemesis. Nicht einmal hinsehen musste er, um zu spüren, dass Melissa verständnisinnig und solidarisch nickte, wenn er eine schwierige Marcuse- oder Baudrillard-Passage aufdröselte. Ihre Kommilitonen ignorierte sie generell, außer wenn sie sich ihnen für ein hitziges Kontra oder eine kühle Korrektur jäh zuwandte; die Kommilitonen ihrerseits gähnten laut, sobald sie nur die Hand hob.

Eines warmen Freitagabends gegen Ende des Semesters kam Chip von seinem wöchentlichen Einkauf nach Hause und entdeckte, dass jemand seine Haustür verunziert hatte. Drei der vier Laternen in der Tilton Ledge Lane waren kaputt; offenbar wollte die College-Verwaltung erst dann in neue Glühbirnen investieren, wenn auch die vierte nicht mehr brannte. Im schwachen Licht konnte Chip erkennen, dass jemand Blumen und Blätter – Tulpen, Efeu – durch die Löcher seiner rostzerfressenen Fliegendrahttür gestopft hatte. «Was ist denn das hier?», sagte er. «Melissa, jetzt bist du fällig.»

Möglicherweise sagte er noch andere Dinge, bevor er merkte, dass auch seine Schwelle inzwischen mit zerpflückten Tulpen und Efeublättern bestreut, der Vandalismus also in vollem Gange und er mithin nicht allein war. Hinter der Stechpalme neben seiner Tür kamen zwei kichernde junge Menschen hervor. «Tut mir Leid, tut mir Leid!», sagte Melissa. «Sie haben wohl Selbstgespräche geführt!»

Chip hätte sich gern eingeredet, sie habe seine Worte nicht gehört, doch die Stechpalme war kaum einen Meter entfernt. Er stellte seine Einkäufe im Haus ab und knipste eine Außenlampe an. Neben Melissa stand Dreadlock-Chad.

«Hallo, Professor Lambert», sagte Chad ernst. Er trug Melissas Mister-Goodwrench-Overall und Melissa ein *Free Mumia*-T-Shirt, das offensichtlich Chad gehörte. Einen Arm hatte sie um Chads Hals geschlungen, ihre Hüfte eng an die seine gepresst. Sie war rot im Gesicht, verschwitzt und von irgendetwas beschwipst.

«Wir waren gerade dabei, Ihre Tür zu schmücken», sagte sie.

«Eigentlich, Melissa, sieht das Zeug doch eher ätzend aus», sagte Chad, als er ihr Werk im Licht begutachtete. Zerquetschte Tulpen hingen kreuz und quer vom Drahtgitter herab. In den haarigen Kletterfüßen der Efeuranken klebten Dreckklumpen. «Vielleicht 'n bisschen übertrieben, von ‹schmücken› zu reden.»

«Na ja, man kann hier ja auch überhaupt nichts *sehen*», sagte sie. «Was ist mit dem *Licht*?»

«Gibt keins», sagte Chip. «Hier ist das Ghetto in den Wäldern. Hier leben eure Lehrer.»

«Mann, sieht der Efeu trostlos aus.»

«Wessen Tulpen sind das?», fragte Chip.

«College-Tulpen», sagte Melissa.

«Mann, ich weiß nicht mal mehr, warum wir das gemacht haben.» Chad drehte sich zur Seite, sodass Melissa ihren Mund auf seine Nase drücken und daran saugen konnte, was ihn, obwohl er den Kopf wegzog, nicht zu stören schien. «War ja auch irgendwie eher deine Idee als meine, oder?»

«Wir finanzieren diese Tulpen schließlich mit unseren Studiengebühren», sagte Melissa und presste ihren Körper an Chads. Sie hatte Chip nicht ein einziges Mal angesehen, seit die Außenlampe brannte.

«Und dann haben Hänsel und Gretel plötzlich meine Haustür gefunden.»

«Wir machen das wieder weg», sagte Chad.

«Lasst es dran», sagte Chip. «Wir sehen uns am Dienstag.» Damit ging er hinein, zog die Tür hinter sich ins Schloss und legte irgendeine zornige Musik aus seinen College-Tagen auf.

Bei der letzten «Konsum oder Kritik»-Sitzung war es heiß. Die Sonne glühte an einem Himmel voller Pollen, all die Angiospermen im eben umgetauften Viacom-Arboretum blühten. Chip fand, dass die Luft etwas unangenehm Intimes hatte, wie eine warme Strömung im Schwimmbecken. Er hatte schon den Videorekorder eingestellt und die Jalousien heruntergelassen, als Melissa und Chad in den Raum geschlendert kamen und in der hintersten Ecke Platz nahmen. Chip ermahnte die Kursteilnehmer, aufrecht zu sitzen wie aktive Kritiker, anstatt sich wie passive Konsumenten auf den Stühlen zu lümmeln, und die Studenten rutschten gerade weit genug hoch, um erkennen zu lassen, dass sie seine Aufforderung gehört hatten, mehr nicht. Melissa, für gewöhnlich die einzige ganz und gar aufrechte Kritikerin, hing heute besonders nachlässig auf ihrem Stuhl. Sie hatte einen Arm über Chads Beine gelegt.

Um zu prüfen, ob seine Studenten den kritischen Blick, den er ihnen beizubringen versucht hatte, auch beherrschten, zeigte Chip ihnen das Video einer sechsteiligen Werbekampagne mit dem Titel «Komm schon, Mädchen!». Die Kampagne war das Werk einer Agentur namens Beat Psychology, die auch «Schreit vor Wut» für G— Electric, «Leg mich aufs Kreuz» für D— Jeans, «Totale Sch***-Anarchie!» für W— Network, «Radikaler Psychedelischer Untergrund» für D— .com und «Liebe & Arbeit» für M— Pharmaceuticals entworfen hatte. «Komm schon, Mädchen!» war erstmals letzten Herbst im Rahmen einer Krankenhausserie ausgestrahlt worden, jeweils eine Folge pro Woche zur besten Sendezeit. Die Form war schwarzweißes Cinéma Vérité, der Inhalt, den Analysen von *Times* und *Wall Street Journal* zufolge, «revolutionär».

Die Handlung war diese: Vier Frauen arbeiten gemeinsam in einem kleinen Büro, eine süße junge Afro-Amerikanerin, eine mittelalte technikfeindliche Blondine, eine robuste, clevere Schönheit namens Chelsea und eine strahlend gütige, grauhaarige Chefin. Sie essen gemeinsam und lästern gemeinsam, und nach und nach beginnen sie, auch gemeinsam zu kämpfen, als nämlich Chelsea am Ende der zweiten Folge die anderen mit der niederschmetternden Nachricht konfrontiert, dass sie seit fast einem Jahr einen Knoten in der Brust habe, bisher aber vor lauter Angst nicht zum Arzt gegangen sei. In der dritten Folge verblüffen die Chefin und die süße junge Afro-Amerikanerin die technikfeindliche Blondine, indem sie die Global-Desktop-Version 5.0 der Firma W— nutzen, um an die neuesten Informationen über Krebs heranzukommen und Chelsea Zugang nicht nur zu Beratungs- und Hilfsprogrammen, sondern auch zu der besten medizinischen Betreuung zu verschaffen, die es vor Ort gibt. Die Blondine, fasziniert, lernt nun zwar schnell die Technik lieben, gibt aber zu bedenken: «Das kann Chelsea sich nie und nimmer leisten.» Woraufhin die engelhafte Chefin verkündet: «Jeden Cent, den es kostet, zahle ich.» Ab der Mitte der fünften Folge – und dies war der revolutionäre Einfall der Kampagne – besteht jedoch kein Zweifel mehr, dass Chelsea ihren Brustkrebs nicht überleben wird. Herzzerreißende Szenen mit tapferen Witzeleien und innigen Umarmungen schließen sich an. Die letzte Folge spielt wieder im Büro, wo die Chefin einen Schnappschuss der inzwischen entschlafenen Chelsea einscannt, während die nunmehr fanatisch-technophile Blondine fachmännisch die Global-Desktop-Version 5.0. der Firma W— bedient und in raschen Schnitten Frauen jeden Alters und aller Rassen auf den Schirm zaubert, die lächelnd und mit feuchten Augen auf ihren eigenen Global-Desktops Chelseas Porträt betrachten. Und Geister-Chelsea bittet in einem digitalen Video-Clip: «Helfen Sie uns im Kampf um die Heilung.» Die Folge endet mit der in nüchternem Schriftbild gehaltenen Information, dass die Firma W— mehr als 10 000 000,00 Dollar gespendet habe, um die Amerikanische Krebsgesellschaft bei diesem Kampf zu unterstützen …

Studienanfänger, die noch nicht über das nötige analytische Handwerkszeug verfügten, konnten den raffinierten Produktionsmechanismen einer Kampagne wie «Komm schon, Mädchen!» leicht auf den Leim gehen. Chip war gespannt, und ein wenig fürchtete er sich auch davor, gleich zu erfahren, welche Fortschritte seine Studenten gemacht hatten. Mit Ausnahme von Melissa, deren Arbeiten schlüssig und klar geschrieben waren, hatte keiner ihn überzeugen können, dass er zu mehr imstande war, als den gerade angesagten Jargon nachzuplappern. Jedes Jahr, so schien ihm, waren die neuen Erstsemester ein wenig theorieresistenter als ihre Vorgänger. Nun war das Ende des Semesters gekommen, und Chip fragte sich, ob außer Melissa irgendjemand wirklich *begriffen* hatte, wie der Massenkultur kritisch beizukommen war.

Das Wetter erleichterte ihm die Sache nicht gerade. Als er die Jalousien hochzog, fiel Strandlicht in den Seminarraum. All die nackten Arme und Beine, die der Jungen ebenso wie die der Mädchen, verströmten sommerliche Lust.

Hilton, eine zarte kleine Frau, einem Chihuahua nicht unähnlich, machte den Anfang: «Mutig» sei es und «echt interessant», dass Chelsea an ihrem Krebs gestorben sei, anstatt, wie man es in einem Werbestreifen vielleicht eher erwartet hätte, zu überleben.

Chip hoffte, jemand würde jetzt erwidern, dass es genau dieser kalkuliert «revolutionäre» Dreh der Handlung sei, der dem Spot so viel an öffentlicher Aufmerksamkeit beschert habe. Normalerweise konnte er darauf zählen, dass Melissa von ihrem Platz in der ersten Reihe aus so einen Beitrag lieferte. Aber heute saß sie neben Chad, und ihr Kopf lag auf dem Tisch. Normalerweise rief Chip jeden Studenten, der während des Unterrichts schlief, sofort auf. Aber heute scheute er sich, Melissas Namen auszusprechen. Er hatte Angst, dass seine Stimme zittern könnte.

Schließlich sagte er mit einem verkniffenen Lächeln: «Für den Fall, dass irgendjemand von Ihnen letzten Herbst auf einem anderen Stern gewesen ist, lassen Sie uns noch einmal durchgehen, was diese Werbung losgetreten hat. Sie erinnern sich, dass Nielsen-Media-Research den ‹revolutionären› Schritt unternahm, die Einschaltquote der sechsten Folge zu ermitteln. Ein absolutes Novum bei einem Werbespot. Und nachdem Nielsen die Quote ermittelt hatte, war der Kampagne in den Novemberdurchläufen eine außerordentliche Aufmerksamkeit sicher. Sie erinnern sich des Weiteren, dass die Nielsen-Aktion im Anschluss an eine Woche stattfand, in der die Print- und Audio-Medien ausführlich über den ‹revolutionären› Dreh der Handlung, namentlich Chelseas Tod, berichtet hatten und im Internet das Gerücht aufgekommen war, dass es Chelsea wirklich gegeben habe und sie wirklich gestorben sei. Was erstaunlicherweise mehrere hunderttausend Leute glaubten. Beat Psychology, Sie erinnern sich, hatte Chelseas Krankengeschichte und ihren Lebensweg allerdings frei erfunden und dann ins Netz gestellt. Meine Frage an Hilton wäre daher, was daran ‹mutig› ist, wenn eine Firma für ihre eigene Werbekampagne einen bombensicheren Publicity-Coup organisiert?»

«Es war trotzdem ein Risiko», sagte Hilton. «Ich meine, so ein Tod zieht die Leute doch runter. Das hätte auch ein Eigentor werden können.»

Wieder wartete Chip darauf, dass jemand, egal wer, seinen Standpunkt vertreten würde. Keiner tat es. «Also wird aus einer gänzlich zynischen Strategie, nur weil ein finanzielles Risiko damit verbunden ist, ein mutiger künstlerischer Akt?»

Eine Flotte College-Rasenmäher kam den Rasen vor dem Seminarraum herunter und erstickte die Diskussion unter einer Lärmdecke. Die Sonne schien hell.

Tapfer marschierte Chip voran. War es denn realistisch, dass die Chefin eines kleinen Unternehmens in die eigene Tasche griff, um einer Angestellten ausgefallene Therapieformen zu ermöglichen?

Eine Studentin warf ein, der Chef, den sie in ihrem letzten

Sommerjob gehabt habe, sei ebenfalls großzügig und total nett gewesen.

Ohne einen Laut von sich zu geben, wehrte Chad Melissas Versuch, ihn zu kitzeln, ab, während er mit der freien Hand einen Gegenangriff auf die nackte Haut ihrer Taille startete.

«Chad?», sagte Chip.

Erstaunlicherweise konnte Chad die Frage beantworten, ohne sie sich wiederholen lassen zu müssen. «Also, das ist ja jetzt nur eins von vielen Büros», sagte er. «Vielleicht hätte sich ein anderer Chef nicht so toll verhalten. Aber diese Chefin ist eben toll. Ich meine, keiner behauptet doch, dass hier ein ganz gewöhnliches Büro gezeigt wird, oder?»

Das schien der geeignete Moment für die Frage, ob die Kunst nicht dem Typischen verpflichtet sei; auch diese Diskussion eine Totgeburt.

«Das heißt also», sagte Chip, «dass wir die Kampagne, unter dem Strich zumindest, gutheißen. Wir finden, solche Werbespots sind gut für unsere Kultur und gut für unser Land. Ja?»

Schulterzucken und Nicken im sonnengeheizten Raum.

«Melissa, wir haben noch gar nichts von Ihnen gehört.»

Melissa hob den Kopf vom Tisch, entzog Chad ihre Aufmerksamkeit und sah Chip mit zusammengekniffenen Augen an. «Ja», sagte sie.

«Ja was?»

«Ja, diese Werbespots sind gut für unsere Kultur und gut für unser Land.»

Chip holte tief Luft: Das tat weh. «Schön, großartig», sagte er. «Vielen Dank, dass Sie Ihre Meinung kundgetan haben.»

«Als ob Sie sich für meine Meinung interessieren würden», sagte Melissa.

«Bitte?»

«Als ob Sie sich für irgendeine unserer Meinungen interessieren würden, es sei denn, sie deckt sich mit der Ihren.»

«Es geht überhaupt nicht um Meinungen», sagte Chip. «Es geht darum, Methoden der kritischen Analyse auf Text-Artefakte anzuwenden. Um Ihnen das beizubringen, bin ich hier.»

«Nein, das glaube ich nicht», konterte Melissa. «Ich glaube, Sie sind hier, um uns beizubringen, dasselbe zu verabscheuen, was Sie verabscheuen. Ich meine, Sie haben diese Werbespots doch gefressen, oder etwa nicht? Das höre ich aus jedem Wort heraus, das Sie sagen. Sie haben sie absolut gefressen.»

Jetzt lauschten die anderen Studenten gebannt. Dass Melissa mit Chad zusammen war, hatte vermutlich dessen Aktien stärker fallen als ihre eigenen steigen lassen, aber sie attackierte Chip so wütend, als wäre sie ihm vollkommen ebenbürtig, und die Klasse weidete sich daran.

«Stimmt, ich verabscheue diese Spots», gab Chip zu, «aber das ist nicht –»

«Doch», sagte Melissa.

«Und warum?», rief Chad.

«Ja, sagen Sie uns, warum Sie sie gefressen haben», kreischte die kleine Hilton.

Chip schaute auf die Wanduhr. In sechs Minuten war das Semester zu Ende. Er fuhr sich mit der Hand durchs Haar und ließ seinen Blick durch den Raum schweifen, als hoffe er, irgendwo einen Verbündeten zu finden. Doch die Studenten hatten ihn in die Enge getrieben, und sie wussten es.

«Die Firma W—», sagte er, «muss sich augenblicklich in drei verschiedenen Prozessen wegen Verstoßes gegen die Antitrustgesetze verantworten. Im letzten Jahr überstiegen ihre Einkünfte das Bruttoinlandsprodukt von Italien. Und um nun auch der letzten Bevölkerungsgruppe, die sie noch nicht beherrscht, Dollars aus den Rippen zu leiern, veranstaltet sie eine Werbekampagne, die zweierlei ausbeutet: die Angst der Frau vor Brustkrebs und ihr Mitgefühl mit den Opfern dieser Krankheit. Ja, Melissa?»

«Aber zynisch ist die Kampagne nicht.»

«Was ist sie denn dann?»

«Sie feiert die Frau am Arbeitsplatz. Sie bringt Geld für die Krebsforschung ein. Sie ermahnt uns Frauen, uns regelmäßig selbst zu untersuchen und uns die Hilfe zu holen, die wir brauchen. Sie gibt uns das Gefühl, dass diese Technologie uns und nicht irgendwelchen Kerlen gehört.»

«Schön und gut», sagte Chip. «Nur: Die Frage ist nicht, ob wir uns Gedanken über Brustkrebs machen, sondern was Brustkrebs mit dem Verkauf von Büroeinrichtung zu tun hat.»

Jetzt trat Chad für Melissa in den Ring. «Aber das ist doch die Botschaft der Werbung: dass einem der Zugang zu bestimmten Informationen das Leben retten kann.»

«Wenn Pizza Hut also neben den Chilikrümeln ein kleines Schild aufstellt, das zur Selbstuntersuchung der Hoden aufruft, dann darf sich der Laden damit brüsten, am glorreichen und mutigen Feldzug gegen Krebs teilzunehmen?»

«Warum nicht?», fragte Chad.

«Gibt es *irgendjemanden*, dem das nicht geheuer ist?»

So jemanden gab es nicht. Mit verschränkten Armen und einem unfrohen Grinsen räkelte sich Melissa auf ihrem Stuhl. Ob er ihr damit unrecht tat oder nicht: Chip hatte das Gefühl, dass sie in nicht mehr als fünf Minuten ein ganzes Semester gründlichen Unterrichts zunichte gemacht hatte.

«Dann ziehen Sie mal in Betracht», sagte er, «dass ‹Komm schon, Mädchen!› gar nicht produziert worden wäre, wenn W— nicht gerade ein neues Produkt auf den Markt gebracht hätte. Und ziehen Sie auch in Betracht, dass diejenigen, die bei W— arbeiten, in erster Linie ihre Aktienbezugsrechte wahrnehmen und sich mit zweiunddreißig zur Ruhe setzen wollen, und diejenigen, die W—-Aktien besitzen» (Chips Bruder und Schwägerin, Gary und Caroline, besaßen sehr viele), «kein anderes Ziel haben, als sich größere Häuser zu bauen und größere Autos zu kaufen und noch mehr von den endlichen Vorräten der Erde aufzubrauchen.»

«Was ist falsch daran, seinen Lebensunterhalt zu bestreiten?», sagte Melissa. «Warum ist es *an sich schon* schlecht, Geld zu verdienen?»

«Baudrillard würde vielleicht antworten, dass das Übel einer Kampagne wie ‹Komm schon, Mädchen!› in der Entkoppelung von Signifikant und Signifikat besteht. Darin, dass eine weinende Frau nicht mehr nur ‹Traurigkeit› bedeutet. Sie bedeutet jetzt auch: ‹Wünschen Sie sich eine neue Büroeinrichtung.› Und sie bedeutet: ‹Unsere Chefs sorgen sich aufrichtig um uns.›»

Die Wanduhr zeigte halb drei. Chip hielt inne und wartete darauf, dass die Glocke läutete und das Semester zu Ende war.

«Entschuldigen Sie», sagte Melissa, «aber das ist alles so ein Schwachsinn.»

«Was ist Schwachsinn?», fragte Chip.

«Dieses ganze Seminar», sagte sie. «Jede Woche reiner Schwachsinn. Ein Kritiker nach dem anderen, der die Hände ringt und den Zustand der Kritik beweint. Keiner kann formulieren, was genau er auszusetzen hat. Aber alle wissen, dass irgendwas faul ist. Alle wissen, dass ‹Kapital› ein schmutziges Wort ist. Und wenn jemand Spaß hat oder reich wird: widerlich! Scheußlich! Immer ist das gleich der Tod von irgendetwas. Und Leute, die glauben, sie seien frei, sind gar nicht ‹wirklich› frei. Und Leute, die glauben, sie seien glücklich, sind gar nicht ‹wirklich› glücklich. Und die Gesellschaft radikal zu kritisieren ist unmöglich geworden, obwohl keiner genau sagen kann, was an der Gesellschaft eigentlich so radikal verkehrt ist, dass wir eine dermaßen radikale Kritik nötig haben. *Es ist absolut typisch, es passt perfekt, dass Sie diese Werbespots verabscheuen!*», sagte sie zu Chip, während überall in der Wroth-Halle endlich die Glocken läuteten. «Da wird für Frauen und Farbige und Schwule und Lesben vieles immer besser, da gibt es immer mehr Integration und Offenheit, und alles, worüber Sie sich Gedanken machen, ist so ein blödes, dröges Problem mit Signifikanten und Signifikaten. Wahrscheinlich können Sie nicht anders, weil es ja an allem irgendwas auszusetzen geben muss, aber bloß um eine Werbung, die für Frauen wirklich toll ist, runterzumachen, behaupten Sie, dass es schlecht sei, reich zu sein, und schlecht, für das Kapital zu arbeiten, und ja, ich weiß, es hat geläutet.» Sie klappte ihr Heft zu.

«Gut», sagte Chip. «In diesem Sinne. Sie haben jetzt die Anforderungen für den Grundkurs Kulturwissenschaft erfüllt. Ich wünsche Ihnen einen schönen Sommer.»

Er war machtlos gegen die Bitterkeit in seiner Stimme. Rasch beugte er sich über das Videogerät und konzentrierte sich darauf, «Komm schon, Mädchen!» zurückzuspulen und nur um des Knöpfedrückens willen auf Knöpfe zu drücken. Ein paar Studenten, er nahm es sehr wohl wahr, trödelten hinter ihm herum, vielleicht wollten sie ihm danken, dass er sein Letztes gegeben, oder ihm zumindest sagen, dass ihnen das Seminar gefallen habe, doch er schaute erst von dem Videogerät auf, als er allein im Raum war. Dann ging er nach Hause in die Tilton Ledge und begann zu trinken.

Melissas Vorwürfe hatten ihn tief getroffen. Ihm war nie ganz klar gewesen, wie sehr er die ausdrückliche Aufforderung seines Vaters, einer Arbeit nachzugehen, die der Gesellschaft «nützlich» war, verinnerlicht hatte. Eine kranke Kultur zu kritisieren, selbst wenn diese Kritik nichts bewirkte, hatte er immer nützlich gefunden. Doch wenn die vermeintliche Krankheit nun gar keine Krankheit war – wenn die große Materialistische Ordnung von Technologie, Konsumgier und Humanmedizin das Leben der ehemals Unterdrückten *wirklich* verbesserte, wenn diese Ordnung einzig und allein weißen männlichen Heteros wie Chip nicht behagte –, dann besaß seine

Kritik nicht einmal mehr den abstraktesten Nutzen. Dann war sie, um mit Melissa zu sprechen, reiner Schwachsinn.

Da ihm nicht danach zumute war, an seinem neuen Buch zu arbeiten, wie er es sich für den Sommer eigentlich vorgenommen hatte, kaufte Chip ein überteuertes Flugticket nach London und fuhr, dort angekommen, per Anhalter weiter nach Edinburgh, wo er die Gastfreundschaft einer schottischen Performance-Künstlerin strapazierte, die im vergangenen Winter am D— College gelehrt und Kostproben ihrer Kunst gegeben hatte. Irgendwann sagte ihr Freund: «Zeit zu gehen, Kumpel», und Chip zog, mit einem Rucksack voll Heidegger und Wittgenstein, die zu lesen er zu einsam war, von dannen. Er hasste den Gedanken, dass er zu den Männern gehörte, die ohne Frau nicht leben konnten. Aber seit Ruthie ihm den Laufpass gegeben hatte, war er mit keiner mehr im Bett gewesen. In der Geschichte des D— Colleges war er der einzige männliche Professor, der je «Feministische Theorie» unterrichtet hatte, und er verstand durchaus, wie wichtig es für Frauen war, «Erfolg» nicht mit «einen Mann abkriegen» und «Misserfolg» nicht mit «keinen Mann abkriegen» gleichzusetzen. Doch er war ein einsamer männlicher Hetero, und ein einsamer männlicher Hetero hatte keine entsprechend tröstliche «Maskulinistische Theorie», die ihm aus der Klemme helfen konnte, jenem Dilemma, das der Schlüssel zu aller Frauenfeindlichkeit war:

¶ Der Eindruck, ohne eine Frau nicht existieren zu können, gab einem Mann das Gefühl von Schwäche.

¶ Zugleich ging dem Mann, der keine Frau in seinem Leben hatte, jenes Gefühl von Handlungsfähigkeit und Individualität verloren, das, so oder so, das Fundament seiner Männlichkeit war.

So manchen Morgen, an grünen, verregneten schottischen Orten, war Chip drauf und dran, dieser Pseudoklemme zu entrinnen und wieder Herr seiner selbst zu werden, bloß um sich um vier Uhr nachmittags an irgendeinem Bahnhof wieder zu finden, wo er Bier trank, Pommes frites mit Mayonnaise aß und sich an Yankee-Studentinnen heranmachte. Als Verführer stand ihm seine Zerrissenheit ebenso im Weg wie die Tatsache, dass er keinen Glasgower Akzent hatte, der junge Amerikanerinnen weiche Knie bekommen ließ. Gerade mal einen einzigen Treffer landete er, und den bei einem jungen Hippiemädchen aus Oregon, die Ketchup-Flecken auf dem Unterhemd hatte und so überwältigend nach fettiger Kopfhaut roch, dass er einen Großteil der Nacht durch den Mund atmete.

Seine Missgeschicke hörten sich jedoch eher komisch denn erbärmlich an, als er, nach Connecticut zurückgekehrt, seine kauzigen Freunde damit unterhielt. Er fragte sich, ob sein schottisches Tief vielleicht die Folge der fetten Ernährung gewesen war. Ihm wurde schlecht, wenn er an die glänzenden Stücke gebräunten Soundso-Fischs dachte, die graugrünen Bögen triefender Kartoffelchips, den Geruch von Kopffett und Frittieröl oder auch nur an die Wörter «Firth of Forth».

Auf dem wöchentlichen Bauernmarkt unweit von D— kaufte er bergeweise prachtvolle Tomaten, weiße Auberginen und dünnschalige goldene Pflaumen. Er aß Rucola («Rauke», wie die alten Farmer sagten), die einen derart intensiven Geschmack hatte, dass ihm die Tränen in die Augen traten wie beim Lesen von Thoreau. Er gewöhnte sich das Trinken ab, schlief regelmäßiger, trank weniger Kaffee und ging zweimal die Woche ins Fitnessstudio. Er las den verfluchten Heidegger, und jeden Morgen machte er seine Kniebeugen. Auch andere Teile des Selbstverbesserungspuzzles landeten an den richtigen Stellen, und so erlebte er, während das kühle Arbeitswetter ins Carparts-Creek-Tal zurückkehrte, eine Zeit beinah Thoreau'schen Wohlbefindens. Zwischen zwei Sätzen auf dem Tennisplatz versicherte ihm Jim Leviton, dass seiner Berufung nichts im Wege stehe, das Auswahlverfahren eine reine Formalität sei und er sich wegen seiner Konkurrentin, einer jungen Wissenschaftlerin namens Vendla O'Fallon, keine Sorgen machen solle. Im Herbstsemester gab Chip Renaissance-Dichtung und Shakespeare, zwei Seminare, für die er sein kritisches Rüstzeug nicht zu überdenken brauchte. Während er sich anschickte, die letzten Höhenmeter des Professorenbergs zu bewältigen, war er froh, dass er mit leichtem Gepäck unterwegs war; ja trotz allem fast glücklich, keine Frau an seiner Seite zu haben.

An einem Freitag im September, er bereitete sich gerade ein Essen aus Brokkoli, Kürbis und frischem Schellfisch zu und freute sich darauf, einen Abend lang Arbeiten zu korrigieren, tänzelte an seinem Küchenfenster ein Paar Beine vorbei. Er kannte dieses Tänzeln. Er kannte Melissas Art zu gehen. An keinem Lattenzaun konnte sie vorbeilaufen, ohne mit den Fingern daran entlangzufahren. Auf Korridoren blieb sie plötzlich stehen, um Tanzschritte zu machen oder Himmel und Hölle zu spielen. Sie lief rückwärts oder seitwärts, sie hüpfte oder ging mit federndem Schritt.

Ihr Klopfen klang nicht eben reumütig. Durch das Fliegengitter sah er, dass sie einen Teller kleiner, rosa glasierter Napfkuchen mitgebracht hatte.

«Ja, was gibt's?», fragte er.

Melissa hob den Teller hoch, balancierte ihn auf den Handflächen. «Napfkuchen», sagte sie. «Dachte mir, Sie könnten jetzt mal ein paar Napfkuchen gebrauchen.»

Alles andere als theatralisch veranlagt, fühlte Chip sich Leuten, die es waren, schnell unterlegen. «Weshalb bringen Sie mir Napfkuchen?», fragte er.

Melissa kniete sich hin und stellte den Teller zwischen die zu Staub zertretenen Überreste von Efeu und Tulpen auf die Fußmatte. «Ich lass sie einfach mal hier stehen», sagte sie, «und Sie machen damit, was Sie wollen. Wiedersehen!» Sie breitete die

Arme aus, drehte auf der Schwelle der Tür eine Pirouette und rannte, auf Zehenspitzen, den mit Fähnchen markierten Weg hinunter.

Zurück in seiner Küche, nahm Chip den Kampf mit dem Schellfischfilet wieder auf, durch das sich, genau in der Mitte, eine blutbraune Knorpelfalte zog, die er unbedingt herausschneiden wollte. Doch der Fisch hatte eine zähe Faserung und war schwer in den Griff zu kriegen. «Leck mich, kleines Fräulein», sagte er, als er das Messer ins Spülbecken warf.

Die Napfkuchen waren buttrig, die Glasur war es auch. Nachdem er sich die Hände gewaschen und eine Flasche Chardonnay geöffnet hatte, aß er vier davon und stellte den rohen Fisch in den Kühlschrank. Die Schale des zu lange gebackenen Kürbisses war hart wie Reifengummi. *Cent ans de cinéma érotique*, ein Erbauungsvideo, das seit Monaten bei ihm im Regal stand, ohne sich zu mucksen, forderte auf einmal seine sofortige und ungeteilte Aufmerksamkeit. Er ließ die Rollos herab, trank den Wein, holte sich einen nach dem anderen runter und aß, bevor er schlafen ging, noch zwei weitere Napfkuchen, aus denen er nunmehr Pfefferminze herausschmeckte, schwache, buttrige Pfefferminze.

Am nächsten Morgen war er um sieben auf und machte vierhundert Kniebeugen. Dann tauchte er *Cent ans de cinéma érotique* ins Spülwasser, damit es, sozusagen, unentflammbar wurde. (Genauso war er, als er sich das Rauchen abgewöhnen wollte, schon mit etlichen Zigarettenschachteln verfahren.) Er hatte keine Ahnung, wen er gemeint hatte, gestern, als er das Messer ins Spülbecken geworfen hatte. Seine Stimme hatte überhaupt nicht nach ihm selbst geklungen.

Er ging in sein Büro in der Wroth-Halle und korrigierte Arbeiten. Einmal schrieb er: *Cressidas Charakter mag Toyota zur Wahl des Produktnamens inspiriert haben; dass umgekehrt Toyotas Cressida Inspiration für den Shakespeare-Text gewesen ist, bedürfte einer überzeugenderen Argumentation als der Ihren.* Um seine Kritik zu mildern, setzte er ein Ausrufezeichen dahinter. Manchmal, wenn er besonders schwache studentische Elaborate auseinander nahm, zeichnete er Smileys an den Rand.

Rechtschreibung!, ermahnte er eine Studentin, die in ihrer achtseitigen Arbeit durchgängig «Trolius» statt «Troilus» geschrieben hatte.

Und das ewig besänftigende Fragezeichen. Neben den Satz: «Hier beweist Shakespeare, dass Foucault, was die Geschichtlichkeit der Moral betrifft, nur allzu Recht hat», schrieb Chip: *Umformulieren? Vielleicht: «Hier scheint der Shakespeare-Text beinahe Foucault (besser: Nietzsche?) vorwegzunehmen ...»?*

An einem windigen Abend kurz nach Halloween, fünf Wochen und zehn- oder fünfzehntausend studentische Irrtümer später, korrigierte er immer noch Arbeiten, als er ein Scharren vor seiner Bürotür hörte. Er öffnete, und sein Blick fiel auf eine prall mit Halloween-Süßigkeiten gefüllte Ramschladentüte, die an der flurseitigen Klinke hing. Die Wohltäterin, Melissa Paquette, trat gerade den Rückzug an.

«Was wollen Sie?», sagte er.

«Bloß nett sein», sagte Melissa.

«Na, vielen Dank. Aber ich versteh's nicht.»

Melissa kehrte um. Sie trug eine weiße Maler-Latzhose, ein langärmeliges Thermo-Unterhemd und schreiend pinkfarbene Socken. «Vor jeder Haustür habe ich ‹Süßes, sonst gibt's Saures› gerufen. Das hier ist ungefähr, na, sagen wir mal, ein Fünftel meiner Ausbeute.»

Als sie fast vor ihm stand, wich Chip zurück. Sie folgte ihm in sein Büro und ging auf Zehenspitzen an den Regalen entlang, Buchrücken lesend, bis sie einmal rundherum war. Chip lehnte sich an seinen Schreibtisch und verschränkte die Arme fest vor der Brust.

«Ich mache jetzt ‹Feministische Theorie› bei Vendla», sagte Melissa.

«Das ist der logische nächste Schritt. Wo Sie mit der rückwärts gewandten patriarchalischen Tradition der Kritischen Theorie ja kürzlich abgeschlossen haben.»

«Genauso sehe ich das auch», sagte Melissa. «Das Dumme ist nur, dass Vendlas Seminar so *schlecht* ist. Alle, die es letztes Jahr bei Ihnen belegt haben, fanden es toll. Vendla stellt sich vor, dass wir die ganze Zeit rumsitzen und über unsere Gefühle reden. Weil die Alte Theorie vom Kopf ausging. Also muss die Neue, Wahre Theorie vom Herzen ausgehen. Ich bin nicht mal sicher, ob sie all das Zeugs, das sie uns lesen lässt, selber kennt.»

Durch die geöffnete Tür konnte Chip die Tür von Vendla O'Fallons Büro sehen. Sie war mit fröhlichen Postern und Slogans tapeziert – Betty Friedan im Jahre 1965, strahlende guatemaltekische Bauersfrauen, ein weiblicher Fußballstar im Moment des Triumphs, ein Bass-Ale-Plakat von Virginia Woolf, ZERSTÖRT DAS HERRSCHENDE PARADIGMA –, die ihn auf das Trübseligste an seine ehemalige Freundin Tori Timmelman erinnerten. Wenn jemand seine Meinung dazu hören wollte: Waren sie vielleicht Highschool-Kids? Waren das hier ihre Kinderzimmer?

«Also», sagte er, «obwohl Sie mein Seminar schwachsinnig fanden, ist es jetzt, unterm Strich, eine Art höherer Schwachsinn, weil Sie gerade in dem von Vendla sitzen.»

Melissa wurde rot. «Unterm Strich, ja! Nur dass Sie ein viel besserer Lehrer sind. Ich meine, ich habe bei Ihnen eine Menge gelernt. Das wollte ich Ihnen sagen.»

«Botschaft angekommen.»

«Wissen Sie, meine Eltern haben sich im April getrennt.» Melissa warf sich auf das collegeeigene Ledersofa und begab sich in die therapeutische Horizontale. «Eine Zeit lang fand ich's schon klasse, dass Sie so antikapitalistisch waren, aber dann hat es mich langsam immer mehr aufgeregt. Meine Eltern zum Beispiel, die haben ziemlich viel Geld und sind trotzdem keine schlechten Menschen, auch wenn mein Dad vor kurzem mit dieser Vicki zusammengezogen ist, die gerade mal ungefähr vier Jahre älter ist als ich. Aber er liebt meine Mutter noch. Das weiß ich. Als ich ausgezogen bin, hat sich die Lage zwar ein bisschen verschlechtert, aber ich weiß, dass er sie noch liebt.»

«Das College», sagte Chip, die Arme weiter verschränkt, «bietet alle möglichen Hilfen für Studenten an, die so was durchmachen.»

«Danke. Im Prinzip komme ich hervorragend zurecht, mal abgesehen davon, dass ich damals in Ihrem Seminar ausfallend geworden bin.» Melissa hakte die Absätze über die Armlehne des Sofas, streifte die Schuhe ab und ließ sie auf den Boden fallen. Weiche Rundungen in Thermostrick quollen zu beiden Seiten ihres Hosenlatzes hervor, was Chip nicht entging.

«Ich hatte eine wunderbare Kindheit», sagte sie. «Meine Eltern waren immer meine besten Freunde. Bis zur siebenten Klasse haben sie mich selbst unterrichtet. Meine Mom studierte Medizin in New Haven, und mein Dad hatte diese Punkband, die Nomatics, mit der er rumzog, und gleich auf der allerersten Punkshow, die meine Mom miterlebte, lernte sie meinen Dad kennen und landete am Ende in seinem Hotelzimmer. Sie schmiss das Studium, er die Nomatics, und von da an waren sie unzertrennlich. Total romantisch. Na ja, mein Dad hatte ein bisschen Geld aus einem Treuhandvermögen, und es war einfach genial, was sie damit gemacht haben. Damals gab's doch eine staatlich geförderte Unternehmensgründung nach der anderen, und meine Mom kannte sich gut mit dem ganzen Biotechnologie-Zeugs aus und las *JAMA*, und Tom – mein Dad – konnte den Part mit den Zahlen übernehmen, und so haben sie richtig erstklassige Investitionen gemacht. Clair – meine Mom – blieb bei mir zu Hause, und wir machten den ganzen Tag, was wir wollten, wissen Sie, ich lernte mein Pensum und so weiter, und immer waren wir zu dritt. Sie waren sooo verliebt. Und jedes Wochenende Partys. Irgendwann wurde uns dann klar, wir kennen *Hinz und Kunz*, wir sind richtig gute *Investoren*, warum gründen wir keinen Investmentfonds? Und genau das haben wir getan. Einfach unglaublich. Es ist heute noch ein super Fonds: Westportfolio Biofund Forty? Wir haben dann, als der Wind schon ein bisschen schärfer wurde, noch ein paar andere Fonds gegründet. Man soll ja möglichst eine ganze Bandbreite von Dienstleistungen anbieten, das haben jedenfalls große Investoren, Firmen und so, Tom geraten. Also hat er diese anderen Fonds gegründet, die leider ziemlich abgeschmiert sind. Ich glaube, das ist das Hauptproblem der beiden. Weil nämlich Moms Fonds, der Biofund Forty, bei dem sie das Sagen hat, noch immer super läuft. Und jetzt ist sie todunglücklich und deprimiert. Hat sich in unserem Haus eingeigelt und setzt keinen Fuß mehr vor die Tür. Und gleichzeitig will Tom, dass ich diese Vicki kennen lerne, die angeblich so ‹lustig› ist und Rollerblades fährt. Aber wir wissen nun mal alle, dass meine Mom und mein Dad füreinander *geschaffen* sind. Sie ergänzen sich perfekt. Und ich glaube, wenn Sie wüssten, wie cool es ist, eine Firma zu gründen, und wie genial es ist, wenn dann langsam Geld reinkommt, ich meine, wie romantisch das sein kann, dann wären Sie in Ihrem Urteil nicht so hart.»

«Schon möglich», sagte Chip.

«Na ja, jedenfalls dachte ich, Sie sind vielleicht jemand, mit dem ich reden könnte. Im Prinzip komme ich ja sehr gut zurecht, aber einen Freund könnte ich schon irgendwie gebrauchen.»

«Was ist mit Chad?», fragte Chip.

«Ach, der ist süß. Gut für ungefähr drei Wochenenden.» Melissa schwang ein Bein vom Sofa und pflanzte den bestrumpften Fuß auf Chips Oberschenkel, in der Nähe seiner Hüfte. «Es ist schwer, sich zwei Leute vorzustellen, die auf lange Sicht weniger zueinander passen als er und ich.»

Durch den Stoff seiner Jeans konnte Chip spüren, wie sie absichtsvoll die Zehen bewegte. Da er mit dem Rücken zum Schreibtisch stand, war er gefangen und musste, um zu entkommen, ihren Knöchel umfassen und ihr Bein wieder auf das Sofa zurückschwingen. Da packten die rosa Füße sein Handgelenk und zogen ihn zu ihr. Alles ganz spielerisch, aber seine Tür stand offen, und die Lampen in seinem Büro brannten, und die Rollos waren hochgezogen, und irgendjemand war im Flur. «Regeln», sagte er, während er sich losmachte, «es gibt Regeln.»

Melissa rollte sich vom Sofa, stand auf und ging zu ihm hin. «Das sind bescheuerte Regeln», sagte sie. «Wenn dir jemand was bedeutet, meine ich.»

Chip wich Richtung Tür zurück. Auf dem Flur, vor dem Sekretariat des Fachbereichs, saugte eine kleine, blau uniformierte Frau mit Toltekengesicht Staub. «Es gibt sie aus guten Gründen», sagte er.

«Also darf ich dich jetzt nicht mal umarmen.»

«Genau.»

«Das ist doch bescheuert.» Melissa schlüpfte in ihre Schuhe und näherte sich ihm erneut. Sie küsste ihn, dicht neben seinem Ohr, auf die Wange. «Dann eben so.»

Er schaute ihr nach, wie sie sich, schlitternd und Pirouetten drehend, auf dem Gang entfernte, bis sie außer Sichtweite war. Er hörte eine Feuerschutztür zuknallen. Sorgfältig prüfte er jedes Wort, das er gesagt hatte, und gab sich eine Eins für korrektes Benehmen. Doch daheim in der Tilton Ledge, inzwischen hatte auch die letzte Laterne den Geist aufgegeben, wurde er von einer Woge der Einsamkeit überschwemmt. Um Melissas Kuss und ihre lebendigen warmen Füße aus seiner Erinnerung zu löschen, rief er einen alten Collegefreund in New York an und verabredete sich für den nächsten Tag mit ihm zum Mittagessen. Dann nahm er *Cent ans de cinéma érotique* aus dem Schrank, wo er es, in Erwartung einer Nacht wie dieser, nach dem Tauchbad verstaut hatte. Das Video ließ sich noch spielen. Allerdings war das Bild verschneit, und während der ersten richtig scharfen Sequenz, einer Hotelszene mit einem schamlosen Zimmermädchen, kam regelrechtes Schneetreiben auf, und der Bildschirm wurde blau. Der Videorekorder machte ein trockenes, dünnes, ersticktes Geräusch. *Luft*, schien er zu röcheln, *brauche Luft*. Teile des Bands hatten sich selbständig gemacht und um das Endoskelett der Maschine gewickelt. Chip nahm die Kassette heraus und mit ihr mehrere Hand voll Mylar, doch dann ging irgendetwas kaputt, und die Maschine spuckte ihm eine Plastikspule vor die Füße. Was schon mal passieren konnte, klar. Aber die Reise nach Schottland war ein finanzielles Waterloo gewesen, und ein neues Videogerät konnte er sich nicht leisten.

Genauso wenig war New York City an einem kalten, regnerischen Samstag die Wohltat, die er nötig hatte. Alle Bürgersteige im südlichen Manhattan waren mit quadratischen Antidiebstahlplaketten aus Metall übersät. Die Plaketten hafteten mit dem weltstärksten Klebstoff am nassen Pflaster, und nachdem Chip zuerst ein paar Sorten Importkäse gekauft hatte (was er jedes Mal machte, wenn er in New York war, um wenigstens eine Sache erledigt zu haben, bevor er nach Connecticut heimfuhr, und doch stimmte es ihn ein bisschen traurig, in immer demselben Laden immer den gleichen Baby-Gruyère und Fourme d'Ambert zu kaufen; es zeigte ihm, dass der Konsum als Mittel zum Glück generell versagte) und danach mit seinem College-Freund zum Mittagessen gegangen war (der seit neuestem nicht mehr Anthropologie unterrichtete, sondern sich als «Marketing-Psychologe» in der Silicon Alley verdingte und nun Chip den Rat gab, endlich aufzuwachen und es ihm gleichzutun), kehrte er zu seinem Auto zurück und entdeckte, dass jedes einzelne seiner in Plastikfolie gewickelten Käsestücke mit einer eigenen Antidiebstahlplakette versehen war und ein Stück Plakette sogar unter seinem linken Schuh klebte.

Die Tilton Ledge war spiegelglatt und stockfinster. Im Briefkasten fand Chip einen Umschlag, der außer ein paar Zeilen von Enid, in denen sie sich über Alfreds moralisches Versagen beklagte («er sitzt *Tag für Tag von morgens bis abends* in diesem Sessel»), ein ziemlich ausführliches, aus der *Philadelphia* ausgeschnittenes Porträt von Denise mit einer speichelleckerischen Kritik ihres Restaurants, Mare Scuro, und einem ganzseitigen Glamourphoto der jungen Geschäftsführerin enthielt. Das Foto, auf dem Denise nur Jeans und ein Top trug, brachte vor allem ihre muskulösen Schultern und die samtige Haut ihrer Brust zur Geltung («Sehr jung und sehr begabt: Lambert in ihrer Küche» lautete die Bildunterschrift). Natürlich, dachte Chip bitter: Mädchen als Objekt, genau der Scheiß, mit dem Zeitschriften Auflage machten. Vor ein paar Jahren hatten Enids Briefe stets auch den einen oder anderen verzweifelten Satz über Denise und deren scheiternde Ehe enthalten, mit doppelt unterstrichenen Ausrufen wie *Er ist zu ALT für sie!*, stets gefolgt von einem Passus über Chips Anstellung am D— College, den sie reich mit Adjektiven wie *stolz* und *glücklich* schmückte, und obwohl er wusste, dass Enid es meisterhaft verstand, ihre Kinder gegeneinander auszuspielen, und ihr Lob für gewöhnlich zweischneidig war, ärgerte es ihn doch, dass eine so kluge und prinzipienfeste Frau wie Denise ihren Körper für Werbezwecke hergab. Er warf den Zeitungsausschnitt in den Mülleimer. Dann schlug er den Samstagsteil der *Sunday Times*-Wochenendausgabe auf und blätterte – ja, er war inkonsequent, ja, er war sich dessen bewusst – im Magazin, um seine müden Augen vielleicht auf irgendeiner Dessous- oder Bademoden-Anzeige ausruhen zu können. Da er jedoch nicht fündig wurde, begann er den Literaturteil zu lesen, in dem auf Seite elf die Memoiren einer Vendla O'Fallon,

Daddys Girl, als «erstaunlich», «mutig» und «zutiefst überzeugend» bezeichnet wurden. Der Name Vendla O'Fallon kam relativ selten vor, aber da Chip keine Ahnung gehabt hatte, dass Vendla unter die Schriftsteller gegangen war, weigerte er sich, *Daddys Girl* als ihr Werk anzuerkennen, bis er gegen Ende der Rezension auf einen Satz stieß, der mit den Worten anfing: «O'Fallon, die am D— College lehrt ...»

Er klappte den Literaturteil zu und öffnete eine Flasche Wein.

Theoretisch waren sie beide, er und Vendla, Anwärter auf einen Lehrstuhl im Fachbereich Text-Artefakte, praktisch jedoch war der Fachbereich schon jetzt überbesetzt. Dass Vendla zwischen New York und dem College pendelte (und somit die unausgesprochene Forderung der College-Leitung missachtete, der Lehrkörper solle vor Ort wohnen), dass sie wichtige Konferenzen schwänzte und jeden Mumpitz unterrichtete, waren für Chip stete Quellen der Beruhigung gewesen. Was die Liste wissenschaftlicher Publikationen, das Ansehen bei den Studenten und Jim Levitons Protektion anging, hatte er immer noch die Nase vorn; trotzdem merkte er jetzt, dass zwei Gläser Wein keine Wirkung auf ihn hatten.

Er goss sich gerade das vierte ein, als sein Telefon klingelte. Es war Jim Levitons Frau Jackie. «Ich wollte Sie nur wissen lassen», sagte sie, «dass Jim über den Berg ist.»

«War er denn krank?»

«Na ja, er ruht sich jetzt aus. Wir sind im St. Mary's.»

«Was ist passiert?»

«Chip, ich habe ihn gefragt, ob er meint, dass er wieder Tennis spielen kann, und wissen Sie was? Er hat genickt! Ich habe gesagt, dass ich Sie anrufen würde, und er hat genickt, ja, er will wieder Tennis spielen. Seine Motorik scheint vollkommen normal zu sein. Vollkommen – normal. Und geistig ist er auch wieder da, das ist das Allerwichtigste. Das ist die eigentlich gute Nachricht, Chip. Sein Blick ist klar. Er ist ganz der Alte.»

«Jackie, hatte er einen Schlaganfall?»

«Die Rehabilitation wird ein bisschen dauern. Er ist ja seit heute im Ruhestand, wie Sie wissen, in meinen Augen ein Segen, Chip. Jetzt können wir das eine oder andere ändern, und in drei Jahren – na ja, drei Jahre wird er nicht brauchen, bis er wieder auf dem Damm ist. Am Ende gehen wir noch mit Vorsprung durchs Ziel. Sein Blick ist so klar, Chip. Er ist ganz der Alte!»

Chip lehnte die Stirn ans Küchenfenster und drehte den Kopf zur Seite, sodass sein Lid das kalte, feuchte Glas berührte. Er wusste, was er machen würde.

«Ganz der alte, gute Jim!», sagte Jackie.

Am Donnerstag darauf lud Chip Melissa abends zu sich ein, bekochte sie und schlief mit ihr auf seiner roten Chaiselongue. Dieses Möbel hatte es ihm einst, als es finanziell noch etwas weniger selbstmörderisch gewesen war, einer spontanen Eingebung zu folgen und mal eben achthundert Dollar auszugeben, in einem Antiquitätenladen angetan. Die Rückenlehne war erotisch provozierend angewinkelt, die ausstaffierte Schulterpartie zurückgeworfen, das Rückgrat nach hinten durchgedrückt; das Polster von Brust und Bauch sah aus, als würde es jeden Augenblick die Stoffknöpfe sprengen, die kreuzweise darauf angeordnet waren. Mitten in ihrer ersten Umklammerung hatte Chip sich für eine Sekunde entschuldigt, um das Licht in der Küche auszuschalten und aufs Klo zu gehen. Zurück im Wohnzimmer, fand er Melissa ausgestreckt auf der Chaiselongue, nur noch mit der Hose ihres karierten Polyester-Herrenanzugs bekleidet. Im schummrigen Licht hätte man sie für einen unbehaarten, vollbusigen Mann halten können. Chip, der die Schwulentheorie aller Schwulenpraxis eindeutig vorzog, gefiel der Anzug überhaupt nicht, und er wünschte, sie hätte ihn nicht getragen. Auch nachdem sie die Hose ausgezogen hatte, blieb ein Rest von Geschlechtsverwirrung an ihrem Körper haften, ganz zu schweigen von dem scharfen Schweißgeruch, jenem Fluch aller synthetischen Stoffe. Aus ihrer Unterhose jedoch, zu seiner Erleichterung war sie zart und hauchdünn – eindeutig weiblich also –, sprang ihm ein zärtliches, warmes Kaninchen entgegen, ein temperamentvolles, feuchtes, autonomes warmes Tier. Es war beinahe zu viel für ihn. In den letzten beiden Nächten hatte er nicht einmal zwei Stunden geschlafen, sein Kopf war voll Wein und sein Bauch voll Luft (aus welchem Grund er zum Abendessen ausgerechnet Cassoulet gekocht hatte, wusste er nicht mehr, wahrscheinlich gab es keinen), und er machte sich Sorgen, dass er womöglich die Haustür nicht abgeschlossen hatte oder dass irgendwo ein Spalt in den Rollos war, dass einer seiner Nachbarn vorbeikommen, die Tür unversperrt finden oder durchs Fenster schauen und sehen würde, wie er schamlos Paragraph I, II und VI eines Regelwerks verletzte, das er selbst mit aufgestellt hatte. Im Großen und Ganzen war es für ihn eine Nacht der Anspannung und mühevollen Konzentration, von kleinen Attacken gedrosselter Lust durchsetzt, aber wenigstens schien es für Melissa aufregend und romantisch zu sein. Stunde um Stunde lag auf ihrem Gesicht ein breites, Fältchen werfendes U von einem Lächeln.

Es war Chips Vorschlag – nach einem zweiten, nicht weniger anstrengenden Rendezvous in der Tilton Ledge –, die einwöchigen Thanksgiving-Ferien fern vom Campus zu verbringen und ein Häuschen auf Cape Cod zu mieten, wo sie sich weder beobachtet noch verurteilt fühlen müssten, und es war Melissas Vorschlag, als sie im Schutz der Dunkelheit durch D—s selten benutztes Osttor fuhren, in Middletown anzuhalten und einem ihrer ehemaligen Schulfreunde von der Wesleyan Highschool Drogen abzukaufen. Chip wartete vor dem eindrucksvoll wetterfesten Ökologie-Gebäude des Colleges und trommelte auf das Lenkrad des Nissan, trommelte, bis seine Finger pochten, denn schließlich war es entscheidend, nicht darüber nachzudenken, was er hier tat. Er hatte Berge unkorrigierter Referate und

Examensarbeiten hinter sich gelassen, und er hatte es noch immer nicht geschafft, Jim Leviton in der Reha-Klinik zu besuchen. Dass Jim sein Sprachvermögen eingebüßt hatte und jetzt hilflos Kiefer und Lippen strapazierte, um Wörter zu formen – dass er, falls man den Kollegen, die bei ihm gewesen waren, Glauben schenken konnte, ein verbitterter, böser Mann geworden war –, steigerte nicht gerade Chips Motivation, ihm seine Aufwartung zu machen. Er war in einer Verfassung, in der er am liebsten alles vermied, was Gefühle auslösen konnte. Und so hämmerte er aufs Steuer, bis seine Finger steif waren und brannten und Melissa aus dem Ökologie-Gebäude kam. Sie brachte den Geruch von Holzkohle und gefrorenen Blumenbeeten mit ins Auto, den Geruch einer Affäre im Spätherbst. Sie legte Chip eine goldene Tablette auf die Handfläche, mit einer Prägung, die wie das alte Logo der Midland Pacific Railroad aussah –

nur ohne den Text. «Nimm», sagte sie und schloss die Tür.

«Und das ist? So was wie Ecstasy?»

«Nein. Mexican A.»

Chip verspürte eine gewisse kulturelle Beklommenheit. Es war nicht lange her, da hatte es keine Droge gegeben, von der er noch nie gehört hatte. «Was bewirkt die?»

«Nichts und alles», sagte Melissa und schluckte selbst eine. «Wirst schon sehen.»

«Was kriegst du dafür?»

«Mach dir darüber mal keine Gedanken.»

Eine Weile schien die Droge in der Tat rein gar nichts zu bewirken. Im Gewerbegebiet von Norwich aber, noch zwei oder drei Stunden vom Cape entfernt, drehte er den Trip-Hop leiser, den Melissa eingeschaltet hatte, und sagte: «Wir müssen sofort anhalten und ficken.»

Sie lachte. «Das glaube ich *auch*.»

«Komm, fahren wir an den Rand», sagte er.

Sie lachte wieder. «Nein, suchen wir uns lieber ein Zimmer.»

Sie hielten vor einem Comfort Inn, das seine Konzession verloren hatte und sich jetzt Comfort Valley Lodge nannte. Die Nachtwächterin hatte Übergewicht, und ihr Computer funktionierte nicht. Während sie per Hand Chips Personalien aufnahm, atmete sie so mühsam, als drohe ihr ganzer Organismus jeden Moment den Dienst zu versagen. Chip legte seine Hand auf Melissas Bauch und war drauf und dran, ihr in die Hose zu greifen, doch da fiel ihm ein, dass es unschicklich war, eine Frau in der Öffentlichkeit zu befummeln, und sie beide in Schwierigkeiten bringen konnte. Aus ähnlichen, rein rationalen Gründen unterdrückte er den Impuls, seinen Schwanz aus der Hose zu holen und ihn der schnaufenden, schwitzenden Frau hinter dem Tresen zu zeigen. Aber dass sie interessiert wäre, ihn zu sehen, das glaubte er schon.

Er zog Melissa auf den brandlöchrigen Teppichboden von Zimmer 23 herab, ohne auch nur die Tür geschlossen zu haben.

«So ist es hundertmal besser!», rief Melissa, während sie die Tür zutrat. Sie riss sich die Hose herunter und kreischte fast vor Vergnügen: «So ist es *hundertmal* besser!»

Er kam das ganze Wochenende nicht in die Kleider. Das Handtuch, das er sich um die Hüfte geschlungen hatte, als er die bestellte Pizza entgegennehmen wollte, rutschte zu Boden, bevor der Mann vom Pizzaservice sich abwenden konnte. «Hey, Liebes, ich bin's», sagte Melissa in ihr Handy hinein, während Chip zu ihr ins Bett stieg und von hinten über sie herfiel. Sie hielt ihren Telefonarm von ihm weg und gab verständnisvolle

Tochter-Laute von sich. «M-hm ... m-hm ... klar, klar ... m-hm ... klar ... Nein, du hast Recht, es ist wirklich hart ... Sicher ... Sicher ... M-hm ... Klar ... Das ist wirklich, wirklich hart», sagte sie, und ihr Stimme zuckte nur leicht, als Chip dank verbesserter Hebelwirkung einen köstlichen Zentimeter tiefer in sie eindrang und kam. Am Montag und Dienstag diktierte er Melissa große Teile einer Semesterarbeit über Carol Gilligan, die sie vor lauter Ärger über Vendla O'Fallon nicht selber zu schreiben vermochte. Seine nahezu fotografische Erinnerung an Gilligans Thesen, seine absolute Beherrschung der Theorie erregten ihn dermaßen, dass er mit seinem Steifen Melissas Haar zu streicheln begann, ihn über die Computertastatur gleiten ließ und einen glitzernden Film auf dem Flüssigkristall-Bildschirm verteilte. «Liebling», sagte sie, «bitte komm nicht auf meinem Computer.» Er stupste ihre Wangen und Ohren an, kitzelte sie unter den Achseln und drängte sie schließlich rückwärts gegen die Badezimmertür, während sie ihn in ihrem kirschroten Lächeln badete.

Vier Abende hintereinander holte sie, kurz bevor sie aßen, zwei weitere goldene Tabletten aus ihrer Reisetasche. Am Mittwoch ging Chip mit ihr in ein Multiplexkino, wo sie sich zum ursprünglich gezahlten Matinee-Sonderpreis noch anderthalb Filme zusätzlich ansahen. Als sie nach einem späten Pfannkuchenschmaus in die Comfort Valley Lodge zurückkehrten, rief Melissa ihre Mutter an und sprach so lange mit ihr, dass Chip einschlief, ohne eine Kapsel geschluckt zu haben.

Am Thanksgiving-Morgen erwachte er im grauen Licht seines unberauschten Selbst. Während er dalag und auf den spärlichen Feiertagsverkehr der Route 2 horchte, wusste er eine Weile gar nicht zu sagen, was anders war. Irgendetwas an dem Körper neben ihm bereitete ihm Unbehagen. Er erwog, sich umzudrehen und sein Gesicht in Melissas Rücken zu pressen, doch dann dachte er, dass sie eigentlich die Nase voll von ihm haben müsste. Er konnte kaum glauben, dass seine Attacken ihr nicht zuwider gewesen waren: all sein Gedrücke und Gefummle und Gestoße. Dass sie sich nicht wie ein Stück Fleisch fühlte, das er benutzt hatte.

Innerhalb von Sekunden, wie ein Markt, den eine Welle von Panikverkäufen erfasst, wurde er von Scham und Verlegenheit überflutet. Nicht einen Augenblick länger hielt es ihn im Bett. Er zog seine Boxershorts an, schnappte sich Melissas Kulturbeutel und schloss sich im Badezimmer ein.

Sein Problem war, dass er den brennenden Wunsch verspürte, die Dinge, die er getan hatte, nicht getan zu haben. Und sein Körper, die Chemie seines Körpers, wusste klar und instinktiv, was nötig war, damit dieser brennende Wunsch verschwand: Er musste eine Mexican A schlucken.

Gründlich durchsuchte er den Kulturbeutel. Niemals hätte er es für möglich gehalten, dass er sich von einer Droge ohne jeden hedonistischen Kick, einer Droge, nach der er am Abend seiner fünften und letzten Dosis nicht das geringste Verlangen gehabt hatte, derart abhängig fühlen könnte. Er zog die Kappen von Melissas Lippenstiften, nahm zwei Tampons aus einem rosa Plastikbehälter und stocherte mit einer Haarklammer in ihrer Reinigungscreme herum. Nichts.

Er nahm den Beutel mit ins Schlafzimmer, das jetzt taghell war, und flüsterte Melissas Namen. Als er keine Antwort bekam, kniete er sich hin und durchwühlte ihre Reisetasche. Rührte mit den Fingern in leeren BH-Körbchen. Drückte ihre Sockenbälle zusammen. Betastete die verschiedenen geheimen Taschen und Fächer. Diese neuerliche, wenn auch anders geartete Schändung Melissas bereitete ihm unsägliche Qualen. Im orangefarbenen Licht seiner Scham kam er sich vor, als vergehe er sich an ihren inneren Organen. Kam sich vor wie ein Chirurg, der mit grausamer Zärtlichkeit ihre jugendlichen Lungen streichelte, ihre Nieren besudelte, seinen Finger in ihre vollkommene, zarte Bauchspeicheldrüse steckte. Der Charme ihrer kleinen Socken, der Gedanke an die noch kleineren Socken, die sie in allzu naher Vergangenheit als Mädchen getragen hatte, das Bild der viel versprechenden, intelligenten, romantischen Studentin im dritten Semester, die ihre Tasche für eine Reise mit ihrem hochgeschätzten Professor packt – jede dieser rührseligen Assoziationen goss Öl ins Feuer seiner Scham, jede Vorstellung führte ihn auf die überhaupt nicht lustige, grobschlächtige Komödie dessen zurück, was er ihr angetan hatte. Der Saft spritzende, stöhnende Hinterngrunzer. Der zappelnde, rasende Eierschwinger.

Mittlerweile brodelte die Scham in ihm so heftig, dass er meinte, sie müsse sein Hirn zum Bersten bringen. Trotzdem schaffte er es, ein Auge wachsam auf Melissas schlafende Gestalt gerichtet, nochmals alle ihre Kleider zu betatschen. Erst als er erneut an jedem einzelnen Stück herumgedrückt und -gefummelt hatte, kam er auf die Idee, dass sich das Mexican A wahrscheinlich in der großen Außentasche mit dem Reißverschluss befand. Zahn für Zahn zog er ihn auf, die eigenen Zähne zusammenbeißend, um das Geräusch besser auszuhalten. Er hatte die Tasche gerade weit genug geöffnet, um mit einer Hand hineinzufahren (und der Stress, den ihm diese Art des Eindringens bereitete, entfachte neue Stürme entflammbarer Erinnerungen, er fühlte sich von jeder Freiheit, die seine Hände sich hier, in Zimmer 23, Melissa gegenüber herausgenommen hatten, ja von der unersättlichen Geilheit seiner Finger gedemütigt, *er wünschte, er hätte sie in Ruhe lassen können*), da klingelte das Handy auf ihrem Nachttisch, und mit einem Stöhnen wurde sie wach.

Er entriss seine Hand dem verbotenen Ort, lief ins Badezimmer und duschte lange. Als er wieder herauskam, war Melissa schon angezogen und hatte ihre Tasche gepackt. Im Morgenlicht sah sie vollkommen unfleischlich aus. Sie pfiff eine lustige Melodie.

«Liebling, neuer Plan», sagte sie. «Mein Vater, der ja im Grunde ein wunderbarer Mann ist, fährt heute für einen Tag nach Westport raus. Ich möchte bei ihnen sein.»

Chip wünschte, er könnte, wie sie, nicht die geringste Scham empfinden, aber sie um eine weitere Pille zu bitten war ihm hochnotpeinlich. «Was ist mit unserem Essen heute Abend?»

«Tut mir Leid. Es ist wirklich wichtig, dass ich hinfahre.»

«Mehrere Stunden am Tag mit ihnen zu telefonieren reicht also nicht.»

«Chip, es tut mir Leid. Immerhin geht es hier um meine besten Freunde.»

Tom Paquette war Chip nach allem, was er von ihm gehört hatte, unsympathisch: ein dilettantischer Rockmusiker, der als kleiner Pimpf ein Treuhandvermögen geerbt hatte und seine Familie wegen einer Rollerbladerin sitzen ließ. Und in den letzten paar Tagen war ihm auch Clair mit ihrem ewigen eigensüchtigen Geschnatter, das Melissa sich geduldig anhörte, zunehmend auf die Nerven gegangen.

«Na toll», sagte er. «Ich fahre dich nach Westport.»

Melissa warf ihr Haar zurück, sodass es sich wie ein Fächer auf ihrem Rücken ausbreitete. «Liebling? Nicht böse sein.»

«Wenn du nicht zum Cape willst, dann willst du eben nicht. Ich fahre dich nach Westport.»

«Gut. Ziehst du dich an?»

«Aber weißt du, Melissa, ein bisschen krankhaft ist das schon, wie du an deinen Eltern hängst.»

Sie schien ihn nicht gehört zu haben, ging zum Spiegel, tuschte sich die Wimpern, malte sich die Lippen. Chip stand, mit einem Handtuch um die Hüften, mitten im Zimmer. Er fühlte sich monströs, als hätte er Warzen am ganzen Körper. Melissa hatte allen Grund, von ihm angewidert zu sein. Trotzdem wollte er sich ihr verständlich machen.

«Ist dir klar, was ich meine?»

«Liebling. Chip.» Sie presste ihre geschminkten Lippen aufeinander. «Zieh dich an.»

«Kinder sollten nicht gut mit ihren Eltern auskommen, Melissa. Eltern sollten nicht die besten Freunde ihrer Kinder sein. Es muss da ein Moment der Rebellion geben. Erst so definiert man sich als Persönlichkeit.»

«Vielleicht definierst *du* dich so», sagte sie. «Aber du bist ja auch nicht gerade das Musterbeispiel eines glücklichen Erwachsenen.»

Er grinste. Eins zu null für sie.

«Ich mag mich immerhin», sagte sie. «Während du dich offenbar nicht besonders magst.»

«Auch deine Eltern scheinen große Stücke auf sich zu halten», sagte er. «Deine ganze Familie scheint das zu tun.»

Noch nie hatte er Melissa richtig wütend erlebt. «Ich liebe mich selbst», sagte sie. «Was ist daran auszusetzen?»

Er wusste nicht, was daran auszusetzen war. Er wusste überhaupt nicht, was an Melissa auszusetzen war – die Selbstverliebtheit ihrer Eltern? Ihre Theatralik und ihr Selbstvertrauen? Ihre schwärmerische Begeisterung für den Kapitalismus? Dass sie keine gleichaltrigen Freunde besaß? Jenes Gefühl, das ihn am letzten Tag von «Konsum und Kritik» beschlichen hatte, die Ahnung, dass er in allem falsch lag, dass an der Welt nicht das Geringste auszusetzen war, auch daran nicht, sich in ihr wohl zu fühlen, ja dass das Ganze allein sein Problem war, kehrte jetzt mit solcher Macht zurück, dass er sich aufs Bett setzen musste.

«Wie steht's mit unseren Drogen?»

«Alle», sagte Melissa.

«Okay.»

«Ich hatte sechs, und davon hast du fünf geschluckt.»

«Was?»

«Und wie man sieht, war es ein großer Fehler, dir nicht alle sechs gegeben zu haben.»

«Und was hast du genommen?»

«Advil, Liebling.» Der Tonfall des Koseworts war inzwischen am anderen Ende des Spannungsbogens angekommen und klang durch und durch ironisch. «Gegen wund geriebene Stellen?»

«Ich habe dich nicht gebeten, diese Droge zu besorgen», sagte er.

«Nicht wortwörtlich, stimmt.»

«Wie meinst du das?»

«Na, ohne das Zeug hätten wir bestimmt einen Mordsspaß gehabt.»

Chip fragte nicht nach. Vermutlich meinte sie, er sei ein miserabler, ängstlicher Liebhaber gewesen, bevor er Mexican A genommen hatte. Natürlich war er ein miserabler, ängstlicher Liebhaber gewesen, aber er hatte sich der Hoffnung hingegeben, es möge ihr nicht aufgefallen sein. Von neuer Scham gepeinigt und das ganze Zimmer bar jeder Droge, die ihr den Stachel hätte nehmen können, senkte er den Kopf und schlug die Hände vors Gesicht. Die Scham lastete auf ihm, darunter kochte die Wut.

«Fährst du mich nun nach Westport?», fragte Melissa.

Er nickte, aber sie hatte ihn wohl gar nicht angesehen, denn er hörte sie in einem Telefonbuch blättern. Er hörte sie sagen, dass sie ein Taxi nach New London brauche. Und er hörte sie sagen: «Comfort Valley Lodge. Zimmer 23.»

«Ich fahr dich nach Westport», sagte er.

Sie legte auf. «Nein, ist gut.»

«Melissa. Bestell das Taxi ab. Ich fahr dich.»

Sie teilte den Vorhang des hinteren Fensters; es gab den Blick auf ein Stück Maschendrahtzaun, kerzengerade Ahornbäume und die Rückseite einer Wiederverwertungsanlage frei. Acht oder zehn Schneeflocken trieben trostlos umher. Am östlichen Himmel, dort, wo die weiße, wetzende Sonne die Wolkendecke durchgescheuert hatte, war eine wunde Stelle. Während Melissa ihm den Rücken zukehrte, hatte Chip sich rasch angezogen. Wenn er sich nicht so enorm geschämt hätte, wäre er vielleicht zum Fenster gegangen und hätte sie berührt, und vielleicht hätte sie sich umgedreht und ihm verziehen. Doch seine Hände fühlten sich räuberisch an. Er stellte sich vor, wie sie zurückweichen würde, und war ein bisschen unsicher, ob nicht irgendein dunkler Teil von ihm Lust hatte, sie zu vergewaltigen, zur Strafe dafür, dass sie sich auf eine Weise mochte, die ihm verwehrt war. Das Schwingen in ihrer Stimme, ihr federnder Gang, ihre gelassene Eigenliebe: wie verführerisch und abstoßend zugleich! Sie durfte sie selbst sein, er durfte es nicht. Und er wusste bereits, dass er erledigt war – dass er sie gar nicht mochte und doch entsetzlich vermissen würde.

Sie wählte noch eine Nummer. «Hey, Liebes», sagte sie in ihr Handy. «Ich mache mich jetzt auf den Weg nach New London. Ich nehme den ersten Zug, der kommt ... Nein, ich will bloß mit euch beiden zusammen sein ... Absolut, absolut ... Ja, absolut ... Okay, Küsschen, Küsschen, bis nachher ... Ja-ha.»

Vor der Tür hupte ein Wagen.

«Mein Taxi ist da», sagte sie zu ihrer Mutter. «Klar, okay. Küsschen, Küsschen. Bis nachher.»

Sie warf sich ihre Jacke über die Schulter, nahm die Tasche und tänzelte im Walzerschritt durch den Raum. An der Tür verkündete sie niemand Bestimmtem, dass sie jetzt gehen werde. «Bis dann!», sagte sie und schaute Chip beinahe an.

Er wurde nicht schlau aus ihr: Entweder war sie ungeheuer gut angepasst, oder sie hatte einen ernsten Schaden. Er hörte eine Wagentür zuschlagen, einen Motor brummen. Dann trat er ans vordere Fenster und sah im Heck eines rotweißen Taxis gerade noch ihr kirschholzfarbenes Haar aufblitzen. Nach fünf Jahren Abstinenz, fand er, war jetzt die Zeit reif, Zigaretten zu kaufen.

Er zog sich eine Jacke an und lief über kalten, gleichgültigen Asphalt. Er steckte Geld durch einen Schlitz im kugelsicheren Glas eines Automaten.

Es war der Thanksgiving-Morgen. Die Schauer hatten aufgehört, und die Sonne war halb zum Vorschein gekommen. Die Flügel einer Möwe klapperten und knatterten. Der Wind wirkte aufgestört, schien immer knapp über dem Boden zu bleiben. Chip setzte sich auf eine eiskalte Leitplanke, rauchte und fand Trost in der unerschütterlichen Mittelmäßigkeit amerikanischer Erzeugnisse, den schlichten Metall- und Plastikversatzstücken zu beiden Seiten der Straße. Im Rattern einer Zapfsäulendüse, das zu ihm herüberdrang, wenn ein Tank gefüllt wurde, in ihrer demutsvollen, prompten Dienstfertigkeit. Und in einer *99 ¢ Riesenschluck*-Fahne, die sich in der Brise blähte und nirgendwohin segelte, im Peitschen und Klimpern ihrer Nylonseile, die gegen einen verzinkten Pfosten schlugen. Und in den schwarzen Groteskziffern der Benzinpreise, dem Regiment soundso vieler *9*en. Und in den amerikanischen Limousinen, die im Bummeltempo von Fünfzig oder weniger die Zufahrtsstraße entlangzuckelten. Und in den orangefarbenen und gelben Plastikwimpeln, die über seinem Kopf an Spannschnüren zitterten.

«Dad ist schon wieder die Kellertreppe runtergefallen», sagte Enid, während in New York City der Regen fiel. «Er wollte eine große Kiste Pekannüsse in den Keller bringen, hat sich nicht am Geländer festgehalten und ist gefallen. Na ja, du kannst dir vorstellen, wie viele Pekannüsse in so einer Zwölf-Pfund-Kiste sind. Überall sind sie hingekullert. Denise, ich habe den halben Tag auf Händen und Knien zugebracht, und ich finde immer noch welche. Sie haben die gleiche Farbe wie diese Grillen, die wir nicht loswerden. Ich strecke die Hand aus, um eine Nuss aufzuheben, und schon springt sie mir ins Gesicht!»

Denise war dabei, die Stiele der mitgebrachten Sonnenblumen zu schneiden. «Warum musste Dad überhaupt zwölf Pfund Pekannüsse die Kellertreppe runtertragen?»

«Er wollte eine Aufgabe haben, die er in seinem Sessel erledigen konnte. Er hatte vor, die Nüsse zu knacken.» Enid lugte Denise über die Schulter. «Kann ich nicht irgendwas tun?»

«Du kannst eine Vase suchen.»

Der erste Schrank, den Enid öffnete, enthielt einen Karton voller Weinflaschenkorken, sonst nichts. «Ich frage mich, warum Chip uns zu sich eingeladen hat, wenn er nicht mal mit uns zu Mittag isst.»

«Wahrscheinlich hatte er nicht eingeplant, heute Morgen von seiner Freundin verlassen zu werden.»

Denise' Tonfall ließ Enid immer wieder spüren, dass sie dumm war. Denise, fand Enid, war kein sehr freundlicher oder großherziger Mensch. Aber sie war immerhin eine Tochter, und da Enid ein paar Wochen zuvor etwas Beschämendes getan hatte, das sie jetzt dringend jemandem beichten musste, hoffte sie, Denise würde dieser Jemand sein.

«Gary möchte, dass wir das Haus verkaufen und nach Philadelphia ziehen», sagte sie. «Gary findet, Philadelphia wäre gut, weil ihr beide da wohnt, und Chip in New York wäre ja auch nicht weit. Ich habe zu Gary gesagt, ich liebe meine Kinder, aber in St. Jude fühle ich mich nun mal am wohlsten. Ich gehöre in den Mittelwesten, Denise. In Philadelphia wäre ich *verloren*. Gary möchte, dass wir uns für betreutes Wohnen anmelden. Er begreift nicht, dass es dafür schon zu spät ist. Solche Heime nehmen Leute, die in einem Zustand sind wie Dad, gar nicht mehr auf.»

«Aber wenn Dad nun dauernd die Treppe runterfällt.»

«Denise, er benutzt das Geländer nicht! Er hört einfach nicht, wenn ich ihm sage, dass er beim Treppensteigen nichts tragen darf.»

Unter dem Spülbecken fand Enid eine Vase, versteckt hinter einem Stapel gerahmter Fotografien, vier Bildern von irgendwelchen rosafarbenen, pelzigen Dingen, spinnerte Kunst, vielleicht auch medizinische Aufnahmen oder so etwas. Sie versuchte, still und leise an ihnen vorbeizugreifen, warf dabei aber einen Spargeltopf um, den sie Chip einmal zu Weihnachten geschenkt hatte. Sofort schaute Denise zu ihr nach unten, und sie konnte nicht länger so tun, als hätte sie die Bilder nicht gesehen. «Du liebe Zeit», sagte sie finster. «Denise, was ist denn das?»

«Was soll das heißen – ‹was ist denn das›?»

«Irgendwas Spinnertes von Chip, nehme ich an.»

Denise gab sich auf eine Weise «amüsiert», die Enid schon immer wahnsinnig gemacht hatte. «Natürlich weißt du, was das ist.»

«Nein, weiß ich nicht.»

«Du weißt nicht, was das ist?»

Enid holte die Vase heraus und machte das Schränkchen zu. «Ich *will* es nicht wissen.»

«Na, das ist aber etwas ganz anderes.»

Derweil nahm Alfred im Wohnzimmer all seinen Mut zusammen, um sich auf Chips Chaiselongue zu setzen. Vor weniger als zehn Minuten hatte er sich darauf niedergelassen, ohne dass etwas passiert war. Doch nun, anstatt es einfach wieder zu tun, hatte er zu denken angefangen. Erst kürzlich hatte er festgestellt, dass der Akt des Sichhinsetzens im Kern ein Kontrollverlust war, ein blinder freier Fall nach hinten. Sein fabelhafter blauer Sessel in St. Jude war wie ein Baseballhandschuh, der jeden auf ihn zufliegenden Körper, gleich, aus welchem Winkel und mit welcher Wucht er kam, sanft aufzufangen wusste; der Sessel hatte starke, hilfsbereite Bärenarme, auf die Alfred zählen konnte, wenn er sich, völlig blind, rückwärts fallen ließ. Chips Chaiselongue hingegen war eine tief liegende, unpraktische Antiquität. Alfred stand mit dem Rücken zu ihr und zögerte, die

Knie ziemlich geringfügig angewinkelt, gerade mal so weit, wie seine nervenkranken Waden es eben zuließen, und tastete mit schaufelnden Bewegungen hinter sich in der Luft herum. Er hatte Angst zu fallen. So halb hockend und bebend dazustehen hatte jedoch auch etwas Obszönes, etwas, das an Männerklos erinnerte, eine Verletzlichkeit im Grunde, die ihm so ergreifend und zugleich würdelos vorkam, dass er, bloß um ihr ein Ende zu bereiten, die Augen schloss und losließ. Er landete schwer auf dem Hintern und fiel noch weiter rückwärts, bis er mit den Knien in der Luft auf dem Rücken liegen blieb.

«Alles in Ordnung, Al?», rief Enid.

«Ich werde aus diesem Möbel nicht schlau», sagte er, während er mühsam versuchte, sich aufzusetzen und energisch zu klingen. «Soll das ein Sofa sein?»

Denise kam aus der Küche und stellte eine Vase mit drei Sonnenblumen auf das kleine Tischchen neben der Chaiselongue. «Es ist so was Ähnliches wie ein Sofa», sagte sie. «Man kann die Füße hochlegen und ein französischer Philosoph sein. Oder über Schopenhauer reden.»

Alfred schüttelte den Kopf.

Von der Küchentür aus meldete sich Enid zu Wort: «Dr. Hedgpeth hat gesagt, du sollst auf *hohen* Stühlen mit *gerader* Lehne sitzen.»

Da Alfred an diesen Instruktionen kein Interesse zu haben schien, wiederholte Enid sie, als Denise zurück in die Küche kam. «Ausschließlich *hohe* Stühle mit *gerader* Lehne», sagte sie. «Aber Dad hört nicht auf ihn. Er lässt sich nicht davon abbringen, in seinem Ledersessel zu sitzen. Und dann ruft er nach mir, damit ich komme und ihm aufhelfe. Aber wenn ich mir den Rücken kaputtmache, was ist dann? Ich habe extra für ihn einen der schönen alten Pfostenstühle unten vor den Fernseher gestellt. Aber er zieht es vor, in seinem Ledersessel zu sitzen und, um da wieder rauszukommen, mit dem Polster nach vorn zu rutschen, bis er auf dem Fußboden hockt. Dann kriecht er zur Tischtennisplatte und zieht sich daran hoch.»

«Ist doch eigentlich ganz pfiffig», sagte Denise, während sie einen Arm voll Lebensmittel aus dem Kühlschrank holte.

«Er *kriecht über den Fußboden*, Denise. Anstatt auf einem schönen, bequemen Stuhl mit gerader Rückenlehne zu sitzen, was in seinem Fall sehr wichtig ist, wie der Doktor gesagt hat, *kriecht er über den Fußboden*. Er sollte im Grunde überhaupt nicht so viel sitzen. Dr. Hedgpeth meint, sein Zustand wäre gar nicht so ernst, wenn er einfach mal rausgehen und irgendwas *tun* würde. Sich kümmern oder verkümmern: Das sagt einem doch jeder Arzt. Dave Schumpert hat zehnmal mehr Gesundheitsprobleme gehabt als Dad, er lebt seit fünfzehn Jahren mit einer Kolostomie, er hat nur noch einen Lungenflügel, er hat einen Herzschrittmacher, und guck dir an, was er und Mary Beth alles auf die Beine stellen. Gerade erst sind sie vom Schnorcheln auf den Fidschi-Inseln wiedergekommen! Und Dave beklagt sich *nie*. *Nie*. Du erinnerst dich wahrscheinlich nicht mehr an Gene Grillo, Dads alten Freund aus Hephaestus, er hat ganz schlimm Parkinson – viel, viel schlimmer als Dad. Er lebt noch zu Hause in Fort Wayne, sitzt allerdings im Rollstuhl. Sein Zustand ist wirklich schrecklich, aber er *interessiert* sich für Dinge, Denise. Er kann nicht mehr schreiben, also hat er uns einen ‹Hörbrief› geschickt, wirklich reizend, eine Kassette, auf der er ausführlich von jedem seiner Enkelkinder erzählt, er kennt seine Enkelkinder nämlich und interessiert sich für sie, und er spricht auch davon, dass er jetzt angefangen hat, sich selbst Kambodschanisch beizubringen, er nennt es Khmer, indem er eine Kassette anhört und das kambodschanische (nein: das Khmer-)Fernsehprogramm in Fort Wayne anschaut, und all das nur, weil sein jüngster Sohn mit einer Kambodschanerin, nein: einer Khmer, verheiratet ist, deren Eltern kein Englisch sprechen, und Gene möchte sich unbedingt ein bisschen mit ihnen unterhalten können. Kannst du dir das vorstellen? Da sitzt Gene im Rollstuhl, ist ein Krüppel und überlegt sich immer noch, was er für andere tun kann! Während Dad, der laufen und schreiben und sich selbst anziehen kann, den ganzen Tag nichts anderes macht, als in seinem Sessel zu sitzen.»

«Mutter, er ist depressiv», sagte Denise leise, während sie Brot schnitt.

«Das sagen Gary und Caroline auch. Sie sagen, er ist depressiv und sollte ein Medikament nehmen. Sie sagen, er war ein Workaholic, sein Beruf war eine Droge, und seit er ihn nicht mehr ausübt, ist er depressiv.»

«Also geben wir ihm irgendein Mittel und vergessen ihn. Schön bequem.»

«Also, da tust du Gary aber unrecht.»

«Bring mich bloß nicht dazu, über Gary und Caroline zu reden.»

«Gütiger Himmel, Denise, mir ist völlig schleierhaft, dass du dir noch keinen Finger abgeschnitten hast, so, wie du mit dem Messer herumfuchtelst.»

Aus dem Ende eines französischen Brotlaibs hatte Denise drei kleine Fahrzeuge mit Krustenboden fabriziert. Auf das eine setzte sie wie vom Wind geblähte Buttersegel, in ein anderes lud sie Parmesanscherben in einem Holzwollnest aus klein geschnittener Rucola, und das dritte belegte sie mit gehäckselten Oliven in Olivenöl und deckte eine dicke rote Paprikapersenning darüber.

Enid sagte: «Mmh, sehen die gut aus», und griff, katzenflink, nach dem Teller, auf dem Denise die Snacks angerichtet hatte. Doch der Teller entwischte ihr.

«Die sind für Dad.»

«Bloß eine kleine Ecke von einem.»

«Ich mache dir auch noch welche.»

«Nein, ich möchte bloß eine kleine Ecke von Dads.»

Aber Denise ging schon aus der Küche und brachte den Teller Alfred, für den das Problem des Daseins dieses war: dass die Welt, wie ein aus dem Boden emportreibender Weizensämling, sich auf der zeitlichen Achse vorwärts bewegte, indem sie ihrem äußeren Rand Zelle für Zelle hinzufügte, also einen Moment auf den anderen schichtete, und dass es, selbst wenn man die Welt in ihrem frischesten, jüngsten Moment begriff, keinerlei Garantie dafür gab, dass man sie auch einen Moment später noch begreifen konnte. Als er gerade verstanden hatte, dass seine Tochter Denise ihm im Wohnzimmer seines Sohnes Chip einen Teller Snacks reichte, reifte bereits der nächste Augenblick im Ablauf der Zeit zu einer urtümlichen, noch unbegriffenen Existenz heran, in der Alfred zum Beispiel die Möglichkeit, dass seine Frau Enid ihm im Salon eines Bordells einen Teller Fäkalien reichte, nicht vollkommen ausschließen konnte, und kaum hatte er sich der Gegenwart von Denise, den Snacks und Chips Wohnzimmer vergewissert, da hatte der äußere Rand der Zeit bereits eine weitere Schicht Zellen hinzugewonnen, sodass er abermals mit einer andersartigen, noch unbegriffenen Welt konfrontiert war, weshalb er es, anstatt seine Kräfte bei diesem Wettlauf zu verausgaben, zusehends vorzog, seine Zeit unter Tage zuzubringen, zwischen den unveränderlichen historischen Wurzeln der Dinge.

«Etwas zur Stärkung, solange ich das Mittagessen vorbereite», sagte Denise.

Dankbar blickte Alfred auf die Snacks, die sich ihm zu ungefähr neunzig Prozent stabil als etwas Essbares präsentierten und nur sporadisch in Gegenstände von ähnlicher Größe und Form hinüberflimmerten.

«Möchtest du vielleicht ein Glas Wein?»

«Nicht nötig», sagte er. Je mehr Dankbarkeit aus seinem Herzen nach außen drang – je gerührter er also war –, umso ungezügelter begannen seine ineinander gelegten Hände mitsamt den Unterarmen auf seinem Schoß umherzuhüpfen. Er versuchte, irgendetwas im Raum zu finden, das ihn nicht rührte, etwas, worauf seine Augen getrost ausruhen könnten, doch da es Chips Zimmer war und Denise darin stand, erinnerten ihn jeder Gegenstand und jede Oberfläche – selbst ein Heizkörperventil oder ein etwas abgeschabtes Stück Wand auf Oberschenkelhöhe – an die ganz eigenen Ostküsten-Welten, in denen seine Kinder lebten, und damit an die beträchtlichen Entfernungen, die ihn von allen dreien trennten, und seine Hände zitterten nur noch mehr.

Dass seine Tochter, deren Aufmerksamkeiten seinen Zustand am allermeisten verschlimmerten, ausgerechnet der Mensch war, von dem so gesehen zu werden er am allerwenigsten ertragen konnte, war die Art von teuflischer Logik, die einen Mann in seinem Pessimismus nur bestärken konnte.

«Ich lass dich einen Augenblick allein», sagte Denise, «und kümmere mich ums Essen.»

Er schloss die Augen und dankte ihr. Wie jemand, der eine Regenpause abpasst, um vom Auto in ein Geschäft zu rennen, wartete er darauf, dass sein Zittern vorübergehend abebbte, damit er die Hand ausstrecken und gefahrlos essen konnte, was Denise ihm gebracht hatte.

Dieser Zustand beleidigte sein Verständnis von Eigentum. Die zitternden Hände gehörten niemand anderem als ihm, und doch verweigerten sie ihm den Gehorsam wie ungezogene Kinder. Wie vernunftlose Zweijährige, die aus lauter Egoismus einen Wutanfall bekamen. Je strenger er durchgriff, umso weniger hörten sie auf ihn, umso quengeliger wurden sie und umso weniger vermochte er sie zu bändigen. Die Widerspenstigkeit eines Kindes, das sich einfach nicht wie ein Erwachsener benehmen wollte, war ihm immer ein Dorn im Auge gewesen. Verantwortungslosigkeit und Mangel an Disziplin waren der Fluch seines Lebens, und es war ein weiteres Beispiel der besagten teuflischen Logik, dass sein eigener verfrühter Leidenszustand ausgerechnet darin bestand, einen Körper zu haben, der ihm den Gehorsam verweigerte.

Wenn aber deine rechte Hand dir Ärgernis schafft, sagte Jesus, so schlage sie ab.

Während er darauf wartete, dass das Zittern nachließ – während er hilflos die zuckenden, rudernden Bewegungen seiner Hand beobachtete, als befände er sich in einem Raum mit schreienden, ungezogenen Kleinkindern und hätte seine Stimme verloren, sodass er sie nicht zur Ruhe bringen konnte –, fand Alfred Gefallen an der Vorstellung, sich mit der Axt die eigene Hand abzuhacken: das aufmüpfige Glied wissen zu lassen, wie bitterböse er ihm war, wie wenig er es liebte, wo es ihm doch immer wieder nicht gehorchen wollte. Ja, er empfand beinahe so etwas wie Ekstase, als er sich den ersten tiefen Schnitt der Klinge in Knochen und Muskel seines störrischen Handgelenks vorstellte, doch zugleich verspürte er, fast genauso stark, das Bedürfnis, um diese Hand, die die seine war, die er liebte und für die er nur das Beste wollte, die Hand, die er sein Leben lang gekannt hatte, zu weinen.

Ohne dass er es bemerkt hatte, waren seine Gedanken schon wieder bei Chip.

Er fragte sich, wohin Chip gegangen war. Wie er es auch diesmal geschafft hatte, Chip zu vertreiben.

Die Stimmen von Denise und Enid in der Küche waren wie zwei hinter Fliegendraht gefangene Bienen, eine größere und eine kleinere. Und seine Chance, die Ruhepause, auf die er gewartet hatte, kam. Er lehnte sich vor, griff, indem er die nehmende Hand mit der stützenden Hand stabilisierte, nach dem Buttersegelschiff und holte es vom Teller, hob es, ohne es kentern zu lassen, in die Höhe, machte, während es dort trieb und schaukelte, den Mund auf, schnappte danach und hatte es. Hatte es. Hatte es. Die Kruste schnitt ihm ins Zahnfleisch, aber er behielt die ganze Angelegenheit im Mund und kaute sorgfältig, seine schwerfällige Zunge möglichst weit davon fern haltend. Die süße schmelzende Butter, das weiblich Weiche des gebackenen, gesäuerten Weizens. Es gab Kapitel in Hedgpeths kleinen Büchern, die nicht einmal Alfred, fatalistisch und diszipliniert, wie er war, zu lesen vermochte. Kapitel, die sich mit den Problemen des Schluckens befassten, mit den späten Qualen der Zunge, mit dem endgültigen Zusammenbruch des Signalsystems …

Der Verrat hatte bei den Signalen angefangen.

Die Midland Pacific Railroad, deren technische Abteilung er im letzten Jahrzehnt seines Berufslebens geleitet hatte (und wo ein Auftrag, den er erteilte, auch ausgeführt worden war, ja, Mr. Lambert, sofort, Sir), hatte Hunderte von Ein-Silo-Städten in West-Kansas und in West- und Mittel-Nebraska angebunden, Städte wie die, in denen Alfred und seine Kollegen ihre Kindheit verbracht hatten, Städte, die mit den Jahren nur noch kränker wirkten, wenn man im Vergleich dazu die ausgezeichnete Verfassung der Midpac-Gleise sah, die durch sie hindurchführten. Obwohl das Unternehmen in erster Linie seinen Aktionären verpflichtet war, hatten die leitenden Mitarbeiter aus Kansas und Missouri (einschließlich des Justiziars Mark Jamborets) den Vorstand davon überzeugt, dass es, da eine Eisenbahn in vielen Provinzstädten eine Monopolstellung habe, ihre staatsbürgerliche Pflicht sei, auch mittlere und kleinste Nebenstrecken weiter zu bedienen. Alfred machte sich persönlich keine Illusionen über die wirtschaftliche Zukunft von Präriestädten, in denen das Durchschnittsalter über fünfzig lag, aber er glaubte an die Bahn und hasste Lastwagen, und aus eigener Erfahrung wusste er, was ein regelmäßiger Zugverkehr für den Stolz einer Ortsgemeinde bedeutete, wusste, wie das Pfeifen einer Lok an einem Februarmorgen, 4 °N, 10 °W, die Stimmung heben konnte; außerdem hatte er bei seinen Auseinandersetzungen mit der Umweltschutzorganisation EPA und diversen Verkehrsämtern Provinzstaatsdiener schätzen gelernt, die sich für einen einsetzten, wenn man mehr Zeit brauchte, um auf den Rangierbahnhöfen von Kansas City Altöltanks zu reinigen, oder wenn irgendein verfluchter Paragraphenreiter darauf bestand, dass man vierzig Prozent zur nutzlosen Abschaffung schienengleicher Bahnübergänge an der County Road H beitrug. Noch Jahre nachdem die Soo Line und Great Northern und Rock Island tote und sterbende Ortschaften im gesamten Gebiet der nördlichen Plains auf dem Trockenen hatten sitzen lassen, fuhr die Midpac weiter mit zweimal wöchentlich oder wenigstens zweimal monatlich verkehrenden Kurzzügen durch Orte wie Alvin und Pisgah Creek, New Chartres und West Centerville.

Bedauerlicherweise hatte dieses Konzept Wilderer auf den Plan gerufen. Anfang der achtziger Jahre, Alfreds Pensionierung rückte bereits näher, war die Midpac als ein regionales Transportunternehmen bekannt, das trotz überragenden Managements und üppiger Gewinnmargen auf seinen Langstrecken nur sehr mittelmäßige Einnahmen erzielte. Einen unliebsamen Freier hatte die Midpac bereits abgewimmelt, da zog sie die begehrlichen Blicke von Hillard und Chauncy Wroth, zweieiigen Zwillingsbrüdern aus Oak Ridge, Tennessee, auf sich, die einen Familien-Fleischverpackungsbetrieb zu einem Dollarimperium ausgeweitet hatten. Zu ihrer Firma, der Orfic Group, gehörten eine Hotelkette, eine Bank in Atlanta, eine Ölgesellschaft und die Arkansas Southern Railroad. Die Wroth-Brüder hatten schiefe Gesichter, fettiges Haar und keine erkennbar anderen Gelüste oder Interessen, als Geld zu scheffeln; die «Oak Ridge Raiders» hießen sie in der Finanzpresse. Bei einem frühen Sondierungsgespräch, an dem auch Alfred teilnahm, redete Chauncy Wroth die Geschäftsleitung der Midpac immer wieder mit «Dad» an: *Ich weiß schon, DAD, Sie finden, dass das hier kein Fairplay ist … Nun, DAD, warum setzen Sie sich dann nicht gleich jetzt mit Ihren Anwälten zusammen und sprechen die ganze Sache durch ... Also, da hatten Hillard und meine Wenigkeit nun geglaubt, dass Sie einen Betrieb führen, DAD, und kein Wohlfahrtsinstitut ...* Diese Art von Antipaternalismus kam gut an bei den gewerkschaftlich organisierten Arbeitnehmern, die nach Monaten zäher Verhandlungen dafür stimmten, den Wroth-Brüdern ein Paket von Lohn- und Arbeitszeit-Zugeständnissen anzubieten, das fast 200 Millionen Dollar wert war; mit diesen voraussichtlichen Einsparungen in der Tasche, plus 27 Prozent des Aktienkapitals, plus unbeschränkte Finanzierung durch hochverzinsliche Anleihen, machten die beiden Wroths ein unwiderstehliches Angebot und kauften die Eisenbahngesellschaft sofort auf. Ein ehemaliger Highway-Verwalter aus Tennessee, Fenton Creel, wurde damit beauftragt, die Fusion der Gesellschaft mit der Arkansas Southern über die Bühne zu bringen. Creel schloss den Hauptsitz der Midpac in St. Jude, schickte ein Drittel der Belegschaft in die Wüste oder in den Vorruhestand und siedelte den Rest nach Little Rock um.

Zwei Monate vor seinem fünfundsechzigsten Geburtstag ging Alfred in Pension. Er saß zu Hause in seinem neuen blauen Sessel und schaute gerade *«Good Morning, America»*, da rief ihn Mark Jamborets, der pensionierte Justiziar der Midpac, an und erzählte ihm, in New Chartres (sprich «Charters»), Kansas, habe ein Sheriff auf einen Mitarbeiter von Orfic Midland geschossen und sei verhaftet worden. «Der Sheriff heißt Bryce Halstrom», wusste Jamborets zu berichten. «Jemand hatte ihm am Telefon gesteckt, ein paar Rowdys würden Signalleitungen der Midpac demolieren. Er fuhr hin und beobachtete, wie drei Kerle die Drähte runterrissen, Stellwerke zertrümmerten und alles aufrollten, was aus Kupfer war. Einer von ihnen hatte schon eine bezirkseigene Kugel in der Hüfte, bevor die anderen Halstrom erklären konnten, dass sie im Auftrag der Midpac handelten.

Bergung von wieder verwertbarem Kupfer für sechzig Cent das Pfund.»

«Aber das ist doch ein gutes neues System», sagte Alfred. «Es ist nicht mal drei Jahre her, dass wir die ganze New-Chartres-Strecke überholt haben.»

«Die Wroth-Brüder verschrotten alles, was jenseits der Haupttrasse liegt», sagte Jamborets. «Sogar die Glendora-Abkürzung! Meinst du nicht, Atchison, Topeka, würde da ein Angebot machen?»

«Tja», sagte Alfred.

«Das nenne ich abgestandene Baptistenmoral», sagte Jamborets. «Die Wroths können es nicht ertragen, dass wir allem zugestimmt haben, nur der rücksichtslosen Profitgier nicht. Ich sag's dir: Sie hassen, was nicht in ihre Köpfe geht. Und jetzt säen sie Salz auf den Feldern. Den Hauptsitz in St. Jude schließen? Der zweimal so groß ist wie der Hauptsitz der Arkansas Southern? Sie bestrafen St. Jude dafür, dass es die Heimat der Midland Pacific ist. Und Creel bestraft Städte wie New Chartres dafür, dass sie Midpac-Städte sind. Er sät Salz auf den Feldern derer, die in Gelddingen redlich sind.»

«Tja», sagte Alfred erneut. Er konnte die Augen nicht von seinem neuen blauen Sessel abwenden, dessen Potenzial als Schlafplatz geradezu köstlich war. «Geht mich nichts mehr an.»

Dabei hatte er dreißig Jahre gearbeitet, um die Midland Pacific zu einem starken Unternehmen werden zu lassen, und Jamborets rief ihn immer noch an und schickte ihm Zeitungsberichte über die neuesten in Kansas verübten Freveltaten, aber alles, was er da erfuhr, machte ihn sehr schläfrig. Schon bald war kaum eine mittlere oder kleine Nebenstrecke im westlichen Teil des Midpac-Gebiets mehr in Betrieb, doch Fenton Creel schien zufrieden damit, die Signaldrähte herunterzuholen und die Stellwerke auszuweiden. Fünf Jahre nach der Übernahme war das Schienennetz immer noch da, das Nutzungsrecht immer noch nicht vergeben. Nur das kupferne Nervensystem hatten sie, in einem Akt mutwilliger unternehmerischer Selbstzerstörung, herausgelöst.

«Und jetzt mache ich mir Sorgen um unsere Krankenversicherung», vertraute Enid Denise an. «Orfic Midland hat vor, allen ehemaligen Midpac-Angestellten spätestens ab Mai nur noch Anspruch auf bestimmte Versicherungsleistungen zu gewähren. Also muss ich eine Krankenkasse finden, die wenigstens ein paar von Dads und meinen Ärzten auf ihrer Liste hat. Ich habe ja schon eine *Flut* von Prospekten zu Hause, aber die Unterschiede stehen alle im Kleingedruckten. Ehrlich gesagt, Denise – ich glaube, ich komme damit nicht zurecht.»

Wie um zu verhindern, dass Enid sie um Hilfe bat, sagte Denise schnell: «Wie regelt Hedgpeth denn diese Dinge?»

«Also, der hat noch ein paar alte Privatpatienten wie Dad, aber sonst arbeitet er nur mit Dean Driblett zusammen», antwortete Enid. «Ich hab dir ja von der großen Party in Deans *fabelhaftem, riesigem* neuem Haus erzählt. Dean und Trish sind wirklich das netteste junge Paar, das ich kenne, aber Himmel, Denise, letztes Jahr, als Dad über den Rasenmäher gefallen ist, habe ich in seiner Firma angerufen, und weißt du, was die dafür haben wollten, unseren kleinen Rasen zu mähen? Fünfundfünfzig Dollar die Woche! Ich habe nichts dagegen, wenn jemand Gewinne macht, ich finde es ganz *herrlich*, dass Dean so erfolgreich ist, von seiner Parisreise mit Honey hab ich dir ja erzählt, also, auf ihn lass ich nichts kommen. Aber fünfundfünfzig Dollar die Woche!»

Denise probierte Chips Grüne-Bohnen-Salat und griff nach dem Olivenöl. «Was würde es kosten, Privatpatient zu bleiben?»

«Hunderte von Dollars mehr im Monat, Denise. Keiner von unseren Freunden ist Kassenpatient, alle sind privat versichert, aber ich weiß nicht, wie wir uns das leisten sollen. Dad hat so vorsichtig investiert, wir können froh sein, dass wir für den Notfall überhaupt ein Polster haben. Und da ist noch so eine Sache, die mir große, große, große Sorgen macht.» Enid dämpfte die Stimme. «Eins von Dads alten Patenten wirft endlich etwas ab, und ich brauche deinen Rat.»

Sie ging kurz aus der Küche und vergewisserte sich, dass Alfred auch wirklich nichts hören konnte. «Geht's dir gut, Al?», rief sie.

Er balancierte sein zweites Horsd'œuvre, den kleinen grünen Güterwagen, unter seinem Kinn. Als habe er ein kleines Tier gefangen, das ihm leicht wieder entwischen könnte, schüttelte er, ohne aufzublicken, den Kopf.

Enid kehrte mit ihrer Handtasche zurück in die Küche. «Da hat er schon mal die Chance, ein bisschen Geld zu verdienen, und dann kümmert es ihn gar nicht. Gary hat letzten Monat mit ihm telefoniert, weil er ihn dazu bewegen wollte, ein wenig fordernder aufzutreten, aber Dad ist der Kragen geplatzt.»

Denise wurde starr. «Was sollt ihr denn Garys Meinung nach tun?»

«Bloß ein wenig fordernder auftreten. Hier, ich zeig dir den Brief.»

«Mutter, das sind Dads Patente. Ihr müsst es schon ihm überlassen, was er damit macht.»

Enid hoffte, dass der Umschlag, der sich ganz unten in ihrer Handtasche befand, das verschwundene Einschreiben von der Axon Corporation war. In ihrer Handtasche, genau wie in ihrem Haus, tauchte verloren Geglaubtes manchmal wie durch ein Wunder wieder auf. Aber der Brief, den sie jetzt zutage förderte, war das notariell beglaubigte Original, das nie verloren gewesen war.

«Lies mal», sagte sie, «vielleicht bist du ja der gleichen Meinung wie Gary.»

Denise stellte den Cayennepfeffer, mit dem sie Chips Salat

bestreut hatte, weg und nahm den Brief. Enid blickte ihr über die Schulter und las ihn erneut, um sicherzugehen, dass alles noch so dastand, wie sie es in Erinnerung hatte.

Sehr geehrter Herr Dr. Lambert,
im Auftrag der Axon Corporation, 24 East Industrial Serpentine, Schwenksville, Pennsylvania, schreibe ich Ihnen, um Ihnen die Zahlung einer Pauschalsumme von fünftausend Dollar ($ 5000,00) für die vollständige, ausschließliche und unwiderrufliche Nutzung der Rechte an dem US-Patent #4.934.417 (THERAPEUTISCHE EISENACETAT-GEL-ELEKTORPOLYMERISATION) anzubieten, dessen ursprünglicher und alleiniger Inhaber Sie sind.

Die Geschäftsleitung von Axon bedauert, Ihnen keine höhere Vergütung in Aussicht stellen zu können. Das firmeneigene Produkt befindet sich noch in einer frühen Testphase, und es kann nicht garantiert werden, dass die Investition Früchte tragen wird.

Wenn Sie die im beigefügten Lizenzvertrag aufgeführten Bedingungen akzeptieren, bitte ich Sie, alle drei Exemplare unterschrieben und notariell beglaubigt bis zum 30. September an mich zurückzusenden.

Mit freundlichen Grüßen
Ihr

Joseph K. Prager
Seniorpartner
Bragg Knuter & Speigh

Als der Brief im August mit der Post gekommen und Enid sofort in den Keller gegangen war, um Alfred zu wecken, hatte er achselzuckend gesagt: «Fünftausend Dollar ändern nichts an unserem Lebensstil.» Enid hatte vorgeschlagen, der Axon Corporation zu schreiben und eine höhere Vergütung zu verlangen, doch Alfred schüttelte den Kopf. «Dann werden wir die fünftausend Dollar bald für einen Anwalt ausgegeben haben», sagte er, «und was hätten wir dann erreicht?» Fragen koste doch nichts, sagte Enid. «Ich werde aber nicht fragen», sagte Alfred. Und wenn er bloß zurückschreibe, sagte Enid, und zehntausend verlange … Dann war sie verstummt, so scharf hatte Alfred sie angesehen. Ebenso gut hätte sie ihm vorschlagen können, mit ihr zu schlafen.

Denise hatte eine Flasche Wein aus dem Kühlschrank genommen, als wolle sie unterstreichen, wie gleichgültig ihr war, was Enid wichtig nahm. Manchmal glaubte Enid, dass Denise alles, aber auch alles, was ihr am Herzen lag, gering schätzte. Das sah sie schon daran, wie Denise jetzt, in ihren herausfordernd knapp sitzenden Bluejeans, mit der Hüfte eine Schublade zustieß. Und an der Selbstsicherheit, mit der sie einen Korkenzieher in den Korken schraubte. «Möchtest du etwas Wein?»

Enid schauderte. «So früh am Tag.»

Denise trank den Wein wie Wasser. «Wie ich Gary kenne», sagte sie, «hat er wahrscheinlich gesagt, ihr sollt versuchen, sie über den Tisch zu ziehen.»

«Also nein, hör zu –» Enid streckte beide Hände nach der Flasche aus. «Nur einen Tropfen, gieß mir nur einen kleinen Schluck ein, ehrlich, ich trinke nie so früh am Tag, nie – also, Gary fragt sich, warum die Firma überhaupt an dem Patent interessiert ist, wenn sie mit der Entwicklung erst ganz am Anfang steht. Üblich ist wohl, solche Patente einfach zu missachten. Das ist zu viel! Denise, so viel Wein möchte ich nicht! Weißt du, das Patent erlischt nämlich in sechs Jahren, und deshalb meint Gary, dass die Firma mit Sicherheit bald einen Batzen Geld damit verdient.»

«Hat Dad den Vertrag unterschrieben?»

«O ja. Er ist extra zu den Schumperts gegangen, damit Dave ihn beglaubigt.»

«Dann musst du seine Entscheidung respektieren.»

«Denise, er ist stur und unvernünftig. Ich kann doch nicht –»

«Willst du etwa seine Geschäftsfähigkeit anzweifeln?»

«Nein. Überhaupt nicht. Es ist ja ganz typisch, wie er sich benimmt. Ich kann bloß nicht –»

«Wenn er den Vertrag schon *unterzeichnet* hat», sagte Denise, «was sollt ihr denn Garys Meinung nach noch tun?»

«Nichts, vermutlich.»

«Und worum geht's dann überhaupt?»

«Ach, weiß ich auch nicht. Du hast Recht», sagte Enid. «Wir können gar nichts mehr tun», und doch, in Wahrheit stimmte das nicht. Wenn Denise ein bisschen weniger entschieden Alfreds Partei ergriffen hätte, vielleicht hätte Enid ihr dann gestanden, dass sie den Umschlag mit dem beglaubigten Vertrag, statt ihn auf dem Weg zur Bank bei der Post abzugeben, im Handschuhfach des Autos deponiert hatte, wo er tagelang lag und ihr ein schlechtes Gewissen einflößte, und dass sie ihn später, während Alfred sein Nickerchen machte, an einem sichereren Ort versteckt hatte, in der Waschküche nämlich, ganz hinten in dem Schrank, wo sie auch die Gläser mit Marmelade und Brotaufstrich lagerte (Kumquat-Rosinen, Brandy-Kürbis, koreanische Brechbeere), die, weil keiner sie essen mochte, mit der Zeit eine graue Färbung angenommen hatten, außerdem Vasen, Körbe und Gesteckschwämme aus dem Blumenladen, die zum Wegwerfen zu gut, zum Benutzen hingegen nicht gut genug waren; und dass sie und Alfred, infolge dieser Unredlichkeit, Axon theoretisch noch immer eine hohe Lizenzgebühr abluchsen konnten, weswegen es entscheidend war, dass sie den zweiten, eingeschriebenen Brief von Axon wieder fand und versteckte, bevor Alfred herausbekam, dass sie ihn getäuscht und ihm zuwidergehandelt hatte. «Ach, da fällt mir noch etwas ein», sagte sie und leerte ihr Glas. «Es gibt da eine Sache, bei der ich wirklich deine Hilfe brauche.»

Denise zögerte, antwortete dann aber mit einem höflichen, freundlichen: «Ja?» Dieses Zögern bestätigte Enids lang gehegten Verdacht, dass sie und Alfred bei der Erziehung von Denise irgendwann einen falschen Weg eingeschlagen hatten. Dass es ihnen nicht gelungen war, ihrem jüngsten Spross den rechten Geist von Großzügigkeit und freudiger Hilfsbereitschaft einzuimpfen.

«Wie du weißt», sagte Enid, «haben wir jetzt achtmal hintereinander Weihnachten in Philadelphia gefeiert, und Garys Jungs sind inzwischen alt genug, dass ihnen eine Erinnerung an ein Weihnachten im Haus ihrer Großeltern etwas bedeuten könnte, und deshalb dachte ich –»

«*Verdammt!*» Der Aufschrei kam aus dem Wohnzimmer.

Enid stellte ihr Glas ab und eilte aus der Küche. Alfred saß in einer sträflingsartigen Haltung auf der Kante der Chaiselongue, die Knie angezogen, den Rücken ein wenig gebeugt, und betrachtete die Absturzstelle seines dritten Horsd'œuvre. Die Brotgondel war ihm auf dem Weg zum Mund aus den Fingern geglitten und aufs Knie gefallen, von dort, Wrackteile verstreuend, auf den Boden gerutscht und schließlich unter der Chaiselongue gelandet. Ein feuchter Pelz roten Paprikapulvers klebte an der Flanke der Chaiselongue. Schatten aus Öltunke bildeten sich um jedes Klümpchen klein gehackter Oliven auf dem Polster. Die leere Gondel lag auf der Seite, und zu sehen war ihr gelb getränktes, braunfleckig weißes Inneres.

Denise zwängte sich mit einem feuchten Schwamm an Enid vorbei und kniete sich neben Alfred. «O Dad», sagte sie, «die sind schwer zu halten, daran hätte ich denken müssen.»

«Gib mir einfach einen Lappen, ich mach das wieder sauber.»

«Nein, lass nur», sagte Denise. Eine hohle Hand darunter

haltend, wischte sie die Olivenbröckchen von Alfreds Knien und Oberschenkeln. Seine Hände zitterten nahe an ihrem Kopf in der Luft, als wolle er sie wegstoßen, doch sie arbeitete schnell, hatte bald alle Olivenbröckchen vom Boden aufgenommen und trug die schmuddeligen Essensreste in die Küche zurück, wo es Enid in der Zwischenzeit nach einem weiteren kleinen Spritzer Wein gelüstet hatte, aus dem, da sie nicht erwischt werden wollte, in der Eile ein ziemlich kräftiger kleiner Spritzer geworden war, den sie nun hastig hinunterstürzte.

«Jedenfalls habe ich mir gedacht», sagte sie, «wenn du und Chip Lust hättet, dann könnten wir alle ein letztes Mal Weihnachten in St. Jude feiern. Wie findest du die Idee?»

«Ich komme dahin, wo ihr sein wollt, du und Dad.»

«Nein, ich frage doch *dich*. Ich möchte wissen, ob es dir Spaß machen würde, ob dir etwas daran liegt, noch ein letztes Mal in dem Haus, in dem du aufgewachsen bist, Weihnachten zu feiern. Wäre das nicht schön für dich?»

«Ich kann dir jetzt schon sagen», antwortete Denise, «dass Caroline nie und nimmer einen Fuß aus Philly heraussetzen wird. Alles andere ist Wunschdenken. Wenn du deine Enkelkinder sehen willst, musst du schon an die Ostküste fahren.»

«Denise, ich frage doch, was *du* möchtest. Gary hat gesagt, er und Caroline schließen es nicht aus. Ich muss wissen, ob *dir* etwas an einem Weihnachtsfest in St. Jude liegt. Denn wenn wir anderen uns alle einig sind, dass es wichtig ist, ein letztes Mal als Familie in St. Jude zusammen –»

«Mutter, wenn du glaubst, dass du das schaffst, habe ich nichts dagegen.»

«Ich werde bloß ein bisschen Hilfe in der Küche brauchen.»

«Ich kann dir in der Küche helfen. Aber ich kann nur ein paar Tage kommen.»

«Kannst du dir keine ganze Woche frei nehmen?»

«Nein.»

«Warum nicht?»

«Mutter.»

«Verdammt!», rief Alfred erneut aus dem Wohnzimmer, als irgendetwas Gläsernes, vielleicht eine Vase voller Sonnenblumen, mit einem berstenden Geräusch, einem Scherbengeglucker, zu Boden fiel. *«Verdammt! Verdammt!»*

Enid hatte selbst so brüchige Nerven, dass sie beinahe ihr Weinglas hätte fallen lassen, und doch war sie in gewisser Weise dankbar für dieses zweite Missgeschick, was immer es sein mochte, weil es Denise einen kleinen Eindruck davon vermittelte, was sie jeden Tag, rund um die Uhr, daheim in St. Jude auszustehen hatte.

Am Abend von Alfreds fünfundsiebzigstem Geburtstag war Chip allein in der Tilton Ledge und verkehrte geschlechtlich mit seiner roten Chaiselongue.

Es war Anfang Januar, und die Wälder rund um den Carparts Creek waren matschig vom schmelzenden Schnee. Nur der Shopping-Center-Himmel über Mittel-Connecticut und die digitalen Anzeigen der häuslichen Elektrogeräte warfen Licht auf seine fleischlichen Mühen. Er kniete zu Füßen seiner Chaiselongue und beschnupperte akribisch, Zentimeter für Zentimeter, den Plüsch, und zwar in der Hoffnung, dass, acht Wochen nachdem Melissa Paquette hier gelegen hatte, noch eine Spur vaginalen Aromas daran haftete. Für gewöhnlich wurden deutliche, identifizierbare Gerüche – Staub, Schweiß, Urin, der penetrante Gestank von Zigarettenrauch, der flüchtige Duft einer Möse – abstrakt und ununterscheidbar, wenn man sie zu lange in der Nase behielt, und so legte er immer wieder Pausen ein, um seine Nasenlöcher durchzulüften. Mit den Lippen arbeitete er sich bis zu den Knopfnabeln vor und legte sie auf die Fusseln, Sandkörner, Krümel und Haare, die sich darin angesammelt hatten. Keine der drei Stellen, an denen er meinte, Melissa zu riechen, duftete ganz eindeutig nach ihr, doch nach ausgiebigem Vergleich fühlte er sich in der Lage, sich für die am wenigsten zweifelhafte Stelle in der Nähe eines Knopfes knapp unterhalb der Rückenlehne zu entscheiden, und widmete ihr die ungeteilte Aufmerksamkeit seiner Nase. Er befingerte mit beiden Händen andere Knöpfe, während der kühle Plüsch, in einer dürftigen Annäherung an Melissas Haut, seine Genitalien wund rieb, bis er schließlich von der Wirklichkeit des Geruchs – davon, dass er wirklich noch ein Andenken an Melissa barg – hinreichend überzeugt war, um den Akt vollziehen zu können. Anschließend rollte er sich von seinem willfährigen antiken Möbel herunter und plumpste zu Boden, mit offener Hose und dem Kopf auf das Polster gebettet, dem Augenblick, wo er es endgültig nicht geschafft haben würde, seinen Vater an dessen Geburtstag anzurufen, wieder eine Stunde näher.

Er rauchte zwei Zigaretten, zündete die eine gleich an der anderen an. Er schaltete den Fernseher ein, wählte einen Kabelsender, in dem ein Marathon alter Warner-Bros.-Zeichentrickfilme lief. Am Rand der bläulich schimmernden Lichtpfütze sah er die Post liegen, die er seit fast einer Woche ungeöffnet auf den Boden warf. Drei Briefe des amtierenden Rektors vom D—College waren darunter, außerdem irgendein ominöses Schreiben von der Lehrer-Pensionskasse sowie ein Brief von der Wohnungsvermittlung des Colleges mit dem Wort RÄUMUNGSBESCHEID gleich vorn auf dem Kuvert.

Früher am Tag hatte Chip ein paar Stunden damit totgeschlagen, auf den ersten Seiten einer vier Wochen alten *New York Times* mit blauem Kugelschreiber jedes großgeschriebene *M* zu umkringeln, und war zu dem Schluss gelangt, dass er sich wie ein Depressiver benahm. Jetzt, als sein Telefon zu klingeln anfing, fiel ihm ein, dass ein Depressiver wohl weiter auf den Fernseher starren und das Klingeln ignorieren würde – ja dass er sich vermutlich noch eine Zigarette anzünden und ohne die

Spur einer Gefühlsregung einen weiteren Zeichentrickfilm anschauen würde, während sein Anrufbeantworter die Nachricht von wem auch immer entgegennahm.

Dass er hingegen den Impuls hatte, aufzuspringen und ans Telefon zu gehen – dass er der mühevollen Verschwendung eines ganzen Tages so einfach wieder abschwören konnte –, ließ Zweifel an der Echtheit seines Leidens aufkommen. Er hatte das Gefühl, dass er gar nicht fähig war, jedenfalls nicht so wie die Depressiven in Büchern und Filmen, alle Willenskraft und allen Realitätsbezug zu verlieren. Während er den Fernseher stummschaltete und in die Küche eilte, war ihm, als scheitere er selbst an der erbärmlichen Aufgabe, ordentlich vor die Hunde zu gehen.

Er machte seinen Hosenschlitz zu, schaltete das Licht an und nahm ab. «Hallo?»

«Was ist los, Chip?», fragte Denise ohne Vorgeplänkel. «Ich habe gerade mit Dad gesprochen, und er sagt, er hat noch nichts von dir gehört.»

«Denise. Denise. Was schreist du so?»

«Ich schreie, weil ich mich aufrege, und ich rege mich auf, weil heute Dads fünfundsiebzigster Geburtstag ist und du ihn nicht angerufen und ihm auch keine Karte geschrieben hast. Ich rege mich auf, weil ich zwölf Stunden gearbeitet und gerade eben Dad angerufen habe und er sich deinetwegen Sorgen macht. Was ist los?»

Chip war selbst überrascht, dass er lachen musste. «Ich habe meinen Job verloren, das ist los.»

«Du hast die Professur nicht gekriegt?»

«Nein, ich bin gefeuert worden. Sie haben mich nicht mal mehr die letzten zwei Semesterwochen unterrichten lassen. Jemand anders musste die Prüfungen abnehmen. Und ich kann die Entscheidung nur anfechten, indem ich einen Zeugen aufrufe. Aber wenn ich mit meinem Zeugen zu reden versuche, gilt das bloß als weiterer Beweis für mein Vergehen.»

«Wer ist dieser Zeuge? Zeuge wovon?»

Chip nahm eine Flasche aus dem Altglasbehälter, vergewisserte sich, dass sie leer war, und stellte sie zurück. «Eine ehemalige Studentin von mir behauptet, ich sei besessen von ihr. Sie sagt, ich hätte ein Verhältnis mit ihr gehabt und in einem Motelzimmer eine Seminararbeit für sie geschrieben. Und wenn ich mir keinen Anwalt nehme, was ich mir nicht leisten kann, weil sie mir das Gehalt gesperrt haben, darf ich mit dieser Studentin nicht sprechen. Kontakt mit ihr aufzunehmen gilt schon als Belästigung.»

«Lügt sie?», fragte Denise.

«Mom und Dad brauchen das übrigens nicht unbedingt zu wissen.»

«Lügt sie, Chip?»

Der Teil der *Times*, in dem er jedes großgeschriebene *M* eingekringelt hatte, lag aufgeschlagen auf Chips Küchentisch. Dieses Kunstwerk jetzt, Stunden später, wieder zu entdecken glich fast der Erinnerung an einen Traum, nur dass ein Traum nicht die Kraft besaß, einen wachen Menschen in seine Welt hineinzuziehen, wohingegen der Anblick eines stark markierten Berichts über abermalige, und zwar erhebliche Kürzungen der **M**edicare- und **M**edicaid-Versicherungsleistungen in Chip erneut jenes Gefühl von Unbehagen und unerfüllter Lust weckte, jene Sehnsucht nach Bewusstlosigkeit, die ihn auch dazu getrieben hatte, an der Chaiselongue herumzuschnuppern und -zufummeln. Jetzt musste er sich mühevoll ins Gedächtnis zurückrufen, dass er auf der Chaiselongue bereits *gewesen* war, dass er diesen Weg, Trost und Vergessen zu finden, bereits *beschritten* hatte.

Er faltete die *Times* zusammen und warf sie auf seinen überbordenden Mülleimer.

«‹Ich hatte mit dieser Frau nie sexuelle Kontakte›», sagte er.

«Du weißt, dass ich oft schnell mit einem Urteil bei der Hand bin», sagte Denise, «aber nicht bei so was.»

«Ich hab gesagt, ich habe nicht mit ihr geschlafen.»

«Ich meine ja nur, dass bei diesem Thema absolut alles, was du mir erzählen willst, ein offenes Ohr findet.» Sie räusperte sich mit Nachdruck.

Wenn Chip jemandem aus seiner Familie reinen Wein hätte einschenken wollen, wäre seine kleine Schwester dafür sicher am ehesten infrage gekommen. Nach einem abgebrochenen Studium und einer gescheiterten Ehe hatte Denise immerhin ein wenig Erfahrung mit Dunkelheit und Desillusion. Doch niemand außer Enid hatte Denise je für einen Versager gehalten. Das College, von dem sie vorzeitig abgegangen war, war besser als das, an dem Chip sein Examen abgelegt hatte, und ihre frühe Heirat und die noch nicht lang zurückliegende Scheidung verliehen ihr eine emotionale Reife, die ihm selbst eindeutig fehlte. Und dass sie, obwohl sie achtzig Stunden die Woche arbeitete, immer noch mehr Bücher las als er, stand zu befürchten. Im vergangenen Monat – seit er sich mit Projekten befasste wie dem, Melissa Paquettes Gesicht aus einer Broschüre mit den Porträts aller Studienanfänger herauszuscannen, ihren Kopf sodann mit obszönen, woanders heruntergeladenen Abbildungen chirurgisch zu vernähen und Pixel für Pixel damit zu spielen (und die Stunden flogen nur so dahin, wenn man mit Pixeln spielte) –, in diesem Monat also hatte er nicht ein einziges Buch gelesen.

«Es gab da ein Missverständnis», erzählte er Denise leidenschaftslos. «Und dann schienen sie es kaum erwarten zu können, mich zu feuern. Und jetzt kriege ich nicht mal ein anständiges Verfahren.»

«Ehrlich gesagt», meinte Denise, «find ich's schwer zu begreifen, was so schlimm daran sein soll, gefeuert zu werden. Colleges sind grässlich.»

«Ich hatte gedacht, das ist der einzige Ort auf der Welt, wo ich hinpasse.»

«Und ich sage, es spricht sehr für dich, dass es nicht so ist. Aber wie kommst du jetzt zurecht, finanziell, meine ich?»

«Wer hat gesagt, dass ich zurechtkomme?»

«Soll ich dir was leihen?»

«Du hast doch gar kein Geld, Denise.»

«Doch, habe ich. Außerdem finde ich, du solltest mit meiner Freundin Julia sprechen. Das ist die Frau, die bei der Produktionsfirma arbeitet. Ich habe ihr von deiner Idee erzählt, der Sache mit der East-Village-Version von *Troilus und Cressida*. Sie hat gesagt, du sollst sie anrufen, wenn du daraus was machen willst.»

Chip schüttelte den Kopf, als stünde Denise bei ihm in der Küche und könnte ihn sehen. Vor Monaten hatten sie sich am Telefon darüber unterhalten, ob es nicht möglich wäre, einige von Shakespeares weniger bekannten Dramen zu modernisieren, und er konnte es kaum ertragen, dass Denise dieses Gespräch ernst genommen hatte; dass sie immer noch an ihn glaubte.

«Und was ist mit Dad?», fragte sie. «Hast du vergessen, dass er heute Geburtstag hat?»

«Ich habe nicht auf die Zeit geachtet.»

«Ich würde dich ja nicht drängen», sagte Denise, «aber schließlich war ich diejenige, die dein Weihnachtspaket geöffnet hat.»

«Weihnachten war 'ne schlechte Nummer, keine Frage.»

«Welches Päckchen wem gehörte – reine Spekulation.»

Draußen war von Süden her Wind aufgekommen, ein Tauwind, der den schmelzenden Schnee noch schneller auf die hintere Terrasse tropfen ließ. Das Gefühl, das Chip gehabt hatte, als das Telefon klingelte – das Gefühl, dass er über sein Leiden frei verfügen konnte –, hatte ihn schon wieder verlassen.

«Also, rufst du ihn jetzt an?», fragte Denise.

Er legte auf, ohne ihr geantwortet zu haben, stellte den Klingelton ab und presste sein Gesicht gegen den Türrahmen. Das Problem, was er seinen Familienangehörigen zu Weihnachten schenken sollte, hatte er am letztmöglichen Versandtag gelöst, indem er in allergrößter Eile alte Schnäppchen und Mängelexemplare aus seinen Bücherregalen gezogen, sie in Alufolie eingewickelt und mit rotem Band verschnürt hatte, wobei er es tunlichst vermied, sich vorzustellen, was zum Beispiel sein neunjähriger Neffe Caleb zu einer kommentierten Oxford-Ausgabe von Scotts *Ivanhoe* sagen würde, deren Haupteignung als Geschenk darin bestand, dass sie noch in die Originalplastikfolie eingeschweißt war. Die Ecken der Bücher stachen sofort durch das Silberpapier, und die zusätzliche Folie, mit der er die Löcher abdeckte, haftete nicht gut an den unteren Schichten, sodass das Ganze weich und schalig aussah, wie eine Zwiebel oder wie Blätterteig, ein Effekt, den er zu mildern versuchte, indem er jedes Paket mit den Weihnachtsstickern der Nationalen Liga für das Recht auf Abtreibung beklebte, die ihm mit seiner jährlichen Mitgliedsmappe zugegangen waren. Sein Machwerk sah so unbeholfen und kindisch aus, ja zeugte, wenn er ehrlich war, von einer solchen seelischen Unausgeglichenheit, dass er die Päckchen in einen alten Pampelmusenkarton warf, damit sie ihm aus den Augen waren. Dann schickte er den Karton per FedEx an Garys Adresse in Philadelphia. Er fühlte sich, als hätte er einen gewaltigen Durchfall überstanden, als wäre er, egal, wie schmierig und widerlich es gewesen war, jetzt wenigstens entleert und würde nicht so schnell wieder in eine ähnliche Lage kommen. Drei Tage später jedoch, am Weihnachtsabend, als er nach zwölfstündiger Wache im Dunkin' Donuts von Norwalk, Connecticut, nach Hause kam, stand er vor dem Problem, die Geschenke öffnen zu müssen, die seine Familie ihm geschickt hatte: zwei Pakete aus St. Jude, eine gepolsterte Versandtasche von Denise und ein Paket von Gary. Er beschloss, die Geschenke im Bett aufzumachen und sie, um sie in sein Schlafzimmer hinaufzubefördern, mit dem Fuß die Treppe hochzukicken. Was sich als Herausforderung erwies, neigten längliche Gegenstände doch dazu, an den Stufen hängen zu bleiben und wieder herunterzupurzeln. Und eine Versandtasche, deren Inhalt so leicht war, dass sie keinen Trägheitswiderstand bot, mit Fußtritten überhaupt anzulüpfen war auch nicht ganz ohne. Doch Chips Weihnachtsabend war bisher so ungeheuer trostlos und demoralisierend verlaufen – er hatte eine Nachricht auf Melissas Anrufbeantworter im College hinterlassen und sie gebeten, ihn auf dem Münztelefon im Dunkin' Donuts zurückzurufen oder, besser noch, vom Haus ihrer Eltern in der Nähe von Westport *in persona* dorthin zu kommen, und erst gegen Mitternacht hatte er erschöpft einsehen müssen, dass Melissa sich vermutlich nicht bei ihm melden und ihn schon gar nicht besuchen würde –, dass er sich psychisch jetzt weder imstande fühlte, gegen die Regeln des selbst erfundenen Spiels zu verstoßen, noch dieses Spiel beenden konnte, bevor er am Ziel war. Er wusste, dass die Regeln nur echte, harte Schüsse zuließen (verboten war insbesondere, den Fuß unter die Versandtasche zu schieben und sie durch Stupsen oder Anheben voranzutreiben), weshalb er gezwungen war, seinem Weihnachtspaket von Denise Fußtritte von eskalierender Grobheit zu versetzen, bis es aufriss, die Füllung aus Zeitungspapierfetzen herausquoll und er die kaputte Hülle so mit der Stiefelspitze erwischte, dass das Geschenk in einem langen, sauberen Bogen nach oben flog und nur eine Stufe unterhalb der ersten Etage landete. Über den Rand der letzten Stufe war es allerdings nicht hinwegzubewegen. Mit den Hacken zertrampelte, zertrat und zerkleinerte Chip den Umschlag. Ein Durcheinander von rotem Papier und grüner Seide wurde sichtbar. Da verletzte er die von ihm selbst aufgestellte Regel und scharrte den ganzen Schlamassel über die oberste Stufe, kickte ihn den Flur entlang, ließ ihn neben seinem Bett liegen und ging wieder hinunter, um sich den anderen Paketen zu widmen. Er schaffte es, auch diese mehr oder weniger zu zerstören, bevor er auf die Idee kam, sie von einer der unteren Stufen abprallen zu lassen und, sobald sie in der Luft waren, mit einem einzigen Tritt nach oben zu pfeffern. Als er mit Garys Paket so verfuhr, explodierte es in einer Wolke aus weißen Styroporscheiben. Eine in Luftbläschenplastik gewickelte Flasche fiel heraus und rollte die Treppe hinunter. Es war erlesener kalifornischer Portwein. Chip trug ihn zu seinem Bett und entwickelte einen Rhythmus, der es ihm erlaubte, sich für jedes Geschenk, das er ausgepackt hatte, einen großen Schluck Portwein zu genehmigen. Von seiner Mutter, die zu glauben schien, dass er immer noch einen Strumpf an seinen Kamin hängte, hatte er eine Kiste mit der Aufschrift *Strumpffüllungen* bekommen, die kleine, einzeln verpackte Gegenstände enthielt: eine Tüte Hustenbonbons, ein Miniatur-Schulfoto von ihm selbst als Zweitklässler in einem angelaufenen Messingrahmen, Plastikfläschchen mit Shampoo, Spülung und Handlotion aus einem Hotel in Hongkong, in dem Enid und Alfred vor elf Jahren auf dem Weg nach China übernachtet hatten, sowie zwei holzgeschnitzte Elfen mit kitschig breitem Lächeln und Schlaufen aus silbernem Band in den kleinen Schädeln, zum Aufhängen am Baum. Unter ebendiesen mutmaßlichen Baum sollte gelegt werden, was Enid ihm in einer zweiten Kiste schickte, größere, in rotes Weihnachtsmanngesichter-Papier geschlagene Geschenke: einen Spargeltopf, drei Paar weiße Jockey-Unterhosen, einen riesigen Lolli und zwei Zierkissen aus Kattun. Von Gary und dessen Frau hatte Chip, außer dem Port, eine raffinierte kleine Vakuumpumpe bekommen, mit der man Weinreste vor dem Oxydieren bewahren konnte, als hätten Weinreste je zu Chips Problemen gehört. Von Denise, der er *Ausgewählte Briefe von André Gide* geschenkt hatte, nicht ohne den Beweis, dass ihm diese besonders uninspirierte Übersetzung einstmals einen Dollar wert gewesen war, vom Deckblatt zu löschen, bekam er ein wunderschönes limettengrünes Seidenhemd, und sein Vater hatte ihm einen Scheck über einhundert Dollar zugedacht, mit der von Hand geschriebenen Anweisung, sich damit irgendeinen Wunsch zu erfüllen.

Abgesehen von dem Hemd, das er getragen, und dem Scheck, den er eingelöst, und der Flasche Port, die er in der Heiligen Nacht im Bett ausgetrunken hatte, lagen alle Geschenke seiner Familie noch im Schlafzimmer auf dem Boden. Füllmaterial aus Denise' Versandtasche war bis in die Küche gelangt und hatte sich mit verspritztem Abwaschwasser zu einem Matsch verbunden, den er nun überallhin trug. Ganze Herden schafweißer Styroporscheiben lagen an geschützten Orten versammelt.

Im Mittelwesten ging es auf halb elf zu.

Hallo, Dad. Herzlichen Glückwunsch zum Fünfundsiebzigsten. Alles bestens hier. Und in St. Jude?

Chip spürte, dass er diesen Anruf nicht ohne irgendeinen Muntermacher, nicht ohne eine Belohnung über die Bühne bringen konnte. Er brauchte ein Aufputschmittel. Doch er hatte bereits eine lungengroße Schmerzzone in der Brust, weil das Fernsehen seinem kritischen und politischen Urteil solche Qualen bereitete, dass er sich nicht einmal mehr Zeichentrickfilme anschauen konnte, ohne dabei zu rauchen, und ansonsten fand sich nicht ein einziges Rauschmittel in seiner Wohnung, kein Sherry zum Kochen, ja nicht einmal Hustensaft, und nach seinen Bemühungen, sich mit der Chaiselongue zu verlustieren, hatten sich seine Endorphine wie kriegsmüde Truppen in die vier Ecken seines Gehirns zurückgezogen, derart erschöpft von den Anforderungen, die er in den letzten fünf Wochen an sie gestellt hatte, dass nichts, mit Ausnahme der leibhaftigen Melissa vielleicht, sie bewegen konnte, erneut aufzumarschieren. Er brauchte einen Zusatzverstärker für seine Moral, einen kleinen Muntermacher, aber etwas Besseres als die vier Wochen alte *Times* hatte er nicht, und ihm schien, er habe für einen einzigen Tag bereits genug große *M* umkringelt, mehr waren nicht drin.

Er ging zum Esstisch und überzeugte sich, dass auch wirklich keine der Weinflaschen, die dort standen, Reste enthielt. Er hatte die letzten 220 Dollar auf seiner Visa-Karte in acht Flaschen eines ziemlich guten Fronsac investiert und am Samstagabend ein letztes Abendessen gegeben, um seine Anhänger aus der Fakultät um sich zu scharen. Ein paar Jahre zuvor hatte der Fachbereich Drama einer allseits beliebten jungen Assistenzprofessorin, Cali Lopez, gekündigt, weil sie mit einem Titel herumgelaufen war, der ihr nicht zustand, woraufhin empörte Studenten und Nachwuchs-Dozenten Boykotts und Nachtwachen bei Kerzenschein organisiert hatten, bis sich das D— College gezwungen sah, Lopez nicht nur wieder einzustellen, sondern ihr sogar eine volle Professorenstelle zu geben. Sicher, Chip war weder Lesbierin noch eine Filipina wie Lopez, aber immerhin hatte er Feministische Theorie unterrichtet und vereinigte hundert Prozent der Stimmen aus dem Schwulenblock auf sich, und seine Literaturlisten spickte er routinemäßig mit Werken nichtwestlicher Autoren, und im Zimmer 23 der Comfort Valley Lodge hatte er eigentlich auch nichts anderes getan, als gewisse Theorien (den Mythos der Urheberschaft, die Verbraucherschutzresistenz transgressiver sexueller [Trans-]Akt[ion]e[n]), die zu lehren das College ihn beauftragt hatte, in die Praxis umzusetzen. Das Dumme war nur, dass diese Theorien, wenn er sie nicht vor leicht zu beeindruckenden jungen Leuten ausbreitete, ein bisschen lahm klangen. Von den acht Kollegen, die seine Einladung für den Samstagabend angenommen hatten, waren jedenfalls nur vier gekommen. Und trotz seiner Anstrengungen, das Gespräch auf seine missliche Lage zu lenken, bestand die einzige kollektive Tat, die seine Freunde seinetwegen auf die Beine stellten, darin, ihm eine A-capella-Version von «Non, je ne regrette rien» darzubringen, während sie die achte Flasche Wein verlöteten.

In den seither verstrichenen Tagen hatte er nicht die Kraft gehabt, den Tisch abzuräumen. Er betrachtete den schwarz gewordenen roten Blattsalat, die Haut aus erstarrtem Fett auf einem übrig gebliebenen Lammkotelett, das Chaos aus Korken und Asche. Die Schande und Unordnung in seiner Wohnung entsprachen der Schande und Unordnung in seinem Kopf. Cali Lopez war inzwischen amtierende College-Rektorin, als Nachfolgerin Jim Levitons.

Erzählen Sie mir von Ihrem Verhältnis zu Ihrer Studentin Melissa Paquette.

Meiner ehemaligen Studentin?

Ihrer ehemaligen Studentin.

Wir sind befreundet. Wir waren zusammen essen. Ich habe zu Beginn der Thanksgiving-Ferien ein wenig Zeit mit ihr verbracht. Sie ist eine hervorragende Studentin.

Haben Sie Melissa bei einer Arbeit geholfen, die sie letzte Woche bei Vendla O'Fallon eingereicht hat?

Wir haben nur ganz allgemein über die Arbeit gesprochen. In einigen Bereichen hatte sie Fragen, und ich konnte ihr dabei helfen, sie zu klären.

Ist Ihre Beziehung zu ihr sexueller Natur?

Nein.

Chip, ich denke, wir werden Sie erst einmal, bei fortlaufendem Gehalt, vom Dienst suspendieren, bis es zu einer ordentlichen Anhörung kommt. Ja, so machen wir das. Die Anhörung wird Anfang nächster Woche sein, und bis dahin sollten Sie sich wohl einen Anwalt besorgen und mit Ihrem Gewerkschaftsvertreter sprechen. Außerdem muss ich darauf bestehen, dass Sie nicht versuchen, Kontakt mit Melissa Paquette aufzunehmen.

Was hat sie gesagt? Dass ich ihre Arbeit geschrieben habe?

Melissa hat den Ehrenkodex verletzt, indem sie eine Arbeit abgegeben hat, die nicht von ihr stammt. Jetzt droht ihr die Suspendierung für ein Semester, aber es scheint, als gebe es da gewisse mildernde Umstände. Zum Beispiel das äußerst unangebrachte sexuelle Verhältnis, das Sie mit ihr unterhalten haben.

Hat sie das gesagt?

Mein persönlicher Rat, Chip – kündigen Sie.

Hat sie das gesagt?

Sie haben keine Chance.

Schmelzwasser pladderte noch heftiger auf seine Terrasse. Er zündete sich an der vorderen Flamme des Gasherds eine Zigarette an, nahm zwei schmerzhafte Züge und presste die Glut gegen die Innenfläche seiner Hand. Er stöhnte mit zusammengebissenen Zähnen, öffnete den Gefrierschrank, legte seine Handfläche auf dessen Boden und stand eine Minute so da, den Geruch von verbranntem Fleisch in der Nase. Dann ging er mit einem Eiswürfel in der Hand zum Telefon und wählte die alte Vorwahl, die alte Nummer.

Während in St. Jude das Telefon klingelte, stellte er einen Fuß auf den Teil der *Times* in seinem Müll und stampfte ihn weiter nach unten, schaffte ihn sich aus den Augen.

«Oh, Chip», rief Enid, «er ist schon ins Bett gegangen!»

«Dann weck ihn nicht auf», sagte Chip. «Sag ihm nur –»

Doch schon hatte Enid den Hörer hingelegt und rief *Al! Al!*, immer leiser klang ihre Stimme, je weiter sie sich auf dem Weg zum Schlafzimmer vom Telefon entfernte. *Es ist Chip!*, hörte er sie rufen. Hörte den Anschluss im ersten Stock klicken. Hörte, wie Enid Alfred ermahnte: «Aber nicht bloß Hallo sagen und wieder einhängen. *Plaudere* ein bisschen mit ihm.»

Als sie ihm den Hörer reichte, knisterte es.

«Ja», sagte Alfred.

«Hey, Dad, herzlichen Glückwunsch», sagte Chip.

«Ja», sagte Alfred noch einmal mit der gleichen tonlosen Stimme.

«Tut mir Leid, dass ich so spät anrufe.»

«Ich hab noch nicht geschlafen.»

«Ich dachte schon, ich hätte dich geweckt.»

«Ja.»

«Also – alles Gute zum Fünfundsiebzigsten.»

«Ja.»

Chip hoffte, dass Enid, trotz schmerzender Hüfte, so schnell sie konnte in die Küche zurückhasten würde, um ihn zu erlösen. «Du bist sicher müde, und es ist spät», sagte er. «Wir brauchen nicht zu reden.»

«Danke für den Anruf», sagte Alfred.

Jetzt war Enid wieder in der Leitung. «Ich mache noch schnell den Abwasch fertig», sagte sie. «Wir haben heute Abend gefeiert! Al, erzähl doch Chip, wie wir gefeiert haben! Ich lege jetzt wieder auf.»

Sie hängte ein. Chip sagte: «Ihr habt gefeiert.»

«Ja. Die Roots waren hier, zum Abendessen und zum Bridge.»

«Hattest du einen Geburtstagskuchen?»

«Deine Mutter hat einen gebacken.»

Die Zigarette hatte ein Loch in Chips Körper gebrannt, durch das, er fühlte es deutlich, Schädliches eindringen und Lebenswichtiges entweichen konnte, und beides tat weh. Schmelzendes Eis rann über seine Finger. «Wie war das Bridgen?»

«Hatte wie üblich katastrophale Blätter.»

«Und das an deinem Geburtstag. Unfair.»

«Und du», sagte Alfred, «bist vermutlich dabei, dich für ein weiteres Semester zu rüsten.»

«Genau. Genau. Na ja, eigentlich nicht. Eigentlich habe ich beschlossen, dieses Semester nicht zu unterrichten.»

«Das hab ich nicht ganz verstanden.»

Chip hob die Stimme. «Ich sagte, ich habe beschlossen, dieses Semester nicht zu unterrichten. Ich nehme mir dieses Semester frei, um zu schreiben.»

«Nach meiner Erinnerung steht deine Berufung unmittelbar bevor.»

«Stimmt. Im April.»

«Mir scheint, dass man einem, der auf eine Berufung hofft, raten würde, an Ort und Stelle zu bleiben und zu unterrichten.»

«Stimmt.»

«Wenn sie sehen, dass du hart arbeitest, werden sie keinen Grund haben, dich nicht zu berufen.»

«Stimmt. Stimmt.» Chip nickte. «Aber ich muss mich auch auf die Möglichkeit vorbereiten, dass ich die Stelle nicht bekomme. Und ich habe ein, ähem. Ein sehr attraktives Angebot von einer Hollywood-Produzentin. Einer College-Freundin von Denise, die Filme produziert. Könnte sehr lukrativ sein.»

«Einer, der viel arbeitet, ist so gut wie unkündbar», sagte Alfred.

«Das Verfahren kann aber politisch entschieden werden. Ich muss Alternativen haben.»

«Wie du meinst», sagte Alfred. «Ich habe allerdings festgestellt, dass es normalerweise das Beste ist, auf einem einmal eingeschlagenen Weg zu bleiben. Wenn du keinen Erfolg hast, kannst du immer noch etwas anderes machen. Aber du hast so viele Jahre gearbeitet, um bis zu diesem Punkt zu kommen. Ein Semester harte Arbeit mehr wird dir nicht schaden.»

«Stimmt.»

«Zurücklehnen kannst du dich, wenn du die Professur in der Tasche hast. Dann bist du in Sicherheit.»

«Stimmt.»

«Also, vielen Dank für den Anruf.»

«Gut. Herzlichen Glückwunsch, Dad.»

Chip ließ das Telefon fallen, ging aus der Küche, packte eine Fronsac-Flasche am Hals und hieb ihren Bauch hart auf die Kante seines Esstischs. Dann machte er eine zweite Flasche kaputt. Die übrigen sechs zerschmetterte er paarweise, einen Hals in jeder Faust.

Wut half ihm, die schwierigen Wochen, die folgten, zu überstehen. Er lieh sich zehntausend Dollar von Denise und nahm sich einen Anwalt, der dem D— College mit einer Klage wegen unrechtmäßiger Vertragsauflösung drohen sollte. Das war Geldverschwendung, aber tat ihm gut. Er fuhr nach New York und blätterte viertausend Dollar Maklergebühren und Mietkaution für eine Wohnung in der Ninth Street hin. Er kaufte sich Lederkleidung und ließ sich Löcher in die Ohren stechen. Er lieh sich noch mehr Geld von Denise und nahm Kontakt mit einem Freund aus College-Tagen auf, der das *Warren Street Journal* herausgab. Er sann auf Rache in Form eines Drehbuchs, das den Narzissmus und Verrat Melissa Paquettes und die Scheinheiligkeit seiner Kollegen an den Pranger stellen sollte; er wünschte sich, dass die Menschen, die ihn gekränkt hatten, den Film sehen, sich darin wiedererkennen und leiden würden. Er flirtete mit Julia Vrais und verabredete sich mit ihr, und schon bald gab er zwei- bis dreihundert Dollar die Woche aus, um sie zum Essen auszuführen und zu unterhalten. Er lieh sich noch mehr Geld von Denise. Er ließ Zigaretten von seiner Unterlippe hängen und haute einen Drehbuchentwurf in die Maschine. Julia schmiegte sich auf Taxirückbänken an seine Brust und klammerte sich an seinen Kragen. Er gab Kellnern und Taxifahrern dreißig bis vierzig Prozent Trinkgeld. Er zitierte Shakespeare und Byron in witzigen Zusammenhängen. Er lieh sich noch mehr Geld von Denise und fand, dass sie Recht hatte: Gefeuert worden zu sein war das Beste, was ihm je passiert war.

Immerhin war er nicht so naiv, Eden Procuros professionelle Ergüsse für bare Münze zu nehmen. Doch je öfter er privat mit Eden verkehrte, umso zuversichtlicher wurde er, dass ihr sein Drehbuch gefallen würde. Eines stand fest: Zu Julia war sie wie eine Mutter. Selbst nur fünf Jahre älter, hatte sie es sich zur Aufgabe gemacht, ihre persönliche Assistentin völlig neu zu eichen und einer Optimierung zu unterziehen. Während Chip nie ganz das Gefühl loswurde, dass Eden hoffte, die Rolle von Julias Liebhaber mit jemand anderem zu besetzen (sie bezeichnete ihn stets als Julias «Begleiter», nicht als ihren «Freund», und wenn sie von Julias «unangezapftem Potenzial» und ihrem «mangelnden Selbstvertrauen» sprach, vermutete er, dass die Partnerwahl zu jenen Bereichen gehörte, in denen sie bei Julia Optimierungschancen sah), versicherte Julia ihm, dass Eden ihn «unheimlich lieb» und «extrem gescheit» finde. Zweifellos war Edens Ehemann, Doug O'Brien, auf seiner Seite. Doug war Fusions- und Kaufvertragsexperte bei Bragg Knuter & Speigh. Er hatte Chip einen Job als Korrektor mit flexibler Arbeitszeit verschafft und dafür gesorgt, dass Chip den höchsten Stundensatz bekam. Wann immer Chip ihm für diesen Gefallen danken wollte, winkte Doug verächtlich ab. «Sie sind der Mann mit dem Doktortitel», sagte er. «Das Buch, das Sie da geschrieben haben, ist beängstigend gescheit.» Schon bald war Chip ein häufiger Gast bei den O'Brien-Procuro'schen Abendessen in Tribeca und ihren Wochenendpartys in Quogue. Wenn er ihren Alkohol trank und die Häppchen ihres Partyservice aß, genoss er den Vorgeschmack eines Erfolgs, der hundertmal süßer als eine Festanstellung war. Er hatte das Gefühl, wirklich zu leben.

Dann, eines Abends, bat Julia ihn, sich ganz ruhig hinzusetzen, sie müsse ihm nämlich etwas Wichtiges erzählen, das sie bisher nicht erwähnt habe, und ob er ihr versprechen könne, ihr nicht allzu böse zu sein? Was sie ihm erzählen müsse, sei, dass sie quasi einen Ehemann habe. Er habe vielleicht schon mal von dem stellvertretenden Premierminister von Litauen – jenem kleinen Land im Baltikum – gehört, einem Mann namens Gitanas Misevičius? Nun, die Sache sei die: Diesen Mann habe sie vor ein paar Jahren geheiratet, hoffentlich sei Chip ihr deshalb nicht allzu böse.

Sie habe wohl ein Problem mit Männern, sagte sie, weil sie ohne Männer aufgewachsen sei. Ihr Vater sei ein manisch-depressiver Bootsverkäufer gewesen, sie erinnere sich an eine einzige Begegnung mit ihm, auf die sie im Nachhinein lieber verzichtet hätte. Ihre Mutter, Geschäftsführerin einer Kosmetikfirma, habe sie zu deren eigener Mutter abgeschoben, und die habe sie auf eine katholische Mädchenschule geschickt. Ihre erste nennenswerte Erfahrung mit Männern habe sie am College gemacht. Dann sei sie nach New York gezogen und habe angefangen, ein langwieriger Prozess übrigens, mit jedem unehrlichen, zuweilen sadistischen, unheilbar bindungsunwilligen attraktiven Kerl im Bezirk Manhattan ins Bett zu steigen. Mit achtundzwanzig habe sie außer ihrem Aussehen, ihrer Wohnung und ihrem festen Job (der allerdings hauptsächlich darin bestanden habe, ans Telefon zu gehen) wenig gehabt, worauf sie hätte stolz sein können. Als sie daher in einem Club Gitanas kennen gelernt und Gitanas sie ernst genommen und irgendwann einen echten, nicht eben kleinen Diamanten in weißgoldener Fassung zutage gefördert habe und offensichtlich in sie verliebt gewesen sei (und immerhin war der Mann waschechter Botschafter bei den Vereinten Nationen gewesen, und auf einer der Vollversammlungen habe sie selbst gehört, wie er sein baltisches Gepolter vom Stapel ließ), da also habe sie ihr Möglichstes getan, um ihm seine Freundlichkeit zu vergelten. Sie sei «so liebenswürdig wie nur irgend möglich» gewesen. Sie habe Gitanas nicht enttäuschen wollen, obwohl es, rückblickend, wahrscheinlich besser gewesen wäre, sie hätte ihn enttäuscht. Gitanas sei ein ganzes Stück älter als sie und im Bett einigermaßen aufmerksam gewesen (nicht so aufmerksam wie Chip, beeilte Julia sich zu sagen, aber eben, du weißt schon, auch nicht schlecht), und was die Sache mit der Hochzeit angehe, habe er den Eindruck erweckt, er wisse, was er tue, und so sei sie eines Tages mit ihm zum Standesamt marschiert. Wenn es nicht so idiotisch geklungen hätte, dann hätte sie sich vielleicht sogar «Mrs.

Misevičius» genannt. Kaum sei sie jedenfalls verheiratet gewesen, habe sie gemerkt, dass die Marmorfußböden und die schwarzen Lackmöbel und die klobigen modernen Rauchglas-Nippsachen im Apartment des Botschafters am East River keineswegs so amüsant und *camp* waren, wie sie gedacht habe. Vielmehr seien sie unerträglich bedrückend gewesen. Sie habe Gitanas überredet, die Wohnung abzustoßen (der Chef der paraguanischen Delegation habe sie mit Kusshand übernommen) und stattdessen eine kleinere, schönere Wohnung in der Hudson Street zu kaufen, in der Nähe einiger guter Bars. Außerdem habe sie einen kompetenten Haarstylisten für Gitanas aufgetrieben und ihm beigebracht, nur Kleidungsstücke aus Naturfasern zu tragen.

Alles schien großartig zu laufen. Doch an irgendeiner Stelle mussten Gitanas und sie sich missverstanden haben, denn als seine Partei (die VIPPPAKJRIINPB17: die einzige wahrhaft und unerschütterlich den revanchistischen Idealen von Kazimieras Jaramaitis und dem «unabhängigen» Volksentscheid vom 17. April verpflichtete Partei) im September eine Wahl verlor und ihn nach Vilnius zurückbeorderte, damit er in die parlamentarische Opposition ging, nahm er selbstverständlich an, dass Julia ihn begleiten würde. Und die Idee vom einen Fleisch, vom Weib, das dem Mann anhange und so weiter, hatte Julia ja auch durchaus verstanden; aber in seinen Beschreibungen des postsowjetischen Vilnius hatte Gitanas ein Bild von chronischer Kohle- und Elektrizitätsknappheit, eisigem Sprühregen, Schüssen aus vorbeifahrenden Autos und einer stark auf Pferdefleisch setzenden Ernährung gezeichnet. Und da hatte sie Gitanas etwas ganz Furchtbares angetan, definitiv das Schlimmste, was sie jemals einem Menschen angetan hatte. Sie hatte eingewilligt, mit ihm in Vilnius zu leben, war sogar mit ihm ins Flugzeug gestiegen und hatte sich in die erste Klasse gesetzt, und dann war sie davongeschlichen, hatte ihre Telefonnummer geändert und Eden gebeten, Gitanas zu sagen, dass sie verschwunden sei, falls er sich bei ihr melden sollte. Sechs Monate später war Gitanas für ein Wochenende nach New York zurückgekehrt und hatte dafür gesorgt, dass Julia ein richtig schlechtes Gewissen bekam. Klar, sie hatte sich indiskutabel benommen. Doch Gitanas hörte nicht auf, sie mit gewissen derben Ausdrücken zu beschimpfen, und schlug sie ziemlich hart. Was zur Folge hatte, dass sie nicht mehr zusammenleben konnten, aber als Gegenleistung dafür, dass sie weiter in der Hudson Street wohnen durfte, blieb sie mit Gitanas verheiratet, weil es durchaus möglich war, dass er einmal auf schnelles Asyl in den Vereinigten Staaten angewiesen wäre, denn die Lage in Litauen verschlechterte sich zusehends.

Na ja, das sei also die Geschichte von Gitanas und ihr, hoffentlich sei Chip ihr deshalb nicht allzu böse.

Und das war er nicht. Im ersten Augenblick störte es ihn nicht nur kein bisschen, dass Julia verheiratet war, es begeisterte ihn sogar. Ihre Ringe faszinierten ihn, und er brachte Julia dazu, sie im Bett zu tragen. In den Büroräumen des *Warren Street Journal*, wo er sich bisweilen nicht transgressiv genug fühlte, so als wäre er im tiefsten Innersten immer noch der nette Junge aus dem Mittelwesten, bereitete es ihm diebisches Vergnügen, auf den europäischen Staatsmann anzuspielen, den er «zum Hahnrei mache». In seiner Dissertationsschrift («Zweifelhafter Stand: Phallusängste im Drama der Tudorzeit») hatte er sich ausgiebig über Hahnreie verbreitet, und unter dem Deckmantel seiner missbilligenden modernen Wissenschaftlichkeit hatte ihn die Idee, dass die Ehe ein Eigentumsrecht und der Ehebruch Diebstahl sei, geradezu körperlich erregt.

Doch es dauerte nicht lange, und das prickelnde Gefühl, im Revier des Diplomaten zu wildern, wich bürgerlichen Phantasien, in denen Chip höchstselbst Julias Ehemann war – ihr Herr und Gebieter. In Schüben überfiel ihn Eifersucht auf Gitanas Misevičius, der zwar Litauer und ein Schläger sein mochte, aber auch ein erfolgreicher Politiker war, dessen Namen Julia mittlerweile zerknirscht, ja beinahe wehmütig aussprach. Am Neujahrsabend fragte Chip sie rundheraus, ob sie je an Scheidung gedacht habe. Sie antwortete, dass ihr die Wohnung gefalle («Die Miete ist nicht zu unterbieten!») und sie im Augenblick keine Lust habe, sich eine andere zu suchen.

Nach Neujahr widmete Chip sich wieder seiner Rohfassung der «Akademischen Würden», die er in einem euphorischen Zwanzig-Seiten-Ausbruch in die Tasten gehämmert hatte, und gelangte zu der Auffassung, dass es vieles daran zu bemängeln gab. Im Grunde war das alles unzusammenhängende Stümperei. Einen Monat lang hatte er für teures Geld die Fertigstellung des Entwurfs gefeiert und die ganze Zeit gedacht, er könne bestimmte klischeehafte Elemente des Plots – die Verschwörung, den Autounfall, die bösen Lesbierinnen – herausnehmen und immer noch eine gute Geschichte erzählen. Jetzt hingegen sah er, dass ohne die klischeehaften Elemente überhaupt keine Geschichte mehr übrig blieb.

Zur Ehrenrettung seiner künstlerischen und intellektuellen Ambitionen fügte er einen langen theoretischen Eingangsmonolog hinzu. Dieser Monolog jedoch war derart unverdaulich, dass Chip jedes Mal wenn er seinen Computer einschaltete, an ihm basteln musste. Bald brachte er fast seine ganze Arbeitszeit damit zu, wie ein Besessener an dem Monolog zu feilen. Und als er schließlich erkannte, dass er ihn nicht weiter kürzen konnte, ohne wesentliches thematisches Material zu opfern, begann er, an der Breite der Seitenränder und der Silbentrennung herumzudoktern, damit der Monolog auf Seite 6 unten endete statt oben auf Seite 7. Er tauschte den Ausdruck «in der Folge» gegen «somit» aus, um sieben Anschläge einzusparen, sodass das Wort «(Trans)akt(ion)en» nach dem *s* getrennt werden konnte, was einen ganzen Rattenschwanz längerer Zeilen und effektvollerer Trennungen nach sich zog. Dann wieder fand er, dass «somit» den falschen Rhythmus hatte und «(Trans)akt(ion)en» unter gar keinen Umständen getrennt werden durfte, also durchforstete er den Text nach anderen längeren Ausdrücken, die sich durch kürzere Synonyme ersetzen ließen, während er die ganze Zeit über zu glauben versuchte, dass Stars und Produzenten in Prada-Sakkos sich freuen würden, wenn sie sechs (nicht aber sieben!) Seiten hochtrabender theoretischer Ausführungen lesen dürften.

Einmal, als er noch ein kleiner Junge war, hatte im Mittelwesten eine totale Sonnenfinsternis stattgefunden, und ein Mädchen aus einem der Käffer, die, von St. Jude aus gesehen, jenseits des Flusses lagen, hatte draußen gesessen und unzähligen Warnungen zum Trotz so lange die kleiner werdende Sonnensichel beobachtet, bis ihre Netzhaut verbrannt war.

«Es hat überhaupt nicht wehgetan», erzählte das erblindete Mädchen dem *St. Jude Chronicle* später. «Ich habe gar nichts gefühlt.»

Jeder Tag, den Chip damit zubrachte, den Leichnam eines dramaturgisch toten Monologs zu pflegen, war ein Tag, an dem seine Miete, sein Essen und seine Freizeitvergnügungen hauptsächlich vom Geld seiner kleinen Schwester bestritten wurden. Doch solange das Geld reichte, litt er nicht akut. Ein Tag ging in den nächsten über. Selten stand er vor zwölf Uhr mittags auf. Er genoss sein Essen und seinen Wein, kleidete sich gut genug, um sich weiszumachen, dass er kein formloses, gallertartiges Etwas war, und schaffte es an vier von fünf Abenden, seine schlimmsten Ängste und Befürchtungen zu verbergen und mit Julia auszugehen. Da die Summe, die er Denise schuldete, im Vergleich zu seinen Einkünften als Korrektor zwar groß, nach Hollywood-Maßstäben jedoch klein war, arbeitete er immer weniger bei Bragg Knuter & Speigh. Seine einzige wirkliche Sorge galt seiner Gesundheit. Wenn er an einem Sommertag seine Arbeitsstunden damit zubrachte, den ersten Akt noch einmal zu lesen, und ihm erneut klar wurde, wie rettungslos missraten das Ganze war, und er nach draußen eilte, um frische Luft zu schnappen, den Broadway entlanglief und sich auf Höhe der Battery Park City auf eine Bank setzte, sich die Brise vom Hudson in den Kragen wehen ließ und dem unablässigen Pft-pft des Hubschrauberverkehrs sowie den fernen Rufen der Millionärskinder aus Tribeca lauschte, dann übermannten ihn bisweilen die Schuldgefühle. So kräftig und gesund und zugleich eine solche *Niete* zu sein: weder den Vorteil, dass er nächtens gut schlief und es schaffte, keine Erkältung zu bekommen, für seine Arbeit zu nutzen, noch sich in Urlaubsstimmung fallen zu lassen und mit fremden Frauen zu flirten und sich Margeritas hinter die Binde zu gießen. Es wäre besser gewesen, dachte er, das Krankwerden und Sterben jetzt zu erledigen, da er versagte, und sich seine Gesundheit und Vitalität für spätere Tage aufzuheben, da er, so unvorstellbar diese Aussicht auch sein mochte, vielleicht einmal nicht mehr versagen würde. Von all den Dingen, die er verschwendete – Denise' Geld, Julias Wohlwollen, sein Talent und seine Ausbildung, die Chancen, die der längste Abschnitt wirtschaftlichen Aufschwungs in der amerikanischen Geschichte bot –, bereitete ihm sein schieres körperliches Wohlbefinden, dort im Sonnenschein am Fluss, den größten Schmerz.

An einem Freitag im Juli war das Geld alle. Vor ihm lag ein Wochenende mit Julia, das ihn fünfzehn Dollar an der Erfrischungstheke im Kino kosten konnte, also eliminierte er die Marxisten aus seinem Bücherregal und schleppte sie in zwei sagenhaft schweren Taschen zum Antiquariat. Die Bücher steckten noch in den Originalschutzumschlägen und hatten einen Listenpreis von insgesamt 3900 Dollar. Der Einkäufer bei *Strand* taxierte sie beiläufig und verkündete sein Urteil: «Fünfundsechzig.»

Chip lachte heiser und zwang sich, keine Diskussion anzufangen; aber seine britische Ausgabe von Jürgen Habermas' *Handlungsrationalität und gesellschaftliche Rationalisierung*, die er schwer zu lesen, geschweige denn zu kommentieren gefunden hatte, war tadellos erhalten und hatte ihn 95 Pfund gekostet. Er konnte nicht umhin, dies, nur als Beispiel, anzumerken.

«Sie können es gern woanders versuchen, wenn Sie wollen», sagte der Antiquar und ließ seine Hand über der Kasse schweben.

«Nein, nein, Sie haben ja Recht», sagte Chip. «Fünfundsechzig ist prima.»

Dass er geglaubt hatte, seine Bücher würden ihm Hunderte von Dollars einbringen, war erbärmlich offenkundig. Er wandte sich von ihren vorwurfsvollen Rücken ab und erinnerte sich, wie jedes einzelne von ihnen damals, in den Buchhandlungen, eine radikale Kritik der spätkapitalistischen Gesellschaft verheißen hatte und wie glücklich er gewesen war, sie nach Hause zu tragen. Aber Jürgen Habermas hatte nicht Julias lange, kühle Birnbaumbeine, Theodor Adorno nicht Julias traubigen Duft lüsterner Geschmeidigkeit, Fred Jameson nicht Julias geschickte Zunge. Bis Anfang Oktober, als Chip sein fertiges Drehbuch an Eden Procuro schickte, hatte er seine Feministen, seine Formalisten, seine Strukturalisten, seine Poststrukturalisten, seine Freudianer und seine Schwulen samt und sonders verkauft. Alles, was ihm noch blieb, um das Geld für ein Mittagessen mit seinen Eltern und Denise aufzubringen, waren seine geliebten Kulturhistoriker und seine gebundene Arden-Shakespeare-Gesamtausgabe, und da dem Shakespeare eine Art Zauber innewohnte – die uniformen Bände in ihren hellblauen Schutzumschlägen glichen einem Archipel sicherer Zufluchtsorte –, stapelte er seine Foucaults, Greenblatts, Hooks und Pooveys in Einkaufstüten und verscherbelte sie komplett für 115 Dollar.

Sechzig Dollar gab er für einen Haarschnitt, ein paar Süßigkeiten, einen Fleckenentferner und zwei Drinks im Cedar Tavern aus. Im August, als er seine Eltern eingeladen hatte, war er noch zuversichtlich gewesen, dass Eden Procuro sein Drehbuch längst gelesen und ihm Geld vorgeschossen hätte, bevor sie eintreffen würden, doch jetzt war das Einzige, was er ihnen bieten konnte – seine einzige Leistung und sein einziges Geschenk – ein selbst zubereitetes Essen. Er machte sich auf den Weg zu einem Feinkostgeschäft im East Village, das garantiert hervorragende Tortellini und knuspriges Brot im Sortiment hatte. Ihm schwebte ein rustikales und erschwingliches italienisches Essen vor. Doch der Laden schien dichtgemacht zu haben, und da er keine Lust hatte, extra zu einer zehn Blocks entfernt liegenden Bäckerei zu laufen, die sicherlich gutes Brot gehabt hätte, wanderte er aufs Geratewohl durchs East Village, betrat dieses und jenes protzige Lebensmittelgeschäft, wog hier einen Käse, entschied sich dort gegen ein Brot oder prüfte minderwertige Tortellini. Schließlich gab er die italienische Idee ganz auf und verlegte sich auf das Essen, das ihm als Nächstes einfiel – einen Salat aus Wildreis, Avocado und geräucherter Putenbrust. Nun galt es, reife Avocados aufzutreiben. Er klapperte mehrere Läden ab, die entweder gar keine hatten oder walnussharte. Dann fand er reife Avocados, die so groß waren wie Limonen und $ 3,89 das Stück kosteten. Er nahm fünf davon in die Hand und dachte nach. Legte sie weg, nahm sie wieder in die Hand, legte sie weg, konnte sich nicht durchringen. Er wehrte eine Hassattacke auf Denise ab, die ihn, indem sie an sein schlechtes Gewissen rührte, dazu gebracht hatte, seine Eltern zum Essen einzuladen. Es kam ihm vor, als hätte er in seinem Leben noch nie etwas anderes gegessen als Wildreissalat und Tortellini, so brach lag seine kulinarische Phantasie.

Gegen acht Uhr landete er schließlich vor dem neu eröffneten *Nightmare of Consumption* («Alles – zu seinem Preis!») an der Grand Street. Feuchtigkeit hatte sich in die Luft gestohlen, ein schwefelhaltiger, ungemütlicher Wind aus Rahway und

Bayonne. Die Creme von SoHo und Tribeca strömte durch die polierten Stahlportale in den «Albtraum des Konsums». Es gab Männer in verschiedener Größe und Gestalt, doch die Frauen waren allesamt schlank und sechsunddreißig; viele schlank und schwanger zugleich. Chip hatte vom Haareschneiden einen Ausschlag im Nacken bekommen und fühlte sich der Begegnung mit so vielen perfekten Frauen nicht gewachsen. Doch dann entdeckte er gleich hinter der Tür des «Albtraums» eine Kiste Grünzeug mit der Aufschrift *SAUERAMPFER aus Belize* $ 0,99.

Er betrat den «Albtraum», schnappte sich einen Korb und legte ein Bund Sauerampfer hinein. Neunundneunzig Cent. Oberhalb der Kaffeebar war ein Bildschirm installiert, über den unablässig ironische Botschaften flimmerten: die BRUTTO-TAGESEINNAHMEN und der TAGESGEWINN und die VORAUSSICHTLICHE VIERTELJAHRES-DIVIDENDE PRO AKTIE (Inoffizielle, unverbindliche Schätzung wird ausschließlich zu Unterhaltungszwecken ausgegeben) und KAFFEE-ANGEBOTE GLEICH HIER. Chip schlängelte sich zwischen Kinderwagen und Handy-Antennen hindurch zur Fischtheke, wo er, wie in einem Traum, einigermaßen erschwinglichen NORWEGISCHEN WILDLACHS, HANDGEANGELT fand. Er zeigte auf ein mittelgroßes Filetstück, und als der Fischverkäufer ihn fragte: «Und außerdem?», antwortete er in forschem, beinahe blasiertem Ton: «Das wär's, vielen Dank.»

Auf dem wunderschönen, in Papier gewickelten Filet, das ihm jetzt gereicht wurde, stand $ 78,40. Zum Glück verschlug ihm diese Entdeckung die Sprache, sonst hätte er womöglich Protest eingelegt, bevor er sich klar machte, dass die Preise im «Albtraum» Viertelpfundpreise waren. Vor zwei Jahren, ja noch vor zwei Monaten wäre ihm so etwas nicht passiert.

«Ha, ha!», sagte er, das Achtundsiebzig-Dollar-Filet wie einen Baseballhandschuh in der ausgestreckten Hand. Er ließ sich auf ein Knie fallen und berührte seine Schnürsenkel, schob sich den Lachs erst unter die Lederjacke, dann unter den Pullover, steckte den Pullover in die Hose und stand wieder auf.

«Daddy, ich will Schwertfisch», sagte hinter ihm eine kleine Stimme.

Chip machte zwei Schritte, und der Lachs, der ziemlich schwer war, entwischte aus dem Pullover und bedeckte, einen unsteten Augenblick lang, wie ein Hosenbeutel sein Geschlecht.

«Daddy! Schwertfisch!»

Chip griff sich mit der Hand in den Schritt. Das verrutschte Filet fühlte sich wie eine kühle, klatschnasse Windel an. Er positionierte es wieder in der Nähe seiner Bauchmuskeln und stopfte den Pullover tiefer in die Hose, zog den Reißverschluss seiner Jacke bis zum Hals hoch und marschierte zielstrebig irgendwohin. Zur Wand mit den Milchprodukten. Hier fand er eine Auswahl französischer Crèmes fraîches zu Preisen, die auf Transport per Überschallflugzeug schließen ließen. Die weniger unerschwingliche einheimische Crème fraîche wurde von einem Mann mit Yankee-Kappe blockiert, der in sein Handy brüllte, während ein Kind, augenscheinlich seines, an den Foliendeckeln von Halbliter-Joghurtbechern pulte. Fünf oder sechs hatte das Mädchen bereits abgepult. Chip beugte sich vor, um an dem Mann vorbeizulangen, doch sein Fischbauch hing zu weit herunter. «Entschuldigen Sie», sagte er.

Wie ein Schlafwandler schlurfte der Mann mit dem Telefon zur Seite. «Ich hab gesagt, der kann mich mal. So ein Arschloch! Der kann mich mal! Kein Abschluss. Kein bisschen Tinte auf der Zeile. Ich handel den Arsch um nochmal dreißig runter, pass mal auf. Schätzchen, reiß die Deckel nicht ab, sonst müssen wir die alle bezahlen. Seit gestern ist das ein verdammtes Gabelfrühstück für die Käufer, hab ich gesagt. Wir lassen uns auf gar nix ein, bis der Preis richtig in den Keller geht. Auf nix! Nix! Nix! Nix!»

Mit vier einigermaßen einleuchtenden Artikeln im Korb näherte sich Chip den Schlangen an den Kassen, als ihm ein Haarschopf ins Auge stach, der wie ein funkelnagelneuer Penny glänzte und nur Eden Procuro gehören konnte. Die ihrerseits schlank, sechsunddreißig und hektisch war. Edens kleiner Sohn Anthony thronte mit dem Rücken zu einer (vierstelligen) Lawine von Schellfisch, Käse, Fleisch und Kaviar oben auf dem Einkaufswagen. Eden hatte sich über Anthony gebeugt und ließ ihn am hellbraunen Revers ihres italienischen Blazers zerren und an ihrer Bluse nuckeln, während sie hinter seinem Rücken die Seiten eines Manuskripts umblätterte; Chip konnte nur hoffen, dass es nicht seines war. Der handgeangelte norwegische Lachs triefte durch das Einwickelpapier: Chips Körperwärme schmolz die Fette, die dem Filet noch eine gewisse Festigkeit verliehen hatten. Er wäre dem «Albtraum» gern baldigst entflohen, doch unter den gegebenen Umständen fühlte er sich nicht gewappnet, über die «Akademischen Würden» zu diskutieren. Er drehte ab und lief einen frostigen Gang entlang, wo es Gelato in schlichten weißen Kartons mit schwarzer Aufschrift gab. Ein Mann im Anzug hockte neben einem kleinen Mädchen, dessen Haar wie Kupfer im Sonnenschein leuchtete. Das Mädchen war Edens Tochter April, der Mann Edens Gatte Doug O'Brien.

«Chip Lambert, wie läuft's?», sagte Doug.

Chip wusste seinen Einkaufskorb nicht anders zu halten als auf eine alberne, mädchenhafte Art, während er Dougs breite Hand schüttelte.

«April sucht sich gerade ihren Nachtisch für heute Abend aus», sagte Doug.

«Drei Nachtische», sagte April.

«Ihre drei Nachtische, stimmt.»

«Was ist das da?», fragte April und streckte einen Finger aus.

«Das ist Grenadine-Kapuzinerkresse-Sorbet, mein Häschen.»

«Mag ich das?»

«Das kann ich dir nicht sagen.»

Doug, der jünger und kleiner war als Chip, hatte immer wieder so hartnäckig behauptet, Ehrfurcht vor Chips Intellekt zu haben, und sich dabei so gleichbleibend frei von jeder Ironie oder Herablassung gezeigt, dass Chip es irgendwann akzeptierte: Doug bewunderte ihn wirklich. Und das war beklemmender als jede Geringschätzigkeit.

«Eden hat mir erzählt, Sie sind mit Ihrem Drehbuch fertig», sagte Doug und stapelte ein paar Eiskartons auf, die April durcheinander gebracht hatte. «Mann, ich bin völlig begeistert. *Phänomenales* Projekt.»

April drückte drei mit Raureif bedeckte Kartons an ihr Kordträgerkleid.

«Welche Sorte hast du genommen?», fragte Chip sie.

April zuckte übertrieben die Schultern, ein Anfänger-Schulterzucken.

«Häschen, bring das doch schon mal zu Mommy. Ich will mich noch mit Chip unterhalten.»

Als er April so den Gang entlangrennen sah, überlegte sich Chip, wie es wohl wäre, Vater zu sein, wie es wäre, wenn man dauernd gebraucht würde, statt dauernd selbst etwas zu brauchen.

«Ich möchte Sie mal was fragen», sagte Doug. «Haben Sie eine Sekunde Zeit? Stellen Sie sich vor, jemand bietet Ihnen eine neue Persönlichkeit an. Würden Sie die annehmen? Gesetzt den Fall, jemand sagt zu Ihnen: *Ich verlege für alle Ewigkeit die Leitungen in Ihrer geistigen Hardware neu, und das ganz nach Ihren Wünschen.* Würden Sie Geld dafür bezahlen, dass jemand das tut?»

Das Lachspapier klebte am Schweißfilm auf Chips Haut und

riss langsam unten ein. Es war nicht der ideale Zeitpunkt, um Doug der intellektuelle Gesprächspartner zu sein, nach dem es ihn zu verlangen schien, aber Chip wollte, dass Doug seine hohe Meinung von ihm behielt und Eden Mut machte, sein Drehbuch zu kaufen. Er fragte Doug, warum er frage.

«Da geht eine Menge verrücktes Zeug über meinen Schreibtisch», sagte Doug. «Vor allem jetzt, wo so viel Geld aus Übersee zu uns rüberkommt. Die ganzen Dot-com-Geschäfte, klar. Wir bemühen uns noch immer nach Kräften, den Durchschnittsamerikaner dazu zu bewegen, dass er gut gelaunt seinen finanziellen Ruin betreibt. Aber dieses Biotech-Zeug, das ist wirklich faszinierend. Ich habe ganze Prospekte über genmanipulierten Kürbis gelesen. Die Menschen hierzulande essen offenbar viel mehr Kürbis, als mir bewusst war, und Kürbisse sind weit anfälliger für Krankheiten, als ihr robustes Äußeres vermuten lässt. Entweder das ... oder Southern Cucumtech ist mit fünfunddreißig pro Aktie schwer überbewertet. Egal. Aber Chip, die Sache mit dem Gehirn, Mann, die hat mich gepackt. Bizarrer Umstand Nummer eins ist, dass ich darüber reden darf. Alles öffentlich bekannt. Ist das nicht bizarr?»

Chip versuchte, seinen Blick möglichst interessiert auf Dougs Gesicht verweilen zu lassen, aber seine Augen waren wie Kinder: Sie wollten aufspringen und durch die Gänge laufen. Er war, genau genommen, drauf und dran, aus der Haut zu fahren. «Tja. Bizarr.»

«Im Prinzip», sagte Doug, «geht es hier um die komplette Innensanierung Ihres Gehirns. Mauern und Dach bleiben, Innenwände und Leitungen werden erneuert. Die nutzlose Essnische wegdesignen. Einen modernen Leistungsschalter einbauen.»

«Mhm.»

«Sie behalten Ihre hübsche Fassade», sagte Doug. «Von außen wirken Sie weiterhin ernsthaft und intellektuell, leicht nordisch. Nüchtern, gelehrt. Aber innen sind Sie wohnlicher geworden. Ein großes Familienzimmer mit Medienecke. Eine geräumigere und praktischere Küche. Abfallzerkleinerer unter dem Spülbecken. Umluftherd. Eiswürfelspender an der Kühlschranktür.»

«Erkenne ich mich noch wieder?»

«Möchten Sie das denn? Alle anderen werden es können – äußerlich jedenfalls.»

Die große, leuchtende Ziffer der BRUTTO-TAGESEINNAHMEN blieb einen Augenblick bei $ 444.447,41 stehen und stieg dann weiter an.

«Meine Einrichtung ist meine Persönlichkeit», sagte Chip.

«Sagen wir, die Sanierung geht schrittweise voran. Sagen wir, die Handwerker sind sehr ordentlich. Jeden Abend, wenn Sie von der Arbeit nach Hause kommen, ist das Gehirn sauber gemacht, und niemand kann Sie am Wochenende stören, dank kommunaler Verordnungen, dank der üblichen vertraglichen Vorgaben. Das Ganze passiert in Etappen – Sie wachsen da hinein. Oder es wächst, sozusagen, in Sie hinein. Niemand verlangt, dass Sie sich neue Möbel kaufen.»

«Ihre Frage ist hypothetisch.»

Doug hob einen Finger. «Der Haken ist nur, dass eventuell Metall im Spiel ist. Vielleicht lösen Sie am Flughafen Alarm aus. Ich kann mir auch vorstellen, dass Sie ab und zu, auf bestimmten Frequenzen, ungewollt Funkgespräche empfangen. Gatorade und andere stark elektrolythaltige Getränke könnten ein Problem sein. Aber was meinen Sie dazu?»

«Sie machen Witze, oder?»

«Sehen Sie im Internet nach. Ich geb Ihnen die Adresse. ‹*Die möglichen Folgen sind beunruhigend, aber eine so mächtige neue Technologie ist nicht aufzuhalten.*› Könnte das Motto unserer Zeit sein, meinen Sie nicht?»

Dass gerade ein Lachsfilet wie eine dicke warme Nacktschnecke in Chips Unterhose vordrang, schien allerhand mit seinem Gehirn und einer Reihe miserabler Entscheidungen zu tun zu haben, die dieses Gehirn getroffen hatte. Rein rational war Chip klar, dass Doug ihn bald gehen lassen, ja dass er letztlich sogar dem «Albtraum des Konsums» entkommen und in irgendeinem Restaurant eine Toilette finden würde, wo er das Filet herausholen und seine volle Urteilsfähigkeit wiedererlangen könnte – dass ein Augenblick kommen würde, in dem er nicht mehr mit lauwarmem Fisch in der Hose zwischen teuren Eissorten ausharren musste, und dass dieser zukünftige Augenblick ein Augenblick ungeheurer Erleichterung wäre –, aber noch lebte er in einem früheren, weit weniger angenehmen Augenblick, von dem aus ihm ein neues Gehirn wie das große Los erschien.

«Die Nachtische waren einen halben Meter hoch aufgetürmt!», erzählte Enid, nachdem sie instinktiv gespürt hatte, dass Shrimpspyramiden Denise unbeeindruckt ließen. «Das war vielleicht vornehm. Hast du jemals so etwas gesehen?»

«Es war bestimmt sehr schön», sagte Denise.

«Bei den Dribletts ist immer alles *de luxe*. Ich hatte noch nie einen so hoch aufgetürmten Nachtisch gesehen. Du?»

Die subtilen Anzeichen dafür, dass Denise sich in Geduld übte – ihre etwas tieferen Atemzüge, die Geräuschlosigkeit, mit der sie ihre Gabel auf den Teller legte, einen Schluck Wein trank und das Glas wieder abstellte –, taten Enid mehr weh, als ein heftiger Gefühlsausbruch es vermocht hätte.

«Ja, ich hab schon hoch aufgetürmte Nachtische gesehen», sagte Denise.

«Sind sie nicht furchtbar schwer zuzubereiten?»

Denise faltete die Hände im Schoß und atmete langsam aus. «Es muss eine tolle Party gewesen sein. Ich freue mich, dass du dich so amüsiert hast.»

In der Tat hatte Enid sich auf Deans und Trishs Party köstlich amüsiert, und sie wünschte, Denise hätte mit eigenen Augen sehen können, wie vornehm es dort zugegangen war. Zugleich aber fürchtete sie, dass Denise die Party gar nicht vornehm gefunden, dass sie all das Besondere zerpflückt hätte, bis nichts als Durchschnittlichkeit davon übrig geblieben wäre. Das Stilempfinden ihrer Tochter war ein blinder Fleck auf Enids Netzhaut, ein schwarzes Loch in ihrem Erfahrungshorizont, durch das alles, was ihr selbst Spaß machte, beständig wegzusickern und zu verschwinden drohte.

«Über Geschmäcker lässt sich wohl nicht streiten», sagte sie.

«Stimmt», antwortete Denise. «Nur dass manche Geschmäcker besser sind als andere.»

Alfred hatte sich tief über seinen Teller gebeugt, damit jedes Stück Lachs und jede grüne Bohne, die von seiner Gabel fielen, auf Porzellan landete. Aber er hatte zugehört. «Es reicht», sagte er jetzt.

«Das denkt jeder», sagte Enid. «Jeder denkt, sein Geschmack ist der Beste.»

«Aber die meisten irren sich», sagte Denise.

«Jeder hat ein Recht auf einen eigenen Geschmack», sagte Enid. «Jeder hat in diesem Land eine Stimme.»

«Leider!»

«Es reicht», sagte Alfred zu Denise. «Du wirst nie gewinnen.»

«Du redest wie ein Snob», sagte Enid.

«Mutter, du erzählst mir doch immer, wie sehr du dich über ein gutes selbstgekochtes Essen freust. Also, mir geht es genauso. Ich finde, ein Dessert, das einen halben Meter hoch ist, hat etwas Vulgäres, Disneyhaftes. *Du* kochst doch besser als –»

«Ach nein. Nein.» Enid schüttelte den Kopf. «Ich kann überhaupt nicht kochen.»

«Das stimmt einfach nicht! Woher habe ich wohl –»

«Nicht von mir», unterbrach Enid sie. «Ich weiß nicht, woher meine Kinder ihre Talente haben. Jedenfalls nicht von mir. Ich bin eine Niete als Köchin. Eine richtige Niete.» (Wie seltsam gut es tat, das zu sagen! Als würde sie siedendes Wasser auf Giftsumachblasen gießen.)

Denise richtete sich auf und hob ihr Glas. Enid, die ihr Leben lang nicht anders gekonnt hatte, als zu verfolgen, was auf anderer Leute Tellern vor sich ging, hatte beobachtet, dass Denise drei Bissen Lachs, ein wenig Salat und ein Stück Brotkruste gegessen hatte. Die Größe jeder dieser Portionen spottete der Größe jeder ihrer eigenen. Jetzt war Denise' Teller leer, und sie nahm sich nicht nach.

«Ist das alles, was du isst?», fragte Enid.

«Ja. Das war mein Mittagessen.»

«Du bist dünner geworden.»

«Nein, keineswegs.»

«Werd bloß nicht noch dünner», sagte Enid mit jenem dürren Lachen, hinter dem sie große Gefühle zu verbergen suchte.

Alfred führte gerade eine Gabel voll Lachs und Sauerampfersauce zum Mund. Das Essen löste sich von der Gabel und zerfiel in wild geformte Stücke.

«Ich finde, das ist Chip prima gelungen», sagte Enid. «Findest du nicht auch? Der Lachs ist zart und lecker.»

«Chip konnte schon immer gut kochen», sagte Denise.

«Al, schmeckt's dir? Al?»

Alfreds Griff um die Gabel hatte sich gelockert. Seine Unterlippe hing schlaff herab, aus seinem Blick sprach düsterer Argwohn.

«Schmeckt dir das Essen?», sagte Enid.

Er nahm seine linke Hand in die rechte und drückte sie. Die gepaarten Hände vibrierten gemeinsam weiter, während Alfred auf die Sonnenblumen in der Mitte des Tisches starrte. Es sah aus, als *verschlucke* er den säuerlichen Zug um seinen Mund, als würge er die Paranoia hinunter.

«Das alles hier hat Chip gemacht?»

«Ja.»

Er schüttelte den Kopf. Dass Chip gekocht hatte, jetzt aber nicht hier war, schien ihn zu überwältigen. «Meine Krankheit setzt mir mehr und mehr zu», sagte er.

«Was du hast, ist gar nicht schlimm», sagte Enid. «Wir müssen nur deine Medikamente neu dosieren lassen.»

Er schüttelte den Kopf. «Hedgpeth hat gesagt, der Verlauf sei unkalkulierbar.»

«Das Entscheidende ist, dass man nicht aufhört, etwas zu *tun*», sagte Enid, «dass man aktiv bleibt, einfach immer *weitermacht*.»

«Nein. Du hast nicht zugehört. Hedgpeth hat ganz bewusst nichts versprochen.»

«Nach allem, was ich gelesen habe –»

«Es ist mir völlig wurscht, was in deiner Zeitschrift steht. Ich bin nicht gesund, so viel hat Hedgpeth immerhin eingeräumt.»

Denise stellte mit steifem, durchgedrücktem Arm ihr Weinglas ab.

«Was sagst du zu Chips neuer Stellung?», fragte Enid sie strahlend.

«Seiner –?»

«Na ja, beim *Wall Street Journal*.»

Denise musterte die Tischplatte. «Dazu hab ich keine Meinung.»

«Ist doch toll, findest du nicht?»

«Ich hab dazu keine Meinung.»

«Glaubst du, dass er ganztags dort arbeitet?»

«Nein.»

«Ich habe nicht ganz verstanden, was für eine Stellung das ist.»

«Mutter, ich weiß nichts darüber.»

«Ist er immer noch juristisch tätig?»

«Du meinst, ob er noch Korrektur liest? Ja.»
«Also arbeitet er noch in der Kanzlei.»
«Er ist kein Anwalt, Mutter.»
«Ich weiß, dass er kein Anwalt ist.»
«Aber wenn du ‹juristisch tätig› oder ‹in der Kanzlei› sagst – erzählst du das auch deinen Freundinnen so?»
«Ich sage, er arbeitet in einer Anwaltskanzlei. Mehr nicht. In einer Anwaltskanzlei in New York City. Und das ist die Wahrheit. Er arbeitet schließlich dort.»
«Es ist irreführend, und das weißt du», sagte Alfred.
«Dann wäre es wohl besser, wenn ich gar nichts mehr sage.»
«Oder nur Dinge, die wahr sind», sagte Denise.
«Also, ich finde, er *sollte* Anwalt sein», sagte Enid. «Die Juristerei wäre perfekt für Chip. Er braucht die Stabilität eines richtigen Berufs. Er braucht eine Struktur in seinem Leben. Dad hat immer gemeint, er würde einen fabelhaften Anwalt abgeben. Ich dachte eher an Arzt, weil er sich früher so für die Wissenschaft begeistert hat, aber Dad hat in ihm immer den Anwalt gesehen. Nicht wahr, Al? Hast du nicht gemeint, er könnte ein fabelhafter Anwalt werden? Er ist so schlagfertig.»
«Enid, dafür ist es zu spät.»
«Ich dachte, die Arbeit in der Kanzlei könnte vielleicht sein Interesse wecken, und er würde nochmal studieren.»
«Viel zu spät.»
«Weißt du, Denise, mit Jura kann man *alles Mögliche* machen. Man kann Geschäftsführer werden. Oder Richter! Oder Lehrer. Oder man wird Journalist. Es gibt *so viele* Richtungen, in die Chip gehen könnte.»
«Chip wird tun, was er will», sagte Alfred. «Ich habe das nie verstanden, aber ändern wird er sich jetzt nicht mehr.»

Zwei Blocks marschierte er durch den Regen, bevor er einen Wählton fand. An der ersten Doppelsäule, an der er vorbeikam, hing ein kastriertes Telefon mit bunten Quasten am Ende der Schnur, und alles, was von dem zweiten übrig war, waren vier Bolzenlöcher. An der nächsten Kreuzung klebte im Münzschlitz des einen Gerätes Kaugummi, und die Leitung seines Zwillings war komplett tot. Ein anderer Mann in Chips Lage hätte, um seinem Ärger Luft zu machen, vermutlich den Hörer auf den Kasten geknallt und die Plastikscherben im Rinnstein liegen lassen, aber dafür hatte es Chip zu eilig. An der Ecke Fifth Avenue probierte er es erneut. Das eine Telefon gab zwar einen Wählton von sich, zeigte aber, wenn er auf die Tasten drückte, keine Reaktion und rückte auch seinen Vierteldollar nicht wieder heraus, weder als er ganz gesittet auflegte, noch als er den Hörer auf die Gabel schmetterte. Das zweite Telefon hatte einen Wählton und nahm sein Geld an, aber eine Baby-Bell-Stimme behauptete, die Nummer nicht zu kennen, die er gewählt hatte, und behielt die Münze ein. Er versuchte es noch einmal, und prompt war er seinen letzten Vierteldollar los.

Beim Anblick der großen Geländewagen, die in bremsbereiter Schlechtwettermanier vorbeigeschlichen kamen, lächelte er. Die Portiers in diesem Viertel spritzten zweimal am Tag die Bürgersteige ab, und Reinigungsfahrzeuge mit Bürsten, die den Schnurrbärten von Verkehrspolizisten ähnlich sahen, säuberten dreimal wöchentlich die Straßen, doch um auf Dreck und Filz zu stoßen, musste in New York City nie jemand lange gehen. Auf einem Straßenschild meinte er *Filz Avenue* zu lesen. Gewisse handliche Geräte waren dabei, den öffentlichen Telefonen den Garaus zu machen. Doch anders als Denise, die Handys für ein ordinäres Accessoire ebenso ordinärer Leute hielt, und anders als Gary, der sie nicht nur nicht verabscheute, sondern jedem seiner drei Jungen eines gekauft hatte, verabscheute Chip Handys vor allem deshalb, weil er selbst keins besaß.

Unter dem dürftigen Schutz von Denise' Schirm wechselte

er wieder auf die andere Straßenseite und betrat ein Deli am University Place. Braune Pappe lag vor der Tür, um den abgenutzten Teppich zu schonen, aber die Pappe war aufgeweicht und zertrampelt, und die Fetzen ähnelten an Land gespültem Kelp. Schlagzeilen in Drahtkörben neben der Tür berichteten vom gestrigen Kollaps zweier weiterer südamerikanischer Wirtschaftssysteme sowie von neuen Kursstürzen auf Schlüsselmärkten in Fernost. Hinter der Kasse hing ein Lotterie-Poster: *Hier geht's nicht ums Gewinnen. Hier geht's um Spaß.*™

Von zwei der vier Dollarscheine in seiner Brieftasche kaufte Chip sich Naturlakritze, die er so gern aß. Für den dritten gab ihm der Verkäufer vier Quarter. «Ich nehme noch ein Rubbellos», sagte Chip.

Dreiblättriges Kleeblatt, hölzerne Harfe und goldener Dukatentopf – die Kombination, die er auswickelte, war weder gewinn- noch spaßverdächtig.

«Gibt es hier ein Münztelefon, das funktioniert?»

«Keine Münztelefon», sagte der Verkäufer.

«Ich meine, ist hier in der Nähe irgendwo eins, das funktioniert?»

«Keine Münztelefon!» Der Verkäufer griff unter den Ladentisch, hielt dann ein Handy hoch. «Diese Telefon.»

«Kann ich das mal kurz benutzen?»

«Zu spät für Börse. Besser gestern anrufen. Besser amerikanisch kaufen.»

Der Verkäufer lachte auf eine Weise, die umso beleidigender war, als sie so gut gelaunt wirkte. Aber Chip hatte allen Grund, empfindlich zu sein. Seit das D— College ihn gefeuert hatte, war die Marktkapitalisierung an der Börse gehandelter US-Firmen um fünfunddreißig Prozent gestiegen. In ebendiesen zweiundzwanzig Monaten hatte Chip einen Rentenfonds liquidiert, ein gutes Auto verkauft, achtzig Prozent eines Ganztagsgehalts verdient, obwohl er nur halbtags arbeitete, und sich dennoch an den Rand des Ruins manövriert. Dies waren Jahre, in denen es in Amerika nahezu unmöglich schien, kein großes Geld zu machen, Jahre, in denen Sekretärinnen ihren Brokern MasterCard-Schecks zu Kreditzinsen von jährlich 13,9 % ausschrieben und trotzdem Gewinne erzielten, es waren Jahre der Kaufoptionen, Prämienjahre, nur Chip hatte den Anschluss verpasst. Er spürte es in den Knochen: Wenn es ihm je gelänge, «Akademische Würden» zu versilbern, dann hätten die Märkte bestimmt gerade eine Woche zuvor den Höchststand erreicht, und alles, was er investiert hatte, wäre verloren.

Julias negativer Reaktion auf sein Drehbuch nach zu urteilen, hatte die amerikanische Wirtschaft allerdings noch eine ganze Weile lang nichts zu befürchten.

Im Cedar Tavern, ein Stück weiter die Straße hinauf, fand er ein funktionierendes Münztelefon. Jahre schienen vergangen, seit er hier, am Abend zuvor, zwei Drinks zu sich genommen hatte. Er wählte Eden Procuros Büronummer und hängte sofort wieder ein, als ihr Anrufbeantworter ansprang, doch der Vierteldollar war schon durchgefallen. Im Telefonbuch war der private Anschluss eines Doug O'Brien aufgeführt, und Doug nahm sogar ab, aber er musste gerade eine Windel wechseln. Einige Minuten verstrichen, bis Chip ihn fragen konnte, ob Eden das Drehbuch schon gelesen habe.

«Phänomenal. Phänomenales Projekt», sagte Doug. «Ich glaube, sie hatte es dabei, als sie wegging.»

«Wissen Sie, wohin sie wollte?»

«Chip, Sie wissen doch, dass ich Leuten nicht sagen kann, wo sie ist. Das wissen Sie doch.»

«Ich glaube, man könnte die Situation als dringend bezeichnen.»

Bitte zahlen Sie – achtzig Cent – für die nächsten – zwei Minuten –

«Meine Güte, ein Münztelefon», sagte Doug. «Ist das ein Münztelefon?»

Chip warf seine letzten beiden Vierteldollarmünzen ein. «Ich muss das Drehbuch wiederhaben, bevor sie es liest. Ich möchte noch eine Korrektur –»

«Das hat doch nichts mit Titten zu tun, oder? Eden sagt, Julia hätte sich über zu viele Titten beschwert. Darüber würde ich mir mal keine Sorgen machen. Im Allgemeinen kann es gar nicht genug davon geben. Julia hat eine ziemlich anstrengende Woche hinter sich.»

Bitte zahlen Sie – jetzt – dreißig Cent –

«Ihnen was», sagte Doug.

für die nächsten – zwei Minuten –

«der Ort, wo Sie sie am ehesten –»

sonst wird Ihr Gespräch beendet –

«Doug?», sagte Chip. «Doug? Ich hab Sie nicht verstanden.»

Es tut uns Leid –

«Ja, ich bin noch dran. Ich sagte, versuchen Sie es mal –»

Auf Wiedersehen, sagte die Automatenstimme, dann war die Leitung tot, und die vergeudeten Münzen klingelten im Bauch des Telefons. Der Aufkleber vorne am Kasten war in den Farben der Firma Baby Bell gehalten, der Text lautete jedoch: ORFIC TELECOM, **3 MINUTEN 25 ¢**, jede weitere Min. 40 ¢.

Der Ort, wo er Eden am ehesten antreffen würde, war ihr Büro in Tribeca. Chip ging zur Theke und fragte sich, ob die neue Barkeeperin, die mit ihren blonden Strähnchen aussah, als wäre sie die Leadsängerin einer dieser Bands, die auf College-Bällen spielten, sich wohl vom Vorabend noch gut genug an ihn erinnerte, um als Pfand für einen Zwanzig-Dollar-Kredit seinen Führerschein zu akzeptieren. Sie und zwei einsame Trinker schauten auf irgendeinem Sender Football, die Nittany Lions im Einsatz, das Bild eine trübe Suppe, bräunliche, zappelnde Gestalten in einem kreidigen Tümpel. Und gar nicht weit von

Chips Arm, ach, nicht einmal fünfzehn Zentimeter entfernt, lagen ein paar Dollarscheine. Lagen da einfach so herum. Er überlegte, ob eine stillschweigende Transaktion (das Geld einstecken, sich hier nie wieder blicken lassen, das Geld später anonym an die Frau zurückschicken) nicht sicherer war, als sie zu bitten, dass sie ihm etwas lieh: ob das nicht überhaupt die Transgression war, die ihn vor dem Durchdrehen bewahren würde. Er schloss die Faust um die Scheine und rückte näher an die eigentlich recht hübsche Barfrau heran, doch die braunen rundköpfigen Männer, die sich auf dem Bildschirm abstrampelten, hielten ihren Blick gefangen, und so drehte er sich um und ging.

Während er, auf der Rückbank eines Taxis sitzend, an regennassen Geschäften vorüberfuhr, stopfte er sich Lakritze in den Mund. Wenn er schon Julia nicht zurückhaben konnte, wollte er wenigstens mit der Barfrau vögeln. Die eher wie neununddreißig aussah. Er wollte mit den Händen in ihr rauchiges Haar greifen. Er stellte sich vor, dass sie in einer sanierten Mietwohnung an der East Fifth lebte, vor dem Schlafengehen Bier trank und in verwaschenen, ärmellosen Tops und kurzen Turnhosen schlief, dass ihr Körper müde, ihr Nabel unprätentiös gepierct, ihre Muschi wie ein kampferprobter Baseball-Handschuh war und dass sie ihre Zehennägel mit dem schlichtesten, simpelsten Rot lackierte. Er wollte ihre Beine auf seinem Hintern spüren, wollte die Geschichte ihrer knapp vierzig Lebensjahre hören. Vielleicht sang sie ja wirklich auf Hochzeiten und Bar-Mizwas Rock 'n' Roll.

Durchs Taxifenster las er *Armes Würstchen* statt *Warme Würstchen*. Er las *Vampir-Unwesen* statt *Empire-Anwesen*.

Er war halb in jemanden verliebt, den er nie wieder sehen durfte. Er hatte einer hart arbeitenden Frau, die College-Football guckte, neun Dollar gestohlen. Selbst wenn er später wieder hinging, ihr das Geld zurückgab und sich entschuldigte, blieb er der Mann, der sie, kaum dass sie ihm den Rücken kehrte, übers

Ohr gehauen hatte. Sie war für immer aus seinem Leben verschwunden, nie konnte er ihr mit den Fingern durchs Haar fahren, und es war kein gutes Zeichen, dass dieser neuerliche Verlust ihn hyperventilieren ließ. Dass er keine Lakritze mehr hinunterbekam, weil der Schmerz zu groß war.

Statt *Schule* las er *Schwule*, statt *Sprite* las er *Streit*.

Im Schaufenster eines Optikers stand: UNTERSUCHE IHREN KOPF.

Schuld war das Geld, waren die Demütigungen, die einer aushalten musste, der keines hatte. Jeder Kinderwagen, den er sah, jedes Handy, jede Yankee-Mütze, jeder Jeep quälte ihn. Er war nicht habsüchtig, er war nicht neidisch. Aber ohne Geld war er kein Mann.

Wie er sich verändert hatte, seit er vom College geflogen war! Er wollte gar nicht mehr in einer anderen Welt leben; er wollte bloß das: in dieser Welt ein Mann mit Würde sein. Und vielleicht hatte Doug ja Recht, vielleicht waren die **Brüste** in seinem Drehbuch Nebensache. Dafür begriff er jetzt endlich – hatte es endlich geschnallt –, dass er den theoretischen Eingangsmonolog einfach streichen konnte, und zwar *in Gänze*. Zehn Minuten würde er brauchen, um diese Korrektur in Edens Büro auszuführen.

Vor Edens Haus gab er dem Taxifahrer alle neun gestohlenen Dollar. Gleich um die Ecke sah er auf einer Kopfsteinpflasterstraße ein Filmteam drehen, sechs Lkws, grelle Jupiterlampen, stinkende Generatoren im Regen. Chip kannte den Sicherheitscode zu dem Gebäude, und der Fahrstuhl war nicht abgeschlossen. Er betete zu Gott, dass Eden das Drehbuch noch nicht gelesen hatte. Die frisch korrigierte Fassung in seinem Kopf war das einzig wahre Drehbuch; doch auf dem elfenbeinfarbenen gehämmerten Papier des Exemplars, das Eden vorlag, dümpelte der alte Eingangsmonolog noch vor sich hin.

Durch die gläserne Außentür im vierten Stock sah er Licht

in Edens Büro. Dass seine Socken trieften, seine Jacke wie eine nasse Kuh am Meeresufer roch und er keine Möglichkeit hatte, sich die Hände oder das Haar abzutrocknen, war zweifellos unangenehm, aber es war noch immer ein solcher Genuss, keine zwei Pfund norwegischen Lachs mehr in der Hose zu haben, dass er sich, verglichen damit, regelrecht wohl fühlte.

Er klopfte an die Scheibe, bis Eden aus ihrem Zimmer kam und zu ihm hinausspähte. Eden hatte hohe Wangenknochen, große, wasserblaue Augen und dünne, durchscheinende Haut. Jede überflüssige Kalorie, die sie beim Mittagessen in L. A. oder beim Martinitrinken in Manhattan zu sich genommen hatte, würde auf dem heimischen Trimmrad, in ihrem privaten Schwimmclub oder im allgemeinen Irrsinn, den es bedeutete, Eden Procuro zu sein, umgehend wieder verbrannt. Für gewöhnlich war sie elektrisiert und glühte, ein Bündel heißer Kupferdrähte; doch jetzt, als sie sich der Tür näherte, schien sie zaghaft oder irgendwie nervös. Immer wieder drehte sie sich zu ihrem Büro um.

Chip winkte ihr, ihn reinzulassen.

«Sie ist nicht hier», sagte Eden durch die Scheibe.

Chip gestikulierte erneut. Eden öffnete die Tür und legte sich die Hand aufs Herz. «Chip, tut mir ja so Leid, das mit Ihnen und Julia –»

«Ich suche mein Drehbuch. Haben Sie es schon gelesen?»

«Ich –? Nur ganz oberflächlich. Ich muss es noch einmal lesen. Mir Notizen machen!» Eden kritzelte etwas in Höhe ihrer Schläfe in die Luft und lachte.

«Es geht um den Eingangsmonolog», sagte Chip. «Ich hab ihn gestrichen.»

«Oh, wunderbar, wenn jemand zu Streichungen bereit ist. Zauberhaft.» Sie sah sich zu ihrem Büro um.

«Meinen Sie denn, ohne den Monolog –»

«Chip, brauchen Sie Geld?»

Eden lächelte ihn mit einer so seltsam vergnügten Offenherzigkeit an, dass es ihm vorkam, als habe er sie betrunken oder mit heruntergelassener Hose erwischt.

«Na ja, völlig pleite bin ich nicht», sagte er.

«Nein, nein, klar. Aber trotzdem.»

«Warum?»

«Und können Sie mit dem Internet umgehen?», fragte sie. «Beherrschen Sie Java? HTML?»

«Himmel, nein.»

«Ach, kommen Sie doch mal eben mit in mein Büro. Ja? Kommen Sie.»

Hintereinander gingen sie an Julias Schreibtisch vorbei, wo das einzig sichtbare Indiz, das auf Julia verwies, ein Plüschfrosch auf dem Computer-Monitor war.

«Da ihr ja jetzt getrennt seid», sagte Eden, «gibt's eigentlich keinen Grund mehr, warum Sie nicht –»

«Wir sind nicht getrennt, Eden.»

«Doch, doch, glauben Sie mir, es ist aus», sagte Eden. «Endgültig. Und ich denke, ein kleiner Tapetenwechsel würde Ihnen helfen, darüber hinweg–»

«Eden, Julia und ich haben uns vorübergehend –»

«Nein, Chip, tut mir Leid, nicht vorübergehend: für immer.» Eden lachte erneut. «Vielleicht ist Julia nicht so gnadenlos direkt, aber ich bin es. Und deshalb gibt es jetzt, wenn ich's mir recht überlege, eigentlich keinen Grund mehr, warum Sie nicht ...» Sie führte Chip in ihr Büro. «Gitanas? Unglaublicher Zufall. Ich habe hier den richtigen Mann für den Job.»

Auf einem Stuhl vor Edens Schreibtisch saß ein Mann ungefähr in Chips Alter, der eine rote gerippte Lederjacke und enge weiße Jeans trug. Sein Gesicht war breit und pausbäckig, sein Haar eine muschelförmige blonde Skulptur.

Eden schien vor Begeisterung kurz vor dem Höhepunkt zu sein. «Da zermartere ich mir das Hirn, Gitanas, wer Ihnen helfen könnte, und schon klopft der vermutlich bestgeeignete Mann von ganz New York an die Tür! Chip Lambert, Sie kennen doch meine Assistentin Julia?» Sie zwinkerte Chip zu. «Nun, das ist *Julias Ehemann*, Gitanas Misevičius.»

Chip konnte sich nicht erinnern, jemals einem Menschen begegnet zu sein, der ihm in nahezu jeder Hinsicht – Haar- und Augenfarbe, Kopfform, Größe und Körperbau –, vor allem aber wegen dieses misstrauischen, schamhaften Lächelns, das auf seinem Gesicht lag, so sehr ähnelte wie Gitanas. Er sah aus wie Chip, nur dass er sich schlechter hielt und schiefe Zähne hatte. Ohne aufzustehen oder die Hand auszustrecken, nickte er. «Wie geht's», sagte er nervös.

Immerhin, dachte Chip, hatte Julia einen Typ.

Eden klopfte auf die Sitzfläche eines freien Stuhls. «Hier, hier, hier», sagte sie zu ihm.

Ihre Tochter April hockte zwischen verstreuten Buntstiften und einem Bündel Papier auf dem Ledersofa vor den Fenstern.

«Hallo, April», sagte Chip. «Wie waren die Nachtische?»

Die Frage schien April nicht zu schmecken.

«Sie wird sie heute Abend probieren», sagte Eden. «Gestern musste jemand Grenzen testen.»

«Ich hab gar keine Grenzen getestet», sagte April.

Das Papier auf Aprils Schoß war elfenbeinfarben und hatte auf der Rückseite Text.

«Nun setzen Sie sich schon!», ermahnte ihn Eden, während sie zu ihrem Schreibtisch aus Birkenholzlaminat ging. Das große Fenster hinter ihr war voller Regenlinsen. Über dem Hudson lag Nebel. Schwärzliche Schlieren deuteten New Jersey an. Edens Trophäen, überall an den Wänden, waren Filmplakate von Kevin Kline, Chloë Sevigny, Matt Damon, Winona Ryder.

«Chip Lambert», sagte sie zu Gitanas, «ist ein blendender Autor, der gerade ein Drehbuch für mich entwickelt, und er hat in Anglistik promoviert und die letzten zwei Jahre mit meinem

Mann zusammen Fusionen und Akquisitionen vorbereitet, *und* er kennt sich blendend mit dem ganzen Internetzeugs aus, gerade eben noch haben wir über Java und HTML gesprochen, *und* wie Sie sehen, macht er eine sehr eindrucksvolle, äh –» Jetzt erst schien sie wahrzunehmen, wie Chip aussah. Sie riss die Augen auf. «Da draußen scheint es ja wie aus Kübeln zu regnen. Normalerweise ist Chip nicht, äh, nicht ganz so nass. (Mein Lieber, Sie sind aber wirklich ziemlich nass.) Ganz ehrlich, Gitanas, einen Besseren finden Sie nicht. Und Chip, ich bin einfach ... hingerissen, dass Sie vorbeigekommen sind. (Sie sind aber wirklich patschnass.)»

Ein einzelner Mann konnte Edens Temperament verkraften; zwei Männer jedoch mussten den Blick senken, um bei so viel Enthusiasmus ihre Würde zu bewahren.

«Ich», sagte Eden, «bin leider ein bisschen unter Zeitdruck. Gitanas ist ja recht unerwartet hier reingeschneit. Am schönsten fände ich's, wenn Sie beide einfach in mein Sitzungszimmer gehen und alles in Ruhe bereden würden, und nehmen Sie sich alle Zeit der Welt.»

Gitanas verschränkte die Arme vor der Brust, indem er sich, europäisch verkrampft, die Fäuste unter die Achseln rammte. Ohne Chip anzuschauen, fragte er ihn: «Sind Sie Schauspieler?»

«Nein.»

«Na, Chip», sagte Eden, «das stimmt ja wohl nicht ganz.»

«Doch, doch. Ich hab noch nie im Leben geschauspielert.»

«Ha-ha-ha!», sagte Eden. «Chip ist bloß bescheiden.»

Gitanas schüttelte den Kopf und sah zur Decke.

Aprils Packen Papier war eindeutig ein Drehbuch.

«Worum geht's denn eigentlich?», fragte Chip.

«Gitanas sucht jemanden –»

«Einen amerikanischen Schauspieler», sagte Gitanas voller Abscheu.

«Der, äh, Öffentlichkeitsarbeit für sein Unternehmen macht.

Und ich versuche jetzt seit über einer *Stunde*» – Eden warf einen kurzen Blick auf ihre Armbanduhr und sperrte in übertriebenem Entsetzen Augen und Mund auf –, «ihm zu erklären, dass die Schauspieler, mit denen ich zusammenarbeite, sich mehr für Film und Theater interessieren als, sagen wir mal, für internationale Investitionsstrategien. Und im übrigen meist maßlos übersteigerte Vorstellungen von ihren sprachlichen Fähigkeiten haben. Und was ich Gitanas außerdem zu erklären versuche, ist, dass Sie, Chip, ausgezeichnet mit Sprache und Jargon umzugehen wissen und überdies nicht mal so tun müssen, als seien Sie Anlageexperte. Sie *sind* Anlageexperte.»

«Ich arbeite halbtags als Korrektor juristischer Texte», sagte Chip.

«Ein Experte für unsere Sprache. Ein begabter Drehbuchautor.»

Chip und Gitanas wechselten Blicke. Irgendetwas an Chip, vielleicht dass er ihm äußerlich so ähnelte, schien den Litauer neugierig zu machen. «Suchen Sie denn Arbeit?», fragte Gitanas.

«Möglich.»

«Sind Sie drogensüchtig?»

«Nein.»

«Ich muss *dringend* zur Toilette», sagte Eden. «April, Schätzchen, komm. Und nimm deine Bilder mit.»

April hüpfte artig vom Sofa und ging zu ihr.

«Nimm doch deine Bilder mit, Liebling. Hier.» Eden sammelte die Elfenbeinblätter auf und schob April zur Tür. «Ihr Männer unterhaltet euch mal.»

Gitanas hob eine Hand, kniff sich in die vollen Wangen, kratzte über seine hellen Stoppeln. Er sah aus dem Fenster.

«Sie sind in der Politik», sagte Chip.

Gitanas legte den Kopf schief. «Ja und nein. Ich war es viele Jahre lang. Aber meine Partei ist kapores, und jetzt bin ich

Unternehmer. Eine Art politischer Unternehmer, sagen wir mal.»

Eine von Aprils Zeichnungen war zwischen Fenster und Sofa auf den Boden gefallen. Chip streckte eine Zehe aus und zog das Blatt zu sich heran.

«Bei uns finden so oft Wahlen statt», sagte Gitanas, «dass davon international gar nicht mehr berichtet wird. Wir haben drei oder vier Wahlen im Jahr. Wahlen sind unser größter Wirtschaftszweig. Wir haben den höchsten Pro-Kopf-Output an Wahlen von allen Ländern der Welt. Noch höher als Italien.»

April hatte einen Mann mit normalem Körper aus Strichen, Klecksen und Rechtecken gemalt, aber der Kopf war ein schwarzer und blauer Wirbelwind, ein wildes, chaotisches Gekritzel. Durch das Elfenbeinpapier sah Chip Dialog- und Handlungsblöcke schimmern.

«Glauben Sie an Amerika?», sagte Gitanas.

«Du lieber Gott, fragen Sie mich was Leichteres.»

«An Ihr Land, meine ich, das uns gerettet, aber auch ruiniert hat.»

Mit der Zehe lüpfte Chip eine Ecke von Aprils Zeichnung und entzifferte die Worte –

MONA

(wiegt den Revolver in der Hand)

Was ist falsch daran, dass ich mich liebe?

Was ist daran auszusetzen?

– aber entweder war das Blatt auf einmal sehr schwer geworden oder seine Zehe sehr schwach. Er ließ es wieder auf den Boden gleiten. Schob es unters Sofa. Seine Arme und Beine fühlten sich plötzlich kalt und ein bisschen taub an. Er sah nicht mehr gut.

«Russland ist im August Bankrott gegangen», sagte Gitanas. «Sie haben vielleicht davon gehört? Anders als über unsere

Wahlen wurde darüber ausführlich berichtet. Das waren *Wirtschafts*nachrichten. Das ging die Investoren an. Es ging auch Litauen an. Unser Haupthandelspartner hat jetzt Schulden in harter Währung, die ihn lahm legen, und einen wertlosen Rubel. Dreimal dürfen Sie raten, womit unsere Hühnereier bezahlt werden: Dollar oder Rubel. Und die Lkw-Fahrwerke aus unserer Chassis-Fabrik, der einzig guten Fabrik, die wir haben: mit Rubeln natürlich. Aber der Rest des Lkws wird in Wolgograd hergestellt, und diese Fabrik hat dichtgemacht. Also kriegen wir nicht einmal mehr Rubel.»

Chip hatte Mühe, seiner «Akademischen Würden» wegen enttäuscht zu sein. Nie wieder in das Drehbuch schauen, es keiner Menschenseele mehr zeigen zu müssen: Das war womöglich eine noch größere Erleichterung als die gestrige auf der Herrentoilette im Fanelli's, wo er den Lachs aus seiner Hose gezogen hatte.

Er spürte, wie er sich allmählich aus dem Bann von **Brüsten**, Trennungsstrichen und normierten Seitenrändern löste, ja wie er plötzlich eine reiche, vielfältige Welt betrat, für die er wer weiß wie lang verloren gewesen war. Jahrelang.

«Interessant, was Sie da erzählen», sagte er zu Gitanas.

«Ist es. Ist es wirklich», stimmte Gitanas zu, die Arme wieder fest um sich geschlungen. «Brodsky hat gesagt: ‹Frischer Fisch stinkt immer, gefrorener nur, wenn er taut.› Also, nach der großen Tauwetterperiode, als die ganzen kleinen Fische aus dem Gefrierschrank kamen, haben wir uns erst mal für alles Mögliche begeistert. Ich auch. Sehr sogar. Aber es wurde Misswirtschaft getrieben. In New York hatte ich noch meinen Spaß, aber wieder zu Hause – da hatten wir eine ordentliche Depression. Dann, viel zu spät, 1995 nämlich, haben wir den Litas an den Dollar gekoppelt und, viel zu schnell, mit der Privatisierung begonnen. Es war nicht meine Entscheidung, aber vielleicht hätte ich dasselbe getan. Die Weltbank hatte Geld, das wir brauchten, und die Weltbank sagte: Los, privatisiert. Also haben wir den Hafen verkauft. Und die Fluggesellschaft. Und die Telefongesellschaft. Das höchste Angebot kam in der Regel aus den USA, manchmal aus Westeuropa. Das war gar nicht so geplant, ergab sich aber so. Niemand in Vilnius hatte Geld. Und die Telefongesellschaft sagte, gut, dann haben wir jetzt eben ausländische Eigentümer mit tiefen Taschen, immerhin sind der Hafen und die Fluggesellschaft ja noch zu hundert Prozent litauisch. Tja, und der Hafen und die Fluggesellschaft dachten genauso. Aber auch das war noch okay. Wenigstens floss jetzt Kapital, es gab besseres Fleisch beim Schlachter, weniger Elektrizitätsengpässe. Sogar das Wetter schien milder. Meistens gelangte die harte Währung in die Hände von Verbrechern, aber das ist postsowjetische Realität. Erst taut's, dann fault's. Das hat Brodsky nicht mehr erlebt. Schön, aber dann brachen die ganzen großen Wirtschaftssysteme zusammen, Thailand, Brasilien, Korea, und das war wirklich ein Problem, denn nun floss das ganze Kapital zurück in die USA. Zum Beispiel fanden wir heraus, dass unsere nationale Fluggesellschaft zu vierundsechzig Prozent dem Quad Cities Fund gehörte. Was das ist? Ein thesaurierender Wachstumsfonds, der von einem jungen Burschen namens Dale Meyers verwaltet wird. Sie haben sicher noch nie was von Dale Meyers gehört, aber in Litauen kennt ihn jeder.»

Diese Misserfolgsgeschichte schien Gitanas enorm zu amüsieren. Lange nicht mehr hatte Chip jemanden so *sympathisch* gefunden. Seine schwulen Freunde am D— College und beim *Warren Street Journal* waren derart offen und plumpvertraulich gewesen, dass tatsächliche Nähe unmöglich wurde, und Heteros gegenüber kannte er ohnehin nur noch zwei Reaktionen: mit Missgunst gepaarte Angst vor den Erfolgreichen oder Flucht vor Ansteckung durch die Versager. In Gitanas Tonfall hingegen lag etwas, das ihm gefiel.

«Dale Meyers lebt im Osten Iowas», sagte Gitanas. «Dale

Meyers hat zwei Mitarbeiter, einen großen Computer und ein Drei-Milliarden-Dollar-Portfolio. Dale Meyers behauptet, es sei gar nicht seine Absicht gewesen, eine maßgebliche Beteiligung an unserer nationalen Fluggesellschaft zu erwerben. Angeblich war es ein EDV-gesteuerter Vorgang. Einer seiner Mitarbeiter habe bei der Dateneingabe einen Fehler gemacht, sodass der Computer immer mehr Aktien der Lithuanian Airlines angekauft habe, ohne zwischendurch die Gesamtmenge auszuweisen. Schön, Dale entschuldigt sich bei allen Litauern für das Versehen. Er sagt, er verstehe durchaus, wie wichtig eine Fluggesellschaft für die Wirtschaft und das Selbstwertgefühl eines Landes sei. Doch wegen der Krise in Russland und im Baltikum ist niemand an Flugtickets der Lithuanian Airlines interessiert. Und jetzt entziehen amerikanische Investoren der Firma Quad Cities ihr Geld. Dales einzige Chance, seinen Zahlungsverpflichtungen nachzukommen, besteht darin, den größten Vermögenswert der Lithuanian Airlines zu liquidieren. Ihre Flotte. Er wird die drei YAK 40 an eine Luftfrachtgesellschaft in Miami verkaufen. Und die sechs Aerospatiale-Turbopropmaschinen an eine Startup-Pendelfluggesellschaft in Neuschottland. Besser gesagt, er hat es schon getan, gestern. Zack, und weg ist die Fluggesellschaft.»

«Autsch», sagte Chip.

Gitanas nickte heftig. «Ja! Ja! Autsch! Zu dumm, dass Lkw-Chassis nicht fliegen können! Okay, weiter. Als Nächstes liquidiert ein amerikanischer Mischkonzern namens Orfic Midland den Hafen von Kaunas. Ebenfalls über Nacht. Zack! Autsch! Und dann werden sechzig Prozent der Bank von Litauen von einer Vorstadtbank in Atlanta, Georgia, geschluckt. Und eure Vorstadtbank liquidiert die Währungsreserven unserer Bank. Eure Bank verdoppelt über Nacht die Zinsrate für Unternehmenskredite in unserem Land – warum? Um die schweren Verluste aus ihrer fehlgeschlagenen Peanuts-MasterCardserie auszugleichen. Autsch! Autsch! Aber spannend, wie? Litauen ist kein besonders erfolgreicher Spieler, was? Litauen hat richtig Scheiße gebaut!»

«Wie geht's euch Männern?», fragte Eden, als sie mit April im Schlepptau in ihr Büro zurückkam. «Wollt ihr nicht doch ins Sitzungszimmer gehen?»

Gitanas stellte eine Aktentasche auf seinen Schoß und öffnete sie. «Ich erkläre Cheep gerade, weswegen Amerika mir Bauchschmerzen bereitet.»

«April, Süße, setz dich hierhin», sagte Eden. Sie hatte einen dicken Packen Zeitungspapier mitgebracht, das sie auf dem Boden neben der Tür ausbreitete. «Das Papier da ist besser. Jetzt kannst du *große* Bilder malen. Wie ich. Wie Mommy. Mal ein *großes* Bild.»

April hockte sich in die Mitte des Zeitungspapiers und zeichnete einen grünen Kreis um sich herum.

«Wir haben den Internationalen Währungsfonds und die Weltbank um Hilfe gebeten», sagte Gitanas. «Da sie uns zur Privatisierung aufgefordert haben, interessiert sie womöglich auch, dass unsere Nation, unser privatisierter Staat, heute eine von Semianarchie, kriminellen Kriegsherren und Subsistenzwirtschaft beherrschte Zone ist? Leider richtet sich die Reihenfolge, in der sich der IWF mit Beschwerden bankrotter Staaten befasst, nach der Größe ihres jeweiligen Bruttosozialprodukts. Letzten Montag war Litauen Nummer sechsundzwanzig auf der Liste. Jetzt sind wir Nummer achtundzwanzig. Paraguay hat uns geschlagen. Immer Paraguay.»

«Autsch», sagte Chip.

«Paraguay ist irgendwie der Fluch meines Lebens.»

«Gitanas, ich hab's Ihnen doch gesagt, Chip ist Ihr Mann», warf Eden ein, «aber hören Sie –»

«Laut IWF muss man mit Verzögerungen von bis zu sechsunddreißig Monaten rechnen, bevor eine Rettungsaktion überhaupt beginnen kann!»

Eden ließ sich auf ihren Stuhl plumpsen. «Meinen Sie, wir sind hier bald fertig?»

Gitanas zeigte Chip einen Computerausdruck, den er aus seiner Aktentasche geholt hatte. «Sehen Sie diese Internet-Seite hier? ‹Ein Service des US-Außenministeriums, Amt für europäische und kanadische Angelegenheiten›. Dort heißt es: Litauische Wirtschaft schwer angeschlagen, Arbeitslosigkeit bei fast zwanzig Prozent, Strom und fließendes Wasser in Vilnius zeitweise unterbrochen, andernorts knapp. Welcher Unternehmer wird wohl in so ein Land Geld investieren?»

«Ein litauischer?»

«Ja, sehr komisch.» Gitanas warf ihm einen anerkennenden Blick zu. «Aber was, wenn ich auf dieser und anderen, vergleichbaren Internet-Seiten den Text ändern möchte? Wenn ich das, was da steht, löschen und stattdessen in gutem amerikanischem Englisch hinschreiben möchte, dass unser Land der russischen Finanzmisere entronnen ist? Dass Litauen, sagen wir, eine jährliche Inflationsrate von unter sechs Prozent hat, dass es dort pro Kopf ähnlich hohe Dollarreserven wie in Deutschland gibt und, dank unvermindert starker Nachfrage nach Litauens Bodenschätzen, einen Handelsüberschuss von fast einhundert Millionen Dollar!»

«Chip, dafür wären Sie genau der Mann», sagte Eden.

Chip hatte sich insgeheim fest vorgenommen, Eden, solange er lebte, keines Blickes oder Wortes mehr zu würdigen.

«Was hat Litauen für Bodenschätze?», fragte er Gitanas.

«Hauptsächlich Sand und Kies», sagte Gitanas.

«Gewaltige strategische Vorräte an Sand und Kies. Verstehe.»

«Sand und Kies im Überfluss.» Gitanas schloss seine Aktentasche. «Aber – hier kommt die Quizfrage: Woher die beispiellose Nachfrage nach diesen berückenden Schätzen?»

«Ein Bauboom im benachbarten Lettland oder Finnland? Im sandarmen Lettland? Im kiesarmen Finnland?»

«Und wieso haben diese Länder sich nicht mit dem Virus des globalen finanziellen Zusammenbruchs angesteckt?»

«Lettland hat starke, stabile demokratische Institutionen», sagte Chip. «Es ist das finanzielle Nervenzentrum des Baltikums. Finnland hat den Abfluss kurzfristig angelegten ausländischen Kapitals strikt eingeschränkt und es geschafft, seine Weltklasse-Möbelindustrie zu retten.»

Der Litauer nickte, offensichtlich angetan. Eden hieb mit den Fäusten auf ihren Schreibtisch. «Gott, Gitanas, Chip ist fabelhaft! Das *schreit* geradezu nach einem Abschlussbonus für ihn – wenn ihr euch einig werdet. Außerdem nach erstklassigen Unterbringung in Vilnius und einem Tagegeld in Dollar.»

«Vilnius?», sagte Chip.

«Na klar, wir verkaufen hier ein Land», sagte Gitanas. «Da brauchen wir einen zufriedenen amerikanischen Kunden vor Ort. Dazu kommt, dass es dort drüben viel, viel ungefährlicher ist, mit dem Internet zu arbeiten.»

Chip lachte. «Sie erwarten also allen Ernstes, dass amerikanische Investoren Ihnen Geld geben? Auf welcher Basis denn – Sandknappheit in Lettland?»

«Ich bekomme bereits Geld geschickt», sagte Gitanas, «auf der Basis eines kleinen Scherzes, den ich mir erlaubt habe. Nicht mal wegen Sand und Kies, bloß wegen eines gemeinen kleinen Scherzes, den ich mir erlaubt habe. Zigtausend Dollar. Aber ich will Millionen.»

«Gitanas», sagte Eden. «Mein Lieber. Das ist *der* Moment, eine Prämienvereinbarung zu treffen. Es *kann* überhaupt keine bessere Voraussetzung für eine Gleitklausel geben. Jedes Mal wenn Chip Ihre Einnahmen verdoppelt, beteiligen Sie ihn mit einem weiteren Prozent am Umsatz. Hm? Hm?»

«Wenn ich meine Einnahmen um hundert Prozent steigen sehe, glauben Sie mir, dann wird Cheep ein reicher Mann sein.»

«Wir sollten das schriftlich festhalten, meine ich.»

Gitanas fing Chips Blick auf und gab ihm schweigend zu verstehen, was er von ihrer Gastgeberin hielt. «Eden, so ein Dokument –», sagte er. «Wie soll denn Cheeps Jobbezeichnung lauten? Internationaler Berater für Internetbetrug? Erster stellvertretender Coverschwörer?»

«Vizepräsident für vorsätzlich rechtswidrige Verdrehung der Tatsachen», schlug Chip vor.

Eden stieß einen entzückten Schrei aus. «Zauberhaft!»

«Guck mal, Mommy», sagte April.

«Unsere Vereinbarung ist strikt mündlich», sagte Gitanas.

«Aber das, was Sie dort tun, ist natürlich nicht wirklich illegal», sagte Eden.

Gitanas beantwortete ihre Frage, indem er eine ganze Weile aus dem Fenster schaute. In seiner roten gerippten Jacke sah er aus wie ein Motocross-Rennfahrer. «Natürlich nicht», sagte er dann.

«Es ist also kein Internetbetrug», sagte Eden.

«Nein, nein. Internetbetrug? Nein.»

«Weil, also, ich will ja kein Angsthase sein, aber es klingt beinahe danach.»

«Sämtliche beweglichen Vermögenswerte meines Landes sind ohne das geringste Aufsehen in eurem Land verschwunden», sagte Gitanas. «Ein reiches, mächtiges Land hat die Regeln aufgestellt, an denen wir Litauer krepieren. Warum sollten wir diese Regeln befolgen?»

«Eine grundlegende Foucault'sche Frage», sagte Chip.

«Aber auch eine Robin-Hood-Frage», sagte Eden. «Was mich in rechtlicher Hinsicht nicht gerade beruhigt.»

«Ich biete Cheep fünfhundert US-Dollar pro Woche. Und Prämien, wenn ich es für angebracht halte. Cheep, sind Sie interessiert?»

«Hier in der Stadt kann ich mehr verdienen.»

«Versuchen Sie's mit tausend pro *Tag*, Minimum», sagte Eden.

«Ein Dollar hält in Vilnius lange vor.»

«Oh, bestimmt», sagte Eden. «Genau wie auf dem Mond. Was soll man da auch kaufen?»

«Cheep», sagte Gitanas. «Erzählen Sie Eden, was man sich in einem armen Land für Dollars kaufen kann.»

«Ich nehme an, man isst und trinkt dort ganz gut», sagte Chip.

«Einem Land, in dem eine junge Generation in moralischer Anarchie aufgewachsen ist – und Hunger hat.»

«Dürfte nicht schwer sein, eine hübsche Begleitung zu finden, falls Sie das meinen.»

«Wenn es Ihnen nicht das Herz bricht», sagte Gitanas, «ein süßes kleines Mädchen aus der Provinz vor sich auf die Knie sinken zu sehen –»

«Pfui, Gitanas», sagte Eden. «Hier ist ein Kind im Zimmer.»

«Ich bin auf einer Insel», sagte April. «Mommy, guck mal, meine Insel.»

«Ich rede ja von Kindern», sagte Gitanas. «Fünfzehnjährigen. *You have Dollars?* Dreizehn. Zwölf.»

«Mit Zwölfjährigen können Sie mich nicht ködern», sagte Chip.

«Ist Ihnen neunzehn lieber? Neunzehnjährige gibt's sogar noch billiger.»

«Das, ähm, also ehrlich», sagte Eden und wedelte mit den Händen.

«Ich möchte, dass Cheep begreift, warum ein Dollar viel Geld ist. Warum mein Angebot Hand und Fuß hat.»

«Mein Problem ist», sagte Chip, «dass ich mit diesen Dollars Schulden in Amerika begleichen muss.»

«Glauben Sie mir, mit diesem Problem sind wir in Litauen vertraut.»

«Chip möchte ein Grundgehalt von eintausend pro Tag, plus Erfolgszulagen», sagte Eden.

«Eintausend pro Woche», sagte Gitanas. «Dafür, dass er meinem Projekt Legitimität verleiht. Dass er kreativ arbeitet und Anrufer beruhigt.»

«Ein Prozent vom Bruttoumsatz», sagte Eden. «Ein Prozent nach Abzug seiner zwanzigtausend Dollar Monatsgehalt.»

Ohne sie zu beachten, holte Gitanas einen dicken Umschlag aus seiner Jacke und begann, mit stummeligen, ungepflegten Fingern Hundertdollarscheine abzuzählen. April hockte auf einem Stück hellem Zeitungspapier, umgeben von langzahnigen Monstern und grausam bunten Kritzeleien. Gitanas warf ein Bündel Hunderter auf Edens Schreibtisch. «Dreitausend», sagte er, «für die ersten drei Wochen.»

«Und Business-Class fliegt er natürlich auch», sagte Eden.

«In Ordnung.»

«Und erstklassige Unterbringung in Vilnius.»

«In der Villa ist ein Zimmer für ihn, kein Problem.»

«Und wer beschützt ihn vor den kriminellen Kriegsherren?»

«Vielleicht bin ich ja selbst einer, ein bisschen zumindest», sagte Gitanas mit einem matten, schamhaften Lächeln.

Chip betrachtete den Haufen Grün auf Edens Schreibtisch. Von irgendwas hatte er plötzlich einen Ständer, vielleicht vom Bargeld, vielleicht von den verdorbenen, lüsternen Neunzehnjährigen, vielleicht auch nur von der Aussicht, sich in ein Flugzeug zu setzen und achttausend Kilometer zwischen sich und den Albtraum seines Lebens in New York zu legen. Was Drogen immer wieder so sexy machte, war die Chance, ein anderer zu sein. Noch Jahre nachdem er begriffen hatte, dass er von Dope bloß paranoid und schlaflos wurde, bekam er allein beim Gedanken, welches zu rauchen, einen Ständer. Lechzte immer noch nach dieser Flucht aus dem Käfig.

Er berührte die Hunderter.

«Ich geh am besten schon mal online und buche Ihnen beiden einen Flug», sagte Eden. «Sie können sofort abreisen!»

«Also, werden Sie's machen?», fragte Gitanas. «Es ist massig Arbeit, massig Spaß. Ziemlich geringes Risiko. Aber ganz ohne Risiko geht's natürlich nicht. Dafür ist zu viel Geld im Spiel.»

«Verstehe», sagte Chip, die Hand auf den Hundertern.

Pomp und Feierlichkeit von Hochzeiten hatten eine verlässliche Wirkung auf Enid: Vor lauter *Heimatliebe* – zum Mittelwesten im Allgemeinen und den Vororten von St. Jude im Besonderen – ging ihr das Herz auf, und darin lag für sie der einzig wahre Patriotismus und die einzig mögliche Spiritualität. Sie hatte unter Präsidenten gelebt, die so unredlich wie Nixon, so dumm wie Reagan und so abscheulich wie Clinton waren, da bedeutete es ihr mittlerweile nichts mehr, die amerikanische Flagge zu schwenken, und keines der Wunder, um die sie Gott in ihren Gebeten angefleht hatte, war jemals eingetreten; wenn sie dagegen während einer samstäglichen Trauung zur Zeit der Fliederblüte in der Presbyterianerkirche von Paradise Valley saß und den Blick schweifen ließ, sah sie dort zweihundert nette Menschen und keinen einzigen schlechten. Alle ihre Freunde waren nett und hatten selbst nette Freunde, und weil nette Leute normalerweise nette Kinder großzogen, war Enids Welt wie ein Rasen, auf dem das Rispengras so dicht wuchs, dass das Böse darin einfach keine Luft bekam: ein Wunder an Nettigkeit. Wenn es, zum Beispiel, eine von Esther und Kirby Roots Töchtern war, die an Kirbys Arm den presbyterianischen Mittelgang entlangschritt, dachte Enid daran, wie das kleine Mädchen an Halloween in einem Ballerinakostüm vor ihrer Tür um Süßes gebettelt, als Pfadfinderin Kekse verkauft und später auf Denise aufgepasst hatte und wie es sich die Root-Mädchen, auch als sie längst fortgegangen waren, um an einem guten College im Mittelwesten zu studieren, nicht hatten nehmen lassen, jedes Mal wenn sie in den Ferien heimkehrten, an Enids Hintertür zu klopfen, um ihr von den neuesten Ereignissen im Haus der Roots zu berichten, ja oft sogar *eine Stunde oder länger* blieben (und zwar nicht, das wusste Enid genau, weil Esther sie dazu angehalten hatte, sondern einfach weil sie wohlerzogene Kinder aus St. Jude waren, die sich ganz selbstverständlich dafür interessierten, wie es anderen Menschen ging), und so schwoll Enid das Herz, wenn sie zusah, wie ein weiteres dieser lieben, herzensguten Root-Mädchen, zur Belohnung, das Ja-Wort eines jungen Mannes entgegennahm, der einen dieser adretten Haarschnitte hatte, wie sie einem in Herrenmoden-Anzeigen begegneten, eines ganz famosen jungen Burschen, der die richtige, kernige Einstellung hatte, höflich zu älteren Leuten war, nichts von vorehelichem Geschlechtsverkehr hielt und einen Beruf ausübte, in dem er, vielleicht als Elektroingenieur, vielleicht als Umweltbiologe, der Gesellschaft diente und der nun, als Spross einer liebevollen, stabilen, traditionsbewussten Familie, selbst eine liebevolle, stabile, traditionsbewusste Familie gründen wollte. Falls der Schein Enid nicht ganz und gar trog, waren junge Männer dieses Schlages auch jetzt, da das zwanzigste Jahrhundert sich dem Ende zuneigte, im vorstädtischen St. Jude noch *die Norm.* All die jungen Burschen, die Enid schon gekannt hatte, als sie noch Wölflinge waren, ihre Toilette im Erdgeschoss benutzt und ihren Schnee geschippt hatten, die vielen Driblett-Jungs, die diversen Persons, die kleinen Schumpert-Zwillinge, all die anständigen und *ansehnlichen* jungen Männer (die Denise als Teenager, zu Enids stillem Zorn, mit ihrem «amüsierten» Blick abgewiesen hatte) würden, wenn sie es nicht längst getan hatten, über kurz oder lang nette, normale Mädchen einen protestantischen Herzland-Mittelgang entlangführen und sich, falls nicht in St. Jude selbst, so doch wenigstens innerhalb derselben Zeitzone niederlassen. Nun wusste Enid in der tiefsten Tiefe ihres Herzens, dort, wo sie sich weniger von ihrer Tochter unterschied, als sie sich eingestehen mochte, dass es Fräcke in schöneren Farben als Ultramarin gab und dass Brautkleider aus exotischeren Stoffen als malvenfarbenem Crêpe de Chine geschneidert werden konnten; und doch, auch wenn die Ehrlichkeit sie zwang, sich das Adjektiv «vornehm» für Hochzeiten dieser Art zu versagen, war da ein lauterer und glücklicherer Teil in ihrem Herzen, dem genau diese Trauungen am besten gefielen, denn ein Mangel an Eleganz zeigte den versammelten Gästen doch nur, dass es für beide Familien, die hier vereint wurden, Werte gab, die wichtiger waren als Stil. Enid glaubte an die Harmonie, und am wohlsten fühlte sie sich auf Hochzeiten, auf denen die Brautjungfern ihre selbstsüchtigen persönlichen Vorlieben hintanstellten und Kleider trugen, die mit den Ansteckbouquets und Cocktailservietten, mit der Tortenglasur und den Geschenkbändern harmonierten. Sie war zufrieden, wenn auf eine kirchliche Trauung in der Methodistenkirche von Chiltsville ein bescheidener Empfang im Chiltsville-Sheraton folgte. Sie war zufrieden, wenn eine vornehmere Hochzeit in der Presbyterianerkirche von Paradise Valley ihren krönenden Abschluss im Clubhaus von Deepmire fand, wo selbst die Streichholzbriefchen (*Dean & Trish ◆ 13. Juni 1987*) ins Farbschema passten. Das Wichtigste aber war, dass Braut und Bräutigam harmonierten: dass sie sich in puncto Herkunft, Alter und Bildungsgrad glichen. Manchmal, auf Hochzeiten, die nicht gar so gute Freunde von Enid ausrichteten, war die Braut fülliger oder wesentlich älter als der Bräutigam, oder die Familie des Bräutigams stammte aus einer ländlichen Kleinstadt im Norden und war sichtlich überwältigt von der Deepmire'schen Vornehmheit. Auf einem solchen Empfang taten Enid dann die Hauptakteure leid. Sie *wusste* ganz einfach, dass die Ehe vom ersten Tag an ein Kampf sein würde. Aber der viel typischere Fall war der, dass der einzige Missklang in Deepmire von einem nicht salonfähigen Trinkspruch herrührte, den irgendein zweitrangiger Gast ausbrachte, häufig ein Collegefreund des Bräutigams, häufig mit Bart oder fliehendem Kinn, immer beschwipst, ein Mensch, der sprach, als käme er gar nicht aus dem Mittelwesten, sondern aus irgendeiner östlicheren, urbaneren Gegend, und der sich großtun wollte, indem er eine «witzige» Anspielung auf vorehelichen Sex machte, die Braut wie Bräutigam erröten oder mit geschlossenen Augen lachen ließ (und zwar nicht, das spürte Enid, weil sie, was er sagte, komisch fanden, sondern weil sie von Natur aus taktvoll waren und den unsensiblen Kerl nicht merken lassen wollten, wie unsensibel die Bemerkung war), während Alfred den Kopf schief legte, als wäre er taub, und Enid im Raum umhersah, bis ihr Blick auf den einer Freundin traf, mit der sie ein beruhigendes Stirnrunzeln tauschen konnte.

Auch Alfred ging gern auf Hochzeiten. Sie schienen ihm die einzigen Feste zu sein, die einen Sinn hatten. Von ihrem Zauber erfasst, erlaubte er sogar, dass Anschaffungen gemacht wurden (ein neues Kleid für Enid, ein neuer Anzug für ihn selbst, ein hochwertiges zehnteiliges Salatschüssel-Set aus Teakholz als Geschenk), gegen die er sonst, da er sie unvernünftig fand, sein Veto eingelegt hätte.

Enid hatte sich darauf gefreut, eines Tages, wenn Denise älter wäre und die Schule abgeschlossen hätte, selbst eine richtig vornehme Hochzeit mit anschließendem Empfang auszurichten (allerdings leider Gottes nicht in Deepmire, ach, denn die Lamberts, und damit waren sie nahezu die Ausnahme unter ihren besseren Freunden, konnten die astronomischen Deepmire-Preise nicht bezahlen), einen Empfang für Denise und einen groß gewachsenen, breitschultrigen jungen Mann, gerne skandinavischer Abstammung, dessen flachsblondes Haar den Makel des zu dunklen und zu lockigen Haars, das Denise von Enid geerbt hatte, ausgleichen, der ansonsten aber sehr gut mit ihr harmonieren würde. Und so brach es Enid beinah das Herz, als

Denise sie eines Abends im Oktober, keine drei Wochen nachdem Chuck Meisner für seine Tochter Cindy den luxuriösesten Empfang gegeben hatte, zu dem in Deepmire je geladen worden war – die Männer ausnahmslos im Frack, ein Champagnerbrunnen, ein Hubschrauber auf dem achtzehnten Fairway des Golfplatzes und ein Blechbläser-Oktett, das Fanfaren spielte –, als Denise sie also anrief, um ihr mitzuteilen, dass sie und ihr Vorgesetzter nach Atlantic City gefahren seien und dort auf dem Standesamt geheiratet hätten. Enid, die einen sehr robusten Magen hatte (ihr wurde nie schlecht, nie), musste Alfred den Hörer reichen, sich im Badezimmer auf den Boden knien und ein paar Mal tief durchatmen.

Im Frühling davor hatten sie und Alfred in dem *lärmigen* Restaurant in Philadelphia, wo Denise sich die Hände ruinierte und ihre Jugend verschwendete, ein spätes Mittagessen zu sich genommen. Nach dem Essen, das recht gut, aber viel zu üppig gewesen war, hatte Denise ihnen unbedingt den «Küchenchef» vorstellen wollen, unter dem sie gelernt hatte und für den sie jetzt kochte und malochte. Dieser «Küchenchef», Emile Berger, war ein mürrischer, kleiner, mittelalter Jude aus Montreal, der offenbar glaubte, dass ein altes, weißes T-Shirt die angemessene Arbeitskleidung war (wie ein *Koch,* nicht wie ein Küchenchef, dachte Enid; keine Jacke, keine Mütze) und dass man sich das Rasieren am besten schenkte. Enid hätte Emile selbst dann unsympathisch gefunden und abblitzen lassen, wenn sie nicht daraus, wie Denise an seinen Lippen hing, geschlossen hätte, dass er sie in ungesundem Maße beeinflusste. «Die Krebspasteten waren ja *wahnsinnig* mächtig», hielt sie ihm in der Küche vor. «*Ein Bissen* und ich war satt.» Worauf Emile, anstatt sich zu entschuldigen und mit dem Finger auf sich selbst zu zeigen, wie jeder höfliche Mensch in St. Jude es getan hätte, erwiderte, ja, gewiss, wenn man eine «leichte» Krebspastete machen könne, die nach etwas schmecke, dann wäre das natürlich etwas Wunderbares, aber die Frage, Mrs. Lambert, sei doch, wie das gehen solle? Hm? Wie solle man Krebsfleisch «leicht» machen? Hungrig war Denise diesem Wortwechsel gefolgt, so als müsse sie mitschreiben oder alles im Kopf behalten. Draußen vor dem Restaurant ließ Enid es sich nicht nehmen, Denise, bevor sie zu ihrer Vierzehn-Stunden-Schicht zurückkehrte, kundzutun: «Das ist ja wirklich ein sehr kleiner Mann! Und er sieht *so* jüdisch aus!» Ihr Ton war weniger kontrolliert, als sie es sich gewünscht hätte, ein bisschen piepsiger und dünner, und an Denise' kühlem Blick und dem bitteren Zug um ihren Mund erkannte sie, dass sie ihre Tochter verletzt hatte. Andererseits, sie hatte doch bloß die Wahrheit gesagt. Und niemals, nicht für eine Sekunde, wäre sie auf die Idee gekommen, dass Denise – die, egal, wie unreif und romantisch sie sein mochte, und egal, wie töricht sie ihre Karriere plante, gerade erst dreiundzwanzig geworden war und ein hübsches Gesicht, eine hübsche Figur und das ganze Leben noch vor sich hatte – allen Ernstes mit einer Person wie Emile *anbändeln* könnte. Was eine junge Frau heutzutage, wo die Mädchen nicht mehr so früh heirateten, in den Jahren ihres Heranreifens mit ihren körperlichen Reizen anfangen sollte, das wusste Enid allerdings auch nicht so genau. Ganz allgemein betrachtet, hielt sie viel davon, wenn junge Leute sich zu dritt oder zu viert zusammenfanden, hielt, mit einem Wort, viel von Partys! Das Einzige, worauf sie mit aller Bestimmtheit beharrte, ein Grundsatz, dem sie umso leidenschaftlicher anhing, je mehr er von den Medien und der populären Unterhaltungsindustrie verspottet wurde, war, dass Sex vor der Ehe unmoralisch sei.

Und doch kam Enid an jenem Abend im Oktober, als sie auf dem Fußboden des Badezimmers kniete, der ketzerische Gedanke, dass es vielleicht klüger gewesen wäre, in ihren mütterlichen Moralpredigten weniger Betonung auf die Ehe zu legen. Sie fragte sich, ob die Tatsache, dass Denise so überstürzt gehandelt hatte, zu einem winzigen Teil womöglich sogar dem Wunsch entsprang, das moralisch Richtige zu tun und ihrer Mutter eine Freude zu bereiten. Wie die Zahnbürste in der Kloschüssel, wie die tote Grille im Salat, wie die Windel auf dem Abendbrottisch setzte Enid dieses Rätsel zu: ob es nicht vielleicht besser gewesen wäre, wenn Denise einfach drauflosgesündigt, wenn sie sich um des momentanen, egoistischen Vergnügens willen befleckt, wenn sie die Unschuld, die jeder anständige junge Mann von seiner zukünftigen Braut zu erwarten berechtigt war, verspielt hätte, anstatt Emile zu heiraten. Aber warum bloß hatte sich Denise überhaupt erst zu Emile hingezogen gefühlt! Es war das Gleiche, woran Enid sich auch bei Chip und sogar bei Gary stieß: Ihre Kinder störten die Harmonie. Sie wollten nicht, was sie und alle ihre Freunde und die Kinder ihrer Freunde wollten. Ihre Kinder wollten fundamental andere, beschämend andere Dinge.

Während sie nebenbei bemerkte, dass der Badezimmerteppich schmutziger war, als sie gedacht hatte, und noch vor den Feiertagen ausgewechselt werden musste, hörte Enid, wie Alfred Denise anbot, ihr zwei Flugtickets zu schicken. Mit welcher Ruhe Alfred die Nachricht aufzunehmen schien, dass seine einzige Tochter die wichtigste Entscheidung ihres Lebens getroffen hatte, ohne ihn vorher um Rat zu fragen, erstaunte sie. Doch als er aufgelegt hatte und sie das Badezimmer verließ und er einfach nur sagte, das Leben sei voller Überraschungen, fiel ihr auf, dass seine Hände so merkwürdig zitterten: nicht wie manchmal, wenn er Kaffee getrunken hatte, sondern kraftloser und heftiger zugleich. Und in der darauf folgenden Woche, in der Enid aus der demütigenden Lage, in die Denise sie gebracht hatte, das Beste machte, indem sie (1.) ihre besten Freundinnen anrief und möglichst freudig verkündete, Denise werde bald! einen sehr netten Kanadier heiraten, ja, aber sie wolle nur *die engste Familie* bei der Trauung dabeihaben, genau, und man könne ihren

Ehemann bei einem schlichten, zwanglosen Empfang zur Weihnachtszeit kennen lernen (keine von Enids Freundinnen nahm ihr die Freude ab, die sie vortäuschte, doch sie rechneten ihr hoch an, dass sie ihren Kummer zu verbergen suchte; manche waren sogar rücksichtsvoll genug, nicht zu fragen, in welchem Geschäft Denise ihre Wunschliste ausgelegt habe), und indem sie (2.), ohne Denise' Erlaubnis, zweihundert Anzeigen drucken ließ, nicht nur, um die Hochzeit konventioneller erscheinen zu lassen, sondern auch, um ein wenig den Geschenkbaum zu schütteln, weil sie hoffte, dass sie und Alfred für die Dutzende und Aberdutzende von Teakholz-Salatschüsselsets, die sie in den vergangenen zwanzig Jahren verschenkt hatten, entlohnt würden: In dieser langen Woche also nahm Enid Alfreds merkwürdiges neues Zittern unablässig wahr, und als er schließlich einwilligte, seinen Hausarzt aufzusuchen, und von Dr. Hedgpeth, an den dieser ihn überwies, mit der Diagnose Parkinson nach Hause geschickt wurde, verband sich Alfreds Krankheit in irgendeinem verborgenen Winkel ihres Gehirns mit Denise' Anruf, weshalb sie insgeheim ihrer Tochter die Schuld daran gab, dass ihre eigene Lebensqualität sich seither im freien Fall befand, auch wenn Dr. Hedgpeth betont hatte, Parkinson sei somatisch bedingt und schreite nur langsam voran. Je näher die Feiertage rückten und je genauer sie das Informationsmaterial, das Dr. Hedgpeth ihr und Alfred mitgegeben hatte, studierte, Broschüren und Faltblätter, deren düstere Farbschemata, trostlose Strichzeichnungen und Furcht erregende medizinische Fotos eine ebenso düstere, trostlose und Furcht erregende Zukunft prophezeiten, umso stärker war Enid überzeugt, dass Denise und Emile ihr Leben zerstört hatten. Aber sie hatte strikte Anweisung von Alfred, Emile das Gefühl zu geben, dass er in ihrer Familie willkommen sei. Also malte sie sich am Tag des Empfangs für die Frischvermählten ein Lächeln ins Gesicht und nahm, wieder und wieder, die aufrichtigen Glückwünsche alter

Familienfreunde entgegen, die Denise ins Herz geschlossen hatten und sie goldig fanden (schließlich hatte Enid ihr damals, als sie sie aufzog, ja auch oft genug erklärt, dass man stets liebenswürdig zu sein habe, wenn man älteren Menschen begegne) (obwohl, was war ihre Heirat anderes als ein Beispiel exzessiver Liebenswürdigkeit gegenüber einem Älteren?), wo Enid doch Beileidsbekundungen erheblich vorgezogen hätte. Die Anstrengungen, die sie machte, um eine gute Verliererin und Stimmungsmacherin zu sein, um sich Alfred zu fügen und ihren mittelalten Schwiegersohn herzlich willkommen zu heißen und *kein einziges Wort* über seine Religion zu sagen, verstärkten nur die Scham und Wut, die sie empfand, als Denise und Emile sich fünf Jahre später scheiden ließen und sie all ihren Freundinnen auch diese Nachricht überbringen musste. Nachdem sie die Ehe mit so viel Bedeutung aufgeladen, sich so große Mühe gegeben hatte, sie zu akzeptieren, war das Mindeste, was Denise ihrer Meinung nach tun konnte, dass sie verheiratet blieb.

«Hörst du noch manchmal etwas von Emile?», fragte Enid.

Denise stand in Chips Küche und trocknete Geschirr ab. «Gelegentlich.»

Enid hatte sich an den Esstisch gehockt, um aus den Zeitschriften, die sie in ihrer Nordic-Pleasurelines-Schultertasche gehabt hatte, Rabattmarken auszuschneiden. Regen kam in ungleichmäßigen Schauern herunter, prasselte gegen die Fenster, sodass sie beschlugen. Alfred saß mit geschlossenen Augen auf Chips Chaiselongue.

«Ich dachte gerade», sagte Enid, «selbst wenn es geklappt hätte und ihr verheiratet geblieben wärt, Denise, weißt du – es dauert nicht mehr allzu lange und Emile ist ein alter Mann. Und das macht so viel Arbeit. Du kannst dir nicht vorstellen, was für eine enorme Verantwortung das ist.»

«In fünfundzwanzig Jahren ist er immer noch jünger als Dad jetzt», sagte Denise.

«Habe ich dir eigentlich jemals von meiner Highschool-Freundin Norma Greene erzählt?», fragte Enid.

«Von Norma Greene erzählst du mir buchstäblich jedes Mal, wenn ich dich sehe.»

«Na schön, dann kennst du die Geschichte ja. Norma hat irgendwann diesen Mann kennen gelernt, Floyd Voinovich, einen perfekten Gentleman, einige Jahre älter als sie, in hoch bezahlter Stellung, und im Handumdrehen hatte er sie um den Finger gewickelt! Er führte sie ins Morelli's aus und ins Steamer und ins Bazelon Room, und das Problem war bloß –»

«Mutter.»

«Das Problem war bloß», fuhr Enid unbeirrt fort, «er war verheiratet. Aber darüber sollte Norma sich keine Gedanken machen. Floyd sagte, diese Konstellation sei nur vorübergehend. Er sagte, er habe damals einen großen Fehler begangen, seine Ehe sei furchtbar, er habe seine Frau nie geliebt –»

«Mutter.»

«*Und* er wolle sich von ihr scheiden lassen.» Ganz in Erzähllaune, schloss Enid genüsslich die Augen. Sie wusste, dass Denise die Geschichte nicht mochte, aber umgekehrt gab es auch an Denise' Leben so manches, was Enid missfiel, bitte schön. «So ging es jahrelang. Floyd war sehr lieb und charmant, und er konnte Norma vieles bieten, was ein Mann ihres Alters sich gar nicht hätte leisten können. Norma kam, was Luxus betraf, richtig auf den Geschmack, außerdem hatte sie Floyd in einem Alter kennen gelernt, in dem Mädchen sich noch Hals über Kopf verlieben, und er hatte ihr hoch und heilig geschworen, dass er sich scheiden lassen und sie zur Frau nehmen würde. Nun, inzwischen hatten Dad und ich geheiratet und Gary bekommen. Ich weiß noch, wie Norma mich einmal besuchte, als Gary noch ein Baby war, und ihn immer nur im Arm halten wollte. Sie *liebte* kleine Kinder, oh, was es ihr für eine Freude machte, Gary im Arm zu halten, und sie tat mir so Leid, weil sie seit Jahren mit Floyd zusammen war und er sich immer noch nicht hatte scheiden lassen. Ich sagte zu ihr, Norma, du kannst nicht ewig warten. Sie habe ja längst versucht, sich von Floyd zu trennen, sagte sie. Sie sei mit anderen Männern ausgegangen, aber die seien alle jünger gewesen und einfach nicht so suverähn – Floyd war fünfzehn Jahre älter und sehr suverähn, und ich verstehe schon, was sie bei einem älteren Mann mit suverähn meint und dass ihn das für eine jüngere Frau sehr attraktiv –»

«Mutter.»

«Und natürlich konnten diese jüngeren Männer es sich auch nicht leisten, Norma Blumen und Geschenke mitzubringen, wie Floyd es getan hatte (denn wenn sie die Geduld mit ihm verlor, konnte er seinen ganzen Charme spielen lassen), und außerdem wollten viele dieser jungen Männer gern Familien gründen, und Norma –»

«War nicht mehr die Jüngste», sagte Denise. «Ich habe Nachtisch mitgebracht. Möchtest du jetzt Nachtisch essen?»

«Na ja, du weißt ja, was dann passiert ist.»

«Ja.»

«Es ist eine todtraurige Geschichte, weil Norma –»

«Ja, ich kenne die Geschichte.»

«Norma hat schließlich –»

«Mutter: *Ich kenne die Geschichte*. Du scheinst zu glauben, dass sie irgendwas mit mir zu tun hat.»

«Nein, Denise, das glaube ich nicht. Du hast mir ja nicht mal erzählt, was überhaupt ‹mit dir› ist.»

«Warum erzählst du mir dann immer wieder Norma Greenes Geschichte?»

«Ich weiß nicht, warum du dich darüber aufregst, wenn sie doch gar nichts mit dir zu tun hat.»

«Was mich aufregt, ist, dass du offenbar glaubst, sie hätte irgendwas mit mir zu tun. Vermutest du denn, ich wäre mit einem verheirateten Mann liiert?»

Enid vermutete das nicht nur, sondern war auf einmal so wütend darüber, ja hatte vor lauter Missbilligung einen solchen Kloß im Hals, dass sie kaum atmen konnte.

«Endlich, *endlich* kann ich mal ein paar von diesen Zeitschriften wegtun», sagte sie und zerriss ein paar Seiten des Hochglanzpapiers.

«Mutter?»

«Besser, man redet nicht darüber. Wie in der Navy – nicht fragen, nicht weitersagen.»

Denise stand, das Geschirrtuch in der Hand zusammengeknüllt, mit verschränkten Armen in der Küchentür. «Wie kommst du auf die Idee, ich wäre mit einem verheirateten Mann liiert?»

Enid zerriss noch eine Seite.

«Hat Gary was in der Richtung gesagt?»

Enid gab sich alle Mühe, den Kopf zu schütteln. Denise wäre außer sich vor Wut, wenn sie herausbekäme, dass Gary etwas so Vertrauliches ausgeplaudert hatte, und obwohl Enid einen Großteil ihres Leben damit zubrachte, aus diesem oder jenem Grund wütend auf Gary zu sein, bildete sie sich viel darauf ein, dass sie Geheimnisse für sich behalten konnte, und wollte ihn nicht in Schwierigkeiten bringen. Es stimmte, dass sie seit Monaten über Denise nachgrübelte und inzwischen beträchtliche Vorräte an Ärger angesammelt hatte. Während sie bügelte oder die Efeubeete harkte oder nachts wach in ihrem Bett lag, hatte sie wieder und wieder die Urteile über Denise' unmoralischen Lebenswandel einstudiert – *Das ist ein sagenhaft selbstsüchtiges Verhalten, das ich niemals verstehen und niemals verzeihen werde* und *Ich schäme mich, jemandes Mutter zu sein, der so lebt* und *In einer solchen Situation gehört meine Sympathie zu eintausend Prozent der Ehefrau, zu eintausend Prozent, Denise* –, Urteile, die sie so liebend gern verkündet hätte. Und jetzt war die Gelegenheit, es zu tun. Falls Denise die Vorwürfe jedoch abstritt, wäre Enids ganze Wut verpufft, und all die Mühe, mit der sie an ihren Urteilen gefeilt und sie einstudiert hatte, wäre vergebens. Sollte sie andererseits alles zugeben, dann wäre Enid vielleicht trotzdem besser beraten, die angestauten Urteile hinunterzuschlucken, statt einen Streit vom Zaun zu brechen. Enid brauchte Denise als Verbündete an der Weihnachtsfront, außerdem wollte sie nicht zu einer Luxuskreuzfahrt aufbrechen, wenn einer ihrer Söhne auf unerklärliche Weise verschwunden war, der andere ihr grollte, weil sie sein Vertrauen missbraucht hatte, und das Verhalten ihrer Tochter womöglich ihren schlimmsten Befürchtungen entsprach.

Mit einer gewaltigen, demütigenden Kraftanstrengung schüttelte sie daher den Kopf. «Nein, nein. Gary hat kein Wort gesagt.»

Denise kniff die Augen zu Schlitzen zusammen. «Kein Wort worüber.»

«Denise», sagte Alfred. «Lass sie in Frieden.»

Und Denise, die sich von Enid niemals etwas sagen ließ, machte auf der Stelle kehrt und ging zurück in die Küche.

Enids Blick fiel auf einen Coupon, der bei jedem Kauf von Thomas' English Muffins einen Rabatt von sechzig Cent auf Margarine der Sorte «Und das soll keine Butter sein!» versprach. Ihre Schere zerschnitt das Papier und mit ihm die Stille, die eingetreten war.

«Wenn ich auf dieser Kreuzfahrt eins tue», sagte sie, «dann das: Ich werde diese ganzen Zeitschriften durchsehen.»

«Kein Zeichen von Chip», sagte Alfred.

Denise stellte drei Nachtischteller mit Tortenstücken auf den Esstisch. «Ich fürchte, wir werden Chip heute nicht mehr zu sehen kriegen.»

«Das ist *sehr* merkwürdig», sagte Enid. «Ich verstehe nicht, warum er nicht wenigstens anruft.»

«Ich hab schon Schlimmeres ausgehalten», sagte Alfred.

«Dad, hier ist der Nachtisch. Mein Chefkonditor hat eine Pfirsichtarte gebacken. Möchtest du sie am Tisch essen?»

«Oh, das ist ein viel zu großes Stück für mich», sagte Enid.

«Dad?»

Alfred antwortete nicht. Sein Mund hatte wieder diesen schlaffen, säuerlichen Zug, der Enid jedes Mal befürchten ließ, dass etwas Schreckliches bevorstand. Er wandte sich den dunkler werdenden, regennassen Fenstern zu und starrte sie, mit tief herabhängendem Kopf, teilnahmslos an.

«Dad?»

«Al? Es gibt jetzt Nachtisch.»

Irgendetwas schien sich in ihm zu lösen. Den Blick unverwandt aufs Fenster gerichtet, hob er mit zaghafter Freude den Kopf, als hätte er draußen jemanden erkannt, jemanden, den er gern hatte.

«Al, was ist los?»

«Dad?»

«Da sind Kinder», sagte er und richtete sich ein wenig auf. «Seht ihr sie?» Er hob einen zitternden Zeigefinger. «Da.» Sein Finger bewegte sich seitwärts, folgte den Kindern, die Alfred sah. «Und da. Und da.»

Er wandte sich zu Enid und Denise um, als erwarte er, dass diese Nachricht sie überglücklich machen werde, aber Enid war alles andere als überglücklich. Sie stand im Begriff, eine sehr vornehme Herbstfarben-Kreuzfahrt anzutreten, auf der Alfred, und das war von größtem Belang, ein Irrtum wie dieser auf gar keinen Fall unterlaufen durfte.

«Al, was du da siehst, sind *Sonnenblumen*», sagte sie, halb ärgerlich, halb besänftigend. «Sie spiegeln sich im Fenster.»

«So was!» Schroff schüttelte er den Kopf. «Ich dachte, ich hätte Kinder gesehen.»

«Nein, Sonnenblumen», sagte Enid. «Du hast Sonnenblumen gesehen.»

Nachdem seine Partei abgewählt worden sei und die Währungskrise in Russland der litauischen Wirtschaft den Rest gegeben habe, erzählte Gitanas, habe er seine Tage allein in den alten Büros der VIPPPAKJRIINPB17 verbracht und seine freien Stunden dazu genutzt, eine Homepage einzurichten, deren Domain-Namen, lithuania.com, er von einem ostpreußischen Spekulanten für eine Wagenladung Vervielfältigungsgeräte, Typenraddrucker, C64er-Computer und andere Büroausstattung aus der Gorbatschow-Ära erstanden habe – die letzten physischen Überreste der Partei. Um die Notlage kleiner Schuldnerländer öffentlich zu machen, habe er dann eine satirische Seite mit dem Slogan: PROFIT DURCH DEMOKRATIE: KAUFEN SIE EIN STÜCK EUROPÄISCHE GESCHICHTE entworfen und alle möglichen Links zu amerikanischen Newsgroups und Chatrooms für Investoren hergestellt. Wer die Homepage besuchte, wurde aufgefordert, der ehemaligen VIPPPAKJRIINPB17 Bargeld zu schicken – sie sei «eine der ehrwürdigsten politischen Parteien Litauens», sei «innerhalb der letzten sieben Jahre für drei volle Jahre» der «Eckpfeiler» der nationalen Regierungskoalition und der führende Stimmenfänger bei den allgemeinen Wahlen im April 1993 gewesen und mittlerweile eine «westlich orientierte, unternehmerfreundliche Partei», die sich als «Parteigesellschaft Freier Markt» neu organisiert habe. Gitanas' Homepage versprach, ausländische Investoren würden, sobald die Parteigesellschaft Freier Markt genügend Stimmen zusammengekauft habe, um eine nationale Wahl zu gewinnen, nicht nur mit Aktienanteilen der Litauen-AG (einem «profitorientierten Nationalstaat»), sondern je nach Investitionsvolumen auch mit einem personalisierten Andenken an ihren «heldenhaften Beitrag» zur «Befreiung des Marktes» in diesem Land belohnt werden. Ein amerikanischer Investor zum Beispiel, der $ 100 schicke, könne eine Straße in Vilnius («von nicht unter zweihundert Metern Länge») nach sich benennen lassen; für $ 5000 werde die Parteigesellschaft Freier

Markt ein Porträt des Investors («Mindestgröße 60 × 80 cm; *vergoldeter Schmuckrahmen inklusive*») in der Galerie der Nationalhelden im historischen Šlapeliai-Haus aufhängen; für $ 25 000 werde ihm das ständige Eigentumsrecht an einer eponymen Stadt «von nicht weniger als 5000 Seelen» eingeräumt sowie eine «moderne, hygienische Form des *droit du seigneur*», die «dem allergrößten Teil» der von der Dritten Internationalen Menschenrechtskonferenz beschlossenen Richtlinien Genüge tue.

«Das war ein gemeiner kleiner Scherz», sagte Gitanas, der sich ganz in eine Ecke ihres Taxis gequetscht hatte. «Aber wer hat gelacht? Niemand. Die Leute haben bloß Geld geschickt. Kaum hatte ich die Adresse angegeben, gingen die Barschecks ein. Und Hunderte von E-Mail-Anfragen. Was produziert die Litauen-AG? Wer sind die Verantwortlichen in der Parteigesellschaft Freier Markt, und können sie einschlägige Erfahrungen als Manager vorweisen? Sind bereits Gewinne zu verzeichnen? Kann der Investor eine Straße oder ein Dorf in Litauen auch nach seinen Kindern oder der liebsten Pokémonfigur seiner Kinder benennen lassen? Alle wollen sie Information. Alle wollen sie Broschüren. Und Prospekte! Und Aktienzertifikate! Und Brokerinformationen! Und ob wir an dieser und jener Börse gelistet sind? Und so weiter und so fort. Manche wollen sogar anreisen! *Und niemand lacht*.»

Chip klopfte mit einem Fingerknöchel an die Scheibe und taxierte die Frauen auf der Sixth Avenue. Der Regen ließ nach, Schirme wurden zusammengeklappt. «Gehen die Erträge an Sie oder an die Partei?»

«Tja, also, was das angeht, wandelt sich meine Einstellung gerade», sagte Gitanas.

Aus seiner Aktentasche förderte er eine Flasche Aquavit zutage, die er zur Besiegelung ihrer Übereinkunft schon in Edens Büro hatte kreisen lassen. Er wälzte sich zur Seite und reichte sie Chip, der einen kräftigen Schluck nahm und sie zurückgab.

«Sie waren mal Englischlehrer», sagte Gitanas.

«Am College, ja.»

«Und wo ist Ihre Familie her? Aus Skandinavien?»

«Mein Vater stammt aus Skandinavien», sagte Chip. «Meine Mutter ist irgend so ein Osteuropa-Mischling.»

«Die Leute in Vilnius werden Sie anschauen und denken, Sie wären einer von uns.»

Chip wollte möglichst zu Hause ankommen, bevor seine Eltern aufgebrochen waren. Jetzt, da er Geld in der Tasche hatte, dreißig Hunderter, kümmerte es ihn weit weniger, was seine Eltern von ihm dachten. Ja, auf einmal meinte er sich zu erinnern, dass er seinen Vater ein paar Stunden zuvor zitternd und flehend in einer Tür hatte stehen sehen. Während er jetzt den Aquavit trank und Frauen auf dem Bürgersteig taxierte, konnte er sich kaum mehr erklären, warum der alte Mann für ihn je ein solcher Killer gewesen war.

Gewiss, in Alfreds Augen war das einzige Problem an der Todesstrafe, dass sie nicht oft genug angewendet wurde, und wenn sie früher, in Chips Kindheit, gemeinsam am Abendbrottisch gesessen hatten und Alfred auf Verbrecher zu sprechen gekommen war, die seiner Meinung nach vergast oder auf den elektrischen Stuhl gehörten, so hatte es sich in den meisten Fällen um Schwarze aus den Slums im Norden von St. Jude gehandelt. («Ach, Al», pflegte Enid dann zu sagen, denn das Abendessen war doch die «Familienmahlzeit», und sie begriff nicht, warum man dabei über Gaskammern und Gemetzel auf den Straßen reden musste.) Und eines Sonntagmorgens hatte Alfred, jenen Weißen ähnlich, die in gemischten Wohngebieten wohnten und genau registrierten, wie viele Häuser sie wieder an «die Schwarzen» verloren hatten, am Fenster gestanden, um die Eichhörnchen zu zählen und den Schaden zu taxieren, den sie seinen Eichen und seinem Zoysia-Gras zufügten, und daraufhin ein Genozid-Experiment durchgeführt. Verärgert, dass es den Eichhörnchen in seinem nicht eben großen Vorgarten an der nötigen Disziplin mangelte, ihre Fortpflanzung einzustellen oder zumindest hinter sich aufzuräumen, war er in den Keller gegangen und mit einer Rattenfalle wieder heraufgekommen, angesichts deren Enid den Kopf schüttelte und kleine missbilligende Laute von sich gab. «Neunzehn sind es!», sagte Alfred. «Neunzehn Stück!» Gegen die Disziplin einer so exakten, wissenschaftlich ermittelten Zahl war jeder Appell an Alfreds Gefühle machtlos. Als Köder legte er ein Stück desselben Vollkornbrots in die Falle, von dem Chip eine Scheibe, getoastet, zum Frühstück gegessen hatte. Dann gingen alle fünf Lamberts in die Kirche, und zwischen dem Gloria Patri und der Doxologie schnappte sich ein junges männliches Eichhörnchen, nach Art aller wirtschaftlich Depravierten zu jedem Risiko bereit, das Brot und zertrümmerte sich den Schädel. Als die Familie nach Hause kam, taten sich bereits grüne Fliegen an der Masse aus Blut, Gehirn und zerkautem Vollkornbrot gütlich, das durch die zerquetschten Kiefer des jungen Eichhörnchens herausgespritzt war. Alfreds eigene Mund- und Kieferpartie hingegen wirkte so wie zugenäht, so wie immer, wenn etwas, das Disziplin erforderte – ein Kind verprügeln, Kohlrüben essen –, ihm mächtig widerstrebte. (Wobei er selbst sich dieses Widerstrebens, das er für Disziplin hielt, kein bisschen bewusst war.) Er holte eine Schaufel aus der Garage und schippte die Falle samt Eichhörnchenkadaver in die Papiertüte, die Enid am Tag davor zur Hälfte mit gezupftem Fingergras gefüllt hatte. Chip verfolgte all dies aus ungefähr zwanzig Schritt Entfernung und sah so, wie Alfred, als er von der Garage aus den Keller betrat, kurz schwankte, weil seine Beine ein wenig nachgaben, und seitlich gegen die Waschmaschine stieß, bevor er an der Tischtennisplatte vorbeirannte (seinen Vater rennen zu sehen hatte Chip immer erschreckt, er schien zu alt dafür, zu diszipliniert) und im Kellerbadezimmer verschwand; und von

Stund an konnten die Eichhörnchen tun und lassen, was sie wollten.

Das Taxi näherte sich University Place. Chip überlegte, ob er zur Cedar Tavern fahren und der Kellnerin das Geld zurückgeben, ja ihr vielleicht einen glatten Hunderter in die Hand drücken sollte, um alles wieder gutzumachen, sich vielleicht auch gleich ihren Namen und ihre Adresse zu notieren, damit er ihr aus Litauen schreiben konnte. Er wollte sich schon vorbeugen und dem Fahrer Bescheid sagen, als ein radikaler neuer Gedanke ihn innehalten ließ: *Ich habe neun Dollar gestohlen, jawohl, das habe ich getan, so einer bin ich, Pech für sie*.

Er lehnte sich zurück und streckte die Hand nach der Flasche aus.

Vor Chips Haus angekommen, wollte der Fahrer den Hunderter, den Chip ihm reichte, nicht akzeptieren – zu groß, zu groß. Gitanas kramte kleineres Geld aus seiner roten Motocross-Jacke.

«Wie wär's, wenn wir uns in Ihrem Hotel treffen?», sagte Chip.

Gitanas schmunzelte. «Sie machen Witze, oder? Ich meine, ich vertraue Ihnen ja durchaus. Aber vielleicht warte ich doch lieber hier unten. Packen Sie Ihre Sachen, lassen Sie sich Zeit. Nehmen Sie einen warmen Mantel und eine Mütze mit. Anzüge und Schlipse. Denken Sie als Finanzmensch.»

Der Portier Zoroaster war nirgends zu sehen. Chip musste seinen Schlüssel benutzen. Im Fahrstuhl atmete er tief durch, um seine Aufregung zu bezwingen. Es war nicht Angst, was er empfand, sondern Großherzigkeit: Er war bereit, seinen Vater in die Arme zu schließen.

Aber die Wohnung war leer. Seine Familie musste Minuten zuvor gegangen sein. Körperwärme hing in der Luft, ein Hauch von Enids White-Shoulders-Parfüm und irgendetwas Badezimmriges, Alte-Leutiges. Die Küche war sauberer, als Chip sie je gesehen hatte. Im Wohnzimmer fiel das Ergebnis all seiner Schrubberei und Aufräumerei jetzt wesentlich deutlicher ins Auge als am Vorabend. Und seine Bücherregale waren kahl. Und Julia hatte ihre Shampoos und ihren Föhn aus dem Badezimmer geholt. Und er war betrunkener, als ihm bewusst gewesen war. Und niemand hatte ihm eine Nachricht hinterlassen. Der Esstisch war bis auf ein Stück Tarte und eine Vase mit Sonnenblumen abgeräumt. Er musste seine Sachen packen, aber für einen Moment schien alles in ihm und um ihn herum so fremd, dass er nur dastehen und schauen konnte. Die Blätter der Sonnenblumen hatten braune Stellen und einen Saum blässlicher Altersflecken; die Köpfe waren fleischig und prachtvoll, schwer wie Brownies, dick wie Handteller. Im Gesicht einer dieser Sonnenblumen aus Kansas saß ein etwas helleres Knöpfchen inmitten einer etwas dunkleren Aureole. Die Natur, dachte Chip, hätte kaum ein einladenderes Bett für ein geflügeltes kleines Tier schaffen können. Er berührte den braunen Samt, und ein ekstatisches Glücksgefühl spülte über ihn hinweg.

Das Taxi mit den drei Lamberts hielt vor einem Pier in Midtown. Ein weißer Wolkenkratzer von einem Kreuzfahrtschiff, die *Gunnar Myrdal*, versperrte die Sicht auf den Fluss, New Jersey und den halben Himmel. Eine Menschenmenge, vorwiegend alte Leute, drängte sich am Gate; in dem langen, hellen Gang dahinter verlief sie sich wieder. Ihre zielstrebige Wanderung hatte etwas Unterweltliches, die Freundlichkeit und weiße Tracht der Nordic-Pleasurelines-Crew etwas Gespenstisches, und die Regenwolken verzogen sich zu spät, um den Tag noch retten zu können – diese Totenstille. Heerscharen und Zwielicht am Styx.

Denise bezahlte den Taxifahrer und übergab Trägern das Gepäck.

«Tja, also, was hast du jetzt vor?», fragte Enid.

«Ich muss zurück nach Philly. Arbeiten.»

«Du siehst goldig aus», sagte Enid plötzlich. «Ich finde, diese Haarlänge steht dir gut.»

Alfred ergriff Denise' Hände und dankte ihr.

«Wenn es nur ein besserer Tag für Chip gewesen wäre», sagte Denise.

«Sprich mit Gary über Weihnachten», sagte Enid. «Und versuch, dir eine ganze Woche freizunehmen.»

Denise schob einen Lederärmel hoch und schaute auf die Uhr. «Ich komme für fünf Tage. Dass Gary mitmacht, glaube ich allerdings nicht. Und wer weiß, was mit Chip ist.»

«Denise», sagte Alfred, ungeduldig, als rede sie Unfug, «bitte sprich mit Gary.»

«Okay, mach ich. Mach ich.»

Alfreds Hände hüpften in der Luft. «Ich weiß nicht, wie viel Zeit mir bleibt! Du und deine Mutter, ihr müsst euch vertragen. Und du und Gary auch.»

«Al, du hast noch viel –»

«Wir müssen uns alle vertragen!»

Denise hatte nicht nah am Wasser gebaut, aber jetzt zog sich ihr Gesicht zusammen. «In Ordnung, Dad», sagte sie. «Ich rede mit ihm.»

«Deine Mutter möchte Weihnachten in St. Jude feiern.»

«Ich rede mit ihm. Versprochen.»

«Gut.» Er drehte sich abrupt um. «Genug davon.»

Sein schwarzer Regenmantel flatterte und peitschte im Wind, aber Enid gelang es trotzdem zu hoffen, dass das Wetter für eine Kreuzfahrt perfekt, dass die See ruhig sein würde.

In trockenen Sachen, mit Sporttasche, Kleidersack und Zigaretten – milden, tödlichen Murattis, fünf Dollar die Schachtel –, fuhr Chip mit Gitanas Misevičius zum Kennedy Airport und stieg in den Flieger nach Helsinki, für den Gitanas, in Missachtung ihres mündlichen Vertrages, Holzklasse statt Business-Class gebucht hatte. «Trinken wir heute Abend, schlafen können wir morgen früh», sagte er.

Sie saßen nebeneinander, Fenster und Gang. Als Chip sich setzte, musste er daran denken, wie Julia Gitanas abserviert hatte. Er stellte sich vor, wie sie eilends das Flugzeug verlassen hatte, durch die Halle gesprintet war und sich auf den Rücksitz eines guten alten Yellow Cab hatte plumpsen lassen. Heimweh fiel ihn an – Furcht vor dem Anderen, Liebe zum Vertrauten –, doch im Unterschied zu Julia hatte er keine Lust, sich aus dem Staub zu machen. Kaum war er angeschnallt, übermannte ihn auch schon der Schlaf. Beim Start wachte er kurz auf und schlief weiter, bis die gesamte Schar der Fluggäste sich, wie auf Kommando, Zigaretten anzündete.

Gitanas nahm einen Laptop aus seiner Hülle und drückte die Starttaste. «Also, Julia», sagte er.

Einen irritierenden, schlafumwölkten Augenblick dachte Chip, Gitanas meine ihn.

«Meine Frau?», sagte Gitanas.

«Ach. Klar.»

«Tja, wissen Sie, sie nimmt Antidepressiva. Das war Edens Idee, glaube ich. Eden hat im Moment wohl gewissermaßen das Kommando für sie übernommen. Sie haben ja gemerkt, dass sie mich heute nicht in ihrem Büro haben wollte. Nicht mal in der Stadt! Ich bin den beiden lästig. Na schön, Julia hat also irgendwann angefangen, dieses Medikament zu nehmen, und eines Morgens wachte sie auf und wollte nichts mehr von Männern mit Zigaretten-Brandwunden wissen. Das hat sie gesagt. Schluss mit Männern, die Zigaretten-Brandwunden haben. Höchste Zeit, das Ruder rumzureißen. Keine Männer mit Brandwunden mehr.» Gitanas schob eine CD-ROM in den Laptop. «Aber sie will die Wohnung haben. Wenigstens will der Scheidungsanwalt, dass sie das will. Der Scheidungsanwalt, den Eden bezahlt.

Irgendwer hat die Schlösser ausgewechselt, ich musste dem Hausmeister Geld geben, damit er mich reinließ.»

Chip machte mit seiner linken Hand eine Faust. «Zigaretten-Brandwunden?»

«Ja. O ja, ich hab ein paar davon.» Gitanas reckte den Hals, um zu sehen, ob jemand zuhörte, aber alle Passagiere in ihrer Nähe, außer zwei Kindern mit fest geschlossenen Augen, waren ins Rauchen vertieft. «Sowjetisches Militärgefängnis», sagte er. «Angenehmer Aufenthalt dort. Ich kann Ihnen ja mal mein Souvenir zeigen.» Er schälte sich die rote Lederjacke vom Arm und krempelte den Ärmel seines gelben T-Shirts hoch. Ein pusteliges, komplexes Sternbild aus vernarbtem Gewebe erstreckte sich von seiner Achselhöhle über die Innenseite des Oberarms bis hinunter zum Ellenbogen. «Das war mein 1990», sagte er. «Acht Monate in einer Kaserne der Roten Armee im souveränen Staat Litauen.»

«Sie waren ein Dissident», sagte Chip.

«Ja! Ja! Dissident!» Er steckte seinen Arm wieder in den Ärmel. «Es war entsetzlich, toll. Sehr anstrengend, aber das hab ich kaum gemerkt. Die Erschöpfung kam erst später.»

Wenn Chip an 1990 zurückdachte, erinnerte er sich an Tudor-Dramen, an nicht enden wollende, fruchtlose Streitereien mit Tori Timmelman, an die heimliche, ungesunde Beschäftigung mit gewissen von Toris Texten, die die entmenschlichenden Aspekte der Pornographie veranschaulichten: Sehr viel mehr war da nicht gewesen.

«So, und deshalb schrecke ich ein bisschen davor zurück, mir das hier anzuschauen», sagte Gitanas. Auf seinem Computerbildschirm war das dämmrige Schwarzweißfoto eines von oben aufgenommenen Betts zu sehen, in dem sich unter den Decken ein Körper abzeichnete. «Der Hausmeister sagt, sie hat einen Freund, und ich hab mir ein bisschen was runtergeladen. Ich hatte noch die Überwachungsanlage vom Vorbesitzer drin. Bewegungsmelder, Infrarot, digitale Standbilder. Schauen Sie sich's an, wenn Sie wollen. Könnte interessant sein. Vielleicht auch heiß.»

Chip erinnerte sich sehr gut an den Rauchmelder, der an Julias Schlafzimmerdecke hing. Oft genug hatte er zu ihm hinaufgestarrt, bis ihm die Mundwinkel ausgetrocknet und die Augen nach hinten weggerollt waren. Er hatte das Gerät immer sonderbar kompliziert gefunden.

Jetzt richtete er sich ein wenig auf. «Vielleicht sollten Sie sich die lieber nicht anschauen.»

Gitanas hantierte sehr geschickt mit Maus und Tastatur. «Ich drehe den Bildschirm weg. Sie brauchen nicht hinzusehen.»

Rauchgewitterwolken ballten sich in den Gängen. Chip beschloss, dass er eine Muratti brauchte, doch wie sich zeigte, war es fast gleichgültig, ob er inhalierte oder Luft holte.

«Was ich meine», sagte er und verdeckte den Bildschirm mit der Hand, «ist, dass Sie die CD vielleicht lieber wieder rausnehmen sollten, anstatt sie sich anzuschauen.»

Gitanas war überrascht. «Warum sollte ich sie mir nicht anschauen?»

«Tja – denken wir doch mal darüber nach.»

«Vielleicht sollten Sie es mir sagen.»

«Nein, also, denken wir einfach bloß mal darüber nach.»

Einen Augenblick hatte die Stimmung etwas Wildvergnügtes. Gitanas musterte Chips Schulter, Knie und Handgelenk, als überlege er, wo er ihn beißen solle. Dann holte er die CD heraus und warf sie ihm ins Gesicht. «Scheißkerl!»

«Ich weiß.»

«Packen Sie das Ding weg. Scheißkerl. Ich will es nie wieder sehen. Packen Sie's weg.»

Chip steckte die CD in seine Hemdtasche. Es ging ihm gar nicht schlecht. Es ging ihm ganz passabel. Das Flugzeug hatte inzwischen seine Reiseflughöhe erreicht, und sein Geräusch hatte etwas von dem stetigen, vagen weißen Brennen trockener

Nebenhöhlen, der Farbe abgestoßener Plastikfenster, dem Geschmack kalten, bleichen Kaffees aus wieder verwendbaren Klapptisch-Tassen. Die nordatlantische Nacht war dunkel und einsam, aber hier, im Flugzeug, gab es Lichter am Himmel. Hier gab es Geselligkeit. Es war gut, wach zu sein und Wachheit rings um sich zu spüren.

«Also, was ist, haben Sie auch Zigaretten-Brandwunden?», fragte Gitanas.

Chip zeigte ihm seine Handfläche. «Nichts Schlimmes.»

«Selbst zugefügt. Sie armseliger Amerikaner, Sie.»

«Andere Art Gefängnis», sagte Chip.

JE MEHR ER DARÜBER NACHDACHTE,
DESTO WÜTENDER WURDE ER

GARY LAMBERTS profitable Liaison mit der Axon Corporation hatte drei Wochen früher begonnen, an einem Sonntagnachmittag, den er in seiner neuen Farbdunkelkammer verbrachte, aufrichtig bemüht, Vergnügen am Abziehen zweier alter Fotografien seiner Eltern zu finden und, indem er tatsächlich Vergnügen daran fand, fürs Erste nicht mehr an seiner geistigen Gesundheit zu zweifeln.

Gary sorgte sich viel um seine geistige Gesundheit, doch als er am besagten Nachmittag aus seinem großen schiefergedeckten Haus an der Seminole Street trat und durch seinen großen Garten ging und die Außentreppe seiner großen Garage hinaufstieg, war das Wetter in seinem Kopf so warm und freundlich wie draußen, im Nordwesten Philadelphias. Die Septembersonne schien durch ein Gemisch aus Dunst und kleinen, grau gekielten Wolken, und soweit Gary seine Neurochemie überhaupt zu begreifen und nachzuvollziehen vermochte (schließlich war er Abteilungsleiter bei der CenTrust Bank und kein Seelenklempner, vergessen wir das nicht), schienen ihm alle seine Hauptindikatoren einigermaßen stabil.

Obwohl Gary den aktuellen Trend zur individuellen Gestaltung von Altersgeldanlagen und Ferngesprächstarifen und privaten Bildungsoptionen im Prinzip begrüßte, war er alles andere als begeistert, auch die Verantwortung für seine persönliche Hirnchemie aufgehalst zu bekommen, zumal gewisse Menschen in seinem Leben, namentlich sein Vater, sich rundweg weigerten, eine solche Verantwortung zu übernehmen. Doch wenn man von Gary eines sagen konnte, dann das: Er war pflichtbewusst. Als er die Dunkelkammer betrat, schätzte er, dass sein

Neurofaktor 3 (also Serotonin, ein sehr, sehr wichtiger Faktor) seit sieben, wenn nicht gar dreißig Tagen einen Höchststand verzeichnete, dass die Performance von Faktor 2 und Faktor 7 ebenfalls die Erwartungen übertraf und dass sich sein Faktor 1 von einem Tief am frühen Morgen, ausgelöst durch ein Glas Armagnac vor dem Schlafengehen, inzwischen erholt hatte. Er ging mit federndem Schritt, war sich seiner überdurchschnittlichen Körpergröße und seiner Spätsommerbräune aufs Angenehmste bewusst. Sein Groll gegen Caroline, seine Frau, hielt sich in wohlkontrollierten Grenzen. Die Leitsymptome seiner Paranoia (d. h. des hartnäckigen Verdachts, dass Caroline und seine beiden älteren Söhne sich über ihn lustig machten) zeigten mehr fallende als steigende Tendenz, und seine jahreszeitlich angepassten Gedanken zur Sinnlosigkeit und Kürze des Lebens korrespondierten mit dem robusten Allgemeinzustand seiner geistigen Ökonomie. Er war nicht das kleinste bisschen klinisch depressiv.

Er zog die samtenen Verdunkelungsvorhänge zu und schloss die lichtundurchlässigen Fensterläden, nahm einen Karton 10 × 15-Papier aus dem großen Stahlkühlschrank und schob zwei Zelluloidstreifen in den mechanischen Negativreiniger – einen aufreizend schweren kleinen Apparat.

Die Bilder seiner Eltern, von denen er Abzüge machen wollte, stammten aus der unglückseligen Dekade ehelichen Golfspiels. Eines zeigte Enid in einem tiefen Rough, wie sie, den Oberkörper vorgebeugt, missmutig durch die Sonnenbrille in die flirrende Herzland-Hitze blickte, mit der linken Hand den Schaft ihres leidgeprüften Holzes 5 umklammernd, während der rechte Arm verwackelt war, weil sie ihren Ball (ein weißer, verwischter Fleck am Rand des Fotos) heimlich auf den Fairway warf. (Sie und Alfred hatten immer nur auf flachen, geraden, kurzen, billigen öffentlichen Golfplätzen gespielt.) Auf dem anderen Foto sah man, wie Alfred, bekleidet mit engen Shorts, einer Midland-Pacific-Schirmmütze, schwarzen Socken und prähistorischen Golfschuhen, seinen prähistorischen Holz-Driver auf eine weiße, grapefruitgroße Tee-Markierung richtete und in die Kamera grinste, als wolle er dem Betrachter bedeuten: *Einen so großen Ball könnte ich schlagen!*

Nachdem Gary den Abzügen ihr saures Fixierbad verabreicht hatte, machte er wieder Licht und stellte fest, dass beide mit einem Netz aus seltsamen gelben Klecksen überzogen waren.

Er fluchte leise, nicht, weil ihm die Fotos so wichtig waren, sondern weil er seine gute Laune, seine serotoningesättigte Stimmung behalten wollte, und dazu brauchte er von der Welt der Gegenstände ein Minimum an Kooperation.

Das Wetter draußen gerann. Ein Geriesel war in den Rinnsteinen, und auf dem Dach, dort wo Äste überhingen, ein Getrommel von Tropfen. Durch die Wände der Garage hörte Gary, während er zwei weitere Abzüge machte, Caroline und die Jungen im Garten Fußball spielen. Er hörte Laufschritte und Ballgeräusche, seltener Rufe, das seismische Donnern von Ball auf Garage.

Als er das zweite Paar Abzüge mit den gleichen gelben Klecksen aus dem Fixierbad nahm, wusste Gary, dass er es für heute besser sein lassen sollte. Aber da klopfte es an der Außentür, und sein jüngster Sohn Jonah schlüpfte durch den Verdunkelungsvorhang.

«Du ziehst Fotos ab?», fragte Jonah.

Gary faltete die misslungenen Abzüge hastig zweimal zusammen und vergrub sie im Abfalleimer. «Hab gerade erst angefangen.»

Er mischte seine Lösungen neu und öffnete einen zweiten Karton Papier. Jonah setzte sich neben eine Dunkelkammerlampe und flüsterte vor sich hin, während er die Seiten eines der Narnia-Bücher umblätterte, *Prinz Kaspian von Narnia*, das Garys Schwester Denise ihm geschenkt hatte. Jonah ging in die zweite Klasse, aber als Leser hatte er schon das Niveau eines Fünftklässlers erreicht. Oft sprach er die geschriebenen Worte in einem artikulierten Flüsterton, der typisch für die ganze narnische Liebenswürdigkeit seines Wesens war, vor sich hin. Er hatte strahlende dunkle Augen, eine Oboenstimme und wieselweiches Haar, und selbst Gary sah in ihm bisweilen mehr ein sensibles Tier als einen kleinen Jungen.

Caroline mochte die *Chroniken von Narnia* nicht besonders – C. S. Lewis war ein notorischer katholischer Propagandist, und Aslan, der narnische Held, eine Christusgestalt mit Fell und Pfoten –, doch Gary hatte den *König von Narnia* als Junge gern gelesen und war, das konnte wohl als gesichert gelten, trotzdem kein religiöser Spinner geworden. (Vielmehr ein strikter Materialist.)

«Sie töten also einen Bären», berichtete Jonah, «aber es ist kein sprechender Bär, und Aslan kommt zurück, aber nur Lucy sieht ihn, und die anderen glauben ihr nicht.»

Gary tauchte die Abzüge mit der Pinzette ins Unterbrecherbad. «Warum glauben sie ihr nicht?»

«Weil sie die *Jüngste* ist», sagte Jonah.

Draußen, im Regen, hörte man Caroline lachen und rufen. Sie hatte den Hang, sich völlig zu verausgaben, um mit den Jungen mitzuhalten. In den ersten Jahren ihrer Ehe hatte sie ganztags als Anwältin gearbeitet, doch nach Calebs Geburt war sie durch eine Erbschaft zu Geld gekommen, und seitdem arbeitete sie nur noch halbtags, für ein philanthropisch geringes Gehalt, beim Kinderhilfswerk Children's Defense Fund. Ihr eigentliches Leben kreiste um die Jungen. Sie nannte sie ihre besten Freunde.

Vor sechs Monaten, am Vortag von Garys dreiundvierzigstem Geburtstag, waren, während er mit Jonah seine Eltern in St. Jude besuchte, zwei Monteure gekommen und hatten, als Geburtstagsüberraschung von Caroline, im Obergeschoss der Garage neue Strom- und Wasserleitungen verlegt und alles frisch verputzt. Gary hatte gelegentlich davon gesprochen, von den alten Familienfotos, die ihm die liebsten waren, Abzüge zu machen und sie in einem ledergebundenen Album zu sammeln: die zweihundert definitiven Lamberts. Aber die Bilder hätte ihm auch ein Fotogeschäft abgezogen, und inzwischen brachten die Jungen ihm bei, mit Bildverarbeitungsprogrammen umzugehen, und wenn er trotzdem einmal ein Labor gebraucht hätte, wäre es immer noch möglich gewesen, stundenweise eines zu mieten. Und so war ihm – nachdem Caroline ihn an seinem Geburtstag zur Garage geführt und ihm die Dunkelkammer gezeigt hatte, die er weder wollte noch brauchte – spontan zum Heulen zumute gewesen. Aus populärpsychologischen Büchern auf Carolines Nachttisch hatte er jedoch gelernt, die Warnsignale der klinischen Depression zu erkennen, und eines dieser Warnsignale, darin stimmten alle Experten überein, war die Neigung, in unpassenden Momenten zu weinen, und so hatte er den Kloß in seinem Hals hinuntergeschluckt, war in der teuren Dunkelkammer umhergesprungen und hatte Caroline (die sowohl die Reue des Käufers als auch die Unsicherheit des Schenkenden durchlitt) lautstark versichert, wie hellauf begeistert er sei! Und hatte dann, um sich selbst zu beweisen, dass von einer klinischen Depression keine Rede sein konnte, und um sicherzugehen, dass Caroline nichts dergleichen argwöhnte, beschlossen, zweimal die Woche in der Dunkelkammer zu arbeiten, bis das Album der zweihundert definitiven Lamberts fertig war.

Der Verdacht, Caroline habe ihn, bewusst oder nicht, aus dem Haus verbannen wollen, indem sie die Dunkelkammer in der Garage einrichtete, war ein weiteres Leitsymptom seiner Paranoia.

Als die Stoppuhr klingelte, legte er das dritte Paar Abzüge ins Fixierbad und machte wieder Licht.

«Was sind das für helle Flecken?», fragte Jonah, der in die Schale spähte.

«Ich weiß es auch nicht, Jonah!»

«Die sehen wie Wolken aus», sagte Jonah.

Der Fußball knallte gegen die Seitenwand der Garage.

Gary ließ die missmutige Enid und den grinsenden Alfred in der Fixierlösung und öffnete die Fensterläden. Seine Schuppentanne und das Bambusdickicht gleich daneben glitzerten vom Regen. Mitten im Garten standen Caroline und Aaron in durchnässten, schmutzigen Trikots, die ihnen an den Schulterblättern klebten, und japsten nach Luft, während Caleb sich einen Schuh zuband. Caroline hatte, mit fünfundvierzig, die Beine einer Studentin. Ihr Haar war heute fast genauso blond wie damals, vor zwanzig Jahren, als Gary sie bei einem Bob-Seger-Konzert im Spectrum kennen gelernt hatte. Körperlich fühlte sich Gary noch immer stark von seiner Frau angezogen, ihr unangestrengt gutes Aussehen, ihr Quäker-Blut reizten ihn nach wie vor. Aus einem alten Reflex griff er nach der Kamera und richtete das Teleobjektiv auf sie.

Der Ausdruck von Carolines Gesicht erschreckte ihn. Da war etwas Gequältes auf ihrer Stirn, eine Leidensfurche um ihren Mund. Als sie wieder dem Ball nachjagte, humpelte sie.

Gary schwenkte die Kamera auf seinen ältesten Sohn, Aaron, den man am besten unbemerkt fotografierte, bevor er seinen Kopf in jene befangene Schräghaltung brachte, die ihm seiner Meinung nach am meisten schmeichelte. Aarons Gesicht im Nieselregen war gerötet und schmutzbesprenkelt, und Gary drehte am Zoom, um einen schönen Bildausschnitt hinzukriegen. Doch der Groll gegen Caroline legte seine neurochemische Abwehr lahm.

Das Fußballspiel war jetzt zu Ende, und sie lief und humpelte zum Haus.

Lucy vergrub ihren Kopf in seiner Mähne, damit er sie nicht sehen konnte, flüsterte Jonah.

Aus dem Haus kam ein Schrei.

Caleb und Aaron reagierten sofort, indem sie wie Actionfilm-Helden über den Rasen galoppierten und im Nu drinnen verschwanden. Einen Augenblick später tauchte Aaron wieder auf und rief mit seiner neuerdings zur Brüchigkeit neigenden Stimme: «Dad! Dad! Dad! Dad!»

Wenn andere hysterisch wurden, wurde Gary besonnen und ruhig. Er verließ die Dunkelkammer und stieg langsam die regenglatten Stufen hinab. In dem Stück Himmel über den Gleisen der Pendlerstrecke hinter der Garage arbeitete sich das Licht durch die feuchte Luft, als wolle es, sich selbst übertreffend, einen Frühlingsschauer zustande bringen.

«Dad, Grandma ist am Telefon!»

Gary schlenderte durch den Garten und blieb stehen, um die Wunden zu beklagen, die das Fußballspiel dem Rasen zugefügt hatte. Chestnut Hill, das Viertel, in dem sie wohnten, war nicht ganz unnarnisch. Jahrhundertealte Ahornbäume und Ginkgos und Platanen, viele davon verstümmelt, weil Platz für Starkstromleitungen gebraucht wurde, wucherten gewaltig über ausgebesserte und wieder ausgebesserte Straßen, die die Namen dezimierter Indianerstämme trugen. Seminole und Cherokee, Navajo und Shawnee. Im Umkreis vieler Kilometer gab es trotz hoher Bevölkerungsdichte und stattlicher Pro-Kopf-Einkommen keine Schnellstraßen und kaum nützliche Geschäfte. «Das von der Zeit vergessene Land», nannte Gary diese Gegend. Die meisten Häuser hier, einschließlich seines eigenen, waren aus einem Schieferstein gebaut, der an unbearbeitetes Blech erinnerte und genau die Farbe seines Haars hatte.

«Dad!»

«Danke, Aaron, ich hab's gehört.»

«Grandma ist am Telefon!»

«Das weiß ich, Aaron. Du hast es mir eben schon gesagt.»

In der Schieferboden-Küche traf er auf Caroline, die zusammengesackt auf einem Stuhl saß und sich beide Hände ins Kreuz presste.

«Sie hat heute Morgen schon mal angerufen», sagte sie. «Ich hab vergessen, es dir auszurichten. Das Telefon hat alle fünf Minuten geklingelt, und schließlich bin ich hingerannt –»

«Danke, Caroline.»

«Ich bin hingerannt –»

«Danke.» Gary schnappte sich den schnurlosen Apparat und hielt ihn im Gehen auf Armeslänge von sich, als müsse er seine Mutter in Schach halten. Im Esszimmer lauerte ihm Caleb auf, der einen Finger zwischen die glänzenden Seiten eines Katalogs gesteckt hatte. «Dad, kann ich dich mal kurz sprechen?»

«Jetzt nicht, Caleb, deine Großmutter ist am Telefon.»

«Ich will dir nur –»

«Jetzt nicht, hab ich gesagt.»

Caleb schüttelte den Kopf und lächelte ungläubig, wie ein viel gefilmter Sportler, der um einen Strafpunkt herumgekommen ist.

Gary durchquerte den mit Marmor ausgelegten Flur, betrat das geräumige Wohnzimmer und sagte «Hallo» in die Muschel des kleinen Telefons.

«Ich habe Caroline doch *gesagt*, ich rufe lieber nochmal an, wenn du gerade nicht in der Nähe bist», sagte Enid.

«Deine Anrufe kosten dich sieben Cent die Minute», sagte Gary.

«Oder du hättest mich zurückrufen können.»

«Mutter, es geht um fünfundzwanzig Cent.»

«Ich versuche schon den ganzen Tag, dich zu erreichen», sagte sie. «Der Mann vom Reisebüro braucht bis spätestens morgen früh eine Auskunft von mir. Und du weißt, wir hoffen immer noch, dass ihr zu einem letzten Weihnachten zu uns kommt, so wie ich es Jonah versprochen habe, also –»

«Warte eine Sekunde», sagte Gary. «Ich frag mal eben Caroline.»

«Gary, ihr hattet *monatelang* Zeit, darüber zu sprechen. Ich werde jetzt nicht hier sitzen und warten, bis du –»

«Moment.»

Er legte den Daumen auf die Sprechmuschellöcher und ging zurück in die Küche, wo Jonah mit einer Packung Schokoladenkekse auf einem Stuhl stand. Caroline, die immer noch zusammengesackt am Tisch saß, atmete flach.

«Ich hab mir», sagte sie, «irgendwas Schreckliches zugezogen, als ich zum Telefon gerannt bin.»

«Davor bist du zwei Stunden lang draußen im Regen rumgerutscht», sagte Gary.

«Nein, es war alles in Ordnung, bis ich zum Telefon gerannt bin.»

«Caroline, ich hab dich schon vorher humpeln sehen.»

«Es war alles *in Ordnung*», sagte sie, «bis ich zum *Telefon* gerannt bin, weil es *zum fünfzigsten Mal* geklingelt hat –»

«Na schön», sagte Gary, «meine Mutter ist schuld. Aber ich muss jetzt wissen, was ich ihr wegen Weihnachten sagen soll.»

«Keine Ahnung. Sie können gern zu uns kommen.»

«Wir hatten doch mal überlegt, zu *ihnen* zu fahren.»

Caroline schüttelte den Kopf, als radiere sie etwas damit aus. «Nein. Du hast das überlegt. Ich nicht.»

«Caroline –»

«Ich kann das nicht besprechen, während sie am Telefon ist. Sag ihr, sie soll nächste Woche nochmal anrufen.»

Jonah begriff, dass er sich so viele Kekse nehmen konnte, wie er wollte, ohne dass seine Eltern es merkten.

«Sie muss es aber jetzt wissen», sagte Gary. «Sie würden gern entscheiden, ob sie uns nächsten Monat, nach ihrer Kreuzfahrt, besuchen sollen. Und das hängt von Weihnachten ab.»

«Fühlt sich wie ein Bandscheibenvorfall an.»

«Wenn du dich weigerst, darüber zu reden, sage ich ihr, dass wir uns vorstellen können, nach St. Jude zu fahren.»

«O nein! Das ist gegen die Abmachung!»

«Ich denke an eine einmalige Ausnahme von der Abmachung.»

«Nein! Nein!» Nasse blonde Haarsträhnen peitschten hin und her und verdrehten sich. «Du kannst nicht einfach so gegen die Regeln verstoßen.»

«Eine einmalige Ausnahme ist kein Regelverstoß.»

«Gott, ich glaube, ich muss mich röntgen lassen», sagte Caroline.

Gary spürte die Stimme seiner Mutter am Daumen summen. «Heißt das jetzt ja oder nein?»

Caroline stand auf, lehnte sich an ihn und vergrub ihr Gesicht in seinem Pullover. Mit einer kleinen Faust klopfte sie sanft gegen seine Brust. «Bitte», sagte sie und rieb ihre Nase an seinem Schlüsselbein. «Sag ihr, du rufst später nochmal an. Bitte. Mir tut wirklich der Rücken weh.»

Während sie sich an ihn drängte, hielt Gary das Telefon mit durchgedrücktem Arm zur Seite. «Caroline. Sie sind jetzt acht Jahre hintereinander zu uns gekommen. Es ist doch nicht zu viel verlangt, wenn ich dich bitte, ein einziges Mal eine Ausnahme zu machen. Kann ich ihr wenigstens sagen, dass wir es in Betracht ziehen?»

Caroline schüttelte kläglich den Kopf und sank wieder auf den Stuhl.

«Na schön», sagte Gary, «dann entscheide ich eben selbst.»

Er stolzierte ins Esszimmer, wo ihn Aaron, der zugehört hatte, anstarrte, als wäre er ein grausames Monster von einem Ehemann.

«Dad», sagte Caleb, «wenn du doch nicht mit Grandma telefonierst, kann ich dich dann mal was fragen?»

«Nein, Caleb, ich telefoniere noch mit Grandma.»

«Und danach?»

«O Gott, o Gott», sagte Caroline.

Im Wohnzimmer hatte Jonah sich mit seinem Keksberg und *Prinz Kaspian* auf dem größeren Ledersofa niedergelassen.

«Mutter?»

«Ich verstehe das nicht», sagte Enid. «Wenn es dir gerade nicht passt, dann ruf mich doch später zurück, aber mich *zehn Minuten* warten zu lassen –»

«Jetzt bin ich ja wieder da.»

«Und, wie habt ihr euch entschieden?»

Bevor Gary antworten konnte, drang aus der Küche ein erbarmungswürdiges, raues, katzenartiges Heulen, ein Geräusch, wie Caroline es fünfzehn Jahre früher beim Sex von sich gegeben hatte, als noch keine Jungen da gewesen waren, die sie hätten hören können.

«Entschuldige, Mom, eine Sekunde.»

«Nein, das geht nicht», sagte Enid. «Das ist unhöflich.»

«Caroline», rief Gary in die Küche, «meinst du, wir können uns mal ein paar Minuten lang wie Erwachsene benehmen?»

«Ah, ah, uh! Uh!», jammerte Caroline.

«An Rückenschmerzen ist noch keiner gestorben, Caroline.»

«Bitte», jammerte sie, «ruf sie später wieder an. Ich bin auf der letzten Stufe ausgerutscht, Gary, es tut so *weh* –»

Er drehte sich mit dem Rücken zur Küche. «Tut mir Leid, Mom.»

«Was in aller Welt ist bei euch los?»

«Caroline hat sich beim Fußballspielen am Rücken ein bisschen wehgetan.»

«Weißt du, ich sage das ungern, aber Beschwerden und Schmerzen gehören nun mal zum Älterwerden», sagte Enid. «Wenn ich wollte, könnte ich den ganzen Tag lang über Schmerzen reden. Mit tut ständig die Hüfte weh. Aber mit dem Alter wird man ja hoffentlich auch etwas suverähner.»

«Oh! Ahh! Ahh!», jammerte Caroline wollüstig.

«Ja, das kann man nur hoffen», sagte Gary.

«Also, wie habt ihr euch entschieden?»

«Die Jury ist noch uneins», sagte er, «aber vielleicht solltet ihr auf jeden Fall nach der Kreuzfahrt hier –»

«Au! Au! Au!»

«Es ist schon furchtbar spät, um für Weihnachten Flüge zu buchen», sagte Enid ernst. «Weißt du, die Schumperts haben ihre Hawaii-Reise bereits im April gebucht, denn letztes Jahr, als sie sich bis September Zeit gelassen haben, waren die Plätze, die sie haben wollten, schon –» Aaron kam aus der Küche gerannt. «Dad!»

«Ich bin am Telefon, Aaron.»

«Dad!»

«Ich bin am Telefon, Aaron, das siehst du doch.»

«Dave hat eine Kolostomie», sagte Enid.

«Du musst *sofort* was unternehmen», sagte Aaron. «Mom hat wirklich Schmerzen. Sie sagt, du musst sie ins Krankenhaus fahren!»

«Ach ja, Dad», sagte Caleb, der sich mit seinem Katalog hereingeschlichen hatte, «dann kannst du mich mitnehmen.»

«Nein, Caleb.»

«Aber es gibt da einen Laden, in den ich unbedingt rein muss.»

«Die erschwinglichen Flüge sind ruck, zuck ausgebucht», sagte Enid.

«Aaron?», rief Caroline aus der Küche. «Aaron! Wo bist du? Wo ist dein Vater? Wo ist Caleb?»

«Wirklich ganz schön laut hier für jemanden, der sich konzentrieren will», sagte Jonah.

«Tut mir Leid, Mutter», sagte Gary, «ich gehe irgendwohin, wo's ruhiger ist.»

«Es ist höchste *Zeit*», sagte Enid mit der Panik einer Frau in der Stimme, für die jeder Tag, der verging, ja jede Stunde bedeutete, dass weitere Plätze in Dezember-Maschinen reserviert wurden und somit jegliche Hoffnung auf ein letztes gemeinsames Weihnachten mit Gary, Caroline und den Jungen in St. Jude Stück für Stück zerbrach.

«Dad», flehte Aaron, während er Gary ins Obergeschoss folgte, «was soll ich ihr ausrichten?»

«Sag ihr, sie soll die 911 wählen. Nimm dein Handy und ruf einen Krankenwagen.» Gary hob die Stimme. «Caroline? Wähl die 911!»

Nach einer Reise in den Mittelwesten neun Jahre zuvor, zu deren besonderen Torturen nicht nur Eisstürme in Philadelphia und in St. Jude gehört hatten, sondern auch eine vierstündige Verspätung auf dem Rollfeld mit einem quengelnden Fünf- und einem brüllenden Zweijährigen, ein die ganze Nacht heftig brechender Caleb, der (jedenfalls Caroline zufolge) Enids butter- und speckhaltiges Festtagsmenü nicht vertragen hatte, und ein gemeiner Sturz von Caroline auf der spiegelglatten Einfahrt ihrer Schwiegereltern (ihre Rückenprobleme stammten aus ihren Feldhockey-Tagen im Friends' Central, aber nun behauptete sie, die Verletzung sei auf besagter Einfahrt «reaktiviert» worden), nach dieser Reise also hatte Gary seiner Frau versprochen, dass er sie nie wieder bitten werde, Weihnachten nach St. Jude zu fahren. Inzwischen aber waren seine Eltern acht Jahre hintereinander nach Philadelphia gekommen, und obwohl es ihm gar nicht behagte, wie besessen seine Mutter von Weihnachten war – er hielt das ganze Getue für ein Symptom eines umfassenderen Leidens, einer schmerzhaften Leere in ihrem Leben –, konnte er es seinen Eltern kaum verdenken, dass sie dieses Jahr zu Hause bleiben wollten. Außerdem spekulierte Gary darauf, dass Enid St. Jude bereitwilliger verlassen und an die Ostküste umziehen würde, wenn sie ihr «letztes Weihnachten» gehabt hätte. Im Grunde war er dafür, die Reise anzutreten, und er erwartete ein

Minimum an Kooperation von seiner Frau: eine souveräne Bereitschaft, auf die besonderen Umstände Rücksicht zu nehmen.

Er zog die Tür seines Arbeitszimmers hinter sich zu und schloss ab, um das Geschrei und Gewinsel seiner Familie, das Fußgetrappel auf der Treppe, den Möchtegern-Notfall auszusperren. Er nahm den Hörer des Telefons auf seinem Schreibtisch ab und schaltete das schnurlose aus.

«Das ist ja wirklich lächerlich», sagte Enid mit entkräfteter Stimme. «Warum rufst du mich nicht zurück?»

«Wir sind noch unschlüssig, was Weihnachten angeht», sagte er, «aber es ist gut möglich, dass wir nach St. Jude kommen. Ich denke also, ihr solltet nach der Kreuzfahrt bei uns vorbeischauen.»

Enid atmete ziemlich laut. «Wir fahren diesen Herbst auf keinen Fall zweimal nach Philadelphia», sagte sie. «Und da ich die Jungen Weihnachten sehen möchte, heißt das für mich, dass ihr nach St. Jude kommt.»

«Nein, Mutter», sagte er. «Nein, nein, nein. Wir haben noch nichts entschieden.»

«Ich habe Jonah *versprochen* –»

«Jonah ist nicht derjenige, der die Tickets kauft. Jonah hat hier nicht zu bestimmen. Also macht ihr mal eure Pläne, und wir machen unsere, und dann schüttelt sich hoffentlich alles zurecht.»

Seltsam deutlich hörte Gary das missbilligende Schnauben, das aus Enids Nasenlöchern kam. Er hörte das Meeresrauschen ihrer Atmung, und mit einem Schlag wusste er Bescheid.

«Caroline?», sagte er. *«Caroline, bist du in der Leitung?»*

Das Atmen hörte auf.

«Caroline, belauschst du uns? Bist du in der Leitung?»

Er hörte ein leises Klicken, eine kurze statische Störung.

«Mom, es tut mir Leid –»

Enid: «Was um alles in der Welt –»

Unglaublich! Scheißunglaublich! Gary ließ den Hörer auf seinen Schreibtisch fallen, schloss die Tür auf und rannte den Flur entlang, an einem Kinderzimmer vorbei, in dem Aaron, mit gekräuselter Stirn und schmeichelhaft schräg gehaltenem Kopf, vor seinem Spiegel stand, an der Treppe vorbei, auf der Caleb seinen Katalog umklammerte wie ein Zeuge Jehovas sein Pamphlet, ins Elternschlafzimmer, wo Caroline in ihren verdreckten Kleidern zusammengekrümmt wie ein Embryo auf dem Perserteppich lag und sich ein frostüberzogenes Kältekissen ins Kreuz presste.

«Belauschst du mich?»

Caroline schüttelte matt den Kopf, vielleicht um anzudeuten, dass sie gar nicht genügend Kraft habe, das Telefon neben dem Bett zu erreichen.

«Heißt das nein? Sagst du nein? Du hast nicht mitgehört?»

«Nein, Gary», sagte sie mit Zwergenstimme.

«Ich habe das Klicken gehört, ich habe das Atmen gehört –»

«Nein.»

«Caroline, es gibt drei Anschlüsse für diese Leitung, zwei davon habe ich in meinem Arbeitszimmer, der dritte ist hier. Hallo?»

«Ich habe nicht gelauscht. Ich hab nur den Hörer abgenommen –» Sie atmete durch zusammengebissene Zähne ein. «Um zu sehen, ob die Leitung frei ist. Das ist alles.»

«Und dann hast du dich hingesetzt und zugehört! Du hast gelauscht! Obwohl wir wieder und wieder darüber gesprochen haben, dass wir das niemals tun würden!»

«Gary», sagte sie mit kläglich kleiner Stimme, «ich schwöre, dass ich nicht gelauscht habe. Mein Rücken bringt mich um. Ich konnte den Arm nicht ausstrecken, um wieder aufzulegen. Ich habe den Hörer auf dem Boden liegen lassen. Ich hab nicht gelauscht. Sei lieb, bitte.»

Dass ihr Gesicht wunderschön war und man den gequälten

Ausdruck darauf mit Ekstase verwechseln konnte – dass sie Gary, wie sie da zusammengekrümmt und schlammbespritzt und rotwangig und besiegt und mit wilder Mähne auf dem Perserteppich lag, scharfmachte, dass ein Teil von ihm ihren Beteuerungen glaubte und voll Zärtlichkeit für sie war –, all das verstärkte nur sein Gefühl, verraten worden zu sein. Er stürmte über den Flur zurück in sein Arbeitszimmer und knallte die Tür hinter sich zu. «Mutter, hallo, es tut mir Leid.»

Aber die Leitung war tot. Jetzt musste er auf eigene Rechnung in St. Jude anrufen. Durch das Fenster, das auf den Garten hinausging, sah er sonnenbeschienene, muschelschalenrote Regenwolken, aus der Platane aufsteigenden Dunst.

Nun, da nicht mehr sie das Gespräch bezahlte, klang Enid heiterer. Sie fragte Gary, ob er eine Firma namens Axon kenne. «Die sitzen in Schwenksville, Pennsylvania», sagte sie. «Sie wollen Dads Patent kaufen. Hier, ich lese dir mal den Brief vor. Ich bin nicht ganz glücklich damit.»

Bei der CenTrust Bank, wo Gary mittlerweile die Investmentabteilung leitete, war er seit langer Zeit auf große, an der Börse gehandelte Unternehmen spezialisiert und gab sich kaum noch mit kleinen Fischen ab. Der Name Axon sagte ihm nichts. Doch als seine Mutter ihm den Brief vorlas, den Mr. Joseph K. Prager von Bragg Knuter & Speigh geschrieben hatte, meinte er, das Spiel dieser Leute zu durchschauen. Es war klar, dass der Anwalt, der diesen Brief aufgesetzt und ihn an einen alten Mann mit einer Adresse im Mittelwesten geschickt hatte, Alfred nur einen Bruchteil dessen anbot, was das Patent tatsächlich wert war. Gary wusste, wie diese Winkeladvokaten arbeiteten. An Axons Stelle hätte er dasselbe getan.

«Ich finde, wir sollten zehntausend verlangen, nicht fünf-», sagte Enid.

«Wann erlischt das Patent?», fragte Gary.

«In ungefähr sechs Jahren.»

«Sie müssen mit sehr viel Geld rechnen. Sonst würden sie sich um das Patent gar nicht scheren.»

«In dem Brief steht was von ‹früher Testphase› und dass sie ‹nichts garantieren› können.»

«Mutter, das ist es ja. Genau das ist es, was sie einem weismachen wollen. Aber wenn es stimmt, warum befassen sie sich dann jetzt schon damit? Warum warten sie nicht sechs Jahre?»

«Ach so, ich verstehe.»

«Es ist sehr, sehr gut, dass du mir davon erzählt hast, Mutter. Du musst diesen Leuten jetzt zurückschreiben und erst mal eine Lizenzzahlung von 200 000 Dollar verlangen.»

Enid schnappte nach Luft, wie früher auf Familienausflügen, wenn Alfred, um einen Lastwagen zu überholen, in den Gegenverkehr ausgeschert war. «*Zweihunderttausend!* Guter Gott, Gary –»

«Und eine einprozentige Beteiligung an den Bruttoerträgen ihres Verfahrens. Schreib ihnen, du wärst bereit, deine rechtmäßige Forderung vor Gericht einzuklagen.»

«Aber was ist, wenn sie nein sagen?»

«Glaub mir, diese Leute haben keinerlei Interesse an einer gerichtlichen Auseinandersetzung. Mit der aggressiven Tour kannst du dir in diesem Fall nichts verderben.»

«Na ja, aber es ist Dads Patent, und du weißt ja, wie er darüber denkt.»

«Hol ihn mir mal ans Telefon», sagte Gary.

Seine Eltern ließen sich von jedweder Autorität ins Bockshorn jagen. Wenn Gary sich vergewissern wollte, dass er ihrem Schicksal wirklich entronnen war, wenn er ermessen wollte, wie weit er sich von St. Jude entfernt hatte, dann hielt er sich vor Augen, wie wenig ihn selbst Autoritäten schreckten – einschließlich der seines Vaters.

«Ja», sagte Alfred.

«Dad», sagte er, «ich finde, du solltest diesen Leuten die Hölle heiß machen. Sie sind in einer sehr schwachen Position, und du könntest richtig viel Geld dabei rausschlagen.»

Der alte Mann in St. Jude sagte gar nichts.

«Du willst mir doch nicht erzählen, dass du vorhast, das Angebot anzunehmen», sagte Gary. «Das kommt nämlich überhaupt nicht infrage, Dad. Das steht gar nicht zur Debatte.»

«Ich habe mich entschieden», sagte Alfred. «Was ich tue, geht dich nichts an.»

«O doch, ich habe da auch ein Wörtchen mitzureden.»

«Das hast du nicht, Gary.»

«Ich habe da auch ein Wörtchen mitzureden», wiederholte Gary. Wenn Enid und Alfred irgendwann das Geld ausginge, wären es nicht seine Schwester, die immer knapp bei Kasse war, und sein nichtsnutziger Bruder, sondern er und Caroline, die für ihren Unterhalt aufkommen müssten. Aber er hatte sich gut genug im Griff, um Alfred das nicht vorzubuchstabieren. «Könntest du wenigstens die Güte haben, mir zu sagen, was du zu tun gedenkst?»

«Du hättest die Güte haben können, nicht danach zu fragen», sagte Alfred. «Aber da du nun mal gefragt hast, bitte: Ich gedenke zu nehmen, was sie mir angeboten haben, und die Hälfte davon Orfic Midland zu geben.» Das Universum war mechanistisch: Der Vater sprach, der Sohn reagierte.

«Also wirklich, Dad», sagte Gary mit jener schleppenden, leisen Stimme, die er sich für Situationen vorbehielt, in denen er sehr ärgerlich und sehr sicher war, dass er Recht hatte. «Das kannst du nicht machen.»

«Das kann ich sehr wohl. Und das werde ich auch», sagte Alfred.

«Nein, wirklich, Dad, bitte hör mir zu. Du hast weder rechtlich noch moralisch die geringste Verpflichtung, das Geld mit Orfic Midland zu teilen.»

«Ich habe ihr Material und ihre Geräte benutzt», sagte Alfred. «Es war abgemacht, dass ich eventuelle Erträge aus den Patenten mit ihnen teilen würde. Und Mark Jamborets hat mir damals den Patentanwalt vermittelt. Wahrscheinlich habe ich sogar einen Freundschaftspreis bekommen.»

«Das ist fünfzehn Jahre her! Die Firma *existiert* gar nicht mehr. Die Leute, mit denen du diese Abmachung hattest, sind *tot*.»

«Nicht alle. Mark Jamborets nicht.»

«Dad, das ist ein netter Zug von dir. Ich verstehe deine Beweggründe, aber –»

«Ich glaube nicht, dass du das tust.»

«Die Eisenbahngesellschaft ist von den Wroth-Brüdern geplündert und ausgenommen worden.»

«Ich will nicht weiter darüber reden.»

«Das ist krank! Wirklich krank!», sagte Gary. «Du verhältst dich loyal gegenüber einer Firma, die dich und die Stadt St. Jude auf jede nur vorstellbare Weise übers Ohr gehauen hat. Die dich *auch jetzt gerade wieder* übers Ohr haut – denk an deine Krankenversicherung.»

«Du hast deine Meinung, ich habe meine.»

«Und ich finde das verantwortungslos von dir. Ich finde das egoistisch. Wenn du Erdnussbutter essen und jeden Cent dreimal umdrehen willst, dann ist das deine Sache, aber Mom gegenüber ist es nicht fair, und mir –»

«Es interessiert mich einen feuchten Kehricht, was ihr beide denkt.»

«Und mir gegenüber ist es auch nicht fair! Wer bezahlt denn deine Rechnungen, wenn du in Schwierigkeiten gerätst? Wer gibt dir Rückhalt?»

«Ich werde erdulden, was erduldet werden muss», sagte Alfred. «Ja, und ich esse, wenn's sein muss, auch Erdnussbutter. Ich mag Erdnussbutter. Nichts dagegen einzuwenden.»

«Und wenn Mom Erdnussbutter essen muss, tut sie's auch.

Stimmt's? Sie kann auch Hundefutter essen, wenn's sein muss! Wen kümmert es schon, was *sie* will?»

«Gary, ich weiß, was recht und billig ist. Ich erwarte nicht, dass du das verstehst – ich verstehe ja deine Entscheidungen auch nicht –, aber ich weiß, was sich gehört. Und jetzt Schluss damit.»

«Ich meine, wenn du unbedingt willst, dann gib Orfic Midland eben zweitausendfünfhundert ab», sagte Gary. «Aber dieses Patent ist viel mehr –»

«Schluss damit, hab ich gesagt. Deine Mutter möchte dich nochmal sprechen.»

«Gary», krähte Enid, «das Philharmonische Orchester von St. Jude führt im Dezember den *Nussknacker* auf! Die machen das ganz reizend, zusammen mit dem hiesigen Ballett, weißt du, und ihre Vorstellungen sind immer *so* schnell ausverkauft, was meinst du, soll ich nicht neun Karten für Heiligabend reservieren? Es gibt eine Matinee um zwei, aber wir können auch am Dreiundzwanzigsten abends hingehen, wenn dir das lieber ist. Entscheide du.»

«Mutter, hör mir bitte zu. Du darfst nicht zulassen, dass Dad diesem Angebot zustimmt. Sorge dafür, dass er nichts unternimmt, ehe ich den Brief gesehen habe. Bitte schick mir morgen eine Kopie davon mit der Post.»

«Gut, mach ich, aber das Wichtigste ist jetzt *Der Nussknacker*, dass ich uns schon mal neun Karten reserviere, meine ich, die Vorstellungen sind nämlich immer *so schnell* ausverkauft, Gary, man glaubt es kaum.»

Als er schließlich aufgelegt hatte, presste Gary die Hände auf die Augen und sah, in Falschfarben auf die Dunkelheit seiner geistigen Kinoleinwand projiziert, zwei Golfbilder: Enid, die sich, aus dem Rough heraus, in eine bessere Lage brachte (*Schummeln* nannte man das), und Alfred, der sein mangelndes Können herunterspielte.

Vierzehn Jahre früher, als der Verkauf der Midpac an die Wroth-Brüder gerade über die Bühne gegangen war, hatte der alte Herr schon einmal so ein sinnloses Kunststück fertig gebracht. Der neue Geschäftsführer der Midpac, Fenton Creel, hatte Alfred, wenige Monate vor dessen fünfundsechzigstem Geburtstag, zum Mittagessen ins Morelli's eingeladen. Die ganze oberste Riege der Midpac-Angestellten war von den beiden Wroths entlassen worden, weil sie sich der Übernahme widersetzt hatten, doch Alfred, als Chefingenieur, war nicht Teil dieser Palastwache gewesen. In dem Chaos, das durch die Schließung des Werks in St. Jude und die Verlegung der Geschäfte nach Little Rock entstand, brauchten die Wroths jemanden, der die Eisenbahn in Betrieb hielt, während die neue Mannschaft unter der Leitung von Creel sich warm lief. Creel bot Alfred eine fünfzigprozentige Gehaltserhöhung und ein Orfic-Aktienpaket an, wenn er sich einverstanden erklärte, zwei weitere Jahre zu bleiben, den Umzug nach Little Rock zu überwachen und Kontinuität zu gewährleisten.

Alfred verabscheute die Wroths und wollte eigentlich nein sagen, doch am Abend, zu Hause, begann Enid ihn zu bearbeiten. Sie hielt ihm vor Augen, dass die Orfic-Aktien allein 78 000 Dollar wert seien, dass seine Pension sich nach seinen letzten drei Jahresgehältern bemessen werde und dass sich hier eine Chance biete, ihre Alterseinkünfte um fünfzig Prozent zu erhöhen.

Ihre unwiderlegbaren Argumente schienen Alfred zunächst umzustimmen, doch drei Abende später teilte er ihr mit, er habe am Nachmittag seine Kündigung eingereicht und Creel habe sie angenommen. Alfred fehlten zu diesem Zeitpunkt gerade einmal sieben Wochen, um das Jahr seines letzten und höchsten Gehalts voll zu machen; es ergab nicht den geringsten Sinn, vorher aufzuhören. Doch niemandem, weder Enid noch sonst wem, lieferte er damals oder später eine Erklärung für seinen plötzlichen Sinneswandel. Er sagte nur: *Ich habe mich entschieden.*

Als sie im selben Jahr beim Weihnachtsessen in St. Jude saßen, wenige Augenblicke nachdem Enid verstohlen einen Happen Haselnuss-Gänsefüllung auf Baby Aarons Tellerchen gelegt und Caroline die Füllung vom Teller geschnappt hatte, in die Küche marschiert war und sie mit den Worten «Pures Fett, pfui Teufel» wie einen Haufen Gänsescheiße in den Mülleimer geworfen hatte, platzte Gary der Kragen, und er schrie: *Du konntest nicht mal sieben Wochen warten? Du konntest nicht warten, bis du fünfundsechzig warst?*

Gary, ich habe mein ganzes Leben lang gearbeitet. Wann ich aufhöre, ist meine Sache, nicht deine.

Und der Mann, der so erpicht darauf gewesen war, sich aus dem Arbeitsleben zurückzuziehen: Was hatte er mit seiner freien Zeit gemacht? Er hatte in seinem blauen Sessel gesessen.

Über Axon wusste Gary nichts, aber Orfic Midland war jener Typ von Mischkonzern, mit dessen Beteiligungs- und Managementstrukturen Schritt zu halten Teil der Aufgabe war, für die man ihn bezahlte. Zufällig wusste er, dass die Wroth-Brüder ihre Anteilsmehrheit verkauft hatten, um Verluste, die sie bei einem kanadischen Goldminen-Unternehmen gemacht hatten, auszugleichen. Orfic Midland hatte sich zu den ununterscheidbaren, gesichtslosen Megafirmen gesellt, deren Hauptsitze die vornehmen Einzugsgebiete der amerikanischen Großstädte übersäten; ihre leitenden Angestellten waren ausgetauscht worden wie die Zellen eines lebendigen Organismus oder wie die Buchstaben in jenem Legespiel, bei dem sich SCHEISS in SCHUSS und SCHUH und KUH und KUR verwandelte, sodass zu dem Zeitpunkt, als Gary den jüngsten Erwerb eines Aktienpakets der **OrficM** für das Portfolio der CenTrust abgesegnet hatte, von der Firma, die St. Judes drittgrößten Betrieb geschlossen und in weiten Teilen des ländlichen Kansas den Zugverkehr lahm gelegt hatte, nicht die Spur eines menschlichen Wesens mehr übrig geblieben war, das man zum Sündenbock hätte machen können. Orfic Midland hatte sich inzwischen ganz aus dem Transportgeschäft zurückgezogen. Was von den Haupttrassen der Midpac noch vorhanden war, hatte man verkauft, damit die Firma sich auf den Bau und die Verwaltung von Gefängnissen, auf Gourmet-Kaffee und Finanzdienstleistungen konzentrieren konnte; ein nagelneues 144-strängiges Sichtfaserkabelnetz lag im alten Gelände der Eisenbahngesellschaft begraben.

Und das war die Firma, der Alfred die Treue hielt?

Je mehr Gary darüber nachdachte, desto wütender wurde er. Er saß allein in seinem Arbeitszimmer, unfähig, seiner wachsenden Erregung Herr zu werden oder den Dampflok-Rhythmus seines Atems zu drosseln. Er war blind für den hübschen kürbisgelben Sonnenuntergang, der sich in den Tulpenbäumen hinter den Gleisen entfaltete. Er sah nichts als die Grundsätze, die auf dem Spiel standen.

Womöglich hätte er ewig so dagesessen, sich immer weiter in seine Wut hineingesteigert und Beweise gegen seinen Vater aufmarschieren lassen, wenn er nicht draußen vor seiner Tür ein Rascheln gehört hätte. Er sprang auf und öffnete sie.

Caleb saß im Schneidersitz auf dem Boden und studierte den Katalog. «Kann ich jetzt mit dir sprechen?»

«Hast du etwa hier gesessen und mich belauscht?»

«Nein, hab ich nicht. Du hast gesagt, ich kann mit dir sprechen, wenn du fertig bist. Ich wollte dich fragen, welches Zimmer ich überwachen kann.»

Obwohl sie auf dem Kopf standen, konnte Gary erkennen, dass die Preise für das Zubehör in Calebs Katalog – Objekte mit polierten Aluminiumgehäusen, LCD-Farbmonitore – drei- und vierstellig waren.

«Das ist nämlich mein neues Hobby», sagte Caleb. «Ich will einen Raum überwachen. Mom sagt, ich kann die Küche nehmen, wenn du einverstanden bist.»

«Du willst aus Spaß die Küche überwachen?»

«Ja!»

Gary schüttelte den Kopf. Als er klein gewesen war, hatte er viele Hobbys gehabt, und lange Zeit hatte es ihm zugesetzt, dass seine Söhne nicht ein einziges zu haben schienen. Schließlich hatte Caleb begriffen, dass er nur das Wort «Hobby» in den Mund zu nehmen brauchte, damit Gary für Anschaffungen, die er Caroline sonst womöglich untersagt hätte, grünes Licht gab. Und so war das Fotografieren Calebs Hobby gewesen, bis Caroline ihm eine Autofokus-Spiegelreflexkamera mit einem besseren Zoom-Teleobjektiv, als Gary eines hatte, und eine idiotensichere Digitalkamera gekauft hatte. Dann waren Computer sein Hobby gewesen, bis Caroline ihm einen Palmtop und ein Notebook gekauft hatte. Doch inzwischen war Caleb fast zwölf, und Gary hatte das Spielchen einmal zu oft mitgespielt. Er war auf der Hut, was Hobbys betraf. Und er hatte Caroline das Versprechen abgerungen, Caleb keinerlei Zubehör mehr zu kaufen, ohne sich vorher mit ihm zu besprechen.

«Überwachen ist kein Hobby», sagte er.

«Doch, Dad! Mom hat es selbst vorgeschlagen! Sie hat gesagt, ich könnte mit der Küche anfangen.»

Gary nahm es als ein weiteres Warnsignal der Depression, dass er jetzt dachte: *In der Küche ist die Hausbar.*

«Lass mich lieber erst mal mit Mom darüber reden, okay?»

«Aber der Laden hat nur bis sechs auf», sagte Caleb.

«Du wirst doch wohl ein paar Tage warten können. Erzähl mir nicht, dass es so eilig ist.»

«Aber ich hab schon den ganzen Nachmittag gewartet. Du hast gesagt, du würdest mit mir sprechen, und jetzt ist es fast Abend.»

Dass es fast Abend war, gab Gary eindeutig das Recht, etwas zu trinken. Die Hausbar war in der Küche. Er tat einen Schritt in ihre Richtung. «Um was für Zubehör geht es denn überhaupt?»

«Bloß eine Kamera, ein Mikrofon und eine Fernsteuerung.»

Caleb hielt Gary den Katalog unter die Nase. «Guck hier, ich brauch auch gar nicht das teure Modell. Das da kostet nur sechshundertfünfzig. Mom hat gesagt, das würde gehen.»

Ein ums andere Mal beschlich Gary das Gefühl, dass es irgendetwas Unangenehmes gab, das seine Frau und seine Kinder vergessen wollten, etwas, das im Gedächtnis zu behalten nur ihm wichtig war, und dass ein Kopfnicken, ein «Na gut» von ihm genügen würde, damit es ganz in Vergessenheit geriet. Auch dieses Gefühl war ein Warnsignal.

«Caleb», sagte er, «das hört sich nach etwas an, das dich sehr bald langweilen wird. Es hört sich teuer an und als würdest du nicht lange dabei bleiben.»

«Doch! Doch!», sagte Caleb aufgeregt. «Das interessiert mich *total*! Dad, es ist ein *Hobby*.»

«Du warst schon von so manchem, was wir dir geschenkt haben, ziemlich schnell gelangweilt. Sachen, für die du dich angeblich auch jedes Mal ‹sehr interessiert› hast.»

«Diesmal ist es was anderes», bettelte Caleb. «Für das hier interessiere ich mich wirklich, Ehrenwort.»

Ganz offensichtlich war der Junge bereit, jeden Betrag abgewerteter verbaler Währung zu entrichten, um sich die Zustimmung seines Vaters zu erkaufen.

«Ist dir wenigstens klar, was ich meine?», fragte Gary. «Erkennst du das Muster? Dass einem die Sachen, bevor man sie gekauft hat, anders vorkommen als hinterher? Dass sie einem, sobald man sie gekauft hat, gar nicht mehr so viel bedeuten? Ist dir das klar?»

Caleb öffnete den Mund, doch ehe er eine weitere Bitte oder Beschwerde vorbringen konnte, huschte so etwas wie Bauernschläue über sein Gesicht.

«Na ja», sagte er, scheinbar ergeben, «na ja, ich glaube schon.»

«Und meinst du nicht, das wird mit der neuen Ausrüstung auch wieder passieren?»

Caleb gab sich alle Mühe, so auszusehen, als denke er ernsthaft über Garys Frage nach. «Ich glaube, diesmal ist es anders», sagte er schließlich.

«Na schön», sagte Gary. «Aber bitte merk dir, worüber wir gesprochen haben. Ich möchte nicht, dass das noch so ein teures Spielzeug wird, mit dem du dich ein, zwei Wochen beschäftigst, um es dann in der Ecke rumliegen zu lassen. Du bist kein kleiner Junge mehr, und ich möchte allmählich sehen, dass du mal etwas länger bei einer Sache –»

«Gary, das ist nicht fair!», sagte Caroline aufgebracht. Sie kam aus der Schlafzimmertür gehumpelt, eine Schulter hochgezogen und die Hand am Rücken, um das schmerzlindernde Kühlkissen dagegenzupressen.

«Hallo, Caroline. Wusste gar nicht, dass du uns zuhörst.»

«Caleb lässt nichts in der Ecke rumliegen.»

«Genau, tu ich gar nicht», sagte Caleb.

«Was du offenbar noch nicht kapiert hast, ist, dass bei diesem neuen Hobby alles zum Einsatz kommt», sagte Caroline. «Das ist ja das Geniale daran. Er hat einen Dreh gefunden, wie er sein gesamtes Zubehör für *eine* –»

«Toll, freut mich zu hören.»

«Er macht etwas Kreatives, und du flößt ihm Schuldgefühle ein.»

Einmal, als Gary laut darüber nachgedacht hatte, ob Calebs Phantasie nicht zu verkümmern drohe, wenn sie ihm so viele Gerätschaften schenkten, hatte Caroline ihm vorgeworfen, er verunglimpfe seinen eigenen Sohn. Zu ihren bevorzugten Erziehungsratgebern gehörte *Die technologische Phantasie: Was Kinder heute ihren Eltern beibringen können*, ein Buch, in dem Dr. Nancy Claymore dem «müden Paradigma» vom begabten Kind als sozial isoliertem Genius das «dynamische Paradigma» vom begabten Kind als kreativ vernetztem Verbraucher gegenüberstellte und die These vertrat, elektronisches Spielzeug werde schon bald so preiswert und weit verbreitet sein, dass die kindliche Phantasie sich nicht mehr an bunten Bildchen und erfundenen Geschichten, sondern an der Synthese und Nutzung existierender Technologien entzünden werde – ein Gedanke, den Gary so überzeugend wie niederschmetternd fand. Als er kaum jünger als Caleb gewesen war, hatte er aus Eisstielen Modelle gebaut.

«Heißt das, dass wir jetzt in den Laden gehen?», fragte Caleb.

«Nein, Caleb, heute nicht mehr, es ist schon fast sechs», sagte Caroline.

Caleb stampfte mit dem Fuß auf. «So ist das immer! Ich warte und warte, und dann ist es zu spät.»

«Wir leihen uns ein Video aus», sagte Caroline. «Du darfst dir aussuchen, welches.»

«Ich will kein Video. Ich will eine Überwachungsanlage.»

«Daraus wird heute nichts mehr», sagte Gary. «Also fang an, dich damit abzufinden.»

Caleb ging in sein Zimmer und knallte die Tür zu. Gary folgte ihm und riss sie wieder auf. «Jetzt reicht's», sagte er. «In diesem Haus werden keine Türen geknallt.»

«Du knallst selber Türen!»

«Ich will kein Wort mehr von dir hören.»

«Du knallst selber Türen!»

«Willst du die ganze Woche in deinem Zimmer verbringen?»

Caleb verdrehte die Augen und kniff die Lippen zusammen: kein Wort mehr.

Gary ließ seinen Blick durch das Kinderzimmer schweifen, das er sich sonst nach Möglichkeit nicht genauer anschaute. Wie die Beute in der Wohnung eines Diebs lag und stand hier stapelweise neues Computer-, Video- und Fotozubehör, dessen Gesamtwert vermutlich das Jahreseinkommen von Garys Sekretärin bei der CenTrust überstieg, unbeachtet in den Ecken herum. Eine solche Luxusorgie in der Höhle eines Elfjährigen! Verschiedenste chemische Stoffe, von molekularen Schleusen den ganzen Nachmittag in Schach gehalten, brachen mit einem Schlag los und fluteten Garys Nervenbahnen. Ein Wasserfall von Reaktionen, ausgelöst durch Faktor 6, regte seine Tränendrüsen an und schickte eine Welle von Übelkeit seinen Vagus hinunter: die «Ahnung», dass er von Tag zu Tag nur überlebte, weil er sich von unterschwelligen Tatsachen ablenkte, die doch von Tag zu Tag unbezweifelbarer und zwingender wurden. Der Erkenntnis, dass er sterben würde. Dass es einen auch nicht rettete, Schätze auf sein Grab zu häufen.

Das Licht in den Fenstern schwand rapide.

«Und du wirst diese ganze Ausrüstung wirklich benutzen?», fragte er mit Beklemmung in der Brust.

Caleb, die Lippen noch immer zusammengekniffen, zuckte die Achseln.

«Niemand sollte Türen knallen», sagte Gary. «Auch ich nicht. Einverstanden?»

«Ja, Dad. Egal.»

Als er aus Calebs Zimmer in den schattigen Flur trat, stieß er beinahe mit Caroline zusammen, die, nur mit Socken an den Füßen, auf Zehenspitzen Richtung Schlafzimmer eilte.

«Schon wieder? Schon wieder? Ich sage, bitte belausch mich nicht, und was machst du?»

«Ich habe nicht gelauscht. Ich muss mich hinlegen.» Und sie huschte, humpelnd, ins Schlafzimmer.

«Lauf ruhig weg, ich krieg dich doch», sagte Gary und folgte ihr. «Ich möchte wissen, warum du mich belauschst.»

«Das ist deine Paranoia, sonst nichts.»

«Meine Paranoia?»

Caroline ließ sich auf das extrabreite Eichenholzbett fallen. Kaum hatten sie geheiratet, war sie fünf Jahre lang zweimal wöchentlich zur Therapie gegangen, der am Ende vom Therapeuten «uneingeschränkter Erfolg» bescheinigt worden war. Das hatte ihr in ihrer beider Wettlauf um geistige Gesundheit einen lebenslangen Vorsprung vor Gary verschafft.

«Du scheinst zu glauben, dass jeder ein Problem hat, nur *du* nicht», sagte sie. «Und genau das glaubt auch deine Mutter. Ohne jemals –»

«Caroline. Beantworte mir eine Frage. Sieh mir in die Augen und beantworte mir eine Frage. Heute Nachmittag, als du –»

«Ach, Gary, nicht schon wieder. Wenn du dich selber hören könntest.»

«Als du da im Regen rumgaloppiert bist und dich völlig verausgabt hast, um mit einem Elfjährigen und einem Vierzehnjährigen mitzuhalten –»

«Du bist ja besessen! Du bist besessen davon!»

«Als du da im Regen rumgerannt und rumgerutscht bist und Fußball gespielt hast –»

«Du sprichst mit deinen Eltern, und dann lässt du deinen Ärger an uns aus.»

«Hast du schon gehumpelt, bevor du reingekommen bist?» Gary fuchtelte mit dem Finger vor der Nase seiner Frau herum. «Sieh mich an, Caroline, sieh mir in die Augen. Komm schon! Sag es! Sieh mir in die Augen und sag mir, dass du da *noch nicht gehumpelt hast*!»

Caroline wand sich vor Schmerzen. «Du telefonierst fast eine Stunde mit ihnen –»

«Du kannst es nicht!», rief Gary, bitteren Triumph in der Stimme. «Du lügst und kannst nicht zugeben, dass du lügst!»

«Dad! Dad!», schrie jemand in der Tür. Gary drehte sich um und sah Aaron, der, außer sich, das hübsche Gesicht verzerrt und tränenverschmiert, wie wild den Kopf schüttelte. «Hör auf, sie anzuschreien!»

Der Reue-Faktor (Neurofaktor 26) flutete die Bereiche in Garys Gehirn, die von der Evolution maßgeschneidert waren, um auf ihn anzuspringen.

«In Ordnung, Aaron», sagte er.

Aaron wandte sich von ihm ab und wandte sich ihm wieder zu und marschierte auf der Stelle, machte große Schritte ins Nirgendwo, als versuche er, die beschämenden Tränen aus seinen Augen in seinen Körper zurückzuzwingen, durch die Beine nach unten, und sie in den Boden zu stampfen. «Bitte, Dad, schrei – sie – nicht – an.»

«Ist gut, Aaron», sagte Gary. «Niemand schreit mehr.»

Er streckte die Hand aus, um seinen Sohn an der Schulter zu berühren, doch Aaron flüchtete über den Flur. Gary ließ Caroline allein und folgte ihm; jetzt, wo er gesehen hatte, dass seine Frau starke Verbündete im Haus besaß, fühlte er sich noch isolierter. Die Söhne würden sie vor ihrem Mann beschützen. Ihrem Mann, der schrie und brüllte. Wie vor ihm sein Vater. Sein Vater, der heute depressiv war. Der jedoch damals, in seinen besten Jahren, als er noch schrie und brüllte, dem kleinen Gary solche Angst eingeflößt hatte, dass es ihm nie in den Sinn gekommen war, seiner Mutter beizuspringen.

Aaron lag mit dem Gesicht nach unten auf seinem Bett. Inmitten der Tornado-Trümmer aus Schmutzwäsche und Zeitschriften auf dem Fußboden waren die einzigen Ruhepunkte die Bundy-Trompete (mit Dämpfern und einem Notenständer) und eine riesige, alphabetisch geordnete CD-Sammlung, darunter Gesamtausgaben von Dizzy und Satchmo und Miles Davis, außerdem Unmengen Chet Baker und Wynton Marsalis und Chuck Mangione und Herb Alpert und Al Hirt, die Gary ihm allesamt geschenkt hatte, um sein Interesse an Musik zu fördern.

Gary hockte sich auf die Bettkante. «Es tut mir Leid», sagte er. «Du weißt ja, ich kann ein gemeiner, ungerechter alter Mistkerl sein. Und deiner Mutter fällt es manchmal schwer zuzugeben, dass sie im Unrecht ist. Vor allem, wenn –»

«Ihr. Rücken. Tut. Weh», kam Aarons Stimme kaum hörbar aus dem Ralph-Lauren-Federbett. «Sie *lügt nicht*.»

«Ich weiß, dass ihr der Rücken wehtut, Aaron. Ich liebe deine Mutter sehr.»

«Dann schrei sie nicht an.»

«Okay. Niemand schreit mehr. Lass uns was zu Abend essen.» Gary gab Aaron einen leichten Karateschlag auf die Schulter. «Was meinst du.»

Aaron rührte sich nicht. Offenbar waren noch weitere aufmunternde Worte angezeigt, doch Gary fielen keine ein. Er registrierte einen bedenklichen Engpass bei den Faktoren 1 und 3. Gerade eben noch hatte er das Gefühl gehabt, dass Caroline drauf und dran gewesen war, ihm vorzuhalten, er sei «depressiv», und wenn die Idee, er sei depressiv, erst einmal in Umlauf kam, dann, so fürchtete er, könnte er sein Recht auf eine eigene Meinung in den Wind schreiben. Dann könnte er seine moralischen Überzeugungen in den Wind schreiben; jedes Wort, das er von da an sagte, würde zum Krankheitssymptom; er würde nie wieder einen Streit gewinnen.

Umso wichtiger schien es ihm deshalb, dass er sich jetzt gegen die Depression zur Wehr setzte – dass er sie mit der Wahrheit bekämpfte.

«Pass auf», sagte er. «Du hast doch mit Mom zusammen da draußen Fußball gespielt. Sag mir bitte, ob ich Recht habe. Hat sie schon gehumpelt, bevor sie ins Haus ging?»

Einen Moment lang, als Aaron sich langsam vom Bett erhob, glaubte Gary, die Wahrheit würde siegen. Doch das Gesicht, das Aaron ihm zeigte, war eine rötlich weiße Rosine des Abscheus und des Unglaubens.

«Du bist furchtbar!», sagte Aaron. *«Furchtbar!»* Und er rannte aus dem Zimmer.

Normalerweise hätte Gary Aaron so etwas nicht durchgehen lassen. Normalerweise hätte er seinen Sohn, falls nötig, den ganzen Abend lang drangsaliert, um ihm eine Entschuldigung abzuringen. Doch seine mentalen Märkte – Blutzuckergehalt, innere

Sekretion, Synapsenfreiverkehr – waren im Begriff einzubrechen. Er fand sich gemein, und wenn er Aaron jetzt drangsalierte, würde ihn das nur noch gemeiner machen, und vielleicht war das Gefühl, gemein zu sein, das wichtigste Warnsignal überhaupt.

Er begriff, dass er gleich zwei fatale Fehler begangen hatte. Er hätte Caroline nie versprechen dürfen, dass es keine weiteren Weihnachten in St. Jude geben werde. Und er hätte, als sie durch den Garten humpelte und das Gesicht verzog, wenigstens ein Foto von ihr schießen sollen. Jetzt beklagte er die moralischen Vorteile, um die diese Fehler ihn gebracht hatten.

«Ich bin nicht klinisch depressiv», sagte er zu seinem Spiegelbild im beinahe dunklen Kinderzimmerfenster. Mit einer gewaltigen, ihn bis aufs Mark strapazierenden Willensanstrengung erhob er sich von Aarons Bett und trat an, sich selbst zu beweisen, dass er sehr wohl einen ganz normalen Abend verleben konnte.

Jonah kam mit *Prinz Kaspian* die dunklen Treppen herauf. «Ich hab das Buch durchgelesen», sagte er.

«Hat's dir gefallen?»

«Ich fand's toll», sagte Jonah. «Ein richtig gutes Kinderbuch. Aslan hat eine Tür in die Luft gemacht, und da sind Leute durchgegangen und verschwunden. Sie haben Narnia verlassen und sind in die wirkliche Welt zurückgekehrt.»

Gary ging in die Hocke. «Umarm mich mal.»

Jonah schlang seine Arme um ihn. Gary konnte die Geschmeidigkeit der kindlichen Gelenke spüren, ihre welpenhafte Biegsamkeit, die Hitze, die Jonahs Kopfhaut und Wangen abstrahlten. Er hätte sich die Kehle durchgeschnitten, wenn der Junge Blut gebraucht hätte; so gesehen, war seine Liebe grenzenlos; und dennoch fragte er sich, ob es nur Liebe war, wonach er sich im Augenblick sehnte, oder ob er nicht auch dabei war, eine Koalition zu bilden. Sich einen taktischen Verbündeten für die eigene Mannschaft zu sichern.

Was diese stagnierende Wirtschaft jetzt dringend braucht,

dachte Zentralbankratsmitglied Gary R. Lambert, *ist eine gehörige Infusion Bombay-Sapphire-Gin.*

In der Küche lümmelten Caroline und Caleb am Tisch, tranken Cola und aßen Kartoffelchips. Caroline hatte die Füße auf einen zweiten Stuhl gelegt und sich Kissen unter die Knie gesteckt.

«Was wollen wir heute Abend essen?», fragte Gary.

Seine Frau und sein mittlerer Sohn wechselten Blicke, als wäre dies genau die Art von Deppenfrage, für die er berühmt war. An der Chipskrümeldichte auf dem Tisch konnte er unschwer erkennen, dass sie auf dem besten Weg waren, sich den Appetit zu verderben.

«Gemischten Grillteller, denke ich», sagte Caroline.

«O ja, Dad, gemischten Grillteller!», sagte Caleb in einem Ton, den man ebenso gut für ironisch wie für begeistert halten konnte.

Gary fragte, ob Fleisch da sei.

Caroline stopfte sich Chips in den Mund und zuckte die Achseln.

Jonah bat um die Erlaubnis, das Grillfeuer zu machen.

Gary, der gerade Eis aus dem Gefrierschrank nahm, gab sie ihm.

Ganz normaler Abend. Ganz normaler Abend.

«Wenn ich die Kamera über dem Tisch anbringe», sagte Caleb, «kriege ich auch einen Teil vom Esszimmer drauf.»

«Dann geht dir aber die ganze Ecke hier flöten», sagte Caroline. «Von der Hintertür aus könntest du Schwenks in beide Richtungen machen.»

Gary verschanzte sich hinter der Tür der Hausbar, während er 120 Milliliter Gin auf Eis goss.

«‹Fünfundachtzig Grad›?», las Caleb aus dem Katalog vor. «Das heißt, dass man die Kamera beinahe senkrecht nach unten richten kann.»

Immer noch hinter der Schranktür verschanzt, nahm Gary einen ordentlichen lauwarmen Schluck Gin. Dann schloss er die Tür und hielt, für den Fall, dass es jemanden interessierte, was für einen relativ maßvollen Drink er sich eingeschenkt hatte, das Glas in die Höhe.

«Tut mir Leid, dich enttäuschen zu müssen», sagte er, «aber Überwachen ist out. Es ist als Hobby ungeeignet.»

«Dad, du hast gesagt, es wär okay, solange ich dabeibleibe.»

«Ich habe gesagt, ich denke nochmal drüber nach.»

Caleb schüttelte heftig den Kopf. «Nein! Hast du nicht! Du hast gesagt, ich kann es machen, wenn ich nicht gleich wieder das Interesse verliere.»

«Genau das hast du gesagt», bestätigte Caroline mit einem unschönen Lächeln.

«Ja, Caroline, ich bezweifle nicht, dass du jedes Wort gehört hast. Aber diese Küche wird nicht überwacht. Caleb, ich erlaube dir nicht, diese Gerätschaften zu kaufen.»

«Dad!»

«Das ist mein letztes Wort.»

«Das tut nichts zur Sache, Caleb», sagte Caroline. «Gary, das tut rein gar nichts zur Sache. Caleb hat nämlich eigenes Geld. Und das kann er ausgeben, wofür er will. Stimmt's, Caleb?»

Unter dem Tisch, so, dass Gary es nicht sehen konnte, gab sie ihm ein Zeichen.

«Genau, ich hab selber Geld gespart!» Calebs Ton erneut ironisch oder begeistert oder, womöglich, beides zugleich.

«Wir unterhalten uns später darüber, Caro», sagte Gary. Wärme und Perversität und Stumpfsinn, jedes für sich eine Folge des Gins, wanderten von irgendwo hinter seinen Ohren an Armen und Rumpf hinunter.

Jonah kam wieder herein, nach Mesquiteholz riechend. Caroline hatte eine weitere große Tüte Kartoffelchips geöffnet.

«Verderbt euch nicht den Appetit, Leute», sagte Gary gezwungen, während er Lebensmittel aus Plastikfächern nahm.

Erneut wechselten Mutter und Sohn Blicke.

«Stimmt», sagte Caleb. «Wir müssen ja noch Platz für den gemischten Grillteller lassen!»

Energisch schnitt Gary Fleisch und spießte Gemüse auf. Jonah deckte den Tisch, und zwar so, wie er es liebte, mit präzisen Abständen zwischen Geschirr und Besteck. Der Regen hatte aufgehört, doch die Holzdielen der Veranda waren noch rutschig, als Gary hinaustrat.

Es hatte als Familienwitz angefangen: Immer bestellt Dad im Restaurant gemischten Grillteller, immer will Dad nur in Restaurants, die gemischten Grillteller auf der Speisekarte haben. Und tatsächlich, so ein Teller mit einem Stück Lamm, einem Stück Schwein, einem Stück Kalb und einem oder zwei mageren, zarten Würstchen moderner Machart, so ein klassischer gemischter Grillteller eben, hatte für Gary etwas grenzenlos Köstliches, etwas unwiderstehlich *Luxuriöses.* Und weil das so war, hatte er begonnen, zu Hause selbst gemischte Grillteller zuzubereiten, die neben Pizza, Essen vom Chinesen und Pasta-Eintöpfen bald zu einem der Standardgerichte der Familie geworden war. Caroline tat das Ihre dazu, indem sie jeden Samstag schwere, blutfeuchte Tüten mit Fleisch und Wurst anschleppte, und binnen kurzem machte Gary zwei- oder sogar dreimal die Woche gemischten Grillteller, noch dem scheußlichsten Wetter auf der Veranda die Stirn bietend, und er liebte es. Er grillte Rebhuhnbrüste, Hühnerleber, Filets Mignons und mexikanisch gewürzte Truthahnwürstchen. Er grillte Zucchini und rote Paprika. Er grillte Auberginen, gelbe Paprika, Lammkoteletts, italienische Würstchen. Er erfand eine phantastische Bratwurst-Ribeye-Bok-Choy-Kombination. Er liebte es und liebte es und liebte es, und dann, auf einmal, war es ihm gleich.

Die klinische Bezeichnung ANHEDONIE war ihm in einem

Buch begegnet, das auf Carolines Nachttisch lag und den Titel *Befinden: EINS A!* (von Dr. med. Ashley Tralpis) trug. Mit einem Schauder des Wiedererkennens, einem fast bösartigen *Ja, ja,* hatte er im Lexikon unter ANHEDONIE nachgelesen: «Seelischer Zustand, gekennzeichnet durch die Unfähigkeit, in Situationen, die normalerweise Vergnügen bereiten, auch Vergnügen zu empfinden.» ANHEDONIE war mehr als ein Warnsignal, es war ein waschechtes Symptom. Eine trockene Fäulnis, die sich von Vergnügen zu Vergnügen ausbreitete, ein Pilz, der Gary die Freude am Luxus und die Lust am Müßiggang verdarb, Wonnen, die so viele Jahre lang seinen Widerstand gegen die kleinkarierte Gesinnung seiner Eltern befeuert hatten.

Letzten März in St. Jude hatte Enid angemerkt, dass Gary für einen Abteilungsleiter bei der Bank, dessen Frau nur halbtags und ehrenamtlich für den Children's Defense Fund arbeitete, *ganz schön viel* zu kochen scheine. Gary war es nicht schwer gefallen, seiner Mutter in die Parade zu fahren; sie sei mit einem Mann verheiratet, der nicht mal ein Ei kochen könne, und offensichtlich neidisch. An seinem Geburtstag aber, nachdem er mit Jonah aus St. Jude zurückgekommen war, das teure Geschenk eines Farbfotolabors bekommen und die Willenskraft aufgebracht hatte, *Eine Dunkelkammer, phantastisch, wie schön, wie schön!* zu rufen, da hatte Caroline ihm eine Platte mit rohen Garnelen und kruden Schwertfischsteaks zum Grillen gereicht, und er war unsicher geworden, ob seine Mutter nicht doch Recht gehabt hatte. Als er auf der Terrasse, in glühender Hitze, die Garnelen schwarzbriet und den Schwertfisch versengte, überkam ihn Müdigkeit. Die Aspekte seines Lebens, die nichts mit Grillen zu tun hatten, erschienen ihm auf einmal wie bloße Echoimpulse einer fremden Existenz mitten im Dauerbeschuss jener Momente, in denen er Mesquiteholz anzündete und auf der Terrasse hin- und herlief, um dem Rauch auszuweichen. Sobald er die Augen schloss, sah er verdrehte Popel von bräunendem

Fleisch auf einem Grill aus Chrom und höllischen Kohlen. Die ewige Glut, Glut der Verdammnis. Die sengenden Qualen der zwanghaften Wiederholung. An den Innenwänden des Grills hatte sich ein Florteppich aus schwarzen Phenolfetten gebildet. Der Boden hinter der Garage, auf den er die Asche schüttete, glich einer Mondlandschaft oder dem Hof einer Zementfabrik. Er hatte gemischte Grillteller sehr, sehr satt, und am nächsten Morgen sagte er zu Caroline: «Ich koche zu viel.»

«Dann koch eben weniger. Wir können ja essen gehen.»

«Ich möchte zu Hause essen *und* weniger kochen.»

«Dann bestell was per Lieferservice», sagte sie.

«Das ist nicht das Gleiche.»

«Du bist derjenige, der so hinter diesen gemeinsamen Mahlzeiten her ist. Die Jungs können gut darauf verzichten.»

«*Ich* aber nicht. *Mir* sind sie wichtig.»

«Schön, Gary. Aber mir sind sie nicht wichtig, den Jungen sind sie nicht wichtig – und trotzdem sollen wir für dich kochen?»

Er konnte es Caroline nicht verübeln. In den Jahren, als sie ganztags gearbeitet hatte, war es ihm nie eingefallen, sich über tiefgefrorenes, aus dem Restaurant mitgebrachtes oder vorgefertigtes Essen zu beschweren. Jetzt kam es Caroline vermutlich so vor, als ändere er einfach die Spielregeln. Gary dagegen kam es vor, als ändere sich das Wesen des Familienlebens selbst – als zählten Zusammensein und Kindesliebe und Brüderlichkeit nicht mehr so viel wie einst, als er jung war.

Und nun stand er wieder da und grillte. Durch die Küchenfenster beobachtete er, wie Caroline sich mit Jonah im Fingerhakeln maß. Er beobachtete, wie sie Aarons Kopfhörer nahm, um seine Musik zu hören, beobachtete, wie sie im Takt mit dem Kopf wippte. Es sah doch ganz nach Familienleben aus. War hier wirklich nichts faul und das einzige Problem die klinische Depression des Mannes, der hineinspähte?

Caroline schien vergessen zu haben, wie sehr ihr Rücken schmerzte, erinnerte sich aber sofort wieder daran, als er mit der dampfenden, qualmenden Platte vulkanisierten tierischen Eiweißes eintrat. Sie setzte sich seitwärts zum Tisch, stocherte mit der Gabel im Essen und wimmerte leise. Caleb und Aaron musterten sie mit ernsthafter Besorgnis.

«Will sonst keiner wissen, wie *Prinz Kaspian* ausgeht?», fragte Jonah. «Interessiert das niemanden?»

Carolines Augenlider flatterten, ihr Mund stand kläglich offen, ihr Atem ging flach. Gary überlegte krampfhaft, was er Undeprimiertes, einigermaßen Unfeindseliges sagen könnte, aber er war ziemlich betrunken.

«Herrgott, Caroline», sagte er, «wir wissen, dass dein Rücken wehtut, wir wissen, dass es dir dreckig geht, aber wenn du nicht mal gerade am Tisch sitzen kannst –»

Ohne ein Wort rutschte sie von ihrem Stuhl, hinkte mit ihrem Teller zum Spülbecken, schob ihr Abendessen in den Abfallzerkleinerer und hinkte die Treppe hinauf. Caleb und Aaron entschuldigten sich, zerkleinerten gleichfalls ihr Abendessen und folgten ihr. Alles in allem verschwand Fleisch im Wert von ungefähr dreißig Dollar in der Kanalisation, doch Gary, der den Pegel seines Faktors 3 über null zu halten versuchte, gelang es recht gut, nicht an die Tiere zu denken, die zu diesem Zweck ihr Leben gelassen hatten. Er saß im bleiernen Zwielicht seines Rausches, aß, ohne etwas zu schmecken, und lauschte Jonahs ungerührtem, fröhlichem Geplapper.

«Das ist ein köstliches Rindersteak, Dad, und ich hätte gern noch ein Stück von den gegrillten Zucchini, bitte.»

Aus dem Fernsehzimmer im ersten Stock drang das Gebell der Hauptsendezeit. Kurz verspürte Gary Mitleid mit Aaron und Caleb. Eine Mutter zu haben, die einen so sehr brauchte, ja für deren Glück geradezu verantwortlich zu sein, war eine Last, das wusste Gary. Er wusste auch, dass Caroline, anders als er, sehr allein auf der Welt war. Ihren Vater, einen gut aussehenden, charismatischen Anthropologen, hatte sie mit elf Jahren bei einem Flugzeugabsturz in Mali verloren. Die Eltern des Vaters, alte Quäker, die einen bisweilen mit «Ihr» anredeten, hatten Caroline die Hälfte ihres Anwesens vermacht, einschließlich eines wertvollen Andrew Wyeth, dreier Aquarelle von Winslow Homer und sechzehn Hektar bewaldeten Landes nahe Kennett Square, für das ein Bauträger eine unfassbare Summe gezahlt hatte. Carolines Mutter, inzwischen sechsundsiebzig und beängstigend gesund, wohnte mit ihrem zweiten Mann in Laguna Beach und war eine wichtige Wohltäterin der kalifornischen Demokraten; einmal im Jahr, im April, kam sie an die Ostküste und brüstete sich damit, keine «dieser alten Frauen» zu sein, die nur für ihre Enkelkinder lebten. Carolines einziger Bruder, Philip mit Namen, war Junggeselle, ein gönnerhafter Festkörper-Physiker mit Ärmelschonern, den ihre Mutter auf ziemlich beklemmende Weise vergötterte. Gary kannte in St. Jude keine vergleichbaren Familien. Von Anfang an hatte er Caroline wegen ihrer unglücklichen, einsamen Kindheit geliebt und bedauert. Und er hatte sich zum Ziel gesetzt, ihr eine bessere Familie zu bieten.

Nach dem Abendessen jedoch, während er und Jonah die Spülmaschine einräumten, erklang oben im ersten Stock weibliches Gelächter, richtig lautes Gelächter, und auf einmal war er überzeugt, dass Caroline ein ganz übles Spiel mit ihm trieb. Er war versucht, hinaufzugehen und die Party platzen zu lassen. Doch als das Summen des Gins in seinem Kopf verebbte, wurde der metallische Ton einer älteren Sorge hörbar. Einer Sorge, die Axon betraf. Er fragte sich, warum eine kleine Firma, die ein hochexperimentelles Verfahren entwickelte, seinem Vater Geld anbot.

Dass der Brief an Alfred von Bragg Knuter & Speigh stammte, einer Kanzlei, die eng mit Investmentbankern zusammenarbeitete, ließ auf die Vorbereitung eines Börsengangs schließen: Da wurden am Vorabend eines großen Ereignisses fein säuberlich Kommata und i-Tüpfelchen gesetzt.

«Möchtest du nicht zu deinen Brüdern raufgehen?», sagte Gary. «Klingt, als hätten sie viel Spaß da oben.»

«Nein», sagte Jonah. «Ich will den nächsten Narnia-Band lesen, da gehe ich lieber in den Keller, wo es ruhig ist. Kommst du mit?»

Das alte Spielzimmer im Keller, immer noch trocken und mit Teppichboden ausgelegt und kiefernholzgetäfelt, immer noch *schön*, war von jenem Müllbrand befallen, der einem Wohnraum früher oder später den Garaus macht: Lautsprecherboxen, geometrische Verpackungskörper aus Styropor, ausgediente Ski- und Strandausrüstungen in allerschönsten Verwehungen. In fünf großen und einem Dutzend kleineren Kisten lagen Aarons und Calebs alte Spielsachen. Niemand außer Jonah rührte sie je an, und angesichts einer solchen Schwemme ging auch er, ob allein oder mit einem Freund, im Wesentlichen archäologisch zu Werke. Manchen Nachmittag brachte er damit zu, eine große Kiste zur Hälfte auszupacken und geduldig Action-Figuren samt Zubehör, Fahrzeugen und Modellhäuschen nach Größe und Hersteller zu sortieren (was zu nichts anderem passte, warf er hinters Sofa), doch selten war er am Boden einer Kiste angelangt, bevor sein Freund nach Hause musste oder das Essen auf dem Tisch stand, woraufhin er alles, was er ausgegraben hatte, wieder verscharrte, und so wurde mit den Sachen, die in ihrem Überfluss für einen Siebenjährigen das Himmelreich hätten sein müssen, praktisch nicht gespielt – eine weitere Lektion in ANHEDONIE, die Gary ignorierte, so gut er eben konnte.

Während Jonah zu lesen anfing, schaltete Gary Calebs «alten» Laptop an und ging online. Er gab die Suchbegriffe axon und schwenksville ein. Eine der beiden Sites, auf die er verwiesen wurde, war die Axon Corporation Home Page, aber als Gary sie besuchen wollte, erfuhr er, dass sie sich IN ÜBERARBEITUNG befand. Das andere Link führte ihn zu einer Seite, die tief in der Website von Westportfolio Biofunds nistete und deren Verzeichnis interessanter, nicht gelisteter Unternehmen ein virtuelles Notstandsgebiet trostloser Graphik und fehlerhafter Rechtschreibung war. Die Axon-Seite war zum letzten Mal vor einem Jahr auf den neuesten Stand gebracht worden.

Axon Corporation, 24 East Industrial Serpentine, Schwenksville, PA, Gesellschaft mit beschränkter Haftung, handelsgerechtlich eingetragen im Staat Delaware, hält die wertweiten Rechte am Eberle-Verfahren der Gezielten Neurochemotaxis. Das Eberle-Verfahren ist geschützt durch die US-Patente 5.101.239, 5.101.599, 5.103.628, 5.103.629 und 5.105.996, deren alleiniger und exklusiver Lizenzgeber die Axon Corporation ist. Axon kümmert sich um Optimierung, Vermarktung und Vertrieb des Eberle-Verfahrens an Krankenhäuser und Kliniken weltweit sowie um die Forschung und Weiterentwicklung verwandter Technologien. Ihr Gründer und Geschäftsführer ist Dr. Earl H. Eberle, ehemals Professor für Angewandte Neurobiologie an der Johns Hopkins School of Medicine.

Das Eberle-Verfahren der Gezielten Neurochemotaxis, auch bekannt als Eberle'sche Reversiv-Tomographische Chemotherapie, hab4 die Behandlung inoperabler Neuroblastome und einer Vielzahl anderer morphologischer Gehirnschäden revolutioniert.

Das Eberle-Verfahren verwendet computergesteuerte Hochfrequenzstrahlen, um starke Zytostatika, Mutagene und bestimmte unspezifische Toxine auf krankes Gehirngewebe zu lenken und sie vor Ort zu aktivieren, ohne das umgebende gesunde Gewebe zu schädigen.

Gegenwärtig muss der Patient beim Eberle-Verfahren aufgrund von Einschränkungen in der Computerleistung für bis zu sechsunddreifig Stunden in einem Eberle-Zylinder sediert und immobilisiert werden, während genauestens aufeinander abgestimmte Felder therapeutisch aktive Liganden und ihre inerten «Huckepack»-Träger auf den Krankheitsherd lenken. Die nächste Generation der Eberle-Zylinder soll die maximale Behandlungsdauer auf insgesamt weniger als zwei Stunden reduzieren.

Das Eberle-Verfahren ist im Oktober 1996 als «sichere und wirksame» Behandlungsmethode im Sinne des Lebens- und Arzneimittelgesetzes uneingeschränkt anerkannt worden. Seitdem hat sich mit sein4r klinischen Anwendung auf der ganzen Welt, wie in den zahlreichen unten aufgeführten Publikationen im Detail nachzulesen, die Sicherheit und Wirksamkeit nur bestätigt.

Ohne den allfälligen Internet-Hype schwanden Garys Hoffnungen, mit Axon über Nacht den großen Reibach zu machen, dahin. Ein wenig e-müde, einem e-Kopfschmerz trotzend, gab er den Suchbegriff earl eberle ein. Zu den mehreren hundert Fundstellen zählten Artikel wie NEUE HOFFNUNG FÜR NEUROBLASTOME, EIN RIESENSCHRITT VORWÄRTS und DIESE THERAPIE KÖNNTE WUNDER WIRKEN. Eberle und seine Mitarbeiter waren außerdem mit «Remote Computer-Aided Stimulation of Receptor Sites 14, 16A und 21: A Practical Demonstration», «Four Low-Toxicity Ferroacetate Complexes That Cross the BBB», «In-Vitro RF Stimulation of Colloidal Microtubules» sowie mit einem Dutzend weiterer Aufsätze in Fachzeitschriften vertreten. Der Hinweis aber, der Gary am meisten interessierte, war vor sechs Monaten in der Zeitschrift *Forbes ASAP* erschienen:

> Manche dieser Erfindungen, wie der Fogarty-Ballonkatheter und die Lasik-Hornhautchirurgie, sind für die Gesellschaften, die das entsprechende Patent halten, regelrechte Goldesel. Andere, mit so esoterischen Namen wie **Eberle-Verfahren** der Gezielten Neurochemotaxis, machen ihre Erfinder auf herkömmliche Weise reich: ein Mann, ein Vermögen. Das **Eberle-Verfahren**, das noch im Jahre 1996 nicht offiziell anerkannt war, heute dagegen als goldener Standard für die Behandlung einer großen Anzahl von Hirntumoren und -läsionen gilt, bringt seinem Erfinder, dem Johns-Hopkins-Neurobiologen Earl H. («Krauskopf») Eberle, weltweit schätzungsweise bis zu 40 Millionen Dollar jährlich an Lizenzgebühren und anderen Erträgen ein.

Vierzig Millionen Dollar jährlich klang schon besser. *Vierzig Millionen Dollar jährlich*, das belebte Garys Hoffnungen und ließ ihn gleich wieder stocksauer werden. Earl Eberle scheffelte *vierzig Millionen Dollar jährlich*, während Alfred Lambert, ebenfalls ein Erfinder, aber seinem Temperament nach (gestehen wir's uns ein) ein *Verlierer* – einer der Schwachen dieser Welt –, für seine Mühe ganze fünftausend erhalten sollte. Und auch noch vorhatte, diese Krumen mit Orfic Midland zu teilen!

«Das ist so ein tolles Buch», berichtete Jonah. «Es wird vielleicht sogar mein Lieblingsbuch.»

Warum dann, dachte Gary, diese Eile, an Dads Patent heranzukommen, hm, Krauskopf? Warum dieses Gedrängel? Die Intuition des Finanzmanns, ein warmes Kribbeln in den Lenden, sagte ihm, dass ihm hier vielleicht eine Insider-Information in den Schoß gefallen war. Eine Insider-Information aus einer zufällig aufgespürten (und daher vollkommen legalen) Quelle. Ein saftiges Stück Fleisch ganz für ihn allein.

«Es ist, als wären sie auf einer Luxuskreuzfahrt», sagte Jonah, «bloß dass sie versuchen, ans Ende der Welt zu segeln. Da wohnt nämlich Aslan, weißt du, am Ende der Welt.»

In der SEC's Edgar Database fand Gary einen vorbörslichen Verkaufsprospekt, einen so genannten Red-Herring-Prospekt, über eine Neuemission von Axon-Aktien. Der Börsengang war für den 15. Dezember angesetzt, das war in gut drei Monaten. Hauptverantwortlich zeichnete Hevy & Hodapp, eine der Elite-Investmentbanken. Gary überprüfte bestimmte Vitalfunktionen – Cashflow, Emissionsvolumen, Floatvolumen – und drückte, mit kribbelnden Lenden, auf **Später Herunterladen**.

«Jonah, neun Uhr», sagte er. «Ab in die Badewanne.»

«Ich würde so gern mal eine Luxuskreuzfahrt machen, Dad», sagte Jonah, schon an der Treppe, «wenn das irgendwann möglich wäre.»

In einem anderen **Suchen**-Feld gab Gary, mit leicht parkinsonschen Händen, die Wörter hübsch, nackt und blond ein.

«Schließ bitte die Tür, Jonah.»

Auf dem Monitor baute sich das Bild einer hübschen nackten Blondine auf. Gary klickte sie an, und ein sonnengebräunter nackter Mann, hauptsächlich von hinten fotografiert, aber auch in Nahaufnahme von den Knien bis zum Nabel, konnte dabei beobachtet werden, wie er der hübschen nackten Blondine seine ganze geschwollene Aufmerksamkeit zuwandte. Die Bilder hatten etwas Fließbandartiges an sich. Die hübsche nackte Blondine war das Rohmaterial, dem der nackte, sonnengebräunte Mann eifrigst mit seinem Werkzeug zu Leibe rückte. Zunächst wurde die bunte Stoffhülle entfernt, dann wurde das Material auf die Knie hinuntergedrückt, und der halbgelernte Arbeiter steckte ihm sein Werkzeug in den Mund, dann wurde das Material auf den Rücken gelegt, während der Arbeiter es mit dem Mund kalibrierte, dann brachte der Arbeiter das Material in eine Reihe horizontaler und vertikaler Positionen, drehte und bog es zurecht, wie er es für nötig hielt, und bearbeitete es sehr energisch mit seinem Werkzeug ... Die Bilder ließen Gary eher weich werden als hart. Er fragte sich, ob er schon in dem Alter war, wo Geld ihn mehr erregte als eine hübsche nackte Blondine beim Sex, oder ob die ANHEDONIE, des einsamen Vaters Depression in einem Kellerraum, auch hier ihr Unwesen trieb.

Es klingelte an der Haustür. Jugendliche Füße kamen vom ersten Stock heruntergetrampelt.

Rasch reinigte Gary den Bildschirm und ging nach oben, gerade noch rechtzeitig, um Caleb mit einer großen Pizzaschachtel wieder ins Obergeschoss laufen zu sehen. Er folgte ihm und blieb einen Moment, den Geruch von Peperoni in der Nase und das wortlose, geräuschvolle Kauen seiner Frau und seiner Söhne im Ohr, vor dem Fernsehzimmer stehen. Etwas Militärisches, ein Panzer oder Lastwagen, dröhnte zur Begleitung von Kriegsfilmmusik.

«Wirr errhöhen Drruuck, Leutnant. Jetzt Sie werrden rreden? Jetzt?»

In *Hände weg: Pädagogische Fähigkeiten für das nächste Jahrtausend* warnte Dr. Harriet L. Schachtman: *Allzu oft «schützen» ängstliche Eltern heutzutage ihre Kinder vor den angeblich «verheerenden Einflüssen» von Fernsehen und Computerspielen, nur um sie den weit schädlicheren Einflüssen der sozialen Ächtung durch Altersgenossen auszusetzen.*

Gary, der als Kind eine halbe Stunde am Tag hatte fernsehen dürfen und sich nicht geächtet vorgekommen war, schien Schachtmans Theorie ein Patentrezept dafür zu sein, wie man die nachgiebigsten Eltern einer Gemeinschaft die Maßstäbe diktieren ließ und alle anderen zwang, ihre Werte entsprechend weit herunterzuschrauben. Doch Caroline hing dieser Theorie vorbehaltlos an, und da sie die alleinige Sachwalterin seines Ehrgeizes war, nicht wie sein Vater zu sein, und da sie glaubte, dass Kinder durch die Interaktion mit Altersgenossen mehr lernten als durch elterliche Erziehung, fügte Gary sich ihrem Urteil und ließ die Jungen nahezu unbegrenzt fernsehen.

Was er nicht bedacht hatte, war, dass er selbst der Geächtete sein würde.

Er zog sich in sein Arbeitszimmer zurück und rief ein zweites Mal in St. Jude an. Das schnurlose Küchentelefon lag noch auf seinem Schreibtisch, eine Erinnerung an frühere Unerquicklichkeiten und zukünftige Konflikte.

Er hätte lieber mit Enid gesprochen, aber es war Alfred, der abnahm und ihm sagte, sie sei drüben bei den Roots, ein wenig plaudern. «Wir hatten heute Abend ein Nachbarschaftstreffen», sagte er.

Gary erwog, später noch einmal anzurufen, doch er wollte sich von seinem Vater nicht einschüchtern lassen. «Dad», sagte er, «ich habe mich ein bisschen kundig gemacht. Axon ist eine Firma mit *sehr viel* Geld.»

«Gary, ich habe dir doch gesagt, dass du mir da nicht reinfuhrwerken sollst», antwortete Alfred. «Außerdem ist es jetzt müßig.»

«Was meinst du mit ‹müßig›?»

«Müßig eben. Hat sich erledigt. Die Dokumente sind notariell beglaubigt. Ich ziehe noch die Notarkosten ab, und das war's.»

Gary drückte zwei Finger gegen seine Stirn. «Mein Gott. Du warst beim Notar, Dad? An einem Sonntag?»

«Ich richte deiner Mutter aus, dass du angerufen hast.»

«Schick diese Dokumente *nicht* ab. Hörst du?»

«Gary, jetzt reicht es mir.»

«Tja, so ein Pech aber auch, ich komme gerade erst in Fahrt!»

«Ich habe dich gebeten, nicht mehr davon anzufangen. Wenn du dich nicht wie ein anständiger, zivilisierter Mensch benehmen kannst, habe ich keine andere Wahl –»

«Deine ganze Anständigkeit ist doch Blödsinn. Deine Zivilisiertheit ist Blödsinn. Schwäche ist das! Angst! Blödsinn!»

«Ich wünsche, nicht darüber zu sprechen.»

«Dann vergiss es.»

«Das habe ich vor. Kein Wort mehr davon. Deine Mutter und ich kommen nächsten Monat für zwei Tage zu euch, und wir hoffen, euch im Dezember bei uns zu sehen. Es ist mein Wunsch, dass wir uns dann alle vernünftig benehmen.»

«Egal, wie es unter der Oberfläche aussieht. Hauptsache, wir sind alle ‹vernünftig›.»

«Im Kern ist das meine Überzeugung, jawohl.»

«Also, meine ist es nicht», sagte Gary.

«Das weiß ich. Deshalb bleiben wir auch nur achtundvierzig Stunden, nicht länger.»

Gary legte auf, wütender denn je. Er hatte gehofft, seine Eltern würden im Oktober eine ganze Woche bleiben. Er wollte, dass sie in Lancaster County Kuchen aßen, eine Theateraufführung im Annenberg Center besuchten, in West Chester Äpfel pflückten, Aaron Trompete spielen hörten, Caleb Fußball spielen sahen, sich an Jonahs Gesellschaft erfreuten und einfach mitbekamen, was für ein gutes Leben Gary hatte, wie sehr es Respekt und Bewunderung verdiente; und achtundvierzig Stunden reichten dafür nicht aus.

Er verließ sein Arbeitszimmer und gab Jonah einen Gutenachtkuss. Dann duschte er und legte sich auf das große Eichenbett und versuchte, sich auf die neueste Ausgabe des *Inc.* zu konzentrieren. Aber er konnte nicht aufhören, sich in Gedanken mit Alfred zu streiten.

Während seines Besuchs bei den Eltern im März war er erschüttert gewesen, wie sehr die Kräfte seines Vaters in den wenigen Wochen seit Weihnachten nachgelassen hatten. Ob Alfred Flure entlangschlurfte, Treppen mehr oder weniger hinunterrutschte oder seine Zähne in ein Sandwich grub, aus dem es Salatblätter und Hackfleisch regnete, stets schien er am Rand einer Entgleisung; unentwegt auf die Uhr schauend und mit den Augen umherwandernd, sobald ein Gespräch ihn nicht unmittelbar betraf, raste das alte Dampfross auf eine Katastrophe zu, und Gary konnte es kaum ertragen hinzusehen. Denn wer, wenn nicht er, würde letztlich die Verantwortung übernehmen? Enid war hysterisch und moralinsauer, Denise lebte in Fantasialand, und Chip war seit drei Jahren nicht mehr in St. Jude gewesen. Wer, wenn nicht Gary, würde sagen: *Dieser Zug sollte nicht mehr auf der alten Strecke fahren?*

Ganz oben auf der Tagesordnung stand, wie Gary es sah, der Verkauf des Hauses. Einen Spitzenpreis erzielen, seinen Eltern eine kleinere, neuere, sicherere, billigere Bleibe besorgen und den Rest aggressiv investieren. Das Haus war Enids und Alfreds einziger großer Vermögenswert, und Gary nahm sich einen Vormittag lang Zeit, das ganze Anwesen, innen wie außen, zu inspizieren. Er fand Risse im Putz, Rostäderchen in den Waschbecken, eine feuchte Stelle an der Schlafzimmerdecke. Er entdeckte Regenflecken an der Innenwand der rückwärtigen Veranda, einen Bart aus getrocknetem Seifenschaum am Kinn der alten Spülmaschine, ein alarmierendes Rumpeln im Gebläse der Belüftungsanlage, Warzen und Furchen im Asphalt der Einfahrt, Termiten im Brennholzstapel, einen Eichenast, der wie ein Damoklesschwert über einer Gaube hing, fingerbreite Risse im Fundament, tragende Wände mit Schlagseite, schaumgekrönte Wellen aus abblätternder Farbe an Fensterrahmen, riesige, kühn gewordene Spinnen im Keller, ganze Felder vertrockneter Asseln und Grillenhülsen, mysteriöse pilzige und enterale Gerüche, kurz: entropischen Zerfall, wo immer er hinsah. Selbst bei anziehendem Markt begann das Haus im Wert zu sinken, und Gary dachte: Wir müssen das Scheißding *jetzt* verkaufen, wir dürfen keinen *Tag* mehr verlieren. Am letzten Morgen seines Aufenthalts fuhr Gary, während Jonah Enid einen Geburtstagskuchen backen half, mit Alfred zum Eisenwarengeschäft. Kaum saßen sie im Auto, sagte er, es sei an der Zeit, das Haus auf den Markt zu bringen.

Alfred, auf dem Beifahrersitz des greisenhaften Oldsmobils, blickte starr geradeaus. «Warum?»

«Wenn du die Frühjahrssaison verpasst», sagte Gary, «musst du ein ganzes Jahr warten. Und das kannst du dir nicht leisten. Du kannst dich nicht darauf verlassen, dass du gesund bleibst, und das Haus verliert an Wert.»

Alfred schüttelte den Kopf. «Ich habe mich lange dafür stark gemacht. Eine Zweizimmerwohnung mit Küche und Bad ist alles, was wir brauchen. Ein Plätzchen zum Kochen für deine Mutter, zum Sitzen für uns. Aber es ist zwecklos. Sie will hier nicht weg.»

«Dad, wenn ihr nicht in eine Wohnung zieht, die besser zu handhaben ist, tust du dir irgendwann noch was. Du landest im Pflegeheim.»

«Ich habe nicht die Absicht, in ein Pflegeheim zu gehen. So.»

«Dass du nicht die Absicht hast, heißt noch lange nicht, dass es nicht passiert.»

Alfred schaute im Vorbeifahren zu Garys alter Grundschule. «Wo geht's hin?»

«Du fällst die Treppen runter, du rutschst auf dem Eis aus und brichst dir die Hüfte, und schon bist du im Pflegeheim. Carolines Großmutter –»

«Ich habe nicht verstanden, wo es hingeht.»

«Zum Eisenwarengeschäft», sagte Gary. «Mom möchte einen Dimmer für die Küchenlampe haben.»

Alfred schüttelte den Kopf. «Sie und ihre romantische Beleuchtung.»

«Sie hat eben Freude daran», sagte Gary. «Woran hast du Freude?»

«Wie meinst du das?»

«Ich meine, dass du ihr das Leben ziemlich schwer machst.»

Alfreds Hände, immer in Bewegung, griffen auf seinem Schoß ins Leere – strichen einen inexistenten Pokereinsatz ein. «Ich bitte dich nochmal, dich nicht einzumischen», sagte er.

Das Licht eines spätwinterlichen Tauwettermorgens, die Stille einer Unstunde in St. Jude – Gary fragte sich, wie seine Eltern das ertrugen. Die Eichen waren genauso ölig schwarz wie die Krähen, die darin hockten, der Himmel genauso salzweiß wie das Pflaster, auf dem ältere Verkehrsteilnehmer, sedierende Geschwindigkeitsbegrenzungen einhaltend, ihre Ziele ansteuerten: die Einkaufszentren mit Pfützen von Schmelzwasser auf den Wellblechdächern; die Ausfallstraße vorbei an Puddelstahlbauhöfen und der staatlichen Nervenklinik und den Sendemasten, die Seifenopern und Spielshows in den Äther einspeisten; die Ringstraßen und, jenseits davon, Hunderttausende Hektar tauenden Hinterlands, wo Kleintransporter achsentief im Lehm stecken blieben, in den Wäldern .22er abgefeuert wurden und im Radio nichts als Gospels und Hawaiigitarren zu hören waren; Wohnblocks mit dem gleichen farblos-grellen Leuchten in jedem Fenster, eichhörnchenverseuchten gelben Vorgärten, in denen hier und da ein Plastikspielzeug halb im Schmutz verbuddelt lag, einem Postboten, der irgendetwas Keltisches pfiff und die Briefkästen lauter als nötig zuknallte, weil die Totenstille dieser Straßen einem, zu einer solchen Unstunde, in einer solchen Unjahreszeit, wahrhaft den Rest geben konnte.

«Bist du glücklich mit deinem Leben?», fragte Gary, während er auf den Linksabbieger-Pfeil wartete. «Kannst du von dir behaupten, dass du jemals glücklich bist?»

«Ich habe ein Gebrechen, Gary –»

«Viele Menschen haben Gebrechen. Wenn das deine Entschuldigung ist, bitte, wenn du dir Leid tun willst, bitte, aber warum musst du Mom mit runterziehen?»

«Tja. Du fährst morgen ab.»

«Und das bedeutet? Dass du weiter in deinem Sessel sitzt und Mom für dich kocht und putzt?»

«Es gibt Dinge im Leben, die schlicht und einfach ausgehalten werden müssen.»

«Warum überhaupt am Leben bleiben, wenn das deine Einstellung ist? Worauf kannst du dich noch freuen?»

«Das frage ich mich jeden Tag.»

«Na, und wie lautet deine Antwort?»

«Wie lautet *deine*? Worauf sollte ich mich denn deiner Meinung nach freuen?»

«Aufs Reisen.»

«Ich bin genug gereist. Dreißig Jahre lang.»

«Darauf, dass du Zeit für die Familie hast. Für die Menschen, die du liebst.»

«Kein Kommentar.»

«Was soll das heißen?»

«Nichts weiter: kein Kommentar.»

«Du bist immer noch sauer wegen Weihnachten.»

«Interpretier das, wie du willst.»

«Wenn du sauer wegen Weihnachten bist, könntest du vielleicht die Güte haben, es zu sagen –»

«Kein Kommentar.»

«Anstatt dich in Anspielungen zu ergehen.»

«Wir hätten zwei Tage später kommen und zwei Tage früher wieder abfahren sollen», sagte Alfred. «Das ist alles, was ich zum Thema Weihnachten zu sagen habe. Wir hätten nur achtundvierzig Stunden bleiben sollen.»

«Das liegt daran, dass du depressiv bist, Dad. Du bist klinisch depressiv –»

«Genau wie du.»

«Und das Vernünftigste wäre, du würdest dich behandeln lassen.»

«Hast du mich gehört? Ich habe gesagt, genau wie du.»

«Wovon redest du überhaupt?»

«Denk mal darüber nach.»

«Dad, im Ernst, wovon redest du? *Ich* bin nicht derjenige, der den ganzen Tag im Sessel sitzt und schläft.»

«Unter der Oberfläche schon.»

«Das *stimmt* einfach nicht.»

«Eines Tages wirst du es sehen.»

«Werde ich nicht!», sagte Gary. «Mein Leben hat ein vollkommen anderes Fundament als deins.»

«Denk an meine Worte. Ich schaue mir deine Ehe an, ich sehe, was ich sehe. Eines Tages wirst du es auch sehen.»

«Das ist leeres Geschwätz, und das weißt du. Du hast bloß eine Scheißwut auf mich und kannst nicht damit umgehen.»

«Ich habe dir bereits gesagt, dass ich nicht darüber diskutieren will.»

«Und ich respektiere das nicht.»

«Nun, es gibt auch Dinge in *deinem* Leben, die *ich* nicht respektiere.»

Zu hören, dass Alfred, der in fast jeder Hinsicht Unrecht hatte, manches in Garys Leben nicht respektierte, hätte nicht wehtun dürfen; und dennoch tat es weh.

Im Eisenwarengeschäft überließ er es Alfred, den Dimmer zu bezahlen. Die Vorsicht, mit der der alte Mann die Scheine aus seiner schmalen Brieftasche zupfte, das leichte Zögern, bevor er sich von ihnen trennte, waren Zeichen seiner Achtung vor jedem Dollar – seiner blödsinnigen Überzeugung, dass jeder einzelne zählte.

Wieder zu Hause, holte Alfred, während Gary und Jonah draußen kickten, Werkzeug aus dem Keller, stellte den Strom in der Küche ab und machte sich daran, den Dimmer zu installieren. Nicht einmal jetzt kam Gary auf den Gedanken, dass es vielleicht keine gute Idee war, Alfred mit Kabeln hantieren zu lassen. Als er zum Mittagessen ins Haus ging, sah er, dass sein Vater bislang nur den Deckel vom alten Schalter abmontiert hatte. Den Dimmer hielt er in der Hand wie eine Sprengkapsel, die ihn vor Angst zittern ließ.

«Mein Gebrechen erschwert mir so etwas», erklärte Alfred.

«Du musst das Haus verkaufen», sagte Gary.

Nach dem Essen fuhr er mit seiner Mutter und seinem Sohn ins Verkehrsmuseum von St. Jude. Während Jonah in alte Lokomotiven kletterte und das trockengedockte U-Boot erkundete und Enid sich hinsetzte, um ihre schmerzende Hüfte auszuruhen, listete Gary im Geist alle Ausstellungsstücke auf, weil er das Gefühl brauchte, etwas geleistet zu haben. Mit den Exponaten selbst, ihrer erschöpfenden Mitteilsamkeit, ihrer fröhlichen Volksprosa, konnte er nichts anfangen. DAS GOLDENE ZEITALTER DER DAMPFKRAFT. MORGENDÄMMERUNG DES FLIEGENS. EIN JAHRHUNDERT DER AUTOMOBILEN SICHERHEIT. Absatz um Absatz tönernen Texts. Das Schlimmste am Mittelwesten war für Gary, dass er sich hier so ungehätschelt, so unprivilegiert vorkam. St. Jude mit seinem zuversichtlichen Egalitarismus brachte ihm einfach nicht den Respekt entgegen, zu dem seine Talente und Leistungen ihn berechtigten. Ach, die Tristesse dieses Ortes! Die ernsthaften Bauerntölpel um ihn herum wirkten neugierig und überhaupt nicht deprimiert. Wie munter sie ihre missgestalteten Köpfe mit Fakten füllten: als könnten Fakten sie retten! Nicht eine einzige Frau, die auch nur halb so hübsch oder gut angezogen war wie Caroline. Nicht ein einziger Mann mit einem so anständigen Haarschnitt oder einem so flachen Bauch wie Gary. Aber genau wie Alfred, genau wie Enid waren sie ausgesprochen rücksichtsvoll. Sie schubsten Gary nicht und drängelten sich auch nicht vor, sondern warteten, bis er zum nächsten Exponat geschlendert war. Dann rückten sie näher und lasen und lernten. Gott, wie er den Mittelwesten hasste! Er konnte kaum atmen oder sich aufrecht halten. Er hatte Angst, sich gleich übergeben zu müssen. Eilig flüchtete er in den Museumsladen und kaufte eine silberne Gürtelschnalle, zwei Stiche von Eisenbahnviadukten der Midland Pacific und eine Feldflasche aus Zinn (alles für sich selbst), ein hirschledernes Portemonnaie (für Aaron) und ein Bürgerkriegsspiel auf CD-ROM (für Caleb).

«Dad», sagte Jonah, «Grandma will mir zwei Bücher für jeweils höchstens zehn Dollar kaufen oder eins für höchstens zwanzig, ist das in Ordnung?»

Enid und Jonah waren ein Herz und eine Seele. Enid waren kleine Kinder stets lieber gewesen als große, und Jonah hatte sich im Ökosystem der Familie die Nische des perfekten Enkelkinds gesucht, das eifrig auf Schöße kletterte, unerschrocken bitteres Gemüse aß, sich wenig aus Fernsehen und Computerspielen machte und großes Geschick darin bewies, Fragen wie «Na, gehst du gern zur Schule?» frohgemut zu beantworten. In St. Jude badete er in der ungeteilten Aufmerksamkeit dreier Erwachsener. Er erklärte St. Jude zum schönsten Ort, an dem er je gewesen war. Auf dem Rücksitz des Oldsmobiles bestaunte er, die elfenhaften Augen weit aufgerissen, alles, was Enid ihm zeigte.

«Wie leicht man hier einen Parkplatz findet!»

«So wenig Autos!»

«Das Verkehrsmuseum ist besser als alle Museen, die es bei *uns* gibt, findest du nicht, Dad?»

«Ich finde die Beinfreiheit hier im Auto klasse. Das ist das tollste Auto, in dem ich je gefahren bin.»

«Die Läden sind alle so nah und gut zu erreichen!»

Am Abend, nachdem sie vom Museum zurück waren und Gary weitere Besorgungen erledigt hatte, gab es gefüllte Schweinekoteletts und einen Geburtstags-Schokoladenkuchen. Jonah aß verträumt Eiscreme, als Enid ihn fragte, ob er nicht Lust habe, Weihnachten in St. Jude zu feiern.

«Das fänd ich toll», sagte Jonah, dessen Lider vor satter Zufriedenheit auf halbmast hingen.

«Wir machen Zuckerplätzchen und Eierflip, und du hilfst uns beim Baumschmücken», sagte Enid. «Wahrscheinlich schneit es, dann kannst du Schlitten fahren. Und, Jonah, im Waindell Park gibt es jedes Jahr eine *herrliche* Lichtershow, Weihnachtsland heißt sie, da wird der ganze Park hell erleuchtet –»

«Mutter, es ist März», sagte Gary.

«Können wir Weihnachten herkommen?», fragte Jonah ihn.

«Wir kommen bestimmt bald wieder», sagte Gary. «Ob an Weihnachten, weiß ich noch nicht.»

«Ich glaube, Jonah fände es schön», sagte Enid.

«Ich fände das *total* schön», sagte Jonah und belud einen weiteren Löffel mit Eiscreme. «Es könnte mein allerschönstes Weihnachten werden.»

«Das glaube ich auch», sagte Enid.

«Es ist März», sagte Gary. «Wir reden im März nicht über Weihnachten, das wisst ihr. Auch nicht im Juni oder August. Das wisst ihr genau.»

«Also», sagte Alfred und stand auf, «ich gehe jetzt schlafen.»

«Ich bin für Weihnachten in St. Jude», sagte Jonah.

Dass sie Jonah für ihre Interessen einspannte, dass sie einen kleinen Jungen als Druckmittel benutzte, schien Gary ein gemeiner Trick von Enid zu sein. Nachdem er Jonah ins Bett gebracht hatte, sagte er seiner Mutter, dass Weihnachten wahrhaftig ihre geringste Sorge sein sollte.

«Dad kann nicht mal mehr einen Lichtschalter installieren», sagte er. «Und jetzt habt ihr oben eine undichte Stelle, und irgendwo am Schornstein regnet es rein –»

«Ich liebe dieses Haus.» Enid stand an der Spüle und schrubbte die Kotelettpfanne. «Dad braucht nur ein bisschen an seiner inneren Einstellung zu arbeiten.»

«Er braucht eine Schocktherapie oder Medikamente», sagte

Gary. «Wenn du dein Leben dafür hergeben willst, ihm zu dienen, ist das deine Sache. Wenn du in einem alten Haus mit tausend Macken wohnen und alles so erhalten willst, wie es dir gefällt, schön, auch das ist in Ordnung. Wenn du dich kaputtmachen willst, indem du versuchst, beides gleichzeitig hinzukriegen, bitte sehr, nichts dagegen. Aber verlang nicht von mir, dass ich im März Weihnachtspläne schmiede, nur damit du dich bei alledem besser fühlen kannst.»

Enid lehnte die Kotelettpfanne hochkant an den überladenen Abtropfständer auf der Arbeitsplatte. Gary wusste, dass er ein Geschirrtuch zur Hand nehmen sollte, aber das Chaos von nassen Pfannen und Tellern und Gerätschaften von seinem Geburtstagsessen lähmte ihn; sie abzutrocknen schien ihm genauso eine Sisyphusarbeit, wie all die Mängel im Haus seiner Eltern zu reparieren. Die einzige Möglichkeit, nicht zu verzweifeln, bestand darin, sich erst gar nicht damit abzugeben.

Er schenkte sich einen ziemlich kleinen Brandy als Schlummertrunk ein, während Enid mit unglücklichen Stoßbewegungen die voll gesogenen Essensreste vom Grund der Spüle kratzte.

«Was meinst *du* denn, was ich tun sollte?», fragte sie.

«Das Haus verkaufen», sagte Gary. «Ruf morgen einen Makler an.»

«Und in eine von diesen beengten modernen Eigentumswohnungen ziehen?» Enid schüttelte die widerwärtigen, nassen Reste von ihrer Hand in den Müll. «Wenn ich mal den ganzen Tag unterwegs bin, laden Dave und Mary Beth Dad zum Mittagessen ein. Das hat er gern, und ich bin dann so beruhigt, wenn ich weiß, dass er bei ihnen ist. Letzten Herbst wollte er eine neue Eibe pflanzen, aber er kriegte den alten Stumpf nicht raus, und da ist Joe Person mit einer Axt rübergekommen, und die beiden haben den ganzen Nachmittag lang zusammen gearbeitet.»

«Er sollte überhaupt keine Eiben pflanzen», sagte Gary, der

schon bereute, sich beim ersten Mal so wenig eingegossen zu haben. «Er sollte nicht mit Äxten hantieren. Der Mann kann ja kaum noch stehen.»

«Gary, ich weiß, dass wir hier nicht immer bleiben können. Aber ich möchte hier ein letztes *richtig schönes* Familienweihnachten feiern. Und ich möchte –»

«Könntest du dir denn einen Umzug vorstellen, wenn so ein Weihnachten stattfände?»

Neue Hoffnung ließ Enids Züge milder werden. «Würdet ihr dann vielleicht kommen, Caroline und du?»

«Ich kann nichts versprechen», sagte Gary. «Aber wenn es dir so leichter fiele, das Haus auf den Markt zu bringen, würden wir auf jeden Fall überlegen –»

«Ich fände es himmlisch, wenn ihr kämt. *Himmlisch*.»

«Aber, Mutter, du musst realistisch bleiben.»

«Lass uns erst mal dieses Jahr hinter uns bringen», sagte Enid. «Lass uns planen, Weihnachten hier zu feiern, so wie Jonah es sich wünscht, und dann sehen wir weiter!»

Garys ANHEDONIE hatte sich verschlimmert, als er nach Chestnut Hill zurückgekehrt war. Um eine Beschäftigung für den Winter zu haben, hatte er sich darangemacht, aus Hunderten von Heimvideostunden ein genießbares Zwei-Stunden-Band mit den *Größten Lambert-Hits* zusammenzuschneiden, von dem er hochwertige Kopien ziehen wollte, die sie vielleicht als «Video-Weihnachtskarten» verschicken konnten. Als die endgültige Fassung fertig war und er sich wieder und wieder seine Lieblingsfamilienszenen ansah und seine Lieblingssongs («Wild Horses», «Time After Time» usw.) anhörte, begann er diese Szenen und Songs zu *hassen*. Und als er, in der neuen Dunkelkammer, seine Aufmerksamkeit den zweihundert definitiven Lamberts zuwandte, stellte er fest, dass es ihm auch keinen Spaß mehr machte, Fotos anzuschauen. Jahrelang hatte er in Gedanken an den Zweihundert Lamberts herumgebastelt wie an einem optimal ausgewogenen Investmentfonds und mit großer Befriedigung all jene Fotos aufgelistet, die auf jeden Fall dazugehörten. Jetzt fragte er sich, wen, außer sich selbst, er mit diesen Aufnahmen eigentlich beeindrucken wollte. Wen versuchte er zu überzeugen, und wovon? Er verspürte den sonderbaren Impuls, seine alten Lieblingsbilder zu *verbrennen*. Doch da sein ganzes Leben als eine Korrektur des Lebens angelegt war, das sein Vater führte, und da zwischen ihm und Caroline seit langem Einigkeit darüber bestand, dass Alfred klinisch depressiv war, und man ja wusste, dass die klinische Depression genetische Ursachen hatte und im Prinzip erblich war, blieb Gary gar keine andere Wahl, als sich weiter standhaft gegen die ANHEDONIE zu wehren, weiter die Zähne zusammenzubeißen und weiter sein Bestes zu tun, um *Spaß am Leben zu haben* …

Er erwachte mit juckendem Ständer, neben sich, unter der Decke, Caroline.

Seine Nachttischlampe brannte noch, sonst war das Zimmer dunkel. Caroline lag da wie in einem Sarkophag, der Rücken flach auf der Matratze und ein Kissen unter den Knien. Durch die Fliegengitter vor den Schlafzimmerfenstern drang die kühle, feuchte Luft eines müde gewordenen Sommers. Kein Wind regte sich in den Blättern der Platane, deren unterste Zweige vor dem Fenster hingen.

Auf Carolines Nachttisch lag eine gebundene Ausgabe von *Neutrale Haltung: Wie Sie Ihrem Kind IHRE Jugend ersparen* (Dr. Caren Tamkin, 1998).

Sie schien zu schlafen. Ihr langer Arm, dank dreimal wöchentlichen Schwimmens im Cricket Club stramm wie eh und je, ruhte an ihrer Seite. Gary betrachtete ihre kleine Nase, ihren vollen roten Mund, den blonden Flaum und den matten Schweißfilm über ihrer Oberlippe, den spitz zulaufenden Streifen entblößter heller Haut zwischen dem Saum ihres T-Shirts und dem Gummizug ihrer alten kurzen Swarthmore-College-

Turnhose. Die ihm zugewandte Brust drückte von innen gegen das T-Shirt, die Kontur der karmesinroten Brustwarze zeichnete sich schwach unter dem gedehnten Stoff ab …

Als er die Hand ausstreckte und ihr übers Haar strich, zuckte ihr ganzer Körper zusammen, als wäre seine Hand eine Defibrillator-Elektrode.

«Was ist denn los?», sagte er.

«Mein Rücken bringt mich um.»

«Vor einer Stunde hast du noch gelacht und dich pudelwohl gefühlt. Und jetzt tut er wieder weh?»

«Die Wirkung des Motrins lässt nach.»

«Die wundersame Wiederkehr der Schmerzen.»

«Du hast noch kein einziges nettes Wort zu mir gesagt, seit mir der Rücken wehtut.»

«Weil du mich anlügst, anstatt zuzugeben, wieso *er* dir wehtut», sagte Gary.

«Mein Gott. *Schon wieder?*»

«Zwei Stunden Fußball und Rumgehampel im Regen sind nicht das Problem. Schuld ist das Telefon.»

«Ja», sagte Caroline. «Weil es deiner Mutter um die zehn Cent Leid tut, die es kostet, eine Nachricht auf Band zu sprechen. Sie muss es dreimal klingeln lassen und wieder aufhängen, dreimal klingeln lassen und wieder aufhängen –»

«Dein *eigenes* Verhalten spielt also gar keine Rolle», sagte Gary. «Nein, meine Mutter ist schuld! Sie ist auf ihrem Besen herbeigeflogen und hat dir in den Rücken getreten, weil sie dir wehtun will!»

«Jedenfalls bin ich fix und fertig mit den Nerven, nachdem das den ganzen Nachmittag so ging mit diesem ewigen Geklingel.»

«Caroline, *ich hab dich humpeln sehen, bevor du reingelaufen bist*! Ich hab dein Gesicht gesehen. Erzähl mir nicht, du hättest da noch keine Schmerzen gehabt.»

Sie schüttelte den Kopf. «Weißt du, was du bist?»

«Und dann hast du auch noch gelauscht!»

«Weißt du, was du bist?»

«Du lauschst am einzigen freien Telefon im Haus und hast die Frechheit, mir zu erzählen –»

«Gary, du bist *depressiv*. Ist dir das klar?»

Er lachte. «Ich glaube kaum.»

«Du bist schwermütig und misstrauisch und zwanghaft. Du läufst mit düsterer Miene herum. Du schläfst schlecht. Du scheinst an nichts mehr Freude zu haben.»

«Du lenkst ab», sagte er. «Meine Mutter hat angerufen, weil sie eine völlig vernünftige Frage bezüglich Weihnachten hatte.»

«Vernünftig?» Jetzt lachte Caroline. «Gary, sie ist *übergeschnappt*, was Weihnachten angeht. Sie ist komplett *wahnsinnig*.»

«Ach komm, Caroline. Wirklich.»

«Ich meine das ernst!»

«Wirklich. Caroline. Sie werden bald ihr Haus verkaufen, und sie möchten, dass wir alle noch einmal kommen, bevor sie *sterben*, Caroline, bevor meine Eltern *sterben* –»

«In dem Punkt waren wir uns doch immer einig. Wir waren uns einig, dass fünf Menschen, die sehr viel zu tun haben, sich nicht zur Hauptreisezeit ins Flugzeug setzen müssen, nur damit zwei Menschen, *die nichts mehr zu tun haben*, nicht hierher zu kommen brauchen. Und ich habe mich immer gefreut, sie hier –»

«Von wegen.»

«Aber dann ändern sich auf einmal die Regeln!»

«Du hast dich nie gefreut, wenn sie zu Besuch waren. Caroline. Sie sind schon so weit, dass sie nicht mal mehr länger als achtundvierzig Stunden bei uns bleiben wollen.»

«Und das ist meine Schuld?» Sie gestikulierte und grimassierte, ein wenig unheimlich, Richtung Zimmerdecke. «Du begreifst offenbar nicht, Gary, dass wir eine emotional gesunde Familie sind. Ich bin eine liebevolle, leidenschaftliche Mutter. Ich habe drei intelligente, kreative und emotional gesunde Kinder. Wenn du meinst, dass es in diesem Haus ein Problem gibt, solltest du dir lieber mal an die eigene Nase fassen.»

«Ich mache einen vernünftigen Vorschlag», sagte Gary, «und du nennst mich ‹depressiv›.»

«Dir ist dieser Gedanke also noch nie gekommen?»

«Sobald ich von Weihnachten spreche, bin ich ‹depressiv›.»

«Nein, im Ernst, willst du mir weismachen, dir ist in den letzten sechs Monaten noch nie in den Sinn gekommen, dass du krank sein könntest?»

«Es ist extrem feindselig, Caroline, einen anderen als verrückt zu bezeichnen.»

«Nicht, wenn dieser andere möglicherweise ernsthaft krank ist.»

«Ich schlage vor, wir fliegen nach St. Jude», sagte er. «Wenn du nicht wie ein erwachsener Mensch mit mir darüber reden willst, entscheide ich eben selbst.»

«Ach ja?» Caroline machte ein verächtliches Geräusch. «Kann sein, dass Jonah mit dir kommt. Aber versuch mal, Aaron und Caleb ins Flugzeug zu kriegen. Frag sie einfach mal, wo sie Weihnachten lieber sind.»

Frag sie einfach mal, auf wessen Seite sie sind.

«Ich dachte eigentlich, wir wären eine Familie», sagte Gary, «und würden Dinge gemeinsam unternehmen.»

«Du bist doch derjenige, der hier im Alleingang entscheidet.»

«Sag mir, dass das kein Problem ist, an dem unsere Ehe kaputtgeht.»

«Du bist derjenige, der sich verändert hat.»

«Nein, Caroline, also nein, das ist ja lächerlich. Es gibt gute Gründe, dieses Jahr eine einmalige Ausnahme zu machen.»

«Du bist depressiv», sagte sie, «und ich will dich zurückhaben. Ich habe es satt, mit einem deprimierten alten Mann zusammenzuleben.»

Gary seinerseits wollte die Caroline zurückhaben, die sich noch vor wenigen Nächten, als es draußen gewaltig donnerte, im Bett an ihn geklammert hatte. Die Caroline, die auf ihn zugehüpft kam, wenn er den Raum betrat. Die Halbwaise, deren sehnlichster Wunsch es war, auf *seiner* Seite zu sein.

Aber ihm hatte auch immer gefallen, wie stark sie war, wie anders als alle Lamberts, wie bar jeden Mitgefühls für seine Familie. Über die Jahre hatte er verschiedene ihrer Bemerkungen zu einer Art persönlichem Dekalog zusammengestellt, den Carolinischen Zehn Geboten, aus denen er insgeheim Kraft und Hoffnung schöpfte:

1. Du bist kein bisschen wie dein Vater.
2. Du brauchst dich nicht dafür zu entschuldigen, dass du dir einen BMW kaufst.
3. Dein Dad missbraucht die Gefühle deiner Mom.
4. Ich liebe den Geschmack deines Samens.
5. Arbeit war die Droge, die das Leben deines Vaters zerstört hat.
6. Komm, wir kaufen beides!
7. Deine Familie hat ein krankhaftes Verhältnis zum Essen.
8. Du bist ein unglaublich gut aussehender Mann.
9. Denise ist neidisch auf das, was du hast.
10. Zu leiden bringt überhaupt nichts.

Viele Jahre lang war das sein Credo gewesen – hatte er sich für jeden Ausspruch tief in Carolines Schuld gefühlt –, und jetzt fragte er sich, wie viel davon er für bare Münze nehmen konnte. Vielleicht gar nichts.

«Ich rufe morgen im Reisebüro an», sagte er.

«Und ich rate dir», erwiderte Caroline prompt, «ruf stattdessen lieber Dr. Pierce an. Du brauchst jemanden, mit dem du reden kannst.»

«Ich brauche jemanden, der die Wahrheit sagt.»

«Du willst die Wahrheit hören? Du willst, dass ich dir sage, warum ich nicht mitkomme?» Caroline setzte sich auf und beugte sich in einem merkwürdigen, vom Rückenschmerz diktierten Winkel vor. «Willst du das wirklich wissen?»

Gary fielen die Augen zu. Die Grillen draußen machten ein Geräusch wie endlos durch Rohre rieselndes Wasser. Von weit her drang Hundegebell an sein Ohr, rhythmisch wie das Rucken einer Handsäge.

«Die Wahrheit ist», sagte Caroline, «dass ich achtundvierzig Stunden völlig ausreichend finde. Ich will nicht, dass meine Kinder Weihnachten als eine Zeit in Erinnerung behalten, in der sich alle anbrüllen. Was ja jetzt ziemlich unausweichlich scheint. Deine Mutter kommt mit dreihundertsechzig Tagen schwerer Weihnachtsmanie im Gepäck zur Tür herein, sie hat seit Januar an nichts anderes gedacht, und dann geht's natürlich los: *Wo ist denn die kleine österreichische Rentierstatuette – gefällt sie euch nicht? Stellt ihr sie nicht auf? Wo ist sie? Ja, wo ist sie denn? Wo ist die kleine österreichische Rentierstatuette?* Sie hat ihren Essenswahn, ihren Geldwahn, ihren Kleiderwahn, sie hat ihr ganzes zehnteiliges Kofferset dabei, was mein Mann ursprünglich einmal *ähnlich problematisch* fand wie ich, aber jetzt ergreift er, aus heiterem Himmel, *ihre* Partei. Wir werden das Haus auf den Kopf stellen, um ein dreizehn Dollar teures Stück Souvenirladenkitsch zu suchen, weil es eine sentimentale Bedeutung für deine Mutter hat –»

«Caroline.»

«Und wenn sich herausstellt, dass Caleb –»

«Das ist nur die halbe Wahrheit.»

«Bitte, Gary, lass mich ausreden. Wenn sich herausstellt, dass

Caleb etwas gemacht hat, was *jeder normale Junge* mit einem Stück Souvenirladen-Schrott machen würde, das er im Keller findet –»

«Ich höre mir das nicht länger an.»

«Aber nein, das Problem ist nicht, dass deine adleräugige Mutter von irgend so einem schrottigen österreichischen Kitschding besessen ist, nein, das ist es nicht –»

«Es war hundert Dollar wert, eine handgeschnitzte –»

«Und wenn es tausend Dollar wert wäre! Seit wann bestrafst du *ihn*, deinen *eigenen Sohn*, dafür, dass deine Mutter einen Spleen hat? Plötzlich benimmst du dich, als wäre es 1964 und wir würden in Peoria leben. ‹Iss deinen Teller leer!› ‹Binde dir eine Krawatte um!› ‹Kein Fernsehen heute Abend!› Und dann wunderst du dich, dass wir uns streiten! Wunderst dich, dass Aaron die Augen verdreht, wenn deine Mutter ins Zimmer kommt! Es ist fast so, als wäre es dir *peinlich*, dass sie uns sieht. Als wolltest du ihr, solange sie bei uns ist, vorgaukeln, wir lebten so, wie es ihr gefällt. Aber ich sage dir, Gary, es gibt *nichts*, wofür wir uns schämen müssten. Deine Mutter ist die, die sich schämen sollte. In der Küche folgt sie mir auf Schritt und Tritt, beobachtet meine Handgriffe, als würde ich jede Woche einen Truthahn braten, und wenn ich ihr für eine Sekunde den Rücken zukehre, gießt sie einen Viertelliter Öl in alles, was ich gerade koche, und sobald ich den Raum verlasse, *wühlt sie im Abfall*, als wäre sie die Scheiß-Essenspolizei, sie nimmt Essen aus dem Abfalleimer und gibt es *meinen Kindern* –»

«Die Kartoffel war in der Spüle, Caroline, nicht im Abfalleimer.»

«Und du verteidigst sie auch noch! Sie geht raus zu den Mülltonnen, um zu gucken, ob da nicht auch irgendwas drin ist, was sie ausgraben und missbilligen könnte, und dann fragt sie mich, buchstäblich alle zehn Minuten: Was macht dein Rücken? Was macht dein Rücken? Was macht dein Rücken? Geht's deinem Rücken besser? Wie kommt's, dass er wehtut? Geht's deinem Rücken jetzt besser? Was macht dein Rücken? Sie ist regelrecht darauf *aus*, ein Haar in der Suppe zu finden, und dann will sie *meinen* Kindern erzählen, was sie zum Abendessen in *meinem* Haus anziehen sollen, und du unterstützt mich nicht! Du unterstützt mich einfach nicht, Gary. Stattdessen fängst du an, dich zu entschuldigen, keine Ahnung, warum, aber ich mache das nicht noch einmal mit. Mittlerweile glaube ich, dein Bruder hat den richtigen Instinkt. Er ist ein netter, kluger, lustiger Mann, der ehrlich genug ist, zu sagen, was er bei diesen Familientreffen ertragen kann und was nicht. Und deine Mutter benimmt sich, als wäre er eine einzige Peinlichkeit, ein vollkommener Versager! Tja, du wolltest die Wahrheit hören. Die Wahrheit ist, ich kann so ein Weihnachtsfest nicht noch einmal aushalten. Wenn wir aber unbedingt mit deinen Eltern feiern müssen, dann wenigstens in unseren eigenen vier Wänden. So, wie du es mir versprochen hast.»

Ein Kissen aus tiefblauer Nacht drückte auf Garys Gehirn. Bei seiner abendlichen Post-Martini-Talfahrt hatte er jenen Punkt erreicht, wo ihm alles kompliziert vorkam, ein Gefühl, das ihm schwer auf Wangen und Stirn, auf Lidern und Mund lastete. Er verstand, wie wütend seine Mutter Caroline machte, doch zugleich sah er fast alles, was sie vorgebracht hatte, anders. Das eigentlich recht hübsche hölzerne Rentier zum Beispiel hatte in einer deutlich gekennzeichneten Kiste gelegen; Caleb hatte zwei seiner Beinchen zerbrochen und ihm einen Dachnagel durch den Schädel getrieben; Enid hatte eine unangetastete Folienkartoffel aus der Spüle genommen, sie in Scheiben geschnitten und für Jonah gebraten; und Caroline hatte nicht einmal warten können, bis ihre Schwiegereltern abgereist waren, ehe sie den pinkfarbenen Polyesterbademantel, das Weihnachtsgeschenk von Enid, in die Mülltonne geworfen hatte.

«Als ich sagte, ich möchte die Wahrheit hören», antwortete

er, ohne die Augen zu öffnen, «meinte ich, dass ich dich humpeln gesehen habe, bevor du ins Haus gerannt bist.»

«Mein Gott», sagte Caroline.

«An deinen Rückenschmerzen ist nicht meine Mutter schuld. Du bist selbst schuld daran.»

«Bitte, Gary. Tu mir einen Gefallen und ruf Dr. Pierce an.»

«Gib zu, dass du lügst, und ich rede über alles, was du willst. Aber solange du das nicht zugibst, wird sich nichts ändern.»

«Ich erkenne nicht mal deine Stimme wieder.»

«Fünf Tage in St. Jude. Du kannst keine fünf Tage für eine Frau erübrigen, die, wie du selbst sagst, nichts mehr zu tun hat?»

«Bitte, komm zu mir zurück.»

Ein Stromschlag der Wut zwang Gary, die Augen zu öffnen. Er trat die Decke weg und sprang aus dem Bett. «Unsere Ehe geht daran kaputt! Ich glaube es nicht!»

«Gary, bitte –»

«Wir sind auf dem besten Weg, uns wegen einer Reise nach St. Jude zu trennen!»

Und dann hielt ein Visionär in Trainingsjacke einen Vortrag vor adretten College-Studenten. Hinter dem Visionär, im leicht verwackelten Mittelgrund, sah man Sterilisatoren und Chromatographiepatronen und Gewebefärbemittel in schwachen Lösungen, langhalsige medizinwissenschaftliche Pipetten, Bilder von spreizbeinigen Chromosomen und Diagramme von thunfischroten, wie Sashimi aufgeschnittenen Gehirnen. Der Visionär war Earl «Krauskopf» Eberle, ein fünfzigjähriger Mann mit kleinem Mund und Supermarktbrille, dem ein bisschen Glamour zu verleihen die Schöpfer des Werbevideos der Axon Corporation sich redlich bemüht hatten. Die Kameraführung war fahrig, der Boden des Labors schwankte und schlingerte. Wacklige Zooms holten die vor Begeisterung strahlenden Gesichter der Studentinnen heran. Seltsam obsessive Aufmerksamkeit widmete der Film dem Hinterkopf des Visionärs (er war tatsächlich kraus).

«Natürlich ist auch Chemie, selbst Hirnchemie», sagte Eberle gerade, «im Wesentlichen die Manipulation von Elektronen in ihren Hüllen. Doch vergleichen Sie dies, wenn Sie wollen, mit einer Elektronik, die aus kleinen zwei- bis dreipoligen Schaltungen besteht. Der Diode, dem Transistor. Das Gehirn hat mehrere Dutzend Arten verschiedener Schaltungen. Entweder feuert das Neuron, oder es feuert nicht; diese Entscheidung wird jedoch durch die Rezeptorenstellungen reguliert, die zwischen dem einfachen An und Aus häufig abgestuft sein können. Selbst wenn man aus molekularen Transistoren ein künstliches Neuron konstruieren könnte, geht die allgemeine Ansicht dahin, dass der Platz niemals ausreichen würde, um diese ganze Chemie in die Ja/Nein-Sprache zu übersetzen. Angenommen, es gäbe, vorsichtig geschätzt, zwanzig neuroaktive Liganden, von denen acht gleichzeitig operieren könnten, und weiter angenommen, jede dieser acht Schaltungen könnte auf fünf verschiedene Arten aufgebaut sein – ich will Sie nicht mit Kombinatorik langweilen, aber wenn Sie nicht in einer Welt von Kartoffelköpfen leben, werden Sie ein ziemlich sonderbar aussehender Android sein.»

Nahaufnahme eines lachenden rübenköpfigen Studenten.

«Nun sind dies so grundlegende Fakten», sagte Eberle, «dass wir uns normalerweise nicht einmal die Mühe machen würden, davon zu reden. So sind die Dinge eben. Die einzige Verbindung zur Elektrophysiologie der Wahrnehmung und des Willens, die wir formen können, ist die chemische. Das ist die überlieferte Weisheit, Teil des Evangeliums unserer Wissenschaft. Niemand, der bei klarem Verstand ist, würde ernsthaft versuchen, die Welt der Neuronen mit der Welt der Schaltkreise zu verbinden.»

Eberle machte eine Kunstpause.

«Niemand außer der Axon Corporation.»

Wellen leisen Gemurmels kräuselten das Meer der institutionellen Anleger, die in den Ballsaal B des Four-Seasons-Hotels im Zentrum Philadelphias gekommen waren, um der Promotion-Show für Axons Börsengang beizuwohnen. Eine gigantische Videoleinwand war auf dem Podium installiert. Auf jedem der zwanzig runden Tische im halbdunklen Ballsaal standen Satay- und Sushi-Platten mit dazu passenden Saucen.

Gary saß mit seiner Schwester an einem Tisch neben der Tür. Er hoffte, bei dieser Veranstaltung Geschäfte machen zu können, und wäre lieber allein gekommen, doch da heute Montag und der Montag Denise' einziger freier Tag war, hatte sie darauf bestanden, mit ihm zu Mittag zu essen, und sich ihm angeschlossen. Gary hatte damit gerechnet, dass sie politische oder moralische oder ästhetische Gründe finden würde, sich über das, was hier vor sich ging, zu empören, und in der Tat verfolgte sie das Video mit argwöhnisch zusammengezogenen Brauen und fest vor der Brust verschränkten Armen. Sie trug ein leichtes gelbes Kleid mit rotem Blumendruck, schwarze Sandalen und eine trotzkistische runde Plastikbrille; doch was sie wirklich von den anderen Frauen im Ballsaal B unterschied, waren ihre bloßen Beine. Niemand, der mit Geld zu tun hatte, ging ohne Strümpfe.

WORIN BESTEHT DAS KORREKTAL-VERFAHREN?

«Korrektal», sagte der Bildausschnitt von Krauskopf Eberle, dessen junges Publikum digital zu einem uniformen Hintergrund thunfischroter Gehirnmasse püriert worden war, «ist eine revolutionäre neurobiologische Therapie!» Eberle saß auf einem ergonomischen Schreibtischstuhl, mit dem er, wie sich jetzt zeigte, in Schwindel erregendem Tempo durch einen graphischen Raum schweben und wirbeln konnte, der das Binnenmeer des Intrakraniums darstellte. Seetangartige Ganglien, tintenfischähnliche Neuronen und aalgleiche Kapillargefäße sausten vorbei.

«Ursprünglich als Therapie für Patienten mit Parkinson, Alzheimer und anderen degenerativen neurologischen Erkrankungen gedacht», sagte Eberle, «hat sich Korrektal als derart wirksam und vielseitig erwiesen, dass es sich nicht nur zur Behandlung eignet, sondern völlige *Heilung* verheißt, und zwar Heilung nicht nur besagter schrecklicher degenerativer Leiden, sondern auch einer Menge anderer Beschwerden, deren man sich herkömmlich mit psychiatrischen oder gar psychologischen Methoden annimmt. Einfach gesagt, bietet Korrektal erstmals die Möglichkeit, die Schaltungen eines erwachsenen menschlichen Gehirns zu erneuern und zu *verbessern.*»

«Bäh», sagte Denise und rümpfte die Nase.

Gary kannte das Korrektal-Verfahren inzwischen ziemlich gut. Er hatte Axons vorbörsliche Verkaufsprospekte studiert und jeden Bericht über die Firma gelesen, den er im Internet und mithilfe der privaten Informationsdienste, zu denen die CenTrust Zugang hatte, finden konnte. Pessimistische Analysten, denen die jüngsten verheerenden Korrekturen auf dem Biotechnologie-Sektor noch lebhaft in Erinnerung waren, warnten davor, in eine nicht getestete medizinische Technologie zu investieren, die in frühestens sechs Jahren auf den Markt kommen sollte. Auf keinen Fall würde eine Bank wie die CenTrust, mit ihrer treuhänderischen Verpflichtung zum konservativen Handeln, diese Emission anrühren. Doch Axons Grundlagen waren wesentlich solider als die der meisten anderen Biotech-Startups, und für Gary war die Tatsache, dass sich die Firma in einem so frühen Stadium der Entwicklung von Korrektal bereits darum gekümmert hatte, das Patent seines Vaters zu erwerben, ein Zeichen großer unternehmerischer Zuversicht. Er witterte eine Gelegenheit, ein bisschen Geld zu verdienen und sich dafür zu rächen, dass Axon seinen Vater übers Ohr gehauen hatte und, allgemeiner gesagt, dort *mutig* zu sein, wo Alfred *ängstlich* gewesen war.

Es traf sich, dass Gary im Juni, als im Zusammenhang mit den überseeischen Währungskrisen die ersten Dominosteine umzukippen begannen, den Großteil seines Spielgelds aus europäischen und fernöstlichen Wachstumsfonds herausgezogen hatte. Dieses Geld war jetzt frei zur Investition in Axon; und da es bis zum Börsengang noch drei Monate hin war und der große Käufer-Run noch nicht eingesetzt hatte und da überdies der Verkaufsprospekt manches Zweifelhafte enthielt, das Nichtinsider zögern lassen würde, hätte Gary theoretisch keine Schwierigkeiten haben dürfen, sich fünftausend Aktien zu sichern. Aber praktisch hatte er nichts als Schwierigkeiten.

Sein eigener (Discount-)Broker, der gerade mal den Namen der Axon Corporation kannte, machte mit Verspätung seine Hausaufgaben und rief Gary zurück, um ihm mitzuteilen, das Kontingent seiner Firma betrage nominell 2500 Aktien. Normalerweise hätte keine Brokerfirma einem einzelnen Kunden zu einem so frühen Zeitpunkt mehr als fünf Prozent ihres Kontingents zugebilligt, doch da Gary der Erste war, der angerufen hatte, war sein Mann bereit, 500 Stück für ihn vorzumerken. Gary drängte auf mehr, aber die traurige Tatsache war, dass er nicht als Großkunde galt. Typischerweise investierte er in einer Größenordnung von einigen Hundert und führte, um Gebühren zu sparen, kleinere Transaktionen online selbst durch.

Caroline wiederum war eine Großinvestorin. Unter Garys Anleitung kaufte sie oftmals Aktien in Tausender-Paketen. Ihr Broker arbeitete für das größte Haus in Philadelphia, und es bestand kein Zweifel, dass er für einen geschätzten Kunden 4500 Aktien von Axons Neuemission würde auftreiben können; so lief eben das Spiel. Dummerweise hatten Gary und Caroline seit jenem Sonntagnachmittag, als sie sich am Rücken wehgetan hatte, so wenig miteinander gesprochen, wie es für zwei Leute, die als Elternpaar weiter funktionieren wollten, gerade noch vertretbar schien. Gary war zwar wild darauf, seine fünftausend Axon-Aktien zu bekommen, weigerte sich aber, dafür seine Prinzipien zu opfern, indem er zu Kreuze kroch und seine Frau bat, für ihn zu investieren.

Also hatte er stattdessen Pudge Portleigh, seinen Large-Cap-Kontaktmann bei Hevy & Hodapp, angerufen und ihn gebeten, auf private Rechnung fünftausend Aktien der Neuemission für ihn zu zeichnen. Über die Jahre hatte Gary in seiner Funktion als Treuhänder der CenTrust eine Menge Aktien über Portleigh gekauft, einschließlich einiger nachweislicher Nieten. Jetzt deutete Gary Portleigh gegenüber an, dass die CenTrust ihm in Zukunft vielleicht einen noch größeren Teil ihrer Geschäfte anvertrauen würde. Doch Portleigh hatte Gary, seltsam ausweichend, nur versprochen, seine Bitte an Daffy Anderson weiterzuleiten, der bei Hevy & Hodapp für Neuemissionen verantwortlich war.

Dann waren zwei zermürbende Wochen gefolgt, in denen Gary vergebens auf einen Rückruf von Pudge Portleigh und eine Bestätigung seines Auftrags gewartet hatte. Die im Internet über Axon kursierenden Gerüchte, erst noch geflüstert, erreichten allmählich donnernde Lautstärke. Im Abstand von wenigen Tagen waren in *Nature* und im *New England Journal of Medicine* zwei wichtige, thematisch verwandte Aufsätze von Earl Eberles Team erschienen – «Reverse-Tomographic Stimulation of Synaptogenesis in Selected Neural Pathways» und «Transitory Positive Reinforcement in Dopamine-Deprived Limbic Circuits: Recent Clinical Progress». Beide fanden in der Finanzpresse starke Beachtung, unter anderem auf der ersten Seite des *Wall Street Journal*. Mehr und mehr Analysten begannen, den Kauf von Axon-Aktien zu befürworten, und noch immer meldete sich Portleigh auf Garys Nachrichten hin nicht zurück, sodass Gary die Vorteile seines Insiderwissens im Stundentakt schwinden sah …

1. NEHMEN SIE EINEN COCKTAIL!

«… nach einer speziellen Formel aus Eisencitraten und Eisenacetaten gemischt, der die Blut-Gehirn-Grenze passiert und sich in den Gewebezwischenräumen ansammelt!»

Sagte der unsichtbare Sprecher, dessen Stimme sich auf der Video-Tonspur zu der von Earl Eberle gesellt hatte.

«Außerdem rühren wir noch ein mildes, nicht suchterzeugendes Sedativum *und* einen ordentlichen Schuss Haselnuss-Moccacino-Sirup hinein, kleine Aufmerksamkeit der beliebtesten Kaffeehauskette im Land!»

Eine Komparsin, die schon in der Vortragsszene zu sehen gewesen war, ein Mädchen, dessen neurologische Funktionen offenkundig nicht den geringsten Defekt aufwiesen, trank mit höchstem Genuss und aufreizend pulsierenden Halsmuskeln ein großes, eisiges Glas Korrektal-Elektrolyte.

«Was war nochmal Dads Patent?», flüsterte Denise Gary zu. «Eisenacetat-Gel-Dingsbums?»

Gary nickte grimmig. «Elektropolymerisation.»

Aus seinem Korrespondenzordner, der, unter anderem, alle Briefe enthielt, die seine Eltern ihm je geschrieben hatten, hatte Gary eine alte Kopie von Alfreds Patent ausgegraben. Er bezweifelte, dass er es sich je richtig angeschaut hatte, so beeindruckt war er jetzt von den klaren Ausführungen des alten Mannes über die «elektrische Anisotropie» in «bestimmten ferro-organischen Gels» und dessen Vorschlag, diese Gels einzusetzen, um lebendes menschliches Gewebe «minuziös abzubilden» und «unmittelbare elektrische Kontakte» mit «feinen morphologischen Strukturen» herzustellen. Als Gary die Formulierung des Patents mit der Beschreibung von Korrektal auf

Axons neu gestalteter Homepage verglich, hatte ihm die verblüffende Ähnlichkeit einen Schlag versetzt. Offenbar stand Alfreds Fünftausend-Dollar-Patent im *Zentrum* eines Verfahrens, für das Axon jetzt über 200 Millionen Dollar zu beschaffen hoffte: als gäbe es im Leben eines Mannes nicht schon genug, was ihn nachts wach hielt und zur Weißglut brachte!

«Jo, Kelsey, jaha, Kelsey, besorg mir zwölftausend Exxon, eins null vier Maximum», sagte der junge Mann zu Garys Linken unvermittelt und zu laut. Das Bürschchen hatte ein Palmtop, das ihm die Kurse anzeigte, einen Knopf im Ohr und den schizophrenen Blick der Handyhörigen. «Zwölftausend Exxon, Obergrenze eins null vier», sagte er.

Exxon, Axon, sei bloß vorsichtig, dachte Gary.

2. SETZEN SIE SICH EINEN KOPFHÖRER AUF & SCHALTEN SIE DAS RADIO EIN!

«Sie werden nicht das Mindeste hören – es sei denn, Ihre Zahnfüllungen empfangen Ballspiele auf Mittelwelle», witzelte der Sprecher, während das lächelnde Mädchen sich einen metallenen Helm in Trockenhaubengestalt auf den kamerafreundlichen Kopf stülpte, «aber die Radiowellen dringen bis in die geheimsten Winkel Ihres Schädels vor. Stellen Sie sich eine Art globales Navigationssystem für das Gehirn vor: Hochfrequenzstrahlen, die präzise auf die mit bestimmten Fähigkeiten in Verbindung gebrachten Nervenbahnen zielen und sie *selektiv stimulieren*. Fähigkeiten wie den eigenen Namen schreiben. Treppen steigen. Sich seinen Hochzeitstag merken. Positiv denken! Nach klinischen Tests in Dutzenden von Krankenhäusern überall in Amerika sind Dr. Eberles reversiv-tomographische Methoden jetzt weiter optimiert worden, um dieses Stadium des Korrektal-Verfahrens so einfach und schmerzlos zu machen wie einen Besuch beim Frisör.»

«Bis vor kurzem», schaltete sich Eberle ein (er und sein Stuhl segelten noch immer durch ein Meer aus Blut und grauer Gehirnmasse), «war es für mein Verfahren notwendig, den Patienten über Nacht im Krankenhaus zu behalten und ihm einen geeichten Stahlring in die Schädeldecke zu schrauben. Viele Patienten empfanden dies als unangenehm; manchen verursachte es Beschwerden. Inzwischen hat jedoch die enorm gesteigerte Leistungskraft der Computer ein Verfahren ermöglicht, das sich bei der Lokalisierung der individuell zu stimulierenden Nervenbahnen *unverzüglich selbst korrigiert …*»

«Kelsey, du bist 'n Genie!», sagte der junge Mr. Zwölftausend-Exxon-Aktien laut.

In den ersten Stunden und Tagen nach Garys großem Sonntagszerwürfnis mit Caroline, das inzwischen drei Wochen zurücklag, hatten beide zaghafte Versuche unternommen, Frieden zu schließen. Sehr spät in jener Sonntagnacht hatte Caroline ihren Arm über die entmilitarisierte Zone der Matratze hinweggestreckt und seine Hüfte berührt. Am nächsten Abend hatte er eine nahezu allumfassende Entschuldigung vorgebracht, in der er, obgleich in der Hauptstreitfrage standhaft, seinen Kummer und sein Bedauern über gewisse Kollateralschäden äußerte, die er verursacht hatte, über verletzte Gefühle, mutwillige Falschaussagen und kränkende Unterstellungen, und Caroline so einen Vorgeschmack darauf gab, welche Woge der Zärtlichkeit sie erwartete, sofern sie nur einräumte, dass er, in der Hauptstreitfrage, im Recht war. Am Dienstagmorgen hatte sie ihm ein richtiges Frühstück vorgesetzt – Zimttoast, Würstchen und eine Schüssel Haferflocken mit Rosinen, so gestreut, dass sie einen komisch nach unten verzogenen Mund nachzeichneten. Am Mittwochmorgen hatte er ihr ein Kompliment gemacht, eine bloße Tatsachenbehauptung («du bist wunderschön»), die, auch wenn sie kein unumwundenes Liebesgeständnis war, doch immerhin als Hinweis auf eine objektiv vorhandene Basis taugte (körperliche Anziehung), auf der Liebe wiederhergestellt werden konnte, sofern Caroline nur einräumte, dass er in der Hauptstreitfrage im Recht war.

Doch jeder hoffnungsvolle Vorstoß, jeder sondierende Ausfallversuch verlief im Sande. Als er die Hand, die sie ihm reichte, nahm und ihr zuflüsterte, es tue ihm Leid, dass sie solche Rückenschmerzen habe, war sie unfähig, einen Schritt weiterzugehen und zuzugeben, dass die zwei Stunden Fußball im Regen ihre Beschwerden vielleicht (ein einfaches «vielleicht» hätte ja genügt!) mit hervorgerufen hätten. Und als sie ihm für sein Kompliment dankte und ihn fragte, wie er geschlafen habe, war er außerstande, in ihrer Stimme einen tendenziösen kritischen Unterton zu überhören; für ihn klang es wie *Anhaltende Schlafstörungen sind ein typisches Symptom der klinischen Depression, ach ja, apropos, wie hast du geschlafen, mein Schatz?*, und so wagte er nicht zu gestehen, dass er in der Tat furchtbar schlecht geschlafen hatte; vielmehr behauptete er, er habe ganz hervorragend geschlafen, danke, Caroline, ganz hervorragend, *hervorragend*, ja.

Jeder fehlgeschlagene Vorstoß, Frieden zu schließen, machte ein Gelingen des folgenden weniger wahrscheinlich. Es dauerte nicht lange, und der Gedanke, der Gary zunächst ganz und gar abwegig vorgekommen war – dass ihre Ehekasse nicht mehr genügend Barschaft an Liebe und gutem Willen enthielt, um die emotionalen Kosten zu decken, die eine Reise nach St. Jude für Caroline und der *Verzicht* auf eine Reise nach St. Jude für ihn bedeutete –, nahm die Konturen einer erschreckend realen Möglichkeit an. Er begann, Caroline einfach und allein dafür zu hassen, dass sie weiter mit ihm stritt. Er hasste die neu entdeckten Quellen der Unabhängigkeit, aus denen sie schöpfte, um ihm Paroli zu bieten. Besonders, ja geradezu überwältigend hassenswert aber war ihr Hass auf *ihn*. Er hätte die Krise binnen einer Minute beenden können, wenn dafür nichts anderes nötig gewesen wäre, als ihr zu verzeihen; doch in ihren Augen gespiegelt zu sehen, wie abstoßend sie ihn fand – das machte ihn rasend, das vergiftete all sein Hoffen.

Glücklicherweise warf ihr Vorwurf, er sei depressiv, seine Schatten, so lang und dunkel sie auch sein mochten, noch nicht auf sein Eckbüro bei der CenTrust und das Vergnügen, das er darin fand, Manager seiner Manager, Analysten und Händler zu sein. Garys vierzig Stunden bei der Bank waren inzwischen die einzigen in der Woche, auf die er sich verlässlich freuen konnte. Er hatte sogar schon mit der Idee einer Fünfzigstundenwoche gespielt, doch sie umzusetzen war leichter gesagt als getan, denn am Ende der Achtstundentage lag oft buchstäblich keine Arbeit mehr auf seinem Schreibtisch, und im Übrigen wusste er nur allzu gut, dass lange Stunden im Büro zu verbringen, um einem unglücklichen Zuhause zu entfliehen, genau die Falle war, in die sein Vater getappt war, ja dass das zweifellos Alfreds erster Versuch einer Selbstmedikation gewesen war.

An dem Tag, als er Caroline heiratete, hatte Gary sich insgeheim geschworen, nie länger als bis siebzehn Uhr zu arbeiten und nie seine Aktentasche mit nach Hause zu nehmen. Indem er bei einer mittelgroßen Regionalbank anheuerte, hatte er sich für eine der am wenigsten ambitionierten Laufbahnen entschieden, die man nach einem erfolgreich abgeschlossenen Studium der Betriebswirtschaft an der Wharton School überhaupt einschlagen konnte. Zuerst hatte er nur die Absicht gehabt, die Fehler seines Vaters zu vermeiden – hatte sich Zeit lassen, das Leben genießen, ein liebender Ehemann sein, mit seinen Kindern spielen wollen –, doch schon bald, selbst als sich zeigte, dass er ein hervorragender Portfoliomanager war, entwickelte er eine spezifischere Allergie gegen beruflichen Ehrgeiz. Kollegen, die weit weniger kompetent waren als er, kündigten, um für Investmentfonds zu arbeiten, sich als Daytrader selbständig zu machen oder eigene Fonds zu gründen; aber das bescherte ihnen Zwölf- bis Vierzehnstundentage, und jeder Einzelne von ihnen hatte das schwitzige, besessene Gebaren eines *Strebers.* Gary, auf Carolines Erbschaft weich gebettet, stand es dagegen frei, das Fehlen jeden Ehrgeizes zu kultivieren und als Boss den perfekten, zugleich strengen und zärtlichen Vater zu geben, der er daheim nur halbwegs sein konnte. Von seinen Mitarbeitern verlangte er Ehrlichkeit und außergewöhnliche Leistungen. Im Gegenzug bot er ihnen geduldige Anleitung, absolute Loyalität und die Gewissheit, dass er sie nie für seine eigenen Fehler zur Verantwortung ziehen würde. Wenn seine Large-Cap-Managerin Virginia Lin die Empfehlung aussprach, den Anteil der Energieaktien im Boilerplate-Treuhandportfolio der Bank von sechs auf neun Prozent zu erhöhen und Gary (wie es seinem Temperament entsprach) trotzdem beschloss, den Mischfonds in Ruhe zu lassen, in der Folge jedoch sah, dass der Energiesektor ein paar erstklassige Quartale erlebte, dann setzte er seine breite, ironische Ich-Blödmann-Grimasse auf und entschuldigte sich, vor allen Leuten, bei Lin. Immerhin traf er für jede schlechte Entscheidung zwei oder drei gute, und niemals in der Geschichte des Universums hatte es für den Aktienmarkt bessere sechs Jahre gegeben als die, in denen Gary die Investmentabteilung der CenTrust leitete; nur ein Trottel oder Betrüger hätte versagt. Da also der Erfolg garantiert war, konnte Gary es sich erlauben, seinem Boss Marvin Koster und Kosters Boss Marty Breitenfeld, dem Vorstandsvorsitzenden der CenTrust, ohne jede heilige Scheu gegenüberzutreten. Nie, aber auch niemals katzbuckelte er oder ging ihnen um den Bart. Im Gegenteil, was Stil- und Protokollfragen betraf, waren Koster wie Breitenfeld dazu übergegangen, sich *seinem* Urteil anzuschließen – Koster, indem er Gary so gut wie um Erlaubnis bat, seine älteste Tochter in der Abington-Friends- statt in der Friends-Select-Schule anzumelden, und Breitenfeld, indem er Gary vor dem Pissoir der Geschäftsleitung abfing, um ihn zu fragen, ob er und Caroline vorhätten, zum Wohltätigkeitsball der Öffentlichen Bibliothek zu gehen, oder ob Gary seine Eintrittskarten an eine Sekretärin weitergegeben habe …

3. ENTSPANNEN SIE SICH – ALLES IST IN IHREM KOPF!

Krauskopf Eberle war wieder in seinem innerschädeligen Schreibtischstuhl aufgetaucht, in jeder Hand ein Plastikmodell eines Elektrolytenmoleküls. «Eine bemerkenswerte Eigenschaft von Eisencitrat-/Eisenacetat-Gels», sagte er, «besteht darin, dass die Moleküle unter niedriger Strahlenstimulation bei bestimmten Resonanzfrequenzen spontan polymerisieren können. Noch bemerkenswerter aber ist, dass diese Polymere sich als exzellente Leiter elektrischer Impulse entpuppen.»

Der virtuelle Eberle schaute mit wohlwollendem Lächeln zu, wie sich durch den blutigen, wogenden Schlamassel um ihn herum eifrig Wellenformen schlängelten. Und als wären diese Wellen die ersten Takte eines Menuetts oder Reigens, fanden sich alle Eisenmoleküle zu Paaren zusammen und bildeten lange Zweierreihen.

«Diese flüchtigen, leitenden Mikrokanäle», sagte Eberle, «machen das bislang Undenkbare denkbar: die direkte, quasi in Echtzeit herstellbare digital-chemische Abbildung.»

«Aber das ist ja toll», flüsterte Denise Gary zu. «Das ist es, was Dad immer wollte.»

«Was, sich ein Vermögen durch die Lappen gehen lassen?»

«Anderen Menschen helfen», sagte Denise. «Etwas bewirken.»

Gary hätte gern angemerkt, dass der alte Mann ja bei seiner Frau hätte anfangen können, wenn ihm wirklich so danach gewesen wäre, anderen zu helfen. Aber Denise hatte eine seltsame und unerschütterliche Meinung von Alfred. Sich auf Diskussionen mit ihr einzulassen hatte keinen Zweck.

4. DIE REICHEN WERDEN NOCH REICHER!

«Ja, ein müßiger Winkel des Gehirns könnte aller Laster Anfang sein», sagte der Sprecher, «doch das Korrektal-Verfahren ignoriert jede müßige Nervenbahn. Überall dort hingegen, wo Aktivität herrscht, ist Korrektal zur Stelle, um diese zu verstärken! *Um den Reichen zu helfen, noch reicher zu werden!*»

Im Ballsaal B erhoben sich Gelächter und Applaus und beifälliges Rufen. Gary spürte, dass sein grinsender, klatschender Nachbar zur Linken, Mr. Zwölftausend-Exxon-Aktien, in seine Richtung blickte. Vielleicht wunderte er sich, warum Gary nicht klatschte. Vielleicht war er auch eingeschüchtert von Garys lässiger Eleganz.

Wenn man kein Streber, kein schwitziger Aufsteiger sein wollte, fand Gary, dann musste man sich unbedingt so kleiden, als hätte man es in Wahrheit gar nicht nötig zu arbeiten: als wäre man ein feiner Herr, dem es nur zufällig Freude bereitete, ins Büro zu gehen und anderen zu helfen. Nach dem Motto: Adel verpflichtet.

Heute trug er eine kaperngrüne, halbseidene Sportjacke, ein naturfarbenes Button-down-Leinenhemd und schwarze Anzughosen ohne Bügelfalte; sein Handy war ausgeschaltet, taub für alle Anrufe. Er lehnte sich, mit dem Stuhl kippelnd, nach hinten und suchte mit den Augen den Ballsaal ab, um sicher zu sein, dass er auch wirklich der einzige Mann ohne Krawatte war, doch der Kontrast zwischen Selbst und Masse ließ heute einiges zu wünschen übrig. Noch vor wenigen Jahren wäre der Raum ein Dschungel aus blauen Nadelstreifen, schlitzlosen Mafiosi-Sakkos, zweifarbigen City-Hemden und quastengeschmückten Slippern gewesen. Jetzt, in den späten Reifejahren des langen, langen Aufschwungs, kauften sogar junge Bauerntölpel aus New Jersey maßgeschneiderte italienische Anzüge und teure Brillengestelle. So viel Geld hatte das System überschwemmt, dass Sechsundzwanzigjährige, die Andrew Wyeth für eine Möbelfabrik und Winslow Homer für eine Comicfigur hielten, in der Lage waren, sich zu kleiden wie die Hollywood-Aristokratie ...

Ach, Misanthropie und Bitterkeit. Gary hätte es so gern genossen, ein wohlhabender, vornehmer Privatier zu sein, doch das Land machte es einem nicht leicht. Millionen frisch gekürter amerikanischer Millionäre überall um ihn herum waren von dem identischen Wunsch getrieben, sich für außergewöhnlich zu halten – die perfekte viktorianische Villa zu kaufen, auf Skiern die unberührte Piste hinabzusausen, den Küchenchef persönlich zu kennen, den Strand zu finden, auf dem es keine Fußspuren gab. Hinzu kamen weitere zig Millionen junger Amerikaner, die zwar kein Geld hatten, aber nach vollendeter Coolness strebten. Dabei war die traurige Wahrheit nun einmal die, dass nicht jeder außergewöhnlich und nicht jeder vollendet cool sein konnte; denn wer wäre dann noch gewöhnlich? Wer übernähme die undankbare Aufgabe, vergleichsweise *un*cool durchs Leben zu gehen?

Nun, immerhin gab es ja noch die Einwohnerschaft des amerikanischen Herzlands: all die Familienkutschenfahrer aus St. Jude mit ihren dreißig, vierzig Pfund Übergewicht und ihren famosen pastellfarbenen Jogginganzügen, ihren Anti-Abtreibungs-Aufklebern und preußischen Haarschnitten. Doch Gary hatte in den letzten Jahren, mit geotektonisch wachsender Sorge, beobachtet, dass der Strom derer, die es aus dem Mittelwesten an die cooleren Küsten zog, nicht verebbte. (Sicher, er war selbst Teil dieses Exodus, aber er hatte die Flucht schon früh angetreten, und wer zuerst kam, der mahlte auch, mit Verlaub, zuerst.) Gleichzeitig versuchten alle Restaurants in St. Jude plötzlich, europäische Fahrt aufzunehmen (plötzlich kannte jede Putzfrau sonnengetrocknete Tomaten, plötzlich wussten Schweinezüchter von Crème brûlée), die Kunden im Einkaufszentrum unweit seines Elternhauses liefen mit einer Anspruchshaltung durch die Gegend, die der seinen entmutigend ähnlich war, und die elektronischen Konsumgüter, die es in St. Jude zu kaufen gab, waren keinen Deut weniger leistungsstark und cool als die in Chestnut Hill. Gary wünschte, jede weitere Abwanderung an die Küsten könnte unterbunden werden und man fände für alle Mittelwestler Anreize, wieder pappiges Essen zu sich zu nehmen, Kleidung ohne jeden Schick zu tragen und Brettspiele zu spielen, nur damit eine nationale strategische Reserve der Ahnungslosigkeit bestehen blieb, eine Wildnis des Geschmacks, die es privilegierten Menschen wie ihm erlaubten, sich für alle Ewigkeit vollendet kultiviert zu fühlen –

Aber *genug*, ermahnte er sich. Ein allzu unerbittlicher Drang nach Besonderheit, der Wunsch, kraft eigener Überlegenheit unumschränkt zu herrschen, war ein weiteres Warnsignal der klinischen D.

Und Mr. Zwölftausend-Exxon-Aktien schaute sowieso nicht zu ihm hin. Er schaute auf Denise' nackte Beine.

«Die polymeren Fasern», erklärte Eberle, «verbinden sich chemotaktisch mit aktiven Nervenbahnen und erleichtern so die Entladung elektrischen Potenzials. Wir verstehen diesen Mechanismus noch nicht voll und ganz, aber das Resultat ist, dass dem Patienten jede Handlung, die er ausführt, leichter fällt und es ihm *mehr Freude macht*, sie zu wiederholen und durchzuhalten. Diesen Effekt auch nur vorübergehend zu erzielen wäre schon eine Aufsehen erregende klinische Leistung. Hier bei Axon jedoch haben wir einen Weg gefunden, ihn *dauerhaft* zu gewährleisten.»

«Sehen Sie nur», säuselte der Sprecher.

5. JETZT IST ES AN IHNEN, EIN WENIG ZU ARBEITEN!

Eine Zeichentrickfigur führte mit zittriger Hand eine Teetasse zum Mund, und bestimmte zittrige Nervenbahnen leuchteten in ihrem Zeichentrickkopf auf. Dann trank die Figur Korrektal-Elektrolyte, setzte sich einen Eberle-Helm auf und hob die Tasse erneut. Die aktiven Nervenbahnen wurden als kleine glühende Mikrokanäle sichtbar, die vor Licht und Kraft erstrahlten. Vollkommen ruhig stellte die Zeichentrickhand die Teetasse wieder auf der Untertasse ab.

«Wir müssen Dad dazu bringen, dass er sich als Testperson meldet», flüsterte Denise.

«Wie meinst du das?», fragte Gary.

«Na ja, das Verfahren ist gegen Parkinson. Es könnte ihm helfen.»

Gary seufzte wie ein Reifen, der Luft verlor. Wie war es möglich, dass er nicht längst selbst auf einen dermaßen nahe liegenden Gedanken gekommen war? Er schämte sich und war zugleich merkwürdig wütend auf Denise. Als hätte er sie nicht gehört, schickte er ein höfliches Lächeln in Richtung Videoleinwand.

«Wenn die Bahnen erst einmal lokalisiert und stimuliert worden sind», sagte Eberle, «sind wir nur noch einen kleinen Schritt von der eigentlichen morphologischen Korrektur entfernt. Und hier, wie überall in der heutigen Medizin, *liegt das Geheimnis in den Genen.*»

6. ERINNERN SIE SICH NOCH AN DIESE PILLEN, DIE SIE LETZTEN MONAT GENOMMEN HABEN?

Drei Tage zuvor, am Freitagnachmittag, war Gary endlich zu Pudge Portleigh bei Hevy & Hodapp vorgedrungen. Portleigh hatte geklungen, als wäre er über die Maßen in Eile.

«Gare, tut mir Leid, hier tobt der Bär», sagte Portleigh, «aber hören Sie zu, alter Freund, ich habe wegen Ihrer Anfrage mit Daffy Anderson gesprochen. Daffy sagt, klare Sache, kein Problem, selbstverständlich werden wir für einen guten Kunden und CenTrust-Mitarbeiter fünfhundert Stück platzieren. Also, alles okay, alter Freund? Alles paletti?»

«Nein», sagte Gary. «Wir hatten fünftausend gesagt, nicht fünfhundert.»

Portleigh war einen Moment lang still. «Mist, Gare. Großes Missverständnis. Ich dachte, Sie hätten fünfhundert gesagt.»

«Sie haben es sogar noch wiederholt. Fünftausend. Sie haben gesagt, Sie schreiben es auf.»

«Helfen Sie mir – ging das auf Ihre eigene Rechnung oder auf die der CenTrust?»

«Meine eigene.»

«Also, Gare, Sie machen jetzt Folgendes. Sie selbst rufen Daffy an, erklären ihm die Situation, erklären ihm das Missverständnis, und dann schauen wir mal, ob er nicht weitere fünfhundert auftreiben kann. So weit kann ich Ihnen Rückendeckung geben. Ich meine, war schließlich mein Fehler, ich hatte ja keine Ahnung, wie heiß das Ding werden würde. Aber Sie müssen sich darüber im Klaren sein, dass Daffy den Bissen, den er Ihnen gibt, jemand anderem aus dem Maul fischt. Das ist hier wie im Tierfilm, Gare – lauter kleine Vögelchen mit weit aufgesperrten Schnäbeln. Ich! Ich! Ich! Also, ich kann mich für weitere fünfhundert für Sie verbürgen, aber schreien müssen Sie selber. Okay, alter Freund? Alles paletti?»

«Nein, Pudge, nichts ist paletti», sagte Gary. «Wissen Sie noch, wie ich Ihnen zwanzigtausend refinanzierte Adelson Lee abgenommen habe? Und wie wir –»

«Gare, Gare, bitte tun Sie mir das nicht an», sagte Pudge. «Ich weiß doch. Wie könnte ich Adelson Lee vergessen? Mann, die Sache verfolgt mich Tag und Nacht. Ich will Ihnen ja bloß

Folgendes verklickern: Fünfhundert Axon-Aktien hört sich vielleicht nach 'ner Abspeisung an, aber es ist keine. Das ist das höchste der Gefühle; mehr wird Daffy nicht für Sie tun.»

«Eine erfrischende Brise Ehrlichkeit», sagte Gary. «Jetzt wiederholen Sie doch nochmal, Sie hätten vergessen, dass ich fünftausend gesagt habe.»

«Okay, ich bin ein Arschloch. Danke, dass Sie mir die Augen öffnen. Aber ohne Befehl von ganz oben kann ich Ihnen nicht mehr als insgesamt tausend verschaffen. Wenn Sie fünftausend wollen, dann braucht Daffy eine direkte Anweisung von Dick Hevy. Und da Sie Adelson Lee erwähnt haben – Dick wird mich daran erinnern, dass CoreStates uns vierzigtausend abgenommen hat, First Delaware dreißig-, TIAA-CREF fünfzig- und immer so weiter. So brutal wird nun mal gerechnet, Gare. Sie haben uns in der Größenordnung von zwanzigtausend geholfen, wir helfen Ihnen in der Größenordnung von fünfhundert. Ich meine, ich versuch's bei Dick, wenn Sie wollen. Wahrscheinlich könnte ich auch Daffy weitere fünfhundert aus den Rippen leiern – ich brauch ihm bloß zu sagen, Sie kämen, so, wie er jetzt aussieht, garantiert nie darauf, dass er mal 'ne spiegelblanke Glatze hatte. Das Wundermittel Rogaine – und schwupp. Aber unterm Strich ist es Daffy, der bei diesem Deal den Nikolaus spielen darf. Er weiß, ob Sie artig oder unartig waren. Und vor allem weiß er, für wen Sie arbeiten. Ehrlich gesagt, um die Art von Aufmerksamkeit zu kriegen, die Sie offenbar haben wollen, müssen Sie was ganz anderes machen: nämlich zusehen, dass Sie die Größe Ihres Unternehmens verdreifachen.»

Größe, ja ja, immer ging es um Größe. Wenn Gary ihm jetzt nicht versprach, zu einem späteren Zeitpunkt mit CenTrust-Geldern ein paar Blindgänger zu kaufen (wofür er seinen Job verlieren konnte), hatte er bei Pudge Portleigh keinen Spielraum mehr. Aber immerhin blieb ihm noch *moralischer* Spielraum. Als er letzte Nacht wach lag, hatte er an der Formulierung des unmissverständlichen, wohl überlegten Vortrags gefeilt, den er Axons Führungsriege an diesem Nachmittag zu halten gedachte: *Ich möchte, dass Sie mir in die Augen sehen und sagen, dass Ihr Angebot an meinen Vater angemessen und fair war. Mein Vater hatte persönliche Gründe, das Angebot anzunehmen; ich hingegen weiß, was Sie ihm angetan haben. Verstehen Sie mich? Ich bin kein alter Mann aus dem Mittelwesten. Ich weiß, was Sie getan haben. Und bestimmt ist Ihnen klar, dass ich diesen Raum unmöglich verlassen kann, bevor Sie mir nicht fünftausend Aktien verbindlich zugesichert haben. Ich könnte auch auf einer Entschuldigung bestehen. Aber ich schlage Ihnen lediglich eine einfache Transaktion zwischen Erwachsenen vor. Die Sie, nebenbei bemerkt,* n i c h t s *kostet. Zero. Nada. Niente.*

«Synaptogenese!», frohlockte Axons Videosprecher.

7. NEIN, EIN BUCH DER BIBEL IST DAS NICHT!

Die professionellen Anleger in Ballsaal B lachten und lachten.

«Ist das vielleicht alles nur ein Schwindel?», fragte Denise.

«Wieso sollten sie Dads Patent für einen Schwindel kaufen wollen», sagte Gary.

Sie schüttelte den Kopf. «Wenn ich das hier sehe, möchte ich am liebsten wieder ins Bett.»

Gary kannte das Gefühl. Seit drei Wochen hatte er keine Nacht mehr vernünftig geschlafen. Sein 24-Stunden-Rhythmus hatte sich um 180 Grad verschoben – die ganze Nacht war er aufgedreht, den ganzen Tag rieb er sich die Augen, und zu glauben, dass sein Problem nicht neurochemischer, sondern persönlicher Natur war, fiel ihm zunehmend schwer.

Wie richtig es all die Monate gewesen war, die vielen Warnsignale vor Caroline zu verbergen! Wie zutreffend sein Instinkt, dass ein mutmaßlich defizitärer Neurofaktor 3 die Rechtmäßigkeit seiner moralischen Argumente untergraben würde! Jetzt konnte Caroline ihre feindseligen Gefühle als «Sorge» um seine «Gesundheit» tarnen. Seine schwerfälligen Mittel der konventionellen Ehekriegführung hatten gegen diese biologischen Waffen keine Chance. Er attackierte grausam ihre *Person*; sie attackierte heroisch seine *Krankheit*.

Auf der Grundlage dieses strategischen Vorteils waren Caroline eine Reihe brillanter taktischer Züge geglückt. Als Gary seinen Schlachtplan für das erste Wochenende entwickelte, das ganz im Zeichen der kriegerischen Auseinandersetzung stand, nahm er an, dass Caroline, wie am vorausgegangenen Wochenende, ihre Wagenburg formieren würde, indem sie teenagerhaft mit Aaron und Caleb herumalberte und die beiden anstachelte, sich über den «doofen alten Dad» lustig zu machen. Daraufhin lockte er sie am Donnerstagabend in einen Hinterhalt. Er schlug aus heiterem Himmel vor, am Sonntag mit Aaron und Caleb eine Mountainbiketour in den Poconos zu unternehmen; sie würden schon in der Morgendämmerung aufbrechen, damit sie einen langen Tag unter Männern hätten, an dem Caroline ohnehin nicht teilnehmen könne, *weil ihr ja der Rücken wehtue*.

Caroline konterte, indem sie seinen Vorschlag begeistert unterstützte. Sie drängte Caleb und Aaron, mitzufahren und *die Zeit mit ihrem Vater zu genießen*. Diese Formulierung betonte sie so eigenartig, dass Aaron und Caleb, wie auf Kommando, losplatzten: «Eine Mountainbiketour, ja, Dad, toll!» Und mit einem Schlag begriff Gary, was hier vor sich ging. Er begriff, warum Aaron am Montagabend zu ihm gekommen war und sich dafür entschuldigt hatte, ihn als «furchtbar» bezeichnet zu haben, und warum Caleb ihn am Dienstag zum ersten Mal seit Monaten gefragt hatte, ob er mit ihm Fußball spiele, und warum Jonah ihm am Mittwoch, unaufgefordert, auf einem Tablett mit Korkrand einen zweiten Martini gebracht hatte, von Caroline eingeschenkt. Er durchschaute, warum seine Kinder auf einmal so nett und fürsorglich waren: *weil Caroline ihnen erzählt hat-*

te, ihr Vater ringe mit einer klinischen Depression. Was für ein brillanter Schachzug! Und dass es einer war, daran zweifelte er keine Sekunde – Carolines «Sorge» war reiner Schwindel, eine Kriegslist, ein Manöver, um Weihnachten nicht in St. Jude verbringen zu müssen –, denn noch immer war in ihren Augen keine Wärme oder Zärtlichkeit, nicht der kleinste Funke.

«Hast du den Jungen gesagt, ich hätte eine Depression?», fragte Gary sie in der Dunkelheit, vom äußersten Rand ihres Tausend-Quadratmeter-Bettes aus. «Caroline? Hast du ihnen irgendeinen Mist über meinen Geisteszustand erzählt? Ist deshalb alle Welt auf einmal so nett zu mir?»

«Gary», sagte sie. «Sie sind nett, weil sie möchten, dass du mit ihnen in den Poconos Mountainbike fährst.»

«Irgendwas ist mir daran nicht geheuer.»

«Weißt du, du wirst allmählich richtig paranoid.»

«Scheiße, Scheiße, Scheiße!»

«Das ist beängstigend, Gary.»

«Du treibst irgendwelche Spielchen mit meinem Kopf! Das ist der gemeinste Trick, den es gibt. Der allerfieseste überhaupt.»

«Bitte, hör dir doch mal selber zu.»

«Beantworte meine Frage», sagte er. «Hast du ihnen erzählt, ich sei ‹depressiv›? Ich hätte ‹Probleme›?»

«Na ja – stimmt das denn nicht?»

«Antworte auf meine Frage!»

Sie antwortete nicht auf seine Frage. Sie sagte gar nichts mehr, obwohl er die Frage eine halbe Stunde lang ständig wiederholte, jeweils nach einer Pause von ein, zwei Minuten, damit sie antworten konnte. Aber sie antwortete nicht.

Am Morgen der Fahrradtour fühlte er sich vor lauter Schlafmangel derart zerschlagen, dass er nur noch den Ehrgeiz hatte, körperlich zu funktionieren. Er lud drei Fahrräder auf Carolines riesigen, sicheren Ford Stomper und fuhr zwei Stunden, lud die Fahrräder wieder ab und trat auf holperigen Wegen Kilometer für Kilometer in die Pedale. Die Jungen rasten mit großem Abstand vor ihm her. Immer wenn er sie eingeholt hatte, waren sie schon wieder ausgeruht genug, um weiterzufahren. Sie sagten von sich aus nichts, hatten aber freundlich-erwartungsvolle Mienen aufgesetzt, so als hielten sie es für möglich, dass Gary ein Geständnis abzulegen hätte. Sein Zustand war, gewissermaßen, neurochemisch prekär; er hatte nichts zu sagen außer: «Kommt, essen wir unsere Sandwiches», und: «Noch eine Steigung, dann kehren wir um.» Bei Einbruch der Abenddämmerung wuchtete er die Fahrräder auf den Stomper, fuhr zwei Stunden und lud sie zu Hause, fast überwältigt vor ANHEDONIE, wieder ab.

Caroline kam aus dem Haus und erzählte den älteren Jungen, was für einen Heidenspaß sie und Jonah gehabt hätten. Sie habe sich jetzt auch zu den Narnia-Büchern bekehren lassen. Also plapperten sie und Jonah den ganzen Abend über «Aslan», «Feen-Eden» und «Riepischiep» und den Narnia-Chatroom für Kinder, den sie im Internet aufgetan hätten, und die C.-S.-Lewis-Website, auf der man tolle Spiele spielen und haufenweise tolle narnische Produkte bestellen könne.

«Es gibt eine *Prinz Kaspian*-CD-ROM», erzählte Jonah Gary, «mit einem Spiel, auf das ich mich schon unheimlich freue.»

«Scheint ein wirklich sehr interessantes und gut durchdachtes Computerspiel zu sein», sagte Caroline. «Ich habe Jonah gezeigt, wie man es bestellt.»

«Da ist so ein Wandschrank», sagte Jonah. «Und wenn man den anklickt, öffnet er sich, und man kommt nach Narnia. Und da sind dann lauter tolle Sachen.»

Grenzenlos war Garys Erleichterung am nächsten Morgen, als er, torkelnd und schlingernd wie eine sturmversehrte Yacht, in den sicheren Hafen seiner Arbeitswoche einlief. Er hatte keine andere Wahl, als sich, so gut es ging, zusammenzureißen, den

Kurs zu halten, *nicht depressiv zu sein*. Trotz schwerer Verluste blieb er siegesgewiss. Seit seinem allerersten Streit mit Caroline vor zwanzig Jahren, als er allein in seiner Wohnung gesessen, ein Elf-Innings-Baseballspiel der Phillies gesehen und das Telefon erst alle zehn, dann alle fünf, dann alle zwei Minuten hatte läuten hören, wusste er, dass Caroline auf dem Grunde ihres Hasenherzens verzweifelt unsicher war. Wenn er ihr seine Liebe vorenthielt, kam sie, früher oder später, zu ihm zurück, klopfte mit ihrer kleinen Faust gegen seine Brust und ließ ihm seinen Willen.

Jetzt allerdings machte Caroline nicht den Eindruck, als würde sie klein beigeben. Spät in der Nacht, wenn Gary zu aufgewühlt und wütend war, um die Augen zu schließen, geschweige denn zu schlafen, lehnte sie es höflich, aber bestimmt ab, mit ihm zu streiten. Besonders hartnäckig weigerte sie sich, wenn es um Weihnachten ging; Gary über dieses Thema reden zu hören sei, sagte sie, als sähe man einem Alkoholiker beim Trinken zu.

«Was willst du von mir?», fragte Gary. «Was soll ich denn tun?»

«Ich möchte, dass du die Verantwortung für deine seelische Gesundheit übernimmst.»

«Herrgott, Caroline. Falsche Antwort, falsch, falsch, falsch.»

Unterdessen hatte Discordia, die Göttin des ehelichen Zwistes, gemeinsame Sache mit den Fluggesellschaften gemacht. Im *Inquirer* erschien eine ganzseitige Werbung für Sonderangebote der Midland Airline, darunter der Kampfpreis eines Fluges von Philadelphia nach St. Jude und zurück für $ 198. Nur fünf Termine Ende Dezember waren geschwärzt; wenn sie Weihnachten bloß einen Tag länger in St. Jude blieben als geplant, würde Gary für Hin- und Rückflug der gesamten Familie (ohne Umsteigen!) weniger als eintausend Dollar hinblättern müssen. Er bat sein Reisebüro, ihm fünf Tickets zu reservieren, und erneuerte die Option täglich. Am Freitagmorgen schließlich, kurz vor Ablauf der Frist, verkündete er Caroline, dass er jetzt Tickets kaufen werde. Getreu ihrer strikten Weihnachten-ist-tabu-Politik wandte sie sich Aaron zu und fragte ihn, ob er schon für die Spanisch-Arbeit gelernt habe. In Stellungskriegslaune rief Gary aus seinem Büro bei der CenTrust im Reisebüro an und gab grünes Licht für den Kauf der Flugscheine. Dann rief er seinen Arzt an und bat ihn um ein Schlafmittel, ein Rezept auf die Schnelle, irgendetwas geringfügig Stärkeres als das ganze nicht verschreibungspflichtige Zeug. Dr. Pierce erwiderte, ein Schlafmittel scheine ihm keine besonders gute Idee zu sein. Caroline habe erwähnt, dass Gary möglicherweise depressiv sei, und *dagegen* helfe ein Schlafmittel nun ganz gewiss nicht. Vielleicht wolle Gary stattdessen einmal in seine Sprechstunde kommen und darüber reden, wie es ihm gehe?

Nachdem er aufgelegt hatte, stellte Gary sich einen Augenblick lang vor, wie es wäre, geschieden zu sein. Doch drei leuchtende und idealisierende Charakterbilder seiner Kinder, überschattet von einem fledermausartigen Schwarm finanzieller Sorgen, verscheuchten diesen Gedanken aus seinem Kopf.

Am Samstag, während eines Abendessens, hatte er auf der Suche nach irgendetwas Valiumähnlichem den Medizinschrank seiner Freunde Drew und Jamie durchwühlt, doch vergebens.

Gestern hatte ihn Denise angerufen und mit unheilvoller Beharrlichkeit darauf bestanden, ihn zum Lunch zu treffen. Sie sagte, sie habe am Samstag Enid und Alfred in New York gesehen. Und Chip und seine Freundin hätten sie versetzt und sich aus dem Staub gemacht.

Als er letzte Nacht wach gelegen hatte, war Gary die Frage gekommen, ob Caroline solche Glanzleistungen meinte, wenn sie Chip als einen Mann beschrieb, der «ehrlich genug» sei zu sagen, was er «ertragen» könne und was nicht.

«Die Zellen werden genetisch so reprogrammiert, dass sie den Nervenwachstumsfaktor nur dann freisetzen, wenn sie lokal aktiviert werden!», verkündete Earl Eberles Videofaksimile gut gelaunt.

Ein bezauberndes weibliches Versuchskaninchen, den Schädel unter einem Eberle-Helm, war in einem Gerät festgeschnallt, das seinem Gehirn wieder beibrachte, den Beinen das Laufen zu befehlen.

Ein anderes Versuchskaninchen, im grauen Winterfell der Misanthropie und Bitterkeit, schob mit den Fingern die Mundwinkel hoch, während der vergrößerte Ausschnitt einer Computeranimation zeigte, wie in seinem Gehirn baumähnliche Verästelungen wuchsen und neue synaptische Verbindungen entstanden. Im nächsten Moment konnte das Mädchen ganz vorsichtig und ohne seine Finger zu benutzen lächeln. Noch einen Augenblick später strahlte es.

KORREKTAL: DAS IST DIE ZUKUNFT!

«Die Axon Corporation ist in der glücklichen Lage, fünf US-amerikanische Patente zu haben, die die beschriebene mächtige Grundlagentechnologie schützen», sagte Earl Eberle in die Kamera. «Diese Patente sowie acht weitere Verfahren, die gerade zum Patent angemeldet werden, bilden eine undurchdringliche Firewall, hinter der die einhundertfünfzig Millionen Dollar, die wir bisher in die Forschung und Entwicklung gesteckt haben, sicher sind. Axon ist anerkanntermaßen auf diesem Gebiet weltweit führend. Wir blicken auf sechs Jahre ununterbrochenen Überschuss zurück und haben kontinuierliche Einnahmen, die im kommenden Jahr aller Wahrscheinlichkeit nach achtzig Millionen Dollar übersteigen werden. Potenzielle Investoren dürfen darauf vertrauen, dass jeder Penny eines jeden Dollars, den wir am 15. Dezember bekommen, für die Weiterentwicklung dieses phantastischen und womöglich historischen Produkts verwendet werden wird. Korrektal: Das ist die Zukunft!», sagte Eberle.

«Das ist die Zukunft!», intonierte der Sprecher.

«Das ist die Zukunft!», stimmte die Menge der gut aussehenden Studenten mit ihren Streberbrillen ein.

«Ich mochte die Vergangenheit», sagte Denise und setzte ihre Halbliterflasche importierten Gratiswassers an die Lippen.

Garys Meinung nach atmeten zu viele Menschen die Luft von Ballsaal B. Ein Lüftungsproblem. Als die Lichter voll aufgedreht wurden, schwärmte schweigendes Bedienungspersonal aus, lief zwischen den Tischen hin und her und trug Essen unter wärmenden Deckeln auf.

«Ich tippe auf Lachs», sagte Denise. «Nein, mit Sicherheit Lachs.»

Die drei Gestalten, die sich jetzt aus ihren Talkshow-Sesseln erhoben und an den vorderen Rand des Podiums traten, erinnerten Gary auf sonderbare Weise an seine Flitterwochen in Italien. Er und Caroline hatten irgendwo in der Toskana, vielleicht in Siena, eine Kathedrale besichtigt, in deren Museum große mittelalterliche Heiligenstatuen ausgestellt waren, die einst auf dem Dach der Kathedrale gestanden hatten, jede mit einem erhobenen Arm, als wären es winkende Präsidentschaftskandidaten, auf den Gesichtern ein heiliges Grinsen der *Gewissheit*.

Der älteste der drei glückseligen Redner, ein rosawangiger Mann mit randloser Brille, streckte eine Hand aus, wie um die Menge zu segnen.

«Also dann!», sagte er. «Also dann, meine Herrschaften! Mein Name ist Joe Prager, ich bin der Bevollmächtigte von Bragg Knuter für diese Transaktion. Die Dame zu meiner Linken ist Merilee Finch, Vorstandsvorsitzende bei Axon, der Herr zu meiner Rechten Daffy Anderson, der alles entscheidende Dealmanager bei Hevy & Hodapp. Wir hatten gehofft, dass uns Krauskopf höchstpersönlich heute noch die Ehre geben würde, aber er ist der Mann der Stunde und wird just in diesem Moment von CNN interviewt. Also lassen Sie mich hier ein paar Warnungen aussprechen, zwinker, zwinker, und dann das Wort an Daffy und Merilee weitergeben.»

«Jo, Kelsey, schieß los, Baby, schieß los», rief Garys junger Nebenmann.

«Warnung A», sagte Prager. «Bitte nehmen Sie zur Kenntnis, dass ich betone, wie extrem vorläufig Krauskopfs Ergebnisse sind. Das Ganze hier ist Phase eins der Forschung, Leute. Gibt's hier jemanden, der mich akustisch nicht versteht? Da ganz hinten?» Prager reckte den Hals und winkte mit beiden Armen den am weitesten entfernten Tischen zu, wo auch Gary saß. «Alle Karten auf den Tisch gelegt: Dies ist *Phase eins* der Forschung. Axon hat von der Arznei- und Lebensmittelbehörde noch keine Genehmigung, mit den Tests für Phase zwei zu beginnen, und will da auch niemandem etwas vormachen. Und was kommt nach Phase zwei? Phase drei! Und nach Phase drei? Ein mehrstufiges Kontrollverfahren, das die Einführung des Produkts auf dem Markt noch einmal um bis zu drei Jahre verzögern kann. Hallo, Leute, wir haben es hier mit klinischen Ergebnissen zu tun, die *außerordentlich interessant*, aber auch *außerordentlich vorläufig* sind. Also Vorsicht, liebe Käufer. Alles klaro? Zwinker, zwinker. Alles klaro?»

Prager bemühte sich, ein ernstes Gesicht zu machen. Auch Merilee Finch und Daffy Anderson verbissen sich das Lächeln, als hätten sie schmutzige Geheimnisse oder heikle religiöse Überzeugungen.

«Warnung B», sagte Prager. «Eine inspirierende Videopräsentation ist keine Subkriptionsanzeige. Daffys Darlegungen heute sind, ebenso wie Merilees, improvisiert und, ich sage es noch einmal, *keine Subskriptionsanzeige ...*»

Das Bedienungspersonal fiel jetzt über Garys Tisch her und servierte ihm Lachs auf einem Linsenbett. Denise winkte ab.

«Isst du nichts?», flüsterte Gary.

Sie schüttelte den Kopf.

«Denise. Ehrlich.» Unerklärlicherweise fühlte er sich gekränkt. «Du könntest schon ein paar Happen mit mir essen.»

Denise sah ihn mit unergründlicher Miene an. «Mir ist ein bisschen schlecht.»

«Möchtest du gehen?»

«Nein. Ich möchte nur nichts essen.»

Mit ihren zweiunddreißig Jahren war Denise immer noch hübsch, obwohl lange Stunden am Herd ihre jugendliche Haut mehr und mehr zu einer Art Terrakottamaske brannten, die Gary jedes Mal wenn sie sich trafen, ein wenig banger zumute werden ließ. Schließlich war sie seine kleine Schwester. Die Jahre ihrer Fruchtbarkeit und Heiratsfähigkeit vergingen in einem Tempo, auf das er eingestimmt war, sie hingegen, wie er vermutete, nicht. Ihre Karriere war in seinen Augen ein böser Zauber, in dessen Bann sie sechzehn Stunden am Tag arbeitete und keinerlei Privatleben hatte. Gary machte sich Sorgen – und als ihr ältester Bruder nahm er das *Recht* dazu für sich in Anspruch –, dass Denise, wenn sie eines Tages aus diesem Zauber erwachte, zu alt wäre, um eine Familie zu gründen.

Schnell aß er seinen Lachs, während sie ihr importiertes Wasser trank.

Auf dem Podium sprach die Vorstandsvorsitzende von Axon, eine blonde Frau um die vierzig mit der scharfzüngigen Kampfeslust einer College-Rektorin, über Nebenwirkungen. «Abgesehen von Kopfschmerzen und Übelkeit, mit denen man rechnen muss», sagte Merilee Finch, «haben wir noch nichts im Visier. Bedenken Sie, dass unsere Grundlagentechnologie immerhin schon seit einigen Jahren breite Anwendung findet, ohne dass von irgendwelchen signifikanten schädlichen Nebenwirkungen berichtet worden wäre.» Finch zeigte in den Ballsaal. «Ja, grauer Armani?»

«Ist Korrektal nicht der Name eines Abführmittels?»

«Ah, ja», sagte Finch und nickte heftig. «Andere Schreibweise, aber Sie haben ganz Recht. Krauskopf und ich haben ungefähr zehntausend Namen in Erwägung gezogen, bevor uns klar wurde, dass die Markenbezeichnung für Menschen, die unter Alzheimer, Parkinson oder schwersten Depressionen leiden, nicht wirklich wichtig ist. Wir könnten das Medikament Karzino-Asbest nennen, und sie würden uns immer noch die Türen einrennen. Krauskopfs große Vision aber und der Grund, weswegen er bereit ist, all die blöden Witze und so weiter in Kauf zu nehmen, ist, dass es dank dieses Verfahrens in zwanzig Jahren kein einziges Gefängnis in den Vereinigten Staaten mehr geben wird. Wir leben, realistisch betrachtet, in einem Zeitalter der medizinischen Durchbrüche. Kein Zweifel, es werden auch konkurrierende Therapien für Alzheimer und Parkinson auf den Markt kommen. Manche vermutlich schon vor Korrektal. Für die meisten Erkrankungen des Gehirns wird unser Produkt daher nur eine Waffe in einem ganzen Arsenal sein. Eindeutig die *beste* Waffe, aber eben nur eine von vielen. Was hingegen soziale Defekte, was das Gehirn des Verbrechers betrifft, zeigt sich keine andere Möglichkeit am Horizont. Die Alternative lautet: Korrektal oder Gefängnis. Es ist also ein zukunftsorientierter Markenname. Wir erheben Anspruch auf eine völlig neue Hemisphäre. Wir hissen die spanische Flagge gleich hier am Strand.»

An einem der hinteren Tische, wo eine schlichte Tweedfraktion saß, Gewerkschaftsfonds-Verwalter vielleicht, vielleicht auch Stiftungsleute von Penn oder Temple, wurde Gemurmel laut. Eine storchengestaltige Frau stand auf und rief: «Also, was bedeutet das – Sie reprogrammieren den Wiederholungstäter, damit er wieder Spaß daran hat, den Besen zu schwingen?»

«Das liegt im Bereich des Machbaren, ja», sagte Finch. «Das ist eine Anwendungsmöglichkeit, wenn auch vermutlich nicht die beste.»

Die Zwischenruferin traute ihren Ohren nicht. «Nicht die *beste*? Ein ethischer *Albtraum* ist das!»

«Tja, freies Land – investieren Sie halt in alternative Energien», sagte Finch, um eines Lachers willen, denn die meisten Anwesenden waren auf ihrer Seite. «Kaufen Sie ein paar geothermische Billigaktien. Solarstromzukunft, sehr günstig, sehr korrekt. Ja, der Nächste, bitte? Rosa Hemd?»

«Ihr träumt doch», fuhr die Zwischenruferin mit noch lauterer Stimme fort, «wenn ihr glaubt, dass das amerikanische Volk –»

«Herzchen», unterbrach sie Finch, den Vorteil ihres am Revers befestigten Mikros nutzend, «das amerikanische Volk befürwortet die Todesstrafe. Meinen Sie, es wird mit einer gesellschaftlich so konstruktiven Alternative wie dieser ein Problem haben? In zehn Jahren werden wir sehen, wer von uns träumt. Ja, rosa Hemd am Tisch drei, ja?»

Die Zwischenruferin ließ nicht locker.

«Entschuldigen Sie», sagte sie, «aber ich möchte Ihre potenziellen Investoren an den Zusatzartikel acht zur Verfassung erinnern, wo es heißt, dass keine grausamen und unüblichen Strafen –»

«Danke. Danke vielmals», sagte Finch, deren Conferencierslächeln allmählich gefror. «Da Sie schon von grausamen und unüblichen Strafen sprechen, schlage ich vor, Sie gehen zur Fairmount Avenue, ein paar Blocks nördlich von hier, und sehen sich das Eastern-State-Gefängnis an. Die erste moderne Strafanstalt der Welt, seit 1829 in Betrieb, Einzelhaft von bis zu zwanzig Jahren, erstaunlich hohe Selbstmordrate, Besserungseffekt gleich null und, nur um Ihnen das ins Gedächtnis zu rufen, *noch heute das allen Besserungsanstalten in den Vereinigten Staaten zugrunde liegende Modell*. Nicht darüber redet Krauskopf auf CNN, meine Herrschaften. Er redet über die eine Million Amerikaner, die Parkinson haben, und die vier Millionen, die an Alzheimer erkrankt sind. Was ich Ihnen jetzt sage, ist nicht für die breite

Öffentlichkeit bestimmt. Aber Tatsache ist, dass eine einhundertprozentig freiwillige Alternative zur Haftstrafe das Gegenteil von grausam und unüblich ist. Unter allen möglichen Anwendungsformen von Korrektal ist sie die humanste. Dies ist die liberale *Vision*: wahre, dauerhafte, freiwillige Selbstkorrektur.»

Die Zwischenruferin, mit dem Nachdruck der Unverbesserlichen den Kopf schüttelnd, war bereits auf dem Weg zur Tür, um den Saal zu verlassen. Mr. Zwölftausend-Exxon-Aktien wölbte, auf Höhe von Garys linker Schulter, die Hände um den Mund und buhte sie aus.

Junge Männer an anderen Tischen taten es ihm gleich, sie buhten und grienten, sie hatten ihren Sportfan-Spaß und gaben damit, befürchtete Gary, Denise' Verachtung für die Welt, in der er sich bewegte, neue Nahrung. Denise hatte sich vorgebeugt und starrte Mr. Zwölftausend-Exxon-Aktien mit unverhohlenem Befremden an.

Daffy Anderson, Typ Deckungsspieler mit vollen, glänzenden Koteletten und einem deutlich anders strukturierten Stoppelfeld von Haaren weiter oben, war vorgetreten, um monetäre Fragen zu beantworten. Er sprach von einer *erfreulichen Überzeichnung*. Er sagte, diese Emission sei so heiß wie *Starbuck-Coffee* und *Dallas im Juli*. Er weigerte sich, den Preis zu nennen, den Hevy & Hodapp für eine Axon-Aktie fordern wollten. Er sagte, sie würden sie *fair bewerten* und – zwinker, zwinker – *den Rest dem Markt überlassen*.

Denise berührte Garys Schulter und deutete auf einen Tisch hinter dem Podium, an dem Merilee Finch stand, allein, und sich Lachs in den Mund schob. «Unsere Beute weidet. Ich würde sagen, wir schlagen zu.»

«Wieso?», fragte Gary.

«Um Dad als Testperson anzumelden.»

Der Gedanke, dass Alfred an einem Versuch der Phase zwei teilnehmen könnte, behagte Gary nicht im Mindesten, aber dann kam ihm eine Idee: Wenn er zuließ, dass Denise von Alfreds Gebrechen sprach und Mitleid für die Lamberts weckte und den moralischen Anspruch der Familie auf Axons Gunst geltend machte, erhöhte das vielleicht seine Chancen, an die fünftausend Aktien heranzukommen.

«Du redest», sagte er und stand auf. «Aber dann werde *ich* sie noch was fragen.»

Als er und Denise zum Podium gingen, wandten sich überall bewundernd die Köpfe nach Denise' Beinen um.

«Welchen Teil von ‹kein Kommentar› haben Sie nicht verstanden?», fragte Daffy Anderson einen Zuhörer zurück und erntete Gelächter.

Die Backen von Axons Vorstandsvorsitzender waren gebläht wie die eines Eichhörnchens. Finch führte eine Serviette zum Mund und betrachtete argwöhnisch die herannahenden Lamberts. «Ich habe so einen *Hunger*», sagte sie. Es war die Entschuldigung einer dünnen Frau, einen Körper zu haben. «In ein paar Minuten stellen wir noch einige Tische auf, wenn Sie so lange warten möchten?»

«Wir haben eine halbprivate Frage», sagte Denise.

Finch schluckte mit Mühe – vielleicht vor Verlegenheit, vielleicht, weil sie nicht genügend gekaut hatte. «Ja?»

Denise und Gary stellten sich vor, und Denise erwähnte den Brief, den Alfred bekommen hatte.

«Ich musste unbedingt etwas *essen*», erklärte Finch, während sie sich Linsen auf die Gabel häufte. «Ich glaube, es war Joe, der Ihrem Vater geschrieben hat. Wir sind jetzt quitt, denke ich. Wenn Sie noch Fragen haben, wird er sicher gern mit Ihnen sprechen.»

«Unsere Frage richtet sich mehr an Sie», sagte Denise.

«Entschuldigung. Noch einen Happen.» Finch kaute ihren Lachs mit angestrengt mahlendem Kiefer, schluckte erneut und warf ihre Serviette auf den Teller. «Was das Patent betrifft, hatten wir ehrlich gesagt erwogen, es einfach zu missachten. So machen es alle. Aber Krauskopf ist selbst Erfinder. Er wollte das Richtige tun.»

«Mal ehrlich», erwiderte Gary, «das Richtige wäre wohl gewesen, ihm mehr dafür zu bieten.» Finchs Zunge schlüpfte unter ihre Oberlippe wie eine Katze unter Decken. «Sie mögen etwas überzogene Vorstellungen von der Leistung Ihres Vaters haben», sagte sie. «In den sechziger Jahren gab es viele Forscher, die besagte Gels untersucht haben. Die Entdeckung der elektrischen Anisotropie wird meines Wissens gewöhnlich einem Team von der Cornell-Universität zugeschrieben. Und wenn ich Joe richtig verstanden habe, ist die Formulierung des Patents sehr vage. Es ist dort nicht einmal vom Gehirn die Rede, bloß von ‹menschlichem Gewebe›. Im Patentrecht ist Gerechtigkeit das Recht des Stärkeren. Ich denke, unser Angebot war ziemlich großzügig.»

Gary zog seine Ich-Blödmann-Grimasse und schaute zum Podium, wo Bewunderer und Bittsteller Daffy Anderson umringten.

«Unser Vater war ja auch mit dem Angebot zufrieden», versicherte Denise. «Und er interessiert sich sehr dafür, was Sie herausfinden.»

Wenn Frauen sich verbündeten, wenn sie nett taten, wurde Gary immer leicht übel.

«In welcher Klinik arbeitete er noch gleich?», sagte Finch.

«In keiner», sagte Denise. «Er war Eisenbahningenieur. Er hatte ein Labor in unserem Keller.»

Finch war überrascht. «Er hat diese Arbeit als Amateur geleistet?»

Gary wusste nicht, welche Version von Alfred ihn mehr erboste: die des trotzigen alten Tyrannen, der in seinem Keller eine brillante Entdeckung gemacht und sich selbst um ein Vermögen betrogen hatte, oder die des ahnungslosen Kelleramateurs, der unwissentlich Resultate professioneller Chemiker erzielt und mit dem knappen Familiengeld ein vage formuliertes Patent angemeldet, ja über Jahre aufrechterhalten hatte und jetzt zum Lohn einen Brocken von Earl Eberles Tisch hingeworfen bekam. Beide Versionen ärgerten ihn maßlos.

Vielleicht war es doch das Beste, dass der alte Mann Garys Rat ignoriert und das Angebot angenommen hatte.

«Mein Dad hat Parkinson», sagte Denise.

«Oh, das tut mir Leid.»

«Tja, und wir dachten, Sie könnten ihn vielleicht an den Tests für Ihr ... Produkt teilnehmen lassen.»

«Gut möglich», sagte Finch. «Wir müssten Krauskopf fragen. Der menschliche Aspekt daran gefällt mir. Lebt Ihr Dad hier in der Gegend?»

«Nein, in St. Jude.»

Finch runzelte die Stirn. «Es wird nicht funktionieren, wenn er nicht mindestens sechs Monate lang zweimal die Woche nach Schwenksville kommen kann.»

«Kein Problem», sagte Denise und wandte sich Gary zu. «Oder?»

Alles an dieser Unterhaltung widerstrebte Gary. Gesundheit Gesundheit, Frauen Frauen, nett nett, artig artig. Er antwortete nicht.

«Wie ist seine geistige Verfassung?», fragte Finch.

Denise öffnete den Mund, aber es kamen keine Wörter.

Dann fing sie sich. «Gut», sagte sie. «Sehr – gut.»

«Keine Demenz?»

Denise schürzte die Lippen und schüttelte den Kopf. «Nein. Manchmal ist er zwar ein bisschen verwirrt, aber – nein.»

«Die Verwirrung könnte von seinen Medikamenten herrühren», sagte Finch. «In diesem Fall kriegt man sie in den Griff. Aber eine Lewy-Körperchen-Demenz sprengt den Rahmen von Testphase zwei. Genauso wie Alzheimer.»

«Er ist ziemlich klar im Kopf», sagte Denise.

«Schön – wenn er in der Lage ist, einfache Anweisungen zu befolgen, und wenn er bereit ist, im Januar an die Ostküste zu reisen, könnte Krauskopf vielleicht versuchen, ihn noch einzubeziehen. Wär eine gute Geschichte.» Finch zückte eine Visitenkarte, schüttelte Denise freundlich und Gary weniger freundlich die Hand und wollte sich unter die Menschenmenge mischen, die Daffy Anderson belagerte.

Gary folgte ihr und hielt sie am Ellbogen fest. Erstaunt drehte sie sich um.

«Hören Sie, Merilee», raunte er ihr zu, als wollte er sagen: *Jetzt seien wir mal realistisch, wir Erwachsene können doch auf diesen ganzen Nettigkeitsquatsch verzichten.* «Dass Sie denken, mein Dad sei eine ‹gute Geschichte›, freut mich sehr. Und es ist ausgesprochen großzügig von Ihnen, ihm fünftausend Dollar zu geben. Aber ich glaube, Sie brauchen uns mehr als wir Sie.»

Finch winkte jemandem zu und hielt einen Finger hoch: eine Sekunde, und sie würde bei ihm sein. «Eigentlich», sagte sie zu Gary, «brauchen wir Sie überhaupt nicht. Also weiß ich nicht genau, worauf Sie hinauswollen.»

«Meine Familie möchte gern fünftausend Ihrer Aktien kaufen.»

Finch lachte wie eine Funktionärin mit einer Achtzigstundenwoche. «Das will jeder in diesem Raum», sagte sie. «Dafür haben wir Investmentbanker. Wenn Sie mich bitte entschuldigen würden –»

Sie machte sich los und entfernte sich. Gary bekam in dem Gedränge von Leibern kaum Luft. Er war wütend, weil er *gebettelt* hatte, wütend, weil er Denise an dieser Werbeveranstaltung hatte teilnehmen lassen, wütend, weil er ein Lambert war. Mit großen Schritten ging er zur nächsten Tür, ohne auf Denise, die hinter ihm hereilte, zu warten.

Zwischen dem Four Seasons und dem angrenzenden Bürohochhaus lag ein Innenhof, der so üppig bepflanzt und tadellos gepflegt war, dass er genauso gut aus den Pixeln eines Cybershopping-Paradieses hätte bestehen können. Hier fand Gary ein Ventil, um seinem Ärger Luft zu machen. Er sagte: «Ich habe keine Ahnung, wo zum Teufel Dad deiner Meinung nach wohnen soll, wenn er herkommt.»

«Teils bei dir, teils bei mir», sagte Denise.

«Du bist nie zu Hause», sagte er. «Und dass Dad sich in *meinem* Haus nicht länger als achtundvierzig Stunden aufhalten möchte, ist aktenkundig.»

«Es wäre ja nicht so wie letztes Weihnachten», sagte Denise. «Glaub mir. Der Eindruck, den ich am Samstag gewonnen habe –»

«Außerdem, wie soll er zweimal in der Woche nach Schwenksville rauskommen?»

«Gary, was willst du damit sagen? Willst du nicht, dass es klappt?»

Zwei Büroangestellte standen auf und machten eine Marmorbank frei, als sie die streitenden Parteien auf sich zusteuern sahen. Denise setzte sich auf die Bank und verschränkte unversöhnlich die Arme. Gary, die Hände in die Hüften gestemmt, lief im Kreis vor ihr herum.

«In den letzten zehn Jahren», sagte er, «hat Dad nicht die geringste Verantwortung für sich übernommen. Er hat immer nur in diesem beschissenen blauen Sessel gesessen und sich bemitleidet. Ich weiß nicht, warum du glaubst, dass er nun auf einmal anfangen wird –»

«Na ja, wenn er auf Heilung hoffen könnte –»

«Was – damit er weitere fünf Jahre lang depressiv sein und anstatt mit achtzig mit fünfundachtzig unglücklich sterben kann? Das soll einen großen Unterschied machen?»

«Vielleicht ist er ja depressiv, weil er krank ist.»

«Tut mir Leid, aber das ist Schwachsinn, Denise. Der Mann

ist ein Wrack. Er war schon depressiv, bevor er in den Ruhestand ging. Er war schon depressiv, als er körperlich noch vollkommen gesund war.»

Ein niedriger Brunnen plätscherte in ihrer Nähe und schuf ein Mittelmaß an Intimität. Eine einzelne kleine Wolke war in den privaten Raum des Himmelsrechtecks gewandert, das die Dachlinien ringsum bildeten. Das Licht war diffus wie an der Küste.

«Was würdest du denn machen», sagte Denise, «wenn Mom sieben Tage die Woche an dir herumnörgeln und dir andauernd in den Ohren liegen würde, dass du aus dem Haus gehen sollst? Wenn sie dich auf Schritt und Tritt beobachten würde und so täte, als wäre die Frage, in welchem Sessel du sitzt, ein moralisches Problem? Je häufiger sie ihm sagt, er soll aufstehen, umso länger bleibt er sitzen. Und je länger er sitzen bleibt, umso häufiger sagt –»

«Denise, du lebst in einer Phantasiewelt.»

Sie blickte Gary hasserfüllt an. «Behandel mich nicht wie ein Kind. So zu tun, als wäre Dad eine klapprige alte Maschine, ist genauso ein Hirngespinst. Er ist ein Mensch, Gary. Er hat ein Innenleben. Und wenigstens ist er nett zu mir –»

«Tja, zu mir ist er weniger nett», sagte Gary. «Und Mom gegenüber benimmt er sich wie ein ungehobelter, selbstsüchtiger Despot. Ich sag dir eins: Wenn er in diesem Sessel sitzen und sein Leben verschlafen will, bitte. Die Idee gefällt mir. Ich bin tausendprozentig dafür. Aber vorher sollten wir diesen Sessel schleunigst aus einem zweistöckigen Haus schaffen, das dabei ist, auseinander zu fallen und an Wert zu verlieren. Wir sollten Mom zu ein bisschen Lebensqualität verhelfen. Danach kann er meinetwegen in seinem Sessel sitzen und sich selbst bemitleiden, bis er schwarz wird.»

«Sie hängt an dem Haus. Das Haus *ist* für sie Lebensqualität.»

«Ja, weil auch sie in einer Phantasiewelt lebt! Was nützt es ihr denn, an dem Haus zu hängen, wenn sie vierundzwanzig Stunden am Tag ein Auge auf den alten Mann haben muss?»

Denise schielte und blies sich eine Haarsträhne aus der Stirn. «Der Phantast bist du», sagte sie. «Du scheinst zu glauben, dass sich die beiden in einer Zweizimmerwohnung wohl fühlen werden, noch dazu in einer Stadt, in der sie außer dir und mir niemanden kennen. Und weißt du, für wen das bequem ist? Für *dich*.»

Er warf die Hände in die Luft. «Und wennschon! Ich habe die Nase voll davon, mir Gedanken über das Haus in St. Jude zu machen! Ich habe die Nase voll von den Reisen dahin. Ich habe die Nase voll, davon zu hören, wie unglücklich Mom ist. Eine Situation, die für dich und mich bequem ist, ist allemal besser als eine, die für *niemanden* bequem ist. Mom lebt mit einem körperlichen Wrack zusammen. Er *will* nicht mehr, er hat mit *allem* abgeschlossen, finito, Feierabend, da können wir uns auf den Kopf stellen. Aber sie glaubt immer noch, dass er sich nur mehr Mühe geben müsste, und schon wäre alles wieder gut und das Leben wieder wie früher. Also, ich verrate euch jetzt mal was: *Es wird nie mehr sein wie früher*.»

«Du willst ja gar nicht, dass es ihm besser geht.»

«Denise.» Gary kniff die Augen zusammen. «Sie hatten fünf Jahre, bevor er krank wurde. Und was hat er in dieser Zeit gemacht? Er hat die Lokalnachrichten geguckt und gewartet, dass Mom das Essen serviert. Das ist die Wirklichkeit, in der wir leben. Und *ich* möchte, dass die beiden aus diesem Haus –»

«Gary.»

«*Ich* möchte, dass sie hier in eine Seniorenresidenz ziehen, und ich scheue mich nicht, das auch zu sagen.»

«Gary, hör mir mal zu.» Denise beugte sich mit einem aufgesetzten Wohlwollen vor, das ihn nur noch mehr reizte. «Dad kann sechs Monate bei mir wohnen. Sie können von mir aus beide herkommen und bei mir wohnen, ich kann fertige Mahlzeiten mit nach Hause bringen, das ist kein großes Problem. Wenn es ihm danach besser geht, fahren sie wieder nach Hause. Wenn nicht, dann haben sie sechs Monate gehabt, um zu überlegen, ob sie in Philly leben möchten. Ich meine, *was* ist dagegen einzuwenden?»

Gary wusste nicht, was dagegen einzuwenden war. Aber er hörte schon Enids unerquickliche Ergüsse über Denise' Großherzigkeit. Und da es unmöglich war, sich vorzustellen, dass Caroline und Enid sich sechs Tage lang (geschweige denn sechs Wochen oder gar sechs Monate) friedlich ein und dasselbe Haus teilten, konnte Gary nicht einmal anstandshalber anbieten, seine Eltern bei sich aufzunehmen.

Er hob die Augen zum intensiven Weiß einer Ecke des Bürohochhauses, das die Nähe der Sonne erahnen ließ. Die Chrysanthemen-, Begonien- und Liriopenbeete um ihn herum waren wie Bikinis tragende Statistinnen in einem Videoclip; in voller, vollendeter Blüte gepflanzt, war es ihnen bestimmt, herausgerissen zu werden, bevor sie welken, braune Flecken bekommen, Blätter verlieren konnten. Gary hatten firmeneigene Gärten schon immer gefallen, als Kulissen für das Gepränge des Privilegs, als Metonymien der Verzärtelung, aber es war entscheidend, nicht zu viel von ihnen zu verlangen. Entscheidend, nicht zu ihnen zu kommen, wenn man in Not war.

«Ach, im Grunde ist es mir egal», sagte er. «Der Plan ist hervorragend. Und wenn du die Rennerei übernehmen willst, umso besser.»

«Gut, die ‹Rennerei› übernehme ich», sagte Denise schnell. «Und was ist mit Weihnachten? Dad möchte unbedingt, dass ihr alle kommt.»

Gary lachte. «Er also auch.»

«Er möchte es Mom zuliebe. Und sie will es ganz unbedingt.»

«Natürlich will sie das. Schließlich ist sie Enid Lambert. Was könnte sich Enid Lambert anderes wünschen als Weihnachten in St. Jude?»

«Also, ich fahre jedenfalls hin», sagte Denise. «Chip werde ich noch bearbeiten, und ihr fünf solltet auch fahren. Wir sollten uns einfach alle aufraffen und ihnen diesen einen Gefallen tun.»

Als er das leise Beben der Tugendhaftigkeit in ihrer Stimme hörte, sträubten sich Gary die Nackenhaare. Ein Vortrag über Weihnachten war das Letzte, was er an diesem Oktobernachmittag, an dem die Nadel seiner Faktor-3-Anzeige ohnehin schon an das grellrote *L* stieß, brauchen konnte.

«Dad hat am Samstag etwas Merkwürdiges gesagt», fuhr Denise fort. «Er sagte: ‹Ich weiß nicht, wie viel Zeit mir noch bleibt.› Beide haben so geredet, als wäre dies vielleicht ihr letztes Weihnachten. Das ging mir irgendwie unter die Haut.»

«Na, darin ist Mom doch Meisterin», sagte Gary ein bisschen aufbrausend. «Etwas so zu formulieren, dass sie ein Maximum an emotionalem Druck damit ausübt!»

«Stimmt schon. Aber ich glaube, sie meint es wirklich so.»

«Klar meint sie es so!», sagte Gary. «Und ich werde darüber nachdenken! Aber, Denise, es ist *nicht so einfach*, uns alle fünf dahin zu verfrachten. Es ist alles andere als einfach! Zumal es so viel näher liegt, dass wir alle hier bleiben! Stimmt's? Stimmt's?»

«Du hast ja Recht, ich weiß», antwortete Denise ruhig. «Aber vergiss nicht, es wäre nur dieses eine, einzige Mal.»

«Ich habe doch gesagt, dass ich darüber nachdenke. Das ist alles, was ich tun kann, stimmt's? Ich denke darüber nach! Ich denke darüber nach! Zufrieden?»

Denise schien über seinen Ausbruch erstaunt. «Ist ja gut, Gary, danke. Aber die Sache ist doch –»

«Ja, was ist denn die Sache?», sagte Gary, machte drei Schritte von ihr weg und drehte sich ruckartig wieder um. «Sag mir, was die Sache ist.»

«Na ja, ich dachte nur –»

«Weißt du, ich bin schon eine halbe Stunde zu spät. Ich muss jetzt wirklich wieder ins Büro.»

Denise schaute zu ihm hoch, rollte mit den Augen und ließ ihren Mund mitten im Satz offen stehen.

«Jetzt lass uns mal *zum Ende* kommen», sagte Gary.

«Also, ich will ja nicht wie Mom klingen, aber –»

«Das hättest du dir ein bisschen früher überlegen müssen, hä? Hä?», rief er, die Hände in der Luft, mit einer aberwitzigen Heiterkeit, die ihn selbst überraschte.

«Ich will ja nicht wie Mom klingen, aber – du solltest mit der Entscheidung, Flugtickets zu kaufen, nicht mehr zu lange warten. So, jetzt hab ich's gesagt.»

Gary fing an zu lachen, bezwang das Lachen aber, bevor es mit ihm durchging. «Guter Plan!», sagte er. «Du hast Recht! Ich muss mich bald entscheiden! Muss endlich diese Tickets kaufen! Guter Plan!» Er klatschte in die Hände wie ein Trainer.

«Stimmt irgendwas nicht?»

«Nein, du hast ja Recht. Wir sollten alle nach St. Jude fahren und dort ein letztes Mal Weihnachten feiern, bevor sie das Haus verkaufen oder Dad zusammenklappt oder irgendeiner stirbt. Das sieht doch ein Blinder mit dem Krückstock. Wir sollten alle hinfahren. Völlig klar. Du hast absolut Recht.»

«Dann verstehe ich nicht, worüber du dich so aufregst.»

«Über gar nichts. Ich rege mich gar nicht auf!»

«Na gut.» Denise blickte ihm fest in die Augen. «Dann hätte ich nur noch eine Frage. Ich möchte wissen, warum Mom glaubt, ich hätte eine Affäre mit einem verheirateten Mann.»

Ein Stromstoß des schlechten Gewissens, eine Druckwelle, durchlief Gary. «Keine Ahnung», sagte er.

«Hast du ihr erzählt, ich hätte etwas mit einem verheirateten Mann?»

«Wie könnte ich? Ich weiß doch überhaupt nichts über dein Privatleben.»

«Komm, hast du ihr etwas eingeflüstert? Irgendeine Andeutung gemacht?»

«Denise. Im Ernst.» Gary gewann allmählich seine väterliche Fassung wieder, seine Aura der großbrüderlichen Milde. «Du bist der diskreteste Mensch, den ich kenne. Auf welcher Grundlage hätte ich ihr irgendwas erzählen sollen?»

«Hast du eine Andeutung gemacht?», fragte sie. «*Irgendjemand* hat das jedenfalls getan. *Irgendjemand* hat ihr diesen Floh ins Ohr gesetzt. Und ich erinnere mich, dass ich dir gegenüber mal eine klitzekleine Bemerkung habe fallen lassen, die du vielleicht falsch aufgefasst und ihr weitererzählt hast. Mann, Gary, sie und ich haben schon genug Probleme.»

«Weißt du, wenn du nicht immer so geheimnisvoll tätest –»

«Tue ich doch gar nicht.»

«Wenn du nicht so verschwiegen wärest», sagte Gary, «gäbe es dieses Problem vielleicht gar nicht. Man könnte fast meinen, du legst es darauf an, dass die Leute hinter vorgehaltener Hand über dich reden.»

«Interessant, dass du meine Frage nicht beantwortest.»

Er atmete langsam durch die Zähne aus. «Ich habe keine Ahnung, wie Mom darauf kommt. Ich habe ihr nichts erzählt.»

«Na schön», sagte Denise und stand auf. «Ich übernehme die ‹Rennerei›. Du denkst über Weihnachten nach. Und wir sehen uns, wenn Mom und Dad in der Stadt sind. Bis dann.»

Mit atemberaubender Entschlossenheit strebte sie dem nächsten Ausgang zu, nicht so schnell, dass es Wut erkennen ließ, aber schnell genug, dass Gary hätte in Laufschritt fallen müssen, um sie einzuholen. Er wartete eine Minute, ob sie zurückkommen würde. Da das nicht geschah, verließ er den Innenhof und lenkte seine Schritte Richtung Büro.

Gary hatte sich geschmeichelt gefühlt, als seine kleine Schwester sich für ein College in derselben Stadt entschied, in der er und Caroline kurz zuvor stolze Besitzer ihres Traumhauses geworden waren. Er hatte sich darauf gefreut, Denise all seinen Freunden und Kollegen vorzustellen (mit ihr anzugeben, wenn er ehrlich war), hatte sich ausgemalt, dass sie einmal im Monat zum Abendessen in die Seminole Street kommen und dass sie und Caroline wie Schwestern sein würden. Er hatte sich auch ausgemalt, dass seine ganze Familie, selbst Chip, eines Tages in Philadelphia leben würde, hatte sich Nichten und Neffen, Familienfeste und Gesellschaftsspiele und lange, verschneite Weihnachtstage in der Seminole Street ausgemalt. Doch inzwischen lebten er und Denise seit fünfzehn Jahren in derselben Stadt, und er hatte das Gefühl, sie kaum zu kennen. Nie bat sie ihn um etwas. Nie, wie müde sie auch sein mochte, erschien sie in der Seminole Street ohne Blumen oder einen Nachtisch für Caroline, ohne Haifischzähne oder Comic-Bücher für die Jungen, ohne einen Juristen- oder Glühbirnenwitz für ihn. Kein Weg führte an ihrer Anständigkeit vorbei, kein Weg, ihr das Ausmaß seiner Enttäuschung darüber begreiflich zu machen, dass von der großartigen, familienerfüllten Zukunft, die er sich ausgemalt hatte, so gut wie nichts wahr geworden war.

Vor einem Jahr hatte Gary ihr beim Mittagessen von einem verheirateten «Freund» (eigentlich einem Kollegen, Jay Pascoe) erzählt, der eine Affäre mit der Klavierlehrerin seiner Tochter hatte. Gary sagte, er könne zwar verstehen, dass diese Affäre einen gewissen Freizeitwert für seinen Freund habe (Pascoe hatte nicht die geringste Absicht, seine Frau zu verlassen), aber ihm sei schleierhaft, warum die Klavierlehrerin das mitmache.

«Du kannst dir also nicht vorstellen», sagte Denise, «warum eine Frau vielleicht eine Affäre mit dir haben will?»

«Ich rede nicht von mir», sagte Gary.

«Aber du bist verheiratet und hast Kinder.»

«Ich meine, ich begreife nur nicht, was die Frau an einem Kerl findet, von dem sie weiß, dass er lügt und betrügt.»

«Im Allgemeinen verachtet sie solche Männer wahrscheinlich», sagte Denise. «Aber für den Mann, den sie liebt, macht sie eine Ausnahme.»

«Eine Art Selbstbetrug also.»

«Nein, Gary, so funktioniert die Liebe nun mal.»

«Na, und außerdem besteht ja immer noch die Chance, dass sie Glück hat und reich heiratet.»

Dass er ihre liberale Unschuld mit einer so spitzen ökonomischen Wahrheit durchbohrte, schien Denise traurig zu stimmen.

«Du siehst jemanden, der Kinder hat», sagte sie, «du siehst, wie glücklich er ist, Vater zu sein, und fühlst dich davon angezogen. Das Unmögliche ist anziehend. Du weißt schon: der Reiz von Dingen, aus denen nichts werden kann.»

«Das klingt, als wenn du dich da auskennst», sagte Gary.

«Emile ist der einzige Mann *ohne* Kinder, den ich bisher anziehend fand.»

Das interessierte Gary. Unter dem Deckmantel brüderlicher Begriffsstutzigkeit riskierte er die Frage: «Na, und mit wem bist du im Augenblick zusammen?»

«Mit niemandem.»

«Du hast nichts mit einem verheirateten Typen?», scherzte er.

Denise' Gesicht wurde eine Schattierung blasser und zwei Schattierungen röter, während sie nach ihrem Wasserglas griff. «Ich bin mit niemandem zusammen», sagte sie. «Ich arbeite viel.»

«Dann vergiss bitte nicht», sagte Gary, «dass es im Leben noch etwas anderes gibt als Kochen. Du musst dir allmählich Gedanken darüber machen, was du wirklich willst und wie du es bekommst.»

Denise rutschte auf ihrem Stuhl hin und her und gab dem Kellner ein Zeichen, dass sie zahlen wollte. «Vielleicht heirate ich ja reich», sagte sie.

Je mehr Gary darüber nachdachte, dass seine Schwester sich mit verheirateten Männern einließ, desto wütender wurde er. Dennoch hätte er Enid nie etwas davon sagen dürfen. Zu dieser Indiskretion war es gekommen, weil er auf leeren Magen Gin getrunken hatte, während er an Weihnachten dem Loblied lauschte, das seine Mutter auf Denise sang, wenige Stunden nachdem das verstümmelte österreichische Rentier aufgetaucht und Enids Geschenk für Caroline wie ein ermordetes Baby im Mülleimer entdeckt worden war. Enid pries den großzügigen Multimillionär, der Denise' neues Restaurant finanzierte und sie auf eine zweimonatige kulinarische Reise durch Frankreich und Mitteleuropa geschickt hatte, sie pries Denise' lange Arbeitstage, ihre Hingabe und ihre Sparsamkeit, und in ihrer hinterhältig vergleichenden Art bemängelte sie gleich darauf Garys «Materialismus» und «Protzerei» und «Geldbesessenheit» – als hätte sie nicht selbst Dollarzeichen auf der Stirn! Als hätte sie nicht selbst, wenn es ihr nur möglich gewesen wäre, gern ein Haus wie Garys gekauft und es weitgehend genauso eingerichtet! Am liebsten hätte er zu ihr gesagt: *Von deinen drei Kindern führe ich das Leben, das deinem eigenen bei weitem am ähnlichsten ist! Ich habe genau das, was haben zu wollen du mir beigebracht hast! Und jetzt, da ich es habe, mäkelst du daran herum!*

Aber was er tatsächlich sagte, als der Wacholdergeist irgendwann überkochte, war: «Warum fragst du Denise nicht, mit wem sie schläft? Frag sie doch mal, ob er verheiratet ist und Kinder hat.»

«Ich glaube nicht, dass sie zurzeit mit irgendjemandem ausgeht», sagte Enid.

«Ich meine ja nur», sagte der Wacholdergeist, «frag sie, ob sie schon mal was mit jemandem hatte, der verheiratet war. Ich finde, die Ehrlichkeit gebietet es dir, diese Frage zu stellen, bevor du sie uns hier als ein Muster an mittelwestlicher Tugend hinstellst.»

Enid hielt sich die Ohren zu. «Ich will nichts davon wissen!»

«Schön, mach nur weiter so, steck den Kopf in den Sand!», lallte der liederliche Geist. «Ich möchte bloß keinen weiteren Mist mehr darüber hören, was für ein Engel sie ist.»

Gary wusste, dass er den geschwisterlichen Ehrenkodex verletzt hatte. Aber er war froh, ihn verletzt zu haben. Er war froh, dass sich Enids Empörung jetzt wieder auf Denise richtete. Er fühlte sich umzingelt, eingesperrt von Frauen, die an ihm herummäkelten.

Es gab natürlich eine nahe liegende Möglichkeit, sich zu befreien: Er brauchte nur *ja* statt *nein* zu sagen zu einer der Dutzenden von Sekretärinnen, Passantinnen und Verkäuferinnen, die Woche für Woche seine stattliche Größe und sein schiefergraues Haar, seine Kalbslederjacke und seine französischen Bergsteigerhosen bemerkten und ihm mit diesem Der-Schlüssel-liegt-unter-der-Fußmatte-Blick in die Augen sahen. Aber es gab noch immer keine Möse auf der Welt, die er lieber leckte, kein Haar, um das er, wie um einen Klingelzug aus goldener Seide, seine Faust lieber schloss, keinen Blick, in den er den seinen beim Höhepunkt lieber versenkte als Carolines. Das Einzige, was unter Garantie bei einer Affäre herauskäme, wäre eine weitere Frau in seinem Leben, die an ihm herummäkelte.

In der Lobby des CenTrust-Hochhauses an der Market Street gesellte er sich zu der Ansammlung menschlicher Wesen vor den Fahrstühlen: Schreibkräften und Softwarespezialisten, Buchprüfern und Computertechnikern, die von einem späten Mittagessen zurückkehrten.

«Löwe sein jetzt im Aszendent», sagte die Frau neben Gary. «Sehr gute Zeit jetzt zum Kaufen. Löwe oft wachen über Schnäppchen in Geschäft.»

«Wo bleibt dabei unser Erlöser?», fragte die Frau, zu der die andere gesprochen hatte.

«Dies auch sein gute Zeit, an Erlöser zu denken», antwortete die erste Frau ruhig. «Zeit des Löwen sehr gute Zeit dafür.»

«Lutetium-Zusätze, kombiniert mit einer großen Dosis teilweise hydriertem Vitamin E!», sagte eine dritte Person.

«Er hat seinen Radiowecker programmiert», sagte eine vierte Person, «also, den kann man offenbar so einstellen, also, ich wusste gar nicht, dass so was geht, aber er hat ihn so programmiert, dass er jede Stunde Punkt elf Minuten nach mit WMIA geweckt wird. Die ganze Nacht durch.»

Endlich kam ein Fahrstuhl. Während die Masse Mensch hineinströmte, erwog Gary, auf eine weniger bevölkerte Kabine zu warten, auf eine Fahrt, die ihn mit weniger Mittelmaß und körperlicher Ausdünstung behelligen würde. Doch just in diesem Moment stolzierte eine junge Vermögensberaterin von der Market Street herein, die ihm in den letzten Monaten freundliche Sprich-mit-mir- und Berühr-mich-Blicke zugeworfen hatte. Um den Kontakt mit ihr zu vermeiden, schoss er durch die sich bereits schließenden Fahrstuhltüren. Aber die Türen stießen gegen seine Ferse und öffneten sich wieder. Die junge Vermögensberaterin drängte sich hinter ihm herein.

«Der Prophet Jeremias, Mädchen, *er* sprechen von Löwen. Das stehen hier, in der Flugschrift.»

«Also, ich sag mal, es ist drei Uhr elf, und die Clippers führen 146 zu 145 gegen die Grizzlies, dritte Verlängerung, noch zwölf Sekunden zu spielen.»

Absolut kein Widerhall in einem vollen Fahrstuhl. Jedes Geräusch von Kleidern und Fleisch und Frisuren erstickt. Die Luft vorgeatmet. Die Gruft allzu warm.

«Diese Flugschrift ist Teufelswerk.»

«Du sie lesen in der Kaffeepause, Mädchen. Wo soll sein Schaden?»

«Beide Teams stehen am Tabellenende und versuchen, ihre Chancen in der College-Lotterie zu erhöhen, indem sie dieses

Spiel verlieren, das ansonsten keine Bedeutung mehr hat, weil die Saison ja fast vorbei ist.»

«Lutetium ist ein Element der Seltenen Erden, sehr selten, stammt aus der Erde und ist rein, weil es elementar ist!»

«Aber wenn er den Wecker, ich sag mal, auf vier Uhr elf stellen würde, könnte er alle Ergebnisse hören und bräuchte dafür bloß einmal wach zu werden. Bloß, in Sydney ist Davis Cup, da wird man jede Stunde auf den neuesten Stand gebracht. Das darf er auch nicht verpassen.»

Die junge Vermögensberaterin war klein und hatte ein hübsches Gesicht und mit Henna gefärbtes Haar. Sie lächelte zu Gary empor, als wolle sie ihn zum Sprechen auffordern. Sie sah mittelwestlich aus und schien zufrieden, neben ihm zu stehen.

Gary blickte ins Leere und versuchte, nicht zu atmen. Er ärgerte sich chronisch über das *T*, das in der Mitte des Wortes Cen-Trust emporragte. Er hätte das *T* gern platt gedrückt, wie eine Brustwarze, aber das zu tun brachte ihm keine Befriedigung. Alles, was dabei herauskam, war cent-rust: ein verrosteter Cent.

«Mädchen, das sein kein Ersatzglaube. Sein *zusätzlich*. Jesaja erwähnen Löwen auch. Nennen ihn Löwen von Judäa.»

«Ein Profi-Golfturnier in Malaysia mit einem Führenden, der ganz schnell wieder im Klubhaus ist, aber daran könnte sich zwischen zwei Uhr elf und drei Uhr elf ja was ändern. Darf er *auch* nicht versäumen.»

«Mein Glaube braucht keinen Ersatz.»

«Sheri, Mädchen, du haben Schmalzpfropfen im Ohr? Du zuhören, ja? Das. Sein. Kein. Ersatz. Glaube. Sein *zusätzlich*.»

«Garantiert seidige, elastische Haut, und dazu ein Rückgang von Panikattacken um achtzehn Prozent!»

«Ich frag mich bloß, wie Samantha es findet, dass jede Nacht achtmal der Wecker neben ihrem Kissen losgeht.»

«Ich sagen ja nur, jetzt sein gute Zeit zum Einkaufen, das alles, was ich sagen.»

Während die junge Vermögensberaterin sich an ihn lehnte, um einen Schwall schweißgebadeter Menschheit aus dem Fahrstuhl zu lassen, während sie inniger, als es unbedingt nötig schien, ihr hennagefärbtes Haar an seine Rippen schmiegte, wurde Gary klar, dass es noch einen Grund gab, warum er Caroline in den zwanzig Jahren ihrer Ehe treu geblieben war: seine stetig wachsende Aversion gegen den Körperkontakt mit Fremden. Gewiss, er war in die eheliche Treue verliebt, und ja, es gab ihm einen erotischen Kick, um des Prinzips willen daran festzuhalten; aber womöglich lockerte sich irgendwo zwischen seinem Gehirn und seinen Eiern auch gerade ein Draht, denn als er im Geist diese kleine Rothaarige auszog und kräftig rannahm, dachte er hauptsächlich daran, wie muffig und unhygienisch er den Ort seines Ehebruchs finden würde – eine kolibakteriell verseuchte Abstellkammer, ein Zimmer im Marriott mit getrocknetem Sperma an Wänden und Laken, die katzenkrallenfiebrige Rückbank des entzückenden VW oder Plymouth, den sie zweifellos fuhr, den sporenschweren Teppichboden ihrer pferdeboxartigen ersten eigenen Wohnung in Montgomeryville oder Conshohocken, jeder dieser Orte auf seine ureigene grässliche Weise überwarm und unterbelüftet und genitalwarzen- und chlamydienfreundlich – und daran, wie anstrengend das Atmen wäre, wie erdrückend ihr Fleisch, wie erbärmlich und zum Scheitern verurteilt sein Bemühen, nicht herablassend zu wirken …

Im sechzehnten Stock sprang er aus dem Fahrstuhl und füllte seine Lungen in tiefen Zügen mit kühler, zentral gereinigter Luft.

«Ihre Frau hat ein paar Mal angerufen», sagte seine Sekretärin Maggie. «Sie möchte, dass Sie sie sofort zurückrufen.»

Gary nahm einen Stapel Nachrichten aus seinem Posteingangskasten auf Maggies Schreibtisch. «Hat sie gesagt, worum es geht?»

«Nein, aber sie klang besorgt. Obwohl ich ihr gesagt habe, dass Sie nicht da sind, hat sie immer wieder angerufen.»

Gary schloss seine Bürotür und blätterte die Nachrichten durch. Caroline hatte um 13 Uhr 35, 13 Uhr 40, 13 Uhr 50, 13 Uhr 55 und 14 Uhr 10 angerufen; jetzt war es 14 Uhr 25. Er ballte triumphierend die Faust. Endlich, endlich ein Zeichen der Verzweiflung.

Er rief zu Hause an und sagte: «Was gibt's?»

Carolines Stimme zitterte. «Gary, irgendwas stimmt mit deinem Handy nicht. Wenn ich deine Nummer wähle, geht nicht mal die Mailbox an. Was ist los damit?»

«Ich hab's ausgeschaltet.»

«Seit wann denn das? Ich versuche seit einer Stunde, dich zu erreichen, und jetzt muss ich die Jungs abholen, aber ich möchte nicht aus dem Haus! Ich weiß einfach nicht, was ich machen soll!»

«Caro. Sag mir, was los ist.»

«Da ist jemand vor unserem Haus, auf der anderen Straßenseite.»

«Wer?»

«Ich weiß nicht. Jemand in einem Auto, ich weiß nicht. Seit einer Stunde sitzt er da.»

Die Spitze von Garys Schwanz tropfte wie eine brennende Kerze. «Hm», sagte er. «Bist du nachsehen gegangen, wer es ist?»

«Nein, ich hab viel zu große Angst», sagte Caroline. «Und die Polizei sagt, es ist eine öffentliche Straße.»

«Das stimmt ja auch. Sie ist öffentlich, klar.»

«Gary, das Neverest-Schild ist wieder geklaut worden!» Jetzt schluchzte sie beinahe. «Ich bin gegen zwölf nach Hause gekommen, und da war es weg. Dann habe ich rausgeguckt und diesen Wagen gesehen, und da sitzt jemand hinterm Steuer.»

«Was für ein Wagen ist es?»

«Ein großer Kombi. Alt. Ich habe ihn hier noch nie gesehen.»

«War er schon da, als du nach Hause gekommen bist?»

«Ich weiß es nicht! Aber jetzt muss ich Jonah abholen, und ich mag nicht aus dem Haus gehen, wo doch das Schild weg ist und der Wagen da draußen steht –»

«Die Alarmanlage funktioniert, oder?»

«Aber wenn ich wiederkomme und sie noch im Haus sind und ich sie überrasche –»

«Caroline, mein Schatz, beruhige dich. Du würdest die Sirene hören –»

«Eine zerbrochene Scheibe, eine Sirene, ein in die Enge getriebener Einbrecher, diese Leute haben Waffen –»

«He, he, he. Caroline? Du machst jetzt Folgendes. Caroline?» Die Angst in ihrer Stimme und die dringende Bedürftigkeit, von der die Angst zeugte, machten ihn dermaßen scharf, dass er sich durch den Stoff seiner Hose kneifen musste, weil er zu träumen meinte. «Ruf mich von deinem Handy aus nochmal an», sagte er. «Lass mich in der Leitung, und dann geh raus, setz dich in den Stomper und fahr aus der Einfahrt. Du kannst durchs geschlossene Fenster reden, wenn jemand was von dir will. Ich bin die ganze Zeit bei dir. Okay?»

«Ist gut, ja. Ich ruf dich gleich zurück.»

Während Gary wartete, dachte er daran, wie heiß und salzig und pfirsichweich Carolines Gesicht war, wenn sie geweint hatte, wie es klang, wenn sie ihren Tränenrotz hochzog, und wie weit geöffnet ihr Mund dann war, bereit für den seinen. Seit drei Wochen nichts, auch nicht den allergeringsten Puls in der toten Maus zu spüren, aus der sein Urin kam, zu glauben, dass Caroline ihn nie wieder brauchen und er sie nie wieder begehren würde, und dann, von einem Augenblick auf den anderen, vor Lust völlig benommen zu sein: Das war das Eheleben, wie er es kannte. Sein Telefon klingelte.

«Ich bin jetzt im Auto», sagte Caroline aus dem cockpitähnlichen akustischen Raum, den ihr Mobiltelefon schuf. «Ich setze gerade zurück.»

«Du kannst dir auch seine Nummer aufschreiben. Schreib sie auf, kurz bevor du auf einer Höhe mit ihm bist. Damit er sieht, dass du sie dir notierst.»

«Ja, mach ich.»

In blechernem Piano hörte er das Raubtierschnauben ihres Geländewagens, dann das lauter werdende *Om* seiner Automatik.

«Oh, Mist, Gary», jammerte sie, «er ist weg! Ich sehe ihn nicht mehr! Er muss mich beobachtet haben und weggefahren sein!»

«Aber das ist doch gut, das wolltest du doch.»

«Nein, wahrscheinlich fährt er jetzt um den Block und kommt wieder, sobald ich weg bin!»

Gary beruhigte sie und erklärte ihr, wie sie sicher ins Haus gelangen könne, wenn sie mit den Jungen zurück sei. Er versprach, sein Handy eingeschaltet zu lassen und früh heimzukommen. Er verkniff es sich, ihren geistigen Zustand mit seinem zu vergleichen.

Depressiv? Er war nicht depressiv. Vitale Zeichen der kraftstrotzenden amerikanischen Wirtschaft liefen, in Gestalt von Zahlen, über seinen vielfenstrigen Fernsehmonitor. Orfic Midland hatte im Tagesverlauf eins Komma drei acht Punkte zugelegt. Der US-Dollar lachte über den Euro, verhöhnte den Yen. Virginia Lin schaute herein und schlug vor, bei 104 ein Paket Exxon zu verkaufen. Gary konnte über den Fluss hinweg bis zur Schwemmebene von Camden, New Jersey sehen, einer Landschaft, die derart verwüstet war, dass sie ihn von dieser Höhe und Entfernung aus an einen vollkommen abgeschabten Küchenfußboden aus Linoleum erinnerte. Die Sonne stand stolz im Süden – eine Quelle der Erleichterung; Gary konnte es nicht ertragen, wenn seine Eltern in den Osten kamen und an der Küste das Wetter mies war. Dieselbe Sonne schien jetzt, irgendwo nördlich von Maine, auf ihr Kreuzfahrtschiff. In einer Ecke seines Monitors war der sprechende Kopf Earl Eberles zu sehen. Gary vergrößerte das Bild und stellte den Ton lauter, als Eberle gerade zusammenfasste: «Ein Fitnessgerät für das Gehirn, das ist kein schlechter Vergleich, Cindy.» Die Allzeit-ganz-Business-Moderatoren, in deren Augen finanzielles Risiko nur der lustige Kumpan positiven Potenzials war, nickten weise. «Fitnessgerät für das Gehirn, oh-*kay*», wiederholte eine von ihnen, «und gleich nach der Werbung: ein Spielzeug, das in Belgien (!) der letzte Schrei ist. Der Hersteller behauptet, *dieses* Produkt könnte erfolgreicher werden als die *Beanie Babys*!» Jay Pascoe schaute herein, um über den Rentenmarkt zu jammern. Jays kleine Mädchen hatten inzwischen eine neue Klavierlehrerin und dieselbe alte Mutter. Gary verstand ungefähr eines von drei Wörtern, die Jay von sich gab. Seine Nerven waren zum Zerreißen gespannt, ähnlich wie an jenem lange vergangenen Nachmittag vor seiner fünften Verabredung mit Caroline, als sie derart reif für die Unzucht waren, dass ihnen jede Stunde, die sie davon trennte, wie ein Granitblock vorkam, der erst von einem Kettensträfling zertrümmert werden musste …

Er verließ das Büro um halb fünf. In seiner schwedischen Limousine kurvte er den Kelly Drive und den Lincoln Drive hinauf, heraus aus dem Schuylkill-Tal mit seinem Dunst und seiner Schnellstraße und seinen hellen flachen Welten, weiter durch Schattentunnel und gotische Bögen aus frühem Herbstlaub am Wissahickon Creek entlang und zurück in die verwunschene Baumwelt von Chestnut Hill.

Carolines Fieberphantasien zum Trotz schien das Haus unversehrt. Gary lenkte den Wagen langsam die Einfahrt hinauf, vorbei am Funkien- und Pfaffenhütchen, aus dem, wie sie gesagt hatte, ein weiteres BEWACHT-DURCH-NEVEREST-Schild gestohlen worden war. Seit Jahresbeginn hatte Gary fünf BEWACHT-DURCH-NEVEREST-Schilder aufgestellt, und jedes Mal waren sie nach kurzer Zeit verschwunden. Es ärgerte ihn schwarz, dass er den Markt mit nutzloser Beschilderung überschwemmte und so deren Abschreckungswert minderte. Unnötig zu sagen, dass hier, im Herzen von Chestnut Hill, die Blechwährung der Neverest- und Western-Civil-Defense- und ProPhilaTex-Schilder in jedem Vorgarten durch die Glaubwürdigkeit und potenzielle Beweiskraft von Flutlichtern und Netzhautscannern, Notbatterien, verborgenen Stromleitungen und Automatiktüren gestärkt wurde; doch anderswo im Nordwesten Philadelphias, von Mount Airy bis hinunter nach Germantown und Nicetown, wo die Soziopathen schalteten und walteten, existierte eine Klasse verbitterter Hauseigentümer, denen das, was es über ihre «Werte» ausgesagt hätte, wenn sie sich selbst häusliche Überwachungsanlagen gekauft hätten, gewaltig gegen den Strich ging, während ihre liberalen «Werte» sie nicht daran hinderten, nahezu wöchentlich Garys BEWACHT-DURCH-NEVEREST-Schilder zu entwenden und in ihren eigenen Vorgärten aufzupflanzen …

In der Garage überkam ihn ein alfredhafter Drang, sich im Wagensitz zurückzulehnen und die Augen zu schließen. Indem er den Motor abstellte, schien er auch etwas in seinem Gehirn auszuschalten. Wohin waren seine Lust und Energie verschwunden? Auch das war das Eheleben, wie er es kannte.

Er zwang sich zum Aussteigen. Ein Strang von Müdigkeit zog sich von seinen Augen über die Nasenhöhlen bis zum Hirnstamm und schnürte ihm die Kraft ab. Selbst wenn Caroline bereit wäre, ihm zu verzeihen, selbst wenn sie eine Möglichkeit fänden, sich von den Kindern fortzustehlen und übereinander herzufallen (und realistisch betrachtet, gab es da nicht die geringste Chance), wäre er vermutlich zu erschöpft, um etwas zustande zu bringen. Vor ihm erstreckten sich fünf lange kinderreiche Stunden, erst dann würde er allein mit ihr sein können, im Bett. Und bloß um die Energie wieder aufzutanken, die er bis vor fünf Minuten gehabt hatte, würde er Schlaf brauchen – acht, vielleicht zehn Stunden Schlaf.

Die hintere Tür war verschlossen, die Sicherheitskette vorgelegt. Er klopfte so fest und fröhlich, wie er konnte. Durchs Fenster sah er Jonah in Badelatschen und Badehose zur Tür getrottet kommen, sah, wie er den Sicherheitscode eingab, das Schloss entriegelte und die Kette abnahm.

«Hallo, Dad, ich mach gerade Sauna im Badezimmer», sagte Jonah und trottete wieder davon.

Garys Objekt der Begierde, jene tränenweiche blonde Frau, die er am Telefon beruhigt hatte, saß neben Caleb und schaute im Küchenfernseher die Wiederholung von irgendetwas Galaktischem. Ernste menschenähnliche Geschöpfe in Unisex-Pyjamas.

«Hallo!», sagte Gary. «Sieht doch aus, als wäre hier alles in Ordnung.»

Caroline und Caleb nickten, die Augen auf einem anderen Stern.

«Ich stelle wohl besser gleich ein neues Schild auf», sagte Gary.

«Du solltest es an einen Baum nageln», sagte Caroline. «Mach's von der Stange ab und nagel es an einen Baum.»

Vor enttäuschter Erwartung nahezu entmannt, füllte Gary seinen Brustkorb mit Luft und hustete. «Es geht doch darum, Caroline, dass die Botschaft, die wir vermitteln wollen, mit einem gewissem Niveau, einer gewissen Raffinesse daherkommen muss. Quasi als Appell an die Vernunft. Wenn wir das Schild an einen Baum *ketten* müssen, damit es nicht gestohlen wird –»

«Ich hab nageln gesagt.»

«Dann ist das wie eine öffentliche Bekanntmachung an alle Soziopathen: Wir werden bestohlen! Kommt her und bedient euch! Kommt her und bedient euch!»

«Ich habe nichts von Anketten gesagt. Ich habe nageln gesagt.»

Caleb nahm die Fernbedienung und stellte den Ton lauter.

Gary ging in den Keller und holte aus einem flachen Pappkarton das letzte von sechs Schildern, die ein Neverest-Vertreter ihm verkauft hatte. Dafür, dass das Neverest-Bewachungssystem so viel gekostet hatte, waren die Schilder sagenhaft schäbig: ungleichmäßig gestrichen und mit brüchigen Aluminiumnieten an Stangen aus gerolltem Blech befestigt, die zu dünn waren, um sich in den Boden hämmern zu lassen (man musste ein Loch bohren).

Caroline blickte nicht hoch, als er in die Küche zurückkam. Womöglich hätte er geglaubt, sich ihre Panikanrufe bloß eingebildet zu haben, wäre da nicht jene anhaltende Feuchtigkeit in seinen Boxershorts gewesen und hätte Caroline nicht, in den dreißig Sekunden seiner Abwesenheit, den Riegel vor die hintere Tür geschoben, die Kette vorgelegt und die Alarmanlage wieder eingeschaltet.

Er war natürlich psychisch krank, wohingegen sie! Sie!

«Gütiger Gott», sagte er, als er das Datum ihres Hochzeitstages auf der Nummerntastatur eingab.

Er ließ die Tür sperrangelweit offen, ging in den Vorgarten und pflanzte das neue Neverest-Schild in das alte, unfruchtbare Loch. Als er eine Minute später zurückkam, war die Tür erneut versperrt. Er holte seinen Schlüssel heraus, entriegelte die Tür und schob sie so weit auf, wie die Kette es zuließ, was im Haus den Dürfte-ich-bitte-mal-rein-Alarm auslöste. Er drückte gegen die Tür, strapazierte die Scharniere. Er erwog, sich mit der Schulter dagegen zu stemmen und die Kette aus der Wand zu reißen. Mit einer Grimasse und einem Schrei sprang Caroline auf, griff sich an den Rücken und stolperte zur Tür, um innerhalb der Dreißig-Sekunden-Frist den Code einzugeben. «Gary», sagte sie, «klopf doch einfach an.»

«Ich war im Vorgarten», sagte er. «Nur zwanzig Meter entfernt. Warum hast du die Alarmanlage eingeschaltet?»

«Du hast keine Ahnung, wie es hier heute war», brummte

sie, während sie humpelnd in den interstellaren Raum zurückkehrte. «Ich fühle mich hier ziemlich allein, Gary. Ziemlich allein.»

«Aber ich bin doch jetzt da. Oder? Ich bin da.»

«Ja. Jetzt bist du da.»

«Hey, Dad, was gibt's zum Abendessen?», fragte Caleb. «Können wir gemischte Grillteller machen?»

«Ja», sagte Gary. «Von mir aus mache ich das Abendessen, und nachher wasche ich ab, und vielleicht schneide ich auch noch die Hecke, denn mir geht es bestens! Zufrieden, Caroline? Klingt das nicht einigermaßen akzeptabel?»

«Ja, klar, mach das Abendessen», murmelte sie, weiter in den Fernseher starrend.

«Gut. Ich mache das Abendessen.» Gary klatschte in die Hände und hustete. Er fühlte sich, als sprängen in seiner Brust und in seinem Kopf abgenutzte Zahnräder von ihren Achsen und grüben sich in andere Teile seiner inneren Maschinerie, weil er seinem Körper einen Schneid, eine ungebremste Energie abverlangte, für die dieser einfach nicht ausgestattet war.

Diese Nacht musste er mindestens sechs Stunden lang gut schlafen. Damit ihm das gelang, hatte er vor, zwei Wodka Martini zu trinken und sich vor zehn in die Falle zu hauen. Er hielt die Wodkaflasche lotrecht über einen eisgefüllten Shaker und ließ sie schamlos glucksen und glucksen, schließlich brauchte er, als Führungskraft der CenTrust, sich nicht zu genieren, wenn er nach einem harten Arbeitstag Entspannung suchte. Er zündete ein Mesquiteholzfeuer an und trank den Martini in einem Zug aus. In einem weiten, zittrigen Bogen, gleich dem einer geworfenen Münze, taumelte er zurück in die Küche; er schaffte es noch, das Fleisch zu präparieren, um es aber zu braten, reichte seine Kraft nicht mehr aus. Da Caroline und Caleb ihn beim Mixen seines ersten Martinis nicht beobachtet hatten, mixte er sich jetzt, zur Reanimation und allgemeinen Stärkung, einen zweiten, den er offiziell zu seinem ersten erklärte. Der linsentrübenden Wirkung eines Wodkaschwipses trotzend, ging er hinaus und warf Fleisch auf den Grill. Wieder übermannten ihn die Müdigkeit, das Defizit an jeglichen freundlichen Neurofaktoren. Vor den Augen seiner gesamten Familie mixte er sich einen dritten (offiziell: einen zweiten) Martini und trank ihn in einem Zug aus. Durch das Fenster sah er, dass der Grill in Flammen stand.

Er füllte eine Teflonpfanne mit Wasser und verschüttete nur einen Teil davon, als er hinauseilte, um es auf das Feuer zu gießen. Eine Wolke aus Dampf und Qualm und Aerosolfett schoss empor. Er drehte alle Fleischstücke um, sodass ihre verkohlten, glänzenden Unterseiten zum Vorschein kamen. Ein Geruch nach feuchtem Verbranntem, wie nach einem von der Feuerwehr gelöschten Brand, hing in der Luft. Es war nicht mehr genügend Leben in den Kohlen, um den rohen Seiten der Fleischstücke mehr als eine schwache Färbung zu verpassen, obwohl er sie noch zehn Minuten auf dem Grill ließ.

Sein wunderbar umsichtiger Sohn Jonah hatte inzwischen den Tisch gedeckt und Brot und Butter hingestellt. Gary gab seiner Frau und den Kindern die weniger verbrannten, weniger rohen Stücke. Linkisch Messer und Gabel schwingend, füllte er seinen Mund mit Asche und blutigem Hühnchen, zu müde zum Kauen und Hinunterschlucken, aber auch zu müde, um aufzustehen und alles auszuspucken. So saß er mit dem unzerkauten Vogelfleisch im Mund da, bis er merkte, dass ihm Speichel übers Kinn lief – eine dürftige Art, geistige Gesundheit zu demonstrieren. Er schluckte das Zeug im Ganzen. Es fühlte sich an wie ein Tennisball. Seine Familie schaute ihn an.

«Dad, geht's dir nicht gut?», fragte Aaron.

Gary wischte sich das Kinn ab. «Doch, Aaron, danke. Dasch Huhn isch n bischen schäh. Bisschen zäh.» Er hustete; seine Speiseröhre war eine Flammensäule.

«Vielleicht solltest du dich hinlegen», sagte Caroline wie zu einem Kind.

«Ich glaube, ich schneide jetzt die Hecke», sagte Gary.

«Du siehst ziemlich müde aus», sagte Caroline. «Du solltest dich besser hinlegen.»

«Nicht müde, Caroline. Ich hab bloß Rauch in die Augen gekriegt.»

«Gary –»

«Ich weiß, dass du überall herumerzählst, ich wär depressiv, aber zufälligerweise bin ich's nicht.»

«Gary.»

«Stimmt's, Aaron? Hab ich Recht? Sie hat euch doch erzählt, ich wär klinisch depressiv, oder?»

Derart überrumpelt, schaute Aaron zu Caroline, die langsam und bedeutungsvoll den Kopf schüttelte.

«Na? Hat sie das?», fragte Gary.

Aaron errötete und schlug die Augen nieder. Die Liebe zu seinem ältesten Sohn, seinem rührenden, ehrlichen, eitlen, errötenden Sohn, die Gary da wie ein Krampf überkam, verband sich aufs Engste mit der Wut, die ihn nun, ehe er sich's versah, vom Tisch fortkatapultierte. Er fluchte, vor seinen Kindern. «Was ist das bloß für eine *Scheiße*, Caroline!», sagte er. «Dein *Scheiß*-geflüster! Ich geh jetzt diese *beschissene* Hecke schneiden!»

Jonah und Caleb zogen die Köpfe ein, sie duckten sich, als stünden sie unter Beschuss. Aaron schien von seinem fettverschmierten Teller die Geschichte seines Lebens, vor allem die seiner Zukunft, abzulesen.

Caroline sprach mit der ruhigen, leisen, zitternden Stimme der offen Misshandelten. «Ist ja gut, Gary, ist gut», sagte sie, «dann lass uns bitte einfach in Ruhe zu Ende essen. Bitte geh einfach.»

Gary ging. Er stürmte hinaus und lief durch den Garten. Im Licht, das nach draußen fiel, war das ganze Laub in der Nähe des Hauses kalkig, doch das Zwielicht in den westlichen Bäumen reichte noch aus, sie in Silhouetten zu verwandeln. In der Garage nahm er die zweieinhalb Meter lange Leiter von ihrer Halterung und tänzelte und drehte sich mit ihr im Kreis, wobei er beinahe die Windschutzscheibe des Stompers zertrümmerte, bevor er wieder alles unter Kontrolle hatte. Dann schleppte er die Leiter ums Haus herum nach vorn, machte Licht und ging zurück, um die elektrische Heckenschere und das Dreißig-Meter-Verlängerungskabel zu holen. Damit das schmutzige Kabel nicht mit seinem teuren Leinenhemd in Berührung kam, das er, wie er erst jetzt bemerkte, noch anhatte, ließ er das Kabel hinter sich herschleifen, wo es sich zerstörerisch in den Blumen verhedderte. Er zog sich bis aufs T-Shirt aus, nahm sich aber nicht die Zeit, die Hose zu wechseln, weil er fürchtete, er könnte den Schwung verlieren, sich auf den noch tagheißen Rasen legen und den Grillen und ratschenden Zikaden lauschen und einnicken. Die anhaltende körperliche Betätigung machte seinen Kopf wieder einigermaßen klar. Er stieg auf die Leiter, beugte sich, so weit er wagte, vor und schnitt die limonengrünen abstehenden Spitzen von den Eibenzweigen. Als er merkte, dass er etwa dreißig Zentimeter Hecke direkt am Haus so nicht erreichte, hätte er wahrscheinlich die Heckenschere ausstellen und hinuntersteigen und die Leiter dichter heranrücken sollen, aber da es nur dreißig Zentimeter waren und er nicht über endlose Reserven an Kraft und Geduld verfügte, versuchte er, auf der Leiter zum Haus zu *laufen*, quasi ihre Holme zu schwingen und mit ihr zu *hüpfen*, während er mit der linken Hand die surrende Heckenschere fest umklammert hielt.

Der leichte Schlag, ein nahezu schmerzloser Stoß oder Stups, den er dabei dem fleischigen rechten Daumenballen verpasste, hatte ihm, wie sich bei näherer Betrachtung erwies, ein tiefes, stark blutendes Loch eingetragen, das sich in der besten aller möglichen Welten ein Notarzt angesehen hätte. Doch wenn man von Gary eines sagen konnte, dann das: Er war pflichtbewusst. Er hatte eindeutig zu viel getrunken, um selbst zur Chestnut-Hill-Klinik zu fahren, da machte er sich nichts vor, und Caroline konnte er nicht bitten, ihn dorthin zu bringen, ohne dass er eine peinliche Befragung riskierte, warum er beschlossen habe, in betrunkenem Zustand auf eine Leiter zu steigen und mit einem elektrischen Gerät zu hantieren, zumal er dann auch noch zugeben müsste, wie viel Wodka er vor dem Essen getrunken hatte, und, ganz allgemein, das Gegenteil von jenem Eindruck «guter seelischer Verfassung» hinterlassen würde, den er eigentlich hatte vermitteln wollen, als er sich anschickte, die Hecke zu schneiden. Während also ein Schwarm stechlustiger und Stoffe fressender Insekten, von den Lampen auf der Veranda angezogen, zur Haustür hereinflog, die Gary hinter sich zuzutreten versäumt hatte, als er, mit beiden Händen sein seltsam kühles Blut auffangend, hineingerannt war, verschwand er im unteren Badezimmer und ließ das Blut, in dessen eisenhaltigen Strudeln er Granatapfelsaft oder Schokoladensirup oder dreckiges Motoröl sah, ins Waschbecken laufen. Er hielt den Schnitt unter kaltes Wasser. Jenseits der nicht versperrten Tür hörte er Jonah fragen, ob er sich verletzt habe. Gary knüllte mit der linken Hand einen Bausch Klopapier zusammen, drückte ihn auf die Wunde und klebte einhändig ein Plastikpflaster darauf, das sich durch das Blut und Wasser sofort wieder löste. Überall, auf der Klobrille, auf dem Fußboden, an der Tür, war Blut.

«Dad, da kommen Insekten rein», sagte Jonah.

«Ja, Jonah, warum machst du nicht die Tür zu, gehst rauf und nimmst ein Bad. Ich komm gleich hoch und spiel mit dir Dame.»

«Können wir nicht Schach spielen?»

«Ja.»

«Aber du musst mir vorher die Dame, einen Läufer, ein Pferd und einen Turm geben.»

«Ja, ab in die Badewanne!»

«Kommst du gleich?»

«Ja!»

Gary riss frisches Pflaster von der sägezahnigen Rolle und lachte, nur um sich zu vergewissern, dass er das noch konnte, sich selbst im Spiegel an. Blut sickerte durch das Klopapier, rann um sein Handgelenk und löste das Pflaster erneut. Er wickelte seine Hand in ein Gästehandtuch, und mit einem zweiten, gut befeuchteten Gästehandtuch wischte er alles Blut auf. Dann öffnete er die Tür einen Spaltbreit und horchte auf Carolines Stimme im ersten Stock, auf die Spülmaschine in der Küche, auf Jonahs einlaufendes Badewasser. Eine Blutspur führte quer durch den Flur bis zur Haustür. Gary hockte sich hin und wischte, indem er sich im Krebsgang seitwärts fortbewegte, mit dem Gästehandtuch das Blut auf, die verletzte Hand fest an den Bauch gepresst. Auch der graue Holzboden der Veranda war mit Blut bespritzt. Um möglichst wenig Geräusche zu machen, lief Gary auf den Außenkanten seiner Füße. Er ging in die Küche, um Eimer und Wischlappen zu holen, und dort, in der Küche, war die Hausbar.

Nun ja, er öffnete sie. Indem er die Wodkaflasche unter die rechte Achsel klemmte, konnte er mit der linken Hand den Verschluss abschrauben. Und als er die Flasche hob, als er den Kopf in den Nacken legte, um von dem ziemlich geringen Rest eine letzte kleine Menge abzuzweigen, wanderte sein Blick über die Schranktür hinweg, und er sah die Kamera.

Die Kamera hatte die Größe eines Kartenspiels. Sie war auf einer Altazimuthalterung über der hinteren Tür angebracht. Ihr Gehäuse war aus poliertem Aluminium. Sie hatte einen rötlichen Schimmer im Auge.

Gary stellte die Flasche in den Schrank zurück, trat ans Spülbecken und ließ Wasser in einen Eimer laufen. Die Kamera schwenkte dreißig Grad herum und folgte ihm.

Am liebsten hätte er die Kamera von der Decke gerissen oder wäre, da er das nicht tun konnte, nach oben gerannt, um Caleb über die zweifelhafte Moral des Spionierens aufzuklären, oder hätte, da er das auch nicht tun konnte, zumindest gern erfahren, wie lange die Kamera schon dort hing; doch er hatte jetzt etwas zu verbergen, und so musste Caleb zwangsläufig alles, was Gary gegen die Kamera unternahm, jeden Einwand, den er gegen ihre Anwesenheit in der Küche erhob, als eigennützig durchschauen.

Er warf das blutige, staubige Gästehandtuch in den Eimer und näherte sich der hinteren Tür. Die Kamera bäumte sich in ihrer Halterung auf, um ihn im Zentrum ihres Sichtfelds zu behalten. Er stand jetzt unmittelbar unter ihr und blickte in das Auge. Er schüttelte den Kopf und formte mit den Lippen die Wörter *Nein, Caleb*. Natürlich antwortete die Kamera nicht. Jetzt erst fiel Gary ein, dass der Raum vermutlich auch abgehört wurde. Er konnte Caleb direkt ansprechen, fürchtete aber, dass die Wirkung dessen, was hier geschah, noch um ein Unerträgliches realer würde, wenn er in Calebs Stellvertreterauge sähe, seine eigene Stimme hörte und wüsste, dass sie auch in Calebs Zimmer zu hören wäre. Deshalb schüttelte er erneut den Kopf und machte eine ausholende Bewegung mit der linken Hand, das *Schnitt!*-Zeichen eines Regisseurs. Dann nahm er den Eimer aus dem Spülbecken und wischte die Veranda vor dem Haus.

Weil er betrunken war, blieb das Problem, dass es eine Kamera gab und Caleb seine Verletzung sowie seinen flüchtigen Kontakt mit der Hausbar bezeugen konnte, nicht als Ensemble bewusster Gedanken und Sorgen in Garys Kopf, sondern zog sich in sich selbst zurück, wurde zu einer Art körperlicher Präsenz in seinem Inneren, einer harten, tumorähnlichen Substanz, die durch seinen Magen hinabwanderte und sich in seinem Unterbauch einnistete. Das Problem bewegte sich natürlich nirgendwohin. Aber einstweilen war es gegen alles Nachdenken gefeit.

«Dad?», drang Jonahs Stimme durch ein Fenster im ersten Stock. «Wir können jetzt Schach spielen.»

Als Gary schließlich ins Haus ging – die Hecke nur zur Hälfte gestutzt, die Leiter noch in einem Efeubeet –, war das Blut durch drei Handtuchschichten gesickert und blühte auf der Oberfläche als hellroter, von seinen Blutkörperchen getrennter Plasmafleck. Er hatte Angst, jemandem im Flur zu begegnen, Caleb oder Caroline sowieso, vor allem aber Aaron, weil Aaron ihn gefragt hatte, ob es ihm gut gehe, und weil Aaron es nicht über sich gebracht hatte, ihn zu belügen, und weil diese kleinen Liebesbeweise von Aaron für Gary in gewisser Weise das Erschreckendste an diesem ganzen Abend waren.

«Warum hast du ein Handtuch um deine Hand gewickelt?», fragte Jonah, während er die Hälfte von Garys Streitkräften vom Schachbrett räumte.

«Ich habe mich geschnitten, Jonah. Ich habe ein bisschen Eis auf die Wunde gelegt.»

«Du riechst nach Al-ko-hol.» Jonahs Stimme federte.

«Alkohol ist gut zum Desinfizieren», sagte Gary.

Jonah zog seinen Bauern auf E4. «Ich meine aber den Al-kohol, den du getrunken hast.»

Gegen zehn Uhr lag Gary im Bett und befand sich damit durchaus in Übereinstimmung mit seinem ursprünglichen Plan, durchaus im Rahmen – ja, wovon eigentlich? Nun, er wusste es nicht genau. Aber wenn er jetzt ein wenig schlafen könnte, wäre er vielleicht in der Lage, den Weg, der vor ihm lag, zu überblicken. Damit die Laken nicht blutig wurden, hatte er seine verletzte Hand, samt Handtuch und allem, in eine Bran'nola-Brottüte gesteckt. Er löschte die Nachttischlampe und drehte sich zur Wand, die eingetütete Hand vor die Brust gebettet, Laken und Sommerdecke bis über die Schultern hochgezogen. Eine Zeit lang schlief er fest, bis er im dunklen Zimmer vom Pulsieren seiner Hand aufwachte. Das Fleisch zu beiden Seiten des

Schnitts zuckte, als wären Würmer darin, der Schmerz breitete sich fächerförmig entlang den fünf Handwurzelknochen aus. Caroline atmete regelmäßig; sie schlief. Gary stand auf, um seine Blase zu leeren und vier Advil zu nehmen. Als er wieder im Bett lag, scheiterte auch sein letzter, kümmerlicher Plan, denn nun konnte er nicht mehr einschlafen. Er hatte das Gefühl, dass Blut aus der Bran'nola-Tüte lief. Er überlegte, ob er aufstehen, sich in die Garage schleichen und zur Notaufnahme fahren sollte. Er addierte die Stunden, die ihn das kosten würde, zur Menge der Schlaflosigkeit, die nach seiner Rückkehr abzubauen wäre, damit er wieder müde würde, zog die Summe von den Stunden ab, die ihm dann noch blieben, bis er aufstehen und zur Arbeit musste, und kam zu dem Ergebnis, dass es besser war, bis sechs zu schlafen und, falls nötig, auf dem Weg ins Büro bei der Notaufnahme vorbeizufahren; das alles hing jedoch davon ab, ob es ihm gelingen würde, wieder einzuschlafen, und da das nicht der Fall war, überlegte und rechnete er erneut, nur dass inzwischen noch mehr kostbare Minuten der Nacht verstrichen waren, seit er zum ersten Mal überlegt hatte, aufzustehen und sich aus dem Haus zu schleichen. Die Rechnung war grausam in ihrer Regression. Er ging ins Badezimmer, um zu pinkeln. Das Problem von Calebs Überwachungssystem lag, unverdaulich, in seinem Bauch. Er war wild darauf, Caroline zu wecken und sie zu vögeln. Seine verletzte Hand pulsierte. Sie fühlte sich elefantös an: eine Hand von der Größe und dem Gewicht eines Lehnstuhls, jeder Finger ein elastisches Stück Holz von äußerster Empfindlichkeit. Und Denise blickte ihn immer noch hasserfüllt an. Und seine Mutter sehnte sich immer noch nach ihrem Weihnachtsfest. Und er schlüpfte kurz in einen Raum, in dem sein Vater auf einem elektrischen Stuhl festgeschnallt war und einen Metallhelm auf dem Kopf hatte, und Garys Hand lag auf dem altmodischen, steigbügelähnlichen Stromschalter, den er offenbar bereits betätigt hatte, denn Alfred kam, phantastisch galvanisiert, vom Stuhl gesprungen, mit einem grässlichen Lächeln, einem Zerrbild der Begeisterung, tanzte mit steifen, zuckenden Gliedern umher, bewegte sich im Schweinsgalopp im Kreis und fiel dann hin, schlug, mit dem Gesicht zuerst, hart auf, rums, wie eine Trittleiter mit zusammengeschobenen Holmen, und lag hilflos auf dem Boden des Hinrichtungsraums, während jeder Muskel in seinem Körper galvanisch zuckte und kochte –

Graues Licht war in den Fenstern, als Gary aufstand, um zum vierten oder fünften Mal zu pinkeln. Die schwülwarme Morgenluft erinnerte eher an Juli als an Oktober. Dunst oder Nebel auf der Seminole Street verwischte – oder entkörperlichte – oder brach – das Gekrächz der Krähen, die sich über der Navajo Road und der Shawnee Street den Hügel hinaufmühten, wie die Teenager aus der Gegend, wenn sie auf den Parkplatz des Wawa-Supermarkts («Club Wa» nannten sie ihn, hatte Aaron gesagt) zusteuerten, um Zigaretten zu rauchen.

Er legte sich wieder hin und wartete auf den Schlaf.

«-tag, fünfter Oktober, eines der wichtigsten Themen, über die wir heute Morgen berichten, ist, da bis zu seiner Hinrichtung nunmehr weniger als vierundzwanzig Stunden verbleiben, der Versuch von Khellyes Anwälten –», sagte Carolines Radiowecker, bevor sie ihn mit einem Schlag zum Schweigen brachte.

In der darauf folgenden Stunde, während er dem Aufstehen seiner Söhne und ihren Frühstücksgeräuschen und einem kleinen Trompetenständchen von Aaron lauschte, einer John-Philip-Sousa-Melodie, nahm ein radikaler neuer Plan in Garys Gehirn Gestalt an. Er lag ganz still, mit dem Gesicht zur Wand, in embryonaler Haltung auf der Seite, die eingetütete Hand an die Brust gedrückt. Sein radikaler neuer Plan war, absolut gar nichts zu tun.

«Gary, bist du wach?», fragte Caroline aus mittlerer Distanz, von der Tür aus vermutlich. «Gary?»

Er tat gar nichts, antwortete auch nicht.

«Gary?»

Er fragte sich, ob es sie wohl interessieren würde, warum er nichts tat, doch da entfernten sich ihre Schritte schon wieder über den Flur, und sie rief: «Jonah, beeil dich, du kommst zu spät!»

«Wo ist Dad?», fragte Jonah.

«Er liegt noch im Bett, komm schon.»

Gary vernahm ein Getrappel kleiner Füße, und nun wurde sein radikaler neuer Plan auf eine erste harte Probe gestellt. Von irgendwo ganz in der Nähe sprach Jonah ihn an. «Dad? Wir gehen jetzt. Dad?» Und Gary war gezwungen, nichts zu tun. Er musste vorgeben, nichts hören zu können oder nichts hören zu wollen, musste seinen Generalstreik, seine klinische Depression, dem einzigen Geschöpf zumuten, das er gern damit verschont hätte. Ob er still und regungslos bleiben könnte, wenn Jonah auch nur ein bisschen näher käme – wenn er zum Beispiel zu ihm käme und ihn umarmte –, das wusste Gary nicht. Doch da rief Caroline von unten, und Jonah eilte davon.

Von ferne hörte Gary ein Piepsen, als sein Hochzeitsdatum eingegeben wurde, um die militärische Sperrzone zu sichern. Dann war es still in dem nach Toast duftenden Haus, und er verzog sein Gesicht zu jener Grimasse bodenlosen Schmerzes und Selbstmitleids, die er von Caroline kannte, wenn ihr der Rücken wehtat. Und er verstand wie nie zuvor, wie viel Trost darin lag.

Er überlegte aufzustehen, aber er brauchte nichts. Er hatte keine Ahnung, wie lange Caroline fort sein würde; falls sie heute beim CDF arbeitete, wäre sie bestimmt nicht vor drei wieder da. Es war egal. Er würde hier sein.

Doch es traf sich, dass Caroline schon nach einer halben Stunde zurückkam. Die Reihenfolge der Geräusche ihres Aufbruchs kehrte sich um. Er hörte den nahenden Stomper, den Entsicherungscode, die Schritte auf der Treppe. Er spürte, wie seine Frau schweigend in der Tür stand und ihn betrachtete.

«Gary?», sagte sie mit einer leiseren, zärtlicheren Stimme.

Er tat nichts. Er lag da. Sie kam zu ihm und kniete sich neben das Bett. «Was ist los? Bist du krank?»

Er antwortete nicht.

«Was soll diese Tüte? Mein Gott. Was ist passiert?»

Er sagte nichts.

«Gary, sag doch was. Bist du deprimiert?»

«Ja.»

Da seufzte sie. Wochen angestauter Spannung wichen aus dem Zimmer.

«Ich kapituliere», sagte Gary.

«Wie meinst du das?»

«Du musst nicht nach St. Jude fahren», sagte er. «Niemand, der nicht möchte, muss da hinfahren.»

Es kostete ihn viel, das zu sagen, aber es lohnte sich. Er spürte Carolines Körperwärme, ihre Ausstrahlung, noch bevor sie ihn berührte. Das Aufgehen der Sonne, das Kitzeln ihres Haars an seinem Hals, als sie sich über ihn beugte, das Näherkommen ihres Atems, die sanfte Landung ihrer Lippen auf seiner Wange. «Danke», sagte sie.

«Kann sein, dass ich Heiligabend hinfahren muss, aber am ersten Weihnachtstag bin ich wieder da.»

«Danke.»

«Ich bin furchtbar deprimiert.»

«Danke.»

«Ich kapituliere», sagte Gary.

Die Ironie dabei war natürlich, dass er kurz nach seiner Kapitulation – vielleicht schon kurz nach seinem Eingeständnis, deprimiert zu sein, mit an Sicherheit grenzender Wahrscheinlichkeit aber, als er ihr seine Hand zeigte und sie sie ordentlich verband, unter Garantie jedoch keinen Sekundenbruchteil später als in dem Moment, da er mit einer Lok, so lang und hart und schwer wie eine Modelleisenbahn der Größe O, in feuchte, gefurchte Winkel eines Tunnels einfuhr, die ihm, selbst nachdem er zwanzig Jahre lang darin herumgereist war, noch unerforscht vorkamen (er wählte die Löffelstellung, sodass Caroline ihre untere Rückenpartie entlasten und er seine bandagierte Hand gefahrlos auf ihre Seite legen konnte; vögelnde Versehrte waren sie) – nicht nur nicht mehr depressiv, sondern regelrecht euphorisch war.

Plötzlich fiel ihm ein – in Anbetracht des zärtlichen ehelichen Akts, den er gerade vollzog, vielleicht ein unpassender Einfall, doch so war er eben, er war Gary Lambert, er hatte nun einmal unpassende Einfälle, und er war es satt, sich dafür zu entschuldigen! –, dass er Caroline jetzt ohne weiteres bitten könnte, ihm 4500 Axon-Aktien zu kaufen, und dass sie es mit Freuden täte.

Wie ein Kreisel auf einem winzigen Berührungspunkt, so hob und senkte sich ihr Körper, und ihr ganzes sexuelles Wesen, auf der feuchten Kuppe seines Mittelfingers, war nahezu ohne Gewicht.

Er ergoss sich herrlich. Ergoss und ergoss und ergoss sich.

Und so lagen sie, zur Schulschwänzerzeit um neun Uhr dreißig an einem Dienstagmorgen, immer noch nackt da, als das Telefon auf Carolines Nachttisch klingelte. Gary, der abnahm, war entsetzt, die Stimme seiner Mutter zu hören. Er war entsetzt über die Tatsache ihrer Existenz.

«Ich rufe vom Schiff aus an», sagte Enid.

Einen schuldhaften Augenblick lang, bevor ihm aufging, dass das Telefonieren von einem Schiff aus teuer war und seine Mutter daher keine guten Nachrichten haben konnte, glaubte Gary, sie rufe an, weil sie wusste, dass er sie verraten hatte.

AUF SEE

ZWEI UHR NULL NULL, Dunkelheit, die *Gunnar Myrdal*: Rings um den alten Mann sang Wasser in metallenen Rohren ein geheimnisvolles Lied. Während das Schiff das schwarze Meer östlich von Neuschottland aufschlitzte, stampfte es leicht vom Bug zum Heck, als wäre es trotz seiner enormen stählernen Befähigung unsicher und könnte das Problem flüssiger Hügel nur lösen, indem es sie rasch durchstieß; als hinge seine Stabilität davon ab, die Schrecken, die das Schwimmenkönnen barg, auf diese Weise zu vertuschen. Es gab noch eine Welt darunter – die war das Problem. Eine Welt, die Volumen hatte, aber keine Form. Am Tag war das Meer blaue Oberfläche und weiße Gischt, eine reale navigatorische Herausforderung, und das Problem ließ sich überschauen. In der Nacht aber gingen die Gedanken auf Reisen und tauchten hinab in das nachgiebige – das barbarisch einsame – Nichts, auf dem das schwere stählerne Schiff fuhr, und jede heranrollende Welle zeigte sich als Zerrbild eines Koordinatennetzes, zeigte, wie wahrhaft und für immer verloren ein Mensch dort unten, in sechs Faden Tiefe, wäre. Das Land hatte keine z-Achse. Trockenes Land war wie Wachsein. Selbst in wegloser Wüste konnte man auf die Knie fallen und mit der Faust aufs Land trommeln, und das Land gab nicht nach. Natürlich hatte auch der Ozean eine bewegliche Schale. Aber jeder Punkt auf dieser Schale war ein Punkt, an dem man sinken und, indem man sank, verschwinden konnte.

Wie die Dinge stampften, so zitterten sie. Ein Beben durchlief das Gerippe der *Gunnar Myrdal*, ein endloses Vibrieren den Boden, die Koje und die birkenholzgetäfelten Wände. Ein synkopischer Tremor, dem Schiff so eigen und, da er stetig anschwoll und nie schwächer zu werden schien, dem Parkinson'schen Zittern so ähnlich, dass Alfred das Problem in sich selbst geortet hatte, bis er jüngere, gesündere Passagiere davon sprechen hörte.

Er lag in Kabine B11, annähernd wach. Wach in einer Metallkiste, die stampfte und zitterte, einer dunklen Metallkiste, die irgendwo durch die Nacht trieb.

Ein Bullauge gab es nicht. Eine Kabine mit Aussicht hätte einige hundert Dollar mehr gekostet, und Enid hatte behauptet, eine Kabine werde schließlich in erster Linie zum Schlafen genutzt, wozu brauche man da, noch dazu bei dem Preis, ein Bullauge? Auf der ganzen Reise werde sie da vielleicht sechsmal rausgucken. Das mache fünfzig Dollar pro Blick.

Jetzt schlief sie, lautlos, wie ein Mensch, der sich schlafend stellt. Der schlafende Alfred war eine Symphonie aus Schnarchern, Schnaufern und Röchlern, ein Epos aus Eszett. Enid war ein Haiku. Stundenlang lag sie still, um dann mit einem Mal die Augen aufzuschlagen, als würde ein Licht angeknipst. Manchmal im Morgengrauen in St. Jude, in der langen Minute, die der Radiowecker brauchte, um zur nächsten Ziffer zu springen, war das Einzige, was sich im ganzen Haus bewegte, Enids Auge.

Am Morgen von Chips Empfängnis hatte sie nur so ausgesehen, als stelle sie sich schlafend, doch sieben Jahre später, am Morgen, als sie Denise empfing, hatte sie Alfred wirklich etwas vorgemacht. Solche lässlichen Täuschungsmanöver hatte Alfred im mittleren Alter provoziert. Nach gut zehn Ehejahren war er zu einem jener übermäßig gezähmten Raubtiere geworden, wie es sie im Zoo gibt – dem Bengalischen Tiger, der das Töten verlernt hat, dem vor lauter Niedergeschlagenheit faul gewordenen Löwen. Um Anziehungskraft auszuüben, musste Enid ein regloser, unblutiger Kadaver sein. Streckte sie die Hand nach ihm aus, ja warf sie gar einen Schenkel über den seinen, igelte er sich ein und verbarg sein Gesicht; trat sie auch nur nackt aus dem Badezimmer, wandte er die Augen ab, wie es die goldene Regel dem Mann gebot, der es hasste, selbst gesehen zu werden. Nur frühmorgens, beim Aufwachen, wenn er ihre schmale weiße Schulter erspähte, wagte er sich aus seinem Bau. Ihre Stille und Selbstbeherrschung, ihre langsamen kleinen Atemzüge, ihre reine Verletzlichkeit als Objekt machten ihn sprungbereit. Und kaum spürte sie seine gepolsterte Pranke auf ihren Rippen und seinen fleischlüsternen Atem an ihrem Hals, wurde sie schlaff wie Beute, die sich instinktiv ergibt («Bringen wir das Sterben schnell hinter uns»), während ihre Passivität in Wahrheit doch berechnet war, denn dass Passivität ihn entflammte, wusste sie. Er nahm Enid, und in gewisser Weise wollte sie das auch, wie ein Tier: in der stummen, geteilten Intimität der Gewalt. Auch sie ließ die Augen geschlossen. Drehte sich oft nicht einmal von der Seite, auf der sie gelegen hatte, zu ihm um, sondern stellte nur die Hüfte aus, zog in vage proktologischem Reflex ein wenig das Knie an. Danach ging er, ohne ihr sein Gesicht zu zeigen, ins Bad, wusch und rasierte sich, und wenn er wieder herauskam, sah er das bereits gemachte Bett und hörte die Kaffeemaschine gurgeln. Enid, da unten in der Küche, mochte es wohl scheinen, ein Löwe und nicht ihr Ehemann hätte sich wollüstig über sie hergemacht, oder einer der Männer in Uniform, von denen sie besser einen hätte heiraten sollen, wäre in ihr Bett geschlüpft. Es war kein herrliches Leben, aber von solchen Selbsttäuschungen und von ihren Erinnerungen (die jetzt merkwürdig wie Selbsttäuschungen wirkten), Erinnerungen an die ersten Jahre, als Alfred verrückt nach ihr gewesen war und ihr in die Augen gesehen hatte, konnte eine Frau schon zehren. Wichtig war, Stillschweigen zu bewahren. Wenn nie von dem Akt gesprochen wurde, gab es keinen Grund, ihn nicht mehr zu vollziehen, bis Enid ganz sicher wieder schwanger war, und auch nach der Schwangerschaft keinen

Grund, nicht damit fortzufahren, solange nur nie die Sprache darauf kam.

Sie hatte sich immer drei Kinder gewünscht. Je länger die Natur ihr ein drittes verwehrte, umso weniger erfüllt fühlte sie sich im Vergleich zu ihren Nachbarinnen. Bea Meisner, dicker und dümmer als Enid, knutschte in aller Öffentlichkeit mit ihrem Mann Chuck; zweimal im Monat nahmen sich die Meisners einen Babysitter und gingen tanzen. Jeden Oktober, wirklich jeden, reiste Dale Driblett mit seiner Frau Honey zur Feier ihres Hochzeitstags an irgendeinen extravaganten Ort jenseits der Staatsgrenze, und die vielen kleinen Dribletts hatten alle im Juli Geburtstag. Sogar Esther und Kirby Root konnte man dabei beobachten, wie sie sich auf Grillpartys die gut durchwachsenen Pobacken tätschelten. Dass andere Paare so liebevoll, so reizend miteinander umgingen, ängstigte und beschämte Enid. Sie war eine intelligente junge Frau und gute Wirtschafterin, die, nachdem sie Bettwäsche und Tischtücher in der Pension ihrer Mutter gebügelt hatte, nahtlos dazu übergegangen war, Bettwäsche und Tischtücher *chez* Lambert zu bügeln. In den Augen jeder Nachbarin las sie die stumme Frage: Hat Al es wenigstens geschafft, ihr das Gefühl zu geben, sie sei in dieser speziellen Hinsicht superspeziell?

Sobald sie wieder sichtbar schwanger war, hatte sie darauf eine stumme Antwort. Die Veränderungen in ihrem Körper waren nicht zu leugnen, und sie malte sich derart lebhaft aus, was für schmeichelhafte Rückschlüsse auf ihr Liebesleben Bea und Esther und Honey daraus ziehen mochten, dass sie diese Schlüsse bald selbst zog.

Glücklich, wie die Schwangerschaft sie machte, wurde sie nachlässig und sprach Alfred auf das Falsche an. Natürlich nicht auf Sex oder Erfüllung oder Fairness. Es gab noch andere, kaum weniger verbotene Themen, und in ihrem Leichtsinn ging Enid eines Morgens zu weit. Sie meinte, er solle Aktien eines gewissen Unternehmens kaufen. Alfred sagte, der Aktienmarkt sei gefährlicher Unfug, den man am besten reichen Männern und faulen Spekulanten überlasse. Enid meinte, er solle trotzdem Aktien eines gewissen Unternehmens kaufen. Alfred sagte, er erinnere sich an den Schwarzen Dienstag, als sei der gestern gewesen. Enid meinte, er solle trotzdem Aktien eines gewissen Unternehmens kaufen. Alfred sagte, es gehöre sich nicht, diese Aktien zu kaufen. Enid meinte, er solle sie trotzdem kaufen. Alfred sagte, sie hätten kein Geld übrig, schon gar nicht jetzt, da sich ein drittes Kind ankündige. Enid meinte, sie könnten sich Geld leihen. Alfred sagte nein. Er sagte es mit wesentlich lauterer Stimme und stand vom Frühstückstisch auf. Er sagte so laut nein, dass eine Kupferschale, die das Küchenregal zierte, flüchtig summte, und verließ, ohne Enid einen Abschiedskuss gegeben zu haben, für elf Tage und zehn Nächte das Haus.

Wer hätte geahnt, dass so ein *kleiner* Fehler alles verändern könnte?

Im August hatte Midland Pacific Alfred zum zweiten Chefingenieur der Abteilung Gleis und Bau gemacht, und nun war er in den Osten geschickt worden, um jeden Kilometer der Erie Belt Railroad zu überprüfen. Bezirksleiter der Erie Belt kutschierten ihn mit rührenden benzingetriebenen Waggons herum, die wie Insekten auf Nebengleise schossen, sooft Erie-Belt-Megalosaurier vorbeidonnerten. Die Erie Belt war ein regionales Eisenbahnunternehmen, dessen Frachtgeschäft durch Lastwagen geschädigt und dessen Passagiergeschäft durch private Automobile in die roten Zahlen getrieben worden war. Zwar befanden sich die Haupttrassen im Großen und Ganzen noch in gutem Zustand, doch die mittleren und kleinen Nebenstrecken verrotteten, wie man es kaum für möglich hielt. Auf Schienensträngen, kein bisschen gerader als schlaffe Bänder, krochen die Züge mit 20 km/h voran. Kilometer für Kilometer hoffnungslos verzogenen Geleises. Alfred sah Schwellen, die besser zum Mulchen geeignet waren als zum Halten von Bolzen; Schienennägel, die ihre Köpfe bereits an den Rost verloren hatten, während ihre Körper unter einer Kruste aus Rostfraß zerfielen wie Shrimps in einer Fritteuse; Schotter, der so ausgewaschen war, dass die Schwellen an den Gleisen hingen, anstatt sie zu stützen; Träger, die sich schälten und pellten wie ein Kuchen mit Schokoladenglasur – dunkle Flocken, Gebrösel überall.

Wie bescheiden – verglichen mit der rasenden Lokomotive – sich ein Stück zugewuchertes Gleis ausnehmen konnte, das an einem Feld später Mohrenhirse entlangführte. Doch ohne dieses Gleis war ein Zug ein zehntausend Tonnen schweres, unlenkbares Nichts. Der Wille steckte im Gleis. Wo Alfred im Hinterland der Erie Belt auch hinkam, immer hörte er junge Erie-Belt-Angestellte einander zurufen: «Lass dir Zeit!»

«Bis später, Sam. Immer mit der Ruhe.»

«Lass dir Zeit.»

«Du auch, Kumpel. Lass dir Zeit.»

Die Phrase erschien Alfred wie eine Fäule, die den Osten befallen hatte, ein passendes Epitaph für den einstmals großen Staat Ohio, den parasitäre Gewerkschafter beinahe ausgesaugt hatten. Niemand in St. Jude hätte je gewagt, *ihm* zu sagen, er solle sich Zeit lassen. In der hohen Prärie, wo er aufgewachsen war, galt einer, der sich Zeit ließ, nicht als richtiger Mann. Nun war eine neue, verweichlichte Generation nachgekommen, die es für rühmlich hielt, «sich Zeit zu lassen». Alfred hörte, wie Gleisbautrupps der Erie Belt mitten in der Arbeitszeit herumblödelten, er sah in Signalfarben gekleidete Angestellte zehnminütige Kaffeepausen einlegen, er beobachtete Grünschnäbel von Konstruktionszeichnern, die genüsslich Zigaretten rauchten, während eine einstmals solide Bahn rings um sie in Stücke ging. «Lass dir Zeit» war die Parole dieser allzu freundlichen jungen Männer, das Unterpfand ihrer allzu großen Unbekümmertheit, die trügerische Beschwörungsformel, die es ihnen ermöglichte, über den ganzen Schlamassel um sie herum hinwegzusehen.

Die Midland Pacific dagegen war sauberer Stahl und weißer Beton. Schwellen, die so neu waren, dass sich Kreosot in ihrer Maserung sammelte. Die angewandte Wissenschaft von Vibrationsdämmung und Spannbetonpfeilern, Bewegungsmeldern und geschweißter Schiene. Die Midpac hatte ihren Hauptsitz in St. Jude und versorgte eine härter arbeitende, weniger östliche Region des Landes. Anders als die Erie Belt setzte sie ihren ganzen Stolz daran, den Betrieb pflichtgemäß auch auf ihren Nebenstrecken, und zwar ohne Abstriche, aufrechtzuerhalten. Tausend Städte und Kleinstädte, weit über die mittleren Staaten verstreut, waren auf die Midpac angewiesen.

Je mehr Alfred von der Erie Belt sah, umso deutlicher spürte er die Größe, Kraft und moralische Vitalität der Midland Pacific in den eigenen Gliedern, im eigenen Auftreten. Mit Schlips und Kragen und bestem Schuhwerk überquerte er behände die Eisenbahnbrücke über den Maumee River, fünfzehn Meter hoch über Schlackenkähnen und trübem Wasser, packte den untersten Strang des Geländers und lehnte sich kopfüber hinaus, um dem Hauptträger des Brückenbogens einen Schlag mit seinem Lieblingshammer zu versetzen, den er stets in seiner Aktentasche bei sich trug; Farb- und Rostplacken, so groß wie Platanenblätter, segelten in den Fluss. Eine Rangierlok kam mit lautem Gebimmel auf die Brücke gekrochen, und Alfred, der keine Höhenangst kannte, lehnte sich gegen eine Strebe der Aufhängung und stellte die Füße auf die streichholzdünnen Balken, die über den Fluss hinausragten. Während die Schwellen wackelten und hüpften, notierte er auf seinem Klemmbrett ein vernichtendes Urteil über den Zustand der Brücke.

Möglich, dass die eine oder andere Frau, die in ihrem Auto auf der nahen Cherry-Street-Brücke über den Maumee fuhr, ihn dort oben thronen sah, mit flachem Bauch und breiten Schultern und vom Wind um die Knöchel gewickelten Hosensäumen, möglich, dass sie dachte, was auch Enid gedacht hatte, als sie ihm zum ersten Mal gegenüberstand: Das ist ein *Mann*. Obwohl er sich ihrer Blicke nicht bewusst war, empfand Alfred in seinem Innern das Gleiche, was die Frauen von außen sahen. Am Tage fühlte er sich als Mann, und er machte daraus keinen Hehl, ja man könnte fast sagen, er stellte es zur Schau, indem er freihändig auf hohen, schmalen Simsen balancierte und zehn, zwölf Stunden ohne Pause arbeitete und über die Verweichlichungssymptome einer östlichen Eisenbahn Buch führte.

In der Nacht war das anders. Nachts lag er wach auf Matratzen, die wie aus Pappe waren, und führte Buch über die Unzulänglichkeiten der Menschheit. In jedem Motel schien er Nachbarn zu haben, die Unzucht trieben, als gebe es kein Morgen – Männer mit schlechten Manieren und mangelnder Disziplin, Frauen, die kicherten und schrien. Um ein Uhr nachts in Erie, Pennsylvania, lärmte und stöhnte ein Mädchen im Zimmer nebenan wie eine Dirne. Irgendein schmieriger, nichtsnutziger Kerl, der mit ihr machte, was er wollte. Alfred verübelte es der Frau, dass sie es hinnahm. Er verübelte es dem Mann, dass er – *lass dir Zeit* – solch eine gelassene Dreistigkeit besaß. Er verübelte es beiden, dass sie nicht einmal rücksichtsvoll genug waren, ihre Stimmen zu senken. Wie war es möglich, dass sie nicht ein einziges Mal an ihren Nachbarn dachten, der wach im Nebenzimmer lag? Er verübelte es Gott, dass er solche Menschen existieren ließ. Er verübelte es der Demokratie, dass sie ihn mit solchen Menschen behelligte. Er verübelte es dem Motelarchitekten, dass er einer einzigen Schicht Löschbeton zutraute, die Nachtruhe zahlender Gäste zu gewährleisten. Er verübelte es der Motelleitung, dass sie kein Zimmer für leidende Gäste bereithielt. Er verübelte es den frivolen, leichtlebigen Footballfans aus Washington, Pennsylvania, dass sie 250 Kilometer gefahren waren, um sich ein Highschool-Meisterschaftsspiel anzuschauen, und alle Motelzimmer in Nordwest-Pennsylvania belegt hatten. Er verübelte es den anderen Motelgästen, dass sie die Hurerei so gleichgültig ertrugen, er verübelte es der gesamten Menschheit, dass sie so unsensibel war; er fand es dermaßen ungerecht. Er fand es ungerecht, dass die Welt imstande war, nicht die geringste Rücksicht auf einen Mann zu nehmen, der so viel Rücksicht auf sie nahm. Niemand arbeitete härter als er, niemand gab einen ruhigeren Motelgast ab, niemand stand mehr seinen Mann als er, und dennoch war es den Windhunden dieser Welt erlaubt, ihm mit ihren unanständigen Machenschaften den Schlaf zu rauben …

Er wollte auf keinen Fall weinen. Er glaubte, wenn er sich selbst um zwei Uhr nachts, in einem nach Rauch riechenden Motelzimmer, weinen hörte, wäre das das Ende der Welt. Disziplin wenigstens hatte er. Die Kraft zu widerstehen: Die hatte er.

Doch dass er sich darin übte, wurde ihm nicht gedankt. Das Bett im Nachbarzimmer polterte gegen die Wand, während der Mann wie ein Schmierenkomödiant stöhnte und das Mädchen jaulend nach Luft japste. Und jede Kellnerin in jeder Stadt hatte kugelförmige, unzureichend in eine mit Monogramm bestickte Bluse eingeknöpfte Brüste und beugte sich mit voller Absicht über ihn.

«Noch Kaffee, mein Hübscher?»

«Äh, ja bitte.»

«Wirst ja rot, Herzblatt, oder is das nur, weil grad die Sonne aufgeht?»

«Ich würde jetzt gern zahlen, danke.»

Und im Olmsted-Hotel in Cleveland ertappte er einen Portier und ein Zimmermädchen dabei, wie sie im Treppenhaus laszive Küsse tauschten. Und die Gleise, die er sah, wenn er die Augen zumachte, waren ein Reißverschluss, den er unablässig öffnete, und die Signale sprangen, sobald er sie passiert hatte, hinter seinem Rücken von abweisendem Rot auf williges Grün, und in einem durchhängenden Bett in Fort Wayne fielen schaurige Sukkuben über ihn her, Frauen, deren ganze Körper – auch die Kleider, die lächelnden Münder, die übereinander geschlagenen Beine –, etwas Provozierendes ausdünsteten, als wären es Vaginen, und bis an die Oberfläche seines Bewusstseins (bloß nicht das Bett beschmutzen!) trieb er den Embolus seines aufsteigenden Samens, sodass, als er bei Sonnenaufgang in Fort Wayne erwachte, ein kochend heißes Nichts in seine Pyjamahose sickerte: alles in allem ein Sieg, hatte er doch den Sukkuben immerhin seine Befriedigung verweigert. Aber in Buffalo hatte der Bahnhofsvorsteher ein Poster von Brigitte Bardot an seiner Bürotür hängen, und im Motel in Youngstown fand Alfred eine schmutzige Illustrierte unter dem Telefonbuch, und in Hammond, Indiana, saß er auf einem Nebengleis fest, während ein Güterzug vorbeifuhr, und unmittelbar zu seiner Linken übten College-Cheerleader auf dem Spielfeld Spagat, wobei das blondeste Mädchen im Schritt regelrecht *wippte*, als habe es vor, den von Spikes zerfressenen Rasen mit ihrer baumwollbedeckten Vulva zu *küssen*, und der Dienstwaggon schaukelte kess, als der Güterzug endlich auf dem Gleis verschwand: Anscheinend hatte es die ganze Welt darauf angelegt, einen tugendhaften Mann zu quälen.

In einem eigens für leitende Angestellte bestimmten Waggon, der an einen Intercity-Güterzug angehängt wurde, kehrte er nach St. Jude zurück, und von der Union Station aus nahm er den Nahverkehrszug hinaus in die Vororte. In den Straßen zwischen dem Bahnhof und seinem Haus fielen bereits die letzten Blätter von den Bäumen. Es war die Jahreszeit, in der alles wirbelte, auf den Winter zuwirbelte. Kavallerien von Laub schwenkten auf den strapazierten Rasenflächen hierhin und dorthin. Er blieb auf der Straße stehen und betrachtete das Haus, das ihm und einer Bank gehörte. Die Rinnsteine waren mit Zweigen und Eicheln verstopft, die Chrysanthemenbeete vom Mehltau vernichtet. Ihm fiel ein, dass seine Frau wieder schwanger war. Die Monate trieben ihn auf ihrem starren Gleis vorwärts, brachten ihn dem Tag näher, an dem er Vater dreier Kinder sein würde, dem Jahr, in dem er seine Hypothek abbezahlt hätte, der Zeit seines Todes.

«Schöner Koffer», sagte Chuck Meisner durch das Fenster seines Fairlane, während er auf der Straße neben ihm abbremste. «Eine Sekunde lang dachte ich, du wärst der Bürstenverkäufer.»

«Chuck», sagte Alfred überrascht. «Hallo.»

«Der eine Eroberung plant. Weil der Ehemann ständig verreist ist.»

Alfred lachte, weil man darauf nicht anders reagieren konnte. Er und Chuck trafen sich oft auf der Straße, der Ingenieur in Habtachtstellung, der Bankier bequem hinterm Steuer. Alfred im Anzug, Chuck in Golfkleidung. Alfred schlank und streng frisiert. Chuck glanzköpfig, schlaffbrüstig. In der Zweigstelle, die er leitete, verbrachte Chuck nicht allzu viele Stunden; dennoch betrachtete Alfred ihn als Freund. Chuck hörte ihm wirklich zu, schien beeindruckt von der Arbeit, die er leistete, und achtete ihn als einen Mann mit einzigartigen Fähigkeiten.

«Hab Enid am Sonntag in der Kirche gesehen», sagte Chuck. «Sie hat mir erzählt, du wärst schon seit einer Woche weg.»

«Elf Tage war ich unterwegs.»

«Ein Notfall?»

«Eigentlich nicht», sagte Alfred stolz. «Ich habe jeden einzelnen Gleiskilometer der Erie Belt Railroad inspiziert.»

«Erie Belt. Hm.» Chuck, die Hände im Schoß, hakte seine Daumen am Lenkrad ein. Er war der lässigste und zugleich wachsamste Autofahrer, den Alfred kannte. «Du machst deine Arbeit gut, Al», sagte er. «Du bist ein fabelhafter Ingenieur. Es muss also einen Grund geben, warum ausgerechnet die Erie Belt.»

«Gibt es auch», sagte Alfred. «Die Midpac wird sie kaufen.»

Der Motor des Fairlane nieste einmal, so ähnlich wie ein Hund. Chuck war auf einer Farm in der Nähe von Cedar Rapids aufgewachsen, und sein optimistisches Naturell wurzelte in dem tiefen, gut bewässerten Mutterboden Ost-Iowas. Farmer in Ost-Iowa lernten gar nicht erst, der Welt zu misstrauen. Wohingegen jeder Boden, der irgendeine Hoffnung in Alfred hätte nähren können, bei der einen oder anderen Dürre in West-Kansas verweht war.

«Aha», sagte Chuck. «Dann wird's wohl auch eine offizielle Mitteilung gegeben haben.»

«Nein. Keine Mitteilung.»

Chuck nickte und schaute an Alfred vorbei zum Lambert'schen Haus. «Enid wird sich freuen, dich wieder zu sehen. Ich glaube, sie hat eine schwere Woche hinter sich. Die Jungen waren krank.»

«Du behältst das bitte für dich.»

«Al, Al, Al.»

«Ich würde niemandem außer dir davon erzählen.»

«Nett von dir. Du bist ein guter Freund und ein guter Christ. Und mir bleibt ungefähr für vier Löcher Tageslicht, wenn ich vorher noch die Hecke da zurückschneiden will.»

Der Fairlane setzte sich in Bewegung, und Chuck lenkte ihn, als wähle er seinen Broker an, mit einem Zeigefinger in die Einfahrt.

Alfred hob seinen Koffer und seine Aktentasche auf. Seine Enthüllung, gerade eben, war zugleich spontan und alles andere als spontan gewesen. Eine jähe Anwandlung von Wohlwollen und Dankbarkeit gegenüber Chuck, ein berechnetes Herauslassen der Wut, die seit elf Tagen in ihm angeschwollen war. Da reist ein Mann dreitausend Kilometer weit und kann die letzten zwanzig Schritte nicht gehen, ohne *etwas* zu tun, das –

Aber es war doch unwahrscheinlich, dass Chuck diese Information *missbrauchen* würde –

Als er durch die Küchentür ins Haus trat, sah Alfred rohe Kohlrübenstücke in einem Topf Wasser, ein mit Gummiband zusammengehaltenes Bündel Mangold und irgendein rätselhaftes Fleisch in braunem Schlachterpapier. Und eine gewöhnliche Zwiebel, die offenbar gebraten und als Beilage serviert werden sollte, nur wozu – Leber?

Auf dem Boden neben der Kellertreppe war ein Nest aus Zeitschriften und Marmeladengläsern.

«Al?», rief Enid aus dem Keller.

Er stellte den Koffer und die Aktentasche hin, bückte sich nach den Zeitschriften und Marmeladengläsern und trug sie die Treppe hinunter.

Enid stellte das Eisen auf dem Bügelbrett ab und kam aus der Waschküche. Sie hatte Schmetterlinge im Bauch – ob vor Freude oder vor Angst, dass Als Zorn sie treffen oder sie selbst zornig werden könnte, wusste sie nicht.

Ohne Umschweife rief er sie zur Ordnung. «Worum hatte ich dich gebeten, bevor ich wegfuhr?»

«Du bist früh dran», sagte sie. «Die Jungen sind noch im Y.»

«Welchen einen Gefallen solltest du mir während meiner Abwesenheit tun?»

«Ich bin mit der Wäsche im Hintertreffen. Die Jungen waren krank.»

«Erinnerst du dich nicht», sagte er, «dass ich dich gebeten hatte, das Gerümpel oben an der Treppe wegzuschaffen? Dass das der eine – *der einzige* – Gefallen war, den du mir während meiner Abwesenheit tun solltest?»

Ohne eine Antwort abzuwarten, ging er in sein Metallurgielabor und warf die Zeitschriften und Marmeladengläser in einen strapazierfähigen Mülleimer. Er nahm einen schlecht ausbalancierten Hammer aus dem Hammerregal, einen grob geschmiedeten Neandertalerknüppel, den er hasste und nur für Zerstörungszwecke aufbewahrte, und zertrümmerte systematisch jedes einzelne Marmeladenglas. Ein Splitter traf ihn an der Wange, woraufhin er noch wütender ausholte, um die Scherben in immer kleinere Scherben zu zerschmettern, doch sosehr er auch hämmerte, nichts konnte seine Indiskretion gegenüber Chuck Meisner oder die grasfeuchten Dreiecke der Cheerleader-Trikots ausmerzen.

Enid hörte von ihrem Standort am Bügelbrett aus zu. Sonderlich begeistert war sie nicht davon, wie sich ihr dieser Augenblick präsentierte. Dass ihr Mann elf Tage zuvor die Stadt verlassen hatte, ohne ihr einen Abschiedskuss zu geben, hatte sie immerhin halbwegs vergessen können. Solange der leibhaftige Al abwesend war, hatte sie ihre niederen Ressentiments alchimistisch in das Gold der Sehnsucht und Reue verwandelt. Ihr schwellender Bauch, die Freuden des vierten Monats, die Zeit allein mit ihren hübschen Jungen, der Neid ihrer Nachbarinnen, all dies waren farbenfrohe Tränke, über denen sie den Zauberstab ihrer Einbildungskraft schwang. Noch als Al die Treppe herunterkam, hatte sie sich Entschuldigungen ausgemalt, Wiedersehensküsse, einen Blumenstrauß vielleicht. Jetzt hörte sie zerbrochenes Glas quer schießen und Hammerschläge auf dickes, verzinktes Eisenblech treffen, die missmutigen, schrillen Schreie harter Materialien im Widerstreit. Die Zaubertränke mochten farbenfroh gewesen sein, doch leider (das merkte sie jetzt) waren sie, in chemischer Hinsicht, reaktionsträge. Nichts hatte sich wirklich geändert.

Es stimmte, dass Al sie gebeten hatte, die Gläser und Zeitschriften wegzuräumen, und vermutlich gab es irgendein Wort dafür, wie sie in den vergangenen elf Tagen an diesen Gläsern und Zeitschriften vorbeimarschiert, ja oft beinahe darüber gestolpert war; ein psychiatrisches Wort mit vielen Silben vielleicht, vielleicht auch ein einfaches Wort wie «Trotz». Aber ihr schien, sie habe ihm mehr als «einen einzigen Gefallen» tun sollen, während er fort war. Er hatte sie auch gebeten, den Jungen drei Mahlzeiten am Tag vorzusetzen und sie zu kleiden und ihnen vorzulesen und sie gesund zu pflegen und den Küchenfußboden zu schrubben und die Bettwäsche zu waschen und seine Hemden zu bügeln, und all dies ohne die Küsse und freundlichen Worte eines Ehemanns. Sooft sie versuchte, ein wenig Anerkennung für ihre Mühen zu bekommen, fragte Al sie nur, wessen Mühen es denn zu verdanken sei, dass sie das Haus und die Mahlzeiten und die Wäsche überhaupt *bezahlen* könnten? Unerheblich, dass seine Arbeit ihn erfüllte und er ihre Liebe daher gar nicht nötig hatte, während ihre Pflichten sie derart langweilten, dass sie seine Liebe doppelt brauchte. Bei jeder nüchternen Betrachtung wog seine Arbeit die ihre auf.

Vielleicht hätte sie ihn, da er sie um «einen einzigen Gefallen» zusätzlich gebeten hatte, der bloßen Gerechtigkeit halber ebenfalls um «einen einzigen Gefallen» zusätzlich bitten sollen. Sie hätte ihn zum Beispiel bitten können, sie ein einziges Mal von unterwegs aus anzurufen. Womöglich aber hätte er ihr entgegengehalten, dass «jemand über diese Zeitschriften stolpern und sich verletzen» könne, während schließlich niemand darüber stolpere, niemand sich verletze, wenn er nicht von unterwegs aus anrufe. Und der Firma seine Ferngespräche in Rechnung zu stellen sei außerdem ein Missbrauch seines Spesenkontos («Für Notfälle hast du meine Büronummer»), weswegen so ein Telefonat ihren Privathaushalt eine ganze Menge Geld kosten würde, während es keinen Penny koste, Müll in den Keller zu tragen, und darum hatte sie immer Unrecht, und es war demoralisierend, ewig in diesem Kellerloch des Unrechthabens zu hausen und ewig darauf zu warten, dass jemand sich ihrer in diesem Kellerloch erbarmte, und darum war es eigentlich kein Wunder, dass sie die Zutaten für ein Rachemahl bereits eingekauft hatte. Unterwegs in die Küche, wo sie dieses Mahl zubereiten wollte, hielt sie auf halber Treppe inne und seufzte.

Alfred hörte ihr Seufzen und nahm an, es habe mit «Wäsche» und «im vierten Monat schwanger» zu tun. Da aber seine eigene Mutter noch im achten Monat ihrer Schwangerschaft ein Gespann Ackergäule auf einem sieben Hektar großen Feld herumgetrieben hatte, hielt sich sein Mitgefühl in Grenzen. Er betupfte seine Wange mit blutstillendem Ammonium-Aluminiumsulfat-Puder.

Von der Haustür kam ein Poltern kleiner Schritte, dann ein behandschuhtes Klopfen: Bea Meisner, die ihre Menschenfracht zurückbrachte. Enid eilte den Rest der Stufen hinauf, um die Lieferung in Empfang zu nehmen. Gary und Chipper, ihrem Fünft- und ihrem Erstklässler, haftete noch der Chlorgeruch des Y an. Mit ihrem feuchten Haar sahen sie ufertierhaft aus. Bisamrattig. Biberisch. Sie rief Beas Rücklichtern ein Danke nach.

So schnell sie, ohne zu rennen, konnten (Rennen war im Haus verboten), gingen die Jungen in den Keller, warfen ihre klitschnassen Frotteebündel in die Waschküche und trafen im Labor auf ihren Vater. Es lag in ihrer Natur, die Arme um ihn zu schlingen, doch diese Natur war aus ihnen herauskorrigiert worden. Sie blieben stehen und warteten, wie Untergebene in einer Firma, bis der Boss sprach.

«Nun!», sagte er. «Ihr wart also schwimmen.»

«Ich bin ein Delphin!», rief Gary. Er war ein rätselhaft fröhlicher Junge. «Ich hab das Delphinabzeichen geschafft!»

«Ein Delphin. Soso.» Zu Chipper, dem das Leben ungefähr seit seinem zweiten Lebensjahr in erster Linie tragische Perspektiven eröffnet hatte, sagte der Boss etwas sanfter: «Und du, Junge?»

«Wir haben Schwimmbretter benutzt», sagte Chipper.

«Er ist eine Kaulquappe», sagte Gary.

«So. Ein Delphin und eine Kaulquappe. Und welche besonderen Fähigkeiten hast du jetzt, wo du ein Delphin bist, der Arbeitswelt anzubieten?»

«Scherenschlag.»

«Ich wünschte, ich hätte in meiner Kindheit auch so ein schönes großes Schwimmbad gehabt», sagte der Boss, obwohl das Schwimmbad im Y, soviel er wusste, weder schön noch groß war. «Bis ich am Ufer des Platte River stand, habe ich, wenn ich mich recht erinnere, außer einer schlammigen Kuhschwemme kein Gewässer gesehen, das tiefer als einen Meter war. Und da muss ich schon fast zehn gewesen sein.»

Seine jugendlichen Untergebenen waren nicht bei der Sache. Sie traten von einem Fuß auf den anderen, Gary vorsichtig lächelnd, als hoffe er auf irgendeine glückliche Wendung des Gesprächs, während Chipper ungeniert das Labor begaffte, das Sperrgebiet war, solange sich der Boss nicht selbst darin aufhielt. Die Luft hier schmeckte nach Stahlwolle.

Alfred betrachtete seine beiden Untergebenen mit ernster Miene. Verbrüderungen fielen ihm von jeher schwer. «Habt ihr eurer Mutter schon in der Küche geholfen?», fragte er.

Wenn Chipper irgendetwas nicht interessierte, wie zum Beispiel jetzt, dachte er an Mädchen, und wenn er an Mädchen dachte, verspürte er eine Woge der Hoffnung. Auf den Schwingen dieser Hoffnung schwebte er aus dem Labor und die Treppe hinauf.

«Frag mich, was neun mal dreiundzwanzig ist», forderte Gary den Boss auf.

«Na schön», sagte Alfred. «Wie viel ist neun mal dreiundzwanzig?»

«Zweihundertsieben. Frag mich noch was.»

«Wie viel ist dreiundzwanzig im Quadrat?»

In der Küche wälzte Enid das prometheische Fleisch in Mehl und legte es in eine elektrische Westinghouse-Pfanne, die groß genug war, dass man drei mal drei Eier in Tic-Tac-Toe-Formation gleichzeitig darin braten konnte. Ein Aluminiumdeckel klapperte, als das Kohlrübenwasser abrupt zu kochen begann.

Früher am Tag hatte ein halbes Paket Speck im Kühlschrank sie auf Leber gebracht, die graubraune Leber hatte sie auf eine leuchtend gelbe Beilage gebracht, und so hatte das Mahl Gestalt angenommen. Dummerweise waren, als sie den Speck herausholte, anstelle der sechs oder acht Streifen, die sie vor Augen gehabt hatte, nur drei da gewesen. Nun versuchte sie angestrengt zu glauben, dass drei Streifen Speck für die ganze Familie reichen würden.

«Was ist *das*?», fragte Chipper alarmiert.

«Leber mit Speck!»

Chipper ging rückwärts aus der Küche und schüttelte mit heftigem Widerwillen den Kopf. Manche Tage waren gleich vom ersten Augenblick an scheußlich; seine Frühstücksflocken waren mit Dattelstücken übersät, die wie zerhackte Küchenschaben aussahen; bläuliche Inhomogenitätswirbel in seiner Milch; nach dem Frühstück ein Arzttermin. Andere Tage, wie der hier, offenbarten ihre ganze Scheußlichkeit erst, wenn sie schon fast vorbei waren.

Er wankte durchs Haus und sagte immer wieder: «Iih, furchtbar, iih, furchtbar, iih, furchtbar …»

«In fünf Minuten gibt's Essen, Hände waschen!», rief Enid.

Durchgebratene Leber roch nach Fingern, die schmutzige Geldstücke angefasst hatten.

Im Wohnzimmer kam Chipper zur Ruhe, und in der Hoffnung, einen Blick auf Cindy Meisner in ihrem Esszimmer zu erhaschen, drückte er sein Gesicht an die Fensterscheibe. Auf dem Rückweg vom Y hatte er neben Cindy gesessen und das Chlor an ihr gerochen. Ein durchnässtes Pflaster hatte an ein paar Klebstoffresten von ihrem Knie gehangen.

Tschucker-tschucker-tschucker ging Enids Quetsche im Topf mit den süßen, bitteren, wässrigen Kohlrüben herum.

Alfred wusch sich im Badezimmer die Hände, gab Gary die Seife und trocknete sich mit einem kleinen Handtuch ab.

«Stell dir ein Quadrat vor», sagte er.

Enid wusste, dass Alfred Leber verabscheute, aber das Fleisch steckte voll gesundem Eisen, und was Alfred sonst als Ehemann auch zu wünschen übrig ließ, niemand konnte behaupten, dass er sich nicht an die Spielregeln hielt. Die Küche war ihr Reich, und dort ließ er sie walten.

«Chipper, hast du dir die Hände gewaschen?»

Chipper dachte, dass er vor diesem Essen gerettet wäre, wenn er Cindy nur noch einmal einen Augenblick sehen könnte. Er malte sich aus, bei ihr im Haus zu sein und mit ihr nach oben zu gehen. Er malte sich ihr Zimmer als eine Zuflucht vor aller Gefahr und Verantwortung aus.

«Chipper?»

«Du quadrierst A, du quadrierst B und addierst dann zweimal die Summe von A und B», erklärte Alfred Gary, als sie sich an den Tisch setzten.

«Chipper, wasch dir lieber die Hände», warnte Gary.

Alfred stellte sich ein Quadrat vor:

EA	E^2
A^2	AE

Schaubild 1. Großes Quadrat & kleinere Quadrate

«Tut mir Leid, der Speck ist ein bisschen knapp», sagte Enid. «Ich dachte, ich hätte mehr.»

Im Badezimmer widerstrebte es Chipper, sich die Hände nass zu machen; er hatte Angst, sie nie wieder trocken zu bekommen. Er ließ das Wasser laufen, hörbar, während er sich mit einem Handtuch die Hände abrubbelte. Dass es ihm nicht gelungen war, einen Blick auf Cindy zu erhaschen, hatte ihn ziemlich aus der Fassung gebracht.

«Wir hatten beide hohes Fieber», berichtete Gary. «Und Chipper taten auch noch die Ohren weh.»

Braune, fettgetränkte Mehlflocken pappten auf den Eisenleberlappen wie eine Korrosionsschicht. Auch der Speck, das bisschen, was noch da war, hatte die Farbe von Rost.

Chipper stand zitternd in der Badezimmertür. Wenn man es gegen Ende des Tages mit etwas Grässlichem zu tun bekam, brauchte man eine Weile, um dessen volles Ausmaß zu erfassen. Manche Grässlichkeiten hatten eine scharfe Kurve, die man rasch nehmen konnte. Andere hatten fast überhaupt keine Kurve, und es war von vornherein klar, dass es Stunden dauern würde, um die Ecke zu biegen. Riesige, mordsmäßige, planetengroße Grässlichkeiten. Dieses Rachemahl war so eine.

«Wie war deine Reise», fragte Enid Alfred, denn irgendwann musste das ja sein.

«Anstrengend.»

«Chipper, Herzchen, wir sitzen alle schon am Tisch.»

«Ich zähle bis fünf», sagte Alfred.

«Es gibt Speck, Speck magst du doch», sang Enid. Das war Betrug, ein zynischer Notbehelf, einer der hundert täglichen Momente, in denen ihr bewusst war, dass sie als Mutter versagte.

«Zwei, drei, vier», sagte Alfred.

Chipper rannte zu seinem Platz am Tisch. Sinnlos, Prügel zu riskieren.

«Kommer Jesus seiunsergas un segneas duuns beschered has. Amen», sagte Gary.

Ein Fladen zerstampfter Kohlrüben, der auf einer Platte ruhte, sonderte eine klare gelbliche Flüssigkeit ab, Blutplasma oder dem Inhalt einer Brandblase ähnlich. Aus den gekochten Mangoldblättern sickerte Kupfernes, Grünliches. Der Kapillareffekt und die durstige Mehlkruste saugten beide Flüssigkeiten unter die Leber. Als die Leber hochgenommen wurde, schmatzte es leise. Die aufgeweichte untere Kruste war unbeschreiblich.

Chipper malte sich ein Leben als Mädchen aus. Sacht durchs Leben zu gehen, eine Meisner zu sein, in jenem Haus zu spielen und wie ein Mädchen geliebt zu werden.

«Willst du das Gefängnis sehen, das ich aus Eisstielen gebaut habe?», fragte Gary.

«Ein Gefängnis, soso», sagte Alfred.

Weder aß der vorausschauende junge Mensch seinen Speck sofort, noch ließ er zu, dass die Gemüsesäfte ihn aufweichten. Der vorausschauende junge Mensch evakuierte den Speck, legte ihn, ein wenig erhöht, auf den Tellerrand und bewahrte ihn dort als Ansporn auf. Der vorausschauende junge Mensch aß, um sich vorab etwas zu gönnen, seinen Happen gebratener Zwiebeln, die nicht gerade köstlich, aber auch nicht schlecht waren.

«Wir hatten gestern ein Pfadfindertreffen», sagte Enid. «Gary, Herzchen, wir können uns dein Gefängnis nach dem Essen anschauen.»

«Er hat einen elektrischen Stuhl gebaut», sagte Chipper. «Für sein Gefängnis. Ich hab ihm dabei geholfen.»

«Ah, ja? Soso.»

«Mom hat solche riesigen Kisten mit Eisstielen gekauft», sagte Gary.

«Das haben wir dem Rudel zu verdanken», sagte Enid. «Das Rudel bekommt Rabatt.»

Alfred hielt nicht viel vom Rudel. Ein Haufen Väter, die sich immer schön Zeit ließen. Die Aktivitäten, die das Rudel sponserte, waren harmlos: Wettbewerbe, in denen Flugzeuge aus Balsaholz gebastelt wurden, Autos aus Kiefernholz oder Züge aus Papier, mit Güterwaggons aus alten Büchern.

(Schopenhauer: *Um allezeit einen sichern Kompass zur Orientierung im Leben bei der Hand zu haben, und um dasselbe, ohne je irre zu werden, stets im richtigen Lichte zu erblicken, ist nichts tauglicher, als dass man sich angewöhne, diese Welt zu betrachten als einen Ort der Buße, also gleichsam als eine Strafanstalt.*)

«Gary, was bist du nochmal?», fragte Chipper, für den Gary ein Muster an Schneid war. «Bist du ein Wolf?»

«Noch eine gute Tat, und ich bin ein Bär.»

«Aber was bist du jetzt, ein Wolf?»

«Ein Wolf, aber eigentlich schon ein Bär. Ich muss nur noch Umweltschmutz machen.»

«Umweltschutz», korrigierte ihn Enid. «Ich brauche nur noch Umweltschutz zu machen.»

«Nicht Umweltschmutz?»

«Steve Driblett hat eine Gijotine gebaut, aber die hat nicht funktioniert», sagte Chipper.

«Driblett ist ein Wolf.»

«Brent Person hat ein Flugzeug gebaut, aber das ist zusammengekracht.»

«Person ist ein Bär.»

«Sag gebrochen, Liebling, nicht gekracht.»

«Gary, was ist der größte Feuerwerkskörper, den es gibt?», fragte Chipper.

«Kanonenschlag. Dann Blitzbomben.»

«Wäre es nicht toll, einen Kanonenschlag zu kaufen und damit dein Gefängnis in die Luft zu jagen?»

«Junge», sagte Alfred, «ich habe dich noch keinen Bissen essen sehen.»

Chipper wurde zeremonienmeisterlich weitschweifig; für den Moment war das Essen gar nicht real. «Oder *sieben* Kanonenschläge sagte er, «die könnte man dann alle gleichzeitig losgehen lassen, oder einen nach dem anderen, wäre das nicht toll?»

«Ich würde in jede Ecke eine Sprengladung tun und ganz viel Zündschnur nehmen», sagte Gary. «Dann würde ich die Zündschnüre verbinden und alles gleichzeitig explodieren lassen. Dad, das wäre doch das Beste, oder? Die Sprengladung teilen und mehr Zündschnur nehmen.»

«Siebentausendhundert Millionen Kanonenschläge», rief Chipper. Er machte Explosionsgeräusche, um die Megatonnensprengkraft anzudeuten, die ihm vorschwebte.

«Chipper», sagte Enid, elegant ablenkend, «erzähl Dad doch mal, was wir nächste Woche alle zusammen vorhaben.»

«Die Pfadfinder gehen nächste Woche ins Verkehrsmuseum, und ich darf mit», trug Chipper vor.

«Ach, Enid.» Alfred machte ein säuerliches Gesicht. «Warum nimmst du sie denn *da* mit hin?»

«Bea sagt, für Kinder ist das sehr interessant und spannend.»

Alfred schüttelte ungehalten den Kopf. «Was weiß Bea Meisner schon über Verkehr?»

«Für einen Pfadfinderausflug ist es genau das Richtige», sagte Enid. «Es gibt dort eine echte Dampflok, in die sich die Jungen setzen können.»

«Was sie da haben», sagte Alfred, «ist eine dreißig Jahre alte Mohawk von der New York Central Station. Das ist kein Liebhaberstück. Nicht einmal eine Rarität. Das ist reiner Schrott. Wenn die Jungen sehen wollen, was eine *richtige* Eisenbahn ist –»

«Man könnte am elektrischen Stuhl eine Batterie und zwei Elektroden anbringen», sagte Gary.

«Oder einen Kanonenschlag!»

«Nein, Chipper, man lässt Strom fließen, und der *Strom* tötet den Gefangenen.»

«Was ist Strom?»

Strom floß, wenn man Elektroden aus Zink und Kupfer in eine Zitrone steckte und sie miteinander verband.

In was für einer säuerlichen Welt Alfred lebte. Wenn sein Blick zufällig in einen Spiegel fiel, stellte er erschrocken fest, wie jung er noch aussah. Der verkniffene Mund hämorrhoidengeplagter Lehrer, die permanent missmutig geschürzten Lippen arthritischer Männer: Manchmal schmeckte er diese Züge, obwohl er körperlich in Bestform war, in seinem eigenen Mund, schmeckte das Saurerwerden des Lebens.

Deshalb mochte er üppige Nachtische. Pekannusstorte. Apfelstreusel. Ein wenig Süße in der Welt.

«Sie haben da zwei Lokomotiven und einen echten Dienstwaggon!», sagte Enid.

Alfred hatte den Eindruck, dass das Echte und das Wahre zu einer Minderheit gehörten, die bald ausgelöscht wäre. Es ärgerte ihn schwarz, dass Romantiker wie Enid nicht zwischen echt und unecht unterscheiden konnten: zwischen einem minderwertigen, dürftig bestückten kommerziellen «Museum» und einer echten, redlichen Eisenbahn –

«Man muss mindestens ein Fisch sein.»

«Die Jungen freuen sich schon alle darauf.»

«Ich könnte ein Fisch sein.»

Die Mohawk, der Stolz des neuen Museums, war offensichtlich ein romantisches Symbol. Heutzutage schien man es der Eisenbahn zu verübeln, dass sie die romantische Dampfkraft zugunsten von Diesel aufgegeben hatte. Die Leute hatten keinen blassen Dunst davon, was es hieß, eine Eisenbahn zu betreiben. Eine Diesellok war vielseitig einsetzbar, effizient und pflegeleicht. Die Leute dachten, die Eisenbahn sei dazu da, ihnen einen romantischen Gefallen zu tun, aber wenn dann die Bahn nicht schnell genug fuhr, bekamen sie sofort Bauchschmerzen. Genau so waren die meisten Leute – dumm.

(Schopenhauer: *Zu den Übeln einer Strafanstalt gehört denn auch die Gesellschaft, welche man daselbst antrifft.*)

Zugleich fand Alfred es unerträglich, zu sehen, wie die gute alte Dampflok in Vergessenheit geriet. Sie war ein wunderschönes Stahlross, und indem das Verkehrsmuseum die Mohawk ausstellte, erlaubte es den leichtlebigen Müßiggängern aus den Vororten von St. Jude, auf ihrem Grab zu tanzen. Stadtmenschen hatten kein Recht, das alte Stahlross so zu vereinnahmen. Sie standen nicht auf vertrautem Fuß mit ihm wie Alfred. Sie hatten sich nicht wie er dort oben im nordwestlichen Winkel von Kansas, wo es die einzige Verbindung zur Außenwelt war, in dieses Stahlross verliebt. Er verachtete das Museum und seine Besucher für all ihre Ignoranz.

«Es gibt dort auch eine Modelleisenbahn, die einen ganzen Raum einnimmt!», sagte Enid unerbittlich. Und die gottverdammten Modellbahner, ja, all die verdammten Freizeitbastler. Enid wusste ganz genau, was er von diesen Dilettanten und ihren unnützen, unglaubwürdigen Modellanlagen hielt.

«Einen ganzen Raum?», fragte Gary skeptisch. «Wie groß?»

«Wäre es nicht toll, wenn man ein paar Kanonenschläge auf eine, ähm, eine, ähm, eine Modellbahnbrücke legen würde? Kraa-WUMMHM! Ziong! Ziong!»

«Chipper, iss jetzt, was auf deinem Teller ist. *Sofort*», sagte Alfred.

«Groß groß groß», sagte Enid. «Das Modell ist viel viel viel viel größer als das, das euer Vater euch gekauft hat.»

«Sofort», sagte Alfred. «Hörst du mich? Sofort.»

Zwei Seiten des quadratischen Tisches waren guter Dinge, die beiden anderen nicht. Gary erzählte eine belanglose, nette Geschichte über einen Jungen in seiner Klasse, der drei Kaninchen hatte, während Chipper und Alfred, Zwillingsstudien in Sachen Trübsal, die Blicke auf ihre Teller richteten. Enid marschierte in die Küche, um mehr Kohlrüben zu holen.

«Ich weiß ja, wen ich nicht zu fragen brauche, ob er noch einen Nachschlag will», sagte sie, als sie zurückkehrte.

Alfred warf ihr einen warnenden Blick zu. Sie hatten sich zum Wohle der Kinder geeinigt, nie etwas von Alfreds Abneigung gegen Gemüse und gewisse Fleischsorten verlauten zu lassen.

«Ich nehm noch was», sagte Gary.

Chipper hatte einen Kloß im Hals, eine derart festsitzende Verzweiflung, dass er sowieso nicht viel hinuntergebracht hätte. Aber als er seinen Bruder frohgemut einen zweiten Teller des Rachemahls verspeisen sah, wurde er wütend und begriff einen Augenblick lang, dass er sein ganzes Essen in null Komma nichts verdrückt haben könnte, seiner Pflichten entbunden wäre und seine Freiheit wiederhätte, und so nahm er tatsächlich seine Gabel in die Hand und machte sich an den runzligen Haufen Kohlrüben heran, verwickelte ein kleines bisschen davon in die Gabelzacken und führte es zum Mund. Doch die Kohlrüben rochen kariös und waren schon kalt – sie hatten die Beschaffenheit und Temperatur nassen Hundedrecks an einem kühlen Morgen –, und in einem Würgereflex, der ihm das Rückgrat krümmte, krampften sich seine Eingeweide zusammen.

«Ich *liebe* Kohlrüben», sagte Gary unfassbarerweise.

«Ich könnte mich allein von Gemüse ernähren», behauptete Enid.

«Mehr Milch», sagte Chipper, schwer atmend.

«Chipper, halt dir doch einfach die Nase zu, wenn's dir nicht schmeckt», sagte Gary.

Alfred steckte sich Bissen für Bissen der abscheulichen Rache in den Mund, kaute rasch und schluckte mechanisch, wobei er sich sagte, dass er schon Schlimmeres durchgemacht hatte.

«Chip», sagte er, «du nimmst von allem einen Bissen. Vorher stehst du nicht vom Tisch auf.»

«Mehr Milch.»

«Erst isst du etwas. Hast du verstanden?»

«Milch.»

«Zählt es auch, wenn er sich die Nase zuhält?», fragte Gary.

«Mehr Milch, bitte.»

«Es *reicht* jetzt gleich», sagte Alfred.

Chipper verstummte. Sein Blick wanderte im Kreis auf seinem Teller herum, doch er war nicht vorausschauend gewesen, und nun herrschte dort nichts als das blanke Elend. Er hielt sein Glas schräg und half schweigend einem sehr kleinen Tropfen warmer Milch nach, in seinen Mund zu rinnen. Streckte ihm zur Begrüßung die Zunge entgegen.

«Chip, stell das Glas hin.»

«Vielleicht könnte er sich die Nase zuhalten und dafür *zwei* Bissen von allem essen.»

«Das Telefon klingelt. Gary, du darfst abnehmen.»

«Was gibt's zum Nachtisch?», fragte Chipper.

«Ich habe schöne frische *Ananas* für euch.»

«Also, um Himmels willen, Enid –»

«Was denn?» Sie zwinkerte unschuldig oder gespielt unschuldig.

«Du kannst ihm wenigstens einen Keks oder ein Eskimo-Törtchen geben, wenn er seinen Teller –»

«Es ist ganz süße Ananas. Sie wird euch auf der Zunge zergehen.»

«Dad, Mr. Meisner ist dran.»

Alfred beugte sich über Chippers Teller und spießte im Handumdrehen bis auf einen Bissen alle Kohlrüben auf seine Gabel. Er liebte diesen Jungen, deshalb nahm er den kalten, giftigen Haufen selber in den Mund und würgte ihn mit Schaudern hinunter. «Iss den letzten Bissen», sagte er, «und einen Bissen von dem da, dann kannst du Nachtisch haben.» Er stand auf. «Wenn es sein muss, *kaufe* ich den Nachtisch.»

Als er auf dem Weg zur Küche an Enid vorbeikam, zuckte sie zurück und lehnte sich zur Seite.

«Ja», sagte er ins Telefon.

Durch den Hörer drangen Schwüle und Schlamperei, Wärme und Wirrnis des Meisner-Reichs.

«Al», sagte Chuck, «ich gucke hier gerade in die Zeitung, du weißt schon, wegen der Erie-Belt-Aktien, ähm. Fünf fünf achtel kommen mir fürchterlich niedrig vor. Bist du sicher, was die Midpac-Geschichte betrifft?»

«Mr. Replogle hat mich von Cleveland aus im Triebwagen begleitet. Er hat angedeutet, dass der Aufsichtsrat nur noch einen abschließenden Bericht über Gleise und Bauten abwartet. Ich liefere ihnen diesen Bericht am Montag.»

«Die Midpac hat sich sehr bedeckt gehalten.»

«Chuck, ich kann dir kein bestimmtes Vorgehen empfehlen, und du hast Recht, es gibt da ein paar offene Fragen, ich –»

«Al, Al», sagte Chuck. «Gewissenhaft wie immer, das schätzen wir alle an dir. Ich lass dich jetzt weiter zu Abend essen.»

Alfred legte auf und hasste Chuck, wie er ein Mädchen hassen würde, mit dem er aus lauter Mangel an Disziplin etwas angefangen hätte. Chuck war Bankier und ein Streber. Da wollte man sich in aller Unschuld jemandem anvertrauen, der dessen würdig war, und wer, bitte schön, kam dafür eher in Frage als ein guter Nachbar, aber nein: Niemand konnte dessen würdig sein. Seine Hände waren mit Exkrementen besudelt.

«Gary: Ananas?», fragte Enid.

«Ja, bitte!»

Dass das Wurzelgemüse von seinem Teller so gut wie verschwunden war, hatte Chipper leicht manisch gestimmt. Die Dinge sahen jetzt viiiiel besser aus! Gekonnt pflasterte er einen Quadranten seines Tellers mit dem verbliebenen Bissen Kohlrüben und ebnete den gelben Asphalt mit seiner Gabel. Warum in der grässlichen Gegenwart von Leber und Mangold verweilen, wenn man sich eine Zukunft ausmalen konnte, in welcher der eigene Vater auch diese bereits hinuntergeschlungen hätte?

Traget die Kekse auf!, sagt euch Chipper. Bringet das Eskimo-Törtchen herbei!

Enid ging mit drei leeren Tellern in die Küche.

Alfred, noch immer beim Telefon, betrachtete die Uhr über dem Spülbecken. Es war jene heimtückische Zeit um fünf herum, wenn der Grippekranke aus seinen spätnachmittäglichen Fieberträumen erwacht. Eine Zeit kurz nach fünf, die der Fünf Hohn sprach. Die Erleichterung, dass Ordnung herrschte – zwei Zeiger, die genau auf Zahlen wiesen –, wurde dem Zifferblatt nur einmal pro Stunde zuteil. So wie jeder andere Moment diese Genauigkeit vermissen ließ, barg jeder Moment die Gefahr grippeähnlichen Leids.

Und so zu leiden ohne jeden Grund. Zu wissen, dass in der Grippe keine moralische Ordnung lag, keine Gerechtigkeit in den Säften der Pein, die sein Kopf produzierte. Die Welt nichts als die Materialisierung eines blinden, ewigen Willens.

(Schopenhauer: *Zur Plage unsers Daseins trägt nicht wenig auch dieses bei, dass stets die Zeit uns drängt, uns nicht zu Atem kommen lässt und hinter jedem her ist wie ein Zuchtmeister mit der Peitsche.*)

«Du möchtest ja sicher keine Ananas», sagte Enid. «Du kaufst dir deinen Nachtisch ja selber.»

«Enid, lass es gut sein. Ich wünschte, du würdest einmal in deinem Leben etwas gut sein lassen.»

Die Ananas im Arm wiegend, fragte sie, warum Chuck angerufen habe.

«Darüber sprechen wir später», sagte Alfred und ging ins Esszimmer zurück.

«Daddy?», begann Chipper.

«Junge, ich habe dir eben einen Gefallen getan. Jetzt tu du mir einen Gefallen und hör auf, mit deinem Essen zu spielen, und iss deinen Teller leer. *Auf der Stelle*. Hast du mich verstanden? Du isst jetzt auf der Stelle deinen Teller leer, oder es gibt keinen Nachtisch und auch sonst keine Vergünstigungen, weder heute Abend noch morgen Abend, und du wirst hier sitzen bleiben, bis du aufgegessen hast.»

«Aber Daddy, kannst du nicht –?»

«AUF DER STELLE. HAST DU VERSTANDEN, ODER WILLST DU EINE TRACHT PRÜGEL?»

Die Mandeln sondern einen Ammoniakschleim ab, wenn sich Tränen echter Verzweiflung sammeln. Chippers Mund verzog sich hierhin und dorthin. Er sah den Teller vor sich in einem neuen Licht. Ihm war, als sei das Essen ein unerträglicher Begleiter, dessen Gesellschaft ihm, wie er felsenfest geglaubt hatte, dank seiner Verbindungen nach oben, dank der Fäden, die für ihn gezogen werden konnten, erspart bleiben würde. Jetzt erkannte er, dass er und das Essen einen langen Marsch vor sich hatten.

Jetzt beklagte er das Ableben seines Specks, wie armselig er auch gewesen sein mochte, in tiefer, aufrichtiger Trauer.

Aber richtig weinen musste er, komischerweise, nicht.

Alfred verschwand polternd und türenschlagend im Keller.

Gary saß mucksmäuschenstill und multiplizierte im Kopf kleine glatte Zahlen.

Enid stieß ein Messer in den gelbsüchtigen Bauch der Ananas. In ihren Augen war Chipper genau wie sein Vater – hungrig und doch unmöglich zufrieden zu stellen. Er verwandelte Essen in Schmach. Eine anständige Mahlzeit zuzubereiten und dann zu sehen, wie sie mit effektvollem Ekel verschmäht wurde, ja den Jungen an seinen Frühstücksflocken *würgen* zu sehen: Das schlug einer Mutter auf den Magen. Alles, was Chipper wollte, waren Milch und Kekse, Milch und Kekse. Der Kinderarzt sagte: «Geben Sie nicht nach. Irgendwann wird er Hunger bekommen und etwas anderes essen.» Also übte sich Enid in Geduld, doch Chipper setzte sich an den Tisch und verkündete: «Das riecht nach Kotze!» Man konnte ihm dafür einen Klaps aufs

Handgelenk geben, doch dann sagte es sein Gesicht, und dafür, dass er Grimassen zog, konnte man ihm den Hintern versohlen, doch dann sagten es seine Augen, und es gab Grenzen der Korrektur – gab, letzten Endes, keine Möglichkeit, hinter die blauen Iris vorzudringen und den Ekel auszumerzen, den so ein Junge empfand.

Neuerdings war sie dazu übergegangen, ihm den ganzen Tag getoastete Käsesandwiches vorzusetzen, während sie die für eine ausgewogene Ernährung notwendigen gelben und blättrigen grünen Gemüse für das Abendessen aufbewahrte und Alfred ihre Schlachten schlagen ließ.

Es hatte etwas beinahe Köstliches, beinahe Erregendes, wenn der aufmüpfige Junge von ihrem Mann bestraft wurde. Wenn sie schuldlos dabeistand, während der Junge dafür büßen musste, sie gekränkt zu haben.

Was man über sich selbst lernte, wenn man Kinder großzog, war nicht immer erfreulich oder angenehm.

Sie trug zwei Portionen Ananas ins Esszimmer. Chipper hielt den Kopf gesenkt, doch der Sohn, der gern aß, griff begierig nach einem Teller.

Gary schlürfte und gurgelte, wortlos Ananas vertilgend.

Das hundedreckgelbe Kohlrübenfeld; die Leber, die sich beim Braten verzogen hatte und unfähig war, platt auf dem Teller zu liegen; das Knäuel holziger Mangoldblätter, eingefallen und verdreht, wenn auch noch unversehrt, wie ein feucht zusammengepresster Vogel in seiner Eierschale oder ein angewinkelter Leichnam im Moor: Die räumlichen Beziehungen zwischen diesen Speisen erschienen Chipper nicht mehr zufällig, sondern nahmen allmählich dauerhafte, endgültige Züge an.

Das Essen rückte aus seinem Blickfeld, vielleicht wurde es auch von einer neuen Melancholie überschattet. Chipper ekelte sich etwas weniger; er hörte sogar auf, ans Essen zu denken. Tiefere Quellen der Verweigerung steuerten ihren Teil dazu bei.

Bald war der Tisch bis auf sein Platzdeckchen und seinen Teller abgeräumt. Das Licht wurde härter. Er hörte Gary und seine Mutter über Nichtigkeiten reden, während sie Geschirr spülte und Gary abtrocknete. Dann Garys Schritte auf der Kellertreppe. Metronomisches Pingpongball-Geklacker. Das trostlosere Geschepper großer Töpfe, die bearbeitet und ins Wasser getaucht wurden.

Seine Mutter kam noch einmal an den Tisch. «Chipper, nun iss endlich auf. Sei ein großer Junge.»

Er war an einem Ort angekommen, wo sie ihm nichts anhaben konnte. Fast war er heiter, ganz Verstand, kein Gefühl. Selbst sein Hintern war vom langen Sitzen taub geworden.

«Dad möchte, dass du hier sitzen bleibst, bis du aufgegessen hast. Nun mach schon. Dann hast du den ganzen Abend für dich.»

Wenn er den Abend wirklich für sich gehabt hätte, vielleicht hätte er dann stundenlang am Fenster gesessen und Cindy Meisner beobachtet.

«Anredenominativ», sagte seine Mutter, «imperatives Verb Adverb Verbzusatz. Konjunktion betontes Personalpronomen Personalpronomen konjunktivisches Verb, würde ich das jetzt einfach runterschlucken und temporales Adverb konditionales Hilfsverb Personalpronomen –»

Seltsam, wie wenig er sich genötigt fühlte, die Wörter zu verstehen, die zu ihm gesagt wurden. Seltsam seine Erleichterung, selbst von dieser minimalen Last, gesprochene Sprache zu entschlüsseln, befreit zu sein.

Enid quälte ihn nicht weiter, sondern ging in den Keller, wo Alfred in seinem Labor verschwunden war und Gary aufeinander folgende Schläge («siebenunddreißig, achtunddreißig») auf seine Kelle scheffelte.

«Tock tock?», sagte sie und wackelte auffordernd mit dem Kopf.

Da sie durch ihre Schwangerschaft oder zumindest die Idee ihrer Schwangerschaft gehandicapt war, hätte Gary sie leicht haushoch schlagen können, doch es machte ihr so offenkundig Spaß, mit ihm zu spielen, dass er seinen Ehrgeiz ruhen ließ und lieber im Stillen die Spielstände multiplizierte oder sich selbst vor kleine Herausforderungen stellte wie die, den Ball abwechselnd in verschiedene Felder zu retournieren. Jeden Abend nach dem Essen feilte er an der Kunst, etwas Langweiliges zu ertragen, das einem Elternteil Freude bereitete. Eine lebensrettende Kunst, fand er. Er glaubte, ihm würde Schreckliches zustoßen, wenn er die Illusionen seiner Mutter nicht mehr nähren könnte.

Und heute Abend sah sie so verletzlich aus. Die Mühen des Essenmachens und Abwaschens hatten den eingedrehten Locken ihrer Haartracht den Halt genommen. Kleine Schweißflecken blühten durch das Baumwollmieder hindurch auf ihrem Kleid. Ihre Hände hatten in Gummihandschuhen gesteckt und waren rot wie Zungen.

Er schlug einen unerreichbaren Slice die Außenlinie entlang an ihr vorbei, sodass der Ball bis vor die geschlossene Tür des Metallurgielabors flog. Dort sprang er hoch und klopfte an, bevor er liegen blieb. Enid ging ihm vorsichtig nach. Welch eine Stille, welch eine Dunkelheit herrschten hinter dieser Tür. Al schien kein Licht gemacht zu haben.

Es gab Dinge, die selbst Gary nicht essen mochte – Rosenkohl, gedünstetes Okragemüse –, und Chipper hatte beobachtet, wie sein pragmatischer Bruder sie, im Sommer, in der hohlen Hand sammelte und von der Hintertür aus ins dichte Gebüsch schleuderte oder, im Winter, am Körper verbarg und in die Toilette warf. Jetzt, da Chipper im Erdgeschoss allein war, wäre es ein Leichtes für ihn gewesen, seine Leber und sein Mangoldgemüse verschwinden zu lassen. Die Schwierigkeit: Sein Vater würde denken, er hätte sie gegessen, und sie zu essen war genau das, was zu tun er sich weigerte. Essensreste auf dem Teller waren als Beweis seiner Weigerung unerlässlich.

Minuziös schälte und kratzte er die Mehlkruste von der Leber und aß sie. Das dauerte zehn Minuten. Die bloßliegende Oberfläche der Leber schaute man sich lieber nicht an.

Er faltete die Mangoldblätter ein wenig auseinander und arrangierte sie neu.

Er untersuchte das Gewebe des Platzdeckchens.

Er lauschte dem hüpfenden Ball, dem übertriebenen Stöhnen seiner Mutter und ihrem enervierenden Beifallsgeschrei («Jaaah, das war gut, Gary!»). Schlimmer als eine Tracht Prügel oder sogar Leber waren die Geräusche anderer beim Tischtennisspiel. Nur Stille war akzeptabel, weil sie die Möglichkeit barg, endlos zu sein. Der Punktestand hüpfte auf die Einundzwanzig zu, und dann war der Satz zu Ende, und dann waren zwei Sätze zu Ende, und dann waren drei zu Ende, und für die Spieler war das in Ordnung, weil sie ihren Spaß gehabt hatten, aber für den Jungen oben am Tisch war es nicht in Ordnung. Er hatte sich in die Geräusche des Spiels versenkt, hatte so viele Hoffnungen in sie gesetzt, dass er wünschte, sie würden niemals aufhören. Aber sie hörten auf, und er saß immer noch am Tisch, nur dass inzwischen eine halbe Stunde vergangen war. Der Abend sinnlos sich selbst verzehrend. Schon im Alter von sieben ahnte Chipper: dieses Gefühl der Sinnlosigkeit würde ein Fixpunkt seines Lebens sein. Ein dumpfes Warten, dann ein gebrochenes Versprechen und ein panisches Erkennen, wie spät es war.

Diese Sinnlosigkeit hatte, sagen wir mal, ein Aroma.

Wenn er sich am Kopf kratzte oder die Nase rieb, blieb etwas an seinen Fingern haften. Der Geruch des eigenen Ich.

Oder, erneut, der Geschmack aufsteigender Tränen.

Sich vorzustellen, dass die Geruchsnerven Stichproben von sich selber nahmen, dass Rezeptoren ihre eigene Molekularstruktur registrierten.

Der Geschmack selbst auferlegten Leids, eines aus Trotz vertanen Abends, verschaffte eigentümliche Befriedigung. Andere Menschen waren nicht mehr wirklich genug, um die Schuld daran zu tragen, wie es einem ging. Übrig blieben nur man selbst und die eigene Verweigerung. Und genau wie Selbstmitleid oder wie das Blut, das sich in der Mundhöhle sammelte, wenn einem ein Zahn gezogen wurde – die salzigen, eisenhaltigen Säfte, die man hinunterschluckte und heimlich genoss –, hatte auch die Verweigerung ein Aroma, an dem man Geschmack finden konnte.

Im Labor unter dem Esszimmer saß Alfred mit gesenktem Kopf und geschlossenen Augen in der Dunkelheit. Interessant, wie erpicht er darauf gewesen war, allein zu sein, mit welch abscheulicher Klarheit er das allen um sich herum zu verstehen gegeben hatte; und nun, da er sich endlich zurückgezogen hatte, saß er hier und hoffte, jemand würde kommen und ihn stören. Er wollte, dass dieser Jemand sah, wie sehr er litt. Auch wenn er Enid mit Kälte begegnete, fand er es unfair, dass sie ihm mit Kälte antwortete: unfair, dass sie fröhlich Tischtennis spielen und vor seiner Tür herumturnen konnte, ohne je zu klopfen und zu fragen, wie es um ihn stand.

Drei gängige Kriterien für die Güte eines Materials waren seine Widerstandsfähigkeit gegenüber Druck, Spannung und Schub.

Jedes Mal wenn die Schritte seiner Frau näher kamen, nahm er sich zusammen, um sich von ihr trösten zu lassen. Dann hörte er das Spiel zu Ende gehen und dachte, *sicher* werde sie jetzt Erbarmen mit ihm haben. Es war der eine Gefallen, um den er sie bat, der einzige Gefallen –

(Schopenhauer: *Das Weib trägt die Schuld des Lebens nicht durch Tun, sondern durch Leiden ab, durch die Wehen der Geburt, die Sorgfalt für das Kind, die Unterwürfigkeit unter den Mann, dem es eine geduldige und aufheiternde Gefährtin sein soll.*)

Doch keine Rettung nahte. Durch die geschlossene Tür hörte er Enid in die Waschküche entschwinden. Er hörte das leise Summen eines Transformators – Gary, der unter der Tischtennisplatte mit der Modelleisenbahn spielte.

Ein viertes Gütekriterium, wichtig für Hersteller von Eisenbahnmaterial und -maschinenteilen, war Härte.

Mit unsäglicher Willensanstrengung machte Alfred Licht und schlug sein Labornotizbuch auf.

Selbst die äußerste Langeweile kannte gnädige Grenzen. Der Esstisch zum Beispiel hatte eine Unterseite, die Chipper erforschte, indem er das Kinn auf die Oberfläche legte und die Arme ausstreckte. Ganz hinten, dort, wo er gerade noch hinkam, ertastete er Ablenkplatten, durchbohrt von straffem Draht, der wiederum zu Ringvorrichtungen führte, an denen man ziehen konnte. Komplizierte Schnittstellen grob bearbeiteter Blöcke und Winkel waren hier und da von tief versenkten Schrauben durchsetzt, die in kleinen zylindrischen Bohrlöchern saßen mit kratzigen Holzfaserspänen an den Rändern, unwiderstehlich für den sondierenden Finger. Noch lohnender waren die Popel, die er während früherer Sitzungen hinterlassen hatte. Ihre getrockneten Krusten hatten die Beschaffenheit von Reispapier oder Fliegenflügeln. Sie ließen sich angenehm leicht abziehen und zerbröseln.

Je länger Chipper sein kleines Königreich der Unterseite befühlte, desto mehr widerstrebte es ihm, es in Augenschein zu nehmen. Instinktiv wusste er, dass die sichtbare Wirklichkeit dürftig wäre. Er würde Ritzen sehen, die er mit den Fingern bisher nicht ertastet hatte, das Geheimnis der Welten, die jenseits seiner Reichweite lagen, wäre entzaubert, die Schraubenlöcher würden ihre abstrakte Sinnlichkeit verlieren, und die Popel wären ihm peinlich, und eines Abends dann, wenn es nichts mehr gab, was er auskosten oder erkunden konnte, würde er vor Langeweile sterben.

Wohldosierte Unwissenheit war eine Überlebenskunst, vielleicht die größte.

Enids alchimistisches Labor direkt unter der Küche beherbergte eine Maytag-Waschmaschine mit darüber angebrachter Mangel, doppelten Gummiwalzen, die wie riesige schwarze Lippen aussahen. Bleichmittel, Waschblau, destilliertes Wasser, Stärke. Eine klobige Lokomotive von einem Bügeleisen, dessen Stromkabel in einen gemusterten Stoff gekleidet war. Berge weißer Hemden in drei Größen.

Um ein Hemd zum Plätten vorzubereiten, besprengte sie es mit Wasser und rollte es in ein Handtuch. Wenn es wieder durch und durch feucht war, bügelte sie zuerst den Kragen, dann die Schultern und arbeitete sich dann nach unten vor.

Während und nach der Großen Depression hatte sie viele Überlebenskünste erlernt. Ihre Mutter führte damals eine Pension in der Talsohle zwischen der Innenstadt von St. Jude und der Universität. Enid hatte eine mathematische Begabung, und so wusch sie nicht nur Bettwäsche und putzte Badezimmer und servierte Mahlzeiten, sondern kümmerte sich, um ihrer Mutter zu helfen, auch um die Zahlen. Als sie mit der Highschool fertig und der Krieg zu Ende war, übernahm sie die gesamte Buchhaltung des Hauses, schrieb Rechnungen und machte die Steuererklärung. Von all den Vierteldollars und Dollars, die sie sich nebenbei verdiente – Einkünften vom Babysitten, Trinkgeldern von Studenten und anderen Langzeitmietern –, bezahlte sie die Abendschule und rückte in winzigen Schritten einem Abschluss in Buchhaltung näher, den sie niemals zu brauchen hoffte. Zwei Männer in Uniform hatten bereits um ihre Hand angehalten, *leidliche* Tänzer, aber keiner von ihnen ein ausgesprochener Verdiener, und auf beide konnte noch geschossen werden. Ihre Mutter hatte einen Mann geheiratet, der nichts verdiente und früh starb. Einem solchen Ehemann aus dem Weg zu gehen hatte für Enid höchste Priorität. Sie wollte beides im Leben haben, Wohlstand und Glück.

Ein paar Jahre nach dem Krieg kam ein junger Stahlingenieur in die Pension, der eben nach St. Jude versetzt worden war, um eine Gießerei zu leiten. Er war ein volllippiges, dicht behaartes, kräftig bemuskeltes Bübchen in Männergestalt und Männerkleidern. Seine Anzüge waren verschwenderisch mit Bügelfalten ausgestattete wollene Prachtstücke. Ein- oder zweimal am Abend, wenn sie an dem großen runden Tisch das Essen auftrug, warf Enid einen Blick über ihre Schulter, ertappte ihn beim Herüberspähen und trieb ihm die Röte ins Gesicht. Al stammte aus Kansas. Nach zwei Monaten fand er den Mut, sie zum Schlittschuhlaufen einzuladen. Sie tranken Kakao, und er erklärte ihr, die Menschen seien zum Leiden geboren. Er nahm sie mit zu einer Weihnachtsfeier der Stahlfabrik und erklärte ihr, die Klugen seien dazu verdammt, von den Dummen gequält zu werden. Immerhin war er ein guter Tänzer und ein guter Verdiener, und so gab sie ihm im Fahrstuhl einen Kuss. Bald waren sie verlobt und fuhren züchtig mit dem Nachtzug nach McCook, Nebraska, um seine alten Eltern zu besuchen. Sein Vater hielt sich eine Sklavin, mit der er verheiratet war.

Beim Saubermachen von Als Zimmer in St. Jude fand sie einen abgegriffenen Band Schopenhauer, in dem einige Passagen unterstrichen waren. Zum Beispiel diese: *Wer die Behauptung, dass in der Welt der Genuss den Schmerz überwiegt oder wenigstens sie einander die Waage halten, in der Kürze prüfen will, vergleiche die Empfindung des Tieres, welches ein anderes frisst, mit der dieses andern.*

Was sollte sie von Al Lambert halten? Da war das Altmännerhafte seiner Reden und das Jungmännerhafte seines Aussehens. Enid hatte sich dafür entschieden, der Verheißung seines Aussehens Glauben zu schenken. Das Leben wurde zum Warten darauf, dass seine Persönlichkeit sich änderte.

Während sie wartete, bügelte sie zwanzig Hemden die Woche plus ihre eigenen Röcke und Blusen.

Fuhr mit der Nasenspitze des Bügeleisens um die Knöpfe. Glättete die Falten, ließ die Knicke verschwinden.

Ihr Leben wäre einfacher gewesen, wenn sie ihn nicht so geliebt hätte, doch sie wusste sich nicht zu helfen. Ihn nur anzuschauen hieß, ihn zu lieben.

Jeden Tag mühte sie sich, die Ausdrucksweise der Jungen zu glätten, ihre Manieren auszubügeln, ihre moralischen Grundsätze weißzuwaschen, ihre Haltungen aufzuhellen, und jeden Tag sah sie sich mit einem neuen Haufen schmutziger, zerknitterter Wäsche konfrontiert.

Selbst Gary war mitunter anarchisch. Sein Schönstes war es, die elektrische Eisenbahn in die Kurven rasen und entgleisen zu lassen, zu beobachten, wie der schwarze Metallklotz hilflos schlitterte und schlingerte und missmutig Funken sprühte. Am zweitschönsten fand er, Plastikkühe und -autos auf die Schienen zu setzen und kleine Tragödien einzufädeln.

Was ihm allerdings einen regelrechten Technokick verpasste, war der Gedanke an ein ferngesteuertes Spielzeugauto, das im Fernsehen seit kurzem permanent beworben wurde und das einfach *überall* fahren konnte. Um Missverständnissen vorzubeugen, wollte er es als Einziges auf seine Weihnachtswunschliste setzen.

Wer Acht gab, konnte von der Straße aus das Licht in den Fenstern schwächer werden sehen, wenn Garys Eisenbahn oder Enids Bügeleisen oder Alfreds Experimente Strom aus dem Netz zapften. Doch wie leblos das Haus ansonsten wirkte! In den hell erleuchteten Häusern der Meisners und Schumperts, der Persons und Roots waren die Menschen eindeutig daheim – ganze Familien um Tische versammelt, junge Köpfe über Schulaufgaben gebeugt, flimmernde Fernseher in Nebenräumen, umhertapsende Kleinkinder, Großeltern, die mit einem dritten

Aufguss die Ergiebigkeit eines Teebeutels testeten. Das waren lebendige, unbefangene Häuser.

Ob jemand daheim war, bedeutete alles für ein Haus. Es war mehr als wesentlich: Es war das Einzige, was zählte.

Die Familie war die Seele des Hauses.

Der wache Geist war wie das Licht in einem Haus.

Die Seele war wie der Ziesel in seinem Bau.

Bewusstsein verhielt sich zu Gehirn wie Familie zu Haus.

Aristoteles: *Angenommen, das Auge wäre ein Tier – dann wäre das Augenlicht dessen Seele.*

Um den Geist zu begreifen, half es, sich häusliches Treiben vorzustellen, das Summen verwandten Lebens auf verschiedenen Gleisen, das elementare Flackern des heimischen Herds. Von «Gegenwart», «Unordnung» und «Geschäftigkeit» zu sprechen. Oder, umgekehrt, von «Leere» und «Verschlossenheit». Von «Ruhestörung». Vielleicht glich das sinnlos erleuchtete Haus, in dem drei Menschen, jeder für sich, im Keller ihren Dingen nachgingen und einer, ein kleiner Junge, allein im Erdgeschoss saß und auf einen Teller mit kaltem Essen starrte, dem Geist eines Depressiven.

Gary war der Erste, dem es im Keller langweilig wurde. Er tauchte an die Oberfläche, mied das zu helle Esszimmer, als warte dort das Opfer einer scheußlichen Entstellung, und stieg in den ersten Stock, um sich die Zähne zu putzen.

Kurz darauf folgte Enid mit sieben warmen weißen Hemden. Auch sie mied das Esszimmer. Ihre Gedanken gingen so: Wenn sie für das Problem im Esszimmer die Verantwortung trug, dann war es entsetzlich pflichtvergessen von ihr, es nicht zu lösen, eine liebende Mutter wäre nie und nimmer so pflichtvergessen, und da sie eine liebende Mutter war, konnte sie auch nicht dafür die Verantwortung tragen. Irgendwann würde Alfred auftauchen und sehen, was für ein Ungeheuer er gewesen war, und es würde ihm sehr, sehr Leid tun. Falls er es wagte, ihr die Schuld für das

Problem in die Schuhe zu schieben, konnte sie sagen: «Du warst es doch, der gesagt hat, er soll hier sitzen, bis er fertig ist.»

Während sie sich ein Bad einlaufen ließ, steckte sie Gary ins Bett. «Bleib du nur immer mein kleiner Löwe», sagte sie.

«Ja.»

«Ist er wwwild? Ist er gefffährlich? Ist er mein wwwilder wwwuscheliger Lllöwe?»

Diese Fragen beantwortete Gary nicht. «Mom», sagte er. «Chipper sitzt immer noch am Tisch, und es ist schon fast neun.»

«Das ist eine Sache zwischen Dad und ihm.»

«Mom? Er mag dieses Essen wirklich nicht. Er tut nicht nur so.»

«Ich bin froh, dass du so ein guter Esser bist.»

«Mom, das ist nicht fair.»

«Herzchen, das ist bloß eine Phase, die dein Bruder da gerade durchmacht. Aber es ist wunderbar, dass du dich für ihn einsetzt. Es ist wunderbar, so lieb und gut zu sein. Bleib du nur immer so lieb und gut.»

Sie eilte hinaus, um das Wasser abzudrehen, und versenkte sich darin.

In einem dunklen Schlafzimmer nebenan stellte sich Chuck Meisner in dem Moment, als er in Bea eindrang, vor, sie sei Enid. Während er zum Samenerguss tuckerte, spekulierte er.

Er fragte sich, ob es an irgendeiner Börse einen Markt für Erie-Belt-Optionen gab. Fünftausend Aktien sofort, mit dreißig Verkaufsoptionen für den Fall eines Downside Hedge. Oder noch besser: einhundert Kaufoptionen, wenn jemand ihm einen Kurs stellte.

Sie war schwanger, und Chuck spekulierte auf wachsende Körbchengrößen, erst A, dann B und schließlich, wenn das Baby kam, vermutlich sogar C. Wie Kommunalobligationen kurz vor der Fälligkeit.

In St. Jude gingen, eins nach dem anderen, die Lichter aus.

Und wer lange genug am Abendbrottisch saß, sei es, dass er bestraft wurde oder dickköpfig oder einfach gelangweilt war, hörte nie auf, dort zu sitzen. Ein Teil von ihm blieb das ganze Leben dort sitzen.

Als könnte anhaltender und allzu direkter Kontakt mit dem nackten Ablauf der Zeit die Nerven dauerhaft schädigen, wie In-die-Sonne-Starren.

Als wäre allzu intime Kenntnis gleich welchen Innenraums ein Wissen, das zwangsläufig Schaden anrichtete. Ein Wissen, das sich nie mehr abwaschen ließ.

(Wie mürbe, wie zermürbt ein Haus, das im Übermaß bewohnt wurde.)

Chipper hörte Dinge und sah Dinge, aber alle waren in seinem Kopf. Nach drei Stunden hatten die Gegenstände, die ihn umgaben, wie ein alter Kaugummi jedes Aroma verloren. Seine mentale Erregung, vergleichsweise stark, hatte es ausgelöscht. Es hätte einer Willensanstrengung, eines Wiedererwachens bedurft, um den Begriff «Platzdeckchen» zu finden und ihn auf das Feld anzuwenden, das Chipper so eingehend betrachtet hatte, dass dessen Wirklichkeit allmählich zerfasert war, oder das Wort «Heizkessel» auf das Rauschen in den Rohren zu beziehen, das, weil es immer wiederkehrte, das Wesen eines Gefühlszustands angenommen hatte oder eines Schauspielers in seinem Kopf, einer Verkörperung der «bösen Zeit». Dass das Licht leicht flackerte, weil jemand bügelte und jemand spielte und jemand Experimente machte und der Kühlschrank sich ein- und wieder ausschaltete, war Teil des Traums gewesen. Dieses Schwanken, obschon kaum merklich, hatte etwas Quälendes gehabt. Aber jetzt hatte es aufgehört.

Jetzt war nur noch Alfred im Keller. Er untersuchte ein Eisenacetat-Gel mit den Polen eines Amperemeters.

Ein jüngst erzielter Fortschritt in der Metallurgie: die Formung von Metallen nach Maß bei Zimmertemperatur. Der Gral war eine Substanz, die gegossen oder geschmiedet werden konnte, nach der Bearbeitung (etwa mit elektrischem Strom) jedoch die überragenden Eigenschaften von Stahl besaß – Festigkeit, Leitvermögen und Ermüdungsresistenz. Eine Substanz, die biegsam war wie Plastik und hart wie Metall.

Die Angelegenheit war dringend. Ein Zivilisationskrieg war im Gange, und die Plastikstreitmächte gewannen. Alfred hatte bereits Marmeladen- und Geleegläser mit Plastikdeckeln gesehen. Autos mit Plastikdächern.

Unseligerweise stellte Metall in seiner reinen Form – ein schöner Stahlpfosten oder ein Kerzenleuchter aus massivem Messing – eine hohe Ordnungsstufe dar, während die Natur schlampig war und Unordnung vorzog. Rostkrümel. Die Promiskuität freischwebender Moleküle. Das Chaos warmer Dinge. Unordnung an sich entstand mit erheblich größerer Wahrscheinlichkeit spontan als ein perfekter Kubus aus Eisen. Nach dem Zweiten Gesetz der Thermodynamik war viel *Arbeit* erforderlich, um dieser Tyrannei des Wahrscheinlichen Einhalt zu gebieten – die Atome eines Metalls zu zwingen, sich zu benehmen.

Alfred war überzeugt, dass Elektrizität dieser Aufgabe gewachsen war. Der Strom, der aus dem Netz kam, war nichts anderes als von fern geliehene Ordnung. In Kraftwerken wurde aus einem wohlorganisierten Stück Kohle ein Gebläh nutzloser heißer Gase; ein erhöht liegendes, selbstgenügsames Wasserbecken verwandelte sich in einen entropischen Schwall, der irgendwo in ein Delta mündete. Solche Opfer des Geordneten erzeugten die nützlichen elektrischen Ladungen, die er zu Hause arbeiten ließ.

Er war auf der Suche nach einem Material, das die Fähigkeit besaß, sich selbst zu elektroplattieren. Er bildete Kristalle in ungewöhnlichen Materialien und setzte sie elektrischen Strömen aus.

Es war keine harte Wissenschaft, sondern primitiver Probabilismus auf der Basis von Versuch und Irrtum, ein blindes Tasten nach Zufällen, von denen er eventuell profitieren konnte. Einer seiner Kommilitonen aus dem College hatte mit den Ergebnissen einer solchen Zufallsentdeckung bereits die erste Million verdient.

Dass er sich irgendwann keine Sorgen mehr ums Geld machen müsste: Das war ein Traum, der jenem Traum glich, von einer Frau getröstet, wahrhaft getröstet zu werden, wenn ihn das Elend überkam.

Der Traum von der radikalen Verwandlung: eines Tages aufzuwachen und ein gänzlich anderer (selbstbewussterer, gelassenerer) Mensch zu sein, dem Gefängnis des Gegebenen zu entfliehen, göttliche Schaffenskraft zu verspüren.

Er hatte Ton und Silikatgel. Er hatte Silikonkitt. Er hatte schlammige Eisensalze, die in sich selbst zerflossen. Ambivalente Acetylacetonate und Tetrakarbonyle mit niedrigen Schmelzpunkten. Ein Stück Gallium, so groß wie eine Damaszenerpflaume.

Der Chefchemiker von Midland Pacific, ein Schweizer Akademiker, der über einer Million Messungen von Maschinenölviskositäten und Brinellhärten vor Langeweile schwermütig geworden war, versorgte Alfred mit allem Nötigen. Ihre Vorgesetzten wussten von dem Arrangement – Alfred hätte nie riskiert, sich bei irgendeiner Heimlichkeit erwischen zu lassen –, und man hatte sich informell darauf verständigt, dass die Midpac, sollte er je ein patentierbares Verfahren entwickeln, Anspruch auf einen Anteil etwaiger Einnahmen hätte.

Heute Abend verhielt sich das Eisenacetat-Gel ungewöhnlich. Alfreds Messungen des Leitvermögens schwankten heftig, je nachdem, wo genau er die Sonde des Ammeters hineinsteckte. In der Annahme, die Sonde könnte verschmutzt sein, tauschte er sie gegen eine schmale Nadel aus und bohrte diese in das Gel. Nun maß er überhaupt kein Leitvermögen mehr. Als er die

Nadel an einer anderen Stelle hineinsteckte, war der Wert hingegen hoch.

Was ging hier vor?

Die Frage ließ ihn nicht los, sie tröstete ihn und hielt den Zuchtmeister in Schach, bis er um zehn Uhr die Lampe des Mikroskops löschte und in sein Notizbuch schrieb: FÄRBEMITTEL BLAUES CHROMAT 2 %. SEHR, SEHR INTERESSANT.

In dem Moment, als er aus dem Labor trat, überfiel ihn die Erschöpfung wie mit Hammerschlägen. Er fummelte am Schloss, so plump und ungeschickt waren auf einmal seine analytischen Finger. Für die Arbeit hatte er grenzenlose Energie, doch sobald er damit aufhörte, konnte er sich kaum noch auf den Beinen halten.

Seine Erschöpfung nahm noch zu, als er nach oben ging. Küche und Esszimmer waren hell erleuchtet, und es hatte den Anschein, als sei ein kleiner Junge, das Gesicht auf dem Platzdeckchen, über dem Esstisch zusammengesackt. Die Szene war so falsch, so krank vor Rache, dass Alfred einen Augenblick lang ernsthaft glaubte, der Junge am Tisch sei ein Gespenst aus seiner eigenen Kindheit.

Er tastete nach Lichtschaltern, als ob das Licht ein Giftgas wäre, dessen Ausströmen er verhindern müsse.

Im weniger bedrohlichen Dämmerlicht hob er den Jungen hoch und trug ihn nach oben. Der Junge hatte den Abdruck vom Gewebe des Platzdeckchens auf einer Wange. Er murmelte Unsinn. Er war nur halb da und wehrte sich dagegen, ganz wach zu werden. Er ließ den Kopf hängen, während Alfred ihn auszog und im Schrank einen Pyjama für ihn fand.

Sobald der Junge, mit einem Kuss versehen und fest schlafend, im Bett lag, rann unvorstellbar viel Zeit durch die Beine des Stuhls, auf dem Alfred am Bettrand saß und kaum etwas anderes wahrnahm als das Elend zwischen seinen Schläfen. Seine Müdigkeit schmerzte so, dass sie ihn wach hielt.

Aber vielleicht hatte er doch geschlafen, denn plötzlich richtete er sich auf und fühlte sich marginal erfrischt. Er verließ Chippers Zimmer und schaute bei Gary nach dem Rechten.

Gleich hinter Garys Tür stand, stark nach Kleister riechend, ein Gefängnis aus Eisstielen. Das Gefängnis hatte keinerlei Ähnlichkeit mit der raffinierten Besserungsanstalt, die Alfred vorgeschwebt hatte. Es war ein grobes Viereck ohne Dach, grob unterteilt. Der Grundriss entsprach tatsächlich genau dem binomischen Quadrat, von dem er vor dem Essen gesprochen hatte.

Und das hier, im größten Raum des Gefängnisses, dieses verhunzte Gebilde aus halbweichem Leim und zerbrochenen Eisstielen, war das ein – Puppenschubkarren? Eine Miniaturtrittleiter?

Ein elektrischer Stuhl.

In einem bewusstseinsverändernden Nebel der Erschöpfung kniete sich Alfred hin und betrachtete ihn. Er merkte, wie schmerzlich es ihn berührte, dass dieser Stuhl überhaupt angefertigt worden war – dass Gary den Impuls gehabt hatte, einen Gegenstand zu basteln, der vielleicht die Anerkennung seines Vaters finden würde – und, irritierender noch, wie unmöglich es war, diesen groben Gegenstand mit dem präzisen Bild eines elektrischen Stuhls zur Deckung zu bringen, das er beim Abendessen vor Augen gehabt hatte. Wie eine widersinnige weibliche Traumgestalt, die zugleich Enid und nicht Enid war, war auch der Stuhl, den er sich vorgestellt hatte, ganz ein elektrischer Stuhl und ganz ein Haufen Eisstiele gewesen. Auf einmal erschien ihm der Gedanke, dass vielleicht *jedes* «reale» Ding auf der Welt im Kern genauso niederträchtig proteisch war wie dieser elektrische Stuhl, zwingender denn je. Vielleicht stellte sein Bewusstsein mit dem scheinbar realen Hartholzboden, auf dem er kniete, in diesem Moment genau das Gleiche an, was es, Stunden zuvor, mit dem ungesehenen Stuhl angestellt hatte.

Vielleicht wurde ein Boden erst wirklich ein Boden, wenn man ihn im Geiste rekonstruierte. Die Natur des Bodens war bis zu einem gewissen Grad unstrittig, gewiss; das Holz existierte zweifellos und hatte messbare Eigenschaften. Aber es gab einen *zweiten* Boden, der in seinem Kopf gespiegelt wurde, und Alfred fürchtete, dass die bedrängte «Realität», die er verteidigte, nicht die eines tatsächlichen Bodens in einem tatsächlichen Schlafzimmer war, sondern die eines Bodens in seinem Kopf, eine Idealisierung und daher keinen Deut mehr wert als eine von Enids dummen Phantastereien.

Der Verdacht, dass alles relativ war. Dass das «Reale» und «Authentische» nicht nur zum Scheitern verurteilt, sondern von vornherein fiktiv sein könnten. Dass sein Gefühl, im Recht zu sein, einzig für das Reale einzutreten, eben nur ein Gefühl war. Dies waren die bösen Ahnungen, die in den vielen Motelzimmern auf der Lauer gelegen hatten. Dies waren die bodenlosen Schrecknisse unter den klapprigen Betten.

Und wenn die Welt sich weigerte, mit seiner Version der Realität konform zu gehen, dann war sie notwendig eine gleichgültige Welt, eine bittere und abscheuliche Welt, eine Strafkolonie, in der er dazu verurteilt war, barbarisch einsam zu sein.

Er beugte den Kopf bei dem Gedanken, wie viel Kraft ein Mann brauchen würde, um ein ganzes Leben in so einer Einsamkeit auszuhalten.

Er stellte den kümmerlichen, schiefen elektrischen Stuhl wieder auf den Boden des größten Raums in Garys Gefängnis. Sobald er ihn losließ, fiel der Stuhl auf die Seite. Bilder vom Kurz-und-klein-Schlagen des Gefängnisses gingen Alfred durch den Kopf, Momentaufnahmen von hochgerafften Röcken und heruntergerissenen Unterhosen, Bilder von zerfetzten BHs und schwingenden Hüften, doch sie führten zu nichts.

Gary schlief vollkommen ruhig, genau wie seine Mutter.

Zwecklos zu hoffen, dass er das implizite Versprechen seines Vaters, sich das Gefängnis nach dem Abendessen anzusehen, vergessen hatte. Gary vergaß nie etwas.

Trotzdem tue ich mein Bestes, dachte Alfred.

Als er ins Esszimmer zurückkehrte, fiel ihm auf, dass sich das Essen auf Chippers Teller verändert hatte. Die gut gebräunten Ränder der Leber waren vorsichtig abgekratzt und gegessen worden, ebenso jedes Fitzelchen Kruste. Außerdem gab es Indizien, dass Kohlrüben verspeist worden waren; das Häuflein, das noch dalag, wies klitzekleine Zinkenspuren auf. Und mehrere Mangoldblätter waren seziert, die weicheren abgetrennt und gegessen, die holzigen rötlichen Stiele an die Seite gelegt worden. Offenbar hatte Chipper schließlich doch den vertragsgemäßen Bissen von jedem Bestandteil des Essens hinuntergeschluckt, vermutlich gegen großen inneren Widerstand, und war ins Bett gebracht worden, ohne den verdienten Nachtisch bekommen zu haben.

An einem Novembermorgen fünfunddreißig Jahre zuvor hatte Alfred den blutigen Vorderlauf eines Koyoten zwischen den Zacken einer Stahlfalle gefunden, Beweis einiger verzweifelter Stunden in der vorausgegangenen Nacht.

Ein Kummer stieg in ihm auf, so groß, dass er die Kiefer aufeinander pressen und sich an seine Philosophie halten musste, damit keine Tränen daraus wurden.

(Schopenhauer: *Nur eine Betrachtung mag dazu taugen, das Leiden der Tiere zu erklären: dass der Wille zum Leben, der der ganzen Welt der Erscheinungen zugrunde liegt, in ihrem Fall Befriedigung erlangt, indem er sich selbst verzehrt.*)

Er löschte das letzte Licht im Erdgeschoss, ging ins Badezimmer und zog sich einen frischen Pyjama an. Er musste seinen Koffer öffnen, um die Zahnbürste herauszuholen.

Im Bett, dem Museum antiker Verkehrsmittel, legte er sich, so weit wie möglich von Enid entfernt, an den äußersten Rand.

Sie schlief auf ihre Schlaf vortäuschende Weise. Er warf einen Blick auf den Wecker, den Radiumschmuck der beiden Zeiger – näher an der Zwölf als an der Elf – und machte die Augen zu.

Kam die Frage in einer Zwölf-Uhr-Mittags-Stimme: «Worüber hast du mit Chuck gesprochen?»

Seine Erschöpfung verdoppelte sich. Hinter seinen geschlossenen Lidern sah er Becher und Sonden und die zitternde Nadel des Ammeters.

«Hörte sich an wie Erie Belt», sagte Enid. «Weiß Chuck davon? Hast du es ihm erzählt?»

«Enid, ich bin sehr müde.»

«Ich bin nur überrascht, das ist alles. Wenn man bedenkt.»

«Es war ein Versehen, und ich bedaure es.»

«Ich finde es bloß interessant», sagte Enid, «dass Chuck eine Anlage machen darf, die uns nicht erlaubt sein soll.»

«Wenn Chuck so unfair sein will, andere Anleger zu übervorteilen, ist das seine Sache.»

«Viele Erie-Belt-Aktionäre wären froh, wenn sie morgen fünf drei viertel bekommen könnten. Was ist daran unfair?»

Ihre Worte klangen nach einer stundenlang einstudierten Rede, nach einem im Dunkel genährten Gram.

«Diese Aktien werden in drei Wochen neuneinhalb Dollar wert sein», sagte Alfred. «Ich weiß das, und die meisten Leute wissen es nicht. Das daran ist unfair.»

«Du bist klüger als andere Leute», sagte Enid, «du warst besser in der Schule, und jetzt hast du einen besseren Job. Das ist auch unfair, oder? Müsstest du dich nicht möglichst dumm stellen, um ganz und gar fair zu sein?»

Man biss sich nicht leichtfertig oder halbherzig selbst ein Bein ab. Wann war es so weit gewesen, und was hatte passieren müssen, dass der Koyote schließlich die Zähne ins eigene Fleisch schlug? Vermutlich kam zuerst eine Phase des Wartens und Abwägens. Aber dann?

«Ich werde nicht mit dir darüber diskutieren», sagte Alfred. «Aber da du nun mal wach bist, würde ich gern wissen, warum Chip nicht ins Bett gebracht wurde.»

«*Du* warst es doch, der gesagt hat –»

«Du bist lange vor mir hochgegangen. Es war nicht meine Absicht, ihn fünf Stunden dort sitzen zu lassen. Du benutzt ihn gegen mich, und das gefällt mir überhaupt nicht. Er hätte um acht ins Bett gehört.»

Enid siedete in dem ihr angetanen Unrecht.

«Können wir uns darauf einigen, dass so etwas nicht noch einmal vorkommt?», fragte Alfred.

«Ja.»

«Na schön. Dann lass uns schlafen.»

Wenn es im Haus sehr, sehr dunkel war, konnte das ungeborene Kind genauso deutlich sehen wie jeder andere. Es hatte Ohren und Augen, Finger und ein Vorderhirn und ein Kleinhirn, und es schwamm an einem zentralen Ort. Die wesentlichen Triebe kannte es bereits. Tagaus, tagein köchelte seine Mutter in einem Gebräu aus Begehren und Schuld vor sich hin, und nun lag das Objekt ihrer Begierde einen Meter von ihr entfernt. Alles in ihr war bereit, bei der geringsten zärtlichen Berührung ihres Körpers dahinzuschmelzen und abzuschalten.

Es wurde viel geatmet. Viel geatmet, aber nichts berührt.

Selbst Alfred entzog sich der Schlaf. Sooft er kurz davor war einzunicken, durchbohrte ein nebenhöhliges Schnaufen aus Enids Richtung sein Ohr.

Nach einer Pause, die, wenn er richtig geschätzt hatte, zwanzig Minuten lang gewesen war, erschütterten schlecht unterdrückte Schluchzer das Bett.

Alfred brach, jammernd fast, sein Schweigen: «Was ist denn nun schon wieder?»

«Nichts.»

«Enid, es ist sehr, sehr spät, der Wecker ist auf sechs gestellt, und ich bin völlig zerschlagen.»

Sie weinte stürmisch. «Du hast mir nicht mal einen Abschiedskuss gegeben!»

«Das ist mir bewusst.»

«Hab ich denn kein Recht darauf? Ein Mann lässt seine Frau zwei Wochen lang allein zu Hause?»

«Das ist Schnee von gestern. Und offen gesagt: Ich habe schon Schlimmeres ausgehalten.»

«Und kommt nach Hause und sagt nicht mal hallo? Macht mir bloß Vorwürfe?»

«Enid, ich habe eine furchtbare Woche hinter mir.»

«Und steht vom Tisch auf, bevor die anderen fertig sind?»

«Eine furchtbare Woche, und ich bin außerordentlich müde –»

«Und schließt sich für fünf Stunden im Keller ein? Obwohl er angeblich so müde ist?»

«Wenn du so eine Woche gehabt hättest wie –»

«Du hast mir keinen Abschiedskuss gegeben.»

«Werde erwachsen! Herrgott nochmal! Werde erwachsen!»

«Nicht so laut!»

(Nicht so laut, das Baby könnte dich hören.)

(*Hörte* ihn in der Tat und saugte jedes Wort auf.)

«Meinst du, ich war auf einer Vergnügungsfahrt?», fragte Alfred im Flüsterton. «Alles, was ich tue, tue ich für dich und die Jungen. Seit zwei Wochen habe ich keine Minute für mich gehabt. Ich denke, ich habe durchaus Anspruch auf ein paar Stunden im Labor. Du würdest es nicht verstehen, und wenn, dann würdest du es nicht glauben, aber ich habe etwas wirklich Interessantes entdeckt.»

«Ach, wie interessant», sagte Enid. Sie hörte das kaum zum ersten Mal.

«Ja, es ist interessant.»

«Etwas, das sich vermarkten lässt?»

«Weiß man nie. Denk nur daran, was Jack Callahan passiert ist. Am Ende können wir damit vielleicht die Ausbildung der Jungen finanzieren.»

«Du hast doch gesagt, Jack Callahans Entdeckung war Zufall.»

«Mein Gott, du solltest dich mal reden hören. Du wirfst *mir* vor, ein Miesmacher zu sein, aber wenn ich an etwas arbeite, das *mir* wichtig ist, wer ist dann der Miesmacher?»

«Ich verstehe nur nicht, warum du nicht wenigstens in Betracht ziehen willst –»

«Genug.»

«Wenn es darum geht, Geld zu verdienen –»

«Genug. Genug! Was andere machen, ist mir *schnurz*. Ich bin nicht so einer, Punkt.»

Am letzten Sonntag in der Kirche hatte Enid zweimal den Kopf gewandt und Blicke von Chuck Meisner aufgefangen. Sie war obenherum ein bisschen fülliger als sonst, das war wahrscheinlich alles. Aber Chuck war beide Male rot geworden.

«Warum bist du so hartherzig?», fragte sie.

«Dafür gibt es Gründe», sagte Alfred, «aber ich werde sie dir nicht sagen.»

«Warum bist du so unglücklich? Warum sagst du sie mir nicht?»

«Lieber sinke ich ins Grab, bevor ich das tue. Ins Grab.»

«Oh, oh, oh!»

Es war ein *schlechter* Ehemann, den sie da abgekriegt hatte, ein schlechter, schlechter, schlechter Ehemann, der ihr niemals geben würde, was sie brauchte. Immer fand er einen Grund, ihr vorzuenthalten, was sie zufrieden gestellt hätte. Und so lag sie, eine Tantala, neben der trägen Illusion eines Festgelages. Der kleinste Finger irgendwo hätte … Gar nicht zu reden von seinen Pflaumenfleischlippen. Aber Alfred war unnütz. Ein Haufen Geld, das in einer Matratze vor sich hin gammelte und stetig an Wert verlor, das war er. Die Depression im Herzland hatte ihn genauso kleingekriegt wie ihre Mutter, die nicht begriff, dass Zinsen bringende Bankkonten mittlerweile staatlich abgesichert waren oder dass Aktien großer Unternehmen, sofern man sie nur langfristig hielt und die Dividenden reinvestierte, ihr mit hoher Wahrscheinlichkeit im Alter ein Auskommen bescherten. Er war ein schlechter Investor.

Sie aber nicht. Das eine oder andere Mal, wenn es in einem Raum ganz dunkel gewesen war, hatte sie sogar wirklich etwas riskiert, und jetzt tat sie es wieder. Drehte sich um und kitzelte mit Brüsten, die ein gewisser Nachbar bestaunt hatte, seinen Schenkel. Legte ihre Wange an seine Rippen. Sie konnte fühlen, wie er darauf wartete, dass sie wieder den Rückzug antrat, doch vorher musste sie, wie im Gleitflug, die Ebene seines muskulösen Bauches streicheln, Haare berührend, aber keine Haut. Zu ihrer gelinden Überraschung fühlte sie seinen seinen seinen zum Leben erwachen, als ihre Finger sich ihm näherten. Sein Becken versuchte ihr auszuweichen, doch ihre Finger waren flinker. Sie fühlte, wie er unter dem Schlitz seiner Pyjamahose zum Mann wurde, und in einem Anfall von aufgestauter Begierde machte sie etwas, was er ihr noch nie zuvor erlaubt hatte. Sie beugte sich zur Seite und nahm ihn in den Mund. Ihn: den rasch heranwachsenden Jungen, das schwach urinös riechende Bürschchen. Mit ihren geschickten Händen und ihrem schwellenden Busen fühlte sie sich begehrenswert und zu allem fähig.

Der Mann unter ihr bebte vor Widerstreben. Kurz machte sie ihren Mund frei: «Al? Liebling?»

«Enid. Was hast du –?»

Erneut schloss sich ihr Mund um den fleischigen Zylinder. Sie hielt einen Moment inne, lange genug, um zu spüren, wie das Fleisch an ihrem Gaumen Pulsschlag für Pulsschlag härter wurde. Dann hob sie den Kopf. «Wir könnten schon ein bisschen zusätzliches Geld auf der Bank gebrauchen – was meinst du? Und mit den Jungen nach Disneyland fahren. Was meinst du?»

Und tauchte wieder ab. Zunge und Penis verständigten sich langsam, und Alfred schmeckte jetzt wie das Innere ihres Mundes. Wie eine häusliche Pflicht und alles, was in dem Wort mitschwang. Vielleicht unbeabsichtigt stieß er ihr sein Knie in die Rippen, und sie rückte ein wenig von ihm ab, doch das Gefühl, begehrenswert zu sein, blieb. Sie stopfte sich den Mund bis zum Hals voll. Tauchte auf, um Luft zu schnappen, und nahm einen weiteren großen Schluck.

«Und wenn wir bloß zweitausend anlegen», murmelte sie. «Mit einem Vier-Dollar-Potenzial – autsch!»

Alfred war wieder zur Besinnung gekommen und drängte den Sukkubus von sich fort.

(Schopenhauer: *Die Erwerber des Vermögens sind die Männer, nicht die Weiber: diese sind daher auch nicht zum unbedingten Besitze desselben berechtigt, wie auch zur Verwaltung desselben nicht befähigt.*)

Der Sukkubus rückte ihm wieder zu Leibe, doch Alfred packte ihn am Handgelenk und schob ihm mit der anderen Hand das Nachthemd hoch.

Vielleicht war der Genuss, den man beim Wippen, oder beim Fallschirmspringen und Tiefseetauchen empfand, ein Nachhall aus jener Zeit, als die Gebärmutter einen vor den Belastungen des Auf und Nieder schützte. Jener Zeit, als man noch gar nicht über die mechanischen Voraussetzungen verfügte, Schwindel zu empfinden. Sich noch sicher in einem warmen Binnensee aalte.

Einzig und allein *dieses* Schaukeln war unheimlich, nur *dieses* Schaukeln ging mit einem Adrenalinstoß einher, der durch das Blut jagte, denn die Mutter schien sich in einer Art Notlage zu befinden –

«Al, ist das wirklich eine gute Idee, hör mal, ich glaube nicht –»

«In dem Buch steht, es spricht nichts dagegen –»

«Aber mir ist doch ein bisschen mulmig dabei. Ooooh. Hörst du? Al?»

Er war ein Mann, der rechtmäßigen Geschlechtsverkehr mit seiner rechtmäßigen Ehefrau hatte.

«Al, vielleicht lieber nicht. Du weißt doch.»

Er wehrte sich gegen das Bild der jungen FOTZE im Gymnastikanzug. Und gegen all die anderen MÖSEN mit ihren TITTEN und ÄRSCHEN, die ein Mann gern FICKEN würde, wehrte sich dagegen, obwohl es im Zimmer dunkel war, und im Dunkeln war vieles erlaubt.

«Oh, mir ist so unwohl dabei!», wimmerte Enid leise.

Am schlimmsten war das Bild des kleinen Mädchens, das sich in ihrem Bauch zusammenrollte, ein Mädchen, nicht viel größer als ein großer Käfer und doch schon Zeugin solchen Unrechts. Zeugin eines stramm geschwollenen kleinen Hirns, das jenseits des Gebärmutterhalses herein- und hinausglitt, und dann, begleitet von einem raschen, kaum als angemessene Warnung zu bezeichnenden Doppelspasmus, dicke alkalische Spermagespinste in ihr Privatgemach spritzte. Noch nicht einmal geboren und schon starrend vor klebrigem Wissen.

Alfred lag schwer atmend da und bereute, dass er das Baby geschändet hatte. Ein letztes Kind gab zum letzten Mal Gelegenheit, aus den eigenen Fehlern zu lernen und ein paar Korrekturen anzubringen, und er war entschlossen, diese Gelegenheit beim Schopf zu ergreifen. Vom Tag ihrer Geburt an würde er sie sanfter anfassen, als er Gary oder Chipper angefasst hatte. Würde die Gesetze ihretwegen lockern, ja sie sogar verwöhnen und nicht ein einziges Mal von ihr verlangen, am Tisch sitzen zu bleiben, wenn alle anderen schon aufgestanden waren.

Aber er hatte sie mit solchem Dreck besudelt, als sie wehrlos war. Sie hatte solche Eheszenen miterlebt, da war es doch klar, dass sie ihn, als sie älter wurde, verriet.

Was Korrekturen möglich machte, vereitelte sie zugleich.

Die empfindliche Sonde, die Werte am oberen Rand des roten Bereichs ausgewiesen hatte, zeigte jetzt null an. Er ließ von seiner Frau ab und straffte die Schultern. Unter dem Bann des sexuellen Instinkts (wie Arthur Schopenhauer es nannte) hatte er ganz aus dem Blick verloren, wie grausam bald er sich rasieren und den Zug erwischen musste, doch jetzt war dieser Instinkt befriedigt, und das Wissen um die verbleibende Kürze der Nacht lastete auf Alfreds Brust wie ein 50-m-Standard-Gleissegment, und Enid hatte wieder angefangen zu weinen, wie Ehefrauen es taten, wenn es psychotisch spät in der Nacht war und den Wecker zu manipulieren nicht in Frage kam. Vor Jahren, als sie frisch verheiratet waren, hatte sie in den frühen Morgenstunden auch manchmal geweint, doch damals war Alfred für die Lust, die er ihr geraubt, und die Stöße, die sie erduldet hatte, so dankbar gewesen, dass er nie zu fragen versäumt hatte, warum sie weinte.

Heute Nacht, das war bemerkenswert, verspürte er weder Dankbarkeit noch die leiseste Verpflichtung, sie zu befragen. Er war nur müde.

Warum weinten Ehefrauen immer nachts? In der Nacht zu weinen mochte ja angehen, wenn man nicht vier Stunden später in den Zug steigen musste und sich nicht, wenige Augenblicke zuvor, einer Schändung schuldig gemacht hatte, noch dazu um einer Befriedigung willen, deren Bedeutung sich einem jetzt vollkommen entzog.

Vielleicht war all dies nötig – zehn durchwachte Nächte in schlechten Motels, gefolgt von einem Abend emotionalen Achterbahnfahrens und schließlich das Nichts-wie-raus-und-schieß-dir-eine-Kugel-durch-den-Mund-Geschniefe und -Gewimmere einer Frau, die sich um zwei Uhr morgens in den verdammten Schlaf zu weinen versuchte –, um zu erkennen, dass a) der Schlaf eine Frau war und b) sie Tröstungen bereithielt, die zu verschmähen er nicht die mindeste Verpflichtung hatte.

Für einen Mann, der sein Leben lang gegen außerplanmäßige Nickerchen angekämpft hatte wie gegen jedes andere verderbliche Vergnügen, war dies eine umwälzende Einsicht – auf ihre Weise nicht weniger folgenschwer als, ein paar Stunden zuvor, seine Entdeckung der elektrischen Anisotropie in einem Gel aus vergitterten Eisenacetaten. Mehr als dreißig Jahre mussten vergehen, ehe die Entdeckung im Keller finanzielle Früchte trug; die Entdeckung im Schlafzimmer hingegen machte das Leben bei den Lamberts von Stund an erträglicher.

Ein Pax somnis hat sich auf den Haushalt gesenkt. Alfreds neue Freundin besänftigte das Biest, das in ihm steckte, was auch immer es für eines sein mochte. Wie viel leichter war es doch, anstatt zu toben oder zu schmollen, einfach die Augen zu schließen. Bald hatten alle verstanden, dass er eine unsichtbare Geliebte hatte, der er sich samstagnachmittags, wenn seine Arbeitswoche bei der Midpac zu Ende war, im Familienzimmer hingab, eine Geliebte, die er auf jede Geschäftsreise mitnahm und der er in Betten, die ihm nicht mehr so unbequem, und in Motelzimmern, die ihm nicht mehr so laut erschienen, in die Arme sank, eine Geliebte, der er im Laufe eines am Schreibtisch zugebrachten Abends regelmäßig seine Aufwartung machte, eine Geliebte, mit der er auf den Sommerausflügen der Familie nach dem Mittagessen ein Reisekissen teilte, während Enid im Schlingerkurs den Wagen lenkte und die Kinder auf der Rückbank still sein mussten. Der Schlaf war eine Frau, die sich ideal mit der Arbeit vereinbaren ließ und die er von vornherein hätte heiraten sollen. Vollendet unterwürfig, grenzenlos verzeihend und so ehrbar, dass man sie in die Kirche, ins Symphoniekonzert und ins Repertoiretheater von St. Jude mitnehmen konnte. Nie hielt sie ihn mit ihren Tränen wach. Sie forderte nichts und schenkte ihm alles, was er für einen langen Arbeitstag brauchte. Es gab nichts Schmutziges in ihrer Affäre, keine romantische Oskulation, keine Lecks oder undichte Stellen, keine Scham. Er konnte Enid in ihrem eigenen Bett betrügen, ohne ihr die Spur eines juristisch verwertbaren Beweises zu liefern, und solange er diskret genug war, wenigstens nicht einzudösen, wenn sie irgendwo eingeladen waren, duldete Enid seine Affäre, wie kluge Ehefrauen es stets getan hatten, und so war dies eine Untreue, für die er, während die Jahrzehnte ins Land gingen, nie zur Rechenschaft gezogen zu werden schien …

«Psst! Arschloch!»

Mit einem Ruck wachte Alfred auf und spürte das Zittern und träge Krängen der *Gunnar Myrdal.* War noch jemand in der Kabine?

«Arschloch!»

«Wer ist da?», fragte er halb herausfordernd, halb ängstlich.

Dünne skandinavische Bettdecken fielen von ihm ab, als er sich aufsetzte und ins Halbdunkel spähte, angestrengt über die Grenzen seines Selbst hinauslauschend. Schwerhörige sind wie Gefängnisinsassen mit den Frequenzen vertraut, auf denen ihre Köpfe klingen. Sein treuester Begleiter war ein Alt, wie das mittlere A einer Orgelpfeife, ein schmetternder Clarinoton irgendwo in seinem linken Ohr. Er kannte ihn, in steigender Lautstärke, seit dreißig Jahren; der Ton war eine so feste Größe, dass es schien, als würde er Alfred überdauern. Er hatte jene ursprüngliche Bedeutungslosigkeit ewiger oder unendlicher Dinge. War so real wie ein Herzschlag, entsprach aber nichts Realem außerhalb von Alfred. War ein Ton, der von nichts erzeugt wurde.

Darunter waren die schwächeren, flüchtigeren Töne am Werk. Zirrusartige Ballungen sehr hoher Frequenzen, weit weg, in stratosphärischer Tiefe hinter seinen Ohren. Mäandernde leise Klänge, beinahe geisterhaft, als würden sie von einer fernen Kalliope gespielt. Hier und da ein schriller mittellagiger Ton, der wie Grillenzirpen im Zentrum seines Schädels an- und abschwoll. Ein dunkles, fast grollendes Dröhnen, wie verwässerter Dieselmotorenlärm, dem das Ohrenbetäubende noch anzuhören war, ein Geräusch, das ihm nie ganz real – mithin: irreal – erschienen war, bis er sich von der Midpac hatte pensionieren lassen und nicht mehr mit Lokomotiven in Berührung kam. Dies waren die Geräusche, die sein Gehirn zugleich schuf und vernahm, die Geräusche, mit denen es gut Freund war.

Außerhalb seiner selbst konnte er das Psch, Psch zweier Hände hören, die an ihren Gelenken sacht auf den Laken hin- und herschwangen.

Und das geheimnisvolle Rauschen von Wasser rings um ihn, in den verborgenen Kapillargefäßen der *Gunnar Myrdal*.

Und jemanden, der da unten, in dem zweifelhaften Raum unter dem Bettzeughorizont, kicherte.

Und den Wecker, der sich jedes Ticken einzeln abzwackte. Es war drei Uhr morgens, und Alfreds Geliebte hatte ihn im Stich gelassen. Gerade jetzt, wo er ihre Tröstungen mehr denn je brauchte, machte sie sich aus dem Staub, um mit jüngeren Schläfern zu huren. Dreißig Jahre lang war sie ihm gefügig gewesen, hatte jeden Abend um Viertel nach zehn die Arme ausgebreitet und die Beine gespreizt. Sie war die Zuflucht gewesen, die er gesucht hatte, der Schoß. Am Nachmittag oder frühen Abend, da fand er sie noch, nicht aber nachts in einem Bett. Sobald er sich hinlegte, begann er in den Laken zu wühlen und kriegte vielleicht, für einige Stunden, knöcherne Gliedmaßen von ihr zu fassen, an die er sich klammern konnte. Doch verlässlich um eins oder zwei oder drei zog sie sich zurück, so weit, dass es ihm nicht einmal mehr gelang, sich einzureden, sie würde ihm noch gehören.

Angstvoll spähte er über den rostorangen Teppichboden hinweg zu den Umrissen von Enids nordisch heller Holzkoje. Enid schien tot zu sein.

Das rauschende Wasser in Millionen Rohren.

Und das Zittern; er hatte eine Vermutung, was dieses Zittern betraf: dass es von den Maschinen herrührte, dass man beim Bau eines Luxuskreuzfahrtschiffs alle Maschinengeräusche dämpfte oder tarnte, eins nach dem anderen, bis zur niedrigsten hörbaren Frequenz und noch niedriger, aber ganz bis auf null ging es nicht. Es blieb dieses subauditive Zwei-Hertz-Beben, dieser nicht zu reduzierende Rest, die Erinnerung daran, dass etwas Mächtigem Ruhe aufgezwungen worden war.

Ein kleines Tier, eine Maus, huschte in die Schattenschichten am Fuß von Enids Bett. Einen Augenblick lang dachte Alfred, der ganze Boden bestehe aus umherhuschenden Korpuskeln. Dann lösten sich die Mäuse auf, wurden eine einzige, gut entwickelte Maus, schreckliche Maus, zermatschbare Exkretkügelchen, Nagegewohnheiten, achtloses Gepinkel –

«Arschloch, Arschloch!», höhnte der Besucher und trat aus der Dunkelheit in die Bettranddämmerung.

Mit Bestürzung erkannte Alfred ihn. Zuerst sah er die eingesackten Konturen, dann stieg ihm ein Hauch von bakteriellem Verfall in die Nase. Das war keine Maus. Das war der Scheißhaufen.

«Auch noch Urinprobleme, he, he!», sagte der Scheißhaufen.

Es war ein soziopathischer Scheißhaufen, ein weicher Stuhl mit losem Maul. In der Nacht zuvor hatte er sich mit Alfred bekannt gemacht und ihn so in Erregung versetzt, dass nur Enids Fürsorge, helles elektrisches Licht und Enids beruhigende Hand auf seiner Schulter, die Nacht hatten retten können.

«Fort!», befahl Alfred streng.

Der Scheißhaufen aber huschte an der Seite der sauberen nordischen Koje entlang und zerlief wie ein Brie oder ein blättriger, nach Pferdeäpfeln riechender Cabrales auf dem Überwurf. «Denkste, Alter.» Und löste sich, buchstäblich, in einer Salve übermütiger Furzgeräusche auf.

Die Angst, den Scheißhaufen auf seinem Kissen anzutreffen, zitierte den Scheißhaufen prompt auf das Kissen, wo er es sich in verschiedenen Posen feucht glänzenden Wohlbehagens gemütlich machte.

«Geh weg, geh weg», sagte Alfred und setzte einen Ellbogen auf den Teppichboden, während er mit dem Kopf voran aus dem Bett kletterte.

«Nee, nee, José», sagte der Scheißhaufen. «Zuerst kriech ich in deine Kleider.»

«Nein!»

«O doch, Alter. Ich kriech in deine Kleider und mach die Polster dreckig. Schmier rum und hinterlass 'ne Spur. Und stinke erst mal kräftig!»

«Warum? Warum willst du so etwas tun?»

«Weil es mir entspricht», krächzte der Scheißhaufen. «So bin ich eben. Das Interesse anderer über mein eigenes stellen? In eine Kloschüssel hüpfen, um die Gefühle anderer zu schonen? Das würdest *du* vielleicht tun, Alter. Du machst alles farsch alschrum. Schau dir doch an, wo du damit gelandet bist.»

«Andere sollten mehr Rücksicht nehmen.»

«Nein – du solltest weniger Rücksicht nehmen. Alter, ich bin gegen alle Zwänge. Wenn dir nach was ist, leb's aus. Wenn du was willst, hol's dir. Immer schön zuerst an sich denken.»

«Die Zivilisation steht und fällt mit der Beherrschung der Triebe», sagte Alfred.

«Zivilisation? Überbewertet. Ich frag dich, was hat die schon je für mich getan? Mich im Klo runtergespült! Mich wie Scheiße behandelt!»

«Aber genau das *bist* du doch», protestierte Alfred, in der Hoffnung, der Scheißhaufen werde einsehen, wie logisch das war. «Dafür ist ein Klo doch schließlich *da*.»

«Wen bezeichnest du hier als Scheiße, Arschloch? Ich hab die gleichen Rechte wie alle anderen, oder? Leben, Freiheit, das Streben nach größtmösiger Glücksmösigkeit? So steht es in der Verfassung der Verunreinigten Staa–»

«Das stimmt nicht», sagte Alfred. «Du meinst die Unabhängigkeitserklärung.»

«Irgend so ein altes vergilbtes Stück Papier, was zum Rattenfurz kümmert's mich, wie das Scheißding genau heißt? Verkniffene Ärsche wie du haben mir schon, als ich noch soo klein war, jedes Scheißwort aus der Klappe rauskorrigiert. Du und all die an Verstopfung leidenden Fascholehrer und Nazibullen. Von mir aus können die Wörter auf ein Stück beschissenes Klopapier gedruckt sein. *Ich* sage, das hier ist ein freies Land, *ich* bin die Mehrheit, und du, Alter, bist in der Minderheit. Also Scheiß auf dich.»

Der Scheißhaufen hatte eine Einstellung, einen Ton, die Alfred gespenstisch vertraut vorkamen, ohne dass er sie zuordnen konnte. Er begann, sich auf Alfreds Kissen zu wälzen und hin- und herzurollen, wobei er einen glänzenden, grünlich braunen Film voll kleiner Klümpchen und Fasern darauf verteilte und dort, wo der Stoff sich bauschte, weiße Falten und Mulden hinterließ. Alfred, auf dem Boden neben dem Bett, hielt sich mit den Händen Nase und Mund zu, um den Gestank und das Grauen abzuschwächen.

Dann lief der Scheißhaufen am Bein seiner Pyjamahose hoch. Alfred spürte seine kitzelnden, mausähnlichen Füße.

«Enid!», rief er mit aller Kraft, die in ihm war.

Der Scheißhaufen war irgendwo in der Nähe seiner Oberschenkel. Mit Mühe beugte Alfred seine steifen Beine und hakte die nur halb funktionsfähigen Daumen in den Hosenbund, damit er den Pyjama hinunterstreifen konnte, um den Scheißhaufen im Stoff zu fangen. Auf einmal begriff er, dass der Scheißhaufen ein entflohener Häftling war, ein Stück menschlichen Abfalls, das ins Gefängnis gehörte. Dass es Gefängnisse genau hierfür gab: für Leute, die glaubten, sie, und nicht die Gesellschaft, bestimmten die Regeln. Und wenn das Gefängnis sie nicht abschreckte, verdienten sie den Tod! Den Tod! Aus seiner

Wut Kraft schöpfend, gelang es Alfred, sich das Pyjamaknäuel von den Füßen zu zerren, und mit zitternden Armen rang er es zu Boden, bearbeitete es mit den Unterarmen und zwängte es tief zwischen die harte nordische Matratze und die nordischen Sprungfedern. Nach Luft schnappend, kniete er in seinem Pyjamaoberteil und seiner Erwachsenenwindel auf dem Teppich.

Enid schlief weiter. Etwas eindeutig Märchenhaftes in ihrer Haltung heute Nacht.

«Pfllaaatsch!», höhnte der Scheißhaufen. Er war an der Wand über Alfreds Koje wieder aufgetaucht und hing halsbrecherisch, als hätte ihn jemand dorthin geschleudert, neben einer gerahmten Radierung vom Osloer Hafen.

«Der Teufel soll dich holen!», sagte Alfred. «Du gehörst hinter Schloss und Riegel!»

Der Scheißhaufen keuchte vor Lachen, während er sehr langsam an der Wand hinabglitt und mit seinen klebrigen Pseudosaugnäpfen auf die Laken zu tropfen drohte. «Mir scheint», sagte er, «ihr analfixierten Typen hättet gern *alles* hinter Schloss und Riegel. Kleine Kinder zum Beispiel, absolute Katastrophe, Mann, die reißen dir deinen Plunder aus den Regalen, kleckern auf den Teppich, nölen im Kino, pinkeln daneben. Ab in den Knast mit ihnen! Und die *Polynesier*, Mann, die tragen Sand ins Haus und schmieren Fischsauce auf die Möbel, und all die geschlechtsreifen Puppen mit ihren entblößten Möpsen? Einsperren! Und wo wir schon mal dabei sind, wie wär's mit zehn oder zwanzig Jahren für jeden geilen kleinen Teenager, ich meine, apropos Unverschämtheit, apropos null Disziplin. Und Neger (heikles Thema, Fred?), ich höre Hottentotten-Geschrei und wilde Grammatik, ich rieche Alkohol von der malzigen Sorte und schweren, fettigen Schweiß, und dann all das Getanze und Auf-den-Putz-Gehaue, und Sänger, die säuseln und schmatzen wie bestimmte, mit Speichel und Gel befeuchtete Körperteile: Wozu sind Gefängnisse denn *da*, wenn nicht, um Neger reinzuwerfen? Und diese Kariben mit ihren Riesenjoints und ihren blähbäuchigen Gören und, also echt, ihrem täglichen Gegrille und den von Ratten übertragenen Hantaviren und zuckrigen Getränken mit Schweineblut unten im Glas? Zellentür zu, Schlüssel verschlucken. Und die Chinesen, Mann, diese arschkriechenden, komisch benamsten Weicheier, wie selbst gemachte Dildos, die einer nach dem Benutzen zu waschen vergessen hat, 'n Dolla, 'n Dolla, und diese schleimigen Karpfen und lebend gehäuteten Singvögel, und komm, also echt, Welpensuppe und Muschikatzenknödel und Baby-Mädchen sind da nationale Delikatessen, und *Saudarm,* will sagen *Anus* vom *Schwein*, wahrscheinlich 'ne ziemlich zähe und borstige Angelegenheit, dieser Saudarm, und die Schlitzaugen bezahlen Geld, um so was zu *essen*? Wie wär's, schmeißen wir doch einfach 'ne Atombombe auf alle eins Komma zwei Milliarden von denen, he? *Der* Teil der Welt wär dann schon mal sauber. Und vergessen wir nicht die Frauen im Allgemeinen, eine einzige Spur von Taschentüchern und Tampons, wo immer sie langgehen. Und diese Homos mit ihren kassenärztlich verschriebenen Gleitcremes, und diese Südeuropäer mit ihren Schnurrbärten und ihrem Knoblauch, und diese Franzosen mit ihren Strumpfhaltern und ihrem vergammelten Käse, und diese hodenkratzenden Arbeiter mit ihren aufgemotzten Schlitten und ihren Bierrülpsern, und diese Juden mit ihren beschnittenen Schwänzen und ihrem *gefillte fisch*, der wie eingemachte Scheiße aussieht, und eure weißen angelsächsischen Protestanten mit ihren ellenlangen Motorjachten und laufärschigen Polopferden und Geh-zum-Teufel-Zigarren? He, komisch, Fred, die einzigen Leute, die nicht in dein Gefängnis gehören, sind nordeuropäische Männer der oberen Mittelschicht. Und du hältst *mir* vor, dass ich die Dinge so haben möchte, wie *ich* will?»

«Was muss ich tun, damit du diesen Raum verlässt?», fragte Alfred.

«Locker den Schließmuskel, Alter. Lass es raus.»

«Niemals!»

«In dem Fall könnte ich ja deinem Kulturbeutel mal einen Besuch abstatten. Kleine Durchfallattacke auf der Zahnbürste. Paar schöne Kleckse in die Rasiercreme, dann schäumt's morgen früh leuchtend braun –»

«Enid», sagte Alfred mit gepresster Stimme, den Blick nicht von dem gerissenen Scheißhaufen wendend, «ich bin in Schwierigkeiten. Ich wäre dir dankbar, wenn du mir helfen würdest.»

Seine Stimme hätte sie wecken müssen, doch ihr Schlaf war schneewittchentief.

«Enid, *Liiiebes*», spottete der Scheißhaufen mit David-Niven-Akzent, «ich wäre dir zu aufrichtigem Dank verpflichtet, wenn du mir, sobald es dir *irgend* möglich ist, ein wenig zu Hilfe kommen könntest.»

Unbestätigten Meldungen der Nerven in Alfreds Hintern und Kniekehlen zufolge waren weitere Scheißhaufeneinheiten in der näheren Umgebung unterwegs. Kotrebellen, die verstohlen herumschnüffelten und Gestankspuren legten.

«Essen und Ficken, Alter», sagte der Anführer der Scheißhaufen, der sich jetzt nur noch mit einem Pseudosaugnapf aus fäkaler Mousse an die Wand klammerte, «darauf läuft's doch hinaus. Das ganze andere, und ich sag das in aller Bescheidenheit, ist pure Scheiße.»

Dann löste sich der Pseudosaugnapf, und der Anführer der Scheißhaufen plumpste – ein Klümpchen Fäulnis an der Wand hinterlassend – mit einem Freudenschrei auf eine Koje, die *den Nordic Pleasurelines gehörte* und in wenigen Stunden von einer reizenden jungen Finnin gemacht werden sollte. Die Vorstellung, dass dieses reinliche, liebenswürdige Zimmermädchen überall auf dem Laken Brocken seiner Exkremente finden würde, war beinahe mehr, als Alfred verkraften konnte.

Der Rand seines Blickfelds war jetzt belebt von sich windendem Stuhl. Er musste die Dinge zusammenhalten, zusammenhalten. Da er annahm, eine undichte Stelle in der Toilette könnte die Quelle seiner Not sein, kroch er auf Händen und Knien ins Badezimmer und trat die Tür hinter sich zu. Drehte sich mit einiger Leichtigkeit auf den glatten Fliesen um. Lehnte den Rücken an die Tür und stemmte die Füße gegen das Waschbecken. Einen Augenblick lachte er über die Absurdität seiner Lage. Da saß er, ein leitender amerikanischer Angestellter, in Windeln auf dem Boden eines schwimmenden Badezimmers und wurde von einem Geschwader Fäkalien belagert. Man kam schon auf die sonderbarsten Einfälle, so spät in der Nacht.

Im Badezimmer war das Licht besser. Es gab eine Wissenschaft der Reinlichkeit, eine Wissenschaft des Erscheinungsbildes, eine Wissenschaft der Ausscheidungen gar, wie der überdimensionale Schweizer Porzellaneierbecher von einer Kloschüssel bewies, ein fürstlich aufgesockeltes Ding mit fein gerändeltem Spülknopf. In dieser kongenialeren Umgebung gelang es Alfred, sich weit genug zu sammeln, um zu begreifen, dass die Kotrebellen seiner Einbildung entsprangen, dass er bis zu einem gewissen Grad geträumt hatte und dass die Quelle seiner Not ein einfaches Kanalisationsproblem war.

Leider arbeitete hier in der Nacht keiner. Und es war weder möglich, sich den Defekt mit eigenen Augen anzuschauen, noch eine Spirale oder gar Videokamera dort hinunterzulassen. Höchst unwahrscheinlich auch, dass ein Stördienst unter den gegebenen Umständen überhaupt seine Ausrüstung würde herschaffen können. Alfred war nicht einmal sicher, ob er selbst in der Lage wäre, seinen Standort auf der Karte zu bestimmen.

Er hatte keine andere Wahl, als bis zum Morgen zu warten. In Ermangelung einer ganzen Lösung waren zwei halbe Lösungen besser als gar keine Lösung. Man rücke dem Problem mit dem zu Leibe, was sich gerade bietet.

Ein paar Extrawindeln: Das sollte für einige Stunden reichen.

Und hier waren die Windeln ja auch schon, in einer Tüte gleich neben der Toilette.

Es war fast vier Uhr. Wenn der Bezirksleiter um sieben nicht an seinem Schreibtisch säße, wäre der Teufel los. Alfred konnte sich nicht genau an den Namen des Kerls erinnern; nicht, dass das wirklich wichtig war. Einfach im Büro anrufen und warten, wer abnahm.

Aber es war doch wieder typisch für die moderne Welt, oder etwa nicht, wie rutschig die verdammten Klebestreifen an den Windeln waren.

«Nun guck dir das mal an», sagte er in der Hoffnung, seine Wut auf die hinterhältige Moderne als weise Belustigung ausgeben zu können. Die Klebestreifen hätten ebenso gut mit Teflon beschichtet sein können. Die Folie davon abzuziehen, zumal mit seiner trockenen Haut und diesem Zittern, war wie eine Murmel mit zwei Pfauenfedern aufzuheben.

«Also, um Himmels willen.»

Er versuchte es fünf Minuten lang, und dann noch einmal fünf Minuten. Aber die Folie wollte nicht abgehen.

«Also, um Himmels willen.»

Über die eigene Unzulänglichkeit grinsen. Vor Verzweiflung und in dem übermächtigen Gefühl, beobachtet zu werden, grinsen.

«Also, um Himmels willen», sagte er erneut. Diese Redensart erwies sich oft als nützlich, um die Peinlichkeit kleinerer Missgeschicke zu überspielen.

Wie sich ein Raum in der Nacht verändern konnte! Als Alfred die Sache mit den Klebestreifen schließlich aufgegeben und sich einfach eine dritte Windel so weit wie möglich, was leider nicht sehr weit war, über den Oberschenkel gezerrt hatte, befand er sich nicht mehr im selben Badezimmer. Das Licht hatte eine neue klinische Intensität; er spürte die schwere Hand einer noch weiter vorgerückten Stunde.

«Enid!», rief er. «Kannst du mir helfen?»

Dank seiner fünfzig Jahre Erfahrung als Ingenieur sah er auf einen Blick, dass der Stördienst gepfuscht hatte. Eine der Windeln war fast ganz umgestülpt, und aus zwei Schichten einer zweiten stak ein leicht spastisches Bein, sodass sich ein Großteil ihrer Saugfähigkeit ungenutzt in einem Paket ballte und die Klebestreifen nirgendwo hafteten. Alfred schüttelte den Kopf. Er konnte dem Stördienst keinen Vorwurf machen. Er war selbst schuld. Nie hätte er unter solchen Bedingungen eine solche Arbeit übernehmen sollen. Schlechtes Augenmaß. Der Versuch, den Schaden zu begrenzen, während man noch im Dunkeln tappte, schuf oft mehr Probleme, als er löste.

«Tja, jetzt sitzen wir schön in der Tinte», sagte er mit einem bitteren Lächeln.

Und konnte das da auf dem Boden Flüssigkeit sein? Ach du liebe Güte, da war anscheinend Flüssigkeit auf dem Boden.

Auch durch die Myriaden Rohre der *Gunnar Myrdal* lief Flüssigkeit.

«Um Himmels willen, Enid, bitte. So hilf mir doch.»

Keine Antwort von der Bezirksleitung. Die waren alle auf irgendeinem Betriebsausflug. Irgendwas mit Herbstfarben und fallendem Laub.

Flüssigkeit auf dem Boden! Flüssigkeit auf dem Boden!

Na schön, andererseits bezahlten sie ihn ja dafür, dass er Verantwortung trug. Dass er die schwierigen Fälle übernahm.

Er holte tief, Kraft schöpfend Luft.

In einem solchen Notfall musste, das war ganz offensichtlich, zuallererst ein Ablauf gegraben werden. Solange kein Gefälle geschaffen war, konnte man die Gleisreparatur vergessen, sonst drohte eine wirklich massive Unterspülung.

Missmutig stellte er fest, dass er kein Vermessungsinstrument zur Hand hatte, nicht einmal eine primitive Senkschnur. Er würde sich auf sein bloßes Auge verlassen müssen.

Wie zum Teufel war er überhaupt hier draußen gelandet? Bestimmt noch nicht mal fünf Uhr in der Früh.

«Erinnern Sie mich daran, um sieben den Bezirksleiter anzurufen», sagte er.

Irgendwo mochte auch ein Fahrdienstleiter erreichbar sein, natürlich. Aber dann hieß es, ein Telefon zu finden, und schon verspürte er einen eigentümlichen Widerwillen, die Augen auch nur über den Rand der Toilette zu heben. Die Arbeitsbedingungen in dieser Gegend waren unmöglich. Es konnte Vormittag werden, bis er ein Telefon gefunden hatte. Und bis dahin.

«Ach! So viel Arbeit», sagte er.

Da schien eine leichte Vertiefung in der Duschkabine zu sein. Ja, tatsächlich, ein Abfluss, vielleicht von einem alten Straßenbauprojekt des Verkehrsministeriums, das nie verwirklicht worden war, vielleicht hatte auch das Armeekorps etwas damit zu tun. Einer dieser mitternächtlichen Zufallstreffer: ein echter Abfluss. Das stellte ihn allerdings vor das verflixt große Problem, den ganzen Laden so umzudirigieren, dass der Abfluss genutzt werden konnte.

«Wird uns wohl nichts anderes übrig bleiben, fürchte ich.»

Am besten ging man gleich an die Arbeit. Die Müdigkeit wurde schließlich nicht geringer. Dachte an die Holländer mit ihrem Delta-Projekt. Vierzig Jahre Kampf gegen das Meer. Die Dinge ein bisschen zurechtrücken – *eine* schlechte Nacht. Er hatte schon Schlimmeres durchgestanden.

Den Versuch unternehmen, mit ein bisschen Sicherheitsmarge zu bauen, das war der Plan. Er würde sich auf gar keinen Fall darauf verlassen, dass so ein kleiner Abfluss mit all dem Wasser fertig wurde. Sonst gab es später nur weitere Verstopfungen.

«Und dann sitzen wir in der Klemme», sagte er. «Dann sitzen wir richtig in der Klemme.»

Hätte aber verdammt viel schlimmer kommen können. Die hatten Glück, dass gerade im Moment des Wasserdurchbruchs ein Ingenieur zur Stelle gewesen war. Nicht auszudenken, was sie sonst erst für einen Schlamassel am Hals gehabt hätten.

«Hätte eine echte Katastrophe werden können.»

Zuallererst die undichte Stelle provisorisch abdichten, dann mit dem logistischen Albtraum fertig werden, der darin lag, den ganzen Laden zum Abfluss hin umzudirigieren, und schließlich hoffen, dass er alles im Griff behielt, bis die Sonne aufging.

«Und am Ende sehen wir weiter.»

Im trügerischen Licht sah er die Flüssigkeit über den Boden laufen und dann, langsam, zurückschwappen, als hätte die Horizontale den Verstand verloren.

«Enid!», rief er ohne große Hoffnung und machte sich an die grässliche Arbeit, das Leck abzudichten und sich wieder ins Gleis zu bringen, während das Schiff dahinfuhr.

Dank Aslan® – und Dr. Hibbard, einem fabelhaften, hochkarätigen jungen Mann – schlief Enid seit vielen Monaten zum ersten Mal durch.

Es gab tausenderlei Dinge, die sie sich vom Leben *wünschte*, und da mit Alfred zu Hause in St. Jude weniges davon zu haben war, hatte sie notgedrungen all ihr Wünschen auf die gezählten Tage, die Lebenszeit einer Maifliege, gelenkt, die ihre Luxuskreuzfahrt dauern würde. Monatelang war die Kreuzfahrt der sichere Parkplatz ihrer Seele gewesen, die Zukunft, die ihre Gegenwart erträglich machte, und nachdem der Nachmittag in New York sich in der Kategorie Vergnügen als mangelhaft erwiesen hatte, war sie mit doppelten Gelüsten an Bord der *Gunnar Myrdal* gegangen.

Hier vergnügte man sich stürmisch auf jedem Deck. Vor allem Cliquen von Senioren schienen ihren Ruhestand so zu genießen, wie Enid es sich von Alfred gewünscht hätte. Obwohl Nordic Pleasurelines nun ganz bestimmt keine Billiglinie war, hatten fast nur große Gruppen die Kreuzfahrt gebucht – der

Ehemaligenverein der Universität von Rhode Island zum Beispiel, der Wohltätigkeitsclub American Hadassah aus Chevy Chase (Maryland), die 85. Luftlandedivision («Himmelsteufel») und die Senioren-Equipe der Paarturnier-Bridgeliga aus Dade County (Florida). Witwen bei bester Gesundheit geleiteten einander am Ellbogen zu speziellen Appellplätzen, wo Namensschilder und Informationsmappen verteilt wurden und das bevorzugte Zeichen gegenseitigen Wiedererkennens der glaszerschmetternde Schrei war. Bestrebt, jede Minute der wertvollen Kreuzfahrtzeit auszukosten, tranken manche Senioren bereits aus Kelchen, die man mit beiden Händen halten musste, den geeisten Cocktail du jour, einen Lappländischen Preiselbeer-Frappé. Andere drängten sich an den regengeschützten Relings der unteren Decks und suchten Manhattan nach einem Gesicht ab, dem sie zum Abschied winken konnten. Eine Combo in der Abba-Show-Lounge spielte Heavy-Metal-Polka.

Während Alfred im Badezimmer eine letzte Sitzung vor dem Abendessen abhielt, die dritte innerhalb einer Stunde, saß Enid in der «B»-Deck-Lounge und lauschte auf den langsamen Rums-Schlurf-Rhythmus von jemandem, der mit einer Gehhilfe die «A»-Deck-Lounge über ihr durchquerte.

Die Kreuzfahrtuniform der Bridgeligisten war offenbar ein T-Shirt mit dem Aufdruck: ALTE BRIDGESPIELER STERBEN NIE, SIE SCHNEIDEN NUR NICHT MEHR. Enid fand, der Witz vertrug keine allzu häufige Wiederholung.

Sie sah Pensionäre auf den Lappländischen Preiselbeer-Frappé zu *rennen*, regelrecht die Füße vom Boden heben.

«Na ja», murmelte sie, darüber nachsinnend, wie alt hier alle waren, «wer sonst sollte sich auch so eine Kreuzfahrt leisten können?»

Der vermeintliche Dackel, den ein Mann an einer Leine hinter sich herzog, entpuppte sich als auf Rollschuhe montierte und in einen Haustierpullover gesteckte Sauerstoffflasche.

Ein sehr dicker Mann kam vorbei, auf dessen T-Shirt TITANIC: DAS WRACK stand.

Da war nun das ganze Leben ungeduldig auf einen gewartet worden, und jetzt dauerte ein einziger Badezimmeraufenthalt des ungeduldigen Ehemanns mindestens fünfzehn Minuten.

ALTE UROLOGEN STERBEN NIE, SIE VERSIEGEN NUR.

Selbst an Abenden mit legerer Kleiderordnung, wie heute, waren T-Shirts offiziell nicht gern gesehen. Enid trug einen wollenen Hosenanzug und hatte Alfred gebeten, einen Schlips anzulegen, obwohl seine Krawatten so, wie er in letzter Zeit mit dem Suppenlöffel umging, an der Abendessenfront kaum mehr als Kanonenfutter waren. Sie hatte dafür gesorgt, dass er ein Dutzend einpackte. Eine Nordic-Pleasurelines-Kreuzfahrt war Luxus, das stand ihr deutlich vor Augen. Sie erwartete – und hatte, zum Teil mit ihrem eigenen Geld, dafür bezahlt – *Eleganz*. Jedes T-Shirt, das sie sah, versetzte ihrer Phantasie, und folglich ihrem Vergnügen, einen kleinen Tritt.

Es wurmte sie, dass reichere Leute als sie ganz häufig weniger ehrenwert und ansehnlich waren. Ordinärer und rüpelhafter. Es konnte etwas Tröstliches darin liegen, wenn man ärmer war als schöne und kluge Menschen. Aber weniger wohlhabend zu sein als diese Witze reißenden T-Shirt-Fettbäuche –

«Ich bin so weit», verkündete Alfred, der eben in der Lounge aufgetaucht war. Er nahm Enids Hand, und gemeinsam fuhren sie mit dem Fahrstuhl zum Søren-Kierkegaard-Speisesaal hinauf. Seine Hand haltend, fühlte sie sich verheiratet und, weil das so war, im Universum verankert und mit dem Alter versöhnt, doch sie konnte nicht umhin zu denken, wie viel es ihr all die Jahrzehnte, in denen er stets ein oder zwei Schritte vor ihr hergelaufen war, bedeutet hätte, seine Hand zu halten. Jetzt war seine Hand bedürftig und zahm. Selbst ein Zittern, das heftig aussah, fühlte sich in der ihren federleicht an. Allerdings konnte sie spüren, dass die Hand, sobald sie sie losgelassen hätte, wieder paddeln würde.

Kreuzfahrer ohne Gruppenanschluss bekamen Plätze an speziellen «Flottierer»-Tischen zugewiesen. Zur großen Freude von Enid, die kosmopolitische Gesellschaft genoss, solange sie nicht zu versnobt war, stammten zwei der «Flottierer» an ihrem Tisch aus Norwegen und zwei aus Schweden. Enid hatte europäische Länder gern klein. Man konnte einen interessanten schwedischen Brauch oder norwegischen Sachverhalt kennen lernen, ohne gleich darauf gestoßen zu werden, dass man nichts von deutscher Musik, französischer Literatur oder italienischer Kunst verstand. Die Verwendung des Wörtchens «skol» war ein gutes Beispiel. Ebenso die Tatsache, dass Norwegen Europas größter Rohölexporteur war, wie Mr. und Mrs. Nygren aus Oslo der Runde gerade erklärten, als sich die Lamberts auf den beiden letzten noch freien Plätzen niederließen.

Enid sprach als Erstes ihren Nachbarn zur Linken an, Mr. Söderblad, einen älteren Schweden mit beruhigend breitem Plastron und blauem Blazer. «Welchen Eindruck haben Sie bisher von dem Schiff?», fragte sie ihn. «Ist es wirklich *absolut* authentisch?»

«Nun, es scheint immerhin zu schwimmen», sagte Mr. Söderblad mit einem Lächeln, «trotz schwerer See.»

Enid hob die Stimme, um seiner Auffassungsgabe auf die Sprünge zu helfen. «Ich meine, ist es ECHT SKANDINAVISCH?»

«Aber ja, gewiss», sagte Mr. Söderblad. «Auch wenn gleichzeitig alles auf der Welt zunehmend amerikanisch wird, finden Sie nicht?»

«Aber finden Sie», sagte Enid, «dass dieses Boot WIRKLICH ABSOLUT AUTHENTISCH die Atmosphäre eines ECHTEN SKANDINAVISCHEN SCHIFFES einfängt?»

«Eigentlich ist es sogar besser als die meisten Schiffe in Skandinavien. Meine Frau und ich sind bisher sehr zufrieden.»

Enid gab ihre Befragung auf, keineswegs überzeugt, dass Mr.

Söderblad deren Tragweite erfasst hatte. Ihr lag daran, dass Europa europäisch war. Sie hatte diesen Kontinent fünfmal im Urlaub und zweimal auf Geschäftsreisen mit Alfred besucht, insgesamt also ungefähr ein Dutzend Mal, und Freunden, die Reisen nach Spanien oder Frankreich planten, erklärte sie inzwischen gern und mit einem Seufzer, dass sie für ihren Teil genug davon habe. Es machte sie allerdings wahnsinnig, wenn ihre Freundin Bea Meisner ebenso unbeeindruckt tat und «Ich bin es leid, zu den Geburtstagen meiner Enkel nach Kitzbühel zu fliegen» und ähnliches sagte. Beas dümmliche und unverhältnismäßig hübsche Tochter Cindy hatte einen österreichischen Sportarzt geheiratet, irgendeinen von Sowieso, der im Riesenslalom olympische Bronze gewonnen hatte. Dass Bea überhaupt noch mit Enid verkehrte, war ein Triumph der Loyalität über unterschiedliche Vermögenslagen. Doch Enid vergaß nie, dass sich die Finanzierung des Meisner'schen Anwesens in Paradise Valley zu einem erheblichen Anteil Chucks Großinvestition in Erie-Belt-Aktien kurz vor dem Aufkauf der Midpac verdankte. Chuck war Vorstandsvorsitzender seiner Bank geworden, während Alfred bei der Midpac in der zweiten Reihe stecken geblieben war und seine Ersparnisse in inflationsanfälligen Rentenpapieren angelegt hatte, sodass die Lamberts sich auch jetzt noch keine Nordic-Pleasurelines-Qualität hätten leisten können, wenn Enid nicht an eigenes Kapital gegangen wäre, wozu sie sich entschlossen hatte, um nicht vor Neid verrückt zu werden.

«Meine beste Freundin in St. Jude verbringt ihren Urlaub häufig in Kitzbühel», rief sie, im Grunde ohne jeden Bezug, Mr. Söderblads hübscher Frau zu. «Ihr österreichischer Schwiegersohn ist ungeheuer erfolgreich und besitzt dort ein Chalet!»

Mrs. Söderblad hatte etwas von einem edelmetallenen Accessoire, das durch Mr. Söderblads Benutzung leicht abgestoßen und angelaufen war. Lippenstift, Haarfarbe, Lidschatten und Nagellack variierten ein Platinthema; ihr Abendkleid war aus

Silberlamé und gestattete einen guten Ausblick auf sonnengeröstete Schultern und Silikonhügel. «Kitzbühel ist sehr schön», sagte sie. «Ich bin oft in Kitzbühel aufgetreten.»

«SIE SIND KÜNSTLERIN?», rief Enid.

«Signe war so eine Art Unterhaltungskünstlerin», sagte Mr. Söderblad schnell.

«Manche dieser Urlaubsorte in den Alpen sind entsetzlich überteuert», bemerkte die Norwegerin, Mrs. Nygren, mit einem Schaudern. Ihre riesigen runden Brillengläser und die strahlenförmige Anordnung ihrer Gesichtsfalten ließen an eine Gottesanbeterin denken. Äußerlich waren sie und der blank polierte Söderblad eine wechselseitige Beleidigung. «Andererseits», fuhr sie fort, «ist es für uns Norweger leicht, wählerisch zu sein. Selbst in einigen unserer Stadtparks kann man hervorragend Ski fahren. Eigentlich gibt es nirgends etwas Vergleichbares.»

«Allerdings», sagte Mr. Nygren, der sehr groß war und Ohren wie rohe Kalbsschnitzel hatte, «muss man zwischen dem Abfahrtslauf und den Varianten Langlauf und nordische Kombination unterscheiden. Norwegen hat zwar manchen ausgezeichneten Abfahrtsläufer hervorgebracht – ich nenne nur den Namen Kjetil Andre Aamodt, der hier sicher alles andere als ein ‹unbeschriebenes Blatt› ist –, aber man muss zugeben, dass wir in dieser Disziplin nicht immer ganz oben mitgemischt haben. Beim Langlauf oder bei der nordischen Kombination ist das etwas vollkommen anderes. Da bringen wir, wie ich wohl ohne Übertreibung sagen darf, nach wie vor mehr als genug Medaillen nach Hause.»

«Norweger sind sagenhaft langweilig», flüsterte Mr. Söderblad Enid heiser ins Ohr.

Die beiden anderen «Flottierer» am Tisch, ein gepflegtes älteres Ehepaar namens Roth aus Chadds Ford, Pennsylvania, hatten Enid instinktiv den Gefallen getan, Alfred in ein Gespräch zu ziehen. Von der heißen Suppe, dem Theater mit seinem Löffel und vielleicht auch von der Anstrengung, nicht einen einzigen Blick auf das betörende Söderblad'sche Dekolleté zu werfen, war Alfreds Gesicht gerötet, während er den Roths die Stabilisierungstechnik eines Ozeandampfers erklärte. Mr. Roth, ein gescheit dreinschauender Mann mit Fliege und einer Hornbrille, die seine Augen hervorquellen ließ, löcherte ihn mit anspruchsvollen Fragen und lauschte den Antworten mit derart gespannter Aufmerksamkeit, dass er beinahe erschüttert wirkte.

Mrs. Roth achtete weniger auf Alfred als auf Enid. Sie war eine kleine Frau, ein niedliches Kind von Mitte sechzig. Mit den Ellbogen erreichte sie kaum die Tischplatte. Sie hatte einen weiß gefleckten schwarzen Pagenkopf, rosige Wangen und große blaue Augen, mit denen sie Enid unverhohlen anstarrte, wie jemand, der sehr klug oder sehr dumm ist. Solches Schwärmen ließ auf Sehnsüchte schließen. Enid spürte auf der Stelle, dass Mrs. Roth auf dieser Kreuzfahrt entweder ihre beste Freundin oder ihre schlimmste Rivalin werden würde, und so vermied sie es nicht ohne Koketterie, sie anzusprechen oder ihre Anwesenheit auf andere Weise zur Kenntnis zu nehmen. Während Steaks aufgetischt und verwüstete Hummer abgetragen wurden, platzierte Enid ein ums andere Mal und Mr. Söderblad parierte ein ums andere Mal Fragen nach seinem Beruf, der etwas mit Waffenhandel zu tun zu haben schien. Mrs. Roths blauäugigen Blick saugte sie ebenso begierig auf wie den Neid, den die «Flottierer» an anderen Tischen hervorrufen mussten. Sie vermutete, dass sich die «Flottierer» in den Augen des T-Shirt-Plebs ausgesprochen kontinental ausnahmen. Ein Hauch von Adel. Schönheit, Krawatten, ein Plastron. Ein gewisses Prestige.

«Manchmal freue ich mich so auf meinen Morgenkaffee», sagte Mr. Söderblad, «dass ich abends gar nicht einschlafen kann.»

Enids Hoffnung, dass Alfred mit ihr im Pippi-Langstrumpf-Ballsaal tanzen werde, zerschellte, als er aufstand und verkündete, er gehe jetzt ins Bett. Es war noch nicht einmal sieben. Wer hatte je von einem Erwachsenen gehört, der um sieben Uhr abends zu Bett ging?

«Setz dich wieder hin und warte auf den Nachtisch», sagte sie. «Die Nachtische sollen *göttlich* sein.»

Alfreds unansehnlich gewordene Serviette rutschte von seinen Schenkeln auf den Boden. Er schien überhaupt nicht zu ahnen, wie sehr er sie in Verlegenheit brachte und enttäuschte. «Bleib du ruhig hier», sagte er. «Ich habe genug.»

Und schon schlurfte er über den Søren-Kierkegaard-Teppich davon, mit den Schieflagen der Horizontale kämpfend, die stärker geworden waren, seit das Schiff den New Yorker Hafen verlassen hatte. Wohl bekannte Wellen des Grams dämpften Enids Stimmung, als sie an all das Vergnügen dachte, das ihr mit einem solchen Ehemann entging, bis ihr klar wurde, dass sie nun einen langen Abend für sich hatte und kein Alfred ihr das Vergnügen verderben konnte.

Ihre Laune hellte sich auf, und hellte sich weiter auf, als Mr. Roth sich verabschiedete, um in den Knut-Hamsun-Lesesaal zu gehen, und seine Frau am Tisch zurückließ. Mrs. Roth rückte näher an Enid heran.

«Wir Norweger sind große Leser», bemerkte Mrs. Nygren, die Gelegenheit beim Schopfe packend.

«Und große Quasselstrippen», murmelte Mr. Söderblad.

«Öffentliche Büchereien und Buchläden in Oslo haben enormen Zulauf», teilte Mrs. Nygren der Runde mit. «Ich glaube, das ist *nicht* überall so. Das Lesen ist weltweit im Niedergang begriffen. Aber nicht in Norwegen, hm. Mein Per liest in diesem Herbst das Gesamtwerk von John Galsworthy zum zweiten Mal. Auf Englisch.»

«Neiiiin, Inga, neiiin», wieherte Per Nygren. «Zum dritten Mal!»

«Großer Gott», sagte Mr. Söderblad.

«Wirklich.» Mrs. Nygren schaute Enid und Mrs. Roth an, als erwarte sie Ehrfurcht. «Per liest jedes Jahr von allen bisherigen Literaturnobelpreisträgern ein Buch und außerdem das Gesamtwerk des Preisträgers, den er im Vorjahr am besten fand. Und sehen Sie, die Aufgabe wird von Jahr zu Jahr ein bisschen schwieriger, weil ja immer ein weiterer Preisträger hinzukommt, nicht wahr.»

«Es ist ein wenig wie beim Hochsprung – die Latte wird immer höher gelegt», erklärte Per. «Jedes Jahr eine etwas größere Herausforderung.»

Mr. Söderblad, der nach Enids Zählung seine achte Tasse Kaffee trank, lehnte sich dicht zu ihr herüber und sagte: «Mein Gott, sind die langweilig!»

«Ich kann ohne Übertreibung sagen, dass ich weit mehr von Henrik Pontoppidan gelesen habe als die meisten anderen», sagte Per Nygren.

Mrs. Söderblad legte den Kopf schief und lächelte verträumt. «Wissen Sie», sagte sie, vielleicht zu Enid oder zu Mrs. Roth, «dass Norwegen bis vor einhundert Jahren eine schwedische Kolonie war?»

Die Norweger gingen hoch wie ein aufgescheuchtes Bienenvolk.

«Kolonie!? Kolonie??»

«Oh, oh», zischte Inga Nygren, «ich *glaube*, da gibt es eine Geschichte, die wir unseren amerikanischen Freunden nicht vorenthalten wol–»

«Eine Geschichte strategischer Bündnisse!», erklärte Per.

«Wenn Sie ‹Kolonie› sagen, welches schwedische Wort haben Sie da genau im Sinn, Mrs. Söderblad? Da mein Englisch offenkundig um einiges besser ist als das Ihre, kann ich unseren amerikanischen Freunden vielleicht eine treffendere Übersetzung liefern, zum Beispiel ‹*gleichberechtigte Partner in einem vereinigten Halbinsel-Königreich*›?»

«Signe», sagte Mr. Söderblad boshaft zu seiner Frau, «ich glaube, da hast du einen Nerv getroffen.» Er hob eine Hand. «Ober, nachschenken.»

«Wenn man das späte neunte Jahrhundert als Ausgangspunkt nimmt», sagte Per Nygren, «und ich denke, sogar unsere schwedischen Freunde werden mir zustimmen, dass die Thronbesteigung von Harald Schönhaar eine ganz brauchbare ‹Startrampe› für unsere Untersuchung der wechselhaften Beziehungen zweier konkurrierender Großmächte ist, oder sollte ich vielleicht sagen, *dreier* Großmächte, denn auch Dänemark spielt in unserer Geschichte eine recht faszinierende Rolle –»

«Wir würden das sehr gern hören, aber vielleicht ein andermal», unterbrach ihn Mrs. Roth und beugte sich vor, um Enids Hand zu berühren. «Wir hatten doch sieben Uhr gesagt, erinnern Sie sich?»

Enid stutzte nur kurz. Dann entschuldigte sie sich und folgte Mrs. Roth in die Haupthalle, wo sie es mit einem Gewühl von Senioren und einer Wolke gastrischer sowie keimtötender Aromen zu tun bekamen.

«Enid, ich heiße Sylvia», sagte Mrs. Roth. «Was halten Sie von Spielautomaten? Mich juckt's schon den ganzen Tag.»

«Oh, mich auch!», sagte Enid. «Ich glaube, die sind im Springberg-Saal.»

«Strindberg, ja.»

Enid bewunderte geistige Beweglichkeit, schrieb sich aber selten selbst welche zu. «Danke für die – na Sie wissen schon», sagte sie, als sie Sylvia Roth durch das Gewühl folgte.

«Rettung. Keine Ursache.»

Der Strindberg-Saal war rappelvoll mit Kiebitzen, kleinen Blackjackspielern und Freunden des einarmigen Banditen. Enid konnte sich nicht erinnern, wann ihr zuletzt etwas so viel Vergnügen gemacht hatte. Der fünfte Vierteldollar, den sie einwarf, bescherte ihr drei Pflaumen; als bringe so viel Obst die Verdauung der Maschine durcheinander, kam unten Hartgeld herausgeschossen. Enid schaufelte den Gewinn in einen Plastikeimer. Elf Vierteldollarmünzen später passierte es erneut: drei Kirschen, silberner Durchfall. Weißhaarige Spieler, die an benachbarten Spielautomaten unentwegt verloren, schauten böse zu ihr herüber. Ich schäme mich, sagte sie sich, dabei stimmte das gar nicht.

Jahrzehnte unzureichender Einkünfte hatten sie gelehrt, mit Bedacht zu investieren. Von ihrer Ausbeute zweigte sie den Betrag ihres ursprünglichen Einsatzes ab. Die Hälfte von jedem weiteren Gewinn legte sie ebenfalls auf die hohe Kante.

Ihre Geldvorräte zeigten jedoch keinerlei Anzeichen von Erschöpfung.

«So, mir reicht's jetzt», sagte Sylvia Roth nach fast einer Stunde und tippte Enid auf die Schulter. «Wollen wir uns das Streichquartett anhören?»

«Ja! Ja! Es ist im Krieg-Saal.»

«Grieg», sagte Sylvia und lachte.

«Ach, das ist ja lustig. Grieg. Ich bin so töricht heute Abend.»

«Wie viel haben Sie gewonnen? Sah ganz so aus, als hätten Sie Glück gehabt.»

«Keine Ahnung, ich hab nicht mitgezählt.»

Sylvia lächelte und schaute sie aufmerksam an. «Von wegen. Ich glaube, Sie haben genau mitgezählt.»

«Na ja, stimmt schon», sagte Enid und errötete, weil Sylvia ihr so sympathisch war. «Es waren einhundertdreißig Dollar.»

Ein Porträt Edvard Griegs hing in einem über und über mit Gold geschmückten Raum, der die Pracht des schwedischen Königshofs im achtzehnten Jahrhundert heraufbeschwor. Die große Zahl leerer Stühle bestätigte Enids Verdacht, dass viele der Kreuzfahrtteilnehmer einfache Leute waren. Sie hatte schon Kreuzfahrten erlebt, auf denen es bei klassischen Konzerten nur Stehplätze gab.

Sylvia schien nicht gerade überwältigt von den Musikern, doch Enid fand sie wunderbar. Sie spielten beliebte klassische Melodien wie die «Schwedische Rhapsodie» und Auszüge aus *Finlandia* und *Peer Gynt* – alles *auswendig*. Mitten in *Peer Gynt* wurde der zweite Geiger ganz grün im Gesicht und verließ für eine Minute den Raum (das Meer war wirklich ein bisschen stürmisch, aber Enid hatte einen robusten Magen und Sylvia ein Pflaster), und dann kehrte er an seinen Platz zurück und schaffte es sofort, als hätte er nicht einen Takt versäumt, an der richtigen Stelle wieder einzusetzen. «Bravo!», riefen die zwanzig Zuhörer.

Bei dem eleganten Empfang im Anschluss gab Enid 7,7 Prozent ihres Spielgewinns für eine Kassette aus, die das Quartett hatte aufnehmen lassen. Sie probierte ein Gratisglas Spögg, einen schwedischen Likör, dem gerade eine 15 Millionen Dollar teure Werbekampagne zuteil wurde. Spögg schmeckte wie Wodka, Zucker und Meerrettich, und das waren auch tatsächlich seine Ingredienzien. Während die anderen Gäste den Spögg eher überrascht und missvergnügt beäugten, begannen Enid und Sylvia sofort zu kichern.

«Kleine Aufmerksamkeit des Hauses», sagte Sylvia. «Kostenloser Spögg. Probieren Sie!»

«Hmm!», sagte Enid prustend, halb tot vor Lachen. «Spögg!»

Weiter ging es zur Ibsen-Promenade, wo für zweiundzwanzig Uhr geselliges Eisessen angesetzt war. Im Fahrstuhl hatte Enid das Gefühl, dass das Schiff nicht nur an einem ständigen Auf und Nieder, sondern auch an einer Schräglage litt, als wäre sein Bug das Gesicht eines Menschen, der Widerwillen empfand. Kaum hatte sie den Fahrstuhl verlassen, stolperte sie beinahe über einen Mann auf Händen und Knien, der aussah wie die Hälfte eines Zwei-Mann-Sketches, bei dem einer den anderen umschubst. Hinten auf seinem T-Shirt stand: SIE VERLIEREN NUR IHR ZIEL AUS DEN AUGEN.

Enid nahm dankend ein Eiscremesoda, das eine Serviererin mit Toque ihr anbot. Dann fing sie an, mit Sylvia Familiendaten auszutauschen, was schon bald mehr ein Austausch von Fragen denn von Antworten war. Sobald Enid merkte, dass jemand auf das Thema Familie nicht mit Begeisterung ansprach, pflegte sie unerbittlich in der Wunde herumzustochern. Eher wäre sie gestorben, als zuzugeben, dass ihre eigenen Kinder sie enttäuschten, doch von den enttäuschenden Kindern anderer zu hören – ihren schmutzigen Scheidungen, ihrem Rauschgiftmissbrauch, ihren törichten Investitionen –, das tat ihr gut.

Vordergründig gab es nichts, wofür Sylvia Roth sich hätte schämen müssen. Ihre beiden Söhne lebten in Kalifornien, einer hatte mit Medizin, der andere mit Computern zu tun, und beide waren verheiratet. Dennoch schienen sie glühend heißer Gesprächssand zu sein, den es entweder zu meiden oder im Spurt zu überqueren galt. «Ihre Tochter war in Swarthmore?», sagte sie.

«Ja, kurz», sagte Enid. «Aha, und *fünf* Enkelsöhne. Alle Achtung. Wie alt ist der jüngste?»

«Ist letzten Monat zwei geworden. Und wie steht's bei Ihnen?», sagte Sylvia. «Haben Sie Enkelkinder?»

«Unser ältester Sohn Gary hat drei Jungs, also, das ist ja interessant, fünf Jahre Abstand zwischen dem jüngsten und dem zweitjüngsten?»

«Fast sechs sogar, aber von Ihrem Sohn in New York, von dem möchte ich auch etwas hören. Haben Sie ihn heute besucht?»

«Ja, er hat ein so nettes Mittagessen für uns zubereitet, aber sein Büro beim *Wall Street Journal*, wo er neuerdings arbeitet, haben wir uns nicht angeschaut, weil das Wetter so schlecht war, na ja, also, und fliegen Sie oft rüber nach Kalifornien? Um Ihre Enkelsöhne zu sehen?»

Irgendein Lebensgeist, die Bereitschaft, das Spiel weiter mitzuspielen, verließ Sylvia. Sie saß da und starrte in ihr leeres Sodaglas. «Enid, würden Sie mir einen Gefallen tun?», sagte sie schließlich. «Begleiten Sie mich auf einen Schlummertrunk nach oben.»

Enids Tag hatte um fünf Uhr morgens in St. Jude begonnen, doch eine attraktive Einladung schlug sie niemals aus. Oben im Lagerkvist-Schankraum wurden sie und Sylvia von einem Zwerg mit gehörntem Helm und Lederwams bedient, der sie überredete, Brombeeraquavit zu bestellen.

«Ich möchte Ihnen etwas erzählen», sagte Sylvia, «weil ich es irgendeinem auf dem Schiff erzählen muss, aber Sie dürfen es keinem verraten. Können Sie das, Geheimnisse für sich behalten?»

«Oh, darin bin ich gut.»

«Na schön», sagte Sylvia. «In drei Tagen findet in Pennsylvania eine Hinrichtung statt. Und zwei Tage später, am Donnerstag, feiern Ted und ich unseren vierzigsten Hochzeitstag. Und wenn Sie Ted fragen, wird er Ihnen sagen, dass wir deshalb die Kreuzfahrt machen, wegen des Hochzeitstags. Das wird er sagen, aber es ist nicht die Wahrheit. Oder nur seine Wahrheit und nicht meine.»

Enid wurde angst.

«Der Mann, der hingerichtet wird», sagte Sylvia Roth, «hat unsere Tochter umgebracht.»

«Nein.»

Die blaue Klarheit ihres Blick ließ Sylvia wie ein wunderschönes, sanftes Tier aussehen, aber eben auch nicht ganz menschlich. «Ted und ich», sagte sie, «sind hier, weil wir mit dieser Hinrichtung ein Problem haben. Wir haben miteinander ein Problem.»

«Nein! Was erzählen Sie mir da?» Enid schauderte. «Oh, ich will das nicht hören! Ich ertrage das nicht!»

Sylvia nahm diese allergische Reaktion auf ihre Eröffnung

gelassen hin. «Es tut mir Leid», sagte sie. «Es ist nicht fair von mir, Sie so zu überfallen. Vielleicht sollten wir jetzt schlafen gehen.»

Doch Enid hatte sich schnell gefasst. Sie wollte die Chance, Sylvias Vertraute zu werden, auf keinen Fall verpassen. «Erzählen Sie mir alles, was Sie mir erzählen möchten», sagte sie. «Und ich werde zuhören.» Sie faltete die Hände im Schoß wie eine gute Zuhörerin. «Fangen Sie an. Ich höre.»

«Also, das andere, was ich Ihnen erzählen muss, ist, dass ich Schusswaffenkünstlerin bin», sagte Sylvia. «Ich zeichne Waffen. Wollen Sie das alles wirklich wissen?»

«Selbstverständlich.» Enid nickte so eifrig wie unbestimmt. Der Zwerg, fiel ihr auf, benutzte eine kleine Leiter, um Flaschen herunterzuholen. «Interessant.»

Viele Jahre lang, erzählte Sylvia, sei sie Amateurgraphikerin gewesen. Sie hatte ein sonnendurchflutetes Atelier in ihrem Haus in Chadds Ford, sie hatte einen seidenglatten Lithographiestein und ein zwanzigteiliges Set deutscher Holzschnittmeißel, und sie gehörte einem Künstlerverein in Wilmington an, auf dessen Halbjahresausstellungen sie, während ihr jüngstes Kind Jordan von einem Wildfang zu einer unabhängigen jungen Frau heranwuchs, dekorative Drucke zu Preisen von um die vierzig Dollar verkaufte. Dann wurde Jordan ermordet, und Sylvia druckte, zeichnete und malte fünf Jahre lang nichts als Schusswaffen. Jahraus, jahrein nur Schusswaffen.

«Schrecklich, schrecklich», sagte Enid mit unverhohlener Missbilligung.

Der Stamm des splittrigen Tulpenbaums vor Sylvias Atelier erinnerte sie an Schäfte und Läufe von Gewehren. Jede menschliche Gestalt wollte zu einem Hahn, einem Abzugsbügel, einer Trommel, einem Griff werden. Es gab keine abstrakte Form, die nicht eine Leuchtkugel oder eine schwarzpulvrige Schmauchspur oder die Schwefelblüte eines Dumdumgeschosses sein konnte. In der Fülle seiner Möglichkeiten war der Körper wie die Welt, und genauso, wie kein Teil dieser kleinen Welt vor dem Eindringen einer Kugel sicher war, gab es in der großen Welt keine Form, die nicht an eine Schusswaffe denken ließ. Sogar eine gefleckte Feldbohne war wie eine Derringer, sogar eine Schneeflocke wie eine Browning. Sylvia war nicht verrückt; sie konnte sich zwingen, einen Kreis zu zeichnen oder eine Rose zu skizzieren. Doch wonach es sie zu zeichnen verlangte, das waren Schusswaffen. Schusswaffen, Gewehrfeuer, Munition, Projektile. Stundenlang saß sie da und versuchte, mit dem Bleistift die Struktur des Schimmers auf Vernickeltem einzufangen. Manchmal zeichnete sie auch ihre Hände und Handgelenke und Unterarme, wie sie nach ihrer Vorstellung (denn sie selbst hatte noch nie eine Schusswaffe in der Hand gehalten) aussehen mochten, wenn sie mit einer .50er Desert Eagle, einer Neun-Millimeter-Glock, einem vollautomatischen M-16 samt klappbarem Aluminiumschaft oder mit irgendeiner anderen exotischen Waffe aus den Katalogen hantierten, die sie in braunen Versandtaschen in ihrem sonnendurchtränkten Atelier aufbewahrte. Sie gab sich ihrer Angewohnheit hin wie eine verlorene Seele ihrer höllengeeigneten Beschäftigung (obwohl Chadds Ford mit seinen zarten Grasmücken, die sich aus dem nahen Fluss, dem Brandywine, hervorwagten, und den Düften nach sonnenwarmen Teichkolben und gärenden Persimonen, die die Oktoberwinde aus nahe gelegenen Höhlen herübertrugen, sich standhaft weigerte, zur Hölle gemacht zu werden); sie war eine Sisypha, die jeden Abend ihre eigenen Schöpfungen vernichtete – sie zerriss, sie mit Mineralbeizen auslöschte. Ein fröhliches Feuer im Wohnzimmer entfachte.

«Schrecklich», murmelte Enid erneut. «Ich kann mir nichts Schlimmeres für eine Mutter vorstellen.» Sie signalisierte dem Zwerg, dass sie noch mehr Brombeeraquavit wollte.

Zu den Rätseln ihrer Obsession, sagte Sylvia, gehörte, dass

sie als Quäkerin erzogen worden war und immer noch zu den Versammlungen in Kennett Square ging; dass die Werkzeuge, mit denen Jordan gefoltert und ermordet worden war, eine Rolle nylonverstärktes Heftpflasterband, ein Geschirrhandtuch, zwei Kleiderbügel aus Draht, ein Light-'n-Easy-Bügeleisen der Firma General Electric und ein dreißig Zentimeter langes gezacktes WMF-Brotmesser von Williams-Sonoma gewesen waren, also: keine Schusswaffen; dass der Mörder, ein Neunzehnjähriger namens Khellye Withers, sich der Polizei in Philadelphia gestellt hatte, wobei (abermals) keine Schusswaffe gezogen worden war; dass sie selbst mit einem Ehemann, der auf dem Höhepunkt seiner Karriere als Vorstandsvorsitzender bei Du Pont ein Riesengehalt bezog, und einem Geländewagen, der so wuchtig war, dass ein Frontalzusammenstoß mit einem VW Cabriolet ihm nicht die kleinste Delle zugefügt hätte, und einer Sechs-Schlafzimmer-Villa im Queen-Anne-Stil, in deren Küche und Speisekammer Jordans gesamtes Apartment in Philadelphia bequem Platz gefunden hätte, ein geradezu sinnlos unbeschwertes und komfortables Leben führte, in dem ihre einzige Aufgabe, einmal davon abgesehen, dass sie Ted bekochte, ja buchstäblich ihre einzige Aufgabe darin bestand, mit Jordans Tod fertig zu werden; dass sie dennoch bei dem Bemühen, die Beschaffenheit eines Revolvergriffs oder die Adern in ihrem Arm wiederzugeben, häufig so sehr die Zeit vergaß, dass sie aberwitzig schnell fahren musste, um ihre dreimal wöchentlich stattfindende Therapie bei einer Dr. med. Dr. phil. in Wilmington nicht zu versäumen; dass es ihr, indem sie mit der Dr. med. Dr. phil. sprach und jeden Mittwochabend an den Treffen anderer Eltern von Gewaltopfern und jeden Donnerstagabend an den Zusammenkünften ihres Gesprächskreises älterer Frauen teilnahm und die Gedichte und Romane und Memoiren und Lebenshilfebücher las, die ihre Freundinnen ihr empfahlen, und sich beim Yoga und Reiten entspannte und im Kinderkrankenhaus ehrenamtlich den Krankengymnasten zur Hand ging, sehr wohl gelang, ihre Trauer zu verarbeiten, selbst wenn sich ihr Zwang, Schusswaffen zu zeichnen, dabei noch verstärkte; dass sie niemandem von diesem Zwang erzählte, nicht einmal der Dr. med. Dr. phil. in Wilmington; dass ihre Freundinnen und Ratgeber sie permanent ermahnten, sich durch ihre «Kunst» selbst zu «heilen»; dass sie mit «Kunst» ihre dekorativen Holzschnitte und Lithographien meinten; dass sie selbst sich, wenn sie zufällig einen ihrer früheren Holzschnitte im Bade- oder Gästezimmer einer Freundin hängen sah, vor Scham über ihre Unaufrichtigkeit wand; dass sie sich, sooft sie im Fernsehen oder im Kino Schusswaffen sah, ganz ähnlich und aus ähnlichen Gründen krümmen musste; dass sie, mit anderen Worten, insgeheim überzeugt war, eine wahre Künstlerin geworden zu sein, eine wahrhaft gute Schusswaffenkünstlerin; dass es der Beweis für dieses Künstlertum war, den sie Abend für Abend vernichtete; dass sie inzwischen fest überzeugt war, dass Jordan, obwohl sie ein Diplom in Malerei und einen Magister in Kunsttherapie gemacht und zwanzig Jahre lang Fördergelder und Stipendien bekommen hatte, keine gute Künstlerin gewesen war; dass sie, selbst nachdem sie zu diesem objektiven Urteil über ihre tote Tochter gelangt war, fortfuhr, Schusswaffen und Munition zu zeichnen; und dass sie trotz der Wut und des Rachedursts, von denen ihre andauernde Obsession offenkundig zeugte, in den fünf Jahren nicht ein einziges Mal das Gesicht von Khellye Withers gezeichnet hatte.

An dem Oktobermorgen, als ihr diese Rätsel en bloc bewusst geworden waren, hatte Sylvia es nach dem Frühstück so eilig, dass sie die Treppen zu ihrem Atelier regelrecht hinaufrannte. Auf einem Blatt feinstem Cansonpapier zeichnete sie ihre linke Hand, wobei sie einen Spiegel verwendete, damit die Hand wie ihre rechte aussah, der Daumen nach oben weisend, die Finger gekrümmt, das Profil um sechzig Grad gedreht, eine Rückansicht beinahe. Diese Hand füllte sie mit einem stupsnasigen

.38er-Revolver, fachmännisch perspektivisch verkürzt, dessen Lauf zwischen einem Paar grinsender Lippen steckte, über die sie, aus dem Gedächtnis, völlig exakt die höhnischen Augen von Khelley Withers zeichnete, dessen in letzter Instanz gerade gescheiterte Berufung kaum jemandem Tränen entlockt hatte. Und damit – ein Lippenpaar, ein Augenpaar – hatte Sylvia ihren Bleistift aus der Hand gelegt.

«Es war Zeit für einen Schritt nach vorn», sagte Sylvia zu Enid. «Das wurde mir plötzlich klar. Ob es mir nun gefiel oder nicht, die Weiterlebende und die Künstlerin war ich, nicht sie. Wir sind doch alle darauf getrimmt zu glauben, unsere Kinder seien wichtiger als wir, wissen Sie, und wie aus zweiter Hand durch sie zu leben. Auf einmal war ich diese Art zu denken leid. Ich könnte schon morgen tot sein, sagte ich mir, aber heute lebe ich. Und ich kann bewusst leben. Ich habe den vollen Preis bezahlt, ich habe getan, was ich konnte, und da ist nichts, wofür ich mich schämen müsste. Wenn aber der Wendepunkt, die große Veränderung im eigenen Leben, bloß eine Erkenntnis ist – ist das nicht sonderbar? Wenn sich absolut nichts ändert, nur dass man die Dinge plötzlich mit anderen Augen sieht und weniger ängstlich und weniger angespannt und deshalb insgesamt stärker ist, finden Sie das nicht erstaunlich: dass einem etwas völlig Unsichtbares im eigenen Kopf realer vorkommt als alles, was man je vorher erlebt hat? Sie sehen die Dinge klarer, und gleichzeitig *wissen* Sie, dass Sie sie klarer sehen. Und mit einem Mal kommen Sie darauf: Das ist sie, die Liebe zum Leben, nichts anderes meinen die, die ernsthaft von Gott sprechen. Solche Momente.»

«Einen vielleicht noch?», sagte Enid zu dem Zwerg und hob ihr Glas. Sie hörte Sylvia fast überhaupt nicht zu, sondern schüttelte den Kopf und murmelte «Ach!» und «Oh!», während ihr Bewusstsein durch Wolken aus Alkohol in vollkommen absurde Sphären stolperte und Spekulationen darüber anstellte, wie sich der Zwerg bei einer Umarmung wohl an ihren Hüften und ihrem Bauch anfühlen mochte. Sylvia entpuppte sich als *sehr* intellektuell, und Enid sah sich unter nicht ganz richtigen Voraussetzungen zur Freundin erkoren, aber es war dumm, dass sie nicht zuhörte, sie musste zuhören, sonst verpasste sie bestimmte Schlüsselfakten wie die, ob Khelley Withers schwarz war und ob er Jordan brutal vergewaltigt hatte.

Sylvia war von ihrem Atelier direkt zu einem WaWa-Lebensmittelmarkt aufgebrochen und hatte von jeder schmutzigen Zeitschrift, die dort in den Regalen auslagen, eine gekauft. Doch nichts, was sie in den Zeitschriften fand, war hart genug. Sie musste die eigentliche Rohrlegerarbeit sehen, den ungeschönten Akt. Sie kehrte nach Chadds Ford zurück und schaltete den Computer ein, den ihr jüngerer Sohn ihr geschenkt hatte, um in dieser Zeit des Verlusts Nähe zu stiften. Ihre Mailbox enthielt einen einmonatigen Überhang von Grußbotschaften ihres Sohnes, die sie nicht weiter beachtete. In weniger als fünf Minuten hatte sie die gesuchten Waren aufgetrieben – eine Kreditkarte war nötig, mehr nicht –, und schon jagte sie die Maus durch ein virtuelles Daumenkino, bis sie den notwendigen Akt mit den notwendigen Akteuren aus der notwendigen Perspektive gefunden hatte: schwarzer Mann und weißer Mann beim Oralsex, Kamera filmt über linke Hüfte, Profil um sechzig Grad gedreht, starker, sichelmondförmiger Lichteinfall überm Gesäß, darunter dämmerig sichtbare Knöchel schwarzer Finger, die die dunkle Seite des Mondes erforschen. Sie lud das Bild herunter und betrachtete es bei hoher Auflösung.

Sie war fünfundsechzig Jahre alt und hatte eine solche Szene noch nie gesehen. Ihr Leben lang hatte sie Bilder gestaltet und war sich des Mysteriums, das von ihnen ausging, nie bewusst gewesen. Hier war es nun. All die Betriebsamkeit in Bits und Bytes, all die Einsen und Nullen, die an irgendeiner Universität im Mittleren Westen durch die Server strömten. So viel offenkundiges Treiben in so viel offenkundigem Nichts. Eine ganze Bevölkerung, die an Bildschirmen und Zeitschriften klebte.

Sie fragte sich: Wie konnte man sich von diesen Bildern angesprochen fühlen, wenn Bilder nicht insgeheim den gleichen Status genossen wie reale Dinge? Nicht, dass Bilder so mächtig waren, vielmehr war die Welt so schwach. Sie konnte in ihrer Schwäche zwar lebendig sein, das schon, etwa wenn die Sonne in den Obstgärten die abgefallenen Äpfel briet und das Tal nach Cidre duftete, oder wenn Jordan an kalten Abenden zum Essen nach Chadds Ford gekommen war und die Reifen ihres Cabriolets auf der Kieseinfahrt geknirscht hatten; aber die Welt ließ sich nur in Bildern fassen. Nichts gelangte in den Kopf, ohne Bild geworden zu sein.

Und dennoch, Sylvia war bestürzt, wie enorm das pornographische Online-Foto und ihre unfertige Zeichnung von Withers sich unterschieden. Anders als gewöhnliche Lust, die durch Bilder oder bloße Phantasie befriedigt werden konnte, ließ sich die Rachelust nicht täuschen. Auch das plastischste Bild reichte ihr nicht aus. Diese Lust verlangte den Tod eines bestimmten Individuums, das Ende einer bestimmten Geschichte. Ganz im Sinn der Computermenüs: ERSETZEN NICHT MÖGLICH. Sylvia konnte ihr Verlangen zeichnen, nicht aber dessen Erfüllung. Und so gestand sie sich schließlich die Wahrheit ein: Sie wollte, dass Khelley Withers starb.

Sie wollte, dass er starb, obwohl sie kürzlich in einem Interview mit dem *Philadelphia Inquirer* gesagt hatte, davon, dass man das Kind anderer töte, werde ihr eigenes nicht wieder lebendig. Sie wollte, dass er starb, obwohl Dr. med. Dr. phil. ihr mit religiösem Eifer verboten hatte, Jordans Tod religiös zu deuten – als göttliches Gericht über ihre eigenen liberalen politischen Ansichten oder ihre liberalen Erziehungsmethoden oder ihren sinnlosen Wohlstand. Sie wollte, dass er starb, obwohl sie glaubte, dass Jordans Tod eine zufällige Tragödie war und die Erlösung nicht in der Rache lag, sondern in der Verringerung der Anzahl zufälliger Tragödien im ganzen Land. Sie wollte, dass er starb, obwohl sie sich eine Gesellschaft ausmalte, die für junge Männer wie ihn ordentlich bezahlte Jobs bereithielt (sodass er seine frühere Kunsttherapeutin nicht an Händen und Füßen hätte fesseln und nötigen müssen, die Geheimnummern ihrer Scheck- und Kreditkarten preiszugeben), eine Gesellschaft, die nicht zuließ, dass illegale Drogen in städtische Wohnviertel gelangten (sodass Withers das gestohlene Geld nicht für Crack hätte ausgeben können und bei klarerem Verstand gewesen wäre, als er in die Wohnung seiner früheren Kunsttherapeutin zurückkam, und das Zeug nicht einfach weiter geraucht und sie nicht, mit Unterbrechungen, dreißig Stunden lang gefoltert hätte), eine Gesellschaft, die außer Markennamen noch mehr zu bieten hatte, an das junge Männer glauben konnten (sodass Withers weniger auf das Cabriolet seiner früheren Kunsttherapeutin fixiert gewesen wäre und ihr geglaubt hätte, als sie sagte, sie habe den Wagen über das Wochenende einer Freundin geliehen, und ihm die Tatsache, dass sie im Besitz zweier Schlüssel war, weniger viel sagend vorgekommen wäre – «Wollt mir einfach nich in'n Schädel», erklärte er in seinem teilweise erzwungenen, aber rechtlich zulässigen Geständnis, «die ganzen Schlüssel da direkt vor mir auf'm Küchentisch, verstehn Sie, was ich meine? Wollt mir einfach nich in die Scheißbirne» –, und seinem Opfer nicht immer von neuem das Light ´n Easy-Bügeleisen an die nackte Haut gehalten und die Temperatur von Seide bis Baumwolle/Leinen hochgedreht hätte, während er wissen wollte, wo sie das Cabriolet geparkt habe, und ihr nicht, als ihre Freundin am Sonntagabend vorbeikam, um ihr den Wagen mitsamt dem dritten Schlüssel zurückzugeben, in Panik die Kehle durchgeschnitten hätte), eine Gesellschaft, die der körperlichen Misshandlung von Kindern ein für alle Mal ein Ende setzte (sodass es absurd gewesen wäre, wenn ein für schuldig befundener Mörder gegen Ende seines Prozesses behauptet hätte, sein Stiefvater habe ihn, als er klein gewesen sei, mit einem elektrischen Bügeleisen verbrannt – obwohl eine solche Aussage im Falle von Withers, der keinerlei Brandmale vorzuweisen hatte, in erster Linie seinen mangelnden Einfallsreichtum als Lügner zu unterstreichen schien). Sie wollte, dass er starb, obwohl sie im Zuge ihrer Therapie verstanden hatte, dass sein Grinsen eine Schutzmaske war, die sich ein einsamer Junge, umgeben von Menschen, die ihn hassten, einst aufgesetzt hatte und die er, wenn er von ihr wie von einer nachsichtigen Mutter angelächelt worden wäre, vielleicht abgenommen hätte, um in aufrichtiger Reue zu weinen. Sie wollte, dass er starb, obwohl sie wusste, dass ihr Wunsch all jenen Konservativen gefallen würde, für die der Begriff «persönliche Verantwortung» bedeutete, dass man sich um soziale Ungerechtigkeit nicht zu kümmern brauchte. Sie wollte, dass er starb, obwohl sie aus diesen politischen Gründen außerstande war, der Hinrichtung beizuwohnen und mit ihren eigenen Augen das zu beobachten, wofür kein Bild ein Ersatz sein konnte.

«Aber das ist alles nicht der Grund», sagte sie, «warum wir diese Kreuzfahrt machen.»

«Nein?», fragte Enid, als wache sie gerade auf.

«Nein. Wir sind hier, weil Ted nicht zugeben kann, dass Jordan ermordet wurde.»

«Ist er …?»

«Oh, er weiß es natürlich», sagte Sylvia. «Er weigert sich nur, darüber zu reden. Jordan war ihm sehr nah, in vielerlei Hinsicht näher, als ich ihm je gewesen bin. Und er hat getrauert, das muss ich ihm zugute halten. Wirklich getrauert. Er hat so viel geweint, dass er kaum noch gehen konnte. Doch dann, eines Morgens, war er darüber hinweg. Er hat gesagt, Jordan sei nicht mehr da, und er habe nicht vor, in der Vergangenheit zu leben. Und er hat gesagt, vom Labor Day an werde er vergessen, dass sie ein Opfer sei. Und den ganzen August hat er mich jeden Tag daran erinnert: Vom Labor Day an werde er nicht mehr zugeben, dass Jordan ermordet worden sei. Ted ist ein Kopfmensch, wissen Sie. Er vertritt den Standpunkt, dass Menschen schließlich schon immer Kinder verloren haben und dass zu viel Trauer dumm und wehleidig ist. Es kümmert ihn auch nicht, was mit Withers geschieht. Er hat gesagt, den Prozess zu verfolgen zeige doch nur, dass man mit dem Mord nicht fertig werde.

Und am Labor Day hat er dann zu mir gesagt: ‹Du findest das vielleicht komisch, aber ich werde nie wieder über ihren Tod sprechen, und bitte vergiss nicht, dass ich dir das gesagt habe. Wirst du das nicht vergessen, Sylvia? Damit du später nicht denkst, ich sei verrückt?› Und ich habe gesagt: ‹Mir gefällt das nicht, Ted, ich kann das nicht akzeptieren.› Und er hat gesagt, es tue ihm Leid, aber er müsse nun mal so handeln. Und als er am nächsten Abend nach Hause gekommen ist, da habe ich ihm, wenn ich mich recht erinnere, erzählt, Withers Anwalt habe behauptet, dass das Geständnis erzwungen gewesen sei und der wahre Mörder noch frei herumlaufe. Na, und da hat Ted mich angegrinst, ungefähr so, wie er grinst, wenn er jemanden auf den Arm nimmt, und hat gesagt: ‹Ich weiß nicht, wovon du sprichst.› Und da habe ich doch tatsächlich gesagt: ‹Ich spreche von der Person, die deine Tochter ermordet hat.› Und er hat gesagt: ‹Niemand hat unsere Tochter ermordet, ich möchte das aus deinem Mund nicht noch einmal hören.› Und ich habe gesagt: ‹Ted, so geht das nicht.› Und er hat gesagt: ‹Was geht so nicht?› Und ich habe gesagt: ‹Dass du so tust, als wäre Jordan nicht tot.› Und er hat gesagt: ‹Wir hatten eine Tochter, und jetzt haben wir keine mehr, also ist sie wohl tot, aber ich warne dich, Sylvia, erzähl mir *nicht*, sie sei umgebracht worden, verstehst du?› Und von Stund an, Enid, hat er diese Haltung nicht ein einziges Mal aufgegeben, egal, wie stark ich ihm zusetze. Ehrlich, ich bin bloß Millimeter davon entfernt, mich scheiden zu lassen. Ständig. Wenn er nur nicht in jeder anderen Hinsicht so lieb zu mir wäre. Nie wird er böse, wenn ich über Withers spreche, er geht nur mit so einem Lachen darüber hinweg, als wäre das Ganze eine merkwürdig fixe Idee von mir. Irgendwie erinnert er mich an unsere Katze, wenn sie eine tote Grasmücke anschleppt. Die *Katze* weiß ja nicht, dass wir keine toten Grasmücken im Haus haben wollen. Ted möchte, dass ich genauso rational damit umgehe, wie er das macht, er denkt, er tut mir einen Gefallen, und unternimmt diese vielen Reisen und Kreuzfahrten mit mir, und alles ist gut, außer dass die schlimmste Sache in unserem Leben für ihn gar nicht geschehen ist und für mich schon.»

«Ist sie denn geschehen?», fragte Enid.

Sylvia zuckte erschrocken zurück. «Danke», sagte sie, obwohl Enid diese Frage gestellt hatte, weil sie einen Augenblick verwirrt gewesen war, und nicht, weil sie Sylvia einen Gefallen hatte tun wollen. «Danke, dass Sie ehrlich genug sind, mich das zu fragen. Manchmal glaube ich schon, ich bin verrückt. Meine ganze Arbeit spielt sich in meinem Kopf ab. Ich schiebe Millionen kleiner Teile Nichts, Millionen Gedanken und Gefühle und Erinnerungen darin herum, Tag für Tag, seit Jahren, da ist dieses gewaltige Gerüst und Bauvorhaben, als wollte ich in meinem Kopf eine Kathedrale aus Zahnstochern errichten. Und es hilft nicht einmal, Tagebuch zu führen, weil die Wörter auf den Seiten einfach nicht die geringste Wirkung auf mein Gehirn haben wollen. Sobald ich etwas niederschreibe, bleibt es hinter mir zurück. Als würde ich Pennys über Bord werfen. Ich leiste also all diese Gedankenarbeit ohne jede Hoffnung auf Hilfe von außen, abgesehen von den etwas ungepflegten Leuten in meinen Mittwochs- und Donnerstagsgruppen, und die ganze Zeit tut mein eigener Mann so, als sei der *Kern* dieser enormen Geistesarbeit – nämlich, dass meine Tochter ermordet wurde – gar nicht existent. Und deshalb sind, mehr und mehr, die einzigen Wegweiser in meinem Leben, mein einziges Nord und Süd und Ost und West, meine Gefühle.

Und genau da hakt Ted ein, er findet, unsere Kultur nimmt Gefühle zu wichtig, er sagt, alles sei außer Kontrolle geraten, und nicht der Computer mache das Leben virtuell, sondern unsere Geisteshaltung. Er sagt, alle versuchten, ihre Gedanken zu korrigieren und ihre Gefühle zu verfeinern und an ihren Beziehungen und erzieherischen Fähigkeiten zu feilen, anstatt einfach nur zu heiraten und Kinder zu kriegen wie früher. Und was er auch noch sagt, ist, dass wir uns auf die nächste Stufe der Abstraktion katapultiert hätten, weil wir in Zeit und Geld schwämmen, und damit wolle er nichts zu tun haben. Er möchte ‹echte› Nahrung zu sich nehmen und ‹echte› Orte besuchen und über ‹echte› Dinge reden, Wirtschaft und Forschung zum Beispiel. Und so sind wir uns inzwischen überhaupt nicht mehr einig, worauf es im Leben eigentlich ankommt.

Und dann, Enid, hat er meine Therapeutin an der Nase herumgeführt. Ich habe sie zum Essen eingeladen, damit sie ihn sich mal anschaut, und Sie kennen doch diese Menüs, von denen es in den Zeitschriften heißt, dass man sie besser nicht für Gäste zubereitet, weil man vor jedem Gang zwanzig Minuten in der Küche steht, nicht? Genau so eins habe ich gemacht, zuerst Risotto Milanese, dann kurz gebratene Steaks mit einer doppelt reduzierten Soße, und die ganze Zeit über hat meine Therapeutin draußen im Esszimmer gesessen und Ted ausgefragt. Und als ich am nächsten Tag bei ihr war, hat sie gesagt, sein Zustand sei absolut typisch für Männer, er habe seine Trauer offenbar gut genug verarbeitet, um funktionieren zu können, und sie glaube nicht, dass er sich ändern werde; es sei jetzt an mir, das zu akzeptieren.

Wissen Sie, ich sollte mich ja eigentlich keinen magischen oder religiösen Gedanken hingeben, aber eine Überlegung, die ich nicht loswerde, ist die, dass dieser wahnsinnige Rachedurst, den ich all die Jahre lang verspürt habe, gar nicht mein eigener ist. Es ist Teds. Er weigert sich, damit umzugehen, aber einer muss ja damit umgehen, also tue ich es, als wäre ich eine Leihmutter, nur dass ich nicht mit einem Kind schwanger gehe, sondern mit Gefühlen. Wenn Ted mehr zu seinen Gefühlen gestanden und es weniger eilig gehabt hätte, wieder an seinen Arbeitsplatz bei Du Pont zurückzukehren, vielleicht wäre ich dann so geblieben, wie ich immer war, und hätte jede Weihnachten beim Künstlerverein meine Holzschnitte verkauft. Vielleicht bin ich ja nur übergeschnappt, weil Ted sich so nüchtern und geschäftsmäßig benimmt. Und vielleicht ist deshalb die Moral dieser langen Geschichte, die Sie sich liebenswürdigerweise angehört haben, Enid, dass ich nicht aufhören kann, eine Moral dafür zu suchen, wie sehr ich mich auch bemühe, es bleiben zu lassen.»

Enid hatte in diesem Moment eine Vision von strömendem Regen. Sie sah sich selbst in einem Haus ohne Wände; um Wind und Wetter abzuhalten, hatte sie nichts als Papiertaschentücher zur Hand. Und schon kam von Osten her Regen, und sie hängte eine Taschentuchversion von Chip und seiner großartigen neuen Stellung als Reporter auf. Dann kam er von Westen, und das Taschentuch zeigte, wie hübsch und intelligent Garys Jungen waren und wie sehr sie sie liebte. Dann drehte der Wind erneut, und sie *rannte* mit den Taschentuchfetzen, die Denise anzubieten hatte, zur Nordseite des Hauses: Denise, die nach einer zu frühen Heirat jetzt reifer und klüger geworden war, eine sehr erfolgreiche Gastronomin und zuversichtlich, bald dem richtigen jungen Mann zu begegnen! Und dann kam der Regen von Süden hereingefegt, und noch während sie darauf beharrte, dass Als gesundheitliche Probleme harmlos seien und es ihm besser ginge, wenn er nur an seiner Einstellung arbeiten und die Dosis seiner Medikamente anpassen lassen würde, zerfiel das Taschentuch, und der Regen wurde stärker und stärker, und sie war so müde, und alles, was sie hatte, waren Papiertaschentücher –

«Sylvia?», sagte sie.

«Ja?»

«Ich muss Ihnen auch etwas erzählen. Etwas über meinen Mann.»

Eifrig, vielleicht um sich dafür zu revanchieren, dass Enid ihr so freundlich zugehört hatte, nickte Sylvia mit dem Kopf. Doch auf einmal meinte Enid, Katharine Hepburn vor sich zu haben. Die Hepburn, das sah man schon an ihrem Blick, war sich ihrer Privilegien so durch und durch unbewusst gewesen, dass eine ehemals mittellose Frau wie Enid Lust bekam, ihr mit den härtesten, spitzesten Pumps, die sie hatte, gegen die aristokratischen Schienbeine zu treten. Es wäre ein Fehler, spürte sie, dieser Frau etwas anzuvertrauen.

«Ja?», half Sylvia nach.

«Nichts. Entschuldigen Sie.»

«Nein, sagen Sie.»

«Nichts, wirklich, nur dass ich jetzt *unbedingt* ins Bett muss. Morgen gibt es bestimmt eine Menge zu tun!»

Sie stand, ein wenig wacklig, auf und ließ Sylvia die Getränkerechnung unterschreiben. Schweigend fuhren sie mit dem Fahrstuhl nach oben. Nach der allzu schnellen Vertraulichkeit war jetzt eine Art schmutziger Betretenheit eingekehrt. Als Sylvia auf dem Oberdeck ausstieg, folgte Enid ihr jedoch. Sie konnte es nicht ertragen, in Sylvias Augen eine «B»-Deck-Person zu sein.

Sylvia blieb vor der Tür einer großen Außenkabine stehen. «Wo ist Ihre Kabine?»

«Gleich hier den Gang hinunter», sagte Enid. Sie wusste, dass sich diese Behauptung nicht aufrechterhalten ließ. Morgen würde sie erklären müssen, sie sei verwirrt gewesen.

«Dann gute Nacht», sagte Sylvia. «Noch einmal danke fürs Zuhören.»

Sie wartete mit einem sanften Lächeln darauf, dass Enid weiterging. Aber Enid ging nicht weiter. Unsicher sah sie sich um. «Entschuldigen Sie. Welches Deck ist das hier?»

«Das Oberdeck.»

«Ach du liebe Güte, dann bin ich ja ganz falsch. Entschuldigen Sie.»

«Sie brauchen sich nicht zu entschuldigen. Möchten Sie, dass ich Sie nach unten begleite?»

«Nein, ich bin bloß durcheinander gekommen, jetzt sehe ich's selber, das hier ist das Oberdeck, und ich muss auf ein niedrigeres. Ein viel niedrigeres Deck. Na ja, entschuldigen Sie.»

Sie machte kehrt, entfernte sich aber immer noch nicht. «Mein Mann ...» Sie schüttelte den Kopf. «Nein, unser Sohn vielmehr. Wir haben heute gar nicht mit ihm zu Mittag gegessen. Das war es, was ich Ihnen erzählen wollte. Er hat uns am Flughafen abgeholt, und eigentlich sollten wir mit ihm und seiner Freundin zu Mittag essen, aber dann sind sie einfach – *gegangen*, ich verstehe das gar nicht, und er ist auch nicht wiedergekommen, und wir fragen uns immer noch, wo er abgeblieben ist. Na ja, egal.»

«Das ist merkwürdig», stimmte Sylvia zu.

«Na ja, ich möchte Sie nicht langweilen –»

«Nein, nein, Enid, ich bitte Sie.»

«Ich wollte das nur klarstellen, und jetzt muss ich ins Bett, na ja, aber ich bin *so* froh, dass wir uns kennen gelernt haben! Morgen gibt's eine Menge zu tun. Na ja. Wir sehen uns beim Frühstück!»

Ehe Sylvia sie aufhalten konnte, schlich sie den Korridor entlang (sie musste an der Hüfte operiert werden, aber man stelle sich einmal vor, wie es wäre, Al allein zu Hause zu lassen, solange sie im Krankenhaus war – man stelle sich das bloß einmal vor) und hätte sich ohrfeigen können, dass sie einen Gang entlangstolperte, auf den sie gar nicht gehörte, und mit beschämendem Unsinn über ihren Sohn herausgeplatzt war. Sie steuerte eine gepolsterte Sitzbank an, ließ sich darauf fallen und brach, erst jetzt, in Tränen aus. Gott hatte sie mit der Phantasie ausgestattet, die traurigen Aufsteiger zu beweinen, die auf einem Luxuskreuzfahrtschiff die allerbilligsten «B»-Deck-Innenkabinen buchten; doch eine Kindheit ohne Geld hatte es auch ihr unmöglich gemacht, die 300 Dollar pro Person hinzublättern, die es kostete, eine Kategorie aufwärts zu springen; und so beweinte sie sich selbst. Sie hatte das Gefühl, sie und Al seien die einzigen intelligenten Menschen ihrer Generation, die es geschafft hatten, nicht reich zu werden.

Dies war eine Folter, die die griechischen Erfinder von Festmahl und Stein aus ihrem Hades ausgespart hatten: der Mantel der Selbsttäuschung. Ein schöner warmer Mantel, sofern er die gepeinigte Seele zudeckte, *aber er deckte nie alles zu*. Und die Nächte wurden merklich kühler.

Sie erwog, zu Sylvias Kabine zurückzukehren und ihr Herz auszuschütten.

Doch dann sah sie, durch ihre Tränen, etwas Liebliches neben sich auf der Bank liegen. Es war ein Zehn-Dollar-Schein. Einmal gefaltet. Sehr lieblich.

Ein rascher Blick in den Gang, und sie griff danach. Die Oberflächenstruktur fühlte sich herrlich an.

Getröstet fuhr sie zum «B»-Deck hinunter. Hintergrundmusik flüsterte in der Lounge, irgendetwas Flottes mit Akkordeons. Sie bildete sich ein, ihren Namen zu hören, geplärrt, irgendwo in der Ferne, als sie ihre Schlüsselkarte ins Schloss schob und gegen die Tür drückte.

Sie spürte einen Widerstand und drückte fester.

«Enid», plärrte Alfred auf der anderen Seite.

«Schsch, Al, was in aller Welt?»

Kaum hatte sie sich durch die halb offene Tür gezwängt, hörte das Leben, wie sie es kannte, auf. Das Tagmaß wich einem rohen Kontinuum von Stunden. Alfred hockte nackt, mit dem

Rücken zur Tür, auf einer Schicht Laken, die über Teilen der Morgenzeitung aus St. Jude ausgebreitet waren. Hosen, ein Sportsakko und ein Schlips lagen auf seiner Koje, die er bis auf die Matratze abgezogen hatte. Die Decken hatte er in einem Haufen auf das andere Bett gelegt. Auch nachdem sie das Licht eingeschaltet und sich so hingestellt hatte, dass er sie sehen konnte, rief er immer weiter ihren Namen. Als Allererstes wollte sie ihn beruhigen und ihm einen Pyjama anziehen, aber das brauchte Zeit, denn er war entsetzlich aufgewühlt und brachte seine Sätze nicht zu Ende, ja schaffte es nicht einmal, seine Verben und Substantive in Person und Numerus aufeinander abzustimmen. Er glaubte, es sei früh am Morgen und er müsse baden und sich anziehen und der Boden neben der Tür sei eine Badewanne und die Klinke ein Wasserhahn und nichts funktioniere. Dennoch bestand er darauf, alles so zu machen, wie er es wollte, es gab ein Geziehe und Gezerre, sogar einen Hieb auf Enids Schulter. Er tobte, und sie weinte und schimpfte mit ihm. Obwohl seine Hände irrwitzig zappelten, knöpfte er sein Pyjamaoberteil genauso schnell wieder auf, wie sie es zuknöpfen konnte. Noch nie hatte sie ihn die Wörter «Sch***» und «A***» in den Mund nehmen hören, aber die Leichtigkeit, mit der sie ihm jetzt über die Lippen kamen, warf ein Licht auf Jahre stummen Gebrauchs in seinem Kopf. Während sie seine Koje in Ordnung brachte, machte er ihre wieder unordentlich. Sie flehte ihn an, still zu sitzen. Er jammerte, es sei sehr spät und er sei sehr verwirrt. Selbst jetzt konnte sie nicht anders, als ihn zu lieben. Vielleicht gerade jetzt. Vielleicht hatte sie schon immer gewusst, fünfzig Jahre lang, dass dieser kleine Junge in ihm schlummerte. Vielleicht war all die Liebe, die sie Chipper und Gary gegeben hatte, all die Liebe, für die sie so wenig zurückbekommen hatte, nur Übung für dieses forderndste ihrer Kinder gewesen. Sie besänftigte und schalt ihn, und eine Stunde oder länger verfluchte sie im Stillen die Medikamente, die ihn derart benebelten, und irgendwann war er eingeschlafen, und ihr Reisewecker zeigte 5:10, dann 7:30 an, und Alfred ließ seinen Rasierapparat surren. Auch wenn sie gar nicht sehr tief abgetaucht war, fiel es ihr leicht aufzustehen und leicht, sich anzuziehen, und katastrophal schwer, zum Frühstücken zu gehen, denn ihre Zunge fühlte sich an wie ein Staubwedel und ihr Kopf wie aufgespießt.

Selbst für ein großes Schiff war das Meer heute ein schlechter Untergrund. Das Klatschen des hochschießenden Wassers außen am Kierkegaard-Saal war beinahe rhythmisch, eine Art Zufallsmusik, und Mrs. Nygren gab wiehernd Wissenswertes über die Übel des Koffeins und das Quasi-Zweikammersystem des Storting zum Besten, und die Söderblads erschienen, noch feucht von gründlichen schwedischen Anwendungen, und wundersamerweise zeigte Al sich der Konversation mit Ted Roth gewachsen. Enid und Sylvia, deren Gefühlsmuskeln von den Strapazen der letzten Nacht überdehnt waren und schmerzten, näherten sich einander etwas steif wieder an. Sie sprachen übers Wetter. Eine Programm-Koordinatorin namens Suzy Ghosh brachte Informationsmaterial und Anmeldeformulare für die nachmittäglichen Aktivitäten in Newport, Rhode Island. Mit strahlendem Lächeln und Geräuschen der Vorfreude trug sich Enid für eine Besichtigung der historischen Gebäude der Stadt ein, um dann bestürzt zu beobachten, wie alle anderen mit Ausnahme der sozial aussätzigen Norweger das Klemmbrett weiterreichten, ohne sich anzumelden. «Sylvia!», schalt sie, und ihre Stimme zitterte, «kommen Sie denn nicht mit?» Sylvia warf ihrem bebrillten Mann, der mit dem Kopf nickte, als wäre er McGeorge Bundy beim Entsenden von Bodentruppen nach Vietnam, einen Blick zu, und für einen Moment schienen ihre blauen Augen nach innen zu schauen; offenbar besaß sie die Fähigkeit der Beneidenswerten, der nicht aus dem Mittelwesten Stammenden, der Begüterten, ihre Bedürfnisse unabhängig von gesellschaftlichen Erwartungen oder moralischen Vorgaben abzuwägen. «Na gut», sagte sie, «vielleicht komme ich mit.» Normalerweise hätte Enid sich bei der bloßen Andeutung eines Almosens gewunden, aber heute befreite sie den geschenkten Gaul von der mündlichen Prüfung. Sie brauchte alle Almosen, die sie kriegen konnte. Und so quälte sie sich den steilen Hang des Tages hinauf, machte vom Angebot einer kostenlosen schwedischen Probemassage Gebrauch, beobachtete von der Ibsen-Promenade aus, wie das Küstenlaub alterte, und spülte sechs Ibuprofen mit einem Viertelliter Kaffee hinunter, um für den Nachmittag im bezaubernden und historischen Newport gerüstet zu sein! In dessen vom Regen sauber gewaschenen Hafen Alfred verkündete, seine Füße täten zu weh, als dass er sich an Land wagen könne, und Enid ihm das Versprechen abnahm, ja kein Nickerchen zu machen, weil er sonst nachts kein Auge zutun werde, und lachend (denn wie hätte sie zugeben können, dass es um Leben und Tod ging?) Ted Roth bat, ihn wach zu halten, woraufhin Ted erwiderte, wenn sie die Nygrens erst vom Schiff hätten, sei das kein Problem.

Gerüche von sonnenerwärmtem Teer und kalten Muscheln, von Schiffsöl, Football-Feldern und trocknendem Riementang und eine fast genetische wehmutsvolle Sehnsucht nach allem Maritimen und Herbstlichen fielen Enid an, als sie von der Gangway zum Reisebus humpelte. Der Tag war gefährlich schön. Starke Windböen und Wolkenscharen und ein wilder Löwe von einer Sonne bliesen den Blick umher und ließen Newports weiße Schindeln und gemähte Grünflächen flimmern, sodass man sie zuerst gar nicht richtig sehen konnte. «Herrschaften», beschwor sie die Reiseleiterin, «lehnen Sie sich zurück, und betrinken Sie sich daran.» Doch was getrunken werden kann, kann auch ertränken. Enid hatte von den vergangenen fünfundfünfzig Stunden sechs geschlafen, und noch als Sylvia ihr dankte, sie zum Mitkommen aufgefordert zu haben, merkte sie, dass ihr für eine Besichtigungstour die Kraft fehlte. Die Astors und die Vanderbilts, deren Freudentempel und Geld: Sie hatte es satt. Den ewigen Neid genauso wie sich selbst. Sie verstand nichts von alten Gemäuern und Architektur, sie konnte nicht zeichnen wie Sylvia, sie las nicht wie Ted, sie hatte wenige Interessen und keinerlei Fachkenntnisse. Die Fähigkeit zu lieben war das Einzige, was sie je besessen hatte. Und so blendete sie die Reiseleiterin aus und achtete auf den Einfallswinkel des gelben Oktoberlichts, auf alles, was an dieser Jahreszeit so herzzerfleischend intensiv war. In dem Wind, der Wellen über die Bucht trieb, konnte sie das Nahen der Nacht riechen. Rasch kam es auf Enid zu: Geheimnis und Schmerz und eine seltsam sehnsuchtsvolle Ahnung vom *Möglichen*, als ob es ein gebrochenes Herz wäre, was man suchen und finden müsse.

Im Bus zwischen Rosecliff und dem Leuchtturm bot Sylvia Enid an, Chip von ihrem Handy aus anzurufen. Enid lehnte ab – Handys fraßen Dollars, und sie dachte, man brauche bloß eins anzufassen, um Gebühren zu verursachen –, aber immerhin fügte sie hinzu: «Es ist Jahre her, Sylvia, dass wir ihm nahe gestanden haben. Ich glaube nicht, dass alles stimmt, was er uns so von seinem Leben erzählt. Einmal hat er gesagt, er würde beim *Wall Street Journal* arbeiten. Vielleicht habe ich mich verhört, aber ich glaube, das hat er gesagt, und trotzdem glaube ich nicht, dass er wirklich dort arbeitet. Ich weiß nicht genau, womit er tatsächlich sein Geld verdient. Sie müssen es furchtbar von mir finden, dass ich mich darüber beklage, ich meine, wo Sie doch so viel Schlimmeres durchgemacht haben.» Während Sylvia beteuerte, dass sie das keineswegs furchtbar finde, ganz und gar nicht, sah Enid flüchtig, wie es sein könnte, ihr vielleicht das eine oder andere noch beschämendere Detail zu gestehen, wie schmerzhaft, aber auch wie erleichternd, sich auf diese Weise den öffentlichen Sphären auszusetzen. Doch wie so viele Phänomene, die aus der Ferne wunderschön waren – Gewitterwolken, Vulkanausbrüche, die Sterne und Planeten –, erwies sich auch dieser verlockende Schmerz bei näherem Hinsehen als unmenschlich in seinem Ausmaß.

Von Newport aus fuhr die *Gunnar Myrdal* Richtung Osten in saphirblauen Dunst. Nach einem Nachmittag unter weiten Himmeln und in den tankergroßen Laufställen der Steinreichen meinte Enid, auf dem Schiff ersticken zu müssen, und obwohl sie im Springberg-Saal abermals sechzig Dollar gewann, fühlte sie sich inmitten des mechanischen Blinkens und Gurgelns wie ein Versuchstier, das mit anderen Tieren, die an Hebeln rissen, in einen Käfig gesperrt war, und schnell kam die Schlafenszeit, und als Alfred sich zu regen begann, war sie bereits wach und lauschte der Angstglocke, die so laut läutete, dass Enids Koje vibrierte und ihr Laken an ihrem Körper schabte, und da machte Alfred auch schon Lichter an und schimpfte, und ein Kabinennachbar schlug gegen die Wand und schimpfte zurück, und Alfred hörte stocksteif zu, das Gesicht zu einer Grimasse der Paranoia verzerrt, und flüsterte dann verschwörerisch, dass er einen Sch*** zwischen den Betten habe entlanglaufen sehen, und dann das Machen und wieder Unordentlichmachen besagter Betten, das Anlegen einer Windel, das Anlegen einer zweiten Windel, um einer halluzinierten Notlage zu begegnen, und das Bocken von Alfreds nervengeschädigten Beinen und das Plärren des Wortes «Enid», bis es nahezu abgenutzt war, und die Frau mit dem wund gescheuerten Namen, von der furchtbarsten Angst und Verzweiflung heimgesucht, die sie je empfunden hatte, begann in der Dunkelheit zu schluchzen, bis sie endlich – als wäre sie über Nacht gereist und käme an einem Bahnhof an, der sich von den trostlosen anderen Bahnhöfen nur durch die Morgendämmerung, die kleinen Wunder wiederhergestellter Sicht, unterschied: eine kalkweiße Pfütze auf einem Kiesparkplatz, Rauch, der sich aus einem Blechschornstein emporringelte – einen Entschluss fasste.

Auf ihrem Plan vom Schiff war an der Heckseite des «D»-Decks das universale Symbol der Hilfe für Menschen in Not eingezeichnet. Nach dem Frühstück ließ sie ihren Mann, der sich mit den Roths unterhielt, am Tisch zurück und machte sich auf den Weg zu diesem roten Kreuz. Die materielle Entsprechung des Symbols war eine Milchglastür, auf der drei in Blattgold geschriebene Wörter standen. «Alfred» hieß das erste Wort und «Krankenstation» das dritte; der Sinn des mittleren Wortes ging in den Schatten, die «Alfred» warf, verloren. Sie studierte es vergeblich. No. Bel. No-bel. No Bell. Keine Glocke?

Alle drei Wörter wichen zurück, als die Tür von einem muskulösen jungen Mann geöffnet wurde, der ein Namensschild am weißen Revers trug: Dr. med. Mather Hibbard. Er hatte ein großes, etwas rauhäutiges Gesicht, wie dieser italoamerikanische Filmstar, der so beliebt war und einmal einen Engel, ein anderes Mal einen Discotänzer gespielt hatte. «Hi, wie geht's heute Morgen?», fragte er und zeigte perlweiße Zähne. Enid folgte ihm durch einen Vorraum in das eigentliche Behandlungszimmer, wo er sie zu einem Stuhl neben seinem Schreibtisch führte.

«Ich bin Mrs. Lambert», sagte sie. «Enid Lambert, aus der B11. Ich hatte gehofft, Sie könnten mir vielleicht helfen.»

«Das hoffe ich auch. Wo drückt der Schuh?»

«Ich habe gewisse Schwierigkeiten.»

«Psychische Schwierigkeiten? Emotionale Schwierigkeiten?»

«Na ja, es geht um meinen Mann –»

«Entschuldigen Sie. Moment? Moment?» Dr. Hibbard duckte sich ein wenig und lächelte spitzbübisch. «Haben Sie nicht gesagt, *Sie* hätten Schwierigkeiten?»

Sein Lächeln war die Anbetungswürdigkeit selbst. Es nahm jenen Teil von Enid, der beim Anblick von Robbenbabys und kleinen Kätzchen dahinschmolz, in Geiselhaft und weigerte sich, ihn freizulassen, bis sie, wenn auch ein wenig unwillig, zurückgelächelt hatte. «Mein Problem», sagte sie, «sind mein Mann und meine Kinder –»

«Entschuldigen Sie noch einmal, Edith. Kurze Pause?» Dr. Hibbard duckte sich sehr tief, legte die Hände auf den Kopf und spähte zwischen seinen Armen hindurch zu ihr nach oben. «Damit wir ganz klar sehen: Sind *Sie* diejenige mit den Schwierigkeiten?»

«Nein. *Mir* geht es gut. Nur dass alle anderen in meiner –»

«Haben Sie Angstzustände?»

«Ja, aber –»

«Schlafen Sie schlecht?»

«Genau. Wissen Sie, mein Mann –»

«Edith? Sagten Sie Edith?»

«Enid. Lambert. L-A-M-»

«Enith, wie viel ist vier mal sieben weniger drei?»

«Wie? Ach so. Na ja, fünfundzwanzig.»

«Und welcher Wochentag ist heute?»

«Heute ist Montag.»

«Und welchen historischen Erholungsort in Rhode Island haben wir gestern besucht?»

«Newport.»

«Und nehmen Sie im Augenblick irgendwelche Medikamente gegen Depressionen, Angstzustände, manisch-depressives Syndrom, Schizophrenie, Epilepsie, Parkinson oder irgendeine andere psychische oder neurologische Störung ein?»

«Nein.»

Dr. Hibbard nickte und setzte sich gerade hin, zog eine tiefe Schublade im Schrank hinter sich auf und entnahm ihr eine Hand voll rasselnder Packungen aus Plastik und Silberfolie. Er zählte acht davon ab und legte sie vor Enid auf den Schreibtisch. Sie hatten einen teuren Glanz, der Enid nicht behagte.

«Dies ist ein ausgezeichnetes neues Medikament, das Ihnen

enorm helfen wird», trug Dr. Hibbard mit monotoner Stimme vor. Er blinzelte ihr zu.

«Bitte?»

«Haben wir uns missverstanden? Ich dachte, Sie hätten von ‹Schwierigkeiten› gesprochen. Von Angstzuständen und Schlafstörungen?»

«Ja, aber was ich meinte, war, dass mein Mann –»

«Der Mann, klar. Oder die Frau. Es ist oft der weniger gehemmte Ehepartner, der zu mir kommt. Eine lähmende Angst, um Aslan zu bitten, ist in der Tat genau der Zustand, bei dem Aslan in erster Linie indiziert ist. Das Medikament hat eine bemerkenswerte blockierende Wirkung auf ‹tiefe› oder ‹krankhafte› Scham.» Hibbards Lächeln war wie eine frische Delle in einer weichen Frucht. Er hatte die dichten Wimpern eines Welpen, einen Kopf, der zum Streicheln einlud. «Interessiert Sie das?», sagte er. «Sind sie voll und ganz bei der Sache?»

Enid senkte den Blick und fragte sich, ob Menschen an Schlafmangel sterben konnten.

Ihr Schweigen als Zustimmung deutend, fuhr Hibbard fort: «Wir glauben, ein klassisches ZNS-Beruhigungsmittel wie Alkohol unterdrücke ‹Scham› oder ‹Hemmungen›. Doch das ‹beschämende› Geheimnis, das man unter dem Einfluss von drei Martinis ausplaudert, verliert dadurch, dass man es ausplaudert, nicht den beschämenden Charakter; denken Sie an die tiefe Reue, die sich einstellt, sobald die Wirkung der Martinis nachgelassen hat. Was auf der molekularen Ebene abläuft, wenn Sie diese Martinis trinken, Edna, ist, dass der Äthylalkohol die Aufnahme von überschüssigem Faktor 28A, d. h. dem Faktor für ‹tiefe› oder ‹krankhafte› Scham, beeinträchtigt. Dabei wird 28A am Rezeptor nicht richtig umgewandelt oder resorbiert, sondern bleibt in vorübergehender, instabiler Verwahrung beim Transmitter. Wenn der Äthylalkohol dann abgebaut ist, wird der Rezeptor mit 28 A regelrecht *überschwemmt*. Die Angst vor Demütigung und die Sehnsucht, gedemütigt zu werden, sind eng miteinander verknüpft: Psychologen wissen das, russische Romanciers wissen das. Und es ist nicht nur ‹wahr›, sondern wirklich *wahr*. Wahr auf der molekularen Ebene. Wie dem auch sei, Aslans Wirkung auf die Chemie der Scham ist eine vollkommen andere als die eines Martinis. Wir reden hier von der vollständigen Vernichtung der 28A-Moleküle. Aslan ist ein wildes Tier.»

Offenkundig war jetzt Enid mit dem Sprechen an der Reihe, doch sie hatte ihr Stichwort verpasst. «Doktor», sagte sie, «entschuldigen Sie, aber ich habe nicht geschlafen, und ich bin ein bisschen verwirrt.»

Der Arzt runzelte allerliebst die Stirn. «Verwirrt? Oder *verwirrt*?»

«Bitte?»

«Sie haben mir erzählt, Sie hätten ‹Schwierigkeiten›. Sie haben einhundertfünfzig US-Dollar in bar oder als Reiseschecks dabei. Auf der Grundlage Ihrer klinischen Reaktionen habe ich subklinische Dysthymie ohne erkennbare Demenz diagnostiziert, und ich gebe Ihnen, gratis, acht unverkäufliche Muster Aslan ‹Kreuzfahrt›, die jeweils drei Dreißig-Milligramm-Kapseln enthalten, sodass Sie den Rest Ihrer Reise entspannt genießen und hinterher dem empfohlenen Dreißig-zwanzig-zehn-Rückführ-Programm folgen können. Aber ich muss Sie warnen, Elinor, wenn Sie nicht bloß verwirrt, sondern wirklich *verwirrt* sind, könnte mich das zwingen, meine Diagnose zu revidieren, was Ihren Zugang zu Aslan möglicherweise gefährdet.»

Hier zog Hibbard die Augenbrauen hoch und pfiff ein paar Takte einer Melodie, der sein aufgesetzt arglistiges Lächeln die Harmonie nahm.

«Ich bin nicht verwirrt», sagte Enid. «Mein Mann ist verwirrt.»

«Wenn Sie mit ‹verwirrt› *verwirrt* meinen, dann lassen Sie

mich mit allem gebotenen Ernst klarstellen, dass Sie Aslan hoffentlich für sich und nicht für Ihren Mann gedacht haben. Bei Demenz ist Aslan streng kontraindiziert. Theoretisch muss ich deshalb darauf bestehen, dass Sie das Medikament nur nach Vorschrift und unter meiner strengen Überwachung einnehmen. Aber ich bin nicht naiv. Ich weiß, dass eine so wirkungsvolle, segensreiche Arznei, die man noch dazu auf dem Festland bisher gar nicht bekommen kann, in der Praxis oft in andere Hände gelangt.»

Erneut pfiff Hibbard, die Karikatur eines Menschen, der sich aus den Angelegenheiten anderer heraushält, ein paar unmelodische Takte, während er Enid musterte, um sicherzugehen, dass er sie gut unterhielt.

«Mein Mann ist in der Nacht manchmal so sonderbar», sagte sie und wandte die Augen ab. «So aufgewühlt und schwierig, dass ich nicht schlafen kann. Dann bin ich den ganzen Tag todmüde und völlig durcheinander. Und dabei gibt es so vieles, was ich gern *tun* möchte.»

«Aslan wird Ihnen helfen», versicherte ihr Hibbard, plötzlich nüchterner. «Für viele Urlauber ist es eine wichtigere Investition als die Reiserücktrittskosten-Versicherung. Bei all dem Geld, das Sie dafür bezahlt haben, hier sein zu dürfen, Enith, haben Sie das Recht, sich jede Sekunde in Bestform zu fühlen. Ein Streit mit Ihrem Mann, Sorgen um ein Haustier, das Sie daheim gelassen haben, eine vermeintliche Brüskierung, obwohl niemand Sie brüskieren wollte: Solche negativen Gefühle können Sie sich nicht leisten. Sehen Sie es so – wenn Aslan verhindert, dass Sie wegen Ihrer subklinischen Dysthymie auch nur eine einzige im Voraus bezahlte Pleasurelines-Veranstaltung versäumen, hat es sich bereits rentiert, womit ich sagen will, dass sich dann das Pauschalhonorar für Ihren Besuch bei mir, an dessen Ende Sie acht unverkäufliche Muster Dreißig-Milligramm-Kapseln Aslan ‹Kreuzfahrt› in der Hand halten werden, gelohnt hat.»

«Was ist Asthman?»

Es klopfte an der Tür zum Gang, und Hibbard schüttelte sich, als wolle er einen klaren Kopf bekommen. «Edie, Eden, Edna, Enid, entschuldigen Sie mich einen Moment. Ich beginne zu begreifen, dass Sie, was den neuesten Stand der globalen Psychopharmakologie betrifft, den Pleasurelines seiner anspruchsvollen Klientel zu bieten vermag, wirklich *verwirrt* sind. Ich sehe, man muss Ihnen ein bisschen mehr erklären als den meisten unserer Gäste, wenn Sie mich also nur für einen Moment entschuldigen würden ...»

Hibbard nahm acht unverkäufliche Muster Aslan aus seinem Schrank, machte sich tatsächlich die Mühe, ihn abzuschließen und den Schlüssel einzustecken, und trat hinaus in den Vorraum. Enid hörte sein Gemurmel und die heisere Stimme eines älteren Mannes, der «fünfundzwanzig», «Montag» und «Newport» antwortete. In weniger als zwei Minuten kam der Arzt mit ein paar Reiseschecks in der Hand zurück.

«Ist das wirklich in Ordnung, was Sie da tun?», fragte Enid. «Ist das legal, meine ich?»

«Gute Frage, Enid, aber ich verrate Ihnen was: Es ist geradezu phantastisch legal.» Ein wenig abwesend betrachtete er einen der Schecks und stopfte sie dann allesamt in seine Hemdtasche. «Dennoch, ausgezeichnete Frage. Eins-a-Frage, wirklich. Mein Berufsethos verbietet es mir, die Arzneimittel, die ich verschreibe, zu verkaufen, also beschränke ich mich darauf, unverkäufliche Muster zu verteilen, was zum Glück der *tutto è incluso*-Politik der Pleasurelines entspricht. Da Aslan jedoch von den amerikanischen Behörden erst noch zugelassen werden muss und die meisten unserer Gäste Amerikaner sind und es für Aslans Entwickler und Hersteller Farmacopea S.A. darum keinen Anreiz gibt, mir genügend unverkäufliche Muster zur Verfügung zu stellen, um den außergewöhnlichen Bedarf zu decken, sehe ich mich bedauerlicherweise gezwungen, die Muster in großen Mengen selbst zu kaufen. Das zur Erklärung meines Beratungshonorars, das dem einen oder anderen sonst vielleicht überhöht vorkommen könnte.»

«Was ist der genaue Geldwert der acht Muster?», fragte Enid.

«Da sie gratis und unverkäuflich sind, haben sie keinen genauen Geldwert, Eartha. Aber wenn Sie wissen wollen, was es mich kostet, Ihnen diesen Service anzubieten, lautet die Antwort: ungefähr achtundachtzig US-Dollar.»

«Vier Dollar pro Pille!»

«Korrekt. Die Dosis für Patienten, die normal darauf ansprechen, beträgt dreißig Milligramm pro Tag. Mit anderen Worten, eine Kapsel. Jeden Tag vier Dollar, damit Sie sich blendend fühlen: Die meisten Gäste finden das günstig.»

«Und sagen Sie, wofür steht das? Ashram?»

«Aslan. Der Name kommt, wie man mir sagte, von einem mythischen Wesen aus der antiken Mythologie. Mithraismus, Sonnenkult und so weiter. Ich müsste lügen, wenn ich noch weiter ausholen wollte. Aber soweit ich weiß, war Aslan ein großer, gutmütiger Löwe.»

Enids Herz hüpfte in seinem Käfig. Sie nahm ein unverkäufliches Muster vom Schreibtisch und betrachtete die Pillen durch die Hartplastikbläschen. Jede gelbgoldene Kapsel war zweimal gekerbt, damit sie sich leichter teilen ließ, und mit einer vielstrahligen Sonne verziert – oder war es die Silhouette eines Löwenkopfs mit üppiger Mähne? Die Aufschrift lautete ASLAN® Kreuzfahrt™.

«Und was bewirkt es?», fragte sie.

«Überhaupt nichts», erwiderte Hibbard, «vorausgesetzt, Sie sind psychisch vollkommen gesund. Aber seien wir ehrlich: Wer ist das schon?»

«Ach, und wenn man es nicht ist?»

«Aslan leistet eine Faktorenregulierung, die auf dem allerneuesten Stand der Wissenschaft ist. Die besten heute in Amerika zugelassenen Medikamente sind wie zwei Marlboros und eine Rum-Cola, nur zum Vergleich.»

«Ist es ein Antidepressivum?»

«Unschöner Begriff. ‹Persönlichkeitsoptimierer› ist das Wort, das ich bevorzuge.»

«Und ‹Kreuzfahrt›?»

«Aslan optimiert in sechzehn chemischen Dimensionen», erklärte Hibbard geduldig. «Ich verrate Ihnen was. Für jemanden, der eine Luxuskreuzfahrt genießen möchte, ist ‹optimal› nicht dasselbe wie für jemanden, der am Arbeitsplatz funktionieren muss. Die chemischen Unterschiede sind ziemlich subtil, aber wenn Feinabstimmungen möglich sind, warum sie dann nicht anbieten? Neben Aslan ‹Basic› verkauft Farmacopea acht Mischungen nach Maß. Aslan ‹Ski›, Aslan ‹Hacker›, Aslan ‹Höchstform›, Aslan ‹Teen›, Aslan ‹Club Med›, Aslan ‹Goldene Jahre› – was noch? Ach ja, Aslan ‹Kalifornien›. In Europa sehr beliebt. Geplant ist, die Anzahl der Mischungen innerhalb von zwei Jahren auf zwanzig zu erhöhen. Aslan ‹Examen›, Aslan ‹Romantik›, Aslan ‹Schlaflose Nächte›, Aslan ‹Leseleistung›, Aslan ‹Connoisseur› und und und. Die Zulassung durch amerikanische Kontrollbehörden würde den Prozess beschleunigen, aber ich halte nicht so lange die Luft an. Wenn Sie mich fragen, was an ‹Kreuzfahrt› besonders ist? Hauptsächlich, dass es Ihre Angst ausschaltet. Den kleinen Zeiger ganz auf null dreht. Aslan ‹Basic› tut das nicht, denn ein gewisses Angstlevel ist wünschenswert, wenn man Tag für Tag zu funktionieren hat. Ich zum Beispiel nehme im Augenblick ‹Basic›, weil ich arbeite.»

«Wie –»

«Weniger als eine Stunde. Das ist das Prachtvolle daran. Es wirkt sofort und absolut zuverlässig. Während einige vom Staat zugelassenen Dinosaurier vier Wochen brauchen, um zu wirken. Nehmen Sie heute Zoloft, und seien Sie froh, wenn es Ihnen Freitag in einer Woche besser geht.»

«Nein, aber wie kann ich das Rezept zu Hause erneuern?»

Hibbard schaute auf seine Uhr. «Aus welchem Teil des Landes sind Sie, Andie?»

«Aus dem Mittelwesten. St. Jude.»

«Aha. Für Sie wird ‹Mexican Aslan› das Beste sein. Oder falls Sie Freunde haben, die nach Argentinien oder Uruguay reisen – vielleicht können Sie sich mit denen absprechen. Wenn Ihnen das Mittel zusagt und Sie ganz und gar unkomplizierten Zugang wünschen, hofft Pleasurelines natürlich, dass Sie wieder mal eine Kreuzfahrt buchen.»

Enid machte ein finsteres Gesicht. Dr. Hibbard war sehr gut aussehend und charismatisch, und die Idee einer Pille, die ihr helfen würde, die Kreuzfahrt zu genießen und besser für Alfred zu sorgen, gefiel ihr durchaus, aber der Arzt kam ihr doch ein kleines bisschen oberflächlich vor. Außerdem hieß sie Enid. E-N-I-D.

«Und Sie sind ganz, ganz sicher, dass es mir helfen wird?», fragte sie. «Sind Sie wirklich absolut sicher, dass es das Beste für mich ist?»

«Ich ‹garantiere› es», sagte Hibbard mit einem Augenzwinkern.

«Was heißt eigentlich ‹optimieren›?», fragte Enid.

«Sie werden sich emotional weniger angreifbar fühlen», sagte Hibbard. «Flexibler, zuversichtlicher, zufriedener mit sich selbst. Ihre Angst und Überempfindlichkeit werden verschwinden, und es wird Ihnen nicht mehr so krankhaft wichtig sein, was andere Leute von Ihnen denken. Alles, wofür Sie sich jetzt schämen –»

«Ja», sagte Enid. «Ja.»

«‹Wenn es zur Sprache kommt, rede ich darüber; wenn nicht, warum es erwähnen?› Das wird Ihre Haltung sein. Die tückische Ambivalenz der Scham, dieses schnelle Hin- und Herspringen zwischen Geständnis und Verheimlichung – ist das ein Problem für Sie?»

«Ich glaube, Sie verstehen mich.»

«Chemische Abläufe in Ihrem Gehirn, Elaine. Ein starker Drang zu gestehen, ein starker Drang zu verheimlichen: Was ist überhaupt ein starker Drang? Was kann er anderes sein als Chemie? Was ist Erinnerung? Eine chemische Veränderung! Vielleicht auch eine strukturelle Veränderung, aber ich verrate Ihnen was: Strukturen bestehen aus Proteinen! Und woraus bestehen Proteine? Aus Aminen!»

Enid hatte die unbestimmte Sorge, dass ihre Kirche etwas anderes lehrte – irgendetwas von Christus, der beides war, ein großes Stück Fleisch an einem Kreuz und Gottes Sohn –, doch Glaubensfragen hatte sie schon immer erschreckend komplex gefunden, und Reverend Anderson in ihrer Gemeinde hatte ein so gütiges Gesicht und erzählte in seinen Predigten oft Witze oder zitierte *New Yorker*-Cartoons oder weltliche Schriftsteller wie John Updike, und nie tat er etwas Verstörendes, indem er der Gemeinde etwa sagte, sie sei verdammt, was ohnehin absurd gewesen wäre, wo doch alle in der Kirche so nett und freundlich waren, und außerdem hatte Alfred über ihren Glauben immer die Nase gerümpft, und es war leichter, mit dem Glauben einfach aufzuhören (wenn sie überhaupt jemals gläubig gewesen war), als Alfred in einem philosophischen Streitgespräch schlagen zu wollen. Mittlerweile glaubte Enid, dass man, wenn man tot war, wirklich tot war, und Dr. Hibbards Sicht der Dinge leuchtete ihr ein.

Dennoch, da sie eine hartgesottene Käuferin war, sagte sie: «Ich bin bloß eine dumme alte Frau aus dem Mittelwesten, na ja, aber die Persönlichkeit verändern, das hört sich für mich irgendwie nicht richtig an.» Sie machte ein langes, säuerliches Gesicht, damit ihr Missfallen auch bestimmt nicht übersehen wurde.

«Was spricht gegen Veränderung?», sagte Hibbard. «Sind Sie glücklich so, wie Sie sich im Augenblick fühlen?»

«Das nicht, nein, aber wenn ich ein anderer Mensch bin, nachdem ich die Pille genommen habe, wenn ich hinterher *anders* bin, dann kann das doch nicht richtig sein, und –»

«Edwina, ich verstehe Sie vollkommen. Wir alle empfinden eine irrationale Zuneigung zu den besonderen chemischen Koordinaten unseres Charakters und Temperaments. Das hat mit der Angst vorm Tod zu tun, meinen Sie nicht? Ich weiß nicht, wie es sein wird, nicht mehr ich zu sein. Aber ich verrate Ihnen was. Wenn ‹ich› nicht mehr da bin, um den Unterschied zu bemerken, was kümmert es ‹mich› dann? Tot zu sein ist nur ein Problem, wenn man weiß, dass man tot ist, was nie der Fall sein wird, schließlich ist man ja tot!»

«Aber es hört sich so an, als würde das Mittel alle gleich machen.»

«Mh-mh. Biep-biep. Falsch. Ich verrate Ihnen was: Zwei Menschen können die gleiche Persönlichkeit haben und trotzdem Individuen sein. Zwei Menschen mit dem gleichen IQ können vollkommen verschiedene Kenntnisse und Erinnerungen haben. Richtig? Zwei ausgesprochen liebevolle Menschen können ihre Liebe auf vollkommen unterschiedliche Gegenstände richten. Zwei gleichermaßen risikoscheue Individuen können vollkommen verschiedene Risiken meiden. Vielleicht macht Aslan uns alle ein bisschen gleicher, aber ich verrate Ihnen was, Enid: Wir alle sind immer noch Individuen.»

Der Arzt entfesselte ein besonders liebreizendes Lächeln, und Enid, die sich ausrechnete, dass er pro Gespräch einen Reingewinn von $ 62 erzielte, fand, dass sie nun für ihr Geld genug von seiner Zeit und Aufmerksamkeit bekommen hatte, und sie tat, wozu sie im Grunde entschlossen war, seit ihr Blick zum ersten Mal auf die sonnigen, die löwenköpfigen Kapseln gefallen war. Sie griff in ihre Handtasche, nahm ein Bündel Bargeld aus dem Pleasurelines-Kuvert, in dem ihre Spielgewinne steckten, und zählte $ 150 ab.

«Viel Zeitvertreib von dem Löwen», sagte Hibbard mit einem Augenzwinkern, als er den Stapel unverkäuflicher Muster über seinen Schreibtisch schob. «Brauchen Sie eine Tüte?»

Mit klopfendem Herzen trat Enid den Rückweg zum «B»-Deck an. Nach dem Albtraum des vergangenen Tages und der letzten beiden Nächte hatte sie nun wieder etwas, auf das sie sich freuen konnte; und wie süß die Zuversicht einer Frau, die ein eben ergattertes Mittel bei sich trägt, das ihr Denken zu wandeln verheißt; wie universal die Sehnsucht, den Gegebenheiten des Selbst zu entfliehen. Keine größere Anstrengung, als die Hand zum Mund zu führen, kein gewaltigerer Akt, als zu schlucken, kein religiöses Gefühl, kein Glaube an etwas anderes, Mystischeres als Ursache und Wirkung – nichts von alledem war nötig, um die umwälzenden Segnungen dieser Pille zu erfahren. *Sie konnte es nicht erwarten, sie einzunehmen.* Den ganzen Weg bis zur Kabine B11 ging sie wie auf Wolken. Glücklicherweise war dort von Alfred keine Spur. Als wolle sie dem Verbotenen ihres Vorhabens Rechnung tragen, schob sie den Riegel vor die Außentür. Schloss sich, darüber hinaus, im Badezimmer ein. Hob die Augen zu deren gespiegelten Zwillingen empor und erwiderte in einem feierlichen Impuls ihren Blick, wie sie es seit Monaten oder vielleicht Jahren nicht mehr getan hatte. Drückte eine goldene Aslan durch die Folie auf der Rückseite eines der unverkäuflichen Muster. Legte sie sich auf die Zunge und spülte sie mit Wasser hinunter.

Ein paar Minuten lang hantierte sie mit Zahnbürste und Zahnseide, ein bisschen Hausarbeit im Mund, damit die Zeit verstrich. Dann stieg sie, mit einem Schauder aufwogender Müdigkeit, in ihre Koje, um zu warten.

Goldenes Sonnenlicht fiel auf die Bettdecken im fensterlosen Raum.

Er rieb seine warme Samtschnauze an ihrem Handgelenk. Er leckte ihre Augenlider mit einer sandpapierenen, zugleich glatten Zunge. Sein Atem war süß und beißend.

Als sie aufwachte, war das kühle Halogenlicht in der Kabine nicht mehr künstlich. Es war das kühle Leuchten der hinter einer flüchtigen Wolke verborgenen Sonne.

Ich habe das Medikament genommen, sagte sie sich. Ich habe das Medikament genommen. Ich habe das Medikament genommen.

Ihre neue emotionale Flexibilität wurde am nächsten Morgen auf eine harte Probe gestellt, als sie um sieben aufstand und sah, dass Alfred sich in der Duschkabine zusammengerollt hatte und tief und fest schlief.

«Al, du liegst in der Dusche», sagte sie. «Da schläft man nicht.»

Sie begann sich die Zähne zu putzen. Alfred öffnete von Wahnsinn ungetrübte Augen und machte eine Bestandsaufnahme. «Ah, bin ich steif», sagte er.

«Was um Himmels willen tust du da?», gluckste Enid, den Mund voller Fluoridschaum, während sie fröhlich vor sich hin putzte.

«Bin heute Nacht ganz durcheinander gewesen», sagte er. «Hatte so seltsame Träume.»

Sie merkte, dass sie in Aslans Armen neue Reserven der Geduld für den handgelenkstrapazierenden Witsch-Watsch-Bürstenstrich entdeckte, den ihr Zahnarzt ihr für die Seiten der Backenzähne angeraten hatte. Mit geringem bis mittlerem Interesse sah sie zu, wie Alfred über einen mehrstufigen Prozess des Sichaufstützens, -hochstemmens, -aufrappelns, -anspannens und Kontrolliert-nach-vorne-Kippens in die aufrechte Position gelangte. Ein irrwitziger Dhoti aus zerknüllten und zerfledderten Windeln hing ihm von den Lenden. «Nun guck dir das mal an», sagte er kopfschüttelnd. «Würdest du dir das bitte mal angucken.»

«Ich habe die ganze Nacht herrlich geschlafen», antwortete sie.

«Und wie geht's unseren Flottierern heute Morgen?», fragte die fliegende Programmkoordinatorin Suzy Ghosh mit einer Stimme, die wie Haar in einer Shampoo-Werbung war, in die Runde.

«Jedenfalls sind wir gestern Nacht nicht untergegangen, falls Sie das meinen», sagte Sylvia Roth.

Die Norweger nahmen Suzy sofort in Beschlag und unterzogen sie einer komplizierten Befragung zum Bahnenschwimmen im größeren der beiden Pools auf der *Gunnar Myrdal*.

«Sieh an, sieh an, Signe», sagte Mr. Söderblad indiskret laut zu seiner Frau, «das ist ja eine Überraschung. Die Nygrens haben heute Morgen eine längere Frage an Miss Ghosh.»

«Ja, Stig, sie scheinen eigentlich immer eine längere Frage zu haben, nicht wahr? Sie sind sehr gründlich, unsere Nygrens.»

Ted Roth drehte eine halbe Pampelmuse wie ein Töpfer und kratzte dabei das Fruchtfleisch heraus. «Die Geschichte des Kohlenstoffs», sagte er, «ist die Geschichte des Planeten. Wissen Sie über den Treibhauseffekt Bescheid?»

«Sie sind dreifach steuerfrei», sagte Enid.

Alfred nickte. «Ja, ich weiß über den Treibhauseffekt Bescheid.»

«Man muss die Rabattmarken aber auch wirklich abschneiden, das vergesse ich manchmal», sagte Enid.

«Vor vier Milliarden Jahren war die Erde sehr heiß», sagte Dr. Roth. «An Atmen nicht zu denken. Methan, Kohlendioxyd, Wasserstoffsulfid.»

«In unserem Alter ist ein regelmäßiges Einkommen natürlich wichtiger als Kapitalzuwachs.»

«Die Natur hatte noch nicht gelernt, Cellulose aufzuspalten.

Wenn ein Baum umfiel, lag er auf dem Boden und wurde vom nächsten Baum, der umfiel, begraben. Das war das Karbon. Die Erde eine einzige verschwenderische Orgie. Und im Laufe von Millionen und Abermillionen von Jahren, in denen Bäume auf Bäume fielen, wurde der Luft fast der gesamte Kohlenstoff entzogen und anschließend begraben. Und dort, unter der Erde, ist er, geologisch gesprochen, bis gestern geblieben.»

«Bahnenschwimmen, Signe. Glaubst du, man kann dabei auch auf die schiefe Bahn kommen?»

«Manche Menschen sind einfach unausstehlich», sagte Mrs. Nygren.

«Wenn heute ein Baumstamm umfällt, wird er von Pilzen und Mikroben zersetzt, und der ganze Kohlenstoff gelangt wieder in die Luft. Ein Karbon kann es nie wieder geben. Nie. Weil man die Natur nicht bitten kann zu verlernen, wie Cellulose abgebaut wird.»

«Es heißt jetzt Orfic Midland», sagte Enid.

«Säugetiere gibt es erst, seit die Welt sich abgekühlt hat. Frost auf dem Kürbis. Pelzige Wesen in Höhlen. Bloß jetzt haben wir da ein sehr cleveres Säugetier, das allen Kohlenstoff wieder aus der Erde holt und ihn in die Atmosphäre zurückschleust.»

«Ich glaube, wir besitzen sogar ein paar Aktien von Orfic Midland», sagte Sylvia.

«In der Tat», sagte Per Nygren, «besitzen auch wir Orfic-Midland-Aktien.»

«Per muss es wissen», sagte Mrs. Nygren.

«Daran habe ich keinen Zweifel», sagte Mr. Söderblad.

«Wenn wir erst mal alle Kohle-, Öl- und Gasvorräte verbrannt haben», sagte Dr. Roth, «werden wir die alte Atmosphäre wiederbekommen. Eine heiße, garstige Atmosphäre, wie es sie seit dreihundert Millionen Jahren nicht mehr gegeben hat. Wenn wir den Kohlenstoffgeist erst mal aus seiner mineralischen Flasche gelassen haben.»

«Norwegen hat ein hervorragendes Rentenversicherungssystem, ä-hm, aber trotzdem ergänzen wir unseren staatlichen Versicherungsschutz durch einen privaten Fonds. Jeden Morgen überprüft Per den Wert jeder einzelnen Aktie, die dazugehört. Sind eine ganze Menge amerikanischer Aktien darunter. Wie viele, Per?»

«Im Augenblick sechsundvierzig», sagte Per Nygren. «Wenn ich mich nicht irre, ist ‹Orfic› ein Akronym, gebildet aus Oak Ridge Fiduciary Investment Corporation. Die Aktie hat ihren Wert ziemlich stabil gehalten und wirft eine hübsche Dividende ab.»

«Faszinierend», sagte Mr. Söderblad. «Wo bleibt mein Kaffee?»

«Hör mal, Stig», sagte Signe Söderblad, «ich bin ziemlich sicher, dass wir diese Orfic-Midland-Aktie auch haben, oder?»

«Wir haben eine Unmenge Aktien. Ich kann mir nicht jeden Namen merken. Noch dazu, wo die Schrift in den Zeitungen so winzig ist.»

«Die Moral von der Geschichte ist: kein Plastik-Recycling. Bringt euer Plastik auf die Müllhalde. Befördert den Kohlenstoff unter die Erde.»

«Wenn es nach Al gegangen wäre, hätten wir immer noch jeden Penny auf dem Sparbuch.»

«Vergrabt ihn, vergrabt ihn. Sperrt den Geist in die Flasche.»

«Ich habe nämlich ein Augenleiden, das mir das Lesen sehr erschwert», sagte Mr. Söderblad.

«Ach ja?», sagte Mrs. Nygren spitz. «Und wie lautet die medizinische Bezeichnung für dieses Leiden?»

«Ich mag kühle Herbsttage», sagte Dr. Roth.

«Na ja», sagte Mrs. Nygren, «das Problem ist natürlich, dass sich die genaue Bezeichnung des Leidens wiederum nur durch mühevolles Lesen herausfinden lässt.»

«Die Erde ist ein kleiner Planet.»

«Es gibt natürlich das so genannte *schwache* Auge, aber gleich zwei *schwache* Augen auf einmal zu haben –»

«Das ist praktisch unmöglich», sagte Mr. Nygren. «Bei der ‹Schwachsichtigkeit› oder Amblyopie übernimmt das eine Auge die Arbeit des anderen. Wenn also ein Auge schwachsichtig ist, ist das andere per definitionem –»

«Per, halt den Mund», sagte Mrs. Nygren.

«Inga!»

«Ober, nachschenken.»

«Stellen Sie sich die obere Mittelschicht Usbekistans vor», sagte Dr. Roth. «Eine der Familien hatte den gleichen Ford Stomper wie wir. Der einzige Unterschied zwischen der oberen Mittelschicht bei uns und der oberen Mittelschicht bei denen ist tatsächlich, dass dort niemand, nicht einmal die reichste Familie der Stadt, sanitäre Anlagen im Haus hat.»

«Mir ist durchaus bewusst», sagte Mr. Söderblad, «dass ich als Nichtleser allen Norwegern moralisch unterlegen bin. Damit kann ich leben.»

«Jede Menge Fliegen, wie über einem vier Tage alten Kadaver. Ein Eimer voll Asche, die man in die Grube streut. Sehr weit kann man nicht reingucken, aber das ist schon weiter, als einem lieb ist. Und ein funkelnder Ford Stomper vor der Haustür. Und sie filmen mit der Videokamera, wie wir sie mit der Videokamera filmen.»

«Andererseits gelingt es mir trotz meiner Behinderung, dem Leben die eine oder andere Freude abzutrotzen.»

«Aber wie schal, Stig», sagte Signe Söderblad, «müssen unsere Freuden sein, verglichen mit denen der Nygrens.»

«Ja, sie scheinen sich an den tiefen und dauerhaften Wonnen des Geistes zu laben. Andererseits, Signe, hast du heute Morgen ein sehr vorteilhaftes Kleid an. Und sogar Mr. Nygren hat das Kleid bewundert, trotz der tiefen und dauerhaften Wonnen, die er woanders findet.»

«Komm mit, Per», sagte Mrs. Nygren. «Man beleidigt uns.»

«Stig, hast du das gehört? Die Nygrens wurden beleidigt und verlassen uns.»

«Wie schade. Es ist so lustig mit ihnen.»

«Unsere Kinder leben inzwischen alle an der Ostküste», sagte Enid. «Niemand scheint sich im Mittelwesten mehr wohl zu fühlen.»

«Ich pass hier nur den richtigen Zeitpunkt ab, Alter», sagte eine vertraute Stimme.

«Die Kassiererin im Speisesaal der Geschäftsleitung von Du Pont war Usbekin. Wahrscheinlich habe ich auch bei IKEA in Plymouth Meeting Usbeken gesehen. Wir reden hier nicht von Außerirdischen. Usbeken tragen Bifokalbrillen. Sie fliegen mit Flugzeugen.»

«Auf dem Rückweg machen wir einen Zwischenstopp in Philadelphia, damit wir in ihrem neuen Restaurant essen können. Es heißt ‹Der Generator›?»

«Enid, meine Güte, das ist *ihr* Lokal? Ted und ich waren vor zwei Wochen dort.»

«Die Welt ist klein», sagte Enid.

«Das Essen war fabelhaft. Wirklich bemerkenswert gut.»

«Im Endeffekt haben wir also sechstausend Dollar bezahlt, um daran erinnert zu werden, wie ein Plumpsklo riecht.»

«Ich werde das nie vergessen», sagte Alfred.

«Und sind noch dankbar für das Plumpsklo! Weil das der eigentliche Zweck von Fernreisen ist. Weil Fernsehen und Bücher einem das nicht vermitteln können. So was muss man schon selbst erleben. Nehmen Sie das Plumpsklo weg, und wir hätten das Gefühl, sechstausend Dollar zum Fenster rausgeworfen zu haben.»

«Sollen wir aufs Sonnendeck gehen und uns das Gehirn durchbraten lassen?»

«O ja, Stig, bitte. Ich bin intellektuell völlig erschöpft.»

«Dank sei Gott für die Armut. Dank sei Gott für das Linksfahren. Dank sei Gott für Babel. Dank sei Gott für andere Voltzahlen und seltsam geformte Steckdosen.» Dr. Roth schob seine Brille den Nasenrücken herunter und spähte darüber hinweg, den schwedischen Exodus fest im Blick. «Kleine Bemerkung am Rande: Jedes Kleid, das diese Frau besitzt, ist so geschneidert, dass man es schnell wieder ausziehen kann.»

«Ich habe noch nie erlebt, dass Ted derart wild darauf war, zum Frühstücken zu gehen», sagte Sylvia. «Und zum Mittagessen. Und zum Abendessen.»

«Fabelhafte nordische Aussichten», sagte Roth. «Dafür sind wir doch hier, oder?»

Alfred senkte betreten den Blick. Auch in Enids Hals steckte eine kleine Gräte der Prüderie. «Glauben Sie, dass er wirklich etwas an den Augen hat?», brachte sie heraus.

«Zumindest in einer Hinsicht hat er ein exzellentes Auge.»

«Ted, jetzt hör aber mal auf.»

«Dass die schwedische Sexbombe ein müdes Klischee ist, ist selbst schon ein müdes Klischee.»

«Hör bitte auf.»

Der pensionierte Vorstandsvorsitzende schob seine Brille wieder hoch und wandte sich Alfred zu. «Ich frage mich, ob wir depressiv geworden sind, weil es kein unerforschtes Land mehr gibt. Weil wir nicht mehr so tun können, als gäbe es irgendwo noch einen Ort, an dem bisher keiner war. Ich frage mich, ob sich da eine kollektive Depression anbahnt, weltweit.»

«Mir geht's ganz wunderbar heute Morgen. Ich habe so gut geschlafen.»

«Laborratten werden teilnahmslos, wenn zu viele in einem Käfig sind.»

«Stimmt, Enid, Sie wirken wie verwandelt. Erzählen Sie mir jetzt bloß nicht, das hätte etwas mit dem Arzt vom ‹D›-Deck zu tun. Ich hab da ein paar Geschichten gehört.»

«Geschichten?»

«Bleibt höchstens noch der so genannte Cyberraum», sagte Dr. Roth, «aber wo ist da die Wildnis?»

«Von einem Mittel, das Aslan heißt», sagte Sylvia.

«Aslan?»

«Oder der Weltraum», sagte Dr. Roth, «aber mir gefällt diese Erde. Sie ist ein guter Planet. Was sie zu bieten hat, ist ein Mangel an Zyanid, Schwefelsäure und Ammoniak in der Atmosphäre. Womit sich keineswegs jeder Planet brüsten kann.»

«‹Großmutters kleiner Helfer› nennen sie es, glaube ich.»

«Aber selbst im eigenen großen, stillen Haus fühlt man sich doch beengt, wenn es auf der anderen Seite der Erde und überall dazwischen ebenfalls große, stille Häuser gibt.»

«Alles, was ich möchte, ist ein bisschen Privatsphäre», sagte Alfred.

«Kein Strand zwischen Grönland und den Falkland-Inseln, der nicht von Erschließungsplänen bedroht ist. Kein Stück Land, das ungerodet bleibt.»

«Ach herrje, wie spät ist es?», fragte Enid. «Wir wollen doch diesen Vortrag nicht verpassen.»

«Sylvia ist anders. Sie mag das Gewimmel an den Kais.»

«Stimmt, Gewimmel mag ich», sagte Sylvia.

«Gangways, Bullaugen, Schauerleute. Sie mag das Tuten des Signalhorns. Für mich ist das hier ein schwimmender Freizeitpark.»

«Man muss sich eben mit einem gewissen Maß an Verklärung abfinden», sagte Alfred. «Daran ist nichts zu ändern.»

«Usbekistan ist meinem Magen nicht bekommen», sagte Sylvia.

«Mir gefällt die ganze Verschwendung hier», sagte Dr. Roth. «Es tut gut zu sehen, wie Hunderte von Meilen sinnlos zurückgelegt werden.»

«Sie romantisieren die Armut.»

«Wie bitte?»

«Wir waren in Bulgarien», sagte Alfred. «Usbekistan kenne ich nicht, aber in China waren wir auch. Soweit ich es von der Eisenbahn aus sehen konnte, würde ich – also, wenn es nach mir ginge, würde ich alles abreißen. Abreißen und nochmal von vorn anfangen. Die Häuser müssen nicht hübsch sein, nur solide. Sanitäre Anlagen rein in die Häuser. Eine vernünftige Betonmauer und ein Dach, das nicht leckt – das ist es, was die Menschen dort brauchen. Kanalisation. Schauen Sie sich die Deutschen an, wie die alles wieder aufgebaut haben. Geradezu vorbildlich.»

«Würde allerdings nicht so gern Fisch aus dem Rhein essen. Falls man überhaupt welchen darin findet.»

«Das ist alles Umweltschützer-Geschwafel.»

«Alfred, Sie sind ein zu kluger Mann, um das Geschwafel zu nennen.»

«Ich muss jetzt mal verschwinden.»

«Al, wenn du fertig bist, nimm doch ein Buch mit nach draußen und lies ein bisschen. Sylvia und ich hören uns den Investment-Vortrag an. Setz du dich einfach irgendwo hin. In die Sonne. Und entspann dich, hörst du, entspann dich.»

Er hatte gute Tage und schlechte Tage. Es war, als flössen, wenn er eine Nacht im Bett verbrachte, bestimmte Körpersäfte, wie die Säfte einer Marinade, in die man ein Hüftsteak legt, an die richtigen oder falschen Stellen und als hätten seine Nervenenden am Morgen entweder genug von dem, was sie brauchten, oder eben nicht; als hinge seine geistige Klarheit von etwas so Banalem ab wie davon, ob er in der vergangenen Nacht auf der Seite oder auf dem Rücken gelegen hatte; oder, beunruhigender noch, als wäre er ein beschädigtes Transistorradio, das nach heftigem Schütteln entweder wieder laut und deutlich funktionierte oder nichts als statisches Rauschen ausspuckte, durchbrochen von Satzfetzen und gelegentlichen Takten Musik.

Trotzdem, noch der schlimmste Morgen war besser als die beste Nacht. Am Morgen *beschleunigten* sich alle Prozesse und katapultierten Alfreds Medikamente an ihre Bestimmungsorte: das kanariengelbe spindelförmige Ding gegen Inkontinenz, die kleine runde rosafarbene Kugel gegen das Zittern, das weiße Oval gegen Übelkeit, die blassblaue Tablette zur Bekämpfung der Halluzinationen, die von der kleinen runden rosafarbenen Kugel kamen. Am Morgen herrschte in seinem Blut dichter Pendlerverkehr, Glukoseboten, Lakto- und Urinhygienespezialisten, Hämoglobinspediteure, die in ihren zerdellten Lieferwagen Mengen frisch aufbereiteten Sauerstoffs transportierten, unerbittliche Vorarbeiter wie das Insulin, das enzymische mittlere Management und die leitenden Epinephrine, Leukozytenpolizisten und Notfallwagenteams, teure Berater, die in ihren rosafarbenen und weißen und kanariengelben Limousinen herbeigefahren kamen, den Aorta-Fahrstuhl nahmen und über die Arterien ausschwärmten. Vor zwölf Uhr am Mittag war die Quote der Arbeitsunfälle gering. Die Welt war neugeboren.

Er hatte Schwung. Vom Kierkegaard-Saal aus schwankte er federnden Schritts einen mit rotem Teppich ausgelegten Gang entlang, der ihm schon einmal mit einem stillen Örtchen aufgewartet hatte, doch heute Morgen schien hier alle Welt Geschäfte zu machen, kein H oder D in Sicht, nur Frisörsalons und Boutiquen und das Ingmar-Bergman-Kino. Das Problem war, dass er sich nicht mehr darauf verlassen konnte, ob sein Nervensystem die Dringlichkeit seines Austretenmüssens richtig einschätzte. In der Nacht löste er es, indem er einen Schutz trug, am Tage, indem er stündlich eine Toilette aufsuchte und stets seinen alten schwarzen Regenmantel bei sich hatte, für den Fall, dass er einmal ein Missgeschick verbergen musste. Ein weiterer Vorzug des Regenmantels war, dass er Enids romantische Gefühle verletzte, ein weiterer Vorzug der stündlichen Gänge zur

Toilette, dass sie seinem Leben eine Struktur gaben. Lediglich alles im Griff zu behalten – lediglich den Ozean der nächtlichen Schrecken daran zu hindern, dass er auch das letzte Schott durchbrach –, das war jetzt sein ganzes Streben.

Unzählige Frauen strömten in Richtung Langstrumpf-Ballsaal. Ein starker Strudel trieb Alfred in einen Gang, an dem die Kabinen der mitreisenden Referenten und Entertainer lagen. Am Ende des Gangs winkte ein Herren-WC.

Ein Offizier mit Epauletten stand vor einem der beiden Urinbecken. Aus Furcht, unter Beobachtung zu versagen, betrat Alfred eine Toilettenkabine, schob den Riegel vor und fand sich einer Kloschüssel gegenüber, die unter Kotbeschuss genommen worden war, glücklicherweise aber nichts erzählte, sondern nur stank. Er ging wieder hinaus und probierte es mit der nächsten, doch hier huschte etwas über den Boden – ein wendiger Scheißhaufen, der in Deckung ging –, und er wagte nicht einzutreten. Inzwischen hatte der Offizier gespült, und als er sich zu ihm umwandte, erkannte Alfred die blauen Wangen und rosa getönten Brillengläser und vulvapinken Lippen wieder. Aus seinem noch geöffneten Reißverschluss hingen zwanzig Zentimeter oder mehr eines schlaffen braunen Rohrs. Ein gelbes Grinsen tat sich zwischen seinen blauen Wangen auf. Er sagte: «Ich habe eine kleine Kostbarkeit in Ihrem Bett hinterlegt, Mr. Lambert. Anstelle derer, die ich mitgenommen habe.»

Alfred taumelte aus der Toilette und floh die Treppen hinauf, höher und höher, sieben Stockwerke hoch, bis zum Sportdeck unter freiem Himmel. Hier fand er eine Bank in heißem Sonnenschein. Er zog eine Karte von Kanadas Küstenprovinzen aus der Tasche seines Regenmantels und versuchte, seine Position im Gitternetz zu bestimmen, ein paar Landmarken auszumachen.

Drei alte Männer in Gore-Tex-Jacken standen an der Reling.

Ihre Stimmen waren in einem Augenblick unhörbar, im nächsten vollkommen klar. Der Wind schien in seiner veränderlichen Masse Luftlöcher zu haben, kleine Räume der Stille, durch die der eine oder andere Satz schlüpfen konnte.

«Da ist jemand mit einer Karte», sagte einer der Männer. Er kam zu Alfred herüber und sah so glücklich aus wie alle Männer auf der Welt, außer Alfred. «Entschuldigen Sie, Sir. Was, meinen Sie, sieht man da vorn zu unserer Linken?»

«Das ist die Gaspé-Halbinsel», antwortete Alfred entschieden. «Dahinter müsste eigentlich gleich eine große Stadt auftauchen.»

«Danke vielmals.»

Der Mann kehrte zu seinen Kameraden zurück. Als wäre die Position des Schiffs für sie von großer Bedeutung, als hätte sie überhaupt nur das Verlangen nach dieser Information auf das Sportdeck geführt, machten sich alle drei unverzüglich auf den Weg nach unten und ließen Alfred ganz oben auf der Welt allein. Der schützende Himmel war dünner in diesen Breiten nördlichen Gewässers. Wolken zogen gemeinschaftlich ihre Bahnen, an Furchen auf einem Feld erinnernd, und glitten unter der umschließenden Kuppel des auffallend niedrigen Himmels dahin. Man kam hier Ultima Thule nahe. Alles Grüne hatte eine rote Korona. Den Wäldern, die sich im Westen bis an die Grenze des Sichtbaren erstreckten, auch dem ziellosen Davoneilen der Wolken und der übernatürlichen Klarheit der Luft haftete nichts Irdisches an.

Seltsam, das Unendliche ausgerechnet in einer endlichen Krümmung, das Ewige ausgerechnet im jahreszeitlich Bedingten aufscheinen zu sehen.

Alfred hatte in dem blauwangigen Mann aus der Herrentoilette den Mann von der Abteilung Signale wiedererkannt, den personifizierten Verrat. Doch der blauwangige Mann von der Abteilung Signale konnte sich unmöglich eine Luxuskreuzfahrt leisten, und das beunruhigte Alfred. Der blauwangige Mann kam aus ferner Vergangenheit, sprach und handelte aber in der Gegenwart, und der Scheißhaufen war ein Geschöpf der Nacht, lief aber am helllichten Tag herum, und das beunruhigte Alfred sehr.

Ted Roth zufolge bildeten sich die Löcher in der Ozonschicht zuerst an den Polen. In der langen arktischen Nacht gab die Erdhülle zuerst nach, doch sobald sie porös geworden war, breitete sich der Schaden aus, griff sogar auf die sonnigen Tropen über – sogar auf den Äquator –, und schon bald war kein Fleck auf dem Erdball mehr sicher.

Inzwischen hatte ein Observatorium in den entlegenen unteren Regionen ein schwaches Signal ausgesandt, eine zweideutige Botschaft.

Alfred empfing das Signal und fragte sich, was er tun sollte. Er hatte eine Scheu vor Toiletten, neuerdings, aber er konnte ja seine Hosen nicht gut hier im Freien herunterlassen. Möglich, dass die drei Männer jeden Moment zurückkamen.

Hinter einem Schutzgeländer zu seiner Rechten waren mehrere dick lackierte flache und zylinderförmige Gegenstände, zwei sphärische zu Navigationszwecken, ein umgekehrter Kegel. Da er schwindelfrei war, hielt ihn nichts davon ab, die unmissverständliche Warnung in vier Sprachen in den Wind zu schlagen, sich an der Brüstung vorbeizuzwängen und auf die raue Metallfläche hinauszutreten, um sich, sozusagen, einen Baum zu suchen, hinter dem er pinkeln konnte. Er war hoch über allem und nicht zu sehen.

Aber zu spät.

Beide Hosenbeine waren durchnässt, das linke beinahe bis zum Knöchel. Warm-kalte Feuchtigkeit überall.

Und wo an der Küste eine Stadt hätte auftauchen müssen, entfernte sich das Land. Graue Wellen marschierten durch seltsames Gewässer, und das Beben der Maschinen wurde angestrengter, war weniger leicht zu ignorieren. Das Schiff hatte die Gaspé-Halbinsel entweder noch nicht erreicht oder bereits passiert. Die Daten, die er den Männern in den Jacken übermittelt hatte, waren falsch. Er hatte die Orientierung verloren.

Und vom Deck direkt unter ihm trug ihm der Wind ein Kichern zu. Da war es noch einmal, ein trällernder Schrei, eine nordische Lerche.

Er rückte langsam von den Kugeln und Zylindern ab und beugte sich über die äußere Reling. Ein paar Meter weiter achtern war eine kleine «nordische» Sonnenbadezone, versteckt hinter einem Zedernholzzaun, und ein Mann, der dort stand, wo kein Passagier stehen durfte, konnte über den Zaun schauen und Signe Söderblad erblicken, ihre gänsehäutigen Arme und Schenkel, ihren Bauch, die zwei drallen Brombeeren, zu denen ein plötzlich grauer Winterhimmel ihre Brustwarzen zusammengezogen hatte, das zitternde rötlich braune Fell zwischen ihren Beinen.

Die Tagwelt schwamm auf der Nachtwelt, und die Nachtwelt versuchte, die Tagwelt zu überschwemmen, und Alfred mühte und mühte sich, dafür zu sorgen, dass die Tagwelt wasserdicht blieb. Doch ein schlimmer Riss hatte sich aufgetan.

Herauf zog eine weitere Wolke, größer, dichter, und machte den Abgrund unter ihm grünlich schwarz. Kollision von Schiff und Schatten.

Und Scham und Verzweiflung –

Oder war es der Wind, der in das Segel seines Regenmantels griff?

Oder war es das Krängen des Schiffs?

Oder der Tremor in seinen Beinen?

Oder der korrespondierende Tremor der Maschinen?

Oder ein Ohnmachtsanfall?

Oder die ewig lockende Tiefe?

Oder die relative Wärme, mit der das Wasser jemanden einlud, der durchnässt und frierend im Wind stand?

Oder lehnte er sich absichtlich weiter vor, um noch einmal den rötlich braunen Schamhügel zu sehen?

«Wie passend es doch ist», sagte der international renommierte Anlageberater Jim Crolius, «auf einer Luxus-Herbstfarben-Kreuzfahrt der Nordic Pleasurelines über Geld zu reden. Herrschaften, ist heute nicht ein phantastisch sonniger Tag?»

Crolius stand an einem Rednerpult neben einer Tafel, auf der in roter Schrift der Titel seines Vortrags – «Wie man die Korrekturen überlebt» – zu lesen war. In den vorderen Reihen, wo jene saßen, die früh erschienen waren, um sich gute Plätze zu sichern, wurde zustimmendes Gemurmel laut. Irgendjemand sagte sogar: «Ja, *Jim*!»

Enid ging es heute Morgen um so vieles besser, aber ein paar atmosphärische Störungen machten sich in ihrem Kopf noch bemerkbar, eine Gewitterfront zum Beispiel, bestehend aus a) Groll gegen die Frauen, die lächerlich früh in den Langstrumpf-Ballsaal gekommen waren, als würde die potenzielle Lukrativität der Ratschläge, die Jim Crolius gab, mit wachsender Entfernung zu ihm abnehmen; b) besonderem Groll gegen den Typus aufdringliche New Yorkerin, die sich an allen anderen vorbeidrängelte, um mit einem Referenten von Anfang an per du zu sein (sie war sicher, dass Jim Crolius die Anmaßung und hohlen Schmeicheleien solcher Frauen sofort durchschaute, aber vielleicht war er zu höflich, sie zu übergehen und sein Augenmerk auf die weniger aufdringlichen, achtbareren Frauen aus dem Mittelwesten wie Enid zu richten); und c) heftigem Ärger auf Alfred, der auf dem Weg zum Frühstück *zweimal* eine Toilette aufgesucht hatte, sodass sie den Kierkegaard-Saal nicht beizeiten hatte verlassen können, um selbst einen guten Platz in den vorderen Reihen zu ergattern.

Aber die Gewitterfront verschwand beinahe so schnell, wie sie aufgezogen war, und schon strahlte wieder die Sonne.

«Also, ich will kein Spielverderber sein», sagte Jim Crolius gerade, «aber von hier, wo *ich* stehe, hier vorn bei den Fenstern, sehe ich ein paar Wolken am Horizont. Es könnten freundliche weiße Wölkchen sein. Oder aber dunkle Regenwolken. Womöglich trügt der Schein! Von hier aus könnte ich meinen, dass wir auf sicherem Kurs sind, aber ich bin kein Experte. Ich könnte das Schiff direkt auf ein Riff steuern. Also, auf einem Schiff ohne Kapitän würden Sie nicht gern fahren, oder? Ohne einen Kapitän, der die Karten und Instrumente hat, die Glocken und Apparate, das ganze Drum und Dran. Stimmt's? Wir haben das Radar, wir haben das Sonar, wir haben das GPS.» Jim Crolius zählte jedes Instrument an seinen Fingern ab. «Wir haben unsere Satelliten da oben im Weltraum! Alles hoch technisiert. Aber irgendjemand muss mit diesen Informationen ja umgehen können, sonst würden wir alle in ziemliche Schwierigkeiten geraten. Stimmt's? Das da ist ein *tiefer* Ozean. Es geht um Ihr *Leben*. Ich will damit sagen, dass Sie froh sein können, wenn Sie den ganzen technischen Kram nicht persönlich beherrschen müssen, all die Glocken und Apparate, das ganze Drum und Dran. Besser ist es, Sie verlassen sich auf einen guten Kapitän, wenn Sie auf der hohen See der Hochfinanz kreuzen.»

Applaus in den vorderen Reihen.

«Der muss wirklich denken, wir wären acht Jahre alt», flüsterte Sylvia Roth Enid zu.

«Das ist bloß seine Einführung», flüsterte Enid zurück.

«Nun, noch etwas anderes ist passend», fuhr Jim Crolius fort. «Wir alle sind hier, um das herbstliche Farbenspiel der Blätter zu betrachten. Das Jahr hat seine Rhythmen – Winter, Frühling, Sommer, Herbst. Das Ganze läuft zyklisch ab. Da sind die Aufschwünge im Frühling, da sind die Abschwünge im Herbst. Genau wie am Markt. Zyklische Angelegenheit, stimmt's? Sie können über fünf, zehn oder sogar fünfzehn Jahre einen stabilen Markt haben. Hat's ja in unserer Zeit schon gegeben. Aber wir haben auch Korrekturen erlebt. Kann sein, dass ich wie ein junger Spund aussehe, aber ich habe bereits einen regelrechten Markt*einbruch* miterlebt. Ganz schön unheimlich. Zyklische Angelegenheit. Herrschaften, im Moment haben wir da draußen jede Menge Grün. Es war ein langer, glorreicher Sommer. Ja, kommen Sie, lassen Sie mich ein paar Handzeichen sehen: Wie viele von Ihnen bestreiten diese Kreuzfahrt, sei es ganz oder zum Teil, von Investitionserträgen?»

Ein Wald emporgereckter Hände.

Jim Crolius nickte zufrieden. «Nun, meine Herrschaften, ich will kein Spielverderber sein, aber die Blätter beginnen sich zu verfärben. Egal, wie grün die Dinge im Augenblick für Sie sind, den Winter überdauern sie nicht. Klar, jedes Jahr ist anders, jeder Zyklus ist anders. Man weiß nie genau, wann das Grün sich verfärbt. Aber wir sind hier, und zwar jeder Einzelne von uns, weil wir vorausschauende Menschen sind. Jeder von Ihnen hat mir allein durch seine Anwesenheit bewiesen, dass er ein kluger Investor ist. Wissen Sie, warum? *Weil es noch Sommer war, als Sie zu Hause losgefahren sind.* Jeder hier im Raum war vorausschauend genug zu wissen, dass sich auf dieser Kreuzfahrt etwas verändern wird. Und die Frage, die wir uns alle stellen – ich spreche hier metaphorisch –, ist die: Wird all das prachtvolle Grün da draußen zu prachtvollem Gold werden? Oder wird es, im Winter unseres Missvergnügens, am Zweig verwelken?»

Der ganze Langstrumpf-Ballsaal war jetzt elektrisiert. Hier und da wurde «Großartig! Großartig!» gemurmelt.

«Mehr Inhalt, weniger Schnörkel», sagte Sylvia Roth trocken.

Tod, dachte Enid. Er hat vom Tod geredet. Und all die klatschenden Leute sind so *alt*.

Aber wo war der Stachel dieser Erkenntnis? Aslan hatte ihn fortgenommen.

Jim Crolius wandte sich nun zur Tafel um und schlug das erste der zeitungspapiergroßen Blätter nach hinten. Die folgende Seite war mit «Wenn sich das Klima ändert» überschrieben, und die Gliederungspunkte – Fonds, Wertpapiere, einfache Aktien etc. – lösten in der ersten Reihe ein Keuchen aus, das in keinem Verhältnis zum Informationsgehalt stand. Einen Augenblick lang schien es Enid, als liefere Jim Crolius eine jener technischen Marktanalysen, denen keinerlei Beachtung zu schenken ihr Börsenmakler in St. Jude ihr dringend geraten hatte. Etwas Werthaltiges, das «abstürzte» (also in «freien Fall» geriet), erfuhr, vernachlässigte man die minimalen Auswirkungen des Windwiderstands bei niedrigen Geschwindigkeiten, aufgrund der Erdanziehungskraft eine Beschleunigung von 9,81 Metern pro Sekunde im Quadrat, und da die Beschleunigung die zweite Ableitung des Weges war, konnte der Analyst über die Strecke, die das fallende Objekt zurückgelegt hatte (ungefähr neun Meter), einmal integrieren, um auszurechnen, welche Geschwindigkeit es gehabt haben musste, als es sich im Zentrum eines drei Meter hohen Fensters befand (nämlich dreizehn Meter pro Sekunde), woraus sich dann, angenommen, das Objekt sei ungefähr zwei Meter lang, und der Einfachheit halber ferner angenommen, die Geschwindigkeit sei über die ganze sichtbare Strecke konstant geblieben, ableiten ließ, dass das Objekt ungefähr vier Zehntelsekunden vollständig oder teilweise zu sehen gewesen war. Vier Zehntelsekunden waren nicht viel. Wenn man zur Seite blickte und im Geist die Stunden bis zur Hinrichtung eines jungen Mörders zählte, registrierte man nicht mehr als etwas Dunkles, das vorbeigeschossen kam. Schaute man aber rein zufällig gerade auf das besagte Fenster und war überdies rein zufällig so ruhig wie nie zuvor, dann waren vier Zehntelsekunden mehr als genug, um in dem fallenden Objekt den Mann zu erkennen, mit dem man seit siebenundvierzig Jahren verheiratet war; genug, um zu bemerken, dass er den *grässlichen* schwarzen Regenmantel trug, der völlig aus der Form geraten war und niemals in der Öffentlichkeit hätte getragen werden dürfen, den er jedoch starrsinnig in seinen Koffer gepackt hatte und starrsinnig überallhin mitnahm; genug, um nicht nur die Gewissheit zu haben, dass etwas Entsetzliches geschehen war, sondern sich zugleich als Eindringling zu fühlen, als wäre man Zeuge eines Vorgangs geworden, für den die Natur einen niemals als Zeugen vorgesehen hatte, eines Vorgangs vergleichbar mit dem Aufprall eines Meteoriten oder der Kopulation von Walen; ja sogar genug, um den Ausdruck auf dem Gesicht dieses Ehemannes wahrzunehmen, die beinahe jugendliche Schönheit, den sonderbaren Frieden, denn wer hätte je geahnt, mit welcher Anmut der wütende Mann fallen würde?

Er dachte an die Abende, an denen er mit einem oder beiden seiner Jungen oder mit seiner Tochter im Arm oben gesessen hatte, ihre feuchten, nach Schaumbad riechenden Köpfe hart an seinen Rippen, während er ihnen aus *Black Beauty* oder den *Narnia-Chroniken* vorlas. Wie schon seine bloße Stimme, deren fühlbarer Klang, sie schläfrig gemacht hatte. Das waren Abende, und es gab Hunderte, vielleicht Tausende davon, an denen nichts die Keimzelle der Familie befallen hatte, was traumatisch genug gewesen wäre, eine Narbe zu hinterlassen. Abende schlichter, nach Vanille duftender Innigkeit in seinem schwarzen Ledersessel; süße Abende des Zweifels zwischen Nächten düsterer Gewissheit. Jetzt kamen sie ihm wieder in den Sinn, all die vergessenen Gegenbeispiele, denn am Ende, wenn man ins Wasser fiel, war da nichts, an dem man sich festhalten konnte, außer den eigenen Kindern.

DER GENERATOR

ROBIN PASSAFARO war Philadelphierin und kam aus einer Familie von Unruhestiftern und Rechtgläubigen. Ihr Großvater und ihre beiden Onkel Jimmy und Johnny waren allesamt in der Vorbürgerkriegswolle gefärbte Gewerkschafter; Fazio, der Großvater, hatte als Vorstandsmitglied der nationalen Dachgewerkschaft unter dem Teamster-Chef Frank Fitzsimmons gedient, hatte die größte Ortsgruppe von Philadelphia geleitet und zwanzig Jahre lang die Beiträge der 3200 Mitglieder veruntreut. Er hatte zwei Verfahren wegen organisierter Erpressung, eine Koronarthrombose, eine Kehlkopfentfernung und neun Monate Chemotherapie überlebt, bevor er sich in Sea Isle City an der Küste Jerseys zur Ruhe setzte, wo er immer noch jeden Morgen zum Pier humpelte und seine Krebsfallen mit rohem Hühnchenfleisch bestückte.

Onkel Johnny, Fazios ältester Sohn, lebte, und das recht gut, von zwei Behinderungen («chronische und schwere Lendenschmerzen» hieß es auf den Antragsformularen), seinem saisonalen, nur gegen Barzahlung arbeitenden Malerbetrieb und seinem Glück oder Talent als Online-Daytrader. Johnny wohnte mit seiner Frau und der jüngsten Tochter unweit vom Veterans-Stadion in einem mit Kunststoffplatten verkleideten Reihenhaus, das sie so lange erweitert hatten, bis es ihre Parzelle vom Gehweg bis zur hinteren Grundstücksgrenze vollständig bedeckte; ein Blumengarten und ein Stück Kunstrasen befanden sich auf dem Dach.

Onkel Jimmy («Baby Jimmy») war Junggeselle und Verwalter des IBT-Archivs, eines Mausoleums aus Schlackenstein, das von der Internationalen Bruderschaft der Teamster in hoffnungsfroheren Zeiten an den gewerblich genutzten Ufern des Delaware errichtet und später, weil sich nur drei (3) treue Teamster für die Bestattung in den tausend feuerfesten Gruften entschieden hatten, in ein Langzeitlager für Organisations- und Rechtsdokumente umgewandelt worden war. Baby Jimmy hatte es in Drogen-Selbsthilfegruppen zu lokaler Berühmtheit gebracht, weil er sich in eine Methadon-Abhängigkeit hineinmanövriert hatte, ohne jemals Heroin probiert zu haben.

Robins Vater Nick war das mittlere Kind von Fazio und der einzige Passafaro seiner Generation, der mit dem Programm der Teamster nicht konform ging. Nick war der kluge Kopf der Familie und eingeschworener Sozialist; die Teamster mit ihrer Vorliebe für Nixon und Sinatra waren ihm ein Graus. Er heiratete ein irisches Mädchen, zog demonstrativ ins multikulturelle Mount-Airy-Viertel und arbeitete als Sozialkundelehrer an verschiedenen Highschools im Stadtgebiet, deren Direktoren er mit seinem überschäumenden Trotzkismus immer wieder herausforderte, ihn zu feuern.

Man hatte Nick und seiner Frau Colleen gesagt, sie seien unfruchtbar. Deshalb adoptierten sie einen einjährigen Jungen, Billy, und wenige Monate später wurde Colleen mit Robin schwanger – der ersten von drei Töchtern. Robin war schon ein Teenager, als sie erfuhr, dass Billy adoptiert war, doch zu ihren frühesten Kindheitserinnerungen, erzählte sie Denise, gehörte das Gefühl, heillos *privilegiert* zu sein.

Vermutlich gab es für Billy ein plausibles diagnostisches Etikett, das abnormen EKG-Kurven oder auffälligen Lymphknoten oder schwarzen Flecken auf seiner Computertomographie sowie den hypothetischen Ursachen, schwerer Vernachlässigung etwa oder einem Gehirntrauma in präadoptiver Zeit, entsprach; doch für seine Schwestern, insbesondere für Robin, war er einfach nur ein Albtraum. Billy hatte schnell heraus, dass Robin, egal, wie grausam er sie behandelte, sich stets selbst dafür verantwortlich machte. Wenn sie ihm fünf Dollar lieh, lachte er sie aus, weil sie annahm, er würde ihr das Geld zurückzahlen. (Beschwerte sie sich bei ihrem Vater, gab Nick ihr die fünf Dollar eben aus seinem Portemonnaie.) Billy jagte sie mit Grashüpfern, deren Beine er abgeknipst, und mit Fröschen, die er in Klorix gebadet hatte, und sagte ihr – was ein Witz sein sollte –, «ich hab ihnen deinetwegen wehgetan.» Er tat Scheißhaufen aus Matsch in die Unterhosen von Robins Puppen. Er nannte sie Schrulle Schimmerlos und Robin Ohnebusen. Er stach ihr mit einem Bleistift tief in den Arm und brach unter der Haut das Blei ab. Einen Tag nachdem ihr neues Fahrrad aus der Garage verschwunden war, kam er mit einem guten Paar schwarzer Rollschuhe nach Hause, die er angeblich auf der Germantown Avenue gefunden hatte und mit denen er all die Monate, während sie auf ein neues Fahrrad wartete, in der Nachbarschaft herumsauste.

Ihr Vater Nick hatte Augen für jede Ungerechtigkeit in der Ersten und der Dritten Welt, nur nicht für die, deren Urheber Billy war. Als Robin auf die Highschool wechselte, hatte Billys kriminelle Energie sie so weit gebracht, dass sie ihren Schrank mit einem Vorhängeschloss versperrte, Kleenex ins Schlüsselloch ihrer Zimmertür stopfte und vor dem Schlafengehen ihr Portemonnaie unter das Kopfkissen schob; doch auch diese Maßnahmen ergriff sie eher traurig als wütend. Sie hatte wenig Grund zur Klage, und das wusste sie. Sie und ihre Schwestern lebten arm und glücklich in ihrem großen baufälligen Haus an der Phil-Ellena Street, sie besuchte eine gute Quäker-Highschool und später ein hervorragendes Quäker-College, beides voll finanziert durch Stipendien, und sie heiratete ihren Collegefreund und bekam zwei kleine Mädchen, während Billy vor die Hunde ging.

Nick hatte Billy gelehrt, sich für Politik zu interessieren, und Billy dankte es ihm, indem er ihn als *Sozi-Bourgeois, Sozi-Bourgeois* verhöhnte. Da das Nick nicht richtig wütend machte, freundete Billy sich mit den anderen Passafaros an, die mehr als geneigt waren, jeden Verräter des Familienverräters in ihr Herz zu schließen. Nachdem Billy zum zweiten Mal straffällig geworden war und Colleen ihn aus dem Haus geworfen hatte, bereiteten ihm seine Teamster-Verwandten eine Art Heldenempfang. Es dauerte eine Weile, ehe er es sich auch mit ihnen verscherzt hatte.

Ein Jahr lang wohnte er bei Onkel Jimmy, der sich noch mit weit über fünfzig am liebsten mit gleich gesinnten Jugendlichen umgab, die er an seinen umfangreichen Schusswaffen- und Messersammlungen, seinen Chasey-Lain-Videos und seinen Warlords-III- und Dungeonmaster-Utensilien teilhaben lassen konnte. Jimmy huldigte aber auch Elvis Presley, und zwar an einem Schrein in einer Ecke seines Schlafzimmers, und Billy, dem es nicht in den Kopf wollte, dass Jimmy die Sache mit Elvis Ernst war, entweihte den Schrein auf irgendeine schmerzliche und unwiderrufliche Weise, über die Jimmy sich später zu sprechen weigerte, und fand sich auf der Straße wieder.

Von dort driftete Billy in die radikale Untergrundszene von Philadelphia ab – jenen Roten Halbmond aus Bombenbastlern und Flugblattkopisten und Kleinstverlegern und Punks und Bakuninisten und veganischen Propheten und Herstellern von Orgondecken und Frauen, die Afrika hießen, und selbst ernannten Engels-Biographen und emigrierten Rote-Armee-Brigadisten, der sich von Fishtown und Kensington im Norden über Germantown und West-Philadelphia (wo Bürgermeister Goode Brandbomben auf die guten Menschen der schwarzen Separatistenbewegung MOVE werfen ließ) bis hinunter ins verwahrloste Point Breeze erstreckte. Es war ein eigenartiges Philifaktum, dass die Verbrechen in dieser Stadt zu einem nicht unerheblichen Teil mit politischem Bewusstsein verübt wurden. Nach Frank Rizzos erster Amtsperiode als Bürgermeister konnte niemand mehr so tun, als wäre die städtische Polizei sauber oder unparteiisch; und da, wenigstens in den Augen der Halbmond-Bewohner, alle Cops Mörder oder, zuallermindest, ipso facto Mordkomplizen waren (siehe MOVE!), ließ sich jede Gewalttat und jeder Akt der Vermögensumverteilung, gegen die ein Cop Einwände erheben konnte, als legitimes Mittel in einem langwierigen, schmutzigen Krieg rechtfertigen. Den örtlichen Richtern allerdings leuchtete diese Logik nicht gerade ein. Der junge Anarchist Billy Passafaro bekam über die Jahre für seine Vergehen immer härtere Strafen – Bewährungsstrafe, Gemeinschaftsdienst, Arbeitslager in Form eines Versuchsprojekts und, am Ende, das staatliche Zuchthaus in Graterford. Robin und ihr Vater stritten oft über die Gerechtigkeit dieser Strafen; Nick strich sich dann über den Lenin'schen Spitzbart und versicherte, er sei zwar kein Gewalttäter, lehne jedoch Gewalt im Dienst eines Ideals nicht grundsätzlich ab, woraufhin Robin ihn aufforderte, ihr konkret zu sagen, für welches politische Ideal Billy denn genau eingetreten sei, als er einen Studenten der Universität von Pennsylvania mit einem abgebrochenen Billardstock niedergestochen habe.

Ein Jahr bevor Denise Robin kennen lernte, wurde Billy Kurzurlaub gewährt, und er nahm an der Band-Zerschneide-Zeremonie anlässlich der Einweihung eines Computerzentrums in Nicetown teil, einem Armenviertel im Norden der Stadt. Einer der zahlreichen taktischen Coups von Bürgermeister Goodes beliebtem Nachfolger, der sich über zwei Perioden im Amt hielt, bestand darin, kommerzielle Lösungen für das öffentliche Schulwesen anzuregen. Die beklagenswerte Vernachlässigung der Schulen hatte er geschickt als eine wirtschaftliche Chance hingestellt («Handeln Sie schnell, unterstützen Sie unsere Botschaft der Hoffnung» hieß es in seinen Schreiben), und die N— Corporation war seinem Aufruf gefolgt, indem sie sich für den schwer unterfinanzierten städtischen Schulsport zuständig erklärte. Jetzt hatte der Bürgermeister ein ähnliches Arrangement mit der W— Corporation ins Leben gerufen, die der Stadt Philadelphia eine ausreichende Anzahl ihrer berühmten Global Desktops spendete, um, wie die Firmenleitung sagte, «mehr Leistung» in jedes einzelne Klassenzimmer zu bringen, und außerdem in den verwahrlosten Stadtvierteln im Norden und Westen fünf Computerzentren gründete. Die Vereinbarung übertrug W— das exklusive Recht, alles, was in den Klassenzimmern innerhalb des Schulbezirks Philadelphia vor sich ging, gleichgültig, ob die Global Desktops dabei zum Einsatz kamen oder nicht, für Promotion- und Werbezwecke zu nutzen. Kritiker des Bürgermeisters verurteilten entweder den «Ausverkauf» oder bemängelten die Tatsache, dass die W— Corporation den Schulen die langsamen, absturzanfälligen Desktops der Version 4.0 und den Computerzentren die nahezu wertlose Technologie der Version 3.2 gegeben hatte. Doch die Stimmung in Nicetown an jenem Nachmittag im September war gelöst. Der Bürgermeister und W—s achtundzwanzigjähriger Direktor der Abteilung Firmenimage, Rick Flamburg, reichten sich die Hände, um mit einer großen Schere Band zu zerschneiden. Farbige Lokalpolitiker sagten *Kinder* und *Zukunft*. Sie sagten *digital* und *Demokratie* und *Geschichte*.

Draußen vor dem weißen Zelt lungerte, argwöhnisch beäugt von einem Polizeitrupp, von dem es später tadelnd hieß, er sei zu klein gewesen, der übliche Haufen Anarchisten herum, die für alle sichtbar Spruchbänder und Plakate hochhielten und für niemanden sichtbar, in den Taschen ihrer Cargohosen nämlich, starke Stabmagneten hatten, mit denen sie inmitten des allgemeinen Kuchenessens und Punschtrinkens und Durcheinanders möglichst viele Daten von den neuen Global Desktops des Computerzentrums zu löschen hofften. Auf ihren Spruchbändern stand WEHRT EUCH und COMPUTER SIND DAS GEGENTEIL VON REVOLUTION und VON DIESEM HIMMEL KRIEGE ICH MIGRÄNE. Billy Passafaro, der sorgfältig rasiert war und ein kurzärmeliges weißes Button-down-Hemd trug, schleppte einen etwa einen Meter langen Holzbalken, auf den er WILLKOMMEN IN PHILADELPHIA!! geschrieben hatte. Als die offiziellen Feierlichkeiten zu Ende gingen und die Lage allmählich reizvollere anarchische Züge annahm, schob Billy sich durchs Gedränge, lächelte und hielt seine Botschaft des guten Willens in die Höhe, bis er nahe genug bei den Würdenträgern war, um den Balken wie einen Baseballschläger zu schwingen und ihn auf Rick Flamburgs Schädel niedersausen zu lassen. Drei weitere Schläge zertrümmerten Flamburgs Nase, Kiefer und Schlüsselbein sowie fast alle seine Zähne, ehe der Leibwächter des Bürgermeisters Billy packte und ein Dutzend Polizisten sich auf ihn stürzten.

Billy hatte Glück: Das Zelt war so voll, dass die Polizisten nicht schießen konnten. In Anbetracht der offenkundigen Vorsätzlichkeit seiner Tat und der, politisch gesehen, ungünstig geringen Zahl weißer Insassen in den Todestrakten hatte er außerdem Glück, dass Rick Flamburg nicht starb. (Weniger klar war, ob Flamburg, ein unverheirateter ehemaliger Dartmouth-Student, der seit dem Überfall gelähmt, entstellt und auf einem Auge blind war, nur noch schleppend sprach und zu Kopfschmerzen neigte, die ihn völlig außer Gefecht setzten, darüber ebenso glücklich war.) Billy wurde wegen versuchten Mordes, schwerer Körperverletzung und Körperverletzung mittels einer Waffe verurteilt. Jedwede Einigung mit der Staatsanwaltschaft lehnte er kategorisch ab. Er beschloss auch, sich selbst zu verteidigen, nachdem er sowohl den vom Gericht bestellten als auch den alten Teamsters-Anwalt, der sich erbot, Billys Familie pro Stunde nur fünfzig Dollar zu berechnen, als «Konformisten» in die Wüste geschickt hatte.

Zur Überraschung nahezu aller außer Robin, die nie an der Intelligenz ihres Bruders gezweifelt hatte, wartete Billy mit einem geschliffenen Plädoyer auf. Er sagte, der Umstand, dass der Bürgermeister die Kinder Philadelphias in die «Technosklaverei» der W— Corporation «verkauft» habe, stelle eine «fassbare und reale Gefahr für die Öffentlichkeit» dar, weshalb er berechtigt gewesen sei, gewaltsam darauf zu reagieren. Er prangerte die «unheilige Allianz» zwischen der amerikanischen Wirtschaft und der amerikanischen Regierung an. Er verglich sich mit den Minutemen in Lexington und Concord. Als Robin, sehr viel später, Denise die Prozessmitschrift zeigte, malte Denise sich aus, wie sie Billy und ihren Bruder Chip zu einem gemeinsamen Abendessen einladen und dem, was beide zum Thema «Bürokratie» zu sagen hätten, zuhören würde, doch ein solches Essen konnte erst stattfinden, wenn Billy siebzig Prozent seiner zwölf bis achtzehn Jahre in Graterford abgesessen hatte.

Nick Passafaro hatte Urlaub genommen und wohnte dem Prozess seines Sohnes unerschütterlich bei. Er trat im Fernsehen auf und sagte, was man von einem Altlinken erwartete: «Einmal am Tag ist das Opfer ein Schwarzer, und alle Welt schweigt; einmal im Jahr ist das Opfer ein Weißer, und alle Welt schreit auf», und: «Mein Sohn wird sein Verbrechen teuer bezahlen, aber die W— Corporation wird für ihre Verbrechen nie zur Rechenschaft gezogen werden», und: «Die Rick Flamburgs dieser Welt haben Milliarden damit verdient, Amerikas Kindern virtuelle Gewalt zu verkaufen.» In fast allen Argumenten, die Billy dem Gericht vortrug, stimmte Nick mit seinem Adoptivsohn überein und war stolz auf dessen Darbietung, doch als dem Gericht die Fotos von Flamburgs Verletzungen vorgelegt wurden, begann ihm die Angelegenheit aus der Hand zu gleiten. Die tiefen V-förmigen Einkerbungen in Flamburgs Schädel, Nase, Kiefer und Schlüsselbein zeugten von einer Grausamkeit und einem Wahnsinn, die mit Idealismus schwer in Einklang zu bringen waren. Der Prozess ging weiter, und Nick schlief nicht mehr. Er hörte auf, sich zu rasieren, und verlor den Appetit. Auf Colleens Drängen suchte er einen Psychiater auf und kam mit Medikamenten nach Hause, doch selbst dann weckte er sie noch jede Nacht. Er rief: «Ich werde mich nicht entschuldigen!» Er rief: «Das ist ein Krieg!» Dann wurde die Dosis erhöht, und im April schickte ihn der Schulbezirk in den Vorruhestand.

Da Rick Flamburg für die W— Corporation gearbeitet hatte, fühlte Robin sich für all dies verantwortlich.

Robin war zur Passafaro-Botschafterin bei Rick Flamburgs Familie geworden, indem sie so lange im Krankenhaus aufkreuzte, bis die Wut und das Misstrauen von Flamburgs Eltern erschöpft waren und sie erkannten, dass Robin nicht die Hüterin ihres Bruders war. Sie saß an Flamburgs Bett und las ihm aus der *Sports Illustrated* vor. Sie begleitete ihn, wenn er mit seinem Laufgestell über den Flur schlurfte. Am Abend nach seiner zweiten Operation lud sie seine Eltern zum Essen ein und hörte sich deren (offen gestanden ziemlich langweilige) Geschichten über deren Sohn an. Sie erzählte ihnen, wie aufgeweckt Billy als Kind gewesen sei, dass er schon in der vierten Klasse Rechtschreibung und Schönschrift gut genug beherrscht habe, um eine glaubhafte Entschuldigung für die Schule fälschen zu können, was für eine stete Quelle an schmutzigen Witzen und wichtigen Fortpflanzungsdetails er gewesen sei und wie sich ein intelligentes Mädchen fühle, wenn es sehe, dass ihr nicht minder intelligenter Bruder sich mit jedem Jahr dümmer stelle, gerade so, als lege er es darauf an, auf gar keinen Fall so zu werden wie sie: wie mysteriös das alles sei und wie aufrichtig sie bedaure, was er ihrem Sohn angetan habe.

Am Vorabend der Urteilsverkündung fragte Robin ihre Mutter, ob sie mit ihr in die Kirche gehen wolle. Colleen war Katholikin, hatte jedoch seit vierzig Jahren nicht mehr am heiligen Abendmahl teilgenommen; Robins eigene Gottesdiensterfahrung war auf Hochzeiten und Beerdigungen beschränkt. Und dennoch, an drei aufeinander folgenden Sonntagen willigte Colleen ein, sich in Mount Airy abholen und zur Pfarrgemeinde ihrer Kindheit, St. Dymphna's, im Norden von Philadelphia fahren zu lassen. Als sie am dritten Sonntag aus der Kirche hinaustraten, sagte Colleen mit dem leichten irischen Akzent, den sie ihr Leben lang behalten hatte: «Das tut's dann für mich, danke.» Fortan ging Robin allein in St. Dymphna's zur Messe und, eine Weile später, zum Kommunionsunterricht.

Dass Robin für solche guten Werke und aufopferungsvollen Taten Zeit hatte, verdankte sie der W— Corporation. Ihr Mann, Brian Callahan, war der Sohn eines kleinen örtlichen Fabrikanten und hatte eine angenehme Kindheit in Bala-Cynwyd verlebt, wo er Lacrosse gespielt und in der Erwartung, die kleine Firma für chemische Spezialartikel seines Vaters zu erben, anspruchsvolle Neigungen herausgebildet hatte. (Callahan *père* war es in seiner Jugend geglückt, eine profitable chemische Lösung zu entwickeln, die in Bessemer-Birnen gekippt werden konnte und deren Risse und Dellen ausbesserte, noch während die Keramikwände heiß waren.) Brian hatte das hübscheste Mädchen seines College-Jahrgangs geheiratet (er fand, das war Robin) und war bald nach dem Examen Geschäftsführer der High Temp Products geworden. Die Firma saß in einem gelben Backsteingebäude auf einem Industriegelände unweit der Tacony-Palmyra-Brücke; zufällig war ihr nächster gewerblicher Nachbar das IBT-Archiv. Da es ihn intellektuell unterforderte, High Temp Products zu leiten, spielte Brian an seinen Chefnachmittagen mit Computercodes und Fourier-Analysen herum, hörte über seine Direktorenboxen in dröhnender Lautstärke gewisse Kultbands, für die er eine Schwäche hatte (Fibulator, Thinking Fellers Union, die Minutemen, die Nomatics), und schrieb eine Software, die er in der Fülle der Zeit still und heimlich zum Patent anmeldete, still und heimlich von einem Risikokapitalgeber finanzieren ließ und eines Tages, auf den Rat dieses Unternehmers hin, still und heimlich für $ 19 500 000 an die W— Corporation verkaufte.

Brians Produkt, genannt Eigenmelodie, verwandelte jedes beliebige aufgenommene Musikstück in Eigenvektoren, die aus der tonalen und melodischen Essenz eines Liedes getrennte, manipulierbare Koordinaten herausfilterte. Wählte ein Benutzer des Eigenmelodie-Programms zum Beispiel sein Lieblingslied von Moby, dann nahm Eigenmelodie eine Spektralanalyse davon vor, suchte in einer Musik-Datenbank nach Liedern mit ähnlichen Eigenvektoren und erstellte eine Liste verwandter Sounds, auf die der Benutzer sonst womöglich nie gestoßen wäre: die Au Pairs, Laura Nyro, Thomas Mapfumo, Pokrovskys klagende Fassung von *Les Noces*. Eigenmelodie war Gesellschaftsspiel, musikologisches Handwerkszeug und Plattenverkaufsförderung in einem. Brian hatte so viele Macken daraus getilgt, dass der Behemoth der W— Corporation, der mit einiger Verspätung um einen Anteil am Online-Musikgeschäft kämpfte, mit einem großen Bündel Monopoly-Geld in der ausgestreckten Hand zu ihm gerannt kam.

Es war typisch für Brian, der Robin nichts von dem bevorstehenden Verkauf erzählt hatte, dass er auch am Abend des Tages, an dem das Ganze über die Bühne gegangen war, kein Sterbenswort darüber verlor, bis die Mädchen in ihrem bescheidenen Yuppie-Reihenhaus nahe dem Kunstmuseum im Bett lagen und er und Robin sich im Fernsehen eine *Nova*-Sendung über Sonnenflecken ansahen.

«Ach, übrigens», sagte Brian, «keiner von uns beiden muss jemals wieder arbeiten.»

Es war typisch für Robin – für ihre Erregbarkeit –, dass sie auf diese Neuigkeit hin lachte, bis sie Schluckauf bekam.

Ach, Billys alter Spitznamen für Robin hatte leider eine gewisse Berechtigung: Schrulle Schimmerlos. Robin dachte eigentlich, dass sie mit Brian bereits ein gutes Leben führe. Sie wohnte in einer kleinen Stadtvilla, zog Gemüse und Kräuter in ihrem kleinen Garten, brachte Zehn- und Elfjährigen an einer freien Schule im Westen Philadelphias «Sprachkunst» bei, schickte ihre Tochter Sinéad auf eine hervorragende private Grundschule an der Fairmount Avenue und ihre Tochter Erin zur Friends-Select-Vorschule, kaufte weichschalige Krabben und Jersey-Tomaten im Reading Terminal Market, verbrachte die Wochenenden und den ganzen August im Haus von Brians Familie in Cape May, traf sich mit alten Freundinnen, die ebenfalls Kinder hatten, und verbrannte mit Brian genügend sexuelle Energie (am liebsten *täglich*, erzählte sie Denise), um halbwegs ruhig zu bleiben.

Schrulle Schimmerlos war daher entsetzt, als Brian sie fragte, wo sie in Zukunft leben sollten. Er sagte, er denke an Nordkalifornien. Oder an die Provence, an New York, an London.

«Wir sind doch glücklich hier», sagte Robin. «Warum sollten wir irgendwo hinziehen, wo wir niemanden kennen und alle Millionäre sind?»

«Klima», sagte Brian. «Schönheit, Sicherheit, Kultur. Stil. Ist ja alles nicht unbedingt Phillys Stärke. Ich sage doch nicht: Los, wir ziehen um. Ich möchte nur wissen, ob es irgendeinen Ort gibt, wo du gern leben würdest, und sei es bloß für den Sommer.»

«Mir gefällt es hier.»

«Dann bleiben wir», sagte er. «So lange, bis du irgendwo anders leben möchtest.»

Sie war naiv genug, erzählte sie Denise, zu glauben, dass die Diskussion damit beendet war. Ihre Ehe, stabil auf die Erziehung der Kinder, auf Essen und auf Sex gegründet, funktionierte gut. Es stimmte zwar, dass sie und Brian aus unterschiedlichen sozialen Schichten stammten, aber die Firma High Temp Products war ja nun nicht gerade der Chemiekonzern E. I. Du Pont de Nemours, und Robin, die an zwei Eliteschulen Abschlüsse gemacht hatte, war nicht der Inbegriff einer Proletarierin. Die wenigen wirklichen Unterschiede zwischen ihnen hatten mit

Stil zu tun und waren für Robin zumeist unsichtbar, weil Brian beides war, ein guter Ehemann und ein netter Kerl, und weil Robin sich in ihrer naiven Schimmerlosigkeit nicht vorstellen konnte, dass Stil irgendetwas mit Glück zu tun hatte. Ihre musikalischen Vorlieben tendierten zu John Prine und Etta James, also spielte Brian zu Hause Prine und James und hob sich seine Bartók- und Defunkt- und Flaming-Lips- und Mission-of-Burma-Scheiben für High Temp auf, wo er seine Riesenboxen voll aufdrehen konnte. Dass Robin wie eine Studentin mit weißen Sneakers und purpurnem Nylonanorak und übergroßer runder Nickelbrille, wie sie zuletzt 1978 modern gewesen war, durch die Gegend lief, störte Brian nicht allzu sehr, schließlich war er von allen Männern der einzige, der sie nackt zu sehen bekam. Dass Robin überspannt war und eine durchdringende, schrille Stimme hatte und keckerte wie ein Lachender Hans, war, wie er fand, ein geringer Preis für ein Herz aus Gold, einen spektakulären Zug von Lüsternheit und einen rasanten Stoffwechsel, der sie filmschauspielerinnenschlank hielt. Dass Robin sich nicht unter den Armen rasierte und zu selten ihre Brille putzte – nun ja, sie war die Mutter von Brians Kindern, und solange er seine Musik hören und in Ruhe an seinen Tensoren basteln konnte, fiel es ihm nicht schwer, ihr jenen Antistil nachzusehen, der für liberale Frauen eines bestimmten Alters ein Kennzeichen feministischer Identität war. Jedenfalls glaubte Denise, dass Brian das Stilproblem auf diese Weise gelöst haben musste, bevor das Geld der W— Corporation hereinschwemmte.

(Denise, nur drei Jahre jünger als Robin, konnte sich nicht im Traum vorstellen, einen purpurnen Nylonanorak zu tragen oder sich nicht unter den Armen zu rasieren. Und weiße Sneakers *besaß* sie nicht einmal.)

Robins erstes Zugeständnis an ihren neuen Reichtum war, dass sie im Sommer gemeinsam mit Brian auf Haussuche ging. Sie war in einem großen Haus aufgewachsen, und nun wollte sie, dass ihre Töchter ebenfalls in einem solchen aufwuchsen. Wenn Brian drei Meter hohe Decken und vier Bäder und Mahagonischnickschnack brauchte, konnte sie damit leben. Am sechsten September unterschrieben sie einen Vertrag für eine prächtige Villa aus rötlich braunem Sandstein an der Panama Street, in der Nähe des Rittenhouse Square.

Zwei Tage später hieß Billy Passafaro, mit der ganzen Kraft seiner gefängnisgestählten Schultern, W—s Direktor der Abteilung Firmenimage in Philadelphia willkommen.

Was Robin in den Wochen nach der Tat unbedingt wissen wollte, aber nicht herausfinden konnte, war, ob Billy zu dem Zeitpunkt, als er besagten Balken beschriftete, bereits von Brians großem Los Wind bekommen hatte und wusste, welcher Firma sie und Brian ihren plötzlichen Reichtum verdankten. Die Antwort war entscheidend, entscheidend, entscheidend. Doch Billy selbst zu fragen war zwecklos. Sie wusste, dass sie von ihm nicht die Wahrheit erfahren würde; er würde ihr nur die Antwort geben, von der er glaubte, sie werde sie am tiefsten verletzen. Billy hatte ihr zur Genüge deutlich gemacht, dass er nie aufhören werde, sie zu verhöhnen, und auch nicht vorhabe, sie als seinesgleichen anzuerkennen, solange sie ihm nicht beweisen könne, dass ihr Leben mindestens so im Arsch, mindestens so armselig sei wie seins. Und genau das war es – dass sie offenbar eine Totenrolle für ihn spielte, dass er sie als die archetypische Vertreterin des glücklichen normalen Lebens, das ihm verwehrt war, aufs Korn genommen hatte –, was ihr das Gefühl gab, er habe auf *ihren* Kopf gezielt, als er Rick Flamburg den Schädel einschlug.

Bevor der Prozess begann, fragte sie ihren Vater, ob er Billy vom Verkauf des Brian'schen Eigenmelodie-Programms an die W— Corporation erzählt habe. Sie hätte ihm diese Frage lieber nicht gestellt, aber es ging nicht anders. Da er Billy Geld gab, war Nick der Einzige aus der Familie, der noch regelmäßig mit ihm in Verbindung stand. (Onkel Jimmy hatte gelobt, den

Schänder seines Schreins, das kleine Neffenarschloch, zu erschießen, wenn ihm dessen kleines Elvis-Hasser-Arschgesicht jemals wieder unter die Augen kommen sollte, und alle anderen hatte Billy inzwischen einmal zu oft bestohlen; selbst Nicks Eltern, Fazio und Carolina, die lange behauptet hatten, Billy leide bloß an einem «Aufmerksamkeitsdefekt-Syndrom», wie Fazio es nannte, ließen ihren Enkel inzwischen nicht mehr in ihr Haus in Sea Isle City.)

Nick erfasste die Stoßrichtung von Robins Frage leider Gottes sofort. Sorgfältig seine Worte abwägend, antwortete er, nein, er könne sich nicht erinnern, Billy irgendetwas davon erzählt zu haben.

«Dad, es ist besser, wenn du mir die Wahrheit sagst.»

«Also ... äh, ich ... ich glaube nicht, dass es da einen Zusammenhang gibt ... Robin.»

«Vielleicht würde ich mich ja gar nicht schuldig fühlen. Vielleicht wäre ich ja bloß scheißwütend.»

«Also ... Robin ... diese ... diese Gefühle laufen sowieso oft auf das Gleiche raus. Schuld, Wut – alles das Gleiche ... stimmt's? Aber mach dir wegen Billy mal keine Sorgen.»

Kaum hatte sie aufgelegt, fragte sie sich, ob Nick sie vor ihren Schuldgefühlen zu schützen versuchte oder Billy vor ihrer Wut bewahren wollte oder vor lauter Anspannung einfach neben der Spur lief. Sie vermutete, es war von allem etwas. Sie vermutete, dass ihr Vater Billy im Sommer von Brians großem Los erzählt hatte und dass Vater und Sohn sich dann abfällig und erbittert über die W— Corporation, die bürgerliche Robin und den Müßiggänger Brian geäußert hatten. Sie vermutete das allein schon deshalb, weil Brian und ihr Vater schlecht miteinander auskamen. Brian sprach mit seiner Frau nie so freimütig darüber wie mit Denise («Nick ist ein Feigling von der übelsten Sorte», sagte er einmal zu ihr), doch er machte kein Hehl daraus, dass ihm Nicks provokante Reden über den Einsatz von

Gewalt und seine hanebüchene Zufriedenheit mit seinem eigenen so genannten Sozialismus zuwider waren. Colleen mochte er ganz gern («Sie hat sicher manches auszuhalten, in *so einer* Ehe», sagte er zu Denise), doch sobald Nick zu einem seiner Vorträge ansetzte, schüttelte er den Kopf und verließ den Raum. Robin vermied es, sich auszumalen, was ihr Vater und Billy über sie und Brian gesagt hatten. Aber sie war ziemlich sicher, dass etwas gesagt worden war und Rick Flamburg dafür hatte bezahlen müssen. Die Art und Weise, wie Nick auf die Prozessfotos von Flamburg reagierte, erhärtete diesen Verdacht.

Während der Prozess voranging und ihr Vater immer mehr abbaute, lernte Robin in der St.-Dymphna-Gemeinde den Katechismus und zog aus Brians neuem Reichtum zwei weitere Konsequenzen. Zunächst kündigte sie ihre Stellung bei der freien Schule. Es erfüllte sie nicht mehr, für Eltern zu arbeiten, die jährlich $ 23 000 pro Kind hinblätterten (obwohl sie und Brian für Sinéads und Erins Schulbildung natürlich fast ebenso viel ausgaben). Und dann rief sie ein karitatives Projekt ins Leben. In einem besonders heruntergekommenen Teil von Point Breeze, weniger als zwei Kilometer südlich von ihrem neuen Haus, kaufte sie ein brachliegendes städtisches Grundstück, auf dem in einer Ecke ein einzelnes verfallenes Reihenhaus stand. Außerdem kaufte sie fünf Lastwagenladungen Humus und schloss eine gute Haftpflichtversicherung ab. Ihr Plan war, Teenager aus der Gegend zum Mindestlohn zu beschäftigen, ihnen die Grundlagen organischen Gartenbaus beizubringen und sie an jedem Gewinn, den sie mit eigenhändig verkauftem Gemüse erzielen konnten, zu beteiligen. Mit einer manischen Begeisterung, die selbst für Robins Verhältnisse beängstigend war, stürzte sie sich in ihr Gartenprojekt. Häufig sah Brian sie um vier Uhr morgens an ihrem Global Desktop sitzen, mit beiden Füßen auf den Boden klopfen und verschiedene Tulpensorten vergleichen.

Da Woche für Woche eine andere Handwerksfirma in die Panama Street kam, um Verbesserungen vorzunehmen, und da Robin in einer utopistischen Zeit- und Energieversenkung verschwand, fand Brian sich damit ab, in der trostlosen Stadt seiner Kindheit zu bleiben. Aber er wollte sich amüsieren, notfalls auch allein. Er begann, in den guten Restaurants Philadelphias zu Mittag zu essen, probierte sie alle, eins nach dem anderen, aus, und maß jedes an seinem aktuellen Favoriten, dem Mare Scuro. Als er sicher war, dass ihm das Mare Scuro nach wie vor am besten gefiel, rief er die Küchenchefin an und machte ihr ein Angebot.

«Das erste richtig trendige Restaurant in Philly», sagte er. «Ein Ort, der einem das Gefühl gibt: ‹Hey, in dieser Stadt könnte ich, wenn es sein müsste, leben.› Es ist mir egal, ob das auch anderen so geht. Hauptsache, *mir* geht es so. Also, was immer Sie jetzt verdienen, ich zahle Ihnen das Doppelte. Sie gehen nach Europa und essen ein paar Monate lang auf meine Kosten. Und dann kommen Sie zurück und eröffnen und führen ein richtig trendiges Lokal.»

«Sie werden einen Haufen Geld verlieren», antwortete Denise, «wenn Sie nicht einen erfahrenen Partner oder einen außergewöhnlich guten Manager auftreiben.»

«Sagen Sie mir, was ich tun muss, und ich tue es», erwiderte Brian.

«Sagten Sie ‹das Doppelte›?»

«Sie haben das beste Restaurant der Stadt.»

«‹Das Doppelte› klingt interessant.»

«Dann willigen Sie ein.»

«Möglich», sagte Denise. «Aber Sie werden trotzdem einen Haufen Geld verlieren. Jedenfalls steht schon mal fest, dass Sie Ihren Küchenchef überbezahlen.»

Nein zu sagen war Denise schon immer schwer gefallen, wenn sie sich auf die richtige Weise gebraucht fühlte. Als Kind im vorstädtischen St. Jude war sie stets in sicherer Entfernung von

Leuten gehalten worden, die sie auf solche Weise hätten brauchen können, doch als sie mit der Highschool fertig war, hatte sie einen Sommer lang in der Abteilung Signale der Midland Pacific Railroad gearbeitet, und da, in einem großen, sonnigen Raum mit zwei Reihen Zeichentischen, lernte sie die Sehnsüchte eines Dutzends älterer Männer kennen.

Das Gehirn der Midland Pacific, der Tempel der Firmenseele, war ein aus der Zeit der Depression stammendes Kalksteingebäude mit gerundeten Dachzinnen, die wie die Ränder einer zu dünnen Waffel aussahen. Die höheren Stufen des Bewusstseins hatten ihren kortikalen Sitz im Konferenz- und im Speisesaal der Geschäftsführung im sechzehnten Stock sowie in den Büros der praxisferneren Abteilungen (Betriebstechnik, Recht, Öffentlichkeitsarbeit), deren Direktoren im fünfzehnten saßen. Ganz unten, im Reptiliengehirn des Gebäudes, waren Fakturierung, Lohnbuchhaltung, Personalwesen und das Datenarchiv untergebracht. Dazwischen lagen mittlere Kompetenzbereiche wie die Technische Abteilung, in deren Zuständigkeit Brücken, Gleise, Gebäude und Signale fielen.

Das Streckennetz der Midland Pacific umfasste zwanzigtausend Kilometer, und für jedes Signal und jedes Kabel am Weg, jede Anlage roter und gelber Lichtzeichen, jeden im Schotter vergrabenen Bewegungsmelder, jeden blinkenden Signalarm an den Bahnübergängen, jedes Zeitschalter- und Relais-Aggregat in fensterlosen Aluminiumschuppen gab es im zwölften Stock des Hauptsitzes, wo sich der gepanzerte Lagerraum befand, aktuelle Schaltpläne, aufbewahrt in sechs mit schweren Deckeln versehenen Akten-Containern. Die ältesten Pläne waren freihändig mit Bleistift auf Pergament gezeichnet, die neuesten mit Rapidograph-Stiften auf vorgedruckten Klarsichtformularen.

Die Männer, die diese Dokumente erstellten, stets in enger Zusammenarbeit mit den Außendiensttechnikern, die dafür zu sorgen hatten, dass das Nervensystem der Eisenbahn gesund

und unverknäult blieb, stammten aus Texas und Kansas und Missouri: intelligente, einfache, näselnde Männer, die zunächst als ungelernte Arbeiter in Signaltrupps Gleise von Unkraut befreit, Löcher für Masten gegraben und Drähte gespannt und sich dann mühsam immer weiter hochgedient hatten, bis sie, dank ihrer Fähigkeit, mit Schaltplänen umzugehen (und, wie Denise später klar wurde, dank ihrer weißen Hautfarbe), für die Fortbildung und den beruflichen Aufstieg auserkoren worden waren. Keiner von ihnen war länger als ein oder zwei Jahre aufs College gegangen, die meisten hatten nur die Highschool absolviert. An Sommertagen, wenn der Himmel weißer und das Gras brauner wurde und ihre einstigen Kumpel draußen Mühe hatten, keinen Hitzschlag zu bekommen, schätzten diese Zeichner sich glücklich, auf gepolsterten Bürostühlen zu sitzen, drinnen, wo die Luft so kühl war, dass sie in ihren persönlichen Schränken immer eine Strickjacke liegen hatten.

«Du wirst feststellen, dass manche Männer Kaffeepausen machen», sagte Alfred, als sie an Denise' erstem Arbeitsmorgen im rosa Licht der aufgehenden Sonne Richtung Innenstadt fuhren. «Ich möchte, dass dir eines klar ist: Sie werden nicht dafür bezahlt, Kaffeepausen zu machen. Ich erwarte also von dir, dass du keine machst. Die Eisenbahn tut uns einen Gefallen, indem sie dich anstellt, und sie bezahlt dich dafür, dass du acht Stunden arbeitest. Vergiss das nicht. Wenn du mit der gleichen Energie ans Werk gehst, mit der du dich auch deinen Schulaufgaben und deinem Trompetenspiel gewidmet hast, wirst du allen als hervorragende Arbeitskraft in Erinnerung bleiben.»

Denise nickte. Zu sagen, dass sie sich gern mit anderen maß, wäre noch untertrieben gewesen. Im Highschool-Orchester hatte es vierzehn Trompeten gegeben: zwei Mädchen und zwölf Jungen. Die erste Trompete hatte Denise gespielt, dann kamen die zwölf Jungen. (Ganz hinten saß ein Mädchen mit Cherokee-Blut in den Adern, das statt des hohen E meist das mittlere C traf und dazu beitrug, jene Dunstglocke des Missklangs zu erzeugen, die über jedem Schulorchester hängt.) Für Musik empfand Denise keine große Leidenschaft, aber es gefiel ihr, sich hervorzutun, und ihre Mutter glaubte, Orchester seien gut für Kinder. Enid mochte die Orchesterdisziplin, die beschwingte Lauterkeit, den Patriotismus. Gary war zu seiner Zeit ein ganz ordentlicher Trompeter gewesen, und Chip hatte sich (kurz, trötend) am Fagott versucht. Als Denise alt genug war, bat sie, in Garys Fußstapfen treten zu dürfen, aber Enid fand, dass kleine Mädchen und Trompeten nicht zusammenpassten. Zu kleinen Mädchen passten Flöten. Nun bedeutete es Denise nicht sonderlich viel, sich mit Mädchen zu messen. Sie beharrte auf der Trompete, und Alfred sprang ihr bei, und irgendwann ging Enid auf, dass sie Leihgebühren sparen konnten, wenn Denise Garys alte Trompete nahm.

Im Unterschied zu Notenblättern waren Denise die Schaltpläne, die sie in jenem Sommer zum Kopieren und Ablegen in die Hände bekam, leider unverständlich. Da es also zwecklos war, sich mit den Zeichnern zu messen, maß sie sich mit dem jungen Mann, der in den zwei vorangegangenen Sommern in der Abteilung Signale gearbeitet hatte: Alan Jamborets, der Sohn des Firmenjustiziars; und da sie keine Möglichkeit sah, Jamborets' Leistung einzuschätzen, arbeitete sie mit einem Eifer, den garantiert *niemand* übertreffen konnte.

«Mensch, Denise, verflucht nochmal», sagte Laredo Bob, ein schwitzender Texaner, während sie Pläne zurechtschnitt und sortierte.

«Was ist denn?»

«Sie sind bald ausgepumpt, wenn Sie weiter so schuften.»

«Macht mir eben Spaß», sagte sie. «Wenn ich erst mal in Schwung bin.»

«Na ja», sagte Laredo Bob, «'nen Teil davon können Sie genauso gut bis morgen liegen lassen.»

«*So* viel Spaß macht es mir nun auch wieder nicht.»

«Gut, okay, aber nun gönnen Sie sich mal 'ne Kaffeepause. Hören Sie?»

Ein paar Zeichner krakeelten auf dem Weg zum Flur.

«Kaffeepause!»

«Der Imbisswagen is da!»

«Kaffeepause!»

Denise arbeitete mit unvermindertem Tempo weiter.

Laredo Bob war der Kuli, an dem die niederen Arbeiten hängen blieben, wenn keine Sommeraushilfe sie ihm abnahm. Es hätte Laredo Bob wurmen können, dass Denise – vor den Augen des Chefs – manche Bürotätigkeiten in einer halben Stunde erledigte, denen er, auf einer Swisher-Sweet-Zigarre herumkauend, gern ganze Vormittage widmete. Doch Laredo Bob glaubte, dass Charakter Schicksal sei. Für ihn bewiesen Denise' Arbeitsgewohnheiten bloß, dass sie die Tochter ihres Vaters war und bestimmt bald selbst eine leitende Stellung innehätte, während er, Laredo Bob, das gemächlichere Tempo beibehalten würde, das man von jemandem, dem es beschieden war, niedere Büroarbeiten auszuführen, erwartete. Außerdem glaubte Laredo Bob, dass Frauen Engel seien und Männer arme Sünder. Der Engel, mit dem er verheiratet war, offenbarte sein gutes, sanftmütiges Wesen hauptsächlich, indem er ihm seine Tabaksucht nachsah und mit einem einzigen, schmalen Einkommen vier Kinder zu ernähren und zu kleiden verstand, aber Laredo Bob war keineswegs überrascht, dass das Ewigweibliche auch übernatürliche Fähigkeiten an den Tag legte, wenn es darum ging, Tausende kartonverstärkter Mikroformulare zu beschriften und alphabetisch in Karteikästen einzuordnen. In Laredo Bobs Augen war Denise ein ganz und gar hinreißendes und süßes Geschöpf. Schon bald begann er damit, einen Country-Refrain zu singen («Denise-uh-why-you-done, what-you-did?»), wenn sie morgens ins Büro kam und wenn sie nach ihrer Mittagspause in der kleinen, baumlosen städtischen Grünanlage auf der anderen Straßenseite zurückkehrte.

Der Chefzeichner Sam Beuerlein sagte zu Denise, dass sie sie nächsten Sommer dafür bezahlen müssten, zu Hause zu bleiben, weil sie in diesem Sommer für zwei arbeite.

Ein grienender Mann aus Arkansas, Lamar Parker, der gewaltige, fingerdicke Brillengläser und krebsartige Geschwülste auf der Stirn hatte, fragte sie, ob ihr Daddy ihr erzählt habe, was für eine gemeine, nutzlose Truppe die Männer von der Abteilung Signale seien.

«Nur nutzlos», sagte Denise. «Von gemein hat er nichts gesagt.»

Lamar lachte meckernd und paffte seine Tareyton und wiederholte ihre Bemerkung, für den Fall, dass die Männer um ihn herum sie nicht gehört hatten.

«He-he-he», brummelte der Zeichner, den sie Don Armour nannten, mit unschönem Sarkasmus.

Don Armour war der einzige Mann in der Abteilung Signale, der Denise nicht zu mögen schien. Er war ein stämmiger, kurzbeiniger Vietnam-Veteran, dessen Wangen, glattrasiert, fast so blau-weißlich schimmerten wie eine Pflaume. Seine Blazer spannten an den massigen Oberarmen; Zeichengeräte erinnerten in seiner Hand an Kinderspielzeug; er sah aus wie ein ans Pult eines Erstklässlers gezwängter Teenager. Anstatt, wie alle anderen, seine Füße auf den Ring des hohen rollenden Stuhls zu setzen, ließ er sie baumeln, sodass seine Zehenspitzen auf dem Boden schleiften. Er drapierte den Oberkörper über den Zeichentisch, die Augen nur Zentimeter vom Rapidograph-Stift entfernt. Hatte er eine Stunde lang so gearbeitet, schienen all seine Kräfte verbraucht, und er drückte die Nase auf die Folie oder verbarg das Gesicht in den Händen und stöhnte. Die Kaffeepausen verbrachte er häufig zusammengesackt wie ein Mordopfer, die Stirn auf dem Tisch, die Plastik-Pilotenbrille in der Faust.

Als Denise Don Armour vorgestellt wurde, schaute er weg und gab ihr einen Toter-Fisch-Handschlag. Oft, wenn sie am anderen Ende des Zeichenraums arbeitete, hörte sie ihn irgendetwas murmeln, das die anderen Männer in sich hineinlachen ließ; war sie in seiner Nähe, hielt er den Mund und grinste grimmig seinen Zeichentisch an. Er erinnerte sie an die Klugscheißer in der Schule, die am liebsten auf der letzten Bank saßen.

Eines Morgens im Juli, als sie gerade in der Damentoilette war, hörte sie Armour und Lamar draußen im Gang beim Trinkbrunnen, in dem Lamar seine Kaffeebecher spülte, miteinander reden. Sie stellte sich an die Tür und lauschte.

«Weißte noch, wie wir immer fanden, der gute Alan wär 'n Arbeitstier?», sagte Lamar.

«Eins muss ich Jamborets lassen», antwortete Don Armour. «Der war verdammt viel weniger belastend für die Augen.»

«Hä hä.»

«Schwer, seine Arbeit zu machen, was, wenn jemand so Hübsches wie Alan Jamborets den ganzen Tag in kurzen Röckchen rumläuft.»

«Jaja, Alan war 'n adrettes Kerlchen.»

Ein Stöhnen war zu hören. «Ich schwör's bei Gott, Lamar», sagte Don Armour, «ich bin drauf und dran, Beschwerde wegen unzumutbarer Arbeitsbedingungen einzulegen. Das is ja nicht mehr feierlich. Haste den Rock gesehen?»

«Hab ich. Aber jetzt sei still.»

«Ich werd noch verrückt.»

«Das is die Jahreszeit, Donald. Hat sich in zwei Monaten von selbst erledigt.»

«Wenn die Wroths mich nicht vorher feuern.»

«Wieso biste eigentlich so sicher, dass das mit der Fusion hinhaut?»

«Acht Jahre hab ich mich draußen an der Front abgeschuftet, um in das Büro hier reinzukommen. Höchste Zeit, dass irgendwas schief läuft und mir die Tour vermasselt.»

Denise trug einen kurzen stahlblauen Rock vom Wühltisch und war selbst überrascht, dass er im Einklang mit dem islamischen Frauenbekleidungskodex ihrer Mutter stand. Sofern sie überhaupt einzuräumen bereit war, dass Lamar und Don Armour von *ihr* gesprochen hatten – der Gedanke beanspruchte in der Tat einen unbezweifelbaren, seltsamen, migräneähnlichen Wohnrechtsstatus in ihrem Kopf –, fühlte sie sich von Don um so heftiger brüskiert. Es war, als feiere er eine Party *in ihrem eigenen Haus*, ohne sie eingeladen zu haben.

Als sie ins Zeichenbüro zurückkam, ließ er seinen skeptischen Blick durch den ganzen Raum schweifen, jedermann taxierend, nur nicht sie. Kaum war er mit den Augen über sie hinweggehüpft, hatte sie das eigentümliche Bedürfnis, sich die Fingernägel ins Fleisch zu bohren oder in die Brust zu kneifen.

Es war die Jahreszeit des Donners in St. Jude. Die Luft roch nach mexikanischer Gewalt, nach Hurrikanen oder Staatsstreichen. Mal gab es Morgendonner aus unlesbar aufgewühlten Himmeln, ein unheilschwangeres, dumpfes Grummeln aus Ortschaften im Süden des Bezirks, in denen niemand, den man kannte, je gewesen war. Mal Mittagsdonner, von einem einzelnen Amboss herrührend, der über den ansonsten halbwegs klaren Himmel zog. Und den schlimmeren Donner am Nachmittag, wenn sich im Südwesten meergrüne Wolkenwellen auftürmten, während die Sonne stellenweise um so heller schien und die Hitze noch drückender lastete, als wisse sie, dass wenig Zeit blieb. Und das großartige Schauspiel eines anständigen Abendgewitters, Stürme, die sich im Achtzig-Kilometer-Radius des Radarstrahls sammelten wie große Spinnen in einem kleinen Glas, Wolken, die, aus allen vier Himmelsecken kommend, aneinander rumpelten, und Woge auf Woge pfenniggroßer Regentropfen, die wie Plagen niedergingen, bis das Bild, das man im

Fenster sah, schwarzweiß wurde und verschwamm, Bäume und Häuser im aufflackernden Licht der Blitze taumelten und kleine Kinder in Badehosen und mit klatschnassen Handtüchern Hals über Kopf, wie Flüchtige, nach Hause rannten. Und das Getrommel spät in der Nacht, die rollenden Munitionswagen des vorbeimarschierenden Sommers.

Und jeden Tag in den Zeitungen von St. Jude das Grollen der Gerüchte von einer drohenden Fusion. Die hartnäckigen Midpac-Freier Hillard und Chauncy Wroth seien in der Stadt, um Gespräche mit drei Gewerkschaften zu führen. Die Zwillingsbrüder seien in Washington, wo sie vor einem Unterausschuss des Senats Aussagen von Midpac-Mitarbeitern entgegenträten. Die Midpac habe die Union Pacific gebeten, ihr Eintänzer zu werden. Die Wroths rechtfertigten die nach dem Kauf der Arkansas Southern vorgenommenen Umstrukturierungen. Die Midpac-Sprecher appellierten an alle betroffenen Bürger von St. Jude, ihre Kongressabgeordneten anzurufen oder ihnen zu schreiben …

Unter einem teilweise bewölkten Himmel verließ Denise das Firmengebäude, um Mittagspause zu machen, da explodierte einen Block von ihr entfernt die Spitze eines Strommastes. Sie sah leuchtendes Rosa und spürte das Krachen des Donners auf ihrer Haut. Sekretärinnen rannten schreiend durch die kleine Grünanlage. Denise drehte auf dem Absatz um und ging mit ihrem Buch, ihrem Sandwich und ihrer Pflaume zurück in den zwölften Stock, wo sich jeden Tag zwei Binokel-Runden bildeten. Sie setzte sich ans Fenster, aber dort *Krieg und Frieden* zu lesen kam ihr arrogant oder unhöflich vor. Also richtete sie ihre Aufmerksamkeit abwechselnd auf den verrückten Himmel draußen und das Kartenspiel neben ihr. Don Armour wickelte ein Sandwich aus und klappte es auf, sodass eine Scheibe Mortadella zum Vorschein kam, auf der in gelbem Senf die Brottextur lithographiert war. Er sackte in sich zusammen. Dann wickelte er das

Sandwich lose wieder in die Folie und schaute Denise an, als wäre sie die jüngste Folter an diesem seinem Tag.

«Sechzehn.»

«Wer hat den Schweinkram hier gemacht?»

«Ed», sagte Don Armour und fächerte seine Karten auf, «pass mal mit deinen Bananen auf.»

Ed Alberding, der dienstälteste Zeichner, hatte einen bowlingkegelförmigen Körper und krauses graues Haar wie das einer älteren Dame mit Dauerwelle. Er zwinkerte hektisch mit den Augen, während er Banane mümmelte und sein Blatt studierte. Die Banane lag, geschält, vor ihm auf dem Tisch. Er brach noch einen zarten Bissen davon ab.

«Verdammt viel Kalium in so 'ner Banane», sagte Don Armour.

«Kalium is gesund», sagte Lamar, der ihm gegenübersaß.

Don Armour legte seine Karten ab und schaute Lamar mit ernster Miene an. «Machste Witze? Ärzte geben Kalium, wenn sie 'n Herzstillstand herbeiführen wollen.»

«Eddie isst jeden Tag zwei, drei Bananen», sagte Lamar. «Wie fühlt sich dein Herz denn so, Mr. Ed?»

«Jetzt spielt doch einfach mal aus, Jungs», sagte Ed.

«Ich mach mir halt fürchterliche Sorgen um deine Gesundheit», sagte Don Armour.

«Du lügst zu oft, Mister.»

«Tag für Tag seh ich dich giftiges Kalium schlucken. Als Freund hab ich die Pflicht, dich zu warnen.»

«Du bist dran, Don.»

«Leg 'ne Karte, Don.»

«Und was is der Dank?», sagte Armour in gekränktem Ton. «Nix als Misstrauen und eine Abfuhr nach der andern.»

«Donald, biste noch mit von der Partie, oder hältste bloß den Stuhl warm?»

«Andererseits, wenn Ed aus den Latschen kippt, Herzstillstand infolge akuter langfristiger Kaliumvergiftung oder so, würd mich das zum Viertdienstältesten machen, und ein Platz in Little Rock bei Arkansas Southern Schrägstrich Midland Pacific wär mir sicher, also, warum verlier ich überhaupt 'n Wort darüber? Bitte sehr, Ed, kannst meine Banane auch noch haben.»

«He, he, sieh dich vor», sagte Lamar.

«Meine Herren, ich glaub, die Stiche hier gehn komplett an mich.»

«Mistkerl!»

Misch, misch. Klatsch, klatsch.

«Ed, da unten in Little Rock ham sie Computer, weißte», sagte Don Armour, ohne ein einziges Mal Denise anzusehen.

«M-hm», sagte Ed. «Computer?»

«Ich warn dich bloß, wenn du da runtergehst, wirste lernen müssen, die Dinger zu bedienen.»

«Eddie schläft eher bei den Engeln, als dass er lernt, 'nen Computer zu bedienen», sagte Lamar.

«Einspruch», sagte Don. «Ed geht nach Little Rock und lernt Computerzeichnen. Dann wird jemand anderem schlecht von seinen Bananen.»

«Sag mal, Donald, warum biste so sicher, dass du nich selber nach Little Rock gehst?»

Don schüttelte den Kopf. «In Little Rock würden wir zwei-, dreitausend Dollar im Jahr weniger ausgeben, und ich würd ziemlich bald 'n paar Tausender jährlich mehr verdienen. Is billig da unten. Patty könnte vielleicht halbtags arbeiten, dann hätten die Mädchen wieder 'ne Mutter. Wir könnten uns 'n Stück Land in den Ozarks kaufen, bevor die Mädchen zu alt sind, um noch was davon zu haben. 'n Grundstück mit 'nem Teich. Meint ihr im Ernst, jemand könnte zulassen, dass ich so was erlebe?»

Ed sortierte, nervös zuckend wie ein Backenhörnchen, seine Karten. «Wozu brauchen die da überhaupt Computer?», fragte er.

«Um nutzlose alte Männer zu ersetzen», sagte Don, und ein uncharmantes Lächeln schlitzte sein Pflaumengesicht auf.

«Uns ersetzen?»

«Warum, glaubste wohl, kaufen die Wroths *uns* auf und nich umgekehrt?»

Misch, misch. Klatsch, klatsch. Denise sah den Himmel am Horizont von Illinois Blitzgabeln in den Salat aus Bäumen stecken. Während sie den Kopf abwandte, kam es am Tisch zu einer Explosion.

«Herrgott nochmal, Ed», sagte Don Armour, «leck die Karten doch gleich ab, bevor du sie auf den Tisch legst!»

«Ganz ruhig, Don», sagte Sam Beuerlein, der Chefzeichner.

«Bin ich etwa der Einzige, dem's dabei hochkommt?»

«Ganz ruhig. Ruhig.»

Don schmiss seine Karten hin und stieß sich mit seinem Rollenstuhl so heftig ab, dass die Gottesanbeterinnenlampe quietschte und schwankte. «Laredo», rief er, «komm her und übernimm mein Blatt. Ich brauch 'n bisschen bananenfreie Luft.»

«Ganz ruhig, Mann.»

Don schüttelte den Kopf. «Entweder man sagt jetzt, wie's ist, Sam, oder man dreht durch, wenn tatsächlich verkauft wird.»

«Du bist ein cleverer Kerl, Don», sagte Beuerlein. «Du fällst schon auf die Füße, egal, was passiert.»

«Clever? Keine Ahnung. Ich bin nich halb so clever wie Ed. Stimmt's, Ed?»

Eds Nase zuckte. Ungeduldig klopfte er mit seinen Karten auf den Tisch.

«Zu jung für Korea, zu alt für *meinen* Krieg», sagte Don. «Das nenn ich clever. Clever genug, fünfundzwanzig Jahre lang jeden Morgen aus dem Bus zu steigen und die Olive Street zu überqueren, ohne übern Haufen gefahren zu werden. Clever genug, jeden Abend heil wieder nach Haus zu kommen. Das heißt clever sein in dieser Welt.»

Sam Beuerlein hob die Stimme. «Pass mal auf, Don. Du gehst jetzt spazieren, okay? Geh raus und reg dich ab. Danach kannst du dir überlegen, ob du dich nicht bei Eddie entschuldigen möchtest.»

«Achtzehn», sagte Ed, mit den Karten auf den Tisch schlagend.

Don presste eine Hand gegen sein Kreuz und humpelte kopfschüttelnd den Mittelgang hinunter. Laredo Bob kam mit Eiersalat im Schnurrbart herüber und übernahm Dons Blatt.

«Keine Entschuldigungen», sagte Ed. «Lasst uns einfach das Spiel hier spielen, Jungs.»

Als Denise nach der Mittagspause aus der Damentoilette kam, traf sie vor dem Fahrstuhl auf Don Armour. Er hatte einen Schal aus Regenspuren auf den Schultern. Kaum sah er Denise, rollte er mit den Augen, als fühle er sich schon wieder verfolgt.

«Was?», sagte Denise.

Er schüttelte den Kopf und entfernte sich.

«Was? Was?»

«Mittagszeit is vorbei», sagte er. «Müssten Sie nich bei der Arbeit sein?»

Jeder Schaltplan war mit dem Namen der Strecke und der Meilensteinziffer beschriftet. Der Signal-Ingenieur tüftelte Korrekturen aus, und die Zeichner sandten Kopien der Schaltpläne an den Außendienst, nachdem sie mit gelbem Stift Hinzuzufügendes und mit rotem Stift Wegzunehmendes markiert hatten. Dann machten sich die Techniker vor Ort, oftmals eigene Lösungswege und Abkürzungen beschreitend, an die Arbeit und schickten die Kopien zerfleddert und vergilbt und voller Fettfingerabdrücke, mit Prisen von rotem Staub aus Arkansas oder Unkrautgehäcksel aus Kansas zwischen den Seiten zurück ans Hauptbüro, wo die Zeichner die ausgeführten Korrekturen mit schwarzer Tinte auf den Klarsichtfolien- und den Pergamentoriginalen verzeichneten.

Den ganzen langen Nachmittag über, während das Barschbauchweiß des Himmels allmählich die Farbe von Fischflossen und Fischrücken annahm, faltete Denise die Tausende von Vordrucken, die sie am Morgen zurechtgeschnitten hatte, vorschriftsmäßig so, dass jeweils sechs Exemplare in die Hefter der Außendiensttechniker passten. Es gab Signale an den Meilensteinen 16.2 und 17.4 und 20.1 und 20.8 und 22.0 und so weiter bis hinauf zur Stadt New Chartres bei 74.35, dem Endpunkt der Linie.

Am Abend auf dem Heimweg in die Vororte fragte sie ihren Vater, ob die Wroths die Eisenbahngesellschaft mit der Arkansas Southern fusionieren würden.

«Wer weiß», sagte Alfred. «Ich hoffe nicht.»

Werde die Firma nach Little Rock verlegt?

«Das scheint, falls die Brüder zum Zuge kommen, ihre Absicht zu sein.»

Was werde dann aus den Männern von der Abteilung Signale?

«Ich denke, ein paar von den Dienstälteren würden mitgehen. Die Jüngeren – die würden wahrscheinlich entlassen. Aber ich möchte nicht, dass du darüber sprichst.»

«Mach ich auch nicht», sagte Denise.

Wie jeden Donnerstagabend in den letzten fünfunddreißig Jahren wartete Enid zu Hause mit dem Essen. Sie hatte grüne Paprika gefüllt und sprudelte vor Vorfreude auf das bevorstehende Wochenende.

«Morgen musst du mit dem Bus nach Hause kommen», sagte sie zu Denise, als sie sich an den Tisch setzten. «Dad und ich fahren mit den Schumperts zu den Fond du Lac Estates.»

«Was sind die Fond du Lac Estates?»

«Kinkerlitzchen», sagte Alfred. «Hätte mich nie darauf einlassen sollen. Aber deine Mutter hat mich beschwatzt.»

«Al», sagte Enid, «da sind *keinerlei Bedingungen* dran geknüpft. Keiner *zwingt* uns, an irgendeinem der Seminare teilzunehmen. Wir können das ganze Wochenende tun und lassen, was wir wollen.»

«Ich wette, dass es Auflagen gibt. Der Makler kann doch nicht fortwährend kostenlose Wochenenden anbieten. Er muss Grundstücke verkaufen.»

«In der Broschüre stand, *keine* Auflagen, *keine* Erwartungen, *keine* Bedingungen.»

«Ich habe da meine Zweifel», sagte Alfred.

«Mary Beth sagt, in der Nähe von Bordentown gibt es eine herrliche Weinkellerei, die wir besichtigen können. Und wir können im See schwimmen! Und in der Broschüre steht was von Paddelbooten und einem Feinschmeckerrestaurant.»

«Ich kann mir nicht vorstellen, was an einer Weinkellerei in Missouri mitten im Juli reizvoll sein soll», sagte Alfred.

«Du musst dich nur darauf *einlassen*», sagte Enid. «Als die Dribletts letzten Oktober dort waren, hatten sie eine so schöne Zeit. Dale hat gesagt, es gab überhaupt keine Auflagen. Fast gar keine.»

«Überleg dir mal, wer das sagt.»

«Wie meinst du das?»

«Ein Mann, der davon lebt, Särge zu verkaufen.»

«Dale ist nicht schlechter als alle anderen.»

«Ich sagte bereits, dass ich meine Zweifel habe. Aber ich komme mit.» An Denise gewandt, fügte er hinzu: «Du kannst mit dem Bus nach Hause fahren. Wir lassen dir ein Auto hier.»

«Kenny Kraikmeyer hat heute Morgen angerufen», berichtete Enid. «Er wollte wissen, ob du am Samstagabend Zeit hast.»

Denise schloss ein Auge und öffnete das andere weit. «Und was hast du ihm gesagt?»

«Ich habe gesagt, ich glaubte schon.»

«Du hast *was*?»

«Entschuldige. Ich wusste nicht, dass du was vorhast.»

Denise lachte. «Das Einzige, was ich im Moment vorhabe, ist, mich nicht mit Kenny Kraikmeyer zu treffen.»

«Er war sehr höflich», sagte Enid. «Weißt du, es kann nicht schaden, wenn du mit jemandem ausgehst, der dich immerhin so nett dazu auffordert. Wenn du dich nicht amüsierst, brauchst du's ja nicht wieder zu tun. Aber du solltest *allmählich* mal zu jemandem ja sagen. Die Leute denken bestimmt schon, niemand ist dir gut genug.»

Denise legte ihre Gabel hin. «Bei Kenny Kraikmeyer kommt's mir buchstäblich hoch.»

«Denise», sagte Alfred.

«Das ist nicht recht», sagte Enid mit zitternder Stimme. «Ich möchte dich nicht so reden hören.»

«Na gut, tut mir Leid. Aber ich habe am Samstag keine Zeit. Nicht für Kenny Kraikmeyer. Der im Übrigen, wenn er mit mir ausgehen möchte, auch mich selber fragen könnte.»

Denise kam der Gedanke, dass Enid ein Wochenende mit Kenny Kraikmeyer am Fond du Lac vermutlich gefallen könnte und Kenny sich dort vermutlich eher amüsieren würde als Alfred.

Nach dem Essen fuhr sie mit dem Fahrrad zum ältesten Haus in der Gegend, einem Backsteinwürfel mit meterhohen Decken aus der Zeit vor dem Bürgerkrieg, direkt gegenüber vom zugenagelten Pendlerbahnhof. Das Haus gehörte dem Leiter der Theater-AG an der Highschool, Henry Dusinberre, der gerade einen Monat mit seiner Mutter in New Orleans verbrachte und seine bizarre abessinische Bananenpflanze und die exzentrischen Krotonen und ironisch gemeinten Topfpalmen der Obhut seiner Lieblingsschülerin überlassen hatte. Zu den bordelligen Antiquitäten in Dusinberres Salon gehörten zwölf verschnörkelte Champagnergläser, jedes mit einer im geschliffenen Kristallstiel gefangenen Luftbläschensäule, und von all den jungen Mimen und Literaten, die samstagabends an seine Hausbar strebten, durfte allein Denise daraus trinken. («Lass die kleinen Biester doch Plastikbecher nehmen», pflegte er zu sagen, während er seine geschwächten Glieder in einem kalbsledernen Clubsessel in die rechten Postitionen brachte. Er hatte zwei Runden gegen einen Krebs gekämpft, der sich nun angeblich auf dem Rückzug befand, doch seine glänzende Haut und die hervorquellenden Augen ließen ahnen, dass, onkologisch betrachtet, nicht alles zum Besten stand. «Lambert, außergewöhnliches Geschöpf», sagte er, «setz dich hierhin, damit ich dein Profil sehen kann. Ist dir bewusst, dass die Japaner dich wegen deines Nackens anbeten würden? *Anbeten* würden sie dich.») In Dusinberres Haus hatte sie ihre erste rohe Auster, ihr erstes Wachtelei, ihren ersten Grappa probiert. Dusinberre bestärkte sie auch in ihrem Entschluss, nicht dem Charme irgendwelcher «verpickelten Jünglinge» (seine Formulierung) zu erliegen. In Antiquitätenläden kaufte er Kleider und Jacken zur Ansicht, und wenn sie Denise passten, schenkte er sie ihr. Zum Glück schätzte Enid, die wünschte, Denise würde sich mehr wie eine Schumpert oder Root kleiden, alte Sachen so gering, dass sie wirklich glaubte, ein fleckenloses, besticktes gelbes Satinpartykleid mit Knöpfen aus Tigeraugenachat habe Denise (wie diese behauptete) zehn Dollar bei der Heilsarmee gekostet. Enids bitteren Einwänden zum Trotz hatte sie das Kleid bei ihrem Highschool-Ball mit Peter Hicks getragen, jenem beträchtlich verpickelten Jüngling, der in der *Glasmenagerie,* in der sie die Amanda gespielt, den Tom gegeben hatte. In der Ballnacht hätte Peter Hicks sogar mit ihr und Dusinberre aus den Rokoko-Champagnergläsern trinken dürfen, doch Peter musste noch Auto fahren und blieb bei seinem Plastikbecher Cola.

Nachdem sie die Pflanzen gegossen hatte, saß sie in Dusinberres kalbsledernem Sessel und hörte New Order. Sie wünschte, sie hätte Lust gehabt, mit jemandem auszugehen, aber die jungen Männer, die sie respektierte, wie Peter Hicks, ließen sie in romantischer Hinsicht kalt, und der Rest war vom selben Schlag wie Kenny Kraikmeyer, der sich, obwohl er zur Marineakademie wollte und eine Karriere als Nuklearwissenschaftler anstrebte, für ungeheuer ‹hip› hielt und Cream- und Jimi-Hendrix-«Vinyl» (sein Ausdruck) mit einer Leidenschaft sammelte, die ihm von Gott vermutlich eher dazu gegeben worden war, Modell-U-Boote zu bauen. Das Ausmaß ihres Widerwillens machte Denise Sorgen. Sie verstand nicht, warum sie *so* gehässig war. Sie wollte gar nicht gehässig sein. Irgendetwas stimmte nicht damit, wie sie sich selbst und andere sah.

Sobald allerdings ihre Mutter sie darauf hinwies, hatte sie keine andere Wahl, als sie in der Luft zu zerreißen.

Am nächsten Tag sonnte sie sich während der Mittagspause in einem der knappen, ärmellosen Tops, die sie, ohne dass ihre Mutter davon wusste, unter dem Pullover zur Arbeit trug, da tauchte aus dem Nichts Don Armour in der Grünanlage auf und ließ sich neben sie auf die Bank fallen.

«Sie spielen ja heute gar nicht Karten», sagte sie.

«Ich werd noch wahnsinnig», sagte er.

Sie schaute wieder auf ihr Buch. Deutlich spürte sie seine anzüglichen Blicke. Die Luft war heiß, aber nicht so heiß, dass sie die Hitze auf der ihm zugewandten Seite ihres Gesichts erklären konnte. Er nahm seine Brille ab und rieb sich die Augen. «Hier sitzen Sie also immer.»

«Ja.»

Er war nicht gut aussehend. Sein Kopf wirkte zu groß, sein Haar lichtete sich, und sein Gesicht war, außer, wo sein Bart es blau färbte, nitritrot wie ein Wiener Würstchen oder eine Mortadella. Aber sie erkannte etwas leicht Spöttisches, Aufgewecktes, tierhaft Trauriges in seinem Blick; und die Sattelkurven seiner Lippen waren einladend.

Er las, was auf dem Buchrücken stand. «Graf Leo Tolstoi», sagte er. Er schüttelte den Kopf und lachte lautlos.

«Was?»

«Nix», sagte er. «Ich versuch mir bloß vorzustellen, wie das so is – Sie zu sein.»

«Wie meinen Sie das?»

«Na ja, schön zu sein. Intelligent. Diszipliniert. Reich. Aufs College zu gehen. Na, wie is das?»

Sie hatte den lächerlichen Impuls, ihm zu antworten, indem sie ihn berührte, ihn fühlen zu lassen, wie das war. Im Grunde gab es keine andere Möglichkeit, darauf zu antworten.

Sie zuckte die Achseln und sagte, dass sie es nicht wisse.

«Ihr Freund muss sehr glücklich sein.»

«Ich habe keinen Freund.»

Don Armour schauderte, als wäre das eine schlechte Nachricht. «Das find ich erstaunlich. Überraschend.»

Denise zuckte erneut die Achseln.

«Als ich siebzehn war, hatte ich auch mal 'nen Sommerjob», sagte Don. «Da hab ich für 'n altes Mennonitenpaar gearbeitet, mit 'nem großen Antiquitätengeschäft. Wir haben da so 'n Zeugs benutzt, Magische Mixtur hieß das – Farbverdünner, Holzgeist, Aceton, Wolframöl. Damit konnte man die Möbel reinigen, ohne dass der Lack abging. Ich hab's den ganzen Tag eingeatmet, und abends bin ich förmlich nach Haus geschwebt. Gegen Mitternacht kriegte ich dann die übelsten Kopfschmerzen.»

«Wo sind Sie aufgewachsen?»

«Carbondale, Illinois. Irgendwie hatte ich verdammt das Gefühl, dass die Mennoniten mir zu wenig zahlten, trotz der Gratistrips und so. Da hab ich angefangen, mir abends ihren Pick-up auszuborgen. Ich hatte 'ne Freundin, die rumkutschiert werden musste. Dann hab ich den Pick-up zu Schrott gefahren, und erst jetzt kriegten die Mennoniten heraus, dass ich ihn benutzt hab, und mein damaliger Stiefvater sagte, wenn ich bei der Marine anheuern würde, könnte er das mit den Mennoniten und der Versicherung schon regeln, ansonsten müsst ich sehen, wie ich mit den Bullen allein zurechtkäm. Also bin ich Mitte der sechziger Jahre zur Marine. Sah eben damals so aus, als ob's das Richtige wär. Tolles Timing. Da hab ich wirklich den Bogen raus.»

«Sie waren in Vietnam.»

Don Armour nickte. «Wenn's zur Fusion kommt, bin ich wieder da, wo ich nach meiner Entlassung angefangen hab. Plus drei Kinder und 'n paar Fähigkeiten, die keiner braucht.»

«Wie alt sind Ihre Kinder?»

«Zehn, acht und vier.»

«Ist Ihre Frau berufstätig?»

«Sie is Schulkrankenschwester. Lebt bei ihren Eltern in Indiana. Die haben zwei Hektar Land und 'nen Teich. Schön für die Mädchen.»

«Machen Sie auch mal Urlaub?»

«Zwei Wochen nächsten Monat.»

Denise fiel keine Frage mehr ein. Don Armour saß vornübergebeugt neben ihr, die Hände flach aneinander gepresst zwischen den Knien. Lange Zeit saß er völlig ausdruckslos da. Dann sah sie von der Seite, wie sich das charakteristische Grinsen auf sein Gesicht stahl; anscheinend musste er jeden, der ihn ernst nahm oder Mitgefühl zeigte, dafür bezahlen lassen. Schließlich stand Denise auf und sagte, sie werde jetzt hineingehen, und er nickte, als sei das ein Schlag, auf den er schon gewartet habe.

Sie kam nicht auf die Idee, dass Don Armour lächelte, weil es ihn verlegen machte, so unverhohlen um ihre Gunst zu werben und sie mit solchen abgedroschenen Phrasen ködern zu wollen. Sie kam nicht auf die Idee, dass sein Auftritt am Binokel-Tisch tags zuvor eigens ihretwegen inszeniert worden war. Sie kam nicht auf die Idee, dass er sie hinter der Toilettentür vermutet, ja es regelrecht darauf angelegt hatte, von ihr belauscht zu werden. Sie kam nicht auf die Idee, dass Don Armours Hauptwesenszug das Selbstmitleid war und dass er, mit ebendiesem Selbstmitleid, schon viele Mädchen vor ihr herumgekriegt hatte. Sie kam nicht auf die Idee, dass er längst – seit dem Moment nämlich, da er ihr zum ersten Mal die Hand geschüttelt hatte – plante, ihr an die Wäsche zu gehen. Sie kam nicht auf die Idee, dass er den Blick nicht nur abwandte, weil ihre Schönheit ihm Qualen bereitete, sondern auch weil in jedem der Ratgeber, für die ganz hinten in einschlägigen Männermagazinen geworben wurde («Wie du sie WILD auf dich machst – immer wieder!»), Regel Nr. 1 lautete: *Ignoriere sie*. Sie kam nicht auf die Idee, dass Don Armour der Klassenunterschied zwischen ihnen beiden, der ihr unangenehm war, vielleicht gerade reizte: dass er sie als Luxusgegenstand begehrte oder dass es für einen im Grunde seines Wesens selbstmitleidigen Mann, der um seinen Job fürchten musste, in vielerlei Hinsicht eine Genugtuung wäre, die Tochter des Chefs vom Chef seines Chefs aufs Kreuz zu legen. Nichts von alledem kam Denise in den Sinn, damals ebenso wenig wie später. Auch noch zehn Jahre danach machte sie sich selbst für alles, was geschehen war, verantwortlich.

Was sie an jenem Nachmittag hingegen deutlich sah, waren die Probleme. Dass Don Armour sie anfassen wollte, es aber offenbar nicht hinbekam, war ein Problem. Dass sie durch einen Zufall der Geburt *alles* besaß, während der Mann, der sie begehrte, so viel weniger hatte – dieses Ungleichgewicht –, das war ein *großes* Problem. Und da sie diejenige war, die alles besaß, war es zweifellos an ihr, das Problem zu lösen. Doch jedes ermunternde Wort, das sie ihm sagen, jede solidarische Geste, die sie sich vorstellen konnte, kam ihr herablassend vor.

Sie spürte das Problem intensiv in ihrem Körper. Dass sie mit so viel mehr Talenten und Chancen gesegnet war als Don Armour, manifestierte sich als physische Störung – als ein Unwohlsein, das sie, indem sie sich an ihren empfindlichsten Stellen kniff, zwar bekämpfen, nicht aber besiegen konnte.

Nach der Mittagspause ging sie in den Lagerraum, wo in den sechs mit schweren Deckeln versehenen Containern, die eleganten Müllschluckern glichen, die Originale aller Signalschaltpläne aufbewahrt wurden. Mit den Jahren waren die großen Pappordner in den Containern bis zum Bersten gefüllt worden, sodass sich tief zwischen ihren Deckeln verschollene Pläne gesammelt hatten, und Denise war die befriedigende Aufgabe übertragen worden, hier Ordnung zu schaffen. Die Zeichner, die in den Lagerraum kamen, gingen unbeirrt ihrer Arbeit nach, während Denise die Ordner neu beschriftete und lang vermisste Pergamente zutage förderte. Der größte Container war so tief, dass sie sich bäuchlings, die Beine auf kaltem Metall, auf den benachbarten Container legen und mit beiden Armen hineingreifen musste, um bis ganz nach hinten zu gelangen. Sie ließ die geretteten Pläne auf den Boden fallen und griff von neuem hinein. Als sie wieder auftauchte, um Luft zu schöpfen, merkte sie, dass Don Armour neben dem Container kniete.

Seine Schultern waren muskulös wie die eines Ruderers und zogen seinen Blazer straff. Sie wusste weder, wie lange er schon da war, noch, wohin er geschaut hatte. Jetzt studierte er ein ziehharmonikagefälteltes Pergament, den Schaltplan für ein Stellwerk beim Meilenstein 101.35 an der McCook-Strecke. Es war 1956 freihändig von Ed Alberding gezeichnet worden.

«Ed war noch 'n Bengel, als er das gezeichnet hat. Schönes Ding.»

Denise kletterte herunter, strich ihren Rock glatt und klopfte sich den Staub ab.

«Ich sollte Ed nich so zusetzen», sagte Don. «Er is begabt, wie ich's nie sein werde.»

Allem Anschein nach beschäftigte ihn Denise weniger, als er sie beschäftigte. Während sie neben ihm stand und auf sein jungenhaft verquirltes bleistiftgraues Haar hinabschaute, faltete er einen weiteren zerknitterten Plan auseinander. Sie trat einen Schritt näher zu ihm und beugte sich weiter vor, sodass ihr Oberkörper einen Schatten auf ihn warf.

«Sie stehn mir 'n bisschen im Licht», sagte er.

«Wollen Sie heute Abend mit mir essen gehen?»

Er seufzte schwer. Seine Schultern fielen nach vorn. «Ich muss übers Wochenende eigentlich nach Indiana.»

«Na dann.»

«Aber ich überleg's mir nochmal.»

«Gut. Überlegen Sie es sich.»

Sie klang ganz lässig, aber auf dem Weg zur Damentoilette wurden ihr die Knie weich. Sie schloss sich in eine Kabine ein, setzte sich auf den Klodeckel und machte sich Sorgen, während draußen die Fahrstuhlglocke leise klingelte und der Imbisswagen kam und wieder verschwand. Doch sie wusste gar nicht, was ihr solche Sorgen machte. Ihre Augen hefteten sich auf irgendetwas, den Chromriegel an der Kabinentür oder ein viereckiges Stück Klopapier am Boden, und ehe sie sich's versah, hatte sie es fünf Minuten lang angestarrt und an nichts gedacht. An nichts. Nichts.

Fünf Minuten vor Ende des Arbeitstages, sie war gerade beim Aufräumen, tauchte Don Armours breites Gesicht neben ihrer Schulter auf, die Lider hinter seinen Brillengläsern schwer vor Müdigkeit.

«Denise», sagte er. «Ich möchte Sie zum Essen einladen.»

Sie nickte rasch. «Na dann.»

In einem rauen Stadtteil nördlich der Innenstadt, mit vorwiegend armer und schwarzer Bevölkerung, gab es ein altmodisches Lokal, das Henry Dusinberre und seine studentischen Mimen gern besuchten. Denise wollte nichts anderes als Eistee und Pommes frites, Don Armour dagegen bestellte sich ein Hamburgermenü und einen Milchshake. Seine Haltung, fand sie, war die eines Frosches. Sein Kopf versank zwischen den

Schultern, wenn er sich übers Essen beugte. Er kaute mit Bedacht, gleichsam ironisch. Er blickte milde lächelnd, gleichsam ironisch, durch den Raum. Als er seine Brille den Nasenrücken hochschob, sah sie, dass seine Fingernägel bis aufs rosa Fleisch abgebissen waren.

«Ich würde um diese Gegend 'nen Bogen machen», sagte er.

«Die paar Blocks hier sind einigermaßen sicher.»

«Na, für Sie vielleicht, was», sagte er. «Ein Ort spürt genau, ob man weiß, was Ärger is. Wenn man's nich weiß, wird man in Ruhe gelassen. Aber ich weiß es, leider. Wenn ich 'ne Straße wie die hier langgegangen wär, als ich so alt war wie Sie, wär garantiert was Hässliches passiert.»

«Das verstehe ich nicht.»

«So war das eben. Ich brauchte bloß irgendwo aufzutauchen, schon waren da drei Fremde, die mich nich riechen konnten. So wenig wie ich sie. Das is 'ne Welt, die Sie als erfolgreicher und glücklicher Mensch gar nich sehen können. Jemand wie Sie spaziert da mittendurch. Die Welt wartet bloß drauf, dass einer wie ich, den man zu Hackfleisch machen kann, da vorbeikommt. Die erkennt mich aus 'nem Kilometer Entfernung.»

Don Armour hatte eine große amerikanische Limousine, die so ähnlich war wie die von Denise' Mutter, nur älter. Er lenkte sie in aller Ruhe auf eine Hauptstraße, fuhr gemächlich Richtung Westen und machte sich einen Spaß daraus, über dem Steuer zu hängen («Ich bin ein Lahmarsch; mein Auto is schlecht»), während andere Fahrer links und rechts an ihm vorbeidonnerten.

Denise beschrieb ihm den Weg zu Henry Dusinberres Haus. Tief im Westen über dem sperrholzäugigen Bahnhof schien noch die Sonne, als sie die Stufen zu Dusinberres Veranda hinaufstiegen. So wie Don Armour an den Bäumen hochschaute, hätte man meinen können, dass selbst sie ihm besser, wertvoller vorkamen als anderswo. Denise hatte die Hand schon am Griff der Fliegendrahttür, als sie merkte, dass die Haustür dahinter offen stand.

«Lambert? Bist du's?» Henry Dusinberre trat aus dem Zwielicht seines Salons. Seine Haut war wächserner denn je, seine Augen quollen noch stärker hervor, und seine Zähne schienen länger geworden. «Der Arzt meiner Mutter hat mich nach Hause geschickt», sagte er. «Er wollte nichts mehr mit mir zu tun haben. Ich glaube, er hatte genug vom *Tod.*»

Don Armour zog sich gesenkten Kopfes Richtung Wagen zurück.

«Wer ist dieser unglaubliche Koloss?», fragte Dusinberre.

«Ein Arbeitskollege», sagte Denise.

«Also, der kann nicht mit reinkommen. Tut mir Leid. Ich will keine Kolosse im Haus haben. Ihr müsst euch was anderes suchen.»

«Hast du genug zu essen da? Ist alles in Ordnung?»

«Ja, geh du nur. Ich fühle mich schon besser, jetzt, wo ich zurück bin. Der Arzt und ich, wir waren beide ganz betreten wegen meines Zustands. Offenbar, Kind, habe ich so gut wie gar keine weißen Blutkörperchen mehr. Der Mann hat vor Angst regelrecht gezittert. War überzeugt, dass ich gleich *an Ort und Stelle*, dort in seiner Praxis, sterben würde. Lambert, er tat mir ja so Leid!» Ein dunkler Heiterkeitsschlund öffnete sich im Gesicht des Kranken. «Ich habe versucht, ihm klar zu machen, dass mein Bedarf an weißen Blutkörperchen quasi zu vernachlässigen ist. Aber er schien mich unbedingt als medizinische Kuriosität betrachten zu wollen. Dann habe ich mit Mutter zu Mittag gegessen und bin mit dem Taxi zum Flughafen gefahren.»

«Kommst du auch wirklich zurecht?»

«Ja. Nun geh schon, mit meinem Segen. Sei närrisch. Aber nicht in meinem Haus. Los.»

Es war unklug, am helllichten Tag auf der Straße vor ihrem Elternhaus, wo aufmerksame Roots und neugierige Dribletts kamen und gingen, mit Don Armour gesehen zu werden, also ließ sie ihn zur Grundschule fahren und führte ihn auf den Rasenplatz dahinter. Sie saßen mitten in der Elektromenagerie des Insektengesumms, der geschlechtlichen Intensität gewisser duftender Sträucher, der abklingenden Hitze eines schönen Julitages. Don Armour schlang seine Arme um ihren Bauch, legte sein Kinn auf ihre Schulter. Sie lauschten den matten Püffen kleinkalibriger Feuerwerkskörper.

Als sie später, nach Einbruch der Dunkelheit, in ihrem bis zur Frostigkeit klimatisierten Haus standen, versuchte sie ihn rasch zur Treppe zu lotsen, doch er verweilte in der Küche, schaute sich in aller Ruhe im Esszimmer um. Der falsche Eindruck, den das Haus ganz offenbar erweckte, gab ihr einen Stich. Obgleich ihre Eltern nicht wohlhabend waren, sehnte sich ihre Mutter so sehr nach einer bestimmten Art von Eleganz und hatte deshalb so viel Aufwand getrieben, dass das Haus in Don Armours Augen wie das Haus reicher Leute *aussah*. Er schien kaum auf die Teppiche treten zu wollen. Er blieb stehen und betrachtete aufmerksam, wie vielleicht noch keiner vor ihm, die Waterford-Kelchgläser und -Konfektschälchen, die Enid hinter den Glastüren des Wohnzimmerschranks aufbewahrte. Auf jedem Gegenstand, den Spieldosen, den Pariser Straßenszenen, den farblich aufeinander abgestimmten und wunderschön bezogenen Polstermöbeln, ruhte sein Blick, wie er auf Denise' Körper geruht hatte – war das erst heute gewesen? Heute in der Mittagspause?

Sie schob ihre große Hand in seine noch größere, wob ihre Finger in die seinen und zog ihn zur Treppe.

In ihrem Zimmer, auf den Knien, legte er seine Daumen an ihre Hüftknochen und drückte seinen Mund erst auf ihre Schenkel, dann auf ihr Was-auch-immer; sie fand sich in eine Grimm'sche und C.-S.-Lewis'sche Kindheitswelt zurückversetzt, in der eine Berührung Zauberkraft besaß. Seine Hände verwandelten ihre Hüften in die Hüften einer Frau, sein Mund verwandelte ihre Schenkel in die Schenkel einer Frau, ihr Was-auch-immer in eine Möse. Das waren die Vorteile, wenn jemand Älteres einen begehrte: sich nicht mehr so sehr wie eine geschlechtslose Marionette zu fühlen, eine sachkundige Führung durch das Gelände der eigenen Morphologie zu bekommen, über deren Nützlichkeit aufgeklärt zu werden, noch dazu von einem, für den es das Nonplusultra war.

Jungs in ihrem Alter wollten *irgendetwas*, ohne genau zu wissen, was. Jungs in ihrem Alter wollten Ungefähres. Denise' Aufgabe – die Rolle, die sie bei mehr als einem lausigen Rendezvous gespielt hatte – war, sie genauer herausfinden zu lassen, was sie wollten, ihre Bluse aufzuknöpfen und ihnen Anstöße zu geben, ihre ziemlich rudimentären Vorstellungen (gewissermaßen) Fleisch werden zu lassen.

Don Armour wollte sie minuziös, Zentimeter für Zentimeter. Sie ergab für ihn offenbar den allerschönsten Sinn. Einen Körper einfach nur zu besitzen hatte Denise nie viel bedeutet, ihn aber als etwas zu betrachten, wonach es sie selbst verlangen könnte – sich auszumalen, sie sei Don Armour auf Knien und begehre die verschiedenen Teile ihrer selbst –, ließ diesen Besitz verzeihlicher erscheinen. Sie hatte, was der Mann zu finden erwartete. Es machte ihr keinerlei Angst, wie er sich ein Merkmal nach dem anderen vornahm und es würdigte.

Als sie ihren BH aufhakte, senkte Don den Kopf und schloss die Augen.

«Was ist?»

«Man könnte sterben, so schön biste.»

Ja, das gefiel ihr.

Was sie empfand, als sie ihn in ihre Hände nahm, war ein Vorgeschmack darauf, was sie einige Jahre später als junge Köchin empfinden sollte, die mit ihren ersten Trüffeln, ihrer ersten Gänseleber, ihrem ersten Rogen hantierte.

An ihrem achtzehnten Geburtstag hatten ihre Theaterfreunde ihr eine ausgehöhlte Bibel geschenkt, in der sie außer einem Schlückchen Seagram's drei bonbonfarbene Kondome versteckt hatten, die sie jetzt gut gebrauchen konnte.

Don Armours Kopf, irgendwo über ihr, war ein Löwenkopf, eine Kürbislaterne. Als er kam, brüllte er. Seine abklingenden Seufzer überschnitten einander, überlappten sich beinah. Oh, oh, oh, oh. Etwas Vergleichbares hatte sie noch nie gehört. Sie blutete proportional zu ihrem Schmerz, der ziemlich schlimm gewesen war, und umgekehrt proportional zu ihrer Lust, die sich hauptsächlich in ihrem Kopf abgespielt hatte.

Nachdem sie aus dem Wäschekorb im Flurschrank ein schmutziges Handtuch gekramt hatte, ballte sie in der Dunkelheit triumphierend die Faust, weil sie, noch bevor sie aufs College ging, den Status der Nichtjungfräulichkeit erreicht hatte.

Weniger erfreulich war die Gegenwart eines stämmigen und etwas blutigen Mannes in ihrem Bett. Es war ein Einzelbett, das einzige, in dem sie je geschlafen hatte, und sie war müde. Das erklärte vielleicht, warum sie sich jetzt lächerlich machte, indem sie, ein Handtuch um den Leib gewickelt, mitten in ihrem Zimmer stehen blieb und unversehens weinte.

Sie liebte Don Armour dafür, dass er zu ihr kam, seine Arme um sie legte und sich nicht darum scherte, dass sie sich wie ein Kind benahm. Er brachte sie ins Bett, fand ein Pyjamaoberteil für sie, half ihr, es anzuziehen. Dann kniete er sich neben das Bett, deckte sie zu und streichelte ihr über den Kopf, genau so, vermutete sie, wie er seine Töchter streichelte. Das tat er, bis sie fast eingeschlafen war. Dann weitete sich der Schauplatz seiner Liebkosungen auf Regionen aus, die, vermutete sie, bei seinen Töchtern tabu waren. Sie versuchte, im Halbschlaf zu bleiben, doch seine Berührungen wurden immer drängender, immer kratziger. Alles, was er mit ihr anstellte, kitzelte oder tat weh, und als sie zu wimmern wagte, erlebte sie zum ersten Mal, wie

Männerhände ihren Kopf nach unten drückten, sie südwärts stießen.

Gott sei Dank machte er, nachdem er fertig war, keine Anstalten, die Nacht bei ihr zu verbringen. Er ging aus dem Zimmer, und sie lag reglos da, angespannt auf seine Schritte horchend. Schließlich – sie mochte zwischendurch eingedöst sein – hörte sie das Haustürschloss klicken und den Anlasser seines großen Wagens wiehern.

Sie schlief bis Mittag, und während sie im Erdgeschossbad unter der Dusche stand und zu begreifen versuchte, was sie getan hatte, hörte sie erneut die Haustür. Hörte Stimmen.

Hektisch spülte sie ihre Haare, hektisch trocknete sie sich ab und stürzte aus dem Bad. Ihr Vater hatte sich im Arbeitszimmer hingelegt. Ihre Mutter wusch in der Küche die Kühltasche aus.

«Denise, du hast ja gar nichts von dem gegessen, was ich dir hingestellt hatte!», rief Enid. «Du hast es überhaupt nicht angerührt!»

«Ich dachte, ihr kämt erst morgen zurück.»

«Fond du Lac war nicht annähernd so, wie wir gedacht hatten», sagte Enid. «Ich weiß nicht, was Dale und Honey daran fanden. Eine riesengroße Seifenblase, das Ganze.»

Am Fuß der Treppe standen zwei Reisetaschen. Denise eilte daran vorbei und hinauf zu ihrem Zimmer, in dem schon vom Flur aus Kondomhüllen und blutbefleckte Bettwäsche zu sehen waren. Sie zog die Tür hinter sich zu.

Der Rest des Sommers war ruiniert. Sie war absolut einsam, sowohl bei der Arbeit als auch zu Hause. Sie versteckte das blutbefleckte Laken und das blutbefleckte Handtuch in ihrem Schrank, weil sie in ihrer Verzweiflung nicht wusste, was sie sonst damit machen sollte. Enid war von Natur aus wachsam und hatte eine Myriade müßiger Synapsen, die sich Aufgaben wie der, mitzukriegen, wann Denise ihre Periode bekam, hervorragend widmen ließen. Denise hoffte, in zwei Wochen, wenn es wieder so weit war, mit dem ruinierten Handtuch und Laken herausrücken und sich entschuldigen zu können. Enid jedoch hatte genügend Geisteskräfte in Reserve, um ihre Wäschestücke zu zählen.

«Ich vermisse eines meiner *guten* Badehandtücher mit Monogramm.»

«Oh, Schande, das habe ich im Schwimmbad liegen lassen.»

«Denise, warum du auch ein *gutes* Handtuch mit Monogramm nehmen musst, wo wir doch so viele andere haben … Und ausgerechnet das Handtuch verlierst! Hast du im Schwimmbad angerufen?»

«Ich bin extra nochmal hingegangen und habe es gesucht.»

«Das sind sehr teure Handtücher.»

Fehler wie der, den sie jetzt vorgab, begangen zu haben, unterliefen Denise eigentlich nie. Die Ungerechtigkeit hätte weniger an ihr genagt, wenn das Ganze einem größeren Vergnügen gedient hätte – wenn es möglich gewesen wäre, zu Don Armour zu gehen und mit ihm darüber zu lachen und sich von ihm trösten zu lassen. Aber sie liebte ihn nicht, und er liebte sie nicht.

Im Büro war ihr die Freundlichkeit der anderen Zeichner jetzt suspekt; sie schien allzu leicht aufs Vögeln hinauszulaufen. Don Armour war zu verlegen oder zu diskret, um auch nur ihre Blicke zu erwidern. Er verbrachte seine Tage in apathischer Verbitterung über die Wroth-Brüder und war unfreundlich zu allen um ihn herum. Denise blieb nichts anderes übrig, als zu arbeiten, aber auf einmal wurde ihr der Stumpfsinn dessen, was sie tat, zur Last, auf einmal hasste sie es. Am Ende eines Tages schmerzten ihr Gesicht und ihr Nacken, weil sie ständig mit den Tränen kämpfte und ein Tempo vorlegte, das so ohne weiteres nur durchhalten konnte, wem die Arbeit Spaß machte.

So war das eben, sagte sie sich, wenn man unüberlegt handelte. Sie staunte, dass sie keine zwei Stunden nachgedacht hatte, ehe sie zu der Entscheidung gekommen war. Don Armours

Augen und sein Mund hatten ihr gefallen, sie hatte beschlossen, ihm das, was er haben wollte, schuldig zu sein – und mehr war ihr, wenn sie sich recht entsann, nicht durch den Kopf gegangen. Eine schmutzige und reizvolle Gelegenheit war aufgetaucht (*heute Nacht* könnte ich meine Unschuld verlieren), und sie hatte sich darauf gestürzt.

Sie war zu stolz, vor sich selbst, erst recht aber vor Don Armour zuzugeben, dass er nicht war, was sie wollte. Sie war zu unerfahren, um zu wissen, dass sie einfach hätte sagen können: «Tut mir Leid – großer Fehler.» Stattdessen fühlte sie sich verpflichtet, ihm mehr von dem zu geben, was *er* wollte. Sie dachte, dass eine Affäre, hatte man sie erst einmal angefangen, auch eine Weile hielt.

Sie büßte für ihr Zaudern. Vor allem im Lauf der ersten Woche, bevor sie sich aufraffte, Don Armour ein zweites Treffen vorzuschlagen, saß ihr immer wieder, und das stundenlang, ein Kloß in der Kehle. Aber so leicht ließ sie sich nicht unterkriegen. Sie traf sich an drei aufeinander folgenden Freitagen mit ihm und erzählte ihren Eltern jedes Mal, sie gehe mit Kenny Kraikmeyer aus. Don Armour lud sie zum Essen in ein Familienlokal ein, das zwischen ein paar Läden an einer Ausfallstraße lag, und nahm sie danach mit zu sich in sein weit draußen gelegenes Kaff mitten in einem Tornadokorridor, eine von fünfzig Ortschaften, die sich St. Jude in seiner Ausbreitungswut nach und nach einverleibte. Er schämte sich dermaßen für sein kleines schäbiges Haus, dass es an Abscheu grenzte. Kein Haus in Denise' Vorort hatte so niedrige Decken oder bestand aus so billigen Materialien oder hatte Türen, die zu leicht waren, um sich ordentlich zuknallen zu lassen, und Fensterrahmen und Fensterschienen aus reinem Plastik. Um ihren Liebhaber zu beruhigen und ihn von dem Thema, dem sie am allerwenigsten abgewinnen konnte («dein Leben vs. mein Leben»), abzubringen, aber auch, um ein paar Stunden zu füllen, die sonst für sie beide bloß peinlich gewesen wären, zog sie ihn auf das ausklappbare Bett in seinem zugemüllten Keller und richtete ihren Perfektionismus auf eine ganz neue Welt der Fertigkeiten.

Don Armour sagte ihr nie, wie er seiner Frau erklärt hatte, warum er am Wochenende nicht nach Indiana kam. Denise scheute sich, ihm auch nur eine einzige seine Frau betreffende Frage zu stellen.

Ohne mit der Wimper zu zucken, ertrug sie die Schelte ihrer Mutter für einen weiteren Fehler, der ihr eigentlich niemals unterlaufen wäre: ein blutbeflecktes Laken nicht sofort in kaltem Wasser eingeweicht zu haben.

Am ersten Freitag im August, unmittelbar bevor Don Armours zweiwöchiger Urlaub anfing, kehrten er und Denise noch einmal ins Büro zurück und schlossen sich im Lagerraum ein. Sie küsste ihn, legte seine Hände auf ihre Brüste und versuchte, seine Finger zu führen, doch seine Hände wollten auf ihren Schultern sein; sie wollten sie auf die Knie drücken.

Sein Zeug geriet in ihre Nasenlöcher.

«Hast du dich erkältet?», fragte ihr Vater ein paar Minuten später, als sie die Stadtgrenze hinter sich ließen.

Zu Hause überbrachte Enid ihr die Nachricht, dass Henry Dusinberre («dein guter Freund») am Mittwochabend im St. Luke's gestorben sei.

Denise hätte ein weitaus schlechteres Gewissen gehabt, wenn sie Dusinberre nicht erst am Sonntag in seinem Haus besucht hätte. Sie hatte ihn in den Klauen einer gewaltigen Verärgerung über das Baby seiner Nachbarin angetroffen. «Ich muss ohne weiße Blutkörperchen auskommen», sagte er. «Da könnten sie doch mal ihre verdammten Fenster zumachen. Mein Gott, was hat das Baby für Lungen! Wahrscheinlich sind sie darauf auch noch stolz. Wahrscheinlich ist das wie bei diesen Motorradfahrern, die ihre Auspufftöpfe abmontieren. Irgend so ein albernes, primitives Männlichkeitssymbol.» Dusinberres Schädel und Knochen drückten immer fester gegen seine Haut. Er ließ sich über das Porto einer 90-Gramm-Briefsendung aus. Er erzählte Denise eine verschlungene, unwahre Geschichte über eine Frau mit «Negerblut» in den Adern, mit der er vorübergehend verlobt gewesen sei. («Wenn es mich überrascht hatte, dass sie nur zu sieben Achteln weiß war, dann stell dir erst mal ihre Überraschung vor, als sie erfuhr, dass ich nur zu einem Achtel hetero bin.») Er redete von seinem lebenslangen Kreuzzug für Fünfzig-Watt-Glühbirnen. («Sechziger sind zu hell», sagte er, «und Vierziger zu dunkel.») Etliche Jahre hatte er mit dem Tod gelebt und ihn in Schach gehalten, indem er ihn bagatellisierte. Auch jetzt brachte er noch ein einigermaßen boshaftes Lachen zustande, doch das Bagatellisieren erwies sich am Ende als so hoffnungslos wie alles andere. Denise gab ihm zum Abschied einen Kuss, doch da schien er sie schon nicht mehr zu erkennen. Er lächelte, mit niedergeschlagenen Augen, als wäre er ein besonderes Kind, das für seine Schönheit zu bewundern und für seine tragischen Lebensumstände zu bemitleiden war.

Auch Don Armour sah sie nie wieder.

Am Montag, dem 6. August, erzielten Hillard und Chauncy Wroth, nach einem Sommer zähen Verhandelns, eine Einigung mit den wichtigsten Eisenbahngewerkschaften. Die Gewerkschaften machten zugunsten einer weniger paternalistischen und dafür innovativeren Geschäftsführung beträchtliche Konzessionen und versüßten so das Wroth'sche Zahlungsangebot an die Midland Pacific von $ 26 / Aktie durch die Aussicht auf eine potenzielle kurzfristige Einsparung von $ 200 Millionen. Die Geschäftsleitung der Midpac wollte ihre Entscheidung offiziell erst zwei Wochen später fällen, doch die Sache galt als ausgemacht. Da chaotische Zustände zu befürchten waren, erging aus der Chefetage ein Schreiben an sämtliche Abteilungen, in dem es hieß, dass alle Aushilfskräfte bis spätestens Freitag, 17. August, den Dienst quittieren sollten.

Da es im Zeichenbüro (außer Denise) keine Frauen gab, baten ihre Kollegen die Sekretärin des Chefingenieurs, einen Abschiedskuchen zu backen. Sie stellten ihn Denise an ihrem letzten Arbeitsnachmittag hin. «Is ja 'n beachtlicher Erfolg», sagte Lamar kauend, «dass wir Sie endlich dazu gekriegt haben, 'ne Kaffeepause zu machen.»

Laredo Bob betupfte sich mit einem Taschentuch von der Größe eines Kissenbezugs die Augen.

Am selben Abend gab Alfred im Auto ein Kompliment weiter.

«Sam Beuerlein hat mir gesagt, er habe noch nie jemanden so fabelhaft arbeiten sehen wie dich.»

Denise sagte nichts.

«Du hast auf diese Männer großen Eindruck gemacht. Du hast ihnen die Augen darüber geöffnet, was ein Mädchen alles leisten kann. Ich habe dir das vorher nicht gesagt, aber ich hatte das Gefühl, dass die Männer nicht gerade begeistert waren, für den Sommer ein Mädchen zugeteilt zu bekommen. Ich glaube, sie hatten viel Geplapper und wenig Substanz erwartet.»

Sie war zwar froh über die Anerkennung von ihrem Vater. Doch seine Freundlichkeit, wie die Freundlichkeit der Zeichner, die nicht Don Armour waren, erreichte sie nicht mehr. Sie schien ihren Körper anzufallen, irgendetwas von ihm zu wollen; und ihr Körper rebellierte.

Denise-uh-why-you-done, what-you-did?

«Na», sagte ihr Vater, «jedenfalls hast du jetzt eine Vorstellung vom Leben in der wirklichen Welt.»

Bevor sie nach Philadelphia kam, hatte ihr die Aussicht, in der Nähe von Gary und Caroline aufs College zu gehen, gefallen. Deren große Villa in der Seminole Street war wie ein Zuhause ohne die Nachteile eines Zuhauses, und auf Caroline, die so schön war, dass das bloße Privileg, mit ihr zu sprechen, Denise bisweilen den Atem nahm, war immer Verlass, wenn es darum ging, Denise zu versichern, dass sie allen Grund hatte, Enids wegen den Verstand zu verlieren. Schon gegen Ende ihres ersten Semesters aber stellte Denise fest, dass sie Gary für jede Nachricht, die er von ihr bekam, drei Nachrichten auf ihr Band sprechen ließ. (Einmal, ein einziges Mal nur, hatte sie eine Nachricht von Don Armour erhalten, auf die sie ebenfalls nicht reagierte.) Auch Garys Angebot, sie in ihrem Wohnheim abzuholen und nach dem Abendessen wieder zurückzufahren, lehnte sie immer häufiger ab. Sie behauptete, arbeiten zu müssen, und schaute dann, anstatt zu arbeiten, zusammen mit Julia Vrais fern. Es war ein Hattrick der Schuldgefühle: Sie hatte ein schlechtes Gewissen, weil sie Gary belog, ein noch schlechteres, weil sie ihr Studium vernachlässigte, und das allerschlechteste, weil sie Julia vom Lernen abhielt. Denise konnte jederzeit die Nacht durchmachen, aber Julia war nach zweiundzwanzig Uhr zu nichts mehr zu gebrauchen. Julia hatte keinen Motor und kein Ruder. Sie konnte nicht erklären, warum sie im Herbstsemester Italienisch I, Russisch I, Fernöstliche Religionen und Musiktheorie belegt hatte; Denise warf sie vor, bei der Zusammenstellung ihrer ausgewogenen, aus Englisch, Geschichte, Philosophie und Biologie bestehenden akademischen Kost fremde Hilfe gehabt zu haben.

Denise ihrerseits war neidisch auf die College-«Männer» in Julias Leben. Anfänglich waren sie beide *belagert* worden. Unverhältnismäßig viele «Männer» aus den höheren Semestern, die in der Cafeteria ihre Tabletts neben ihnen auf den Tisch knallten, stammten aus New Jersey. Sie hatten nicht mehr ganz junge Gesichter und Megaphonstimmen, mit denen sie Matheaufgaben verglichen oder in Erinnerungen an einen Aufenthalt in Rehoboth Beach schwelgten, wo sie sich dermaßen hatten voll laufen lassen. An Julia und Denise hatten sie nur drei Fragen: (1) *Wie heißt ihr?* (2) *In welchem Wohnheim seid ihr?* und (3) *Wollt ihr am Freitag zu unserer Party kommen?* Denise war erstaunt, welch unverhohlene Grobheit in dieser Schnellprüfung lag, und nicht weniger erstaunt, wie fasziniert sich Julia von den Jungs aus Teaneck mit ihren digitalen Monsterarmbanduhren und zusammengewachsenen Augenbrauen zeigte. Julia reckte den Kopf wie ein Eichhörnchen, wenn es überzeugt ist, dass jemand altes Brot in der Tasche hat. Verließ sie eine Party, zuckte sie die Schultern und sagte zu Denise: «Er hat Stoff, also geh ich mit zu ihm.» Schon bald arbeitete Denise freitagabends allein. Sie handelte sich den Ruf einer Eisprinzessin und möglichen Lesbierin ein. Ihr fehlte Julias Fähigkeit, dahinzuschmelzen, wenn die gesamte College-Fußballmannschaft um drei Uhr nachts vor ihrem Fenster stand und im Chor ihren Namen rief. «Ist das peinlich», stöhnte Julia dann in einer Agonie der Glückseligkeit, während sie um die heruntergelassenen Rollos herumlugte. Die «Männer» draußen vor dem Fenster hatten keine Ahnung, wie glücklich sie sie machten, und ebendeshalb, so Denise' strikte Erstsemester-Meinung, hatten sie Julia nicht verdient.

Den nächsten Sommer verbrachte Denise mit vier zügellosen Kommilitoninnen auf Long Island, in den Hamptons, und tischte ihren Eltern nichts als Lügen auf. Sie schlief in irgendeinem Wohnzimmer auf dem Boden und jobbte als Tellerwäscherin und Küchenmädchen im Inn at Quogue, wo sie Seite an Seite mit einer hübschen jungen Frau aus Scarsdale namens Suzie Sterling arbeitete und sich in das Leben eines Kochs verliebte. Sie liebte die verrückten Arbeitszeiten, die Intensität der Arbeit, die Schönheit des Produkts. Sie liebte die tiefe Stille unterhalb des Lärms. Ein gutes Team in der kleinen heißen Küchenwelt war wie eine selbst gewählte Familie, in der alle auf derselben Stufe standen und jeder, in seiner Vergangenheit oder in seinem Charakter, irgendwelche Absonderlichkeiten verbarg und noch im schweißtreibendsten Miteinander seine *Privatsphäre* und *Autonomie* genoss: Das liebte sie.

Suzie Sterlings Vater Ed hatte Suzie und Denise mehrmals nach Manhattan mitgenommen, bevor er eines Abends im August, als Denise nach Hause radelte und ihn beinahe über den Haufen fuhr, neben seinem BMW stand, eine Dunhill rauchte und hoffte, sie käme allein. Ed Sterling war Anwalt in der Unterhaltungsbranche. Er bekannte sich unfähig, ohne Denise zu leben. Sie versteckte ihr (geliehenes) Fahrrad zwischen den Büschen am Straßenrand. Dass das Fahrrad gestohlen war, als sie am nächsten Tag zurückkehrte, um es zu holen, und sie seinem Eigentümer schwor, es am gewohnten Pfahl angeschlossen zu haben, hätte ihr Warnung genug sein sollen – offenbar betrat sie gefährliches Terrain. Doch was sie mit Sterling dank der gewaltigen hydraulischen Physiologie seiner Lust anstellte, war einfach zu aufregend, und als im September das neue Semester begann, kam sie zu dem Schluss, dass eine geisteswissenschaftliche Fakultät dem Vergleich mit einer Küche nicht standhielt. Sie sah keinen Sinn darin, sich für Seminararbeiten abzurackern, die nur ein einziger Professor jemals las; sie brauchte ein Publikum. Außerdem ärgerte es sie, dass das College ihr ihrer ganzen Vorrechte wegen Schuldgefühle einflößte, während es bestimmten glücklichen Personengruppen einen vollkommenen Ablass davon gewährte. Sie fühlte sich ohnehin schon schuldig genug, vielen Dank. Fast jeden Sonntag nahm sie die billige, langsame, proletarische SEPTA- und New-Jersey-Transit-Kombination nach New York. Sie ertrug Ed Sterlings paranoide Einbahnstraßen-Telefonate ebenso wie seine Last-Minute-Absagen und seine chronische Zerstreutheit und seine kieferstrapazierenden Versagensängste und ihre eigene Scham, wenn er sie in billige ethnische Restaurants in Woodside, Elmhurst und Jackson Heights ausführte, damit sie ja niemand zusammen sah, den Sterling kannte (denn in Manhattan, sagte er ihr oft genug – sich mit beiden Händen durch sein nerzfelldickes Haar fahrend –, in Manhattan kenne er *jeden*). Während ihr Liebhaber einem Nervenzusammenbruch und der Unfähigkeit, sich weiter mit ihr zu treffen, immer näher kam, aß Denise uruguayische T-Bone-Steaks, sino-kolumbianische Tamales, daumennagelgroße Flusskrebse in rotem Thai-Curry und erlenholzgeräucherte russische Aale. Schönheit oder auch Qualität, wie sie für sie in einem bemerkenswerten Essen verkörpert war, konnte so gut wie jede Demütigung wettmachen. Doch ihr schlechtes Gewissen wegen des Fahrrads blieb. Wegen ihrer hartnäckigen Behauptung, es am gewohnten Pfahl angeschlossen zu haben.

Als sie sich zum dritten Mal mit einem Mann einließ, der doppelt so alt war wie sie, heiratete sie ihn. Sie hatte den festen Entschluss gefasst, keine windelweiche Liberale zu sein. Sie war vom College abgegangen und hatte ein Jahr gearbeitet, um Geld anzusparen, war dann sechs Monate durch Frankreich und Italien gereist und schließlich nach Philadelphia zurückgekehrt, um in einem überlaufenen Fisch-und-Pasta-Lokal unweit der Catharine Street zu kochen. Sobald sie dort ein paar Kenntnisse erworben hatte, bot sie ihre Dienste im Café Louche an, dem damals schillerndsten Lokal der Stadt. Emile Berger stellte sie, kaum hatte er bemerkt, wie sie mit Messern umging und wie hübsch sie aussah, vom Fleck weg ein. Schon nach einer Woche klagte er ihr sein Leid über die kaum tragbare Inkompetenz aller, die in seiner Küche arbeiteten, außer ihm und ihr.

Der arrogante, ironische, hingebungsvolle Emile wurde zu ihrer Zuflucht. In seiner Gegenwart fühlte sie sich unendlich erwachsen. Von der Ehe, sagte er, habe er seit seinem ersten Versuch genug, aber dann tat er Denise doch den Gefallen, mit ihr nach Atlantic City zu fahren und (in den Worten des Barbera D'Alba, mit dem sie sich betrunken hatte, bevor sie um seine Hand anhielt) *eine ehrenwerte Frau aus ihr zu machen*. Im Café Louche arbeiteten sie wie Kollegen, wobei die Erfahrung, die er ihr voraus hatte, in einem steten Strom von seinem in ihren Kopf floss. Sie spotteten gemeinsam über den anmaßenden alten Rivalen, Le Bec-Fin. Einer spontanen Laune folgend, kauften sie sich ein zweistöckiges Reihenhaus in der Federal Street, in einem Viertel mit gemischter schwarzer und weißer und vietnamesischer Bevölkerung unweit vom Italian Market. Sie sprachen über Geschmack wie Marxisten über die Revolution.

Als Emile ihr schließlich all das beigebracht hatte, was er ihr je würde beibringen können, versuchte sie, den Spieß umzudrehen – komm, lass uns die Karte doch mal aufpeppen, wie wär's, wenn wir das Gericht mal mit Gemüsefonds und ein bisschen Kreuzkümmel probieren –, und lief mit Karacho gegen jene Wand aus Ironie und eiserner Überzeugung, die sie geliebt hatte, solange sie auf der richtigen Seite stand. Es kam ihr so vor, als wäre sie begabter und ehrgeiziger und *hungriger* als ihr weißhaariger Ehemann. Es kam ihr so vor, als wäre sie, während sie geschlafen und gearbeitet und geschlafen und gearbeitet hatte, so schnell gealtert, dass sie an Emile vorbeigezogen und bei ihren Eltern angekommen war. Ihre eng umgrenzte Welt des ständigen Zusammenseins, rund um die Uhr, zu Hause wie am Arbeitsplatz, schien ihr identisch mit dem Zweieruniversum ihrer Eltern. Sie hatte Altweiberschmerzen in ihren jungen Hüften, Knien und Füßen. Sie hatte geschundene Altweiberhände, sie hatte eine trockene Altweibervagina, sie hatte Altweibervorurteile und Altweiberansichten, sie hatte eine Altweiberabneigung gegen junge Leute mit ihren elektronischen Geräten und ihrer Sprechweise. Sie sagte sich: «Ich bin zu jung, um so alt zu sein.» Und schon kamen die verbannten Schuldgefühle auf den Schwingen der Rache kreischend wieder aus ihrer Höhle gestoben, weil Emile ihr unverändert ergeben und seinem gleich bleibenden Selbst treu wie eh und je war und weil sie, und nicht er, auf einer Heirat bestanden hatte.

So verließ sie in freundschaftlichem Einvernehmen mit

Emile seine Küche und heuerte bei einem Konkurrenzlokal an, dem Ardennes, das einen zweiten Küchenchef suchte und ihrer Meinung nach dem Café Louche in jeder Hinsicht überlegen war, nur nicht in der Kunst, scheinbar mühelos Bestleistungen zu erbringen. (Virtuosität ohne jeden Tropfen Schweiß war zweifelsfrei Emiles größte Gabe.)

Im Ardennes verspürte sie alsbald den Wunsch, die junge Frau, die bei den Vorbereitungen half und den Gardemanger abgab, zu erwürgen. Becky Hemerling, Absolventin eines Kochinstituts, hatte welliges blondes Haar, einen zierlichen, flachen Körper und helle Haut, die in der Küchenhitze scharlachrot wurde. Alles an Becky Hemerling machte Denise krank – ihre Ausbildung am Kulinarischen Institut von Amerika (Denise war ein autodidaktischer Snob), ihr plumpvertraulicher Umgang mit erfahreneren Köchen (insbesondere Denise), ihr Bedürfnis, jeden wissen zu lassen, wie sehr sie Jodie Foster verehrte, die dummen Fisch-und-Fahrrad-Sprüche auf ihren T-Shirts, ihr ständiger Gebrauch der verstärkenden Vorsilbe «Scheiß», ihre selbstbewusste lesbische «Solidarität» mit den «Latinos» und «Asiaten» in der Küche, ihre Verallgemeinerungen über «die Rechten» und das «reaktionäre Kansas» und «fremdenfeindliche Peoria», die Leichtigkeit, mit der ihr Wendungen wie «farbige Männer und Frauen» über die Lippen kamen, die ganze strahlende Aura einer Anspruchshaltung, die daher rührte, dass sie sich in der Anerkennung von Pädagogen gesonnt hatte, die gern genauso marginalisiert und zum Opfer gestempelt und frei von Schuldgefühlen gewesen wären wie sie. *Was macht diese Person in meiner Küche?*, fragte sich Denise. Köche hatten nicht politisch zu sein. Köche waren die Mitochondrien der Menschheit; sie hatten ihre eigene DNA, sie schwammen in einer Zelle und trieben sie an, ohne eigentlich dazuzugehören. Denise argwöhnte, dass Becky Hemerling Köchin geworden war, um ein politisches Statement abzugeben: Seht her, ich bin ein taffes Mädel, das sich zwischen Kerlen behaupten kann. Denise verabscheute das Motiv umso mehr, als auch sie ein Körnchen davon in sich trug. Hemerling hatte eine Art, sie zu mustern, als kenne sie Denise besser, als Denise sich selbst kannte – eine Anmaßung, die ebenso empörend wie unmöglich zu widerlegen war. In der Nacht, wenn sie wach neben Emile im Bett lag, malte Denise sich aus, Hemerling die Kehle zuzudrücken, bis ihre blauen, blauen Augen hervorquollen. Sie malte sich aus, ihre Daumen auf Hemerlings Luftröhre zu pressen, bis es knackte.

Dann, eines Nachts, schlief sie ein und träumte, dass sie Becky würgte und Becky nichts dagegen hatte. Beckys blaue Augen forderten sie sogar auf, sich weitere Freiheiten herauszunehmen. Der Griff der Würgerinnenhände lockerte sich, und sie wanderten an Beckys Wangen hinauf und an ihren Ohren vorbei bis zur weichen Haut an ihren Schläfen. Beckys Lippen öffneten sich, und ihre Augen fielen, wie vor Wonne, zu, als die Würgerin die Beine auf ihren Beinen und die Arme auf ihren Armen ausstreckte …

Denise konnte sich nicht erinnern, dass sie es jemals mehr bedauert hatte, aus einem Traum aufzuwachen.

«Wenn du solche Gefühle im Traum haben kannst», sagte sie sich, «muss es auch möglich sein, sie in Wirklichkeit zu haben.»

Als ihre Ehe scheiterte – als sie für Emile zu einer der Schaum schlagenden, massenbeglückenden Trend-Jäger vom Ardennes geworden war und Emile sich in ihren Augen in einen Erziehungsberechtigten verwandelt hatte, den sie mit jedem Wort, ob ausgesprochen oder nicht, verriet –, fand sie Trost in dem Gedanken, dass ihre Schwierigkeiten mit Emile seinem Geschlecht zuzuschreiben waren. Dieser Gedanke ließ die Klinge ihrer Schuldgefühle stumpf werden. Er half ihr über die furchtbare Eröffnung hinweg, die sie ihm zu machen hatte, er schaffte Emile aus der Tür, er bugsierte sie heil durch ein sagenhaft unerquickliches erstes Rendezvous mit Becky Hemerling. Sie klammerte sich an den Glauben, lesbisch zu sein, hielt ihn krampfhaft fest und ersparte sich so noch schlimmere Schuldgefühle, was sie wenigstens in die Lage versetzte, es Emile zu überlassen, seine Koffer zu packen – damit zu leben, dass sie ihn auszahlte und selber blieb –, ihm diesen moralischen Vorteil gönnen zu können.

Leider nur kamen Denise, sobald er fort war, Zweifel. Sie und Becky hatten wunderschöne und lehrreiche Flitterwochen, dann begannen sie zu streiten. Und immer mehr zu streiten. Ihr Streitleben, genau wie das Sexleben, das ihm für so kurze Zeit vorausgegangen war, hatte etwas von einem Ritual. Sie stritten darüber, warum sie so viel stritten, wessen Schuld das war. Sie stritten spätnachts im Bett, sie schöpften aus ungeahnten Quellen einer Art Libido, und am Morgen hatten sie vom vielen Streiten einen Katzenjammer. Sie stritten sich die kleinlichen Gehirne aus den Köpfen. Stritten stritten stritten. Stritten im Treppenhaus, stritten in der Öffentlichkeit, stritten auf Autositzen. Und auch wenn sie sich regelmäßig zu Höhepunkten steigerten – sich, rotgesichtig, in Schreikrämpfen entluden, Türen schlugen, gegen Wände traten und dann, nassgesichtig, erschöpft, in sich zusammensanken –, erlosch die Lust am Kampf nie für lange Zeit. Sie band sie aneinander, überwand ihre gegenseitige Antipathie. So wie die Stimme oder das Haar oder die Hüftrundung eines Geliebten immer wieder das Bedürfnis weckt, alles stehen und liegen zu lassen, um zu vögeln, hatte Becky ein Dutzend Provokationen auf Lager, die Denise' Herzfrequenz zuverlässig an die Decke jagten. Die schlimmste davon war die Behauptung, dass Denise, im Grunde ihres Herzens, eine liberale, kollektivistische, lupenreine Lesbierin sei und es bloß noch nicht gemerkt habe.

«Du bist dir dermaßen entfremdet», sagte Becky. «Es ist ja ganz *offensichtlich*, dass du lesbisch bist. Immer schon *gewesen* bist.»

«Ich bin überhaupt nichts», sagte Denise. «Ich bin bloß ich.»

Sie wollte in allererster Linie eine Privatperson sein, ein unabhängiges Individuum. Sie wollte keiner Gruppe angehören, schon gar nicht einer Gruppe von Leuten mit schlechten Haarschnitten und merkwürdig miesepetrigen Kleiderdebatten. Sie wollte kein Etikett, sie wollte keinen Lebensstil, und so landete sie wieder dort, wo sie angefangen hatte: bei dem Wunsch, Becky Hemerling zu erwürgen.

Sie hatte (im Hinblick auf ihr Schuldgefühl-Management) Glück, dass ihr Scheidungsverfahren bereits lief, als sie und Becky ihren letzten, nicht mehr beizulegenden Streit hatten. Emile war nach Washington gezogen, um für ein Riesengehalt Küchenchef des Hotels Belinger zu werden. Das Wochenende der Tränen, an dem er mit einem Lastwagen nach Philadelphia gekommen war und sie ihre irdischen Güter aufgeteilt und alles, was ihm zufiel, eingepackt hatten, lag lange zurück, da entschied Denise, als Replik auf Becky sozusagen, dass sie doch nicht lesbisch sei.

Sie kündigte beim Ardennes und wurde Küchenchefin im Mare Scuro, einem neuen adriatischen Fischrestaurant. Ein ganzes Jahr lang gab sie jedem Mann, der mit ihr anbändeln wollte, einen Korb, nicht nur weil sie kein Interesse hatte (es waren Kellner, Lieferanten, Nachbarn), sondern auch weil ihr davor graute, in der Öffentlichkeit mit einem Mann gesehen zu werden. Ihr graute vor dem Tag, an dem Emile herausfinden würde (oder an dem sie es ihm, damit er es nicht zufällig erfuhr, erzählen müsste), dass sie sich in einen anderen Mann verliebt hatte. Da war es besser, hart zu arbeiten und sich mit niemandem einzulassen. Leben hatte, das war ihre Erfahrung, eine Art samtenen Schimmer: Man schaute sich von einer Warte aus an und sah nichts als Verschrobenheit. Dann drehte man den Kopf ein wenig, und schon wirkte alles einigermaßen normal. Solange sie einfach nur arbeitete, dachte sie, konnte sie niemanden verletzen.

An einem sonnigen Morgen im Mai parkte Brian Callahan seinen alten Volvo-Kombi, der die Farbe von Pistazieneis hatte, vor Denise' Haus in der Federal Street. Wenn man schon einen alten Volvo kaufte, war Blassgrün die Farbe, die man haben musste, und Brian gehörte zu den Menschen, die einen Oldtimer nur in der besten aller Farben kauften. Jetzt, wo er reich war, hätte er natürlich jedes Auto umlackieren lassen können. Doch wie Denise gehörte Brian zu den Menschen, für die das Schummelei gewesen wäre.

Als sie in den Wagen stieg, fragte er, ob er ihr die Augen verbinden dürfe. Sie blickte auf das schwarze Tuch in seiner Hand. Sie blickte auf seinen Ehering.

«Vertrauen Sie mir», sagte er. «Es lohnt sich.» Schon bevor er Eigenmelodie für 19,5 Millionen Dollar verkauft hatte, war Brian wie ein Golden Retriever durchs Leben getrabt. Sein Gesicht war fleischig und alles andere als hübsch, aber er hatte gewinnende blaue Augen und sandfarbenes Haar und die Sommersprossen eines kleinen Jungen. Er sah aus wie das, was er war: ein ehemaliger Haverford-Lacrossespieler und grundanständiger Mann, dem noch nie etwas Böses widerfahren war und den man deshalb nicht enttäuschen wollte.

Denise ließ zu, dass er ihr Gesicht berührte. Ließ zu, dass seine großen Hände in ihr Haar griffen, um das Tuch festzuknoten, ließ zu, dass er sie kampfunfähig machte.

Der Motor des Wagens sang ein Lied von der Mühe, einen klobigen Klotz Metall eine Straße entlangzutreiben. Brian spielte auf seiner herausnehmbaren Stereoanlage ein Stück von einem Girl-Group-Album. Denise gefiel die Musik, aber eine Überraschung war das nicht. Brian legte es ganz offenbar darauf an, nichts zu spielen und zu sagen und zu tun, das ihr missfiel. Drei Wochen lang hatte er sie immer wieder angerufen und mit tiefer Stimme Nachrichten auf ihr Band gesprochen. («Hey. Ich bin's.») Sie sah seine Liebe kommen wie einen Zug, und das gefiel ihr. Und erregte sie. Nicht, dass sie ihre Erregung mit Verliebtheit verwechselte (so weit hatte Hemerling sie immerhin gebracht: dass sie ihren Gefühlen nicht mehr traute), aber sie konnte nicht umhin, Brian in seiner Werbung um sie zu unterstützen; und dementsprechend hatte sie sich, an diesem Morgen, auch zurechtgemacht. Wie sie sich zurechtgemacht hatte, war schon nicht mehr fair.

Brian fragte, wie sie das Stück finde.

«Hm.» Sie zuckte die Achseln, um die Grenzen seiner Gefallsucht auszuloten. «Ganz gut.»

«Da bin ich, gelinde gesagt, erstaunt», sagte er. «Ich war ziemlich sicher, dass Sie begeistert wären.»

«Stimmt. Ich bin auch begeistert.»

Sie dachte: *Was ist mit mir los?*

Sie fuhren auf einer schlechten Straße, immer wieder Kopfsteinpflaster. Sie überquerten Eisenbahngleise und kamen auf einen gewundenen Schotterweg. Brian parkte. «Ich habe mir die Option auf das Gelände mit einem Dollar gesichert», sagte er. «Wenn's Ihnen nicht gefällt, bin ich's für einen Dollar wieder los.»

Sie hob die Hand an die Augenbinde. «Ich nehm die jetzt mal ab.»

«Nein. Wir sind gleich da.»

Er fasste sie, ganz sittsam, beim Ellbogen und führte sie über warmen Schotter in den Schatten. Sie konnte den Fluss riechen, die Ruhe spüren, die dessen Nähe schuf, seine schallschluckende, flüssige Sphäre. Sie hörte Schlüssel und einen Riegel, das Quietschen schwerer Scharniere. Kühle, lang angestaute Industrieluft strömte ihr über die nackten Schultern, zwischen die bloßen Beine. Es roch nach einer Höhle, die nichts Organisches enthielt.

Brian stieg mit ihr vier Metalltreppen hinauf, entriegelte eine weitere Tür und führte sie in einen wärmeren Raum, dessen Widerhall bahnhof- oder kathedralenartige Grandeur hatte. Die

Luft schmeckte nach trockenen Schimmelpilzen, die von trockenen Schimmelpilzen lebten, die von trockenen Schimmelpilzen lebten.

Als Brian ihr die Binde abnahm, wusste sie augenblicklich, wo sie war. Die Philadelphia Electric Company, kurz PECO, hatte in den siebziger Jahren ihre Kohlekraftwerke stillgelegt – majestätische Gebäude wie das hier gleich südlich von Center City, das Denise jedes Mal wenn sie daran vorbeikam, ehrfürchtig das Tempo drosseln ließ. Der Raum war hell und weit, die Decke zwanzig Meter hoch; Reihen riesiger Fenster wie in Chartres durchbrachen die nördliche und südliche Wand. Der Betonboden, mehrfach ausgebessert und von Materialien, noch härter als er selbst, tief ausgehöhlt, war eher ein Gelände als ein Fußboden. In der Mitte des Raums standen die Außenskelettreste zweier Boiler-und-Turbinen-Anlagen, die aussahen wie hausgroße Grillen ohne Gliedmaßen und Fühler. Vom Rost zerfressene, schwarze elektromotorische Quader einstiger Leistungskraft. Zum Fluss hin gab es riesenhafte Luken, durch die die Kohle hereingekommen und die Asche hinausgewandert war. Spuren nicht mehr vorhandener Rutschen und Rohre und Treppen hellten die rauchigen Wände auf.

Denise schüttelte den Kopf. «Hier kann man kein Restaurant eröffnen.»

«Ich hatte befürchtet, dass Sie das sagen würden.»

«Sie werden Ihr Geld in den Sand setzen, noch bevor ich die Chance habe, es selbst zu tun.»

«Ich würde vielleicht sogar Geld von der Bank bekommen.»

«Ganz zu schweigen von dem ganzen PCB und Asbest, das wir gerade einatmen.»

«Da irren Sie sich», sagte Brian. «Wenn das Objekt für Superfund-Gelder in Frage käme, stünde es gar nicht zum Verkauf. Ohne Superfund-Gelder kann die PECO sich einen Abriss überhaupt nicht leisten. Der Bau ist zu sauber.»

«Pech für die PECO.» Sie näherte sich den Turbinen. Egal, ob sich die Halle eignete oder nicht, sie war entzückt von ihr. Der industrielle Verfall Philadelphias, der verkommene Zauber der Werkstatt der Welt, das Überleben von Megaruinen in Mikrozeiten: Denise, hineingeboren in eine Familie älterer Menschen, die im Keller, in uralten Kisten, eingemottete Gegenstände aus Wolle und Eisen aufbewahrten, kannte diese Stimmung. Sie war in einer hellen, modernen Umgebung zur Schule gegangen und nachmittags in eine ältere, dunklere Welt zurückgekehrt.

«Man kann die Halle weder beheizen noch kühlen», sagte sie. «Ein Albtraum an Nebenkosten.»

Brian, der Retriever, musterte sie aufmerksam. «Mein Architekt sagt, wir können auf der ganzen Länge der südlichen Fensterwand einen Boden einziehen. Der ungefähr achtzehn Meter in den Raum ragt. Die drei anderen Seiten verglasen. Darunter die Küche einbauen. Die Turbinen dampfreinigen, ein paar Scheinwerfer aufhängen und die Haupthalle lassen, wie sie ist.»

«Das ist das reinste Geldgrab.»

«Haben Sie bemerkt, dass es hier keine Tauben gibt?», sagte Brian. «Keine Pfützen?»

«Aber Sie müssen doch so rechnen: ein Jahr für die Genehmigungen, ein weiteres für den Bau, ein drittes für die Abnahme. Wenn das keine lange Zeit ist, um mich für nichts und wieder nichts zu bezahlen.»

Brian erwiderte, er peile eine Eröffnung im Februar an. Er habe Architektenfreunde und Handwerkerfreunde, und er sehe keinerlei Schwierigkeiten mit dem gefürchteten städtischen Baugenehmigungs- und Bauaufsichtsamt. «Der Leiter», sagte er, «ist ein Freund meines Vaters. Sie spielen jeden Donnerstag zusammen Golf.»

Denise lachte. Brians Zielstrebigkeit und Kompetenz machten sie, um ein Wort ihrer Mutter zu gebrauchen, ganz «duselig». Sie schaute hoch zu den Fensterbögen. «Ich weiß nicht, welche Art von Essen Ihrer Meinung nach hier drinnen funktionieren soll.»

«Irgendwas Dekadentes und Grandioses. Das ist die Aufgabe, die Sie zu lösen haben.»

Als sie zum Wagen zurückgingen, dessen Grün genau zum Grün des Unkrauts auf dem leeren Schotterplatz passte, fragte Brian, ob sie schon Pläne für Europa habe. «Sie sollten sich mindestens zwei Monate Zeit nehmen», sagte er. «Ich habe da einen Hintergedanken.»

«Ja?»

«Wenn Sie dort sind, komme ich für ein paar Wochen nach. Ich möchte essen, was Sie essen. Ich möchte hören, was Sie denken.»

Er sagte das mit entwaffnendem Eigeninteresse. Wer würde nicht gern eine hübsche Frau, die sich mit Wein und Essen auskannte, auf ihrer Reise durch Europa begleiten? Wäre ein anderer der Glückliche, und nicht er, würde er sich genauso für diesen anderen freuen, wie er jetzt erwartete, dass der sich für ihn freute. Das besagte sein Ton.

Jener Teil von Denise, der vermutete, dass sie mit Brian besseren Sex haben könnte als je zuvor mit einem Mann, jener Teil von ihr, der in ihm die eigene Zielstrebigkeit wieder erkannte, willigte ein, sechs Wochen in Europa zu verbringen und sich in Paris mit ihm zu treffen.

Der andere, argwöhnischere Teil von ihr sagte: «Und wann lerne ich Ihre Familie kennen?»

«Wie wär's mit nächstem Wochenende? Besuchen Sie uns doch draußen in Cape May.»

Cape May, New Jersey, bestand aus einem Kern hypereleganter viktorianischer Villen und modisch heruntergekommener Bungalows, umgeben von neuen Reißbrettgegenden abscheulichsten städtischen Wachstums. Selbstverständlich besaßen die Callahans, da sie nun einmal Brians Eltern waren, einen der schönsten alten Bungalows. Dahinter lag ein Pool für die Frühsommer-Wochenenden, wenn das Meer noch kalt war. Hier tummelten sich, als Denise am späten Samstagnachmittag ankam, Brian und seine Töchter, während eine maushaarige Frau, schweiß- und rostbedeckt, mit einer Drahtbürste einem schmiedeeisernen Tisch zu Leibe rückte.

Denise hatte erwartet, dass Brians Frau ironisch und schick und überhaupt ein Klasseweib wäre. Robin Passafaro trug gelbe Jogginghosen, eine Malermütze, einen Phillies-Pullover in unvorteilhaftem Rot sowie eine scheußliche Brille. Sie wischte sich die Hand an ihrer Hose ab und gab sie Denise. Ihre Begrüßung war piepsig und seltsam förmlich: «Freut mich, Sie kennen zu lernen.» Dann ging sie unverzüglich wieder an die Arbeit.

Ich mag dich auch nicht, dachte Denise.

Sinéad, ein mageres hübsches Mädchen von zehn Jahren, saß mit einem Buch auf dem Schoß auf dem Sprungbrett. Sie winkte Denise zaghaft zu. Erin, ein jüngeres und stämmigeres Mädchen, trug Kopfhörer und beugte sich, die Stirn konzentriert in Falten gelegt, über einen Picknicktisch. Leise pfiff sie vor sich hin.

«Erin lernt Vogelstimmen», sagte Brian.

«Warum?»

«Wenn wir das wüssten.»

«Elster», verkündete Erin. «Kek-kek-kek-kek?»

«Vielleicht wäre jetzt ein guter Zeitpunkt, das mal wegzulegen», sagte Brian.

Erin nahm die Kopfhörer ab, lief zum Sprungbrett und versuchte ihre Schwester herunterzuschubsen. Beinahe wäre Sinéads Buch über Bord gegangen. Mit einer eleganten Geste fing sie es auf. «Dad –!»

«Schätzchen, das ist ein Sprungbrett und kein Lesebrett.»

Robins Bürsterei hatte etwas von einem Schnellvorlauf, etwas Zugekokstes. Ihre Bewegungen wirkten spitz und gereizt und machten Denise nervös. Auch Brian seufzte und betrachtete seine Frau. «Bist du bald damit fertig?»

«Soll ich aufhören?»

«Das wäre nett, ja.»

«Gut.» Robin ließ die Bürste fallen und ging zum Haus. «Kann ich Ihnen was zu trinken anbieten, Denise?»

«Ein Glas Wasser, gern.»

«Pass auf, Erin», sagte Sinéad. «Ich bin ein Schwarzes Loch, und du bist ein Roter Zwerg.»

«*Ich* will ein Schwarzes Loch sein.»

«Nein, das Schwarze Loch bin ich. Der Rote Zwerg läuft im Kreis drum herum und wird von starken Anziehungskräften immer weiter nach innen gesogen. Das Schwarze Loch sitzt da und liest.»

«Stoßen wir zusammen?», fragte Erin.

«Ja», schaltete sich Brian ein, «aber keine Silbe von diesem Ereignis dringt je an die Außenwelt. Es ist eine vollkommen geräuschlose Kollision.»

Robin kam, in einem schwarzen Badeanzug, wieder heraus. Mit einer gerade noch höflichen Geste reichte sie Denise das Glas Wasser.

«Danke», sagte Denise.

«Bitte!», sagte Robin. Sie nahm ihre Brille ab und sprang, dort wo er tief war, in den Pool. Während sie unter Wasser schwamm, lief Erin um den Pool herum und stieß Schreie aus, die dem Schauspiel eines sterbenden Hauptreihensterns angemessen gewesen wären. Als Robin an der flachen Seite auftauchte, sah sie, halb blind ohne Brille, nackt aus. Jetzt ähnelte sie schon eher der Frau, die Denise sich vorgestellt hatte – in Strömen von Kopf und Schultern fließendes Haar, Wangenknochen und dunkle Augenbrauen, die glitzerten. Als sie aus dem Pool kletterte, perlte Wasser an den Säumen ihres Badeanzugs und rieselte durch die unrasierten Schamhaare in ihrer Bikinizone. Eine alte, unaufgelöste Verwirrung stieg wie Asthma in Denise auf. Sie spürte das dringende Bedürfnis, sich zurückzuziehen und zu kochen.

«Ich habe alles Nötige eingekauft», sagte sie zu Brian.

«Kommt mir nicht gerade fair vor, unseren Gast für uns arbeiten zu lassen», sagte er.

«Ich hab's doch selber angeboten, außerdem bezahlen Sie mich.»

«Das ist wahr, ja.»

«Jetzt bist du ein Krankheitserreger, Erin», sagte Sinéad, die sich ins Wasser gleiten ließ, «und ich bin ein Leukozyt.»

Denise machte einen einfachen Salat aus roten und gelben Kirschtomaten. Sie machte Quinoa mit Butter und Safran und Heilbuttsteaks mit einer Fahnenwache aus Muscheln und gerösteter Paprika. Erst als sie beinahe fertig war, kam sie auf die Idee, einen Blick in die mit Folie abgedeckten Behälter im Kühlschrank zu werfen: ein gemischter Blattsalat, ein Obstsalat, ein Teller Maiskolben und (war es möglich?) eine Platte Würstchen im Schlafrock.

Brian saß allein auf der Veranda und trank ein Bier.

«Da ist ein Abendessen im Kühlschrank», sagte Denise. «Da ist bereits ein Abendessen.»

«Ach herrje», sagte Brian. «Dann muss Robin wohl – ich nehme an, als die Mädchen und ich beim Angeln waren.»

«Jedenfalls ist da ein komplettes Abendessen. Und ich hab gerade ein zweites gekocht.» Denise lachte, ernsthaft verärgert. «Reden Sie beide nicht miteinander?»

«Na ja, heute war tatsächlich nicht unser kommunikativster Tag. Robin wollte irgendwas für ihr Gartenprojekt tun und eigentlich dort bleiben. Ich musste sie mehr oder weniger hierher schleppen.»

«Verdammt.»

«Passen Sie auf», sagte Brian, «wir essen heute, was Sie gekocht haben, und morgen, was Robin gekocht hat. Das Ganze ist absolut meine Schuld.»

«Scheint mir auch so!»

Sie fand Robin auf der anderen Terrasse, wo sie Erin die Fußnägel schnitt. «Ich habe gerade gemerkt», sagte sie, «dass ich ein Abendessen zubereitet habe, obwohl Sie schon eins gemacht hatten.»

Robin zuckte die Achseln. «Egal.»

«Nein, mir ist das wirklich unangenehm.»

«Egal», sagte Robin. «Die Mädchen werden sich freuen, dass Sie was gekocht haben.»

«Tut mir Leid.»

«Egal.»

Am Tisch trieb Brian seine schüchterne Brut an, Denise' Fragen zu beantworten. Jedes Mal wenn sie die Mädchen beim Herüberschielen ertappte, schlugen sie die Augen nieder und wurden rot. Vor allem Sinéad schien zu wissen, auf welche Weise Denise gebraucht werden wollte. Robin aß schnell, mit gesenktem Kopf, und nannte das Essen «bekömmlich». Es war nicht klar, wie viel von ihrer Unwirschheit Brian galt und wie viel Denise. Bald nach den Mädchen ging sie ins Bett, und als Denise am nächsten Morgen aufstand, war sie schon auf dem Weg zum Gottesdienst.

«Kurze Frage», sagte Brian, während er ihr Kaffee einschenkte. «Würde es Ihnen etwas ausmachen, mich und die Mädchen heute Abend mit nach Philly zu nehmen? Robin möchte so schnell wie möglich zu ihrem Gartenprojekt.»

Denise zögerte. Sie fühlte sich von Robin geradezu in Brians Arme gedrängt.

«Wenn Sie nicht möchten, kein Problem», sagte er. «Sie fährt sonst auch mit dem Bus und überlässt uns den Wagen.»

Mit dem *Bus*? Mit dem *Bus*?

Denise lachte. «Nein, ich nehme Sie schon mit.» Robin nachäffend, fügte sie noch «Egal» hinzu.

Am Strand, wo die Sonne die metallischen Küstenwolken des Morgens nach und nach verbrannte, schauten sie und Brian zu, wie Erin in der Brandung hierhin und dorthin hüpfte und Sinéad ein flaches Grab schaufelte.

«Ich bin Jimmy Hoffa», sagte Sinéad, «und ihr seid der Mob.»

Sie gruben das Mädchen im Sand ein, glätteten die kühlen Wölbungen ihres Grabhügels, klopften auf die Mulden des lebendigen Körpers darunter. Der Grabhügel war geologisch aktiv und neigte zu kleinen Erdbeben; ein Netz von Rissen breitete sich aus, wo Sinéads Bauch sich hob und senkte.

«Mir wird gerade erst klar», sagte Brian, «dass Sie mit Emile Berger verheiratet waren.»

«Kennen Sie ihn?»

«Nicht persönlich, aber ich kenne das Café Louche. Habe dort oft gegessen.»

«Das Café Louche, das waren wir.»

«Zwei ziemlich große Egos für eine so kleine Küche.»

«Tja.»

«Vermissen Sie ihn?»

«Meine Scheidung ist der große Kummer meines Lebens.»

«Das ist eine Antwort», sagte Brian, «aber nicht auf meine Frage.»

Sinéad hatte begonnen, ihren Sarkophag langsam von innen zu zerstören: Zehen wackelten sich ans Tageslicht, ein Knie brach hervor, rosa Finger sprossen aus feuchtem Sand. Erin warf sich in eine Lache aus Sand und Wasser, stand auf und warf sich wieder hin.

Ich könnte diese Mädchen lieb gewinnen, dachte Denise.

Am Abend, als sie wieder zu Hause war, rief sie ihre Mutter an und hörte sich, wie jeden Sonntag, Enids Litanei über Alfreds

Sünden an, seine Verstöße gegen eine gesunde Denkweise, gegen gesunde Lebensgewohnheiten, gegen ärztliche Anordnungen, gegen den bewährten Vierundzwanzig-Stunden-Rhythmus, gegen allgemein anerkannte Prinzipien der Vertikalität bei Tag, gegen Regeln des gesunden Menschenverstands in puncto Leitern und Treppen, ja gegen alles, was in Enids Wesen lebenslustig und optimistisch war. Nach fünfzehn zermürbenden Minuten fragte Enid schließlich:

«Und, wie geht es dir?»

Im Zuge ihrer Scheidung hatte Denise beschlossen, ihre Mutter seltener zu belügen, und so zwang sie sich jetzt, mit ihren beneidenswerten Reiseplänen herauszurücken. Lediglich die Tatsache, dass sie sich mit dem Mann einer anderen Frau in Frankreich treffen würde, ließ sie unerwähnt; diese Tatsache roch bereits nach Ärger.

«Ach, ich wünschte, ich könnte mit dir fahren!», sagte Enid. «Ich liebe Österreich doch so!»

Mannhaft schlug Denise vor: «Könntest du nicht einen Monat Ferien machen und mich begleiten?»

«Denise, es ist *ausgeschlossen*, dass ich Dad allein lasse.»

«Er könnte ja mitkommen.»

«Du weißt doch, was er sagt. Mit Besichtigungstouren ist für ihn Schluss. Seine Beine machen das nicht mehr mit. Also, fahr du nur hin und erleb eine herrliche Zeit *für* mich. Grüß mir meine Lieblingsstadt! Und besuch auf jeden Fall Cindy Meisner. Sie und Klaus haben ein Chalet in Kitzbühel und eine riesengroße, elegante Wohnung in Wien.»

Für Enid war Österreich gleichbedeutend mit der «Blauen Donau» und «Edelweiß». Die Spieldosen in ihrem Wohnzimmer mit den Blumen- und Alpenintarsien hatte sie allesamt aus Wien. Enid erzählte gern, dass die Mutter ihrer Mutter «Wienerin» gewesen sei, weil das, ihrem Verständnis nach, ein Synonym für «Österreicherin» war, was für sie so viel hieß wie «aus Österreich-Ungarn stammend» – einem Reich, das zur Zeit der Geburt ihrer Großmutter Gebiete nördlich von Prag bis südlich von Sarajewo umfasste. Denise, die als Mädchen für Barbra Streisand in *Yentl* geschwärmt hatte und als Teenager eine Weile ganz im Bann von I. B. Singer und Scholem Alejchem gestanden hatte, war Enid eines Tages so lange auf die Nerven gegangen, bis sie zugegeben hatte, dass ihre Großmutter in Wirklichkeit Jüdin gewesen war. Was, wie Denise triumphierend geschlussfolgert hatte, sowohl sie als auch Enid, in direkter mütterlicher Linie, ebenfalls zu Jüdinnen machte. Doch Enid hatte schnell den Rückwärtsgang eingelegt und gesagt, nein, nein, ihre Großmutter sei *Katholikin* gewesen.

Denise hatte ein professionelles Interesse an gewissen Facetten der Kochkunst ihrer Urgroßmutter – an Rippchen und frischem Sauerkraut, an Stachelbeeren und Heidelbeeren, an Klößen, Forellen und Würsten. Die kulinarische Herausforderung lag darin, zierlichen 36er-Größen mitteleuropäische Herzhaftigkeit schmackhaft zu machen. All die Titan-Kreditkartenbesitzerinnen wollten keine dicken wagnerianischen Sauerbratenscheiben, keine handballgroßen Semmelknödel und keine alpinen Schlagsahneberge. Vielleicht aber würden sie Sauerkraut essen. Wenn das kein Gericht für Mädels mit Zahnstocherbeinen war: fettarm und geschmacksintensiv und vielseitig, bereit, mit Schwein, mit Gans, mit Huhn, mit Kastanien ins Bett zu hüpfen, bereit, den Sprung ins Ungewisse mit Makrelen-Sashimi oder geräuchertem Blaufisch zu wagen ...

Sie kappte ihre letzten Verbindungen zum Mare Scuro und flog, als bezahlte Angestellte Brian Callahans und mit einer American-Express-Karte in der Tasche, über die sie unbegrenzt verfügen durfte, nach Frankfurt. In Deutschland fuhr sie mit 160 über die Autobahn, und trotzdem hingen ihr andere lichthupend auf der Stoßstange. In Wien suchte sie nach einem

Wien, das es nicht gab. Nichts von dem, was sie aß, hätte sie nicht selbst besser zubereiten können; eines Abends probierte sie ein Wiener Schnitzel und dachte, tja, das ist also ein Wiener Schnitzel, m-hm. Ihre Vorstellung von Österreich war weitaus lebhafter als Österreich selbst. Sie ging ins Kunsthistorische Museum und ins Konzerthaus; sie warf sich vor, eine schlechte Touristin zu sein. Schließlich wurden ihre Langeweile und Einsamkeit so groß, dass sie Cindy Müller-Karltreu (geborene Meisner) anrief und sich in deren höhlenartiges «Nouveau Penthouse» mit Blick aufs Michaelertor zum Abendessen einladen ließ.

Cindy war um die Mitte herum füllig geworden und sah, wie Denise fand, erheblich schlechter aus als nötig. Ihre Gesichtszüge verschwanden hinter Grundierung, Rouge und Lippenstift. Ihre schwarze Seidenhose war an den Hüften weit und an den Knöcheln eng. Während sich bei der Begrüßung ihre Wangen streiften und Denise der Tränengasattacke von Cindys Parfüm standhielt, nahm sie überrascht bakteriellen Atem wahr.

Cindys Ehemann Klaus hatte schrankbreite Schultern, schmale Hüften und ein faszinierend winziges Gesäß. Das Müller-Karltreu'sche Wohnzimmer, eine Häuserzeile lang, war mit barocken Zweisitzern und Biedermeierstühlen möbliert. An den Wänden hingen Soft-Bouguereaus oder Bouguereau-Verschnitte neben Klaus' olympischer Bronzemedaille, die, hinterlegt und gerahmt, unterhalb des größten Wandleuchters prangte.

«Was Sie hier sehen, ist nur eine Nachbildung», erklärte Klaus Denise. «Die Originalmedaille befindet sich in sicherer Verwahrung.»

Auf einer Anrichte, die entfernt an Jugendstil erinnerte, standen Teller mit Brotscheiben, zerkleinertem Räucherfisch von dosenthunfischähnlicher Konsistenz und einem nicht besonders großen Stück Emmentaler.

Klaus nahm eine Flasche aus einem silbernen Kübel und schenkte mit schwungvoller Geste Sekt ein. «Auf unsere kulinarische Pilgerin», sagte er und hob sein Glas. «Willkommen in der heiligen Stadt Wien.»

Der Sekt war süß und mit zu viel Kohlensäure versetzt und schmeckte auffallend nach Sprite.

«Es ist so prima, dass du hier bist!», rief Cindy. Sie schnippte wie verrückt mit den Fingern, bis durch eine Seitentür ein Dienstmädchen herbeigeeilt kam. «Mirjana, Liebes», sagte Cindy, auf einmal mit der Stimme eines Kleinkinds, «hatte ich nicht gesagt, wir nehmen das Roggenbrot und nicht das Weißbrot?»

«Ja, Madame», sagte die nicht mehr junge Mirjana.

«Nun, jetzt ist es eigentlich zu spät, weil das Weißbrot ja für später gedacht war, dennoch möchte ich Sie bitten, es wieder mitzunehmen und uns stattdessen das Roggenbrot zu bringen! Und dann vielleicht jemanden loszuschicken, der uns für später noch Weißbrot besorgt!» Zu Denise sagte Cindy: «Sie ist so lieb, aber auch so, so dumm. Nicht wahr, Mirjana? Bist du nicht ein dummes Ding?»

«Ja, Madame.»

«Na ja, als Küchenchefin kennst du das bestimmt», sagte Cindy wieder zu Denise, während Mirjana abtrat. «Die Dummheit der Leute ist für dich wahrscheinlich ein noch größeres Problem.»

«Dummheit und *Arroganz*», sagte Klaus.

«Bitte jemanden, etwas zu tun», sagte Cindy, «und er tut einfach etwas anderes, es ist frustrierend! So frustrierend!»

«Meine Mutter lässt euch grüßen», sagte Denise.

«Deine Mom ist so prima. Sie war immer so nett zu mir. Klaus, erinnerst du dich noch an das winzig kleine Haus, in dem meine Familie früher wohnte (vor ganz langer Zeit, meine ich, als ich ein winzig kleines Mädchen war), na ja, damals waren Denise' Eltern unsere Nachbarn. Meine Mom und ihre Mom sind noch heute gute Freundinnen. Deine Eltern wohnen vermutlich noch heute in dem kleinen alten Haus, oder?»

Klaus lachte rau und schaute Denise an. «Wissen Sie, was ich an St. Dschud so *schrecklich* finde?»

«Nein», sagte Denise. «Was finden Sie denn an St. Jude so schrecklich?»

«Was ich so schrecklich finde, ist diese Pseudodemokratie. Die Leute dort tun, als wären sie alle gleich. Alles ist sehr *nett. Nett, nett, nett*. Aber die Leute sind nicht alle gleich. Ganz und gar nicht. Es gibt Klassenunterschiede, es gibt Rassenunterschiede, es gibt gewaltige – entscheidende – finanzielle Unterschiede, aber was das betrifft, ist niemand ehrlich. Alle spielen sie Theater! Ist Ihnen das mal aufgefallen?»

«Meinen Sie zufällig die Unterschiede zwischen meiner Mutter und Cindys Mutter?», fragte Denise.

«Nein, ich kenne Ihre Mutter doch gar nicht.»

«Klaus, das stimmt nicht!», sagte Cindy. «Du hast sie mal kennen gelernt. An Thanksgiving vor drei Jahren, bei unserem Empfang. Weißt du noch?»

«Tja, sehen Sie, alle sind gleich», erklärte Klaus. «Genau das meine ich. Wie soll man die Leute auseinander halten, wenn sie so tun, als wären sie alle gleich?»

Mirjana kam und brachte denselben trostlosen Teller mit anderem Brot.

«Hier, probier mal von dem Fisch», forderte Cindy Denise auf. «Ist der Sekt nicht herrlich? Wirklich etwas Besonderes! Klaus und ich mochten früher trockeneren Sekt lieber, aber dann haben wir den entdeckt und sind ganz hingerissen.»

«Trockener Sekt hat *Snob-Eppiel*», sagte Klaus. «Aber wer sich wirklich auskennt, der weiß, dass dieser Kaiser, der *Extratrocken*, doch eher nackt ist.»

Denise schlug die Beine übereinander und sagte: «Meine Mutter hat mir erzählt, Sie seien Arzt.»

«Ja, Sportmediziner», sagte Klaus.

«Die ganzen Spitzenskiläufer kommen zu Klaus!», sagte Cindy.

«Auf diese Weise zahle ich der Gesellschaft meine Schulden zurück», sagte Klaus.

Obwohl Cindy sie gebeten hatte zu bleiben, flüchtete Denise noch vor neun aus der Müller-Karltreu'schen Wohnung und flüchtete gleich am nächsten Morgen auch aus Wien, fuhr durch das nebelweiße Tal der mittleren Donau gen Osten davon. In dem Bewusstsein, dass alles Geld, das sie ausgab, Brian gehörte, arbeitete sie unermüdlich, erlief sich Budapest Stadtteil für Stadtteil, machte sich nach jedem Essen Notizen, testete Bäckereien und kleine Imbissbuden und kavernenartige Restaurants, die gerade noch vor der endgültigen Verwahrlosung hatten gerettet werden können. Sie reiste weiter gen Osten bis nach Ruthenien, Geburtsland von Enids Großeltern väterlicherseits, inzwischen transkarpatische Provinz der Ukraine. In den Gegenden, die sie durchquerte, war vom Schtetl nichts zu sehen. Keine nennenswerte jüdische Bevölkerung, außer in den großen Städten. Alles so spröde, öde nichtjüdisch, wie sie es selbst zu sein mittlerweile akzeptiert hatte. Das Essen war, alles in allem, primitiv. Das Bergland der Karpaten, überall von den Stichwunden des Kohle- und Pechblendebergbaus gezeichnet, sah aus, als sei es ein geeigneter Ort für Massengräber, in denen man kalkgesprenkelte Leichen beerdigen konnte. Denise blickte in Gesichter, die zwar dem ihren ähnelten, aber verschlossen und frühzeitig verwittert waren, in den Augen nicht ein Wort Englisch. Sie hatte hier keine Wurzeln. Das war nicht ihre Heimat.

Sie flog nach Paris und traf sich in der Lobby des Hôtel des Deux Îles mit Brian. Im Juni hatte er davon gesprochen, seine Familie mitzubringen, doch nun war er allein gekommen. Er trug amerikanische Khakihosen und ein stark zerknittertes weißes Hemd. Denise fühlte sich so einsam, dass sie sich ihm beinahe in die Arme geworfen hätte.

Wie blöd muss man sein, fragte sie sich, *um seinen Ehemann mit jemandem wie mir nach Paris fahren zu lassen?*

Am Abend aßen sie im La Cuillère Curieuse, einem Lokal mit zwei Michelin-Sternen, das in Denise' Augen zu hoch hinauswollte. Ihr stand nicht der Sinn nach rohem Gelbschwanz oder Papayaconfit, wenn sie in Frankreich war. Andererseits hatte sie Gulasch mehr als über.

Brian, sich gänzlich ihrem Urteil unterwerfend, ließ Denise den Wein und das Essen bestellen. Beim Kaffee fragte sie ihn, warum Robin ihn nicht begleitet habe.

«Weil beim Gartenprojekt die erste Zucchini-Ernte ansteht», sagte er mit untypischer Bitterkeit.

«Manche finden reisen anstrengend», sagte Denise.

«Robin aber eigentlich nicht», sagte Brian. «Wir haben sehr schöne Reisen gemacht, quer durch den amerikanischen Westen. Und jetzt, wo wir's uns wirklich leisten können, will sie nicht mehr. Als ob sie gegen das Geld streiken würde.»

«Es muss ein Schock sein, auf einmal so viel davon zu haben.»

«Ich will mir doch nur mal etwas gönnen, verstehen Sie», sagte Brian. «Ich will kein anderer Mensch sein. Aber in Sack und Asche zu gehen, dazu bin ich nicht bereit.»

«Tut Robin das denn?»

«Seit ich die Firma verkauft habe, ist sie jedenfalls nicht mehr glücklich.»

Nehmen wir eine Eieruhr, dachte Denise, und schauen mal, wie lange diese Ehe noch hält.

Als sie nach dem Essen am Quai entlangschlenderten, wartete sie vergebens, dass Brian, wie flüchtig auch immer, ihre Hand berühren würde. Immer wieder schaute er sie hoffnungsvoll an, als wolle er sich vergewissern, dass sie auch nichts dagegen habe, vor diesem Schaufenster stehen zu bleiben oder in jene Seitenstraße einzubiegen. Er hatte eine treuherzige, hündische Art, ihre Zustimmung einzuholen, ohne unsicher zu wirken. Seine Pläne für den Generator schilderte er ihr, als gehe es um eine Party, auf der sie sich seiner Meinung nach *ziemlich* sicher amüsieren werde. Offenbar überzeugt, dass er genau das tat, was sie von ihm wollte, das Richtige nämlich, wahrte er hygienischen Abstand von ihr, als sie sich in der Lobby des Deux Îles gute Nacht wünschten.

Zehn Tage lang hielt sie seine Unverbindlichkeit aus. Am Ende konnte sie ihren eigenen Anblick im Spiegel nicht mehr ertragen, so zerfurcht fand sie ihr Gesicht, so schlapp ihren Busen, so fusselig ihre Haare, so heruntergereist ihre Kleidung. Sie war, unterm Strich, *entsetzt*, dass dieser unglückliche Ehemann ihr widerstand. Auch wenn er allen Grund hatte, ihr zu widerstehen! Er war der Vater zweier niedlicher Töchter! Und sie war seine Angestellte! Sie respektierte seine Haltung, genau so, dachte sie, sollten sich erwachsene Menschen benehmen; und trotzdem war sie kreuzunglücklich.

Sie bot ihren ganzen Willen auf, um sich nicht übergewichtig vorzukommen und zu fasten. Es half nicht gerade, dass sie das ewige Zu-Mittag- und Zu-Abend-Essen satt hatte und nur noch picknicken wollte. Nur noch Baguette, weiße Pfirsiche, trockenen Ziegenkäse und Kaffee. Sie hatte es satt, Brian beim genüsslichen Speisen zuzusehen. Sie hasste Robin, weil sie einen Mann hatte, dem sie so sehr vertrauen konnte. Sie hasste Robin für ihre Schroffheit in Cape May. Sie verfluchte sie im Stillen, nannte sie eine Fotze und drohte ihr, mit ihrem Mann zu vögeln. An manchen Abenden, nach dem Essen, überlegte sie, gegen ihre eigene verquere Moral zu verstoßen und sich Brian einfach zu nehmen (denn bestimmt würde er sich ihrem Urteil unterwerfen; würde bestimmt, wenn er nur ihre Erlaubnis hätte, auf ihr Bett hüpfen und hecheln und grienen und ihr die Hand lecken), doch letztlich fehlte ihr wegen ihrer Haare und ihrer Kleidung dann doch der Mut. Sie war so weit, dass sie nach Hause wollte.

Zwei Abende vor ihrer Abreise klopfte sie vor dem Essen an Brians Tür, und er zog sie zu sich ins Zimmer und küsste sie.

Nichts hatte auf seinen Sinneswandel hingedeutet. Sie wandte sich an den Beichtvater in ihrem Kopf und konnte ihm sagen: «Nichts! Ich kann nichts dafür! Ich habe an die Tür geklopft, und im nächsten Moment war er auf den Knien.»

Kniend presste er ihre Hände an sein Gesicht. Sie sah ihn an, wie sie vor langer Zeit Don Armour angesehen hatte. Seine Lust verschaffte der Trockenheit und Rissigkeit, dem Ganzkörpernotstand ihrer Person, kühle örtliche Erleichterung. Sie folgte ihm ins Bett.

Brian, der in allem gut war, küsste auch gut, natürlich, und zwar auf jene indirekte Art, die ihr gefiel. «Ich liebe deinen Geschmack», murmelte sie doppelsinnig. Er berührte sie überall dort, wo sie es erwartet hatte. Sie knöpfte sein Hemd auf, wie eine Frau es eben irgendwann tut. Mit den nickenden, bestimmten Kopfbewegungen einer sich putzenden Katze leckte sie seine Brustwarze. Sie legte eine geübte hohle Hand auf die Schwellung in seiner Hose. Sie war eine wunderschöne, leidenschaftliche Ehebrecherin, und sie wusste es. Und so machte sie sich an Schnallenprobleme, an Haken- und Knopfprojekte, an Gummizugaufgaben heran, bis, kaum merklich zuerst, dann offenkundig, und dann nicht mehr nur offenkundig, sondern mit zunehmend schmerzhaftem Druck auf Bauchfell und Augäpfel und Arterien und Hirnhaut, ein menschengroßer, robingesichtiger *Unrechts*-Ballon in ihr anschwoll.

Brians Stimme war in ihrem Ohr. Er stellte die Verhütungsfrage. Er hatte ihr Unbehagen als ein Hinauszögern, ihr Sichwinden als eine Aufforderung missverstanden. Damit er klarer sah, rollte sie sich aus dem Bett und kauerte sich in eine Ecke des Hotelzimmers. Sie könne nicht, sagte sie.

Brian setzte sich auf und gab keine Antwort. Sie riskierte einen Blick und stellte fest, dass seine Ausstattung dem entsprach, was ein Mann, der alles hatte, erwarten ließ. Sie vermutete, dass sie das Bild dieses Schwanzes so schnell nicht vergessen würde. Dass sie es, sobald sie die Augen zumachte, vor sich sähe, in unpassenden Momenten, in abwegigen Zusammenhängen.

Sie entschuldigte sich.

«Nein, du hast Recht», sagte Brian, sich ihrem Urteil unterwerfend. «Ich fühle mich schrecklich. Ich habe so was noch nie gemacht.»

«Ich schon», sagte sie, damit er sie nicht für schüchtern hielt. «Mehr als einmal. Und ich will das nicht mehr.»

«Natürlich nicht, nein, du hast ja Recht.»

«Wenn du nicht verheiratet wärst – wenn ich nicht deine Angestellte wäre –»

«Lass nur, ich komm schon damit klar. Ich geh jetzt ins Badezimmer. Ich komm schon klar.»

«Danke.»

Ein Teil von ihr dachte: *Was ist mit mir los?*

Ein anderer Teil von ihr dachte: *Wenigstens einmal in meinem Leben tue ich das Richtige.*

Sie verbrachte vier Tage allein im Elsaß, bevor sie von Frankfurt aus wieder nach Hause flog. Als sie sah, wie weit Brians Team in ihrer Abwesenheit mit dem Generator vorangekommen war, erschrak sie. Das Balkenwerk des Gebäudes im Gebäude stand, der Beton des eingezogenen Bodens war gegossen. Sie konnte den späteren Effekt schon erkennen: eine strahlende Luftblase der Modernität im Zwielicht eines monumentalen Industriegehäuses. Obwohl sie ihren Kochkünsten vertraute, machte die Grandiosität des Ortes sie nervös. Sie wünschte, sie hätte auf einer normalen, schlichten Räumlichkeit bestanden, in der ihr Essen ganz für sich allein hätte glänzen können. Eingeseift und über den Löffel balbiert, so fühlte sie sich: als hätte

Brian, ohne ihr Wissen, mit ihr um die Aufmerksamkeit der Welt gewetteifert. Als hätte er es, in seiner umgänglichen Art, von vornherein darauf abgesehen, den Generator zu seinem und nicht zu ihrem Restaurant zu machen.

Genauso, wie sie es befürchtet hatte, verfolgte sie das Nachbild seines Schwanzes. Sie war froher und froher, sich ihm verweigert zu haben. Er besaß alle Vorteile, die sie selbst hatte, und eine Menge eigener dazu. Er war männlich, er war reich, er war der geborene Insider, er war frei von Lambert'schen Absonderlichkeiten oder Überzeugungen, ein *Amateur*, der außer überzähligem Geld nichts zu verlieren hatte, und alles, was er zum Erfolg brauchte, waren eine gute Idee und jemand (sie), der die harte Arbeit machte. Was für ein Glück, dass sie ihn, in dem Hotelzimmer da, als ihren Widersacher erkannt hatte! Zwei Minuten länger, und sie hätte sich aufgelöst. Wäre eine weitere Facette seines amüsanten Lebens geworden, ihre Schönheit nichts als ein Spiegel seiner Unwiderstehlichkeit, ihre Talente nichts als eine Zutat zum Ruhm seines Restaurants. Was hatte sie für ein Glück gehabt, was für ein Glück.

Sie sah das so: Wenn der Generator seine Tore öffnete und die Kritiker der Räumlichkeit mehr Beachtung schenkten als dem Essen, dann hatte sie *verloren* und Brian *gewonnen*. Also legte sie sich ins Zeug. Sie röstete Rippchen im Umluftherd, bis sie braun waren, schnitt sie, immer darauf bedacht, dass das Auge mitaß, entlang der Faserung in dünne Scheiben, kochte den Sauerkrautsaft ein und bräunte ihn, um seinen nussigen, erdigen, krautigen, schweinefleischigen Geschmack herauszubringen, und gab dem Ganzen mittels eines Hodenpaars neuer Kartoffeln, einer Traube Rosenkohlköpfchen und eines Löffels gedünsteter, hauchfein mit geröstetem Knoblauch gewürzter weißer Bohnen den letzten Schliff. Sie dachte sich lukullische neue Weißwürstchen aus. Sie verband einen Hauch von Fenchel, Röstkartoffeln und guten, bitteren, gesunden Löwenzahn mit phantastischen Schweinekoteletts, die sie direkt von einem alten Sechziger-Jahre-Bauern bezog, der organische Viehzucht betrieb und noch selbst schlachtete und lieferte. Sie lud den Mann zum Essen ein, besichtigte seinen Bauernhof in Lancaster County und lernte die nämlichen Schweine kennen, nahm ihr eklektisches Futter (gekochte Yamswurzeln und Hühnerflügel, Eicheln und Kastanien) in Augenschein und sah sich den schallgedämpften Raum an, in dem sie geschlachtet wurden. Sie bekniete ihre alte Mannschaft beim Mare Scuro, bis sie Zusagen bekam. Brians AmEx in der Tasche, ging sie mit ehemaligen Kollegen essen und prüfte die örtliche Konkurrenz (die zum größten Teil beruhigend durchschnittlich war) und kostete Desserts, um herauszufinden, ob es nicht irgendwo einen Konditormeister gab, den es abzuwerben lohnte. Sie veranstaltete Ein-Frauen-Mitternachts-Fleischfüllungs-Festivals. In ihrem Keller bereitete sie in Zwanzig-Liter-Eimern Sauerkraut zu: mit Rotkohl oder in Krautsaft eingelegten Grünkohlstreifen, mit Wacholderbeeren oder schwarzen Pfefferkörnern. Sie beschleunigte den Gärungsprozess mit Hundert-Watt-Birnen.

Noch immer rief Brian sie jeden Tag an, aber er fuhr sie nicht mehr in seinem Volvo spazieren, spielte ihr keine Musik mehr vor. Hinter seinen höflichen Fragen spürte sie, dass sein Interesse schwand. Sie empfahl Rob Zito, einen alten Freund von ihr, als Geschäftsführer des Generators, und als Brian sie beide zum Essen einlud, blieb er nur eine halbe Stunde. Er hatte noch eine Verabredung in New York.

Eines Abends rief Denise bei ihm zu Hause an, und Robin Passafaro war am Apparat. Robins knappe Antworten – «Klar», «Egal», «Ja», «Ich sag's ihm», «Klar» – ärgerten Denise so, dass sie Robin länger als nötig in der Leitung hielt. Sie fragte nach dem Gartenprojekt.

«Läuft gut», sagte Robin. «Ich sag Brian, dass Sie angerufen haben.»

«Könnte ich nicht irgendwann mal vorbeikommen und es mir ansehen?»

«Warum?», fragte Robin hemmungslos schroff.

«Na ja», sagte Denise, «Brian spricht öfter davon» (das war eine Lüge; er erwähnte es selten), «es ist ein interessantes Projekt» (in Wahrheit fand sie, dass es utopisch und versponnen klang), «und wissen Sie, ich mag Gemüse.»

«Aha.»

«Vielleicht mal an einem Samstagnachmittag oder so.»

«Egal.»

Einen Augenblick später knallte Denise den Hörer hin. Sie ärgerte sich, unter anderem, weil sie sich in ihren eigenen Ohren so falsch angehört hatte. «Ich hätte deinen Mann vögeln können!», sagte sie. «Und hab es nicht getan! Wie wär's mit ein bisschen Freundlichkeit?»

Wäre sie ein besserer Mensch gewesen, hätte sie Robin vielleicht in Ruhe gelassen. Vielleicht wollte sie Robin die Genugtuung verweigern, die für sie darin lag, Denise nicht zu mögen: wollte diesen Achtungswettstreit gewinnen. Vielleicht nahm sie auch nur den Fehdehandschuh auf. Aber der Wunsch, gemocht zu werden, war echt. Sie war besessen von dem Gedanken, dass Robin damals mit ihr und Brian in dem Hotelzimmer gewesen war; jenem Gefühl von Robins berstender Gegenwart in ihrem Körper.

Am letzten Samstag der Baseball-Saison stand sie acht Stunden lang zu Hause in ihrer Küche, schweißte Forellen ein, jonglierte mit einem halben Dutzend Krautsalaten und vermählte den Saft sautierter Nieren mit reizvollen Spirituosen. Später am Tag ging sie spazieren, überquerte, da sie zufällig in Richtung Westen unterwegs war, die Broad Street und gelangte ins Schwarzenghetto von Point Breeze, wo Robin ihr Projekt hatte.

Das Wetter war schön. Der Frühherbst in Philadelphia brachte den Geruch nach kühlem Meer- und Flutwasser mit sich, allmählich sinkende Temperaturen, einen stillen Kontrollverzicht der feuchten Luftmassen, die den auflandigen Wind den ganzen Sommer lang in Schach gehalten hatten. Denise kam an einer alten Frau im Kittel vorbei, die Wache schob, während zwei staubige Männer Lebensmittel aus dem Heck eines rostigen Pinto luden. Fenster wurden hier bevorzugt mit Schlackenstein abgedunkelt. Sie sah ausgebrannte IM ISS-Buden und P ZER AS. Bröckelnde Häuser mit Betttuchvorhängen. Flächen frischen Asphalts, die das Schicksal des Viertels eher zu besiegeln als Erneuerung zu verheißen schienen. Denise war es gleich, ob sie Robin antreffen würde oder nicht. In gewisser Weise war es fast besser, wenn sie den Punkt heimlich erzielte – wenn Robin von Brian erfuhr, dass sie sich die Mühe gemacht hatte, beim Projekt vorbeizuschauen.

Sie gelangte zu einem Grundstück, in dessen Maschendrahtgrenzen kleine Mulchhügel und große Haufen verwelkter Vegetation zu sehen waren. Am äußersten Ende des Grundstücks, hinter dem einzigen Haus, das dort noch stehen geblieben war, bearbeitete jemand mit einer Schaufel steinigen Erdboden.

Die Eingangstür des einsamen Hauses stand offen. Ein schwarzes Mädchen im College-Alter saß in einem Büro, das außer dem Schreibtisch ein grässlich hässliches Karosofa und eine Rolltafel enthielt, auf die jemand eine Spalte mit Namen (Lateesha, Latoya, Tyrell) geschrieben hatte und daneben die Spalten STUNDEN und DOLLARS.

«Ist Robin hier?», fragte Denise.

Mit einem Nicken deutete das Mädchen auf die Hintertür. «Da draußen.»

Der Garten war unwirtlich, aber friedvoll. Außer Kürbissen und deren Verwandten schien hier nicht viel angebaut worden zu sein, doch es gab großflächige Beete mit Rebengewächsen, und die Gerüche nach Mulch und Erde waren, wie der auflandige Herbstwind, voller Kindheitserinnerungen.

Robin schaufelte Geröll in ein behelfsmäßiges Sieb. Sie hatte dünne Ärmchen und den Stoffwechsel eines Kolibris und nahm viele kleine schnelle Happen von dem Geröll anstatt wenige größere. Sie trug ein schwarzes Halstuch und ein sehr schmutziges T-Shirt mit dem Aufdruck ERSTKLASSIGE KINDERBETREUUNG: ZAHLEN SIE JETZT ODER SPÄTER. Denise zu sehen schien sie weder zu überraschen noch zu freuen.

«Ganz schön groß, das Projekt», sagte Denise.

Robin zuckte die Achseln, die Schaufel mit beiden Händen haltend, als wolle sie unterstreichen, dass sie sich gestört fühlte.

«Brauchen Sie Hilfe?», fragte Denise.

«Nein. Eigentlich sollten die Jugendlichen das hier machen, aber unten am Fluss läuft gerade ein Spiel. Ich räume nur auf.»

Sie klatschte mit der Schaufel auf das Geröll im Sieb, um ein bisschen Erde durchzuzwängen. Im Drahtgeflecht waren Backstein- und Mörtelstücke, Dachteerklumpen, Ailanthusspinner-Beine, versteinerter Katzenkot sowie an Glasscherben haftende Baccardi- und Yuengling-Etiketten hängen geblieben.

«Und was haben Sie angebaut?», fragte Denise.

Robin zuckte wieder die Achseln. «Nichts, was Sie beeindrucken würde.»

«Was denn zum Beispiel?»

«Zucchini und Kürbis.»

«Nehme ich beides zum Kochen.»

«Klar.»

«Wer ist das Mädchen?»

«Ich habe ein paar Halbtagskräfte, denen ich was bezahle. Sara ist Studentin an der Temple-Uni, fünftes Semester.»

«Und wer sind die Jugendlichen, die eigentlich hier sein sollten?»

«Zwölf- bis Sechzehnjährige aus dem Viertel.» Robin nahm ihre Brille ab und rieb sich mit einem schmutzigen Ärmel Schweiß vom Gesicht. Denise hatte vergessen oder noch nie bemerkt, was für einen hübschen Mund sie hatte. «Sie kriegen einen Mindestlohn, plus Gemüse, plus einen Anteil von allem, was wir gemeinsam verdienen.»

«Ziehen Sie die Kosten ab?»

«Das würde sie frustrieren.»

«Stimmt.»

Robin sah zur Seite, über die Straße, auf eine Reihe leer stehender Gebäude mit rostenden Simsen aus Blech. «Brian sagt, Sie sind sehr ehrgeizig.»

«Ach ja?»

«Er sagt, er würde sich nicht gern mit Ihnen im Armdrücken messen.»

Denise fuhr zusammen.

«Er sagt, er wäre nicht gern Koch in Ihrer Küche.»

«Die Gefahr ist gering», sagte Denise.

«Er sagt, er würde nicht gern Scrabble mit Ihnen spielen.»

«M-hm.»

«Er sagt, er würde nicht gern Trivial Pursuit mit Ihnen spielen.»

Ist ja gut, dachte Denise.

Robin atmete schwer. «Egal.»

«Ja, egal.»

«Ich erzähle Ihnen jetzt, warum ich nicht mit nach Paris gekommen bin», sagte Robin. «Ich fand, dass Erin noch zu klein dafür war. Sinéad war im Kunst-Ferienlager, wo es ihr sehr gut gefiel, und ich hatte hier alle Hände voll zu tun.»

«Genauso hatte ich es auch verstanden.»

«Und ich konnte mir denken, dass ihr zwei den ganzen Tag über Essen reden würdet. Und Brian sagte, es wäre rein geschäftlich. Also.»

Denise schaute vom Boden auf, schaffte es aber nicht, Robin in die Augen zu sehen. «Es war rein geschäftlich.»

Robins Lippen zitterten. «Egal!», sagte sie.

Über dem Ghetto hatte sich eine Flotte kupferbödiger Wolken, Kochtopfwolken, nach Nordwesten hin verzogen. Es war der Moment, in dem der blaue Himmelshintergrund grauer und grauer wurde, bis er den Farbton der Stratuswolkenformationen im Vordergrund angenommen hatte, der Moment, in dem Abendlicht und Tageslicht sich im Gleichgewicht befanden.

«Wissen Sie, ich bin an Männern gar nicht so interessiert», sagte Denise.

«Wie bitte?»

«Ich meine, ich schlafe nicht mehr mit Männern. Seit ich geschieden bin.»

Robin runzelte die Stirn, als ergäbe das für sie nicht den geringsten Sinn. «Weiß Brian das?»

«Keine Ahnung. Nicht von mir.»

Robin dachte einen Augenblick darüber nach und fing dann an zu lachen. Sie sagte: «Hi hi hi!» Sie sagte: «Ha ha ha!» Ihr Lachen war kehlig und beschämend und, wie Denise fand, zugleich wunderschön. Es hallte von den rostsimsigen Häusern wider. «Armer Brian!», sagte sie. «Armer Brian!»

Auf der Stelle wurde Robin herzlicher. Sie legte ihre Schaufel aus der Hand und führte Denise durch den Garten – «mein kleines Zauberreich», nannte sie ihn. Kaum war sie sich Denise' Aufmerksamkeit gewiss, wagte sie, Enthusiasmus zu zeigen. Hier sei ein neues Spargelbeet, da eine Doppelreihe junger Birn- und Apfelbäume, die sie zu spalieren hoffe, dort die späte Sonnenblumen-, Kürbis- und Grünkohlernte. Diesen Sommer sei sie beim Anbau auf Nummer Sicher gegangen, weil sie eine Kerntruppe örtlicher Teenager ködern und sie für die undankbare Aufgabe belohnen wollte, eine Infrastruktur zu schaffen: die Beete vorzubereiten, Rohre zu legen, für Entwässerung zu sorgen und die Regenrinnen mit den Regentonnen zu verbinden.

«Das Ganze ist im Prinzip ein egoistisches Projekt», sagte

Robin. «Ich habe mir immer einen großen Garten gewünscht, und jetzt hab ich die ganze Innenstadt einfach wieder in Ackerland verwandelt. Aber die Jugendlichen, die es besonders nötig hätten, mit ihren bloßen Händen draußen zu arbeiten und zu lernen, wie frische Lebensmittel schmecken, genau die sind nicht hier. Schlüsselkinder. Sie kiffen, sie haben Sex, oder sie hocken bis sechs Uhr abends in irgendeinem Klassenzimmer vor dem Computer. Dabei sind sie immer noch in einem Alter, in dem es Spaß machen kann, im Dreck zu spielen.»

«Wenn auch vielleicht nicht so viel Spaß wie Sex oder Kiffen.»

«Für neunzig Prozent der Jugendlichen womöglich nicht», sagte Robin. «Aber ich möchte, dass es auch für die anderen zehn Prozent etwas gibt. Irgendeine Alternative, die nichts mit Computern zu tun hat. Ich möchte, dass Sinéad und Erin mit Kindern zusammenkommen, die anders sind als sie. Sie sollen lernen, was Arbeit ist. Sie sollen lernen, dass Arbeit nicht nur bedeutet, eine Maus hin- und herzuschieben.»

«Hut ab», sagte Denise.

Robin, die ihren Ton missverstand, sagte: «Egal.»

Denise setzte sich auf den Plastiküberzug eines Ballens Torfmoos, während Robin sich waschen und umziehen ging. Vielleicht war es, weil sie die Samstagabende im Herbst, die sie seit ihrem zwanzigsten Lebensjahr außerhalb einer Küche verbracht hatte, an einer Hand abzählen konnte, vielleicht auch, weil irgendein sentimentaler Teil von ihr auf das egalitaristische Ideal hereingefallen war, das Klaus Müller-Karltreu in St. Jude als so verlogen empfunden hatte – auf jeden Fall hätte sie auf Robin Passafaro, die ihr Leben lang in Philadelphia gewohnt hatte, am liebsten das Wort «mittelwestlich» angewandt. Was so viel heißen sollte wie *hoffnungsvoll* oder *enthusiastisch* oder *von Gemeinschaftsgeist beseelt.*

Auf einmal war es ihr gar nicht mehr so wichtig, gemocht zu

werden. Sie merkte, dass sie selbst mochte. Als Robin zurück nach draußen kam und das Haus absperrte, fragte Denise, ob sie Zeit habe, mit ihr zu Abend zu essen.

«Brian und sein Vater sind mit den Mädchen zum Phillies-Spiel gegangen», sagte Robin. «Die kommen voll gestopft mit Stadion-Futter nach Hause. Also, warum nicht. Wir können essen gehen.»

«Ich habe noch ein paar Sachen in meiner Küche», sagte Denise. «Wäre Ihnen das recht?»

«Was auch immer. Egal.»

Normalerweise schätzte sich jeder, der von einem Profikoch zum Essen eingeladen wurde, glücklich und zeigte das auch. Robin jedoch schien entschlossen, sich unbeeindruckt zu geben.

Es war Nacht geworden. Die Luft in der Catharine Street roch nach letztem Baseball-Wochenende. Während sie Richtung Osten gingen, erzählte Robin Denise die Geschichte ihres Bruders Billy. Denise hatte diese Geschichte schon von Brian gehört, aber Teile von Robins Version waren neu für sie.

«Moment mal», sagte sie. «Brian hat seine Software an die W— Corporation verkauft, dann hat Billy einen der W— Direktoren k. o. geschlagen, und Sie glauben, es gibt da einen Zusammenhang?»

«Gott, ja», sagte Robin. «Das ist doch das Furchtbare.»

«Davon hat Brian gar nichts erzählt.»

Da schrillte es aus Robin hervor: «Ich glaub es nicht! Das ist doch der *springende Punkt*! Herrgott nochmal! Es sieht ihm der-ma-ßen ähnlich, nichts davon zu sagen. Weil es die Sache für ihn nämlich richtig schwierig machen könnte, verstehen Sie, genauso schwierig wie für mich. Es könnte ihm den Spaß verderben, wenn er nach Paris reist oder mit Harvey Keitel zu Mittag isst oder weiß der Geier was tut. Ich fass es nicht, dass er nichts davon gesagt hat.»

«Erklären Sie mir, was das Problem ist?»

«Rick Flamburg ist für den Rest seines Lebens behindert», sagte Robin. «Mein Bruder sitzt die nächsten zehn oder fünfzehn Jahre im Gefängnis, diese schreckliche Firma richtet die städtischen Schulen zugrunde, mein Vater pumpt sich mit Psychopharmaka voll, und Brian sagt, hey, guck doch mal, was W— gerade für uns getan hat, komm, lass uns nach Mendocino umziehen!»

«Aber Sie persönlich haben nichts Böses getan», sagte Denise. «Sie sind für nichts davon verantwortlich.»

Robin drehte sich zur Seite und sah ihr ins Gesicht. «Wozu leben wir?»

«Ich weiß es nicht.»

«Ich auch nicht. Aber ich bezweifle, dass es ums Gewinnen geht.»

Schweigend liefen sie weiter. Denise, der Gewinnen durchaus wichtig war, stellte missmutig fest, dass Brian, zusätzlich zu all seinem anderen Glück, auch noch eine Frau mit Prinzipien und Charakter geheiratet hatte.

Was sie allerdings auch feststellte, war, dass Robin nicht sonderlich loyal zu sein schien.

Denise' Wohnzimmer hatte sich, seit Emile es drei Jahre zuvor leer geräumt hatte, kaum verändert. Damals, am Wochenende der Tränen, war Denise in ihrem Selbstverleugnungswettstreit doppelt im Vorteil gewesen, weil sie sich schuldiger fühlte als Emile und weil sie bereits eingewilligt hatte, das Haus zu behalten. Am Ende hatte sie Emile überredet, von ihrem gemeinsamen Besitz fast alles mitzunehmen, was ihr lieb und teuer war, und vieles andere mehr, das sie zwar nicht mochte, aber gut hätte gebrauchen können.

Die Leere des Hauses hatte Becky Hemerling abgestoßen. Es sei *kalt*, es drücke *Selbsthass* aus, es sei ein *Kloster*.

«Schön schlicht», bemerkte Robin.

Denise ließ sie an der halben Tischtennisplatte Platz nehmen, die ihr als Küchentisch diente, öffnete eine Fünfzig-Dollar-Flasche Wein und machte sich daran, Robin zu verköstigen. Mit ihrem Gewicht hatte sie selten kämpfen müssen, aber wenn sie so gegessen hätte wie Robin, wäre sie binnen eines Monats aus dem Leim gegangen. Ehrfürchtig sah sie zu, wie ihr Gast mit fliegenden Ellbogen zwei Nieren und eine selbst gemachte Wurst verschlang, jeden einzelnen Krautsalat probierte und Butter auf die dritte gesunde Scheibe Vollkornbrot strich.

Sie selbst hatte Schmetterlinge im Bauch und aß so gut wie nichts.

«St. Jude, aha. Judas Thaddäus ist einer meiner Lieblingsheiligen», sagte Robin. «Hat Brian Ihnen erzählt, dass ich in letzter Zeit viel in die Kirche gehe?»

«Ja, davon hat er gesprochen.»

«Das kann ich mir vorstellen. Bestimmt war er unheimlich verständnisvoll und tolerant!» Robins Stimme war laut, ihr Gesicht vom Wein gerötet. Denise spürte eine Beklemmung in ihrer Brust. «Egal, jedenfalls gehört das zu den Vorzügen des Katholischseins, dass einem solche Heiligen wie Judas Thaddäus zur Seite stehen.»

«Der Schutzheilige der hoffnungslosen Fälle?»

«Genau. Wofür ist die Kirche da, wenn nicht für aussichtslose Fälle?»

«Im Sport ist das auch so», sagte Denise. «Wer gewinnt, braucht keine Unterstützung.»

Robin nickte. «*Sie* verstehen, was ich meine. Aber wenn man mit Brian zusammenlebt, fängt man an zu glauben, dass mit Verlierern irgendwas nicht stimmt. Nicht, dass er einen kritisieren würde. Nein! Er ist immer verständnisvoll und geduldig und zärtlich. Brian ist klasse! Nichts gegen Brian! Nur dass er eben lieber einen Gewinner anfeuern würde. Und so ein Gewinner bin ich nun mal nicht. Und möchte es auch gar nicht sein.»

Nie hätte Denise so über Emile geredet. Selbst jetzt nicht.

«Aber Sie, Sie sind so ein Gewinner», sagte Robin. «Deshalb hab ich, offen gestanden, in Ihnen schon so was wie meinen Ersatz gesehen. Meine Nachfolgerin.»

«Nix da.»

Da waren sie wieder, Robins verlegen-erfreute Laute. Sie sagte: «Hi hi hi!»

«Zu Brians Verteidigung – ich glaube nicht, dass Sie Brooke Astor sein müssen, um ihn zufrieden zu stellen», sagte Denise. «Ich glaube, ein bisschen Bürgerlichkeit würde es auch tun.»

«Ich könnte damit leben, bürgerlich zu sein», sagte Robin. «So ein Haus wie das hier gefällt mir schon. Und ich find's klasse, dass Ihr Küchentisch eine halbe Tischtennisplatte ist.»

«Für zwanzig Mäuse gehört sie Ihnen.»

«Brian ist wunderbar. Er ist der Mensch, mit dem ich mein Leben verbringen wollte, er ist der Vater meiner Kinder. Ich bin diejenige, die nicht ins Programm paßt. Ich bin diejenige, die zum Kommunionsunterricht geht. Sagen Sie, haben Sie vielleicht eine Jacke für mich? Mir ist eiskalt.»

Die niedrigen Kerzen tropften im Oktoberluftzug. Denise holte ihre Lieblingsjeansjacke, eine von Levi's mit wollenem Innenfutter, die es so nicht mehr zu kaufen gab, und sah sie Robins schmalere Schultern verschlingen, sah sie an ihren dünneren Armen schlackern wie die Sportjacke eines Ballspielers an dessen Freundin.

Am nächsten Tag, als sie die Jacke selbst trug, kam sie ihr weicher und leichter vor als sonst. Sie schlug den Kragen hoch und zog die Jacke mit beiden Händen eng um sich.

Einerlei, wie viel sie in diesem Herbst schuftete, sie hatte mehr Freiräume und flexiblere Arbeitszeiten, als sie es seit etlichen Jahren gewohnt war. Sie fing an, Selbstgekochtes im Projekt vorbeizubringen. Sie fuhr zu Brians und Robins Haus in der Panama Street, hörte, dass Brian fort war, und blieb den ganzen Abend dort. Ein paar Tage später backte sie mit den Mädchen Madeleines, und Brian, gerade nach Hause gekommen, benahm sich, als habe er sie schon hundertmal in seiner Küche angetroffen.

Als Nachzüglerin zu einer vierköpfigen Familie dazuzustoßen und von allen geliebt zu werden, darin hatte sie lebenslange Übung. Ihre nächste Eroberung in der Panama Street war Sinéad, die Leseratte, das Modepüppchen. Samstags ging Denise mit ihr bummeln. Sie kaufte ihr modische Ketten und Armbänder, ein antikes toskanisches Schmuckkästchen, Disco- und Protodisco-Alben aus den Siebzigern, alte, reich bebilderte Bücher über Kostüme, die Antarktis, Jackie Kennedy und Schiffsbau. Sie half Sinéad, größere, buntere, weniger wertvolle Geschenke für Erin auszusuchen. Sinéad, wie ihr Vater, hatte untadeligen Geschmack. Sie trug schwarze Jeans und Kordminiröcke und Trägerkleidchen, silberne Armreifen und extralange Bänder aus Plastikperlen in ihrem ohnehin sehr langen Haar. Nach dem Einkaufen, in Denise' Küche, schälte sie feinsäuberlich Kartoffeln oder rollte einfachen Teig aus, während die Meisterköchin Leckerbissen für kindliche Gaumen ersann: Birnenstücke, Streifen hausgemachter Mortadella, Holunderbeersorbet in einem winzigen Schälchen Holunderbeersuppe, Lammfleischravioli, auf die sie mit leicht minzigem Olivenöl Kreuze malte, oder gebratene Polentawürfel.

In den seltenen Fällen, wenn Robin und Brian, etwa bei Hochzeiten, noch gemeinsam ausgingen, hütete Denise in der Panama Street ein. Sie brachte den Mädchen bei, wie man Spinatpasta machte und Tango tanzte. Sie hörte zu, wenn Erin die amerikanischen Präsidenten aufzählte. Sie durchsuchte mit Sinéad die Schubladen nach Kostümen.

«Denise und ich sind jetzt mal Ethnologen», sagte Sinéad, «und du kannst eine Hmong sein, Erin.»

Wenn sie Sinéad mit Erin zusammen überlegen sah, was wohl eine Hmong-Frau auszeichnete, wenn sie beobachtete, wie Sinéad mit trägem, halb gelangweiltem Minimalismus zu Donna Summer tanzte, wie sie die Füße kaum vom Boden hob, ganz leicht die Schultern rollte und ihr Haar über den Rücken gleiten und schwingen ließ (während Erin epileptische Anfälle bekam), liebte Denise nicht nur das Mädchen, sondern auch dessen Eltern für das Erziehungswunder, das sie, auf welche Weise auch immer, an ihm vollbracht hatten.

Robin war weitaus weniger beeindruckt. «Klar, dass sie dich lieben», sagte sie. «Du versuchst ja auch nicht, Sinéad die Kletten aus dem Haar zu kämmen. Du streitest dich nicht zwanzig Minuten lang mit ihnen darüber, was ‹Bettenmachen› heißt. Du kennst Sinéads Mathenoten nicht.»

«Sind die nicht gut?», fragte die vernarrte Babysitterin.

«Sie sind verheerend. Wenn sie nicht besser werden, könnten wir ihr demnächst damit drohen, dass sie dich nicht mehr sehen darf.»

«O nein, bitte nicht.»

«Vielleicht willst *du* ja mal periodische Dezimalbrüche mit ihr üben.»

«Klar, auch das.»

An einem Sonntag im November, als die fünfköpfige Familie im Fairmount Park spazieren ging, sagte Brian zu Denise: «Robin hat dich richtig ins Herz geschlossen. Ich war mir da vorher nicht so sicher.»

«Ich mag Robin sehr», sagte Denise.

«Am Anfang fühlte sie sich, glaube ich, ein bisschen von dir eingeschüchtert.»

«Aus gutem Grund. Nicht wahr.»

«Ich hab ihr nie etwas erzählt.»

«Na, besten Dank.»

Denise entging nicht, dass dieselben Eigenschaften, die es Brian ermöglicht hätten, Robin zu betrügen – seine Anspruchshaltung, seine treuherzige Überzeugung, dass alles, was er tat, in jedermanns Sinn war –, es einem auch leicht machen würden, ihn selbst zu betrügen. Denise spürte, dass sie für Brian allmählich zu einer Erweiterung von «Robin» wurde, und da «Robin» in Brians Augen dauerhaften Großartigkeitsstatus besaß, brauchte er weder über sie noch über «Denise» weiter nachzudenken.

Ähnlich absolutes Vertrauen schien Brian in Denise' Freund Rob Zito als Geschäftsführer des Generators zu setzen. Brian versuchte, einigermaßen auf dem Laufenden zu bleiben, doch je kälter es draußen wurde, desto häufiger war er nicht da. Denise fragte sich kurz, ob er eine andere hatte, doch wie sich herausstellte, war seine neue Flamme ein freischaffender Regisseur, Jerry Schwartz, der für seine hervorragenden Soundtracks ebenso bekannt war wie für die Gabe, immer wieder jemanden aufzutreiben, der seine künstlerisch wertvollen Rote-Zahlen-Projekte finanzierte. («Ein Film, den man am besten mit geschlossenen Augen genießt», schrieb *Entertainment Weekly* über Schwartz' trübseligen Messerstecher-Streifen *Moody Fruit.*) Gerade als Schwartz die Hauptszenen einer zeitgenössischen *Verbrechen und Strafe*-Verfilmung zu drehen begann, in der Raskolnikow, gespielt von Giovanni Ribisi, ein junger, irgendwo im nördlichen Philadelphia untergetauchter Anarchist und Hifi-Fan war, kam Brian, ein glühender Bewunderer der Schwartz'schen Soundtracks, wie ein Engel mit den rettenden fünfzig Mille herabgeschwebt. Während Denise und Rob Zito im Generator Technik- und Beleuchtungsentscheidungen trafen, besuchte er Schwartz und Ribisi et al. am Drehort in den seelenvollen Ruinen von Nicetown, tauschte mit Schwartz aus identischen CD-Köfferchen mit Reißverschluss CDs oder aß mit ihm und Greil Marcus oder Stephen Malkmus im Pastis, New York, zu Abend.

Ohne sich dessen bewusst gewesen zu sein, hatte Denise geglaubt, dass Brian und Robin kein Sexleben mehr hätten. Als sie Silvester gemeinsam mit vier Paaren und einer Horde Kinder in der Panama Street verbrachte und Brian und Robin in der Küche knutschen sah, zerrte sie ihren Mantel unter dem Mantelhaufen hervor und rannte aus dem Haus. Eine gute Woche lang war sie zu aufgewühlt, um Robin anzurufen oder sich mit den Mädchen zu treffen. Sie hatte ein Auge auf eine heterosexuelle Frau geworfen, die mit einem Mann verheiratet war, den sie unter Umständen gern selbst geheiratet hätte. Es war ein einigermaßen hoffnungsloser Fall. Und St. Judas gab, und St. Judas nahm.

Robin beendete Denise' Moratorium mit einem Anruf. Sie kreischte vor Wut. *«Weißt du, wovon Jerry Schwartz' Film handelt?»*

«Hm, Dostojewski in Germantown?»

«*Du* weißt es also. Wie kommt es, dass *ich* es nicht wusste? Weil er es mir *verheimlicht* hat, weil ihm klar war, was ich davon halten würde!»

«Das ist ein Giovanni-Ribisi-als-dünnbärtiger-Raskolnikow-Verschnitt, so was in der Art», sagte Denise.

«Mein Mann», sagte Robin, «hat fünfzigtausend Dollar, *die er von der W— Corporation bekommen hat*, in einen Film über einen Anarchisten aus Nordphilly gesteckt, der zwei Frauen den Schädel einschlägt und dafür in den Knast muss! Er geilt sich daran auf, wie *cool* es ist, mit Giovanni Ribisi und Jerry Schwartz und Ian Schießmichtot und Stephen Sowieso rumzuhängen, während mein anarchistischer *Bruder* aus Nordphilly, der *wirklich* jemandem den Schädel eingeschlagen hat –»

«Ich sehe schon, aha», sagte Denise. «Klarer Fall von mangelndem Feingefühl.»

«Das glaube ich nicht mal», sagte Robin. «Ich glaube, er hat die Schnauze voll von mir und weiß es nur noch nicht.»

Von Stund an wurde Denise zu einer heimlichen Wegbereiterin des Ehebruchs. Sie fand heraus, dass sie Brian, sobald er es auch nur ein bisschen an Feingefühl mangeln ließ, bloß verteidigen musste, um Robin zu gewichtigeren Vorwürfen anzustacheln, und denen schloß sie sich dann widerstrebend an. Sie hörte zu und hörte zu. Sie gab sich Mühe, Robin besser zu verstehen als irgendjemand zuvor. Sie bestürmte sie mit Fragen, die Brian ihr nicht stellte: über Billy, über ihren Vater, über die Kirche, über ihre Gartenprojektpläne, über das halbe Dutzend Teenager, die sich mit dem Gärtnereibazillus angesteckt hatten und nächsten Sommer wiederkommen wollten, über das amouröse und akademische Kreißen ihrer jungen Halbtagskräfte. Sie nahm an der «Nacht der Samenkataloge» im Projekt teil und ordnete den Namen von Robins Lieblingsschülern Gesichter zu. Sie übte mit Sinéad periodische Dezimalbrüche. Sie lenkte die Gespräche behutsam auf Filmstars oder Popmusik oder Mode, die heikelsten Themen in Robins Ehe. Für das ungeschulte Ohr klang es, als bereite sie nur einer engeren Freundschaft den Weg; aber sie hatte Robin essen sehen: Sie kannte den Hunger dieser Frau.

Als ein Abwasserproblem die Eröffnung des Generators verzögerte, nutzte Brian die Gelegenheit, um mit Jerry Schwartz das Kalamazoo-Filmfestival zu besuchen, und Denise nutzte die Gelegenheit, um fünf Abende nacheinander mit Robin und den Mädchen zu verbringen. Am letzten Abend stand sie in einem Videoladen gequält vor den Regalen. Nach langem Hin und Her entschied sie sich für *Warte, bis es dunkel wird* (schrecklicher Mann bedroht erfinderische Audrey Hepburn, deren Haarfarbe und Teint zufällig denen einer gewissen Denise Lambert ähnelten) und *Gefährliche Freundin* (die verrückte, wunderschöne Melanie Griffith befreit Jeff Daniels aus einer kaputten Ehe). Als sie in der Panama Street damit ankam, wurde Robin schon beim Lesen der Titel rot.

Zwischen den Filmen, es war bereits nach Mitternacht, tranken sie auf dem Wohnzimmersofa Whiskey, da fragte Robin mit einer Stimme, die selbst für ihre Verhältnisse ungewöhnlich piepsig war, ob sie Denise eine persönliche Frage stellen dürfe.

«Wie oft, äh, in der Woche», sagte sie, «habt ihr miteinander geschlafen, Emile und du?»

«Mich musst du nicht fragen, wenn du wissen willst, was normal ist», antwortete Denise. «Das hab ich bisher höchstens mal im Rückspiegel gesehen.»

«Ich weiß. Ich weiß.» Robin starrte auf den blauen Fernsehbildschirm. «Aber was ist *deiner Meinung nach* normal?»

«Damals hatte ich, glaube ich, das Gefühl», sagte Denise und dachte *hohe Zahl, nenn eine hohe Zahl*, «dass ungefähr dreimal die Woche normal sein könnte.»

Robin seufzte. Vier, fünf Quadratzentimeter ihres linken Knies berührten das rechte von Denise. «Sag mir einfach, was du normal findest.»

«Ich glaube, manche haben es gern einmal am Tag.»

Robins Stimme klang wie ein Eiswürfel, der zwischen Backenzähnen zermalmt wird. «Das könnte mir auch gefallen. Hört sich nicht schlecht an.» Ein Taubwerden und Prickeln und Brennen befiel den besagten Teil von Denise' Knie.

«Ich schließe daraus, dass es nicht so ist?»

«Ungefähr zweimal im MONAT», sagte Robin gepresst. «Zweimal im MONAT.»

«Glaubst du, dass Brian eine andere hat?»

«Keine Ahnung, was er macht. Jedenfalls bin ich davon ausgeschlossen. Und ich komme mir schon fast wie ein Monster vor.»

«Du bist kein Monster. Ganz im Gegenteil.»

«Also, wie heißt noch mal der andere Film?»

«Gefährliche Freundin.»

«Na, egal. Los, den gucken wir jetzt auch.»

In den nächsten zwei Stunden achtete Denise in erster Linie auf ihre Hand, die sie in bequemer Reichweite von Robins Hand auf das Sofakissen gelegt hatte. Die Hand fühlte sich dort nicht wohl, sie wollte zurückgezogen werden, aber Denise war nicht bereit, das mühsam erkämpfte Terrain wieder aufzugeben.

Als der Film zu Ende war, schauten sie fern, und dann schwiegen sie eine Weile, unfassbar lange, fünf Minuten oder ein Jahr, und noch immer verschmähte Robin den warmen, fünffingrigen Köder. Hier und jetzt wäre Denise ein bisschen drängende männliche Sexualität ganz willkommen gewesen. Im Rückblick waren die anderthalb Wochen, die sie gewartet hatte, bis Brian sie in sein Zimmer zerrte, schnell wie ein Herzschlag vergangen. Um vier stand sie, krank vor Müdigkeit und Ungeduld, auf. Robin zog ihre Schuhe und den purpurnen Nylonparka an und begleitete sie zum Wagen. Da, endlich, nahm sie Denise' Hand in ihre beiden Hände. Mit ihren trockenen Daumen, den Daumen einer erwachsenen Frau, rieb sie über Denise' Handfläche. Sie sei froh, mit ihr befreundet zu sein, sagte sie.

Bleib standhaft, ermahnte sich Denise. *Benimm dich wie eine Schwester.*

«Geht mir auch so», sagte sie.

Robin gab jenes gesprochene Keckern von sich, das Denise inzwischen als reine, destillierte Verlegenheit zu deuten wusste. Sie sagte: «Hi hi hi!» Dann blickte sie auf Denise' Hand, die sie jetzt hektisch knetete. «Wäre nicht ganz ohne Ironie, wenn *ich* Brian betrügen würde, was?»

«O Gott», sagte Denise unwillkürlich.

«Keine Sorge.» Robin schloss die Faust um Denise' Zeigefinger und drückte fest, in Spasmen, zu. «War bloß ein Witz.»

Denise starrte sie an. *Hörst du überhaupt, was du da redest? Merkst du nicht, was du mit meinem Finger machst?*

Robin presste Denise' Hand an ihren Mund und biss mit lippengepolsterten Zähnen zu, knabberte gewissermaßen zart darauf herum, ließ sie dann fallen und stob zum Haus. Dort sprang sie von einem Fuß auf den anderen. «Also, bis bald.»

Am nächsten Tag kam Brian aus Michigan zurück und machte der Party ein Ende.

Denise flog für ein langes Osterwochenende nach St. Jude,

wo Enid, wie ein Spielzeugklavier mit nur einer heilen Taste, tagaus, tagein, von ihrer alten Freundin Norma Greene und Norma Greenes tragischer Beziehung zu einem verheirateten Mann erzählte. Um das Thema zu wechseln, sagte Denise, Alfred sei lebhafter und im Kopf viel klarer, als Enid ihn in ihren Briefen und sonntäglichen Telefonaten geschildert habe.

«Wenn du hier bist, reißt er sich zusammen», konterte Enid. «Wenn wir allein sind, ist er unmöglich.»

«Vielleicht bist du, wenn ihr allein seid, zu sehr auf ihn fixiert.»

«Denise, wenn du mit einem Mann zusammenleben würdest, der den ganzen Tag in seinem Sessel sitzt und schläft –»

«Mutter, je mehr du nörgelst, um so bockiger wird er.»

«Du kriegst das ja gar nicht mit, weil du nur ein paar Tage hier bist. Aber ich weiß, wovon ich rede. Und ich weiß nicht, was ich machen soll.»

Wenn ich mit jemandem zusammenleben würde, der ständig etwas an mir auszusetzen hätte, dachte Denise, würde ich mich auch in einen Sessel setzen und schlafen.

Als sie nach Philadelphia zurückkam, war die Küche im Generator endlich fertig. Denise' Leben nahm wieder fast normale Wahnsinnsgrade an: Sie stellte ihre Mannschaft zusammen und wies sie ein, sie ließ zwei Konditormeister zum Kopf-an-Kopf-Rennen antreten und löste tausend Probleme rund um Anlieferung, Zeitplan, Zubereitung und Preiskalkulation. Architektonisch gab sich das Restaurant genauso grandios, wie sie befürchtet hatte, doch zum ersten Mal in ihrer Karriere hatte sie eine Speisekarte sorgsam durchdacht und zwanzig Trümpfe parat. Das Essen war ein Trialog zwischen Paris, Bologna und Wien, eine kontinentale Schaltkonferenz, der Denise ihr ureigenes Geschmack-vor-Glanz-Gepräge gegeben hatte. Kaum stand ihr Brian, den sie so lange nur mit Robins Augen gesehen hatte, wieder persönlich gegenüber, fiel ihr ein, wie sehr sie ihn mochte. Sie erwachte sozusagen aus ihren Eroberungsträumen. Während sie den Garland-Herd anheizte, ihr Personal drillte und ihre Messer wetzte, dachte sie: *Müßiggang ist aller Laster Anfang*. Hätte sie so hart gearbeitet, wie Gott es von ihr erwartete, dann wäre ihr niemals Zeit geblieben, jemandes Ehefrau nachzustellen.

Sie schaltete auf Vermeidung, indem sie sich von sechs Uhr früh bis zwölf Uhr nachts abrackerte. Je mehr Tage sie außerhalb des Banns verbrachte, in den Robins Körper und Körperwärme und Hunger sie schlugen, umso größer wurde ihre Bereitschaft zuzugeben, wie wenig ihr Robins ausgesprochen uncoole Art – ihre Fahrigkeit, ihr schlechter Haarschnitt, ihre noch schlechtere Kleidung, ihre Reibeisenstimme und das gezwungene Lachen – noch gefiel. Brians freundliche Distanz gegenüber seiner Frau, seine Nichteinmischungshaltung, wie sie in dem ewigen «Ja, Robin ist klasse» zum Ausdruck kam, leuchtete Denise jetzt viel mehr ein. Robin *war* klasse; und dennoch, wenn man mit ihr verheiratet war, brauchte man vielleicht dann und wann ein bisschen Abstand von ihrer weiß glühenden Energie, freute sich vielleicht über ein paar Tage für sich allein in New York und Paris und Sundance …

Aber es war zu spät. Denise' Ehebruch-Taktik hatte offenbar gewirkt. Mit einer Beharrlichkeit, die um so irritierender war, als sie mit Schüchternheit und Ausflüchten einherging, begann Robin ihr nachzulaufen. Sie kam zum Generator. Sie lud Denise zum Mittagessen ein. Sie rief Denise um Mitternacht an und plauderte über die mäßig interessanten Dinge, an denen Denise lange Zeit größtes Interesse geheuchelt hatte. Sie tauchte an einem Sonntagnachmittag bei Denise zu Hause auf und trank, unter ständigem Rotwerden und Hi-hi, an der halben Tischtennisplatte Tee.

Und während der Tee kalt wurde, dachte ein Teil von Denise: *Mist, jetzt fährt sie richtig auf mich ab.* Dieser Teil von ihr fasste, wie eine Bedrohung, den strapaziösen Umstand ins Auge: *Sie will jeden Tag Sex*. Derselbe Teil von ihr dachte auch: *Mein Gott, wie sie isst*. Und: *Ich bin keine «Lesbe»*.

Ein anderer Teil von ihr schwamm jedoch buchstäblich vor Verlangen. Noch nie hatte sie so klar erkannt, was für eine Krankheit das war, Sex, was für eine Ansammlung körperlicher Symptome, denn noch nie war sie auch nur annähernd so krank gewesen, wie Robin sie jetzt machte.

In einer Pause ihres Geplauders nahm Robin, unter einer Ecke der Tischtennisplatte, Denise' geschmackvoll beschuhten Fuß zwischen ihre beiden klobigen, purpurrot-orange akzentuierten weißen Sneakers. Einen Augenblick später beugte sie sich vor und ergriff Denise' Hand. Ihr Erröten sah lebensbedrohlich aus.

«Also», sagte sie. «Ich habe nachgedacht.»

Am 23. Mai, genau ein Jahr nachdem Brian begonnen hatte, Denise ein überhöhtes Gehalt zu zahlen, eröffnete der Generator. Die Eröffnung war um eine letzte Woche verschoben worden, damit Brian und Jerry Schwartz zu den Filmfestspielen nach Cannes fliegen konnten. Solange er fort war, zahlte Denise ihm seine Großzügigkeit und sein Vertrauen jede Nacht zurück, indem sie in die Panama Street fuhr und mit seiner Frau schlief. Möglich, dass ihr Gehirn sich anfühlte wie das Gehirn eines zweifelhaften Kalbskopfs von einem Billigschlachter in der Ninth Street, aber nie war sie so müde, wie sie anfänglich geglaubt hatte, es zu sein. Ein Kuss, eine Hand auf ihrem Knie genügten, und ihr Körper war hellwach. Sie fühlte sich von dem Gespenst jeder einzelnen geschlechtlichen Begegnung, um die sie in ihrer Ehe eine Bogen gemacht hatte, verfolgt, belebt, auf Touren gebracht. Den Kopf in Robins Rücken, schloss sie die Augen und bettete ihre Wange zwischen die Schulterblätter, während ihre Hände Robins Brüste hielten, die rund und flach und sonderbar leicht waren; sie kam sich wie ein Kätzchen vor, das mit zwei Puderquasten spielte. Sie döste ein paar Stunden, dann schälte sie sich aus den Laken, sperrte die Tür auf, die Robin, um vor Überraschungsbesuchen von Erin oder Sinéad gefeit zu sein, abgeschlossen hatte, tappte todmüde die Treppe hinunter und, heftig zitternd, nach draußen, in die feuchte Morgendämmerung von Philadelphia.

Brian hatte auffallende, hintergründige Anzeigen für den Generator in lokalen Wochen- und Monatszeitschriften geschaltet und auf die Mund-zu-Mund-Propaganda in seinen Kreisen gesetzt, doch 26 Gedecke am Mittag des ersten Tages und 45 am Abend stellten Denise' Küche noch nicht ernsthaft auf die Probe. Der verglaste Raum, im blauen Tscherenkow-Schein hoch oben in der Luft schwebend, bot Platz für 140 Gäste; auf Abende mit bis zu 300 Gedecken war sie vorbereitet. Brian, Robin und die Mädchen kamen an einem Samstag zum Abendessen ins Restaurant und schauten kurz in der Küche vorbei. Denise gab eine gute Vorstellung als Freundin der Mädchen, und Robin, die, mit rot geschminkten Lippen und in einem kleinen Schwarzen, großartig aussah, gab eine gute Vorstellung als Brians Ehefrau.

So gut sie konnte, arrangierte sich Denise mit den Autoritäten in ihrem Kopf. Sie rief sich in Erinnerung, dass Brian in Paris vor ihr auf die Knie gefallen war; dass sie nichts Schlimmeres tat, als sich an seine Spielregeln zu halten; dass sie Robin den ersten Schritt hatte machen lassen. Doch ihre moralische Haarspalterei erklärte nicht das völlige, geisterhafte Ausbleiben von Gewissensbissen. Wenn sie sich mit Brian unterhielt, war sie abwesend und begriffsstutzig. Als spreche er Französisch, erfasste sie die Bedeutung seiner Worte immer erst im letzten Augenblick. Natürlich hatte sie allen Grund, abgespannt zu sein – sie schlief jede Nacht nur vier Stunden, und die Küche lief schon bald auf Hochtouren –, außerdem war Brian, von seinen Filmprojekten abgelenkt, genauso leicht zu betrügen, wie sie es vorhergesehen hatte. Aber «betrügen» war gar nicht das richtige Wort. «Abspalten» kam der Sache viel näher. Ihre Affäre war wie ein Traumleben, das sich in jenen abgeschlossenen und schallgedämpften Gemächern ihres Gehirns entfaltete, in denen sie, als Heranwachsende in St. Jude, ihre Sehnsüchte zu verstecken gelernt hatte.

Ende Juni fielen die Kritiker im Generator ein und zogen zufrieden von dannen. Der *Inquirer* bemühte das Bild der Ehe: Die «Vermählung» eines «ganz und gar einzigartigen» Rahmens mit «wahrhaftigem und wahrhaft köstlichem Essen» von der «Perfektionistin» Denise Lambert mache den Besuch zu einem «Muss», das Philadelphia «im Alleingang» auf die «Landkarte des Trends» befördert habe. Brian war euphorisch, Denise war es nicht. Sie fand, so beschrieben höre sich der Generator nach einem bescheuerten, mittelmäßigen Lokal an. Sie zählte vier Absätze zur Architektur und Einrichtung, drei Absätze zu nichts, zwei zum Service, einen zum Wein, zwei zu den Desserts und nur sieben zu ihrem Essen.

«Sie haben mein Sauerkraut nicht erwähnt», sagte sie, vor Wut den Tränen nahe.

Das Telefon für Tischreservierungen läutete Tag und Nacht. Sie musste *arbeiten*, *arbeiten*. Robin aber rief sie mitten am Vormittag oder mitten am Nachmittag auf ihrer Restaurantchef-Leitung an, die Stimme vor Schüchternheit gequetscht, der Rhythmus ihrer Sätze synkopisch vor lauter Verlegenheit: «Also – ich dachte – meinst du – könnte ich dich für eine Minute sehen?» Und anstatt nein zu sagen, sagte Denise immer wieder ja. Delegierte oder verschob immer wieder heikle Lagerbestandsaufnahmen, prekäres Vorkochen und Anbraten sowie notwendige Lieferantentelefonate, um sich davonzustehlen und im nächstgelegenen schmalen Stück Park am Schuylkill Robin zu treffen. Manchmal saßen sie bloß auf einer Bank, hielten verstohlen Händchen und sprachen, obwohl arbeitsferne Gespräche während der Arbeitszeit Denise *extrem nervös* machten, über Robins Schuldgefühle und ihren eigenen unerklärlichen Mangel daran und was es bedeutete, wenn man tat, was sie taten, ja wie es überhaupt dazu gekommen war. Doch bald hörte das Reden auf. Robins Stimme auf der Restaurantchef-Leitung bedeutete nur noch *Zunge*. Sie hatte kaum ein Wort gesagt, da war Denise' schon nicht mehr bei der Sache. Robins Zunge und Lippen fuhren fort, die von den Zwängen des Tages diktierten Instruktionen zu formen, doch in Denise' Ohr sprachen sie bereits jene andere Sprache des Auf und Nieder und Rundherum, die ihr Körper intuitiv verstand und wie von selbst befolgte; mitunter schmolz sie beim Klang dieser Stimme so sehr dahin, dass ihr Unterleib nachgab und sie sich krümmen musste; dann gab es für die nächste gute Stunde nichts auf der Welt außer Zunge, keine Vorratslisten, keine gebutterten Fasane, keine unbezahlten Lieferanten; wie hypnotisiert verließ sie den Generator, ihr Kopf schwirrte, ihre Reflexe waren fast ausgeschaltet, und der Geräuschpegel der Welt sank gegen null – zum Glück beachteten andere Autofahrer die grundlegenden Verkehrsregeln. Ihr Wagen glich einer Zunge, die über den Schmelz der Asphaltstraßen glitt, ihre Füße einem Zungenpaar, das das Pflaster leckte, die Eingangstür des Hauses in der Panama Street einem Mund, der sie verschlang, der Perserteppich im Flur vor dem Schlafzimmer einer lockenden Zunge, das Bett mit seinem Mantel aus Steppdecke und Kissen einer großen weichen Zunge, die hinuntergedrückt werden wollte, und dann.

Das alles war Neuland, keine Frage. So sehr wie dies hatte Denise noch nie in ihrem Leben etwas gewollt, schon gar nicht Sex. Einen Orgasmus zu haben war für sie, in ihrer Ehe mit Emile, irgendwann zu einer Art mühseliger, gelegentlich unvermeidbarer Hausarbeit geworden. Sie hatte jeden Tag vierzehn Stunden lang in der Küche gestanden und war abends immer wieder in ihren Straßenkleidern eingeschlafen. Das Letzte, wonach es sie spät in der Nacht verlangte, war, sich einem komplizierten und zunehmend zeitaufwendigen Rezept für ein Gericht zu widmen, das sie vor lauter Müdigkeit ohnehin nicht mehr hätte genießen können. Vorbereitungszeit mindestens fünfzehn Minuten. Und selbst danach, beim eigentlichen Kochen, ging selten alles glatt. Die Hitze war entweder zu groß oder zu klein, die Zwiebeln ließen sich nicht karamellisieren oder wurden sofort schwarz und setzten an; man musste die Pfanne beiseite stellen, damit sie abkühlte, musste noch einmal von vorn anfangen, nach einer quälenden Diskussion mit dem inzwischen verärgerten und gepeinigten zweiten Küchenchef, und unweigerlich wurde das Fleisch hart und zäh, die Sauce verlor nach all dem Strecken und Einkochen die Substanz, und es war *scheißspät*, und die Augen brannten einem, und na ja, mit etwas Zeit und Mühe brachte man das Zeug meistens doch auf den Tisch, nur war es dann oft so, dass man es nicht einmal seinem Bedienungspersonal mehr hätte anbieten mögen; man schlang es hinunter («na gut», dachte man, «ich bin gekommen») und schlief, mit einem dumpfen Schmerz, ein. Und es war die Mühe nicht *annähernd* wert. Trotzdem hatte sie sich ihr jede Woche oder jede zweite Woche unterzogen, weil es Emile wichtig war, dass sie kam, und sie ein schlechtes Gewissen hatte. Ihn konnte sie so geschickt und unfehlbar (und, binnen kurzem, auch so spielend) glücklich machen, wie sie Consommé kochte; und mit wie viel Stolz und Freude erfüllte es sie, ihr Können unter Beweis zu stellen! Emile hingegen schien zu glauben, dass ihre Ehe in Gefahr sei, wenn Denise nicht wenigstens ein bisschen schauderte und halbherzig seufzte, und obwohl der spätere Gang der Dinge ihm zu hundert Prozent Recht gab, war nichts daran zu ändern, dass sie, in den Jahren bevor Becky Hemerling ihr über den Weg lief, an der Orgasmus-Front hauptsächlich mit Schuldgefühlen, Stress und Widerwillen kämpfte.

Robin war *prête-à-manger*. Man brauchte kein Rezept, man

brauchte keine Vorbereitungszeit, um einen Pfirsich zu essen. Hier war der Pfirsich, peng, und schon kam der Genuss. Denise hatte Ansätze solcher Leichtigkeit mit Hemerling erlebt, doch erst jetzt, im Alter von zweiunddreißig Jahren, wurde ihr klar, *worum* alle Welt einen solchen Zirkus machte. Und sobald es ihr klar geworden war, wurde es zum Problem. Im August fuhren die Mädchen ins Ferienlager, und Brian flog nach London, und die Chefin des beliebtesten neuen Restaurants in der Gegend stieg nur noch aus dem Bett, um sich sofort auf irgendeinem Teppich wieder zu finden, zog sich nur noch an, um sofort alles wieder auszuziehen, schaffte es mit Ach und Krach, bis zum Windfang zu flüchten, und dort, mit dem Rücken zur Haustür, kam sie; mit Gummiknien und Schlitzaugen schleppte sie sich in eine Küche zurück, die sie für höchstens fünfundvierzig Minuten zu verlassen versprochen hatte. Und das war nicht gut. Das Restaurant litt darunter. Es kam zum Stillstand im Glied, zu Verzögerungen an der Front. Zweimal musste sie Hauptgerichte von der Karte streichen, weil die Küche ohne sie mit der Vorbereitungszeit nicht ausgekommen war. Und trotzdem entfernte sie sich, auch während des zweiten Abendansturms, unerlaubt von der Truppe. Sie fuhr durch Crack Haven und die Junk Row hinunter und an der Blunt Alley vorbei zum Gartenprojekt, wo Robin eine Decke hatte. Der größte Teil des Gartens war jetzt gemulcht und mit Kalk gedüngt und bepflanzt. In abgefahrenen, mit Drahtgitterzylindern ausgekleideten Reifen waren Tomaten gewachsen. Und die Scheinwerfer und Tragflächenlichter landender Flugzeuge, die smogverstümmelten Sternbilder und der Radiumschein von der Uhr des Veterans-Stadions, das Wärmegewitter über Tinicum und der Mond, den das verdreckte Camden, als er aufging, mit Hepatitis angesteckt hatte, all diese kompromittierten städtischen Lichter spiegelten sich in den jugendlichen Auberginen, jungen Paprikaschoten und Gurken, den pubertierenden Wassermelonen. Denise, nackt inmitten der

Stadt, rollte sich von der Decke auf die nachtkühle Erde, einen sandigen, frisch umgegrabenen Lehmboden. Sie legte eine Wange darauf, steckte ihre robinösen Finger hinein.

«He, halt, halt», quiekte Robin, «das ist unser neuer Salat.»

Dann war Brian wieder da, und sie begannen, dumme Risiken einzugehen. Robin erklärte Erin, Denise hätte sich nicht wohl gefühlt und sich im Schlafzimmer aufs Bett legen müssen. Es gab eine fieberhafte Episode in der Callahanschen Speisekammer, während Brian keine zwanzig Schritt davon entfernt laut E. B. White las. Schließlich, eine Woche vor dem Labor Day, kam ein Morgen im Büro des Gartenprojekts, an dem das Gewicht zweier Körper auf Robins antikem hölzernem Schreibtischstuhl dessen Lehne brechen ließ. Sie lachten, da hörten sie plötzlich Brians Stimme.

Robin sprang auf und drückte die Klinke herunter, gleichzeitig den Schlüssel im Schloss herumdrehend, um zu vertuschen, dass die Tür abgesperrt gewesen war. Brian hielt einen Korb gesprenkelter grüner Erektionen im Arm. Er war überrascht – aber wie immer erfreut –, Denise zu sehen. «Was ist denn hier los?»

Denise kniete, das Hemd über der Hose, neben Robins Schreibtisch. «Der Stuhl ist zusammengebrochen», sagte sie. «Ich schleck mir die Belehrung gerade an.»

«Ich hab Denise gefragt, ob sie ihn nicht reparieren könnte!», quiekte Robin.

«Was machst du hier eigentlich?», fragte Brian Denise sehr neugierig.

«Ich hatte die gleiche Idee wie du», sagte sie. «Zucchini.»

«Sara hat gesagt, es wäre niemand da.»

Robin sah ihre Chance, sich zu verdrücken. «Ich gehe mal zu ihr. Sie sollte eigentlich wissen, ob ich da bin oder nicht.»

«Wie hat Robin den denn kaputtgekriegt?», fragte Brian Denise.

«Weiß nicht», sagte sie. Am liebsten hätte sie wie ein böses Kind, das auf frischer Tat ertappt wurde, auf der Stelle losgeheult.

Brian hob den oberen Teil des Stuhls vom Boden auf. Er hatte Denise bisher noch nie an ihren Vater erinnert, doch jetzt war sie tief bewegt zu sehen, wie sehr er in seinem umsichtigen Erbarmen mit dem kaputten Objekt Alfred ähnelte. «Das ist gute Eiche», sagte er. «Komisch, dass der einfach so zerbricht.»

Sie stand auf und wanderte in den Vorraum, im Gehen Hemd in Hose steckend. Wanderte immer weiter, bis sie draußen war, und stieg in ihr Auto. Fuhr die Bainbridge Street hinauf zum Fluss. Hielt an einer feuerverzinkten Leitplanke und würgte den Motor ab, indem sie den Fuß von der Kupplung nahm, sodass der Wagen gegen die Leitplanke ruckte, zurückprallte und zum Stillstand kam, und erst jetzt, endlich, brach sie in Tränen aus und beweinte den kaputten Stuhl.

Als sie zum Generator zurückkehrte, sah sie klarer. Sie sah, dass sie an allen Fronten in der Klemme saß. Auf ihrem Anrufbeantworter waren Nachrichten von einem Journalisten der *Times*, einem Redakteur des *Gourmet* und einem frisch gebackenen Restaurantbesitzer eingegangen, der hoffte, Brian die Chefköchin ausspannen zu können. Im Vorratsraum waren ungebratene Entenbrüste und Kalbsschnitzel im Wert von eintausend Dollar verdorben. Jeder in der Küche wusste – aber keiner hatte es ihr erzählt –, dass in der Mitarbeitertoilette eine Nadel gefunden worden war. Der Konditormeister behauptete, er habe Denise zwei Zettel, vermutlich zum Thema Gehalt, auf den Schreibtisch gelegt, an die Denise sich nicht erinnerte.

«Warum bestellt hier keiner Rippchen?», fragte Denise Rob Zito. «Warum machen die Kellner keine Reklame für meine phänomenal köstlichen und einzigartigen Rippchen?»

«Amerikaner mögen kein Sauerkraut», sagte Zito.

«Quatsch. Wann immer es jemand bestellt hat, habe ich in

den Tellern, die zurückgekommen sind, mein Spiegelbild gesehen. Ich konnte meine Wimpern zählen.»

«Möglich, dass unter den Gästen ab und zu ein paar Deutsche sind», sagte Zito. «Vielleicht sind hauptsächlich Leute mit deutschem Pass für die sauberen Teller verantwortlich.»

«Könnte es sein, dass du selbst kein Sauerkraut magst?»

«Ist ein interessantes Gericht», sagte Zito.

Sie hörte nichts von Robin, und sie rief sie auch nicht an. Sie gab der *Times* ein Interview und ließ sich fotografieren, sie hätschelte das Ego des Konditormeisters, sie blieb bis spät in der Nacht im Restaurant und schaffte heimlich das verdorbene Fleisch fort, sie feuerte den Tellerwäscher, der sich im Klo einen Schuss gesetzt hatte, und bei jedem Essen, egal, ob mittags oder abends, saß sie ihren Angestellten im Nacken und fahndete, sobald etwas schief lief, nach dem Grund.

Am Labor Day: Totenstille. Sie zwang sich, ihr Büro zu verlassen, lief durch die leere, heiße Stadt und lenkte ihre Schritte, vor lauter Einsamkeit, zur Panama Street. Kaum sah sie das Haus, hatte sie einen feuchten Pawlow'schen Reflex. Die Sandsteinfassade war immer noch ein Gesicht, die Haustür immer noch eine Zunge. Robins Wagen stand am Straßenrand, Brians nicht; sie waren nach Cape May gefahren. Denise klingelte, obwohl sie schon an der Staubigkeit rund um die Tür erkennen konnte, dass niemand da war. Mit dem Sicherheitsschlüssel, auf den sie «R / B» geschrieben hatte, verschaffte sie sich Einlass. Sie stieg die zwei Stockwerke zum Elternschlafzimmer hinauf. Die für teures Geld nachgerüstete Klimaanlage des Hauses tat ihren Dienst, ließ die kühle, konserviert riechende Luft mit den Labor-Day-Sonnenstrahlen wetteifern. Als sie sich auf das ungemachte Ehebett legte, fühlte sie sich an den Geruch und die Ruhe der Sommernachmittage in St. Jude erinnert, wenn sie allein im Haus war und, ein paar Stunden lang, so absonderlich sein konnte, wie sie wollte. Sie befriedigte sich selbst. Lag auf den wirren Laken, wo ihr ein Streifen Sonnenlicht auf die Brust fiel. Sie gönnte sich noch eine Portion von sich und streckte genüsslich die Arme aus. Unter einem der elterlichen Kissen kratzte sie sich die Hand an der Kante von etwas Kondomhüllenähnlichem auf.

Es *war* eine Kondomhülle. Aufgerissen und leer. Sie wimmerte, als sie sich den Akt, von dem die Hülle Zeugnis gab, in all seiner Eindringlichkeit vor Augen führte. Sie hielt sich den Kopf.

Dann rappelte sie sich auf und strich sich das Kleid über den Hüften glatt. Sie suchte die Laken nach anderen abscheulichen Überraschungen ab. Na klar hatte ein verheiratetes Paar Sex. Klar. Aber Robin hatte ihr erzählt, sie nehme die Pille nicht, sie hatte gesagt, dafür schliefen sie und Brian nicht oft genug miteinander; außerdem hatte Denise den ganzen Sommer über am Körper ihrer Geliebten keine Spur von einem Ehemann wahrgenommen, weder geschmeckt noch gerochen, und so hatte sie sich erlaubt, das Selbstverständliche einfach zu vergessen.

Sie kniete sich vor den Papierkorb neben Brians Kommode. Sie rührte in Taschentüchern, Kontrollabschnitten und Zahnseide herum und fand eine zweite Kondomhülle. Hass auf Robin, Hass und Eifersucht, fiel sie an wie Migräne. Sie ging ins elterliche Badezimmer und fand im Mülleimer unter dem Waschbecken zwei weitere Hüllen und einen völlig verknoteten Gummi.

Sie hämmerte mit den Fäusten gegen ihre Schläfen. Sie hörte den Atem zwischen ihren Zähnen, als sie die Treppen hinunter und nach draußen rannte, in den Spätnachmittag. Es waren fünfunddreißig Grad, und sie zitterte wie Espenlaub. Absonderlich, absonderlich. Sie lief zu Fuß zum Generator zurück und betrat das Gebäude von hinten, über die Laderampe. Sie machte eine Bestandsliste von Öl und Käse und Mehl und Gewürzen, füllte akribisch Bestellzettel aus, sprach mit einer humorlosen, deutlichen und höflichen Stimme Nachrichten auf zwanzig Anrufbeantworter, erledigte ihre E-Mail-Pflichten, briet sich auf dem Garland eine Niere, spülte mit einem einzigen Schluck Grappa hinterher und rief sich um Mitternacht ein Taxi.

Am nächsten Morgen kreuzte Robin unangekündigt in der Küche auf. Sie trug ein weites weißes Hemd, das aussah, als habe es einmal Brian gehört. Denise' Magen tat einen Sprung. Sie nahm sie mit in ihr Büro und schloss die Tür.

«Ich kann so nicht weitermachen», sagte Robin.

«Gut, ich auch nicht, also dann.»

Robins Gesicht war ein einziger roter Fleck. Sie kratzte sich am Kopf, zog andauernd, marottenhaft, die Nase hoch und drückte immer wieder mit dem Finger gegen ihren Brillensteg. «Ich war seit Juni nicht mehr in der Kirche», sagte sie. «Sinéad hat mich bei ungefähr zehn verschiedenen Lügen ertappt. Sie möchte wissen, warum du nie mehr kommst. Ich kenne nicht mal die Hälfte der Jugendlichen, die in letzter Zeit im Projekt auftauchen. Überall herrscht Chaos, und ich *kann* so nicht weitermachen.»

Denise würgte eine Frage heraus: «Wie geht's Brian?»

Robin wurde rot. «Er weiß von nichts. Ihm geht's wie immer. Du weißt schon – er mag dich, er mag mich.»

«Toll.»

«Es ist alles so – komisch geworden.»

«Tja, und ich hab hier massenhaft zu tun, also dann.»

«Brian hat mir nie was Böses getan. Er hat das nicht verdient.»

Denise' Telefon klingelte, und sie ließ es klingeln. Der Kopf wollte ihr zerspringen. Sie konnte es nicht ertragen, dass Robin Brians Namen sagte.

Robin hob das Gesicht zur Decke; Tränenperlen reihten sich auf ihren Wimpern. «Ich weiß nicht, warum ich hergekommen bin. Ich weiß nicht, was ich rede. Ich fühle mich nur richtig, richtig mies und allein.»

«Finde dich damit ab», sagte Denise. «So werde ich's jedenfalls machen.»

«Warum bist du so kalt?»

«Weil ich ein kalter Mensch bin.»

«Wenn du mich anrufen würdest, wenn du mir sagen würdest, dass du mich liebst –»

«Finde dich damit ab! Herrgott nochmal! Finde dich damit ab!»

Robin schaute sie flehentlich an; doch selbst wenn sich die Sache mit den Kondomen klären ließe, was sollte Denise tun? Aufhören, in dem Restaurant zu arbeiten, das sie zum Star machte? Ins Schwarzenghetto ziehen und eine von Sinéads und Erins beiden Mamis sein? Anfangen, klobige Sneakers zu tragen und vegetarisch zu kochen?

Sie wusste, dass sie sich selbst belog, aber sie hatte keine Ahnung, was von all den Dingen, die ihr durch den Kopf gingen, Lüge und was Wahrheit war. Sie starrte auf ihren Schreibtisch, bis Robin die Tür aufriss und floh.

Am nächsten Morgen schaffte es der Generator auf die erste Seite des Gastronomieteils der *New York Times*, gleich unterhalb des Knicks. Der Schlagzeile («Ein Generator erregt Megawatt-Aufsehen») folgte *ein Foto von Denise*, während die Aufnahmen der Innen- und Außenarchitektur auf Seite sechs verbannt worden waren, wo sie auch ihre *Rippchen mit Sauerkraut* abgebildet fand. So war es ihr recht. Das war schon viel besser. Bis zum Mittag hatte man ihr bereits einen Gastauftritt im Food Channel und eine monatliche Kolumne im *Philadelphia* angeboten. Ohne Rob Zito zu informieren, wies sie das Mädchen, das die Reservierungen machte, an, jeden Abend um vierzig Plätze zu überbuchen. Gary und Caroline gratulierten ihr, jeder einzeln, am Telefon. Sie kanzelte Zito ab, weil er sich geweigert hatte, einer ortsansässigen NBC-Moderatorin für das Wochenende einen Tisch zu reservieren; sie erlaubte sich, ihn ein bisschen schlecht zu behandeln, es tat ihr einfach gut.

Betuchte Leute von der Sorte, wie sie in Philadelphia bislang rar gewesen war, drängten sich in drei Reihen an der Bar, als Brian mit einem Dutzend Rosen hereinkam. Er umarmte Denise, und sie schmiegte sich an ihn. Gab ihm ein wenig von dem, was Männern gefiel.

«Wir brauchen mehr Tische», sagte sie. «Drei Vierer und einen Sechser mindestens. Wir brauchen jemanden, der sich ganztags um die Reservierungen kümmert und was vom Sieben versteht. Wir brauchen eine bessere Parkplatzbewachung. Wir brauchen einen Konditormeister mit mehr Phantasie und weniger Allüren. Und denk mal darüber nach, ob wir nicht statt Rob lieber jemanden aus New York einstellen sollten, der mit dem neuen Kundenprofil, das wir jetzt kriegen werden, umgehen kann.»

Brian war überrascht. «Das willst du Rob antun?»

«Er wollte keine Reklame für meine Rippchen mit Sauerkraut machen», sagte Denise. «Die *Times* mochte meine Rippchen mit Sauerkraut. Wenn du mich fragst: Scheiß auf ihn, wenn er der Aufgabe nicht gewachsen ist.»

Die Härte in ihrer Stimme brachte Glanz in Brians Augen. Auch so schien er sie zu mögen.

«Was immer du willst», sagte er.

Am Samstag schloss sie sich Brian und Jerry Schwartz und zwei Blondinen mit hohen Wangenknochen sowie dem Leadsänger und dem Leadgitarristen einer ihrer Lieblingsbands an, die spätnachts auf dem Dach des Generators, wo Brian einen kleinen Zaun gezogen hatte, noch ein paar Drinks zu sich nahmen. Die Nacht war warm, und die Insekten am Fluss waren fast so laut wie die Schuylkill-Schnellstraße. Beide Blondinen sprachen in ihre Handys. Der Gitarrist, noch heiser von einem Gig, bot ihr eine Zigarette an und begutachtete ihre Narben.

«Mannomann, Ihre Hände sehn ja schlimmer aus als meine.»

«Mein Job», sagte sie, «besteht nun mal darin, Schmerzen auszuhalten.»

«Köche sind ja auch berühmt dafür, dass sie von allem gern 'ne Überdosis nehmen.»

«Ich trinke meist einen gegen Mitternacht», sagte sie. «Und wenn ich morgens um sechs aufstehe, schlucke ich zwei Aspirin.»

«Keiner hält mehr aus als Denise», entblödete sich Brian nicht, über die Antennen der Blondinen hinweg zu prahlen.

Das beantwortete der Gitarrist, indem er die Zunge herausstreckte, seine Zigarette wie eine Flasche Augentropfen darüber hielt und die Glut langsam in den glitzernden Spalt hinabsenkte. Es zischte laut genug, um die Blondinen von ihren Telefonaten abzulenken. Die größere von beiden kreischte und rief den Namen des Gitarristen.

«Also, ich frage mich, wovon *Sie* eine Überdosis genommen haben», sagte Denise.

Der Gitarrist behandelte die Brandwunde mit kaltem Wodka. Die größere Blondine, der sein Auftritt gar nicht behagte, antwortete: «Klonopin und Jameson's und was er da gerade trinkt.»

«Tja, und eine Zunge, die ist nass», sagte Denise und drückte ihre eigene Zigarette auf der zarten Haut hinter ihrem Ohr aus. Es fühlte sich an, als hätte sie eine Kugel in den Kopf bekommen, aber sie schnippte die Kippe lässig Richtung Fluss.

Auf dem Dach wurde es sehr still. Denise' Absonderlichkeit trat so deutlich zutage, wie sie sie früher nie hatte zutage treten lassen. Nur weil es nicht nötig war – weil sie jetzt auch ein Lammkotelett hätte zurechtschneiden oder ein Gespräch mit ihrer Mutter hätte führen können –, stieß sie einen erstickten Schrei aus, ein albernes Geräusch, bloß dazu da, ihr Publikum zu beruhigen.

«Geht's dir gut?», fragte Brian sie später auf dem Parkplatz.

«Ich hab mich schon schlimmer verbrannt, wenn auch aus Versehen.»

«Nein, ich meine, geht's dir *gut*? Das war ein bisschen unheimlich, vorhin.»

«*Du* hast doch damit geprahlt, was ich alles aushalten kann.»

«Ich versuche ja gerade zu sagen, dass es mir Leid tut.»

Vor Schmerzen lag sie die ganze Nacht wach.

Eine Woche später stellten sie und Brian den ehemaligen Geschäftsführer des Union-Square-Cafés ein und feuerten Rob Zito.

Noch eine Woche später kamen der Bürgermeister von Philadelphia, einer von New Jerseys Senatoren, der Vorstandsvorsitzende der W— Corporation und Jodie Foster in das Restaurant.

Noch eine Woche später brachte Brian Denise abends nach Hause, und sie bat ihn herein. Bei dem gleichen Fünfzig-Dollar-Wein, den sie einst seiner Frau vorgesetzt hatte, fragte er sie, ob zwischen ihr und Robin etwas vorgefallen sei.

Denise schürzte die Lippen und schüttelte den Kopf. «Ich habe nur sehr viel zu tun.»

«Das dachte ich mir. Ich war fast sicher, dass es nicht mit dir zusammenhängt. Robin regt sich in letzter Zeit über alles auf. Besonders über mich.»

«Ich würde die Mädchen gern mal wieder sehen. Sie fehlen mir», sagte Denise.

«Glaub mir, du fehlst ihnen auch», sagte Brian. Mit einem leichten Stottern fügte er hinzu: «Ich – überlege auszuziehen.»

Denise sagte, es tue ihr Leid, das zu hören.

«Das Sack-und-Asche-Problem ist außer Kontrolle geraten», sagte er und schenkte nach. «Seit drei Wochen geht sie *jeden Abend* zur Messe. Ich wusste nicht mal, dass die so oft stattfinden. Und ich kann kein einziges Wort über den Generator sagen, ohne eine Explosion auszulösen. Sie dagegen redet davon, die Mädchen selbst zu unterrichten. Sie findet unser Haus zu groß. Sie möchte ins Projekthaus ziehen und die Mädchen selbst unterrichten, vielleicht zusammen mit ein paar von den Projektgören. ‹Rasheed›? ‹Marilou›? Also ehrlich, ein tolles Zuhause für Sinéad und Erin, so ein Acker in Point Breeze. Wir sind nicht mehr weit von der Klapsmühle entfernt. Ich meine, Robin ist klasse. Sie glaubt an viel bessere Dinge als ich. Ich bin bloß nicht sicher, ob ich sie noch liebe. Oft habe ich das Gefühl, mich mit Nicky Passafaro zu streiten. Klassenhass, zweite Folge.»

«Robin steckt voller Schuldgefühle», sagte Denise.

«Sie ist nicht weit davon entfernt, eine verantwortungslose Mutter zu sein.»

Halb erstickt fragte Denise: «Würdest du die Mädchen nehmen wollen, im Fall der Fälle?»

Brian schüttelte den Kopf. «Ich weiß gar nicht, ob Robin, im Fall der Fälle, überhaupt versuchen würde, das Sorgerecht zu bekommen. Ich könnte mir vorstellen, dass sie alles hinschmeißt.»

«Da wär ich mir nicht so sicher.»

Denise dachte daran, wie Robin Sinéad die Haare bürstete und vermisste urplötzlich – leidenschaftlich, unbändig – Robins verrücktes Verlangen, ihre Maß- und Haltlosigkeit, ihre Unschuld. Ein Schalter wurde umgelegt, und Denise' Gehirn verwandelte sich in eine stumme Leinwand, auf die schlaglichtartig alles projiziert wurde, was den Menschen, den sie fortgejagt hatte, auszeichnete. Robins geringste Angewohnheiten und Gesten und besondere Kennzeichen kamen ihr jetzt wieder in den Sinn: ihre Vorliebe für kochend heiße Milch im Kaffee und die farblich abweichende Krone auf dem Schneidezahn, den ihr Bruder ihr einmal mit einem Stein abgebrochen hatte, und ihre Art, wie ein Ziegenbock den Kopf zu senken, um Denise zärtliche Stöße zu versetzen.

Denise schützte Müdigkeit vor und bat Brian zu gehen. Früh am nächsten Morgen zog ein tropisches Tief die Küste herauf, eine feuchtwarme, hurrikanähnliche Störung, in deren Zuge sich die Bäume launisch hin und her warfen und Wasser über Randsteine schwappte. Denise überantwortete den Generator ihren Angestellten und setzte sich in den Zug nach New York, um ihrem nichtsnutzigen Bruder aus der Patsche zu helfen und sich ihrer Eltern anzunehmen. Beim spannungsgeladenen Mittagessen stellte Denise, während Enid Wort für Wort die Geschichte von Norma Greene wiederholte, keine Veränderung an sich fest. Sie hatte ein immer noch funktionierendes altes Ich, eine Version 3.2 oder 4.0, die das Beklagenswerte an Enid beklagte und das Liebenswerte an Alfred liebte. Erst als sie am Pier stand und ihre Mutter sie küsste und eine völlig andere Denise, eine Version 5.0, der hübschen alten Frau beinahe die Zunge in den Mund schob, beinahe die Hände an ihren Hüften und Schenkeln hinabgleiten ließ, beinahe klein beigab und versprach, Weihnachten so lange, wie Enid es wollte, zu bleiben: Erst da offenbarte sich ihr die Korrektur, die gerade mit ihr vorging, in ihrem ganzen Ausmaß.

Sie saß im Zug nach Süden, und regenglasierte Bahnsteige schossen mit Intercity-Geschwindigkeit an ihr vorbei. Ihr Vater hatte am Mittagstisch keinen guten Eindruck auf sie gemacht. Und wenn er tatsächlich den Verstand verlor, dann war es möglich, dass Enid ihre Schwierigkeiten mit ihm gar nicht übertrieben hatte, möglich, dass Alfred sehr wohl ein Wrack war und sich bloß in Gegenwart seiner Kinder zusammenriss, möglich, dass Enid nicht nur die Nörglerin und Nervensäge war, die Denise die letzten zwanzig Jahre in ihr gesehen hatte, möglich, dass Alfreds größtes Problem nicht darin lag, mit der falschen Frau verheiratet zu sein, möglich, dass Enids größtes Problem darin lag, mit dem falschen Mann verheiratet zu sein, möglich, dass Denise ihrer Mutter mehr glich, als sie jemals geglaubt hatte. Sie lauschte dem Pa-tum Pa-tum Pa-tum der Räder auf dem Gleis und schaute zu, wie der Oktoberhimmel dunkelte. Vielleicht hätte es Hoffnung für sie gegeben, wenn sie im Zug hätte sitzen bleiben können, aber die Fahrt nach Philadelphia war kurz, und im Handumdrehen stand sie wieder in ihrem Restaurant und hatte keine Zeit mehr, über irgendetwas anderes nachzudenken, bis zu dem Tag, an dem sie mit Gary zu jener Axon-Show ging und sich selbst überraschte, indem sie in der darauf folgenden Auseinandersetzung nicht nur Alfreds, sondern auch Enids Partei ergriff.

Sie konnte sich nicht erinnern, ihre Mutter irgendwann einmal geliebt zu haben.

Am selben Abend gegen neun Uhr, sie lag gerade in der Badewanne, rief Brian an und lud sie ein, mit ihm, Jerry Schwartz, Mira Sorvino, Stanley Tucci, einem «berühmten amerikanischen Regisseur», einem «berühmten britischen Autor» und anderen Lichtgestalten essen zu gehen. Der berühmte Regisseur war gerade mit einem Film in Camden fertig geworden, und Brian und Schwartz hatten es geschafft, ihn mit einer privaten Vorführung von *Verbrechen und Strafe und Rock 'n' Roll* zu ködern.

«Heute ist mein freier Abend», sagte Denise.

«Martin schickt dir seinen Fahrer», sagte Brian. «Ich wär dir dankbar, wenn du kommen würdest. Meine Ehe ist kaputt.»

Sie zog ein schwarzes Kaschmirkleid an, aß eine Banane, um im Restaurant nicht so hungrig zu wirken, und ließ sich vom Fahrer des Regisseurs zum Tacconelli's chauffieren, einer Ladenfront-Pizzeria in Kensington. Ein Dutzend berühmter und semiberühmter Leute, plus Brian und dem affenartigen, rundschultrigen Jerry Schwartz, hatten drei Tische im hinteren Teil des Lokals in Beschlag genommen. Denise küsste Brian auf den Mund und setzte sich zwischen ihn und den berühmten britischen Autor, der anscheinend genügend geistreiche Cricket- und Darts-Sprüche auf Lager hatte, um Mira Sorvino einen ganzen Abend lang zu unterhalten. Der berühmte Regisseur erzählte Denise, er habe ihre Rippchen mit Sauerkraut gegessen und sie köstlich gefunden, doch sie wechselte eiligst das Thema. Ihre Rolle war eindeutig die, Brians Begleiterin zu sein; die Filmleute interessierten sich weder für ihn noch für sie. Wie zum Trost legte sie ihre Hand auf Brians Knie.

«Raskolnikow mit Walkman, wie er Trent Reznor hört, während er die alte Dame erschlägt, das ist so perfekt», sagte die am wenigsten berühmte Person am Tisch, eine junge Assistentin des Regisseurs, aufgeregt zu Jerry Schwartz.

«Er hört die Nomatics», korrigierte Schwartz sie mit erschütterndem Mangel an Herablassung.

«Nicht die Nine Inch Nails?»

Schwartz senkte die Lider und schüttelte, kaum merklich, den Kopf. «Nomatics, 1980, ‹Held in Trust›. Später mit unzureichender Befugnis von jener Person gecovert, deren Namen Sie gerade genannt haben.»

«Jeder klaut von den Nomatics», sagte Brian.

«Sie haben am Kreuz der Bedeutungslosigkeit gelitten, nur damit andere ewigen Ruhm genießen können», sagte Schwartz.

«Welches ist ihre beste Platte?»

«Geben Sie mir Ihre Adresse, ich brenne Ihnen eine CD», sagte Brian.

«Die sind alle brillant», sagte Schwartz, «jedenfalls bis zu ‹Thorazine Sunrise›. Danach ist Tom Paquette ausgestiegen, aber die Band hat erst zwei Alben später gemerkt, dass sie tot war. Irgendjemand musste es ihnen verklickern.»

«Ich denke, ein Land, das in den Schulen die Lehre vom allmächtigen Schöpfer verbreitet», sagte der berühmte britische

Autor zu Mira Sorvino, «kann nichts dafür, wenn es glaubt, dass Baseball nicht auf Cricket zurückgeht.»

Denise fiel ein, dass Stanley Tucci in ihrem Lieblings-Restaurantfilm Regie geführt und die Hauptrolle gespielt hatte. Munter fachsimpelte sie mit ihm drauflos, grollte der schönen Sorvino ein bisschen weniger und genoss, wenn nicht die Gesellschaft selbst, so doch immerhin die Tatsache, dass sie sich nicht von ihr einschüchtern ließ.

Brian fuhr sie in seinem Volvo vom Tacconelli's nach Hause. Sie fühlte sich befugt und attraktiv und spritzig und lebendig. Brian dagegen war wütend.

«Eigentlich hätte Robin dabei sein sollen», sagte er. «Nenn es ein Ultimatum. Immerhin hatte sie sich bereit erklärt, heute Abend mit essen zu gehen. Ich wollte, dass sie wenigstens einen Hauch, eine Spur von Interesse daran bekundet, was ich mit meinem Leben anstelle, auch wenn mir klar war, dass sie sich wie eine Studentin kleiden würde, nur um mich in Verlegenheit zu bringen und Flagge zu zeigen. Dafür wollte ich dann den ganzen nächsten Samstag mit ihr im Projekt sein. Das war die Abmachung. Und dann beschließt sie heute Morgen, an einer Demo gegen die Todesstrafe teilzunehmen. Ich bin kein Fan der Todesstrafe, aber Khellye Withers ist nicht gerade mein Idealbild von einem Kerl, mit dem man für mehr Milde wirbt. Außerdem: versprochen ist versprochen. Ich sehe jedenfalls nicht ein, dass eine Kerze mehr auf dem Lichtermarsch einen so großen Unterschied machen soll. Ich habe gesagt, lass doch um meinetwillen mal *eine* Demo aus. Wie wär's, hab ich gesagt, ich stell dem Bürgerrechtsbund einen Scheck aus, die Höhe bestimmst du. Das war keine so gute Idee.»

«Schecks ausstellen, nein, gar nicht gut», sagte Denise.

«Hab ich gemerkt. Aber es sind Sätze gefallen, die man schwer wieder zurücknehmen kann. Und offen gestanden ist mein Bedürfnis, sie zurückzunehmen, auch nicht besonders groß.»

«Man kann nie wissen», sagte Denise.

Die Washington Avenue zwischen dem Fluss und der Broad Street war, um elf an einem Montagabend, menschenleer. Zum ersten Mal in seinem Leben schien Brian wirklich enttäuscht worden zu sein, und er konnte nicht aufhören, davon zu reden. «Weißt du noch, wie du gesagt hast, wenn ich nicht verheiratet wäre und du nicht meine Angestellte wärst –?»

«Ja.»

«Gilt das noch?»

«Komm doch auf ein Glas mit zu mir», sagte Denise.

Und so ergab es sich, dass Brian am nächsten Morgen um halb zehn in ihrem Bett lag und schlief, als es an ihrer Tür läutete.

Sie hatte noch viel von dem Alkohol im Blut, der jenes Bild von Absonderlichkeit und moralischem Chaos, das ihr Leben mehr und mehr abzugeben schien, weiter vervollständigt hatte. Unter ihrer Benebelung spürte sie jedoch ein angenehmes Ich-bin-wer-Prickeln, das ebenfalls von der letzten Nacht herrührte. Es war stärker als alles, was sie für Brian empfand.

Es läutete wieder. Sie stand auf, zog sich einen kastanienbraunen Morgenrock über und schaute aus dem Fenster. Ihr Blick fiel auf Robin Passafaro. Brians Volvo parkte auf der anderen Straßenseite.

Denise erwog, einfach nicht aufzumachen, doch Robin hätte es kaum hier versucht, wenn sie nicht vorher schon beim Generator gewesen wäre.

«Es ist Robin», sagte sie. «Bleib du hier und sei still.»

Im Morgenlicht hatte Brian noch den gleichen Schnauze-voll-Gesichtsausdruck wie am Abend zuvor. «Von mir aus kann sie ruhig wissen, dass ich hier bin.»

«Toll, von mir aus aber nicht.»

«Tja, mein Auto steht gleich gegenüber.»

«Ist mir schon klar.»

Auch sie hatte von Robin seltsamerweise die Schnauze voll. Den ganzen Sommer über, während sie Brian betrogen hatte, war nie so viel Verachtung in ihr gewesen, wie sie jetzt, als sie die Treppe hinunterging, für seine Frau empfand. Dumme Robin, sture Robin, kreischende Robin, johlende Robin, stillose Robin, schimmerlose Robin.

Doch siehe da: In dem Augenblick, wo sie die Tür öffnete, erkannte ihr Körper, was er wollte. Er wollte Brian auf der Straße und Robin in ihrem Bett.

Robin klapperte mit den Zähnen, obwohl der Morgen nicht kalt war. «Kann ich reinkommen?»

«Ich muss gleich zur Arbeit», sagte Denise.

«Fünf Minuten», sagte Robin.

Es schien ausgeschlossen, dass sie den pistaziengrünen Wagen auf der anderen Straßenseite nicht bemerkt hatte. Denise ließ sie in den Flur und machte die Tür zu.

«Meine Ehe ist kaputt», sagte Robin. «Letzte Nacht ist er nicht mal mehr nach Hause gekommen.»

«Das tut mir Leid.»

«Ich habe für meine Ehe gebetet, aber der Gedanke an dich bringt mich immer wieder auf Abwege. Ich knie in der Kirche nieder, und schon denke ich an deinen Körper.»

Angst befiel Denise. Sie fühlte sich nicht unbedingt schuldig – die Eieruhr einer kränkelnden Ehe war abgelaufen; im schlimmsten Fall hatte sie den Prozess beschleunigt –, aber es tat ihr Leid, dass sie diesem Menschen unrecht getan, dass sie sich mit ihm gemessen hatte. Sie ergriff Robins Hände und sagte: «Ich möchte dich sehen und mit dir sprechen. Ich finde das, was da passiert ist, auch nicht schön. Aber jetzt muss ich unbedingt zur Arbeit.»

Im Wohnzimmer klingelte das Telefon. Robin biss sich auf die Lippen und nickte. «Gut.»

«Treffen wir uns um zwei?»

«Gut.»

«Ich rufe dich vom Restaurant aus an.»

Robin nickte erneut. Denise ließ sie hinaus, schloss die Tür und stieß für fünf Atemzüge Luft aus.

«Denise, hier ist Gary. Ich weiß nicht, wo du bist, aber bitte ruf mich an, sobald du dies hörst, es hat einen Unfall gegeben, Dad ist vom Schiff gefallen, ungefähr acht Etagen tief, ich habe gerade mit Mom gesprochen –»

Sie rannte zum Telefon und nahm ab. «Gary.»

«Ich hab's schon im Restaurant versucht.»

«Lebt er?»

«Eigentlich müsste er tot sein», sagte Gary. «Aber er lebt.»

In Notfällen lief Gary zur Bestform auf. Die Eigenschaften, die sie noch am Tag zuvor zur Weißglut gebracht hatten, waren ihr jetzt ein Trost. Sie *wollte*, dass er alles wusste. Sie *wollte*, dass er, ob seiner Gelassenheit, selbstzufrieden klang.

«Offenbar haben sie ihn an die zwei Kilometer durch fünfzehn Grad kaltes Wasser geschleppt, bevor das Schiff anhalten konnte», sagte Gary. «Sie haben einen Hubschrauber gerufen, der ihn nach New Brunswick bringen soll. Aber er hat sich nicht das Genick gebrochen. Sein Herz schlägt noch. Und er kann sprechen. Ein zäher alter Bursche, was. Gut möglich, dass er sich wieder völlig erholt.»

«Wie geht es Mom?»

«Es setzt ihr zu, dass die Kreuzfahrt nicht weitergehen kann, bis der Hubschrauber kommt. Dass sie anderen Leuten Umstände machen.»

Denise lachte erleichtert. «Arme Mom. Sie hatte sich so auf die Kreuzfahrt gefreut.»

«Tja, ich fürchte, ihre Kreuzfahrtzeiten mit Dad sind vorbei.»

Es läutete wieder an der Tür. Gleich darauf hämmerte jemand dagegen, hämmerte und trat.

«Gary, warte mal eine Sekunde.»

«Was ist da los?»

«Ich ruf dich gleich zurück.»

Es läutete so lange und laut, dass sich der Klingelton veränderte; er klang jetzt flach, ein bisschen heiser fast.

Sie öffnete einem zitternden Mund und hasserfüllten Augen die Tür.

«Geh mir aus dem Weg», sagte Robin, «ich will keinen Zentimeter von dir berühren.»

«Ich habe gestern Nacht einen ganz großen Fehler begangen.»

«Geh mir aus dem Weg!»

Denise trat zur Seite, und Robin stürmte die Treppe hinauf. Denise setzte sich auf den einzigen Stuhl in ihrem Wohnzimmer, ihrer Büßerkammer, und hörte zu, wie oben geschrien wurde.

Plötzlich wurde ihr bewusst, wie selten sich ihre Eltern, jenes andere verheiratete Paar in ihrem Leben, jene anderen beiden nicht zueinander passenden Menschen, in ihrer Kindheit angeschrien hatten. Sie hatten stillgehalten und zugelassen, dass im Kopf ihrer Tochter ein Stellvertreterkrieg ausbrach.

Wann immer sie mit Brian zusammen wäre, würde sie sich nach Robins Körper und ihrer Aufrichtigkeit und ihren guten Werken sehnen und sich von Brians kühler Blasiertheit abgestoßen fühlen, und wann immer sie mit Robin zusammen wäre, würde sie sich nach Brians gutem Geschmack und der Übereinstimmung zwischen ihnen sehnen und wünschen, Robin würde endlich einmal bemerken, wie sensationell ihr schwarzer Kaschmir stand.

Ihr habt's leicht, dachte sie. *Ihr seid zwei.*

Die Schreierei hörte auf. Robin kam die Treppe heruntergerannt und lief, ohne abzubremsen, aus der Haustür.

Brian folgte ihr ein paar Minuten später. Mit Robins Missbilligung hatte Denise gerechnet, damit konnte sie umgehen, von Brian hingegen erhoffte sie sich irgendein verständnisvolles Wort.

«Du bist gefeuert», sagte er.

VON: Denise3@cheapnet.com
AN: exprof@gaddisfly.com
THEMA: Vielleicht sollten wir uns nächstes Mal etwas mehr Mühe geben

---

Schön, dass wir uns Samstag gesehen haben. War wirklich nett von dir, gleich zurückzukommen und mir beizustehen.

In der Zwischenzeit ist Dad vom Schiff gefallen und mit gebrochenem Arm, ausgekugelter Schulter, abgelöster Netzhaut, vorübergehendem Gedächtnisverlust und wahrscheinlich einem leichten Schlaganfall aus eisigem Wasser gezogen und, zusammen mit Mom, per Hubschrauber nach New Brunswick geflogen worden, mich hat man gefeuert (einen so guten Job kriege ich bestimmt nie wieder), und Gary und ich haben von einer brandneuen medizinischen Technologie erfahren, die du bestimmt genauso grauenvoll, dystopisch und bösartig finden würdest wie ich, nur dass sie gut gegen Parkinson ist und Dad vielleicht helfen könnte.

Davon abgesehen, gibt's nicht viel zu berichten.

Ich hoffe, dir geht's gut, wo immer du Scheißkerl stecken magst. Julia sagt, in Litauen, und erwartet auch noch, dass ich das glaube.

VON: exprof@gaddisfly.com
AN: Denise3@cheapnet.com
THEMA: Re: Vielleicht sollten wir uns nächstes Mal etwas mehr Mühe geben

---

Jobgelegenheit in Litauen. Julias Ehemann Gitanas bezahlt mich dafür, dass ich eine profitable Homepage einrichte. Macht ziemlichen Spaß und ist nicht unlukrativ.

Alle deine Highschool-Lieblingsbands kommen hier im Radio. Smiths, New Order, Billy Idol. Die Vergangenheit lässt grüßen. Ich habe gesehen, wie ein alter Mann in der Nähe des Flughafens mitten auf der Straße ein Pferd erschossen hat. Da war ich gerade mal fünfzehn Minuten auf baltischem Boden. Willkommen in Litauen!

Heute Morgen mit Mom gesprochen, die ganze Geschichte gehört, mich entschuldigt – mach dir deswegen also keine Sorgen.

Das mit deinem Job tut mir Leid. Um ehrlich zu sein: Ich bin sprachlos. Ich kann mir gar nicht vorstellen, dass dich jemand feuert.

Wo arbeitest du jetzt?

VON: Denise3@cheapnet.com
AN: exprof@gaddisfly.com
THEMA: Feiertagspflichten

Mom sagt, du willst dich nicht festlegen, ob du an Weihnachten kommst, und erwartet, dass ich das glaube. Aber ich kann mir beim besten Willen nicht vorstellen, dass du einer Frau, der durch einen Unfall gerade der Höhepunkt ihres Jahres vermasselt wurde und deren Leben an der Seite eines halbbehinderten Mannes beschissen genug ist und die Weihnachten, seit Dan Quayle Vizepräsident war oder so, nicht mehr in ihren eigenen vier Wänden gefeiert hat und die überhaupt nur, indem sie sich auf Dinge freut, «überlebt» und Weihnachten liebt, wie andere Leute Sex lieben, und die dich in den letzten drei Jahren gerade mal fünfundvierzig Minuten gesehen hat: Nein, ich kann mir beim besten Willen nicht vorstellen, dass du dieser Frau gesagt hast, nö, tut mir Leid, bleibe in Vilnius.

(Vilnius!)

Mom muss dich falsch verstanden haben. Bitte klär mich auf.

Da du gefragt hast: Im Augenblick arbeite ich nirgends. Helfe gelegentlich im Mare Scuro aus, schlafe ansonsten bis zwei. Wenn das so weitergeht, muss ich vielleicht was Therapeutisches anfangen, in der Art, wie du es gefressen hast. Muss irgendwie die Lust am Shoppen und an anderem kostspieligen Konsumverhalten wieder finden.

Das Letzte, was ich von Gitanas Miesepetrius gehört habe, war, dass er Julia zwei Veilchen verpasste. Aber egal.

VON: exprof@gaddisfly.com
AN: Denise3@cheapnet.com
THEMA: Re: Feiertagspflichten

Ich fahre nach St. Jude, sobald ich ein bisschen Geld verdient habe. Vielleicht schon zu Dads Geburtstag. Aber

Weihnachten ist die Hölle, das weißt du doch. Eine schlimmere Zeit gibt es nicht. Du kannst Mom sagen, ich komme irgendwann bald nach Neujahr.

Mom behauptet, Caroline und die Jungen würden Weihnachten in St. Jude verbringen. Ist das wirklich wahr?

Nimm bloß nicht meinetwegen keine Psychopharmaka.

VON: Denise3@cheapnet.com
AN: exprof@gaddisfly.com
THEMA: «Das Einzige, was verletzt wurde, war meine Würde»

War einen Versuch wert, aber nein, tut mir Leid, ich bestehe darauf, dass du an Weihnachten dabei bist.

Ich habe mit Axon gesprochen, und im Moment sieht es so aus, dass Dad gleich nach Neujahr sechs Monate lang Korrektal bekommt und so lange mit Mom bei mir wohnt. (Passenderweise liegt mein Leben gerade in Trümmern, ich kann das also leicht einrichten.) An diesem Plan ändert sich nur dann etwas, wenn Axons Mediziner meinen, dass Dads Demenz nicht von seinen Medikamenten herrührt. Ich gebe zu, er hat in New York einen ziemlich wackligen Eindruck auf mich gemacht, aber am Telefon klingt er ganz gut. «Das Einzige, was bei dem Sturz verletzt wurde, war meine Würde», usw. Den Gips haben sie ihm eine Woche früher als geplant vom Arm abgenommen.

Wie auch immer, geh davon aus, dass er an seinem Geburtstag bei mir in Philly sein wird, und für den Rest des

Winters und den Frühling auch, also kannst du zu keiner anderen Zeit als Weihnachten nach St. Jude kommen. Hör auf, mit mir zu diskutieren, und komm einfach.

Ich warte gespannt (aber zuversichtlich) auf deine Zusage.

PS: Caroline, Aaron und Caleb bleiben in Philly. Gary kommt mit Jonah und fliegt am 25. gegen Mittag zurück.

PPS: Keine Sorge, ich sage NEIN zu Drogen.

VON: exprof@gaddisfly.com
AN: Denise3@cheapnet.com
THEMA: Re: «Das Einzige, was verletzt wurde, war meine Würde»

Gestern Abend habe ich mit angesehen, wie einem Mann sechsmal in den Bauch geschossen wurde. Ein Auftragsmord in einem Club, der Musmiryte heißt. Es hatte nichts mit uns zu tun, aber dabei zu sein war trotzdem nicht eben witzig.

Mir will nicht einleuchten, warum ich an irgendeinem bestimmten Tag nach St. Jude kommen muss. Wären Mom und Dad meine Kinder, die ich aus dem Nichts, und ohne sie um Erlaubnis zu fragen, gezeugt hätte, dann würde ich ja noch einsehen, dass ich für sie verantwortlich bin. Eltern haben nun mal ein beispiellos festeingebautes Darwin'sches Interesse am Wohlergehen ihrer Kinder. Aber Kinder, will mir scheinen, haben ihren Eltern gegenüber eine derartige Verpflichtung nicht.

Im Grunde habe ich diesen Leuten sehr wenig zu sagen.

Außerdem bezweifle ich, dass sie das, was ich zu sagen habe, hören wollen.

Warum kann ich mich nicht mit ihnen treffen, wenn sie in Philadelphia sind? Das klingt auf alle Fälle netter. Auf die Weise können wir alle neun, anstatt, wie jetzt, nur zu sechst zusammentreffen.

VON: Denise3@cheapnet.com
AN: exprof@gaddisfly.com
THEMA: Eine Standpauke von deiner stinksauren Schwester

Mein Gott, klingst du selbstmitleidig.

Und ich sage, komm MIR zuliebe. MIR zuliebe. Und auch dir SELBST zuliebe, denn mir ist schon klar, dass man sich unheimlich toll und erwachsen fühlt, wenn man beobachtet, wie jemand ein paar Schüsse in den Bauch kriegt, aber du hast nur zwei Eltern, und wenn du die Zeit mit ihnen verpasst, gibt dir keiner nochmal eine Chance.

Ich geb's ja zu: Ich bin ein Wrack.

Ich erzähle dir jetzt – weil ich es irgendeinem mal erzählen *muss* – und obwohl du mir nie erzählt hast, warum man DICH gefeuert hat –, dass ich gefeuert wurde, weil ich mit der Frau meines Chefs geschlafen habe.
Was glaubst du also, habe *ich* «diesen Leuten» zu sagen? Wie, glaubst du, sind derzeit meine Sonntagspläuschchen mit Mom?

Du schuldest mir 20 500,– Dollar. Ganz hübsche Summe, was?

Kauf dir das verdammte Ticket. Das Geld kriegst du von mir wieder.

Ich hänge an dir, und ich vermisse dich. Frag mich nicht, wieso.

VON: Denise3@cheapnet.com
AN: exprof@gaddisfly.com
THEMA: Reue

Tut mir Leid, dass ich dir eine Standpauke gehalten habe. Der letzte Satz war der einzige, den ich ernst meinte. E-Mails schreiben liegt mir nicht. Bitte antworte mir. Bitte komm an Weihnachten.

VON: Denise3@cheapnet.com
AN: exprof@gaddisfly.com
THEMA: Sorge

Bitte, bitte, bitte mach das nicht: mir erst von Leuten erzählen, die erschossen werden, und dann nichts mehr von dir hören lassen.

VON: Denise3@cheapnet.com
AN: exprof@gaddisfly.com
THEMA: Nur noch sechs Einkaufstage bis Weihnachten!

Chip? Bist du da? Bitte schreib mir oder ruf mich an.

Globale Erwärmung erhöht den Wert der Litauen AG

VILNIUS, 30. OKTOBER. In Anbetracht der Tatsache, dass der Meeresspiegel weltweit an die drei Zentimeter pro Jahr steigt und täglich Millionen Kubikmeter Meeresstrand abgetragen werden, hat der Europäische Rat für Bodenschätze diese Woche davor gewarnt, dass Europa noch vor Ablauf dieses Jahrzehnts mit einer «katastrophalen» Sand- und Kiesknappheit konfrontiert sein könnte.

«Zu allen Zeiten haben die Menschen Sand und Kies für unerschöpfliche Naturreichtümer gehalten», sagt der Vorsitzende des ERB, Jacques Dormand. «Leider werden viele mitteleuropäische Länder, darunter Deutschland, die sich bisher allzu sehr auf fossile, Treibhausgas erzeugende Brennstoffe verlassen haben, über kurz oder lang in die Abhängigkeit von Sand- und Kies-Kartellstaaten, insbesondere dem sandreichen Litauen, geraten, wenn sie weiterhin Straßen und Häuser bauen möchten.»

Gitanas R. Misevičius, Gründer und Geschäftsführer von Litauens Parteigesellschaft Freier Markt, vergleicht die drohende europäische Sand- und Kieskrise mit der Ölkrise des Jahres 1973. «Damals», sagt Misevičius, «waren es winzige erdölproduzierende Länder wie Bahrain und Brunei, die den Großmächten die Zähne zeigten. Morgen wird es Litauen sein.»

Dormand beschreibt die prowestliche, unternehmerfreundliche Parteigesellschaft Freier Markt als «die derzeit einzige politische Kraft in Litauen, die bereit ist, fair und verantwortungsvoll mit westlichen Kapitalmärkten umzugehen.»

«Unser Pech ist», sagt Dormand, «dass sich der Großteil

der Sand- und Kies-Reserven Europas in den Händen baltischer Nationalisten befindet, neben denen sich Muammar Gaddafi wie Charles de Gaulle ausnimmt. Ich übertreibe kaum, wenn ich sage, dass die wirtschaftliche Stabilität der EU künftig von einer Hand voll mutiger osteuropäischer Kapitalisten wie Herrn Misevičius abhängt …»

Das Schöne am Internet war, dass Chip ganzleinene Lügengeschichten hineinstellen konnte, ohne sich auch nur der Mühe zu unterziehen, seine Rechtschreibung zu überprüfen. Inwieweit das Web einem zuarbeitete, hatte zu achtundneunzig Prozent damit zu tun, wie professionell und zeitgemäß die eigene Homepage gestaltet war. Chip persönlich kannte sich mit dem Internet zwar nicht besonders gut aus, aber er war ein Amerikaner unter vierzig, und Amerikaner unter vierzig waren allesamt Experten darin zu beurteilen, was professionell und zeitgemäß aussah und was nicht. Er und Gitanas gingen in eine Kneipe, die Prie Universiteto hieß, engagierten für dreißig Dollar am Tag plus Millionen wertloser Aktien-Optionen fünf junge Litauer, die Phish- und R.E.M.-T-Shirts trugen, und einen Monat lang setzte Chip diesen slangschleudernden Webheads erbarmungslos zu. Er zwang sie, amerikanische Seiten wie nbci.com und Oracle unter die Lupe zu nehmen. Er sagte ihnen, *so* müssten sie es machen, *so* müsse es aussehen.

Lithuania.com wurde offiziell am 5. November ins Netz gestellt. Untermalt von sechzehn heiteren *Petruschka*-Takten aus dem «Tanz der Kutscher und Stallknechte», entrollte sich, in hoher Auflösung, ein Banner – DEMOKRATIE WIRFT HÜBSCHE DIVIDENDEN AB. Unter dem Banner fanden sich, nebeneinander und auf tiefblauem Hintergrund, eine schwarzweiße **Vorher**-Aufnahme geschossnarbiger Häuserfassaden und zersplitterter Linden auf dem Gedimino-Prospektas («Sozialistisches

Vilnius») und, in Farbe, eine prächtige **Nachher**-Fotografie («Marktwirtschaftliches Vilnius») der neu entstandenen, in honigfarbenes Licht getauchten Hafenanlage mit Boutiquen und Bistros. (Die Anlage befand sich in Wirklichkeit in Dänemark.) Eine Woche lang hatten Chip und Gitanas jeden Abend bis spät in die Nacht Bier getrunken und weitere Seiten eingerichtet, die etwaigen Investoren die diversen Eponymen- und Verewigungsprivilegien aus Gitanas erstem spöttischem Aufruf versprachen, sowie, abhängig von der Höhe der monetären Einlage,

- Nutzung ministerieller Strandvillen in Palanga auf Time-share-Basis!
- anteilsbezogene Bergbau- und Forstanrechte in allen Nationalparks!
- Anspruch auf die Dienste ausgewählter Verwaltungsbeamter und Richter vor Ort!
- Rund-um-die-Uhr-Parkerlaubnis für die Altstadt von Vilnius!
- fünfzig Prozent Rabatt auf die Miete ausgewählter litauischer Nationalgardisten und militärischer Ausrüstung (vorherige Anmeldung erforderlich), außer in Kriegszeiten!
- unkomplizierte Adoption weiblicher litauischer Säuglinge!
- unbürokratische Befreiung von dem Verbot, bei Rot links abzubiegen!
- Ihr Konterfei auf Sondermarken, Sammlermünzen, Mikrobrauerei-Bieretiketten, litauischen Basrelief-Keksen mit Schokoladenglasur, Visitenkarten mit «Helden der Zeit»-Motiv, bedrucktem Seidenpapier für Weihnachtsclementinen etc.!
- Ehrendoktorwürde in den Humanwissenschaften,

verliehen von der im Jahr 1578 gegründeten Universität Vilnius!

- Zugang zu Abhörgeräten und anderen Apparaturen der Staatssicherheit, «garantiert ohne Rückfragen»!
- einen für die Dauer des Aufenthalts auf litauischem Boden rechtlich einklagbaren Anspruch auf Titel und Ehrentitel wie «Eure Hoheit», «Eure Durchlaucht» und «Euer Gnaden»; Missachtung durch Dienstpersonal kann mit öffentlichem Auspeitschen und bis zu sechzig Tagen Gefängnis geahndet werden!
- Last-minute-Ellbogen-Vorrechte auf Sitzplätze in Bahnen und Flugzeugen, bei kulturellen Großereignissen sowie in bestimmten Fünf-Sterne-Restaurants und Nachtclubs!
- absoluten Vorrang bei Leber-, Herz- und Hornhauttransplantationen in der berühmten Antakalnis-Klinik in Vilnius!
- unbegrenzte Jagd- und Fischereirechte, außerdem gewisse Nachsaison-Privilegien in nationalen Wildreservaten!
- Ihr Name in Großbuchstaben am Rumpf großer Schiffe!
- etc., etc.!

Die Lektion, die Gitanas bereits gelernt hatte und die auch Chip jetzt lernte, war die: Je offenkundiger satirisch die Versprechungen, desto kräftiger der Zustrom amerikanischen Kapitals. Am laufenden Band produzierte Chip Pressemitteilungen, Pseudobilanzen, seriöse Abhandlungen über die Hegel'sche Unumgänglichkeit einer schamlos kommerziell ausgerichteten Politik, schwärmerische Augenzeugenberichte über Litauens beginnenden Wirtschaftsboom, lässig in Investment-Chatrooms geworfene Softball-Fragen und hart an der Linie entlanggetriebene Homerun-Antworten. Wenn er für seine Lügen oder seine Unkenntnis Prügel bezog, suchte er eben einen anderen Chatroom auf. Er schrieb den Text für die Aktienzertifikate und die Begleitbroschüre («Herzlichen Glückwunsch – Sie sind jetzt ein Freier-Markt-Patriot Litauens») und ließ sie verschwenderisch auf stark baumwollhaltigem Papier drucken. Er hatte das Gefühl, hier, im Reich der reinen Hirngespinste, endlich sein Metier gefunden zu haben. Genau wie Melissa Paquette es vor langer Zeit behauptet hatte, war es eine Mordsgaudi, ein Unternehmen zu gründen, eine Mordsgaudi, das Geld hereinkommen zu sehen.

Ein Reporter von *USA Today* fragte per E-Mail: «Ist das Ihr Ernst?»

Chip schrieb zurück: «Natürlich. Der Nationalstaat als Profitcenter, mit einer über die ganze Welt verstreuten Einwohnerschaft von Aktionären, ist die nächste Stufe in der Evolution der politischen Ökonomie. Der ‹aufgeklärte Neotechnofeudalismus› blüht und gedeiht in Litauen. Kommen Sie her und sehen Sie selbst. Ich garantiere Ihnen ein mindestens neunzigminütiges Gespräch mit G. Misevičius.»

Eine Antwort von *USA Today* blieb aus. Chip fürchtete, sich zu weit aus dem Fenster gelehnt zu haben; aber schon bald überstiegen die wöchentlichen Bruttoeinnahmen vierzigtausend Dollar. Das Geld kam in Form von Bankwechseln, Kreditkartennummern, E-cash-Verschlüsselungscodes, Überweisungen an die Crédit Suisse und Hundertdollarnoten in Luftpost-Briefumschlägen. Gitanas steckte einen Großteil davon in Nebengeschäfte, verdoppelte jedoch, vereinbarungsgemäß, Chips Gehalt, sobald die Gewinne stiegen.

Chip wohnte mietfrei in der Stuckvilla, in der der Kommandeur der sowjetischen Garnison einst Fasane verspeist, Gewürztraminer getrunken und auf wanzenfreien Leitungen mit Moskau telefoniert hatte. Die Villa war im Herbst 1990 mit Steinen beworfen, geplündert und siegestrunken bekritzelt worden und hatte dann leer gestanden, bis die VIPPPAKJRIINPB17 abgewählt und Gitanas von der UN zurückgerufen wurde. Abgesehen vom unschlagbaren Preis der Villa (sie war umsonst gewesen) und ihren hervorragenden Sicherheitsvorkehrungen (inklusive eines bewehrten Turms und eines Zauns, der einer US-Botschaft würdig war), hatte Gitanas die Chance gereizt, im Schlafzimmer jenes Kommandeurs zu nächtigen, der ihn sechs Monate lang in den alten sowjetischen Kasernen gleich nebenan hatte foltern lassen. Gitanas und andere Parteimitglieder waren an den Wochenenden mit Maurerkellen und Spachteln ans Werk gegangen, um die Villa zu restaurieren, doch die Partei hatte sich aufgelöst, bevor sie ihre Arbeit zu Ende bringen konnten. Jetzt stand die Hälfte der Zimmer leer, und die Böden waren mit Glasscherben übersät. Wie überall in der Altstadt stammten Wärme und heißes Wasser vom zentralen Mammut-Boiler der Stadt und vergeudeten auf dem langen Weg durch unterirdische Rohre und undichte Steigleitungen bis zu den Duschen und Heizkörpern der Villa beträchtliche Energie. Gitanas hatte das Büro der Parteigesellschaft Freier Markt im ehemaligen großen Ballsaal untergebracht, selbst das größte Schlafzimmer in Besitz genommen, Chip in der Suite des ehemaligen Adjutanten im zweiten Stock einquartiert und die jungen Webheads ihr Lager aufschlagen lassen, wo immer sie wollten.

Obwohl Chip die Miete für seine New Yorker Wohnung und das monatliche Minimum seiner Visa-Rechnungen weiterhin bezahlte, kam er sich in Vilnius angenehm wohlhabend vor. Er bestellte im Restaurant die teuersten Speisen, teilte Alkohol und Zigaretten mit den vom Schicksal weniger Begünstigten und sah im Naturkostladen unweit der Universität, wo er seine Lebensmittel kaufte, nie auf die Preise.

Wie Gitanas vorausgesagt hatte, waren in den Bars und Pizzerien jede Menge stark geschminkte Minderjährige zu haben, doch seit Chip New York verlassen hatte und vor den «Akademischen Würden» geflüchtet war, schien ihm jegliches Verlangen, sich in fremde junge Frauen zu verlieben, abhanden gekommen zu sein. Zweimal die Woche gingen er und Gitanas in den Club Metropol und fanden ihre Bedürfnisse, nach einer Massage und vor der Sauna, auf gleichgültig sauberen Schaumkissen wirkungsvoll befriedigt. Die meisten der weiblichen Angestellten des Metropol waren in den Dreißigern und führten bei Tag ein Leben, das sich um die Kindererziehung oder die Pflege eines Elternteils oder den Studiengang Internationaler Journalismus an der Universität oder politisch gefärbte Kunst drehte, die keiner ihnen abkaufen wollte. Chip war überrascht, dass diese Frauen, während sie sich anzogen und das Haar richteten, ganz normal mit ihm redeten. Er war verblüfft, wie viel Freude ihnen ihr Leben bei Tag offenbar bereitete, wie fade, wie vollkommen bedeutungslos, verglichen damit, ihr Abend-Job für sie war; und da ihm seine Arbeit bei Tag neuerdings selber Spaß machte, wurde er, mit jeder therapeutischen (Trans-)Aktion auf der Massagematte, ein wenig besser darin, seinen Körper in seine Schranken zu weisen, seine sexuelle Begierde in ihre Schranken zu weisen, ja zu begreifen, was Liebe war und was nicht. Mit jedem im Voraus bezahlten Samenerguss befreite er sich von einem weiteren Gramm jener erblichen Scham, die gegen fünfzehn Jahre theoretischen Dauerbeschusses resistent gewesen war. Was blieb, war ein Gefühl der Dankbarkeit, das er mit zweihundertprozentigen Trinkgeldern zum Ausdruck brachte. Gegen zwei oder drei Uhr morgens, wenn eine scheinbar wochenalte Dunkelheit auf der Stadt lastete, kehrten er und Gitanas durch stark schwefelhaltigen Rauch und Schnee oder Nebel oder Nieselregen in die Villa zurück.

Chips wahre Liebe in Vilnius war Gitanas. Ihm gefiel vor allem, wie sehr er Gitanas gefiel. Wo immer die beiden Männer zusammen auftauchten, wurden sie gefragt, ob sie Brüder seien, doch in Wahrheit kam sich Chip nicht so sehr wie Gitanas' Bruder, sondern eher wie dessen Freundin vor. Er kam sich vor wie Julia: fortwährend fürstlich bewirtet, auf Händen getragen und in puncto Gefälligkeiten, Informationen und Dingen des täglichen Lebens nahezu vollständig auf Gitanas angewiesen. Er sang für sein Essen, wie vor ihm Julia. Er war ein geschätzter Mitarbeiter, ein empfindsamer und liebenswerter Amerikaner, ein Objekt der Belustigung und nachsichtigen Milde, ein wenig geheimnisvoll; und wie gut es tat, zur Abwechslung einmal der Umworbene zu sein – Eigenschaften und Wesenszüge zu haben, nach denen es einen anderen so sehr verlangte.

Alles in allem ließ es sich mit Schmorbraten und Kohl und Kartoffelpuffer, mit Bier und Wodka und Tabak, mit Kameradschaft, subversivem Unternehmertum und Sex, in Vilnius trefflich leben. Ein Klima und ein Breitengrad, die weitgehend auf Tageslicht verzichten mussten, waren ganz nach Chips Geschmack. Selbst wenn er lange schlief, konnte er noch bei Sonnenaufgang aufstehen, und schon bald nach dem Frühstück war es Zeit für eine abendliche Kaffee- und Zigarettenpause. Halb führte er ein Studentenleben (das Studentenleben hatte ihm immer gelegen) und halb ein Leben auf der Überholspur der Dot.com-Startups. Aus der Entfernung von siebentausend Kilometern wirkte alles, was er in den Vereinigten Staaten zurückgelassen hatte – seine Eltern, seine Schulden, seine Misserfolge, seine Trennung von Julia –, überschaubar klein. An der Arbeitsfront und an der Sexfront und an der Freundschaftsfront ging es ihm so viel besser, dass er eine Zeit lang ganz vergaß, was Kummer war. Er beschloss, in Vilnius zu bleiben, bis er genug Geld verdient hätte, um Denise und den versammelten Kreditkartenausstellern seine Schulden zurückzuzahlen. Sechs Monate, glaubte er, würden dafür reichen.

Wie absolut typisch war es da für sein Glück, dass, noch bevor er auch nur zwei gute Monate in Vilnius verbringen konnte, sowohl sein Vater als auch Litauen in die Knie gingen.

Denise hatte Chip in ihren E-Mails mit immer neuen Meldungen über Alfreds Gesundheitszustand gepiesackt und darauf bestanden, dass er Weihnachten nach St. Jude komme, doch die Aussicht, im Dezember nach Hause zu fahren, barg wenig Reiz. Er fürchtete, dass ihn irgendetwas Albernes an der Rückkehr hindern würde, wenn er die Villa auch nur für eine Woche verlassen müsste. Ein Bann wäre gebrochen, ein Zauber dahin. Doch dann schickte ihm Denise, der gleichmütigste Mensch, den er kannte, eine E-Mail, in der sie geradezu verzweifelt klang. Chip überflog die Nachricht, bevor ihm klar wurde, dass er sie lieber nicht hätte lesen sollen, weil darin die Summe genannt war, die er Denise schuldete. Der Kummer, dessen Wesen er vergessen zu haben glaubte, die Schwierigkeiten, die aus der Ferne klein gewirkt hatten, füllten seinen Kopf aufs Neue aus.

Er löschte die E-Mail und bereute es sofort. Er hatte eine traumartige, halb deutliche Erinnerung an den Nebensatz *weil ich mit der Frau meines Chefs geschlafen habe*. Aber das kam ihm, als Äußerung von Denise, dermaßen unwahrscheinlich vor und sein Auge war so schnell darüber hinweggehuscht, dass er der Erinnerung nicht traute. Wenn seine Schwester auf dem Weg war, sich als Lesbierin zu outen (was, wenn er es recht bedachte, manche Aspekte ihres Leben erklären würde, über die er sich immer gewundert hatte), dann konnte sie die Unterstützung ihres foucaultschen älteren Bruders jetzt sicher gut gebrauchen; Chip aber war noch nicht bereit, nach Hause zu fahren, und deshalb nahm er an, dass seine Erinnerung ihn getäuscht und sich der Nebensatz auf etwas anderes bezogen hatte.

Während er drei Zigaretten hintereinander rauchte, wandelten sich seine Ängste zu Rechtfertigungen und Gegenvorwürfen und einer noch stärkeren Entschlossenheit, so lange in Litauen zu bleiben, bis er in der Lage wäre, seiner Schwester die $ 20 500,– zurückzuzahlen. Wenn Alfred tatsächlich bis Juli bei Denise wohnen sollte, konnte Chip noch weitere sechs Monate in Litauen bleiben und trotzdem sein Versprechen halten, an einem Familientreffen in Philadelphia teilzunehmen.

Leider holperte Litauen in diesem Moment schon den steinigen Abhang zur Anarchie hinunter.

Den ganzen Oktober und November gab sich Vilnius, trotz der weltweiten Finanzkrise, noch den Anstrich der Normalität. Bauern brachten weiterhin Geflügel und Vieh auf den Markt, und mit den Litas, die sie dafür bekamen, kauften sie russisches Benzin, litauisches Bier und litauischen Wodka, stonewashed Jeans, Spice-Girls-Sweatshirts und Raubkopien von *Akte X*-Videos aus Ländern, die wirtschaftlich noch angeschlagener waren als Litauen. Die Fernfahrer, die das Benzin lieferten, und die Arbeiter, die den Wodka brannten, und die alten, kopftuchtragenden Frauen, die auf ihren Holzkarren die Spice-Girls-Sweatshirts feilboten, sie alle kauften den Bauern das Rind- und Hühnerfleisch ab. Das Land produzierte, der Litas rollte, und zumindest in Vilnius hatten die Kneipen und Clubs bis spät in der Nacht geöffnet.

Doch Wirtschaft war nicht bloß eine nationale Angelegenheit. Man konnte dem russischen Ölexporteur, der das Land mit Benzin versorgte, zwar Litas in die Hand drücken, aber es war sein gutes Recht zu fragen, für welche litauischen Waren oder Dienstleistungen er seine Litas denn bitte schön ausgeben solle. Zum offiziellen Kurs Litas zu kaufen, nämlich vier für einen Dollar, war kein Problem. Für vier Litas einen Dollar zu kaufen dagegen schon! Waren wurden, dem bekannten Paradoxon einer Flaute gemäß, knapp, *weil* es keine Käufer gab. Je schwerer es war, Alufolie oder Hackfleisch oder Motoröl aufzutreiben, um so reizvoller wurde es, Lastwagen, die diese Güter geladen hatten, zu überfallen oder sich rücksichtslos in den Verteilungskampf hineinzudrängen. Indessen bezogen Angestellte des öffentlichen Dienstes (in erster Linie die Polizei) weiterhin feste Gehälter in unerheblich gewordenen Litas. Die Untergrundwirtschaft lernte bald, den Wert eines Revierhauptmanns genauso unfehlbar zu bestimmen wie den einer Kiste Glühbirnen.

Chip war überrascht, als er feststellte, wie sehr sich der schwarze Markt Litauens und der freie Markt Amerikas ähnelten. In beiden Ländern konzentrierte sich der Wohlstand in den Händen weniger; jede belangvolle Unterscheidung zwischen privatem und öffentlichem Sektor war verwischt; Handelskapitäne lebten in ständiger Anspannung und weiteten ihre Imperien deshalb skrupellos aus; einfache Bürger lebten in ständiger Angst, gefeuert zu werden, und in ständiger Ungewissheit darüber, welches mächtige private Interesse irgendeine ehemals öffentliche Institution gerade regierte; und die Wirtschaft wurde im Wesentlichen von der unersättlichen Nachfrage der Elite nach Luxusgütern angeheizt. (In Vilnius, im November dieses grauen Herbstes, sorgten fünf kriminelle Oligarchen dafür, dass Tausende von Tischlern, Maurern, Handwerkern, Köchen, Prostituierten, Barkeepern, Automechanikern und Leibwächtern eingestellt wurden.) Der Hauptunterschied zwischen Amerika und Litauen lag, soweit Chip das beurteilen konnte, darin, dass in Amerika die wenigen Wohlhabenden die vielen Nichtwohlhabenden mittels geisteinlullender und seelentötender Zerstreuungen und Technikkinkerlitzchen und Pharmazeutika unterdrückten, während in Litauen die wenigen Mächtigen die vielen Ohnmächtigen unterdrückten, indem sie ihnen Gewalt androhten.

In gewisser Weise wärmte es sein foucaultsches Herz, dass er in einem Land lebte, in dem der Besitz von Privateigentum und die Kontrolle des öffentlichen Diskurses so offenkundig davon abhingen, wer die Knarren hatte.

Der Litauer mit den meisten Knarren war ein gebürtiger Russe namens Victor Litschenkew, der die Liquidität seines Heroin- und Ecstasy-beinahe-Monopols in eine absolute Herrschaft über die Bank von Litauen umgemünzt hatte, nachdem deren vorheriger Eigentümer, FrendLeeTrust of Atlanta, einer katastrophalen Fehleinschätzung unterlegen war, was das Verlangen der Konsumenten nach seinen Peanuts-MasterCards anging.

Victor Litschenkews Barreserven versetzten ihn in die Lage, einen fünfhundert Mann starken «Polizeitrupp» zu bewaffnen und im Oktober den Kernreaktor vom Typ Tschernobyl in Ignalina, 120 Kilometer nordöstlich von Vilnius, der drei Viertel des Landes mit Elektrizität versorgte, in einem dreisten Manöver umstellen zu lassen. Die Belagerung brachte Litschenkew, der den landesweit größten Versorgungsbetrieb kaufen wollte, in eine ausgezeichnete Verhandlungsposition gegenüber dem Noch-Eigentümer, einem rivalisierenden Oligarchen, der den Reaktor in der Zeit der großen Privatisierung für einen Pappenstiel erstanden hatte. Von einem Tag auf den anderen konnte Litschenkew jeden einzelnen Litas, der über jeden einzelnen Stromzähler im Land hereinkam, für sich verbuchen; doch aus Angst, dass seine russische Herkunft nationalistische Feindseligkeiten heraufbeschwören könnte, achtete er darauf, seine neue Machtstellung nicht zu missbrauchen. Als Geste des guten Willens senkte er die Strompreise um just jene fünfzehn Prozent, die sein Vorgänger draufgeschlagen hatte. Auf der Welle seiner Popularität schwimmend, gründete er eine neue politische Partei (die «Volksstrom-Partei») und stellte eine Kandidatenliste für die Mitte Dezember geplanten Parlamentswahlen auf.

Und immer noch produzierte das Land, immer noch rollte der Litas. Im Lietuva- und im Vingis-Kino lief ein Messerstecher-Streifen mit dem Titel *Moody Fruit* an. In der Fernsehsendung *Friends* kamen litauische Witze über Jennifer Anistons Lippen. Angestellte der Stadtreinigung leerten betonverkleidete Müllbehälter auf dem Vorplatz von St. Katharinen aus. Jeder Tag allerdings war dunkler und kürzer als der davor.

Auf der Weltbühne hatte Litauen seit dem Tod von Großfürst Witold im Jahre 1430 eine immer unbedeutendere Rolle gespielt. Sechshundert Jahre lang war das Land zwischen Polen, Preußen und Russland herumgereicht worden wie ein häufig recyceltes Hochzeitsgeschenk (der lederbemantelte Eiskübel; das

Salatbesteck). Zwar hatten Landessprache und Erinnerungen an bessere Zeiten überlebt, doch entscheidend für Litauen war und blieb, dass es nicht groß war. Im zwanzigsten Jahrhundert hatten die Gestapo und die SS 200 000 litauische Juden liquidieren und die Sowjets weitere 250 000 Litauer nach Sibirien deportieren können, ohne übermäßige internationale Aufmerksamkeit auf sich zu ziehen.

Gitanas Misevičius stammte aus einer Familie von Priestern und Soldaten und Beamten aus dem Grenzgebiet zu Weißrussland. Sein Großvater väterlicherseits, der in seiner Heimatstadt als Richter gearbeitet hatte, war 1940 bei einer Frage-und-Antwort-Stunde der neuen kommunistischen Regierung durchgefallen und, zusammen mit seiner Frau, in den Gulag geschickt worden; seitdem hatte man nie wieder von ihm gehört. Gitanas' Vater betrieb eine Kneipe in Vidiskés und hatte die Widerstandsbewegung der Partisanen (die so genannten Waldbrüder) mit Rat und Tat unterstützt, bis die Feindseligkeiten 1953 endeten.

Ein Jahr nach Gitanas' Geburt wurden Vidiskés und acht weitere umliegende Ortschaften von der Marionettenregierung evakuiert, um den Weg für das erste von zwei Atomkraftwerken frei zu machen. Den fünfzehntausend Menschen, die auf diese Weise («aus Sicherheitsgründen») zwangsumgesiedelt wurden, bot man Unterkünfte in einer brandneuen, hochmodernen Kleinstadt an, Kruschtschewai, die hastig im Seengebiet westlich von Ignalina erbaut worden war.

«Bisschen trostlos, alles aus Schlackenstein, nirgends Bäume», erzählte Gitanas Chip. «Die neue Kneipe meines Vaters hatte einen Schlackensteintresen, Sitzecken aus Schlackenstein, Schlackensteinregale. Die sozialistische Planwirtschaft in Weißrussland hatte zu viel Schlackenstein produziert und gab ihn jetzt zu Schleuderpreisen an uns ab. So hieß es jedenfalls. Na schön, wir ziehen da also alle hin. Wir hatten unsere Schlackensteinbetten und unseren Spielplatz mit Schlackensteingeräten und unsere Parkbänke aus Schlackenstein. Die Jahre vergehen, ich bin zehn, und plötzlich haben alle Mütter oder Väter Lungenkrebs. Ich meine, *alle*. Tja, und dann hat auch mein Vater einen Lungentumor, und schließlich kommen die Verantwortlichen und schauen sich Kruschtschewai an, und siehe da: Wir haben ein Radonproblem. Ein ernsthaftes Radonproblem. Ein richtig beschissenes Radonproblem, um ehrlich zu sein. Es stellt sich nämlich raus, dass diese Schlackensteine leicht radioaktiv sind! Und in jedem geschlossenen Raum in Kruschtschewai sammelt sich Radon. Vor allem in stickigen Räumen, in denen der Besitzer sich den ganzen Tag aufhält und Zigaretten raucht. Wie mein Vater in seiner Kneipe. Tja, Weißrussland, unsere sozialistische Schwesterrepublik (die, nebenbei bemerkt, früher *zu Litauen gehörte*), Weißrussland sagt, tut uns wirklich Leid. Da muss irgendwie Pechblende in den Schlackenstein geraten sein, sagt Weißrussland. Großes Versehen. Tut uns Leid, tut uns Leid, tut uns Leid. Also ziehen wir alle aus Kruschtschewai fort, und mein Vater stirbt, ganz grauenvoll, kurz nach Mitternacht, zehn Minuten nachdem sein Hochzeitstag vorbei ist, weil er nicht möchte, dass meine Mutter sich an ihrem Hochzeitstag jedes Mal an seinen Tod erinnert, und dann gehen dreißig Jahre ins Land, und Gorbatschow tritt ab, und endlich können wir Einsicht in die alten Archive nehmen, und was soll ich sagen? Es gab gar keine Schlackensteinschwemme. Es gab gar kein heilloses Durcheinander im Fünfjahresplan. Schwach radioaktiven Atommüll als Baumaterial wieder zu verwerten war vielmehr eine wohl überlegte Taktik. Weil man davon ausging, dass der Zement im Schlackenstein die Radioisotopen unschädlich macht! Aber die Weißrussen hatten Geigerzähler, und das war das Ende des schönen Traums von der Unschädlichkeit, und so landeten tausend Zugladungen Schlackenstein bei uns, die wir keinen Grund hatten anzunehmen, dass irgendwas faul war.»

«Autsch», sagte Chip.

«Das ist jenseits von autsch», sagte Gitanas. «Es hat meinen Vater umgebracht, als ich elf war. Und den Vater meines besten Freundes. Und über die Jahre hinweg Hunderte anderer. Und alles passte ins Konzept. Immer war da ein Feind mit einer großen roten Zielscheibe auf dem Rücken. Der böse Papa UdSSR, den wir alle hassen konnten. Bis die neunziger Jahre kamen.»

Das Parteiprogramm der VIPPPAKJRIINPB17, die Gitanas nach der Unabhängigkeitserklärung gründen half, ruhte auf einem breiten, tragenden Fundament: Die Sowjets sollten für die Vergewaltigung Litauens büßen. Eine Zeit lang war es möglich, das Land nur auf der Basis von Hass zu regieren. Doch schon bald tauchten andere Parteien auf, die den Revanchismus ebenfalls berücksichtigten, zugleich aber darüber hinausweisen wollten. Als die VIPPPAKJRIINPB17 Ende der neunziger Jahre ihren letzten Sitz im Seimas verlor, war alles, was von der Partei überdauert hatte, ihre halb renovierte Villa.

Gitanas versuchte sich einen Reim auf das Weltgeschehen zu machen, doch vergebens. Als die Rote Armee ihn unrechtmäßig gefangen gehalten und ihm Fragen gestellt hatte, die zu beantworten er sich weigerte, und nach und nach seine linke Körperhälfte mit Verbrennungen dritten Grades überzogen worden war, da hatte er die Welt noch verstanden. Seit der Unabhängigkeit aber ergab die Politik in seinen Augen keinen Sinn mehr. Selbst ein so simples und lebenswichtiges Thema wie die sowjetischen Wiedergutmachungsleistungen an Litauen war verhext, weil die Litauer sich während des Zweiten Weltkriegs an der Judenverfolgung beteiligt hatten und weil viele, die jetzt im Kreml saßen, früher antisowjetische Patrioten gewesen waren, die ein beinahe ebenso großes Recht auf Wiedergutmachung hatten wie die Litauer.

«Was mache ich jetzt», fragte Gitanas Chip, «wo der Aggressor keine Armee mehr ist, sondern ein System und eine Kultur?

Das Beste, was ich mir heute für mein Land erhoffen kann, ist, dass es eines Tages wie ein zweitklassiges westliches Land aussieht. Wie ein Allerweltsland also.»

«Wie Dänemark mit seinen reizvollen Hafenbistros und Hafenboutiquen», sagte Chip.

«Solange wir auf die Sowjets zeigen und sagen konnten: *Nein, so wie die sind wir nicht*, haben wir uns litauisch gefühlt. Aber wenn ich sage: *Nein, wir haben keine freie Marktwirtschaft, die Globalisierung betrifft uns nicht*, fühle ich mich doch deswegen nicht litauisch. Da komme ich mir eher bescheuert und steinzeitlich vor. Wie kann ich jetzt ein Patriot sein? Für welche *positive* Sache stehe ich? Wie definiert sich mein Land *positiv*?»

Gitanas residierte weiter in der halb verfallenen Villa. Die Suite des Adjutanten bot er seiner Mutter an, aber sie zog es vor, am Stadtrand von Ignalina wohnen zu bleiben. So, wie es von allen litauischen Funktionären der damaligen Zeit, vor allem von Revanchisten wie ihm, erwartet wurde, erwarb er einen Anteil ehemals kommunistischen Eigentums – eine zwanzigprozentige Beteiligung an Sucrosas, der Rübenzuckerraffinerie, die Litauens zweitgrößter Arbeitgeber mit nur einem Standort war – und lebte als pensionierter Patriot ziemlich komfortabel von den Dividenden.

Eine ganze Weile sah Gitanas, wie später Chip, einen Rettungsschimmer in der Person Julia Vrais' aufblitzen: in ihrer Schönheit, in der typisch amerikanischen Unbekümmertheit, mit der sie ihr Glück auf dem Weg des geringsten Widerstands suchte. Dann ließ Julia ihn in einem Flugzeug, das nach Berlin fliegen sollte, sitzen. Das war das jüngste Täuschungsmanöver in einem Leben, das ihm immer mehr wie eine einzige Aneinanderreihung von Täuschungsmanövern vorkam. Die Sowjets hatten ihn reingelegt, die litauischen Wähler hatten ihn reingelegt, Julia hatte ihn reingelegt. Am Ende legten ihn auch noch der

IWF und die Weltbank rein, und vierzig Jahre Bitterkeit mündeten in den Scherz mit der Litauen AG.

Chip die Geschäfte der Parteigesellschaft Freier Markt zu übertragen war die erste gute Entscheidung, die er seit langem getroffen hatte. Gitanas war nach New York geflogen, um sich einen Scheidungsanwalt zu suchen und, mit etwas Glück, einen billigen, nach Möglichkeit mittelalten und erfolglosen amerikanischen Schauspieler zu engagieren, der ihn nach Vilnius begleiten und allen, die bei der Litauen AG anrufen oder ihre Homepage besuchen würden, Vertrauen einflößen sollte. Warum ein so junger und talentierter Mann wie Chip sich bereit fand, für ihn zu arbeiten, war ihm ein Rätsel. Dass Chip mit seiner Frau geschlafen hatte, bestürzte ihn nur vorübergehend. Nach Gitanas' Erfahrung täuschte ihn über kurz oder lang ja ohnehin jeder. Er wusste es zu schätzen, dass Chip sein Täuschungsmanöver schon beendet hatte, bevor sie sich überhaupt begegnet waren.

Was Chip anging, so wurde sein Minderwertigkeitsgefühl als «armseliger Amerikaner» in Vilnius, der weder Russisch noch Litauisch sprach und dessen Vater nicht in den besten Jahren an Lungenkrebs gestorben war und dessen Großeltern nicht in Sibirien verschollen waren und den man noch nie seiner Ideale wegen in einer ungeheizten Zelle eines Militärgefängnisses gefoltert hatte, durch seinen Status als fähiger Mitarbeiter und durch die Erinnerung an einige äußerst schmeichelhafte Vergleiche aufgewogen, die Julia wiederholt zwischen ihm und Gitanas gezogen hatte. In den Kneipen und Clubs, in denen sich die beiden Männer oft gar nicht mehr die Mühe machten, die Frage, ob sie Brüder seien, mit Nein zu beantworten, hatte Chip den Eindruck, der Erfolgreichere von ihnen beiden, das sei er.

«Als stellvertretender Premierminister war ich ziemlich gut», sagte Gitanas trübsinnig. «Aber ein sonderlich guter krimineller Kriegsherr bin ich nicht.»

Kriegsherr war in der Tat eine etwas glorifizierende Bezeichnung für das, was Gitanas trieb. Es gab erste Anzeichen, die auf ein Scheitern hindeuteten und Chip nur allzu vertraut waren. Jede Minute, die er handelte, kostete ihn eine Stunde Gegrübel. Investoren aus aller Welt schickten ihm stattliche Summen, die er jeden Freitagnachmittag auf sein Konto bei der Crédit Suisse einzahlte, doch er konnte sich nicht entscheiden, was er tun sollte: das Geld «ehrlich» verwenden (d. h. für die Parteigesellschaft Freier Markt Sitze im Parlament kaufen) oder schamlos Betrug begehen und seine unrechtmäßig erworbene harte Währung in noch illegitimere Geschäfte stecken. Eine Zeit lang tat er, wenn man so wollte, beides und nichts von beidem. Schließlich überzeugten ihn seine Markt-Recherchen (die darin bestanden, in der Kneipe betrunkene Ausländer zu befragen), dass im gegenwärtigen wirtschaftlichen Klima selbst ein Bolschewist bessere Chancen hatte, Wählerstimmen zu gewinnen, als eine Partei, die die Worte «Freier Markt» im Namen führte.

Als er auch den letzte Gedanken, sauber zu bleiben, aufgegeben hatte, stellte er Leibwächter ein. Schon bald fragte Victor Litschenkew seine Spione: Warum glaubt dieser gewesene Patriot Misevičius, dass er Schutz braucht? Als unbewachter gewesener Patriot hatte Gitanas lange nicht so viel zu befürchten gehabt wie jetzt, wo er zehn stramme Kalaschnikow-Jungs befehligte. Er war gezwungen, noch mehr Leibwächter einzustellen, und Chips Angst, erschossen zu werden, war so groß, dass er das Quartier nicht mehr ohne Begleitschutz verließ.

«Ihnen kann gar nichts passieren», versicherte ihm Gitanas. «Schon möglich, dass Litschenkew mich töten und die Firma übernehmen will. Aber Sie sind die Gans mit den goldenen Eierstöcken.»

Dennoch, wann immer Chip in der Öffentlichkeit herumlief, prickelte es ihm im Nacken, so verwundbar fühlte er sich. Am Abend des amerikanischen Thanksgiving wurde er Zeuge, wie zwei von Litschenkews Männern sich in einem Club mit dem Namen Musmirytė einen Weg durch die Menge bahnten, die sich auf dem klebrigen Fußboden drängte, und einem rothaarigen «Wein- und Spirituosenimporteur» sechs Löcher in den Bauch schossen. Dass Litschenkews Männer an Chip vorbeimarschiert waren, ohne ihm etwas anzutun, mochte zwar als Beweis für Gitanas' Behauptung durchgehen. Doch so, wie der «Wein- und Spirituosenimporteur» dalag, sah Chip außerdem, dass ein Körper, im Vergleich zu MP-Kugeln, genauso weich war, wie er immer befürchtet hatte. Enorme elektrische Ladungen fluteten die Nerven des sterbenden Mannes. Heftige Krämpfe, verborgene Vorräte an galvanischer Energie, ungemein quälende elektrochemische Prozesse in seinem Körper hatten offensichtlich sein Leben lang auf diesen Moment gewartet.

Gitanas tauchte eine halbe Stunde später im Musmirytė auf. «Mein Problem ist», sagte er, während er die Blutflecken betrachtete, «dass es mir leichter vorkommt, erschossen zu werden, als selbst zu schießen.»

«Sie machen sich schon wieder kleiner, als Sie sind», sagte Chip.

«Ich bin besser im Einstecken als im Austeilen.»

«Im Ernst. Seien Sie nicht so streng mit sich.»

«Töten oder getötet werden. Keine einfache Alternative.»

Gitanas hatte sehr wohl versucht, selbst der Angreifer zu sein. Als krimineller Kriegsherr hatte er einen schönen Trumpf in der Hand: das Bargeld, das durch die Parteigesellschaft Freier Markt hereingekommen war. Nachdem Litschenkews Trupps den Reaktor in Ignalina umstellt und den Verkauf des litauischen Elektrizitätswerks erzwungen hatten, veräußerte Gitanas seine lukrativen Sucrosas-Anteile, plünderte die Schatzkammern der Parteigesellschaft Freier Markt und sicherte sich eine maßgebliche Beteiligung an der wichtigsten Mobiltelefongesellschaft Litauens. Die Firma, Transbaltikum Mobil, war in der

Preisklasse, die für Gitanas in Frage kam, der einzige Anbieter. Er garantierte seinen Leibwächtern monatlich 1000 Freiminuten für Inlandsgespräche inklusive kostenloser Mailbox und Rufnummernanzeige, damit sie die Gespräche auf Litschenkews zahlreichen Transbaltikum-Handys abhörten. Als er auf diese Weise Wind davon bekam, dass Litschenkew kurz davor war, seine gesamten Aktien der Nationalen Gesellschaft für Gerberei- und Viehprodukte abzustoßen, konnte Gitanas seine eigenen Anteile ungedeckt verkaufen. Dieser Schachzug bescherte ihm einen hübschen Reingewinn, war auf lange Sicht aber fatal. Litschenkew, dem irgendjemand gesteckt hatte, dass seine Telefone abgehört wurden, wechselte zu einem sichereren regionalen Anbieter, der von Riga aus operierte. Dann machte er auf dem Absatz kehrt und griff Gitanas an.

Am Vorabend der Wahlen vom 20. Dezember legte ein «Störfall» in einem elektrischen Umspannwerk die Schaltzentrale der Transbaltikum Mobil sowie sechs ihrer Relaisstationen lahm. Eine Meute zorniger junger Handy-Benutzer aus Vilnius mit rasierten Schädeln und Ziegenbärten versuchte daraufhin, die Büroräume der Transbaltikum Mobil zu stürmen. Deren Geschäftsführung rief über herkömmliche Kupferdrahtleitungen um Hilfe; die zum Tatort eilenden «Polizisten» assistierten der Meute dabei, das Büro auszuräumen und dessen Schätze zu beschlagnahmen, bis drei Wagenladungen «Polizisten» aus dem einzigen Bezirk eintrafen, den Gitanas hatte schmieren können. Nach einer offenen Feldschlacht trat die erste Gruppe von «Polizisten» den Rückzug an, während die verbliebenen «Polizisten» die Meute auseinander trieben.

Die ganze Freitagnacht bis hinein in den Samstagmorgen arbeiteten die Techniker der Telefongesellschaft fieberhaft, um den Generator aus der Breschnew-Ära, der die Schaltzentrale mit Notstrom versorgte, zu reparieren. Die Sammelschiene des Generators war stark verrostet, und als der verantwortliche Mechaniker daran rüttelte, um ihre Festigkeit zu prüfen, brach sie aus ihrer Verankerung. Bei dem Versuch, sie im Licht von Kerzen und Taschenlampen wieder anzubringen, brannte der Mechaniker mit seiner Lötlampe ein Loch in die Hauptinduktionsspule, und da es, wegen der politischen Instabilität im Vorfeld der Wahlen, in ganz Vilnius keine anderen gasgetriebenen Wechselstromgeneratoren zu kaufen gab (und erst recht keine altmodischen Dreiphasengeneratoren, auf die man die Schaltzentrale umgerüstet hatte, bloß weil ein solcher Dreiphasengenerator aus der Breschnew-Ära damals billig zu haben gewesen war) und polnische und finnische Lieferfirmen sich, wegen nämlicher politischer Instabilität, inzwischen sträubten, irgendetwas nach Litauen zu verschiffen, ohne im Voraus harte westliche Währung dafür zu sehen, fiel das ganze Land, dessen Bürger, wie etliche ihrer westlichen Zeitgenossen, im Zuge der Verbilligung und immer universaleren Nutzung des Handys ihre Kupferdrahttelefone kurzerhand abgemeldet hatten, in puncto Kommunikation auf den Stand des neunzehnten Jahrhunderts zurück: Es herrschte tiefes Schweigen.

An einem sehr trüben Sonntagmorgen erhoben Litschenkew und seine aus Schmugglern und Killern bestehende Kandidatentruppe der Volksstrom-Partei Anspruch auf 38 der 141 Sitze im Seimas. Doch der litauische Präsident, Audrius Vitkunas, ein charismatischer und paranoider Erznationalist, der Russland und den Westen gleichermaßen leidenschaftlich hasste, weigerte sich, die Wahlergebnisse für gültig zu erklären.

«Der tollwütige Litschenkew und seine schaummäuligen Höllenhunde machen mir keine Angst!», rief Vitkunas in einer Fernsehansprache am Sonntagabend. «Örtlicher Stromausfall, ein fast totaler Zusammenbruch des Telekommunikationssystems der Hauptstadt und ihres Umlands sowie die Präsenz schwer bewaffneter, aus Litschenkews bezahlten, schaummäuligen, speichelleckerischen Höllenhunden bestehender ‹Einsatztruppen› *können mich nicht überzeugen*, dass die gestrige Wahl den ureigenen Willen und kerngesunden Menschenverstand des großartigen und glorreichen, unsterblichen litauischen Volks widerspiegelt! Unter keinen Umständen werde, kann, darf und sollte ich diese dreckbesudelten, madenzerfressenen, tertiärsyphilitischen Ergebnisse der nationalen Parlamentswahlen für gültig erklären!»

Gitanas und Chip schauten sich diesen Auftritt im ehemaligen Ballsaal der Villa im Fernsehen an. Zwei Leibwächter saßen in einer Ecke des Raums am Computer und spielten leise Dungeonmaster, während Gitanas für Chip die prächtigeren Perlen der Vitkunas'schen Rhetorik übersetzte. In den Flügelfenstern war das torfige Licht des kürzesten Tags tiefer Dunkelheit gewichen.

«Ich hab bei der Sache ein ungutes Gefühl», sagte Gitanas. «Ich glaube, Litschenkew will Vitkunas über den Haufen schießen und dann sein Glück mit dem Nachfolger versuchen, wer immer das ist.»

Chip, der sich größte Mühe gab zu vergessen, dass in vier Tagen Weihnachten war, wollte nicht unbedingt in Vilnius bleiben, nur um eine Woche nach den Feiertagen fortgejagt zu werden. Er fragte Gitanas, ob er schon daran gedacht habe, das Crédit-Suisse-Konto aufzulösen und das Land zu verlassen.

«O ja, natürlich.» Gitanas trug seine rote Motocross-Jacke und schlang sich die Arme um den Körper. «Jeden Tag träume ich davon, bei Bloomingdale's einkaufen zu gehen. Jeden Tag denke ich an den großen Baum vorm Rockefeller Center.»

«Was hält Sie dann noch hier?»

Gitanas kratzte sich am Kopf und roch an seinen Fingernägeln, das Kopfhautaroma mit den Hautfettgerüchen seiner Nasenpartie mischend; offensichtlich fand er Trost im Talg. «Wenn ich abhaue», sagte er, «und der Sturm sich legt, wo stehe ich dann? Ich bin doch dreifach angeschmiert. In Amerika kann mich keiner einstellen. Ab nächstem Monat bin ich nicht mehr mit einer Amerikanerin verheiratet. Und meine Mutter lebt in Ignalina. Was soll ich in New York?»

«Wir könnten in New York weitermachen.»

«Da gibt's Gesetze. Die würden uns innerhalb einer Woche den Hahn zudrehen. Ich bin dreifach angeschmiert.»

Gegen Mitternacht ging Chip nach oben und schob sich zwischen seine dünnen, kalten Ostblocklaken. In seinem Zimmer hing der Geruch von feuchtem Mörtel, Zigaretten und intensiven synthetischen Shampooduftnoten, wie sie der baltischen Nase schmeichelten. Seine Gedanken nahmen ihr eigenes Schwirren wahr. Es gelang ihm nicht, in den Schlaf zu sinken, er zuckte immer wieder hoch wie ein übers Wasser hüpfender Stein. Mehrfach hielt er das Licht, das von der Straße durch sein Fenster fiel, für Tageslicht. Er ging hinunter und stellte fest, dass es schon später Nachmittag war, Heiligabend; da ergriff ihn die panische Angst eines Menschen, der verschlafen hatte, die Angst, ins Hintertreffen geraten zu sein, ein Informationsdefizit zu haben. Seine Mutter bereitete in der Küche das Weihnachtsabendessen zu. Sein Vater, jugendlich in Lederjacke, saß im dämmrigen Ballsaal und schaute die CBS-Abendnachrichten mit Dan Rather. Höflichkeitshalber fragte Chip ihn, was es für Neuigkeiten gebe.

«Sag Chip», antwortete Alfred, der ihn nicht erkannte, «dass da im Osten Unruhen sind.»

Das wirkliche Tageslicht kam um acht. Geschrei auf der Straße weckte ihn. Sein Zimmer war ausgekühlt, aber nicht eisig; der Heizstrahler roch nach warmem Staub – der zentrale Heißwasserspeicher der Stadt funktionierte, die gesellschaftliche Ordnung war noch intakt.

Durch die Zweige der Fichten vor seinem Fenster sah er, dass sich hinter dem Zaun mehrere Dutzend Männer und Frauen in unförmigen Mänteln zu einer Menge zusammengerottet hatten.

Eine feine Schicht Schnee war in der Nacht gefallen. Zwei von Gitanas' Sicherheitsleuten, die Brüder Jonas und Aidaris – große blonde Kerle mit halb automatischen Gewehren über der Schulter –, verhandelten durch die Stäbe des vorderen Gittertors mit zwei mittelalten Frauen, deren messingfarbenes Haar und rote Gesichter, wie die Wärme des Heizstrahlers, Zeugnis vom Fortgang des alltäglichen Lebens gaben.

Unten hallte der Ballsaal von emphatischen litauischen Fernsehansprachen wider. Gitanas saß an derselben Stelle, wo Chip ihn am vergangenen Abend zurückgelassen hatte, trug jedoch andere Kleider und schien geschlafen zu haben.

Das graue Morgenlicht, der Schnee auf den Bäumen und das gewisse Vorgefühl von Chaos und Auflösung erinnerten an das Ende eines Herbstsemesters, den letzten Prüfungstag vor den Weihnachtsferien. Chip ging in die Küche und goss Vitasoy-Delite-Vanillesojamilch auf eine Schüssel «Barbaras unbehandelte leicht bekömmliche Vollwertflocken». Er trank ein wenig von dem dickflüssigen deutschen Bio-Schwarzkirschsaft, den er kürzlich für sich entdeckt hatte. Dann kochte er zwei Becher Instantkaffee und nahm sie mit in den Ballsaal, wo Gitanas inzwischen den Fernseher ausgeschaltet hatte und wieder an seinen Fingernägeln schnüffelte.

Chip fragte ihn, was es für Neuigkeiten gebe.

«Alle meine Leibwächter außer Jonas und Aidaris sind abgehauen», sagte Gitanas. «Mit dem VW und dem Lada. Ich glaube kaum, dass sie zurückkommen.»

«Wer braucht schon Angreifer, wenn er solche Beschützer hat?», sagte Chip.

«Sie haben uns den Stomper hier gelassen; der zieht Verbrechen geradezu magnetisch an.»

«Wann war das?»

«Ich vermute, gleich nachdem Präsident Vitkunas die Armee in Alarmbereitschaft versetzt hatte.»

Chip lachte. «Und wann war *das*?»

«Heute Morgen. In der Stadt läuft offenbar noch alles normal – mit Ausnahme von Transbaltikum Mobil natürlich», sagte Gitanas.

Die Menge auf der Straße war angewachsen. Vielleicht hundert Leute standen jetzt vor dem Haus und hielten allesamt ihre Handys hoch, aus denen ein schauriger, engelhafter Gesang ertönte. Es war der ZURZEIT AUSSER BETRIEB-Refrain.

«Ich möchte, dass Sie nach New York zurückkehren», sagte Gitanas. «Was hier passiert, werden wir sehen. Vielleicht komme ich nach, vielleicht auch nicht. Über Weihnachten muss ich erst mal zu meiner Mutter. Hier ist Ihre Abfindung.»

Er warf Chip einen dicken braunen Umschlag zu, und im selben Moment hallten die Außenwände der Villa von vielfachen dumpfen Schlägen wider. Chip ließ den Umschlag fallen. Ein Stein krachte durch eines der Fenster, prallte einmal vom Boden ab und blieb neben dem Fernseher liegen. Der Stein war vierkantig: die abgebrochene Ecke eines Granitpflastersteins. Er war mit frischer Feindseligkeit überzogen und sah leicht verlegen aus.

Gitanas rief über die Kupferdrahtleitung bei der «Polizei» an und meldete erschöpft, was passiert war. Die Brüder Jonas und Aidaris, Finger am Abzug, kamen durch die Eingangstür, kalte Luft mit einem fichtigen Jularoma hereinbringend. Die Brüder waren Gitanas' Vettern; das erklärte vermutlich, warum sie nicht mit den anderen desertiert waren. Gitanas legte auf und besprach sich mit ihnen auf Litauisch.

Der braune Umschlag enthielt ein sattes Bündel Fünzig- und Hundertdollarscheine.

Chips banges Traumgefühl, er könne zu spät bemerkt haben, dass Weihnachten war, hielt auch bei Tageslicht vor. Keiner der jungen Webheads war heute zur Arbeit erschienen, und gerade hatte er von Gitanas etwas geschenkt bekommen, und Schnee klebte an Fichtenzweigen, und Weihnachtssänger in unförmigen Mänteln standen vor dem Tor …

«Packen Sie Ihre Sachen», sagte Gitanas. «Jonas fährt Sie zum Flughafen.»

Mit leerem Kopf und leerem Herzen ging Chip nach oben. Auf der Veranda vor dem Haus hörte er Schüsse, das Tingeling fallender Patronenhülsen, Jonas und Aidaris, die (hoffte er) in den Himmel zielten. Kling, Glöckchen, kling.

Er zog seine Lederhose und Lederjacke an. Das Packen seiner Sachen verband ihn mit dem Moment des Auspackens Anfang Oktober, eine Zeitschleife wurde vollendet und eine Zugschnur festgezurrt, die die dazwischen liegenden zwölf Wochen verschwinden ließ. Da stand er nun wieder und packte.

Gitanas, den Blick auf die Nachrichten geheftet, roch an seinen Fingern, als Chip in den Ballsaal zurückkam. Auf dem Fernsehbildschirm bewegte sich Victor Litschenkews Schnurrbart rauf und runter.

«Was sagt er da?»

Gitanas zuckte die Achseln. «Dass Vitkunas der Situation geistig nicht gewachsen sei und so weiter. Dass Vitkunas einen Putsch inszeniere, um die rechtmäßige Entscheidung des litauischen Volkes aufzuheben und so weiter.»

«Sie sollten mit mir kommen», sagte Chip.

«Erst muss ich zu meiner Mutter», sagte Gitanas. «Ich ruf Sie nächste Woche an.»

Chip schloss seinen Freund in die Arme und drückte ihn an sich. Er konnte das Kopfhautfett riechen, das Gitanas in seiner Aufregung geschnüffelt hatte. Ihm war, als umarme er sich selbst, als spüre er seine eigenen Primatenschulterblätter, das Kratzen seines eigenen Wollpullovers. Er spürte auch die Schwermut seines Freundes – wie nicht anwesend, wie abgelenkt oder verschlossen er war – und fühlte sich sofort genauso verloren.

Draußen auf dem Kiesweg vor der Haustür hupte Jonas.

«Wir sehen uns in New York», sagte Chip.

«Gut, vielleicht.» Gitanas machte sich los und ging wieder zum Fernseher.

Als Jonas und Chip durch das geöffnete Tor brausten, wurde der Stomper von den wenigen Demonstranten, die noch übrig geblieben waren, mit Steinen beworfen. Sie fuhren aus dem Stadtzentrum hinaus Richtung Süden, vorbei an abweisenden Tankstellen und braunwandigen, verkehrsnarbigen Gebäuden, die an Tagen wie diesem, wenn das Wetter rau und das Licht karg war, umso glücklicher und authentischer wirkten. Jonas konnte nur wenig Englisch, schaffte es aber, sich Chip gegenüber tolerant, vielleicht sogar freundlich zu geben, während er immer wieder in den Rückspiegel sah. Verkehr herrschte an diesem Morgen kaum, und große Geländewagen, die Arbeitspferde der Kriegsherrenkaste, erregten, in Zeiten politischer Instabilität, ein ungesundes Maß an Aufmerksamkeit.

Der kleine Flughafen war von jungen Leuten belagert, die in den Sprachen des Westens durcheinander redeten. Seit der Quad Cities Fund die Lietuvos Avialinijos aufgelöst hatte, waren einige der Strecken von anderen Fluggesellschaften übernommen worden, doch der eingeschränkte Flugplan (vierzehn Flüge am Tag in die Hauptstädte Europas) war nicht darauf ausgelegt, mit einem solchen Passagieraufkommen fertig zu werden. Hunderte von britischen, deutschen und amerikanischen Studenten und Geschäftsleuten, darunter viele Gesichter, die Chip von seinen Zechtouren mit Gitanas her kannte, drängelten sich an den Ticketschaltern von Finnair, Lufthansa, Aeroflot und der polnischen LOT.

Tapfere Stadtbusse karrten immer neue Ladungen ausländischer Bürger heran. Soweit Chip erkennen konnte, bewegte sich keine der Schlangen an den Schaltern auch nur einen Millimeter vorwärts. Er studierte die Abflugtafel und entschied sich für die Gesellschaft mit der höchsten Flugfrequenz: Finnair.

Am Ende der sehr langen Finnair-Schlange standen zwei amerikanische Studentinnen mit Schlaghosen und anderen Sechziger-Jahre-Revival-Kleidungsstücken. Sie hießen Tiffany und Cheryl, wenn er ihren Gepäckaufklebern Glauben schenken durfte.

«Habt ihr Tickets?», fragte Chip.

«Für morgen», sagte Tiffany. «Aber hier sieht's ja irgendwie übel aus, also.»

«Bewegt sich die Schlange vorwärts?»

«Weiß ich nicht. Wir sind erst seit zehn Minuten hier.»

«Sie hat sich seit zehn Minuten nicht vorwärts bewegt?»

«Da vorn am Schalter sitzt bloß eine einzige Figur», sagte Tiffany. «Aber nicht, dass es hier irgendwo 'n anderen, besseren Finnair-Schalter gäbe oder so.»

Chip war verwirrt und musste sich beherrschen, nicht ein Taxi zu rufen und zu Gitanas zurückzufahren.

Cheryl sagte zu Tiffany: «Mein Dad also zu mir, du musst untervermieten, wenn du nach Europa willst, und ich zu ihm, ich hab Anna aber versprochen, dass sie an den Heimspielwochenenden bei mir wohnen kann, um mit Jason zu schlafen, okay? Das kann ich ja wohl schlecht wieder *zurück*nehmen – oder? Und da wird mein Dad auf einmal so oberpedantisch, und ich dann, hallo, das ist *meine* Wohnung, ja? Du hast sie für *mich* gekauft, oder? Und ich soll da irgend so 'nen *Fremden* reinlassen, verstehst du – irgend so 'nen Typen, der was auf meinem Herd brutzelt und in meinem Bett schläft?»

Tiffany sagte: «Das ist ja *so was* von herbe.»

Cheryl sagte: «Und mein *Kopfkissen* benutzt?»

Zwei weitere Nichtlitauer, ein belgisches Paar, stellten sich hinter Chip an. Allein die Tatsache, nicht mehr der Letzte in der Schlange zu sein, brachte schon ein wenig Erleichterung. Auf Französisch bat Chip die Belgier, auf seine Tasche aufzupassen und seinen Platz für ihn zu halten. Er ging in die Herrentoilette, schloss sich in einer Kabine ein und zählte das Geld, das Gitanas ihm gegeben hatte.

Es waren 29 250 Dollar.

Das verstörte ihn irgendwie. Machte ihm Angst.

Eine Lautsprecherstimme in der Toilette sagte, zuerst auf Litauisch, dann auf Russisch, dann auf Englisch, dass der LOT-Flug Nummer 331 aus Warschau gestrichen worden sei.

Chip steckte zwanzig Hunderter in seine T-Shirt-Tasche, zwanzig Hunderter in seinen linken Stiefel und schob den Rest des Geldes wieder in den Umschlag, den er unter seinem T-Shirt, direkt am Bauch, verbarg. Er wünschte, Gitanas hätte ihm das Geld nicht gegeben. Ohne das Geld hätte er einen guten Grund gehabt, in Vilnius zu bleiben. Jetzt, wo es dazu keinen guten Grund mehr gab, trat eine einfache, im Lauf der letzten zwölf Wochen schön verhüllte Tatsache in der fäkalen, urinösen Toilettenkabine splitternackt zutage: die einfache Tatsache, dass er Angst hatte, nach Hause zu fahren.

Kein Mensch sieht gern seiner eigenen Feigheit ins Auge. Chip war wütend auf das Geld, wütend auf Gitanas, der es ihm gegeben hatte, und wütend auf Litauen, das in die Knie ging, doch die Tatsache, dass er Angst hatte, nach Hause zu fahren, blieb bestehen, und außer ihm selbst war niemand daran schuld.

Er nahm seinen Platz in der Finnair-Schlange, die sich noch immer keinen Zentimeter bewegt hatte, wieder ein. Lautsprecher verkündeten, Flug Nummer 1048 aus Helsinki sei gestrichen worden. Ein allgemeines Stöhnen erhob sich, und Körper schoben sich weiter, sodass die Spitze der Schlange am Schalter stumpf wie ein Delta wurde.

Cheryl und Tiffany beförderten ihre Taschen mit Fußtritten vorwärts. Chip beförderte seine Tasche mit Fußtritten vorwärts. Er fühlte sich der Welt zurückgegeben, und das behagte ihm nicht. Eine Art Krankenhauslicht, ein Licht voller Ernst und Unausweichlichkeit, fiel auf die Mädchen und das Gepäck und das uniformierte Finnair-Personal. Nirgendwo konnte Chip sich verstecken. Alle, die in seiner Nähe standen, lasen Romane. Er selbst hatte seit mindestens einem Jahr keinen Roman mehr gelesen. Der Gedanke ängstigte ihn beinahe genauso wie der Gedanke an Weihnachten in St. Jude. Am liebsten wäre er hinausgegangen, um sich ein Taxi herbeizuwinken, doch er vermutete, dass Gitanas bereits aus der Stadt geflohen war.

Er stand im harten Licht, bis es 14.00 Uhr und dann 14.30 Uhr war – früher Morgen in St. Jude. Während die Belgier erneut auf seine Tasche aufpassten, stellte er sich ans Ende einer anderen Schlange, um ein Ferngespräch zu führen.

Enids Stimme war undeutlich und klein. «Wallo?»

«Hi, Mom, ich bin's.»

Augenblicklich verdreifachten sich Höhe und Lautstärke ihrer Stimme. «Chip? Oh, Chip! Al, es ist Chip! Es ist Chip! Chip, wo bist du?»

«Ich bin am Flughafen von Vilnius. Ich bin auf dem Weg nach Hause.»

«Oh, wie herrlich! Wie herrlich! Wie herrlich! Wann kommst du hier an?»

«Ich habe noch kein Ticket», sagte er. «Hier geht im Moment alles drunter und drüber. Aber irgendwann morgen Nachmittag. Spätestens Mittwoch.»

«Herrlich!»

Auf die Freude in der Stimme seiner Mutter war er nicht gefasst gewesen. Falls er jemals gewusst hatte, dass er einem anderen Menschen Freude bereiten konnte, hatte er es längst vergessen. Er bemühte sich, seine Stimme unter Kontrolle und die Anzahl seiner Wörter gering zu halten. Er sagte, er werde wieder anrufen, sobald er an einem besseren Flughafen sei.

«Das sind ja herrliche Nachrichten», sagte Enid. «Ich bin ja so froh!»

«Gut, also dann, bis bald.»

Schon bahnte sich von Norden her die gewaltige baltische Winternacht ihren Weg. Veteranen von der Spitze der Finnair-Schlange berichteten, alle Maschinen an diesem Tag seien ausgebucht und mindestens eine davon werde wahrscheinlich noch gestrichen, doch Chip hoffte, er brauche nur ein paar Hunderter zu zücken, um sich jene «Ellbogen-Vorrechte» zu sichern, die er auf Lithuania.com verspottet hatte. Und falls das misslang, wollte er jemandem für viel Bargeld ein Ticket abkaufen.

Cheryl sagte: «O Gott, Tiffany, vom Laufband kriegt man ja einen so totalen *Muskelhintern*!»

Tiffany sagte: «Nur wenn man ihn rausstreckt, sag ich mal.»

Cheryl sagte: «Alle strecken ihn raus. Das geht gar nicht anders. Die Beine werden so müde.»

Tiffany sagte: «Maann! Das ist ein Laufband! Die Beine *sollen* müde werden!»

Cheryl schaute aus dem Fenster, und ihr studentischer Hochmut schwand hörbar, als sie fragte: «Entschuldigt mal, warum steht da ein *Panzer* mitten auf dem Rollfeld?»

Eine Minute später gingen die Lichter aus, und die Telefonleitungen waren tot.

EIN LETZTES WEIHNACHTEN

UNTEN IM KELLER, am östlichen Ende der Tischtennisplatte, war Alfred dabei, einen Maker's-Mark-Whiskeykarton auszupacken, in dem die elektrischen Lichterketten für den Weihnachtsbaum aufbewahrt wurden. Er hatte schon verschreibungspflichtige Medikamente und Utensilien für einen Einlauf auf der Platte liegen. Er hatte ein von Enid frisch gebackenes Plätzchen, dessen Form an einen Terrier erinnerte, aber ein Rentier sein sollte. Er hatte einen Sirupkarton der Firma Log Cabin, in dem sich die großen bunten Lichter befanden, die er früher immer draußen in die Eiben gehängt hatte. Er hatte eine halb automatische Schrotflinte in einer Segeltuchhülle mit Reißverschluss und eine Schachtel zwanzigkalibriger Patronen. Er hatte einen selten klaren Kopf und den Willen, ihn auch zu nutzen, solange die Klarheit vorhielt.

Ein schattiges Spätnachmittagslicht war in den Fensterschächten eingesperrt. Der Heizkessel sprang häufig an, das Haus war undicht. Als wäre Alfred ein Holzklotz oder ein Stuhl, so hing sein roter Pullover, asymmetrische Falten und Wülste bildend, an ihm. Seine grauen Wollhosen waren von Flecken befallen, die er dulden musste, denn die einzige Alternative hieß, den Verstand zu verlieren, und ganz so weit war er noch nicht.

Zuoberst im Maker's-Mark-Karton fand er ein sehr langes, unförmig um ein Stück Pappe gewundenes Kabel mit weißen elektrischen Weihnachtskerzen. Das Kabel stank nach dem Schimmel aus dem Geräteschuppen unter der Veranda, und als er den Stecker in die Dose steckte, sah er sofort, dass nicht alles in Ordnung war. Die meisten Lichter brannten hell, doch in der

Nähe der Spule gab es einen Abschnitt Glühbirnen, die nicht leuchteten – eine Substantia nigra tief im Innern des Knäuels. Er wickelte das Kabel von der Spule und fierte es auf die Tischtennisplatte. Ganz am Ende war eine unansehnliche Reihe kaputter Glühbirnen.

Er wusste, was die moderne Welt jetzt von ihm erwartete. Die moderne Welt erwartete, dass er zu einem großen Verbrauchermarkt fuhr und die schadhafte Lichterkette gegen eine neue auswechselte. Doch die Verbrauchermärkte waren zu dieser Zeit des Jahres heillos überfüllt; er würde zwanzig Minuten lang Schlange stehen müssen. Ihm machte Anstehen ja nichts aus, aber Enid ließ ihn nicht mehr Auto fahren, und Enid machte Anstehen eine Menge aus. Sie war oben und peitschte sich über die Zielgerade der Weihnachtsvorbereitungen.

Viel besser, dachte Alfred, wenn er sich gar nicht erst blicken ließ und im Keller blieb, wenn er mit dem arbeitete, was er hatte. Eine zu neunzig Prozent funktionierende Lichterkette wegzuwerfen verletzte sein Gefühl für die Verhältnismäßigkeit und Ökonomie der Dinge. Ja, es verletzte sein Selbstwertgefühl, weil er ein Individuum eines Individuenzeitalters war, und eine Lichterkette war genauso individuell wie er. Egal, wie wenig sie gekostet hatte, sie wegzuwerfen hieß, ihren Wert und, noch einen Schritt weitergedacht, den Wert des Individuums an sich zu leugnen: etwas eigenmächtig als Müll zu definieren, obwohl man genau wusste, dass es keiner war.

Die moderne Welt erwartete eine solche Definition, und Alfred verweigerte sie ihr.

Leider wusste er nicht, wie man die Lichter reparierte. Er begriff nicht, wie es möglich war, dass ganze fünfzehn Glühbirnen am Stück den Geist aufgaben. Als er sich den Übergang von Licht zu Dunkelheit genauer ansah, konnte er zwischen der letzten brennenden und der ersten kaputten Birne keinen Unterschied feststellen. Es gelang ihm nicht, die drei Drähte, aus der das Kabel bestand, durch all ihre Windungen und Verflechtungen hindurch zu verfolgen. Die Schaltung des Stromkreises war auf irgendeine komplexe Weise, deren Sinn sich ihm entzog, semiparallel.

In alten Zeiten hatte es Weihnachtsbaumlichter an kurzen Kabeln mit Serienschaltung gegeben. Wenn auch nur eine einzige Glühbirne durchbrannte oder sich in ihrer Fassung lockerte, war der Stromkreis sofort unterbrochen, und alle Lichter gingen aus. Für Gary und Chip war es ein Weihnachtsritual gewesen, jede kleine messingfüßige Glühbirne an der erloschenen Kette festzuschrauben und, wenn das nichts nützte, eine Birne nach der anderen auszuwechseln, bis der Übeltäter gefunden war. (Und wie hatten sich die Jungen über die Wiederauferstehung einer Kette gefreut!) Als später Denise dazukam und mithelfen wollte, war die Technik schon fortgeschritten. Es gab Parallelschaltungen, und die Glühbirnen hatten Klemmsockel aus Plastik. Ein einziges schadhaftes Licht zog nicht die ganze Korona in Mitleidenschaft, sondern bekannte sich auf der Stelle schuldig, sodass es auf der Stelle ausgewechselt werden konnte …

Alfreds Hände rotierten an ihren Gelenken wie die Zwillingsarme eines Schneebesens. So gut es irgend ging, bewegte er seine Finger an dem Kabel entlang, drückte und zwirbelte an den Drähten – und der dunkle Abschnitt leuchtete wieder auf! Die Lichterkette war vollständig!

Wie hatte er das geschafft?

Er legte das Kabel der Länge nach auf die Tischtennisplatte. Fast augenblicklich erlosch das defekte Stück. Er versuchte, es durch Drücken und Klopfen wieder zu beleben, doch diesmal hatte er kein Glück.

(Man steckte sich den Lauf der Schrotflinte in den Mund und griff nach dem Schalter.)

Erneut besah er sich den oliv-grauen Drahtzopf. Selbst jetzt, an dieser äußersten Grenze seines Gebrechens, glaubte er noch, dass er sich mit Bleistift und Papier hinsetzen und die Grundlagen der Elektrizität neu erfinden könnte. Für den Moment war er überzeugt, dazu imstande zu sein; doch die Aufgabe, die Funktionsweise einer Parallelschaltung auszuknobeln, war weit beängstigender als, sagen wir, die Aufgabe, zu einem Verbrauchermarkt zu fahren und Schlange zu stehen. Zur Bewältigung der intellektuellen Aufgabe hätten gewisse Gesetzmäßigkeiten induktiv wieder hergeleitet, hätten die Schaltungen in seinem Gehirn neu aufgebaut werden müssen. Was für ein Wunder, dass so etwas überhaupt denkbar war – dass ein vergesslicher alter Mann in seinem Keller, mit seiner Schrotflinte und seinem Plätzchen und seinem großen blauen Sessel, organische Schaltungen, die komplex genug waren, um Elektrizität zu verstehen, einfach so wieder beleben könnte –, doch die *Energie*, die diese Umkehrung der Entropie ihn kosten würde, überstieg bei weitem die Energie, die ihm in Form seines Plätzchens zu Gebote stand. Wenn er eine ganze Dose Plätzchen auf einmal essen würde, dann wäre er vielleicht in der Lage, Parallelschaltungen wieder begreifen zu lernen und sich einen Reim auf das seltsame dreidrähtige Flechtwerk dieser teuflischen Lichter zu machen. Aber, gütiger Gott, ein Mensch konnte so müde sein.

Er schüttelte die Kette, und die Lichter gingen an. Er schüttelte sie und schüttelte sie, und sie gingen nicht aus. Kaum hatte er die Kette jedoch auf die behelfsmäßige Spule gewickelt, wurde es tief im Innern wieder dunkel. Zweihundert Glühbirnen leuchteten hell, und die moderne Welt bestand darauf, dass er das ganze Ding in den Müll warf.

Er argwöhnte, dass die neue Technik an irgendeiner Stelle, auf irgendeine Weise dumm oder faul war. Irgendein junger Ingenieur hatte ein Schnellverfahren gewählt und die Konsequenzen, unter denen Alfred jetzt zu leiden hatte, nicht bedacht. Doch da er die Technik nicht durchschaute, hatte er keine Möglichkeit, ihre Fehler zu erkennen, geschweige denn Maßnahmen zu ergreifen, um sie zu beheben.

Und so führten die gottverdammten Lichter ihn am Gängelband, und es blieb ihm verdammt nochmal nichts anderes übrig, als loszufahren und *Geld auszugeben*.

Als Junge hatte man noch den Willen, Dinge eigenhändig zu reparieren, und Respekt vor jedem stofflichen Gegenstand, doch irgendwann wurden Teile der eigenen technischen Ausrüstung (einschließlich der geistigen Ausrüstung wie besagten Willens und Respekts) morsch, und dann sprach, selbst wenn andere Teile noch gut in Schuss waren, einiges dafür, die ganze menschliche Maschine zu verschrotten.

Was nichts anderes hieß, als dass er müde war.

Er steckte sich das Plätzchen in den Mund. Kaute sorgfältig und schluckte. Alt zu werden war die Hölle.

Zum Glück gab es noch Tausende anderer Lichterketten im Maker's-Mark-Karton. Alfred probierte sie systematisch, der Reihe nach, aus. Drei kürzere Kabel funktionierten gut, doch alle übrigen waren entweder aus unerfindlichen Gründen kaputt oder so alt, dass das Licht schwach und gelb geworden war; und drei kürzere Ketten reichten nun einmal nicht für den ganzen Baum.

Am Boden des Kartons fand er sorgfältig beschriftete Packungen mit Ersatzglühbirnen. Er fand geflickte Kabel, aus denen er die schadhaften Abschnitte einst herausgetrennt hatte. Er fand alte Kabel mit Serienschaltung, deren defekte Fassungen er mit kleinen Tropfen Lötzinn kurzgeschlossen hatte. Jetzt, im Nachhinein, war er erstaunt, dass ihm zwischen so vielen anderen Verpflichtungen Zeit für all diese Reparaturarbeiten geblieben war.

Ach, die Mythen und der kindliche Optimismus des Heilemachens! Die Hoffnung, dass ein Gegenstand sich niemals würde abnutzen müssen. Der stumme Glaube, dass es immer eine Zukunft geben würde, in der er, Alfred, nicht nur am Leben wäre, sondern auch genügend Energie hätte, um Reparaturen auszuführen. Die stille Überzeugung, dass sich all seine Sparsamkeit und all die Leidenschaft, mit der er Dinge zu bewahren suchte, später einmal auszahlen würden: dass er eines Tages, wenn er aufwachte, ein vollkommen anderer Mensch mit unbegrenzter Energie und unbegrenzter Zeit wäre, sodass er sich um all die Gegenstände, die er gerettet hatte, kümmern, dass er alles am Laufen, alles zusammenhalten könnte.

«Ich sollte den ganzen verflixten Kram wegschmeißen», sagte er laut.

Seine Hände wackelten. Sie wackelten immer.

Er trug die Schrotflinte in die Werkstatt und lehnte sie gegen den Labortisch.

Das Problem war nicht zu lösen. Da hatte er sich nun in extrem kaltem Salzwasser befunden, die Lungen halb gefüllt und die schweren Beine von Krämpfen geschüttelt und eine Schulter nutzlos in ihrer Gelenkpfanne, und es hätte gereicht, gar nichts zu tun. Loszulassen und zu ertrinken. Doch er hatte gestrampelt, es war ein Reflex gewesen. Er mochte die Tiefe nicht, deshalb hatte er gestrampelt, und dann hatte es von oben orange Rettungsringe geregnet. Er hatte seinen funktionierenden Arm in einen dieser Ringe gesteckt, kurz bevor er von einer wirklich beachtlichen Verbindung aus Welle und Sog – dem Kielwasser der *Gunnar Myrdal* – wie von Riesenhand in einen Spül- und Schleudergang befördert wurde. Wieder hätte er nur loszulassen brauchen. Aber noch während er dort im Nordatlantik trieb und beinahe ertrank, war ihm klar, dass es an jenem *anderen* Ort überhaupt keine Gegenstände mehr geben würde: dass dieser jämmerliche orange Rettungsring, durch den er eben seinen Arm gesteckt hatte, dieses im Kern unergründliche und nicht nachgebende stoffbezogene Stück Schaum, in der gegenstandslosen Welt des Todes, auf die er jetzt zusteuerte, ein GOTT, ja dass es in jenem Universum des Nichtseins das HÖCHSTE ICH-BIN-WAS-ICH-BIN sein würde. Für ein paar Minuten war der orange Rettungsring der einzige Gegenstand, den er noch hatte. Es war sein letzter Gegenstand, und darum liebte er ihn, instinktiv, und zog ihn an sich.

Dann hatten sie ihn aus dem Wasser gefischt und abgetrocknet und warm eingepackt. Wie ein Kind hatten sie ihn behandelt, und da waren ihm Zweifel gekommen, ob sein Entschluss, am Leben zu bleiben, so klug gewesen war. Abgesehen von der Blindheit auf einem Auge und der steifen Schulter und ein paar anderen Kleinigkeiten stimmte ja alles mit ihm, gleichwohl taten sie, als wäre er ein Idiot, ein kleiner Junge, ein Kretin. In ihrer gespielten Sorge, ihrer kaum verhohlenen Verachtung sah er die Zukunft gespiegelt, für die er sich im Wasser entschieden hatte. Es war eine Pflegeheim-Zukunft, und sie brachte ihn zum Weinen. Er hätte mal bloß ertrinken sollen.

Er schloss die Tür seines Labors und sperrte ab, denn das Entscheidende war doch, dass man seine Privatsphäre behielt, oder etwa nicht? Ohne Privatsphäre war es völlig sinnlos, ein Individuum zu sein. Und in einem Pflegeheim würden sie ihm keine Privatsphäre zugestehen. Sie würden sich wie die Leute im Hubschrauber benehmen und ihn nicht in Frieden lassen.

Er machte seine Hose auf, holte den Lumpen heraus, der zusammengefaltet in seiner Unterhose lag, und pinkelte in eine Yuban-Dose.

Das Gewehr hatte er ein Jahr vor seiner Pensionierung gekauft. Er hatte sich vorgestellt, dass die Pensionierung jenen radikalen Wandel bewirken würde. Er hatte sich vorgestellt, dass er jagen und fischen gehen würde, hatte sich vorgestellt, in Kansas und Nebraska bei Sonnenaufgang in einem kleinen Boot zu sitzen, hatte sich ein lächerliches und unrealistisches Freizeitleben für sich vorgestellt.

Die Mechanik des Gewehrs war samtweich und einladend, doch kurz nach dem Kauf, als Alfred gerade beim Essen saß, war ein Star gegen das Küchenfenster geflogen und mit gebrochenem Genick am Boden liegen geblieben. Alfred hatte keinen Bissen mehr herunterbekommen und später kein einziges Mal mit dem Gewehr geschossen.

Der Menschheit war die Herrschaft über die Welt anvertraut worden, und sie hatte die Gelegenheit genutzt, um andere Arten auszulöschen und die Atmosphäre zu erwärmen und allgemein Verderben über alles Irdische zu bringen; das allerdings war der Preis für ihre Privilegien: dass der endliche und spezifisch tierische Körper dieser Gattung ein Gehirn besaß, welches imstande war, das Unendliche zu denken und selbst unendlich sein zu wollen.

Es kam aber eine Zeit, da einem der Tod nicht mehr wie der Vollstrecker der Endlichkeit erschien, sondern mehr und mehr wie die letzte Gelegenheit zu radikalem Wandel, wie das einzige Tor zur Unendlichkeit.

Als endlicher Kadaver in einem Meer von Blut und Knochensplittern und grauer Masse gesehen zu werden – anderen Menschen diese Version seiner selbst zuzumuten – war jedoch eine so tief greifende Verletzung der Privatsphäre, dass sie ihn vermutlich überdauern würde.

Außerdem hatte er Angst, dass es wehtun könnte.

Und da war eine überaus wichtige Frage, deren Beantwortung er noch abwarten wollte. Seine Kinder kamen, Gary und Denise, und vielleicht sogar Chip, sein gelehrter Sohn. Es war möglich, dass Chip, sofern er denn kam, die überaus wichtige Frage beantworten konnte.

Und die Frage lautete:

Die Frage lautete:

Enid hatte sich überhaupt nicht, nicht das kleinste bisschen, geschämt, als die Sirenen aufheulten und vom Zurückschalten der Maschinen ein Zittern durch die *Gunnar Myrdal* ging und Sylvia Roth sie aus dem überfüllten Pippi-Langstrumpf-Ballsaal zerrte und rief: «Hier ist seine Frau, lassen Sie uns durch!» Es war Enid nicht peinlich gewesen, Dr. Hibbard wieder zu sehen, als er auf dem Boden des Deckgolfplatzes kniete und ihrem Mann mit einer zierlichen Chirurgenschere die nassen Kleider vom Leib schnitt. Ja nicht einmal, als der stellvertretende Kreuzfahrtleiter, der ihr half, Alfreds Taschen zu packen, eine gelbliche Windel in einem Eiskübel fand, nicht einmal, als Alfred die Krankenschwestern und Pfleger auf dem Festland beschimpfte, nicht einmal, als sie in Alfreds Krankenhauszimmer das Gesicht von Khellye Withers im Fernsehen sah und ihr klar wurde, dass sie am Vorabend von Withers' Hinrichtung kein tröstendes Wort zu Sylvia gesagt hatte – nicht einmal da hatte sie Scham empfunden.

Sie kehrte in derart gehobener Stimmung nach St. Jude zurück, dass sie es fertig brachte, Gary anzurufen und ihm zu gestehen, sie habe Alfreds notariell beglaubigte Lizenzvereinbarung mit der Axon Corporation nicht abgeschickt, sondern in der Waschküche versteckt. Kaum hatte Gary ihr die enttäuschende Mitteilung gemacht, dass fünftausend Dollar vermutlich doch keine so unangemessene Lizenzgebühr seien, ging sie hinunter, um die beglaubigte Vereinbarung wieder hervorzukramen, und fand sie nicht mehr. Seltsam unbeschämt rief sie in Schwenksville an und bat Axon, ihr eine zweite Ausfertigung des Vertrags zu schicken. Alfred war verwirrt, als sie ihm diese Zweitausfertigung vorlegte, doch sie wedelte mit den Händen und sagte, tja, auf dem Postweg gehe nun mal das eine oder andere verloren. Dave Schumpert leistete ihnen erneut notarielle Dienste, und die ganze Zeit über ging es ihr wirklich gut, bis ihre Aslan-Vorräte aufgebraucht waren und sie vor Scham beinahe starb.

Ihre Scham war lähmend und entsetzlich. Anders als eine Woche zuvor machte es ihr jetzt zu schaffen, dass eintausend glückliche Reisende auf der *Gunnar Myrdal* mitbekommen hatten, wie sonderbar sie und Alfred waren. Ausnahmslos jedem auf dem Schiff war klar gewesen, dass die Landung im Hafen des historischen Gaspé sich verzögern und der kleine Ausflug zur pittoresken Bonaventura-Insel ausfallen würde, nur weil der zittrige Mann mit dem grässlichen Regenmantel irgendwohin gegangen war, wo niemand hingehen durfte, und weil sich seine selbstsüchtige Frau indessen bei einem Investment-Vortrag vergnügt und weil sie ein so schlimmes Mittel eingenommen hatte, dass kein Arzt in Amerika es legal verschreiben konnte, und weil sie nicht an Gott glaubte und das Gesetz missachtete, ja weil sie beängstigend, unsagbar *anders* war als die meisten.

Nacht für Nacht lag sie wach, litt Qualen vor Scham und sah die goldenen Kapseln bildhaft vor sich. Sie schämte sich, nach diesen Kapseln zu lechzen, und war doch gleichzeitig überzeugt, dass allein sie ihr Erleichterung verschaffen würden.

Anfang November begleitete sie Alfred zu seiner alle zwei Monate stattfindenden neurologischen Untersuchung im Zentralen Waldkliniken-Komplex. Denise, die es übernommen hatte, Alfred für die Phase zwei der Korrektal-Tests bei Axon anzumelden, hatte Enid gefragt, ob er ihr «geistig verwirrt» vorkomme. Enid gab die Frage in einem Gespräch unter vier Augen an Dr. Hedgpeth weiter, und als Hedgpeth antwortete, dass Alfreds wiederkehrende geistige Verwirrung auf Alzheimer oder Lewy-Körperchen-Demenz hindeute, unterbrach Enid ihn, um zu fragen, ob Alfreds «Halluzinationen» nicht vielleicht von dem hoch dosierten Dopamin ausgelöst würden, das er einnehme. Diese Möglichkeit konnte Hedgpeth nicht leugnen. Er sagte, die einzig sichere Methode, Demenz auszuschließen, sei die, Alfred für einen zehntägigen «Pillenurlaub» ins Krankenhaus zu schicken.

In ihrer Scham verschwieg Enid ihm, dass sie, was Krankenhäuser betraf, misstrauisch geworden war. Sie verschwieg ihm, dass es in dem kanadischen Krankenhaus ein Toben und Um-sich-Schlagen und Fluchen gegeben hatte, ein Umwerfen von

Plastikkaraffen und rollenden Infusionsständern, bis Alfred hatte ruhig gestellt werden können. Sie verschwieg ihm, dass Alfred sie gebeten hatte, ihn zu erschießen, bevor sie ihn noch einmal an einen solchen Ort verfrachte.

Und als Hedgpeth wissen wollte, wie *sie* denn das alles verkrafte, verschwieg sie ihm auch ihr kleines Aslan-Problem. Vor lauter Angst, Hedgpeth könne in ihr die willensschwache, wild blickende Rauschgiftsüchtige erkennen, bat sie ihn nicht einmal um ein alternatives «Schlafmittel». Allerdings verschwieg sie ihm nicht, dass sie schlecht schlief. Das betonte sie sogar: *Sie schlafe ganz miserabel.* Doch Hedgpeth empfahl ihr nur, es mit einem anderen Bett zu versuchen. Er empfahl ihr Baldrian.

Als sie im Dunkeln neben ihrem schnarchenden Ehemann lag, erschien es ihr ungerecht, dass eine Medizin, die es in etlichen anderen Ländern ganz legal zu kaufen gab, für sie in Amerika nicht zu haben sein sollte. Es erschien ihr ungerecht, dass etliche ihrer Freundinnen solche «Schlafmittel» hatten, wie Hedgpeth sie ihr vorenthielt. Dass Hedgpeth die Dinge auch so grausam genau nehmen musste! Sicher, sie hätte zu einem anderen Arzt gehen und ihn um ein «Schlafmittel» bitten können, doch dieser andere Arzt hätte sich bestimmt gewundert, warum Enids Hausärzte ihr die gewünschten Medikamente verweigerten.

Das in etwa war die Lage, in der Enid sich befand, als Bea und Chuck Meisner aufbrachen, um sechs Wochen familiären Wintervergnügens in Österreich zu verleben. Am Tag vor Beas Abreise traf Enid sich zum Mittagessen mit ihr im Deepmire und bat sie, ihr in Wien einen Gefallen zu tun. Sie drückte Bea einen Zettel in die Hand, auf den sie *ASLAN ‹Kreuzfahrt› (Rhadamanthinzitrat 88 %, 3-Methyl-Rhadamanthinchlorid 12 %)* geschrieben hatte – wie es auf den unverkäuflichen Mustern stand – und daneben den Zusatz: *in den USA vorübergehend nicht erhältlich, brauche Vorrat für sechs Monate.*

«Bitte mach dir keine Umstände», sagte sie zu Bea, «aber wenn Klaus dir ein Rezept ausstellen könnte, wäre das so viel einfacher, als wenn mein Arzt sich etwas aus Europa schicken lassen müsste, also, wie auch immer, ich hoffe, ihr habt eine herrliche Zeit in meinem Lieblingsland!»

Enid hätte niemanden außer Bea um einen derart beschämenden Gefallen bitten können. Und auch Bea wagte sie nur zu fragen, weil (a) Bea ein klein wenig dumm war und (b) Beas Mann vor langer Zeit selbst einen beschämenden Insider-Kauf getätigt hatte, den der Erie-Belt-Aktien nämlich, und (c) Enid fand, dass Chuck Alfred nie angemessen für den Insider-Tipp gedankt oder sich sonst irgendwie erkenntlich gezeigt hatte.

Kaum waren die Meisners jedoch abgeflogen, begann Enids Scham, sie wusste auch nicht, wieso, nachzulassen. Als wäre ein böser Zauber von ihr gewichen, schlief sie besser und dachte weniger an das Mittel. Was den Gefallen betraf, um den sie Bea gebeten hatte, machte sie von ihrer Gabe der selektiven Vergesslichkeit Gebrauch. Allmählich bekam sie wieder das Gefühl, sie selbst, und das hieß: optimistisch zu sein.

Sie kaufte zwei Tickets für einen Flug nach Philadelphia am 15. Januar. Sie erzählte ihren Freundinnen, dass die Axon Corporation eine viel versprechende neue Gehirnarznei namens Korrektal teste und dass Alfred, da er sein Patent an Axon verkauft habe, als Testperson in Frage komme. Sie sagte, dass Denise ein Engel sei und ihr und Alfred angeboten habe, für die Dauer der Tests bei ihr in Philadelphia zu wohnen. Sie sagte, nein, Korrektal sei kein Abführmittel, es sei ein revolutionäres neues Medikament gegen die Parkinson'sche Krankheit. Sie sagte, ja, der Name sei verwirrend, aber ein Abführmittel sei es nicht.

«Erklär den Leuten von Axon», bat sie Denise, «dass Dad ein paar geringfügige halluzinatorische Symptome hat, sein Arzt aber der Meinung ist, sie kämen *wahrscheinlich von den Medi-*

kamenten. Denn falls Korrektal ihm hilft, brauchen wir ihm die Medikamente nicht mehr zu geben, weißt du, und dann hören die Halluzinationen wahrscheinlich auf.»

Nicht nur ihren Freundinnen, sondern allen ihren Bekannten in St. Jude, einschließlich ihres Schlachters, ihres Börsenmaklers und ihres Briefträgers, erzählte sie, dass ihr Enkel Jonah sie zu Weihnachten besuchen komme. Natürlich war sie enttäuscht, dass Gary und Jonah nur drei Tage bleiben und schon am Fünfundzwanzigsten mittags wieder abreisen wollten, doch auch in drei Tagen konnte man eine ganze Menge Schönes unterbringen. Sie hatte Karten für die Weihnachtsland-Lichtershow und den *Nussknacker*; außerdem standen Weihnachtsbaumschmücken, Schlittenfahren, Singen und ein Gottesdienst am Heiligen Abend auf dem Programm. Sie kramte Plätzchenrezepte hervor, nach denen sie zwanzig Jahre lang nicht gebacken hatte. Sie deckte sich mit Eierflip ein.

Am Sonntag vor Weihnachten wachte sie um 3 Uhr 05 auf und dachte: *Sechsunddreißig Stunden*. Vier Stunden später stand sie auf und dachte: *Zweiunddreißig Stunden*. Spät am Tag ging sie mit Alfred zur Weihnachtsfeier des Nachbarschaftsvereins bei Dale und Honey Driblett, platzierte Alfred neben Kirby Root, wo er sicher war, und rief ihren Nachbarn in Erinnerung, dass ihr Lieblingsenkel, der sich *schon das ganze Jahr* auf Weihnachten in St. Jude freue, morgen Nachmittag ankommen werde. Sie spürte Alfred in der Driblett'schen Gästetoilette auf und hatte wegen seiner angeblichen Verstopfung unerwartet Streit mit ihm. Sie nahm ihn mit nach Hause und brachte ihn zu Bett, löschte den Streit aus ihrem Gedächtnis und setzte sich ins Esszimmer, um ein weiteres Dutzend Weihnachtskarten aus dem Ärmel zu schütteln.

Der Weidenkorb für die hereinkommende Weihnachtspost enthielt bereits einen zehn Zentimeter dicken Packen mit Karten von alten Freundinnen wie Norma Greene und neuen Freundinnen wie Sylvia Roth. Mehr und mehr Absender schickten vervielfältigte oder am Computer erstellte Grüße, doch davon wollte Enid nichts wissen. Selbst wenn es bedeutete, dass sie nicht rechtzeitig fertig wurde, hatte sie sich vorgenommen, einhundert Karten per Hand zu schreiben und knapp zweihundert Umschläge per Hand zu adressieren. Neben ihrem zwei Absätze langen Standardgruß und ihrem vier Absätze langen ausführlichen Gruß hatte sie noch einen speziellen Kurzgruß in petto:

> Unsere Herbstfarben-Kreuzfahrt entlang der Küste von New England und Kanada war herrlich. Al nahm ein unerwartetes «Bad» im Golf von St. Lawrence, fühlt sich aber schon wieder «seetüchtig»! Denise' superelegantes neues Restaurant in Phila. wurde ausführlich in der NY Times gewürdigt. Chip arbeitet weiterhin bei seiner Anwaltsfirma in NYC und befasst sich mit Investitionen in Osteuropa. Wir hatten eine unvergessliche Zeit mit Gary und unserem «Wunderknaben» Jonah hier bei uns. Hoffe, dass die ganze Familie über Weihnachten nach St. Jude kommt – eine himmlische Freude für mich! Alles Liebe euch allen –

Es war schon zehn Uhr, und sie schüttelte gerade einen Krampf in ihrer Schreibhand aus, als Gary aus Philadelphia anrief.

«Wie schön, euch beide in siebzehn Stunden hier zu sehen!», sang Enid ins Telefon.

«Schlechte Nachrichten», sagte Gary. «Jonah hat sich übergeben und fiebert. Ich glaube nicht, dass ich ihn mit ins Flugzeug nehmen kann.»

Das Kamel der Enttäuschung scheute vor dem Nadelöhr von Enids Bereitschaft, das Gehörte zu begreifen.

«Warte ab, wie es ihm morgen geht», sagte sie. «Kinder haben doch manchmal solche Vierundzwanzig-Stunden-Infekte, bestimmt ist er morgen wieder auf dem Damm. Zur Not kann er sich im Flugzeug ausruhen und früh ins Bett gehen und am Dienstag lange schlafen!»

«Mutter.»

«Wenn er wirklich krank ist, Gary, dann verstehe ich, dass er nicht kommen kann. Aber wenn er kein Fieber mehr hat –»

«Glaub mir, wir alle sind enttäuscht. Vor allem Jonah.»

«Wir müssen ja nicht sofort eine Entscheidung treffen. Morgen ist auch noch ein Tag.»

«Ich will dich nur vorwarnen, dass ich wahrscheinlich allein kommen werde.»

«Na schön, Gary, aber morgen früh kann die Welt schon ganz, ganz anders aussehen. Warte doch einfach ab, und dann entscheidest du und überraschst mich. Bestimmt wird alles gut!»

Es war die Jahreszeit der Freude und Wunder, und Enid ging voller Hoffnung ins Bett.

Sehr früh am nächsten Morgen weckten – belohnten! – sie das Klingeln des Telefons, der Klang von Chips Stimme, die Nachricht, dass er innerhalb der nächsten achtundvierzig Stunden aus Litauen nach Hause kommen werde und die Familie am Weihnachtsabend somit vollzählig sei. Sie summte vor sich hin, während sie die Treppe hinunterstieg und eine weitere Miniatur an den Adventskalender heftete, der an der Haustür hing.

Solange irgendjemand zurückdenken konnte, hatten die Damen vom Dienstagskreis der Kirche Geld für den Klingelbeutel eingenommen, indem sie Adventskalender bastelten. Und zwar nicht wie Enid sich stets zu erklären beeilte, solche billigen, in Zellophan eingeschweißten Pappangelegenheiten mit Fensterchen, die es für fünf Dollar überall zu kaufen gab. Nein, diese Kalender waren wunderhübsch von Hand genäht und wieder verwendbar. Ein grüner Filzweihnachtsbaum prangte auf einem Viereck aus gebleichtem Stramin, dessen oberer und unterer Rand mit jeweils zwölf nummerierten Taschen bestickt war.

Jeden Morgen in der Adventszeit durften die Kinder eine Miniatur aus einer der Taschen holen – ein winziges Schaukelpferd aus Filz und Ziermünzen, eine gelbe Filzschildkröte oder einen mit Ziermünzen geschmückten Spielzeugsoldaten – und sie an den Filzbaum heften. Selbst jetzt, wo ihre Kinder alle erwachsen waren, ließ Enid es sich nicht nehmen, die Miniaturen jedes Jahr am 30. November zu mischen und auf die Taschen zu verteilen. Nur in der vierundzwanzigsten Tasche steckte immer dasselbe: ein klitzekleines Christkind aus Plastik in einer golden besprühten Walnussschale. Obwohl es Enid in ihren christlichen Überzeugungen sonst erheblich an Eifer gebrach, war sie, was diese Miniatur betraf, geradezu fromm. Es war für sie nicht bloß die Ikone des Herrn, sondern auch die Ikone ihrer eigenen drei Babys und aller anderen süßen, nach Baby riechenden Babys auf der Welt. Dreißig Jahre lang hatte sie die vierundzwanzigste Tasche bestückt, sie wusste ganz genau, was sich darin verbarg, und doch konnte ihr der Gedanke, sie zu öffnen, immer noch den Atem rauben.

«Ist es nicht herrlich, dass Chip kommt?», fragte sie Alfred beim Frühstück.

Alfred schaufelte seine Hamsterkügelchen Kleie in sich hinein und trank seinen morgendlichen Becher heißer, mit Wasser verdünnter Milch. Sein Ausdruck war der einer perspektivischen Regression hin zu einem Fluchtpunkt des Leids.

«*Chip* kommt *morgen*», wiederholte Enid. «Ist das nicht herrlich? Freust du dich nicht?»

Alfred beriet sich mit der durchweichten Kleie auf seinem wandernden Löffel. «Na ja», sagte er. «Wenn er denn kommt.»

«Er hat gesagt, er ist morgen Nachmittag hier», sagte Enid. «Wenn er nicht zu müde ist, kann er vielleicht mit in den *Nussknacker* gehen. Ich habe immer noch sechs Karten.»

«Ich bin skeptisch», sagte Alfred.

Dass seine Bemerkungen sich tatsächlich auf ihre Fragen bezogen – dass er trotz der Unendlichkeit, die in seinem Blick lag, an einem endlichen Gespräch teilnahm –, entschädigte sie dafür, dass er ein so säuerliches Gesicht machte.

Enid hatte all ihre Hoffnungen, als wären sie ein Baby in einer Walnussschale, an Korrektal geheftet. Falls sich herausstellte, dass Alfred zu verwirrt war, um an der Testreihe teilzunehmen, wusste sie nicht, was sie noch tun sollte. Ihr Leben hatte daher merkwürdige Ähnlichkeit mit dem Leben mancher ihrer Freunde, Chuck Meisner und Joe Person vor allem, die «süchtig» danach waren, ihre Investitionen im Auge zu behalten. Bea behauptete, Chuck sei derart besessen, dass er zwei- bis dreimal in der Stunde den Computer einschalte und die Kurse überprüfe, und als Enid und Alfred das letzte Mal mit den Persons ausgegangen waren, hatte Joe Enid *wahnsinnig* gemacht, indem er vom Restaurant aus mit seinem Handy drei verschiedene Broker anrief. In Bezug auf Alfred jedoch war sie keinen Deut anders: registrierte peinlich genau jeden hoffnungsvollen Aufschwung, lebte ständig in Angst vor dem Zusammenbruch.

Die freieste Stunde ihres Tages kam nach dem Frühstück. Jeden Morgen verschwand Alfred, sobald er seine Tasse heißes Milchwasser ausgetrunken hatte, im Keller und widmete sich seinem Stuhlgang. Enids Zuspruch war in dieser Stoßstunde seiner Not nicht erwünscht, aber sie konnte ihn auch getrost sich selbst überlassen. Seine Darmfixierung war ein Irrsinn, aber nicht die Art von Irrsinn, die seine Teilnahme an den Korrektal-Tests gefährdete.

Draußen vor dem Küchenfenster schwebten Schneeflocken aus einem schaurig blau bewölkten Himmel durch die Zweige des kümmerlichen Hartriegels, der (so alt war er also) einst von Chuck Meisner gepflanzt worden war. Enid knetete und formte einen falschen Hasen, stellte ihn in den Kühlschrank, um ihn später zu braten, und fabrizierte einen Zitronenwackelpudding mit Bananen, hellen Weintrauben, Dosenananas und Marshmallows. Beides gehörte, neben zweimal gebackenen Kartoffeln, zu Jonahs offiziellen St.-Jude-Leibgerichten und stand für heute Abend auf dem Speiseplan.

Monatelang hatte sie sich vorgestellt, wie Jonah am Morgen des Vierundzwanzigsten das Christkind an den Adventskalender heften würde.

Von ihrer zweiten Tasse Kaffee beflügelt, ging sie nach oben und kniete sich neben Garys alte Kirschbaumholz-Kommode, in der sie Geschenke und Mitbringsel aufbewahrte. Seit Wochen war sie mit ihren Weihnachtseinkäufen fertig, doch das Einzige, was sie für Chip erstanden hatte, war ein stark herabgesetzter braun-roter Wollbademantel der Marke Pendleton. Chip hatte sich ihren guten Willen eigentlich verscherzt, als er ihr, ein paar Jahre zuvor, ein gebraucht wirkendes Kochbuch zu Weihnachten geschenkt hatte, *Die marokkanische Küche*, in Aluminiumfolie gewickelt und mit Aufklebern verziert, auf denen rot durchgestrichene Kleiderbügel abgebildet waren. Jetzt aber, wo er extra aus Litauen nach Hause zurückkehrte, wollte sie ihn belohnen, indem sie ihr Geschenke-Budget voll ausschöpfte. Das folgendermaßen aussah:

Alfred: kein fester Betrag
Chip, Denise: jeweils $ 100 plus Grapefruit
Gary, Caroline: jeweils $ 60 höchstens plus Grapefruit
Aaron, Caleb: jeweils $ 30 höchstens
Jonah (nur dieses Jahr): kein fester Betrag

Da der Bademantel $ 55 gekostet hatte, brauchte sie für Chip noch weitere Geschenke im Wert von $ 45. Sie wühlte in den Kommodenschubladen. Sie verwarf die Vasen aus Hongkong in ihren angestaubten Schachteln, die vielen Bridgekarten und -blöcke, die vielen mit schönen Motiven bedruckten Papierservietten, die ebenso hübschen wie entbehrlichen Kugelschreiber-

und-Bleistift-Sets, die vielen Reisewecker, die sich auf besondere Art zusammenklappen ließen oder einen besonderen Weckton hatten, den Schuhlöffel mit Teleskopgriff, die unerklärlich stumpfen koreanischen Steakmesser, die bronzenen Untersetzer mit Korkböden und Lokomotivengravur, den 10 x 15-Bilderrahmen aus Keramik, auf dem in lavendelfarbener, lasierter Schrift das Wort «Erinnerungen» stand, die kleinen Onyx-Schildkröten aus Mexiko und die raffiniert verpackte Schleifen- und Geschenkpapierschachtel mit dem schönen Namen «Die Gabe des Schenkens». Sie überlegte, ob sich die zinnerne Dochtschere und der Salzstreuer-Pfeffermühlen-Ständer eignen würden. Chips spärliche Wohnungseinrichtung vor Augen, kam sie zu dem Ergebnis, dass die Dochtschere und der Salzstreuer-Pfeffermühlen-Ständer genau das Richtige seien.

In der Jahreszeit der Freude und Wunder, während sie die Geschenke einpackte, vergaß sie das nach Urin riechende Labor und die widerwärtigen Grillen. Sie konnte darüber hinwegsehen, dass Alfred den Weihnachtsbaum mit einer zwanzigprozentigen Neigung aufgestellt hatte. Es gelang ihr zu glauben, dass Jonah sich heute Morgen genauso gesund fühlte wie sie.

Als sie mit dem Einpacken fertig war, hatte das Licht am winterlichen Möwenfedernhimmel einen mittäglichen Einfallswinkel und Helligkeitsgrad. Sie ging in den Keller, wo sie die Tischtennisplatte, wie ein mit Hopfen zugewuchertes Chassis, unter grünen Lichterketten begraben fand und Alfred mit Isolierband, Schere und Verlängerungskabeln auf dem Boden.

«Diese verdammten Lichter!», sagte er.

«Was machst du denn da auf dem Boden, Al?»

«Diese verdammten, billigen neuen Lichter!»

«Reg dich doch nicht so auf, Al. Lass gut sein. Das können Gary und Jonah machen. Komm nach oben, das Essen ist fertig.»

Das Flugzeug aus Philadelphia sollte um halb zwei landen.

Gary hatte gesagt, er werde sich ein Auto mieten und gegen drei Uhr da sein, und Enid wollte, dass Alfred vorher schlief, denn heute Nacht würde sie Verstärkung haben. Wenn er heute Nacht aufstand und herumirrte, war sie nicht als Einzige im Dienst.

Nach dem Essen war die Stille im Haus von einer solchen Dichte, dass beinahe die Uhren stehen blieben. Die letzten Stunden des Wartens wären perfekt geeignet gewesen, noch ein paar Weihnachtskarten zu schreiben, eine Zwei-Fliegen-mit-einer-Klappe-Situation, in der die Minuten nicht nur wie im Flug vergangen wären, sondern Enid auch eine Menge Arbeit hätte erledigen können; doch die Zeit ließ sich so nicht überlisten. Als Enid mit einem Kurzgruß begann, war es, als zöge sie ihren Stift durch Melasse. Sie verlor den Faden ihrer Wörter, schrieb *nahm ein unerwartetes «Bad» in einem unerwarteten «Bad»* und musste die Karte wegwerfen. Sie ging in die Küche, um auf die Uhr zu sehen, und stellte fest, dass erst fünf Minuten verstrichen waren, seit sie zuletzt nachgeschaut hatte. Sie arrangierte eine Auswahl von Plätzchen auf einem lackierten hölzernen Weihnachtsteller. Legte ein Messer und eine riesengroße Birne auf ein Schneidebrett. Schüttelte einen Karton Eierflip. Belud die Kaffeemaschine, für den Fall, dass Gary Kaffee trinken wollte. Dann setzte sie sich wieder hin, um einen Kurzgruß zu schreiben, und sah in dem leeren Weiß der Karte ihre Gedanken gespiegelt. Sie trat ans Fenster und blickte auf den bleichen Zoysia-Rasen. Der Briefträger, mit weihnachtlichen Volumen kämpfend, kam den Weg herauf, einen dicken Packen im Arm, den er in drei Stößen durch den Schlitz schob. Sie stürzte sich auf die Post und trennte Spreu von Weizen, doch um die Briefe zu öffnen, war sie zu nervös. Sie ging zum blauen Sessel hinunter.

«Al», rief sie, «ich glaube, du musst aufstehen!»

Er setzte sich auf, mit Heuhaufenhaar und leerem Blick. «Kommen sie?»

«Jede Minute. Vielleicht willst du dich noch frisch machen.»

«Wer kommt?»

«Gary und Jonah, es sei denn, Jonah ist zu krank.»

«Gary», sagte Alfred. «Und Jonah.»

«Willst du nicht *duschen*?»

Er schüttelte den Kopf. «Ich dusche nicht.»

«Wenn du nachher unbedingt in der Wanne festsitzen willst –»

«Ich denke, nach all der Arbeit steht mir ein Bad zu.»

Im unteren Badezimmer war eine schöne Duschkabine, aber Alfred hatte sich nie gern im Stehen gewaschen. Da Enid sich neuerdings weigerte, ihm aus der Wanne im oberen Badezimmer zu helfen, saß er dort manchmal eine Stunde, das Wasser kalt und an seinen Hüften seifengrau, bevor er es fertig brachte, sich irgendwie selbst herauszuhieven: So starrköpfig war er.

Er ließ sich gerade ein Bad einlaufen, als das lang ersehnte Klopfen endlich kam.

Enid eilte zur Haustür und öffnete sie der Erscheinung ihres allein auf der Veranda stehenden, gut aussehenden älteren Sohns. Er trug seine Kalbslederjacke und hatte in der einen Hand einen kleinen Koffer und in der anderen eine Einkaufstüte aus Papier. Sonnenlicht, flach und polarisiert, hatte sich, wie so oft gegen Ende eines Wintertages, an den Wolken vorbeigemogelt. Die Straße war von jenem widernatürlich goldenen Licht aus den Häusern überflutet, mit dem ein weniger begabter Maler die Teilung des Roten Meers illuminieren mochte. Die Backsteine des Persons'schen Hauses und die blauen und purpurroten Winterwolken und die dunkelgrünen harzigen Sträucher, all das war so unecht lebendig, dass es nicht einmal hübsch, sondern bloß fremd und unheilvoll aussah.

«Wo ist Jonah?», rief Enid.

Gary kam herein und stellte sein Gepäck ab. «Er hat immer noch Fieber.»

Enid ließ sich einen Kuss geben. Da sie einen Augenblick

brauchte, um sich zu fassen, forderte sie Gary auf, doch gleich auch seinen anderen Koffer hereinzuholen.

«Ich habe nur diesen», erklärte er ihr mit einer Art Amtsstimme.

Sie starrte auf seine winzige Tasche. «Mehr hast du nicht mit?»

«Hör zu, ich weiß, dass du wegen Jonah enttäuscht bist –»

«Wie hoch war sein Fieber?»

«Achtunddreißig fünf heute Morgen.»

«Achtunddreißig fünf ist doch kein hohes Fieber!»

Gary seufzte und schaute weg, wobei er den Kopf zur Seite neigte, um ihn mit der Achse des schiefen Weihnachtsbaums auf Linie zu bringen. «Hör zu», sagte er. «Jonah ist enttäuscht. Ich bin enttäuscht. Du bist enttäuscht. Können wir es dabei belassen? Wir alle sind enttäuscht.»

«Es ist ja bloß – ich habe alles für ihn vorbereitet», sagte Enid. «Ich habe sein Lieblingsessen gekocht –»

«Ich hatte dich extra vorgewarnt –»

«Und für heute Abend habe ich Karten für den Waindell-Park!»

Gary schüttelte den Kopf und marschierte zur Küche. «Dann gehen wir da auch hin», sagte er. «Und morgen kommt Denise.»

«Und Chip!»

Gary lachte. «Was, aus Litauen?»

«Er hat heute Morgen angerufen.»

«Na, das glaub ich erst, wenn ich's sehe», sagte Gary.

Die Welt in den Fenstern sah weniger wirklich aus, als es Enid lieb war. Der Scheinwerferkegel der Sonne, der durch die Wolkendecke nach drinnen fiel, war das Traumlicht keiner gewohnten Stunde des Tages. Enid hatte das dunkle Gefühl, dass die Familie, die sie zusammenzubringen versuchte, nicht mehr die Familie war, an die sie sich erinnerte – dass dieses Weihnachten überhaupt nicht so sein würde wie die Weihnachten früher.

Aber sie tat ihr Bestes, um sich auf die neue Realität einzustellen. Auf einmal freute sie sich *sehr* auf Chip. Und da Jonahs Päckchen nun mit Gary auf die Reise nach Philadelphia gehen würden, musste sie noch ein paar Wecker und Kugelschreiber-und-Bleistift-Sets für Caleb und Aaron einwickeln, damit ihre unterschiedlich große Gebefreudigkeit nicht so ins Auge stach. Das konnte sie tun, solange sie auf Denise und Chip wartete.

«Ich hab so viele Plätzchen gebacken», sagte sie zu Gary, der sich an der Spüle in der Küche penibel die Hände wusch. «Da ist eine Birne, die ich dir schneiden kann, und ein bisschen von diesem schwarzen Kaffee, den ihr jungen Leute so gern trinkt.»

Gary roch an ihrem Küchenhandtuch, bevor er sich damit abtrocknete.

Alfred brüllte von oben ihren Namen.

«Ach, Gary», sagte sie, «er kommt mal wieder nicht aus der Wanne. Geh du rauf und hilf ihm. Ich tu's nicht mehr.»

Gary trocknete sich überaus gründlich die Hände ab. «Warum benutzt er nicht die Dusche, wie wir es besprochen haben?»

«Er sagt, er setzt sich lieber hin.»

«Tja, Pech für ihn», meinte Gary. «Er ist doch derjenige, dessen Evangelium das selbstverantwortliche Handeln ist.»

Alfred brüllte Enids Namen erneut.

«Geh schon, Gary, hilf ihm», sagte sie.

Mit einer Ruhe, die nichts Gutes verhieß, glättete und richtete Gary das gefaltete Geschirrhandtuch auf der Stange. «Hier sind die Grundregeln, Mutter», sagte er und mit der Amtsstimme. «Hörst du mir zu? Hier sind die Grundregeln. In den nächsten drei Tagen werde ich alles tun, was du möchtest, nur nicht Dad aus Situationen retten, in denen er nicht sein müsste. Wenn er auf eine Leiter steigen und runterfallen will, werde ich ihn auf der Erde liegen lassen. Wenn er verblutet, verblutet er. Wenn er nicht ohne Hilfe aus der Badewanne kommt, kann er Weihnachten in der Badewanne verbringen. Habe ich mich klar und verständlich ausgedrückt? Abgesehen davon werde ich alles tun, was du möchtest. Und am Morgen des Fünfundzwanzigsten setzen du und er und ich uns an einen Tisch und über–»

«ENID.» Alfreds Stimme war erstaunlich laut. *«DA IST JEMAND AN DER TÜR!»*

Enid seufzte schwer und stellte sich an den Fuß der Treppe. «Das ist *Gary*, Al.»

«Kannst du mir helfen?», rief er.

«Gary, sieh mal nach, was er möchte.»

Gary stand mit verschränkten Armen im Esszimmer. «Hab ich dir nicht gerade meine Grundregeln erklärt?»

Enid erinnerte sich jetzt an Eigenschaften ihres älteren Sohnes, die sie gern vergaß, solange er nicht in der Nähe war. Langsam, darauf bedacht, eine schmerzende Verspannung aus ihrer Hüfte zu lösen, stieg sie die Stufen hinauf.

«Al», sagte sie, als sie das Badezimmer betrat, «ich kann dir nicht aus der Wanne helfen, das musst du schon selbst schaffen.»

Er saß mit ausgestreckten Armen und flatternden Fingern in fünf Zentimeter tiefem Wasser. «Gib das her», sagte er.

«Was?»

«Die Flasche da.»

Seine Flasche Schneeweiß-Shampoo, zum Haarebleichen, war auf den Boden gefallen. Vorsichtig, ihre Hüfte schonend, ging Enid auf der Bademattte in die Hocke und drückte ihm die Flasche in beide Hände. Er strich kraftlos darüber, als überlege er, sie zu kaufen, oder versuche sich angestrengt zu erinnern, wie man sie öffnete. Seine Beine waren unbehaart, seine Hände fleckig, aber seine Schultern kräftig wie eh und je.

«Verflixt und zugenäht», sagte er und grinste die Flasche an.

Jede Wärme, die das Wasser gehabt haben mochte, war in dem dezemberkühlen Raum verflogen. Es roch nach Dial-Seife und, ein wenig schwächer, nach Alter. Zigtausendmal hatte Enid an genau dieser Stelle gehockt, um ihren Kindern die Haare zu waschen und ihnen, mit heißem Wasser aus einem Eineinhalb-Liter-Kochtopf, den sie extra dafür aus der Küche geholt hatte, die Köpfe zu spülen. Sie beobachtete, wie ihr Mann die Shampooflasche in den Händen drehte.

«Ach, Al», sagte sie, «was sollen wir nur tun?»

«Hilf mir hierbei.»

«Na schön. Ich helfe dir.»

Es klingelte an der Tür.

«Da ist es wieder.»

«Gary», rief Enid, «sieh mal nach, wer das ist!» Sie drückte ein wenig Shampoo in ihre offene Hand. «Du solltest wirklich lieber duschen.»

«Nicht sicher genug auf den Beinen.»

«Hier, mach dir die Haare nass.» Sie rührte, um Alfred auf die Sprünge zu helfen, mit einer Hand im lauwarmen Badewasser. Er spritzte sich ein bisschen davon aufs Haar. Sie hörte Gary mit einer ihrer Freundinnen sprechen, irgendeiner vergnügt zwitschernden Frau aus St. Jude, Esther Root vielleicht.

«Wir könnten doch einen Hocker für die Dusche besorgen», sagte sie, während sie Alfred die Haare einseifte. «Und einen stabilen Griff anbringen, damit du dich festhalten kannst, so, wie Dr. Hedgpeth es uns geraten hat. Das könnte Gary morgen erledigen.»

Alfreds Stimme vibrierte in seinem Schädel und bis in ihre Finger hinein: «Gary und Jonah gut angekommen?»

«Nein, nur Gary», sagte Enid. «Jonah hat ganz, ganz hohes Fieber und übergibt sich unentwegt. Der arme Junge, er ist viel zu krank, um im Flugzeug zu sitzen.»

Alfred zuckte vor Mitleid zusammen.

«Beug dich vor, damit ich das Shampoo ausspülen kann.»

Falls Alfred sich vorzubeugen versuchte, deutete lediglich ein Zittern in seinen Beinen darauf hin; seine Haltung änderte sich nicht.

«Du musst dich *viel* häufiger dehnen und strecken», sagte Enid. «Hast du dir das Blatt von Dr. Hedgpeth überhaupt je angesehen?»

Alfred schüttelte den Kopf. «Hat nichts genützt.»

«Vielleicht kann Denise dir zeigen, wie man die Übungen macht. Das wäre doch schön.»

Sie griff nach dem Wasserglas, das hinter ihr am Waschbeckenrand stand. Ein ums andere Mal hielt sie es unter den Badewannenhahn, um ihrem Mann heißes Wasser über den Kopf laufen zu lassen. Mit seinen fest zusammengekniffenen Augen hätte man ihn für ein Kind halten können.

«Jetzt sieh mal zu, wie du da rauskommst», sagte sie. «Ich helfe dir nicht.»

«Ich habe meine eigene Methode», sagte er.

Unten im Wohnzimmer kniete Gary auf dem Boden, um den Weihnachtsbaum gerade hinzustellen.

«Wer war das eben, an der Tür?», fragte Enid.

«Bea Meisner», sagte er, ohne aufzublicken. «Auf dem Kaminsims liegt ein Geschenk von ihr.»

«Bea Meisner?» Eine späte Flamme der Scham flackerte in Enid auf. «Ich dachte, die Meisners wären über Weihnachten in Österreich.»

«Nein, sie sind noch einen Tag hier und fliegen dann nach La Jolla.»

«Da leben Katie und Stew. Hat sie dir irgendwas für mich gegeben?»

«Auf dem Sims», sagte Gary.

Das Geschenk von Bea war eine weihnachtlich verpackte Flasche, bestimmt etwas Österreichisches.

«Sonst nichts?», fragte Enid.

Gary klatschte sich Tannennadeln von den Händen und warf ihr einen scheelen Blick zu. «Hattest du noch was anderes erwartet?»

«Nein, nein», antwortete sie. «Ich hatte sie gebeten, mir eine dumme kleine Sache aus Wien mitzubringen, aber das hat sie sicher vergessen.»

Garys Augen verengten sich. «Was denn für eine dumme kleine Sache?»

«Ach, nichts, weißt du, nichts.» Enid betastete die Flasche, um zu sehen, ob etwas daran befestigt war. Sie hatte ihre Schwärmerei für Aslan heil überstanden, sie hatte getan, was nötig war, um den Löwen zu vergessen, und sie war alles andere als sicher, ob sie ihn wiedersehen wollte. Aber der Löwe besaß immer noch Macht über sie. Eine alte Empfindung regte sich in ihr, eine lustvolle Vorfreude auf die Rückkehr eines Geliebten. Plötzlich vermisste sie, wie sehr sie früher Alfred vermisst hatte.

«Warum hast du sie nicht hereingebeten?», schimpfte sie.

«Chuck hat draußen im Jaguar gewartet», sagte Gary. «Wahrscheinlich machen sie ihre Runde.»

«Na ja.» Enid wickelte die Flasche aus – es war halbtrockener österreichischer Sekt –, um sicherzugehen, dass da nicht doch irgendwo ein kleines Päckchen versteckt war.

«Sieht nach was ziemlich Süßem aus», sagte Gary.

Sie bat ihn, ein Feuer anzuzünden. Dann stand sie da und staunte, wie ihr tüchtiger grauhaariger Sohn festen Schrittes zum Holzstapel ging, mit einer Ladung Scheite im Arm zurückkehrte, sie geschickt im Kamin aufeinander schichtete und gleich beim ersten Versuch ein Streichholz zum Brennen bekam. Der ganze Vorgang dauerte fünf Minuten. Gary tat nichts anderes, als zu funktionieren, wie ein Mann funktionieren sollte, und doch, im Vergleich zu dem Mann, mit dem Enid zusammenlebte, schienen seine Fähigkeiten göttlich. Noch die geringste seiner Bewegungen war prachtvoll anzusehen.

Ihre Erleichterung darüber, ihn im Haus zu haben, wurde gleich wieder gedämpft, als ihr einfiel, wie kurz er bleiben würde.

Alfred, in einem sportlichen Blazer, ließ sich kurz im Wohnzimmer blicken und plauderte, bevor er im Arbeitszimmer verschwand, um sich eine stark dezibelhaltige Dosis Lokalnachrichten zu verpassen, eine Minute mit Gary. Sein Alter und sein krummer Rücken hatten ihn, bis vor kurzem noch genauso groß wie sein Sohn, um fünf bis sechs Zentimeter schrumpfen lassen.

Während Gary, mit ausgezeichneter Körperbeherrschung, die Lichterketten in den Baum hängte, saß Enid am Kamin und packte die Spirituosenkartons aus, in denen sie den Weihnachtsbaumschmuck aufbewahrte. Wohin sie auch gereist war, stets hatte sie den Löwenanteil ihres Taschengelds für Baumschmuck ausgegeben. Während Gary die einzelnen Stücke aufhängte, reiste sie in Gedanken zurück in ein Schweden, das von Stroh-Rentieren und kleinen roten Pferden bevölkert war, ein Norwegen, dessen Einwohner echt lappländische Rentierhaut-Stiefel trugen, ein Venedig, in dem alle Tiere aus Glas waren, ein Puppenhaus-Deutschland der Weihnachtsmänner und Weihnachtsengel aus glasiertem Holz, ein Österreich der Holzsoldaten und winzigen Alpenkirchen. In Belgien waren die Friedenstauben aus Schokolade gemacht und dekorativ in Folie eingeschlagen, in Frankreich hatten die *gendarme*-Püppchen und *artiste*-Püppchen makellose Kostüme an, und in der Schweiz klingelten die Bronzeglöckchen über ultrareligiösen Minikrippen. Ganz Andalusien zwitscherte vor grellbunten Vögeln; ganz Mexiko schepperte vor bemalten Blechfiguren. Auf den Hochebenen Chinas der lautlose Galopp einer Herde von Seidenpferden. In Japan das Zen-Schweigen lackierter Ornamente.

Gary hängte jedes Stück genau dorthin, wo Enid es haben wollte. Er wirkte verändert auf sie – ruhiger, suverähner, bedächtiger –, bis sie ihn bat, am nächsten Tag eine Kleinigkeit für sie zu erledigen.

«Einen Haltegriff in der Dusche anzubringen ist keine ‹Kleinigkeit›», sagte er. «Vor einem Jahr hätte das vielleicht Sinn gehabt, aber jetzt nicht mehr. Dad kann noch ein paar Tage die Badewanne benutzen, bis wir das mit dem Haus geklärt haben.»

«Wir fliegen erst in vier Wochen nach Philadelphia», sagte Enid. «Ich möchte, dass er sich ans Duschen gewöhnt. Ich möchte, dass du morgen einen Hocker kaufst und einen Griff anbringst, damit das erledigt ist.»

Gary seufzte. «Glaubst du im Ernst, dass ihr in diesem Haus bleiben könnt, Dad und du?»

«Wenn Korrektal ihm hilft –»

«Mutter, sie prüfen gerade, ob er an Demenz leidet. Glaubst du allen Ernstes –»

«An Demenz, die *nicht* von seinen Medikamenten kommt.»

«Hör zu, ich will ja deine Seifenblase nicht zerstechen –»

«Denise hat alles arrangiert. Wir müssen es versuchen.»

«Schön, und was dann?», sagte Gary. «Dad wird wie durch ein Wunder geheilt, und ihr lebt hier glücklich bis ans Ende eurer Tage?»

Das Licht in den Fenstern war vollends erloschen. Enid verstand nicht, warum ihr lieber, zuverlässiger ältester Sohn, mit dem sie sich seit seiner Geburt so eng verbunden fühlte, ausgerechnet jetzt, wo sie sich in Not an ihn wandte, derart *zornig* wurde. Sie wickelte eine Styroporkugel aus, die er im Alter von neun oder zehn mit Stoff und Münzen beklebt hatte.

«Kennst du die noch?»

Gary nahm die Kugel in die Hand. «Die haben wir damals bei Mrs. Ostriker gemacht.»

«Du hast sie mir geschenkt.»

«Ja?»

«Du hast gesagt, du wirst morgen alles tun, worum ich dich bitte», sagte Enid. «Nun, das ist es, worum ich dich bitte.»

«Schon gut! Schon gut!» Gary warf die Hände in die Luft. «Ich kaufe den Hocker! Ich bringe den Griff an!»

Nach dem Abendessen holte er den Olds aus der Garage, und zu dritt machten sie sich auf den Weg ins Weihnachtsland.

Vom Rücksitz aus konnte Enid die Unterseite der Wolken städtisches Licht einfangen sehen; die wolkenlosen Stellen am Himmel waren dunkler und mit Sternen durchsiebt. Gary manövrierte den Wagen durch enge Vorstadtstraßen bis zu den Kalksteintoren des Waindell-Parks, vor denen schon eine stattliche Anzahl Autos, Lieferwagen und Kleinbusse auf Einlass wartete.

«Guckt euch all die Wagen an», sagte Alfred ohne eine Spur seiner früheren Ungeduld.

Mit dem Eintritt, der für das Weihnachtsland verlangt wurde, trug die Kreisverwaltung einen Teil der Kosten dieser alljährlichen Extravaganz. Ein Parkwächter der Kreisverwaltung nahm ihre Tickets entgegen und forderte Gary auf, nur das Standlicht eingeschaltet zu lassen. Der Olds kroch in einer Schlange abgedunkelter Fahrzeuge vorwärts, die, alle zusammen, in ihrer demütigen Prozession durch den Park Tieren niemals ähnlicher gewesen waren als jetzt.

Die meiste Zeit des Jahres war Waindell ein verwahrlostes Gelände mit verbrannten Wiesen, braunen Tümpeln und schmucklosen Kalksteinpavillons. Im Dezember, bei Tag, sah es hier am schlimmsten aus. Dicke Kabel und Starkstromleitungen verliefen kreuz und quer über den Rasenflächen. Die Aufbauten und Gerüste offenbarten sich in ihrer ganzen Zerbrechlichkeit, ihrer Vorläufigkeit, der metallenen Knotigkeit ihrer Gelenke. Hunderte von Bäumen und Sträuchern verschwanden unter Lichterketten, und die Äste hingen durch, als prassele ein eisiger Regen aus Glas und Plastik auf sie nieder.

Am Abend wurde der Park zum Weihnachtsland. Scharf sog Enid die Luft ein, als der Olds im Schneckentempo über einen Lichthügel und durch eine hell erleuchtete Landschaft rollte. So wie die wilden Tiere am Heiligen Abend angeblich zu sprechen begannen, schien die natürliche Ordnung der Vororte hier auf den Kopf gestellt, das normalerweise dunkle Land lebendig vor Licht, die normalerweise lebendige Straße dunkel vor stockendem Verkehr.

Die sanft ansteigenden Hänge und die Vertraulichkeit zwischen ihren Kammlinien und dem Himmel waren typisch mittelwestlich, fand Enid. Genauso wie der Gleichmut und die Geduld der Fahrer; genauso wie die vereinzelten, eng zusammengewachsenen Grenzgemeinschaften der Eichen und Ahornbäume. Die letzten acht Weihnachten hatte sie im Exil, im fremden Osten, verbracht, und nun fühlte sie sich endlich zu Hause. Sie stellte sich vor, in dieser Landschaft begraben zu werden. Sie war glücklich bei dem Gedanken, dass ihre Gebeine einst an einem Hang wie diesem ruhen würden.

Weiter ging's mit funkelnden Pavillons, leuchtenden Rentieren, Riesenanhängern und -halsketten aus gebündelten Photonen, elektropointillistischen Weihnachtsmanngesichtern, einer aus turmhohen, glitzernden Zucker-Spazierstöcken gebildeten Schneise.

«Steckt eine Menge Arbeit drin», bemerkte Alfred.

«Tja, nun tut es mir doch Leid, dass Jonah nicht mitkommen konnte», sagte Gary, als hätte es ihm bislang nicht Leid getan.

Das Schauspiel war nichts anderes als Licht in der Dunkelheit, aber Enid verschlug es die Sprache. So oft wurde einem Gutgläubigkeit abverlangt, so selten konnte man sie aufbringen, doch hier im Waindell-Park schaffte sie es. Irgendjemand hatte sich vorgenommen, alle, die kamen, zu begeistern, und Enid war hell begeistert. Und morgen waren auch Denise und Chip da, morgen würden sie in den *Nussknacker* gehen, und Mittwoch würden sie das Christkind aus seiner Tasche nehmen und die Walnusswiege an den Filzbaum heften: Es gab so vieles, auf das sie sich freuen konnte.

Am nächsten Morgen fuhr Gary ins benachbarte Hospital City, den stadtnahen Vorort, in dem die großen Kliniken und Ärztehäuser von St. Jude konzentriert waren, und hielt die Luft an zwischen all den Vierzig-Kilo-Männern in Rollstühlen und den Hundertdreißig-Kilo-Frauen in zeltartigen Gewändern, die im Großhandel für Medizin- und Sanitätsbedarf die Gänge verstopften. Gary nahm es seiner Mutter übel, ihn hierher geschickt zu haben, aber er war sich auch bewusst, wie gut er es im Vergleich zu ihr hatte, wie frei und privilegiert er war, und so riss er sich zusammen und hielt größtmöglichen Abstand von den Körpern der Ortsansässigen, die ihre Einkaufswagen mit Spritzen und Gummihandschuhen voll luden, mit Karamell-Betthupferln, mit saugfähiger Watte in allen erdenklichen Formen und Größen, mit 144er-Jumbopackungen Gute-Besserungs-Karten und Flötenmusik-CDs und Videos, die krankengymnastische Übungen veranschaulichten, und Wegwerfschläuchen und Wegwerfplastikbeuteln, die sich mit härteren, in lebendiges Fleisch eingenähten Plastikventilen verbinden ließen.

Garys Problem mit Krankheit, wenn sie gehäuft auftrat – abgesehen von der Tatsache, dass man es dabei mit großen Mengen menschlicher Körper zu tun bekam und ihm menschliche Körper in großen Mengen schlichtweg zuwider waren –, bestand darin, dass sie in seinen Augen ein Phänomen der Unterschicht war. Arme Leute rauchten, arme Leute schlugen sich den Bauch mit Krispy-Creme-Doughnuts voll. Arme Leute wurden von nahen Verwandten geschwängert. Arme Leute wuschen sich nicht genügend und wohnten in verseuchten Stadtteilen. Arme Leute mit ihren Gebrechen bildeten eine Subspezies der Menschheit, die für Gary dankenswerterweise meist unsichtbar blieb, nur nicht in Krankenhäusern und an Orten wie dem Großhandel für Medizin- und Sanitätsbedarf. Sie gehörten zu einer tumberen, traurigeren, fetteren, ergebener leidenden Art. Zu einer kranken Unterschicht, von der er wirklich, wirklich gerne Abstand hielt.

Andererseits war er aus etlichen Gründen, die er Enid verschwiegen hatte, mit einem schlechten Gewissen nach St. Jude gekommen und hatte sich geschworen, drei Tage lang ein guter Sohn zu sein, und so kämpfte er sich, seinem Unbehagen trotzend, durch die Massen der Lahmen und Siechen, betrat die riesige Möbelabteilung des Medizin- und Sanitätsbedarfs und schaute sich nach einem Hocker um, auf dem sein Vater beim Duschen würde sitzen können.

Eine üppig orchestrierte Fassung des fadesten Weihnachtslieds aller Zeiten, «Der kleine Trommler», triefte aus versteckten Lautsprechern. Der Morgen, draußen vor den Spiegelglasfenstern der Möbelabteilung, war strahlend, windig, kalt. Ein Blatt Zeitungspapier wickelte sich in erotisch anmutender Verzweiflung um eine Parkuhr. Markisen quietschten, Schutzbleche zitterten.

Die große Auswahl an medizinischen Hockern und die vielfältigen Leiden, von denen sie zeugten, hätten Gary womöglich aus der Fassung gebracht, wäre er nicht in der Lage gewesen, ästhetische Urteile zu fällen.

Warum beige, fragte er sich zum Beispiel. Medizinisches Plastik war in aller Regel beige; im besten Falle kränklich grau. Warum nicht rot? Warum nicht schwarz? Warum nicht taubenblau?

Vielleicht sollte das beige Plastik gewährleisten, dass die Möbel einzig und allein zu medizinischen Zwecken verwendet wurden. Vielleicht fürchtete der Hersteller, die Leute könnten die Stühle, wenn sie zu hübsch wären, zu nichtmedizinischen Zwecken kaufen wollen.

Das galt es ja nun wahrlich zu vermeiden: dass ein Produkt zu viele Interessenten fand!

Gary schüttelte den Kopf. Diese schwachsinnigen Hersteller.

Er entschied sich für einen robusten, niedrigen Aluminiumhocker mit breiter beiger Sitzfläche. Er wählte einen massiven (beigen!) Haltegriff für die Dusche. Über die erpresserischen Preise staunend, ging er mit beiden Artikeln zur Kasse, wo eine freundliche junge Mittelwestlerin, wahrscheinlich evangelikal (sie trug einen Pullover mit Brokatmuster und einen fransig geschnittenen Pony), die Strichcodes unter einen Laserstrahl hielt und in einem schleppenden Südstaatendialekt bemerkte, diese Aluminiumhocker seien wirklich ein Spitzenprodukt. «So laaicht, und praktisch nich kaputtzukriegen», sagte sie. «Für Ihre Mom oder für Ihren Dad?»

Gary mochte es überhaupt nicht, wenn jemand in seine Privatsphäre eindrang, und verwehrte der jungen Frau die Genugtuung einer Antwort. Immerhin nickte er.

«Unsere alten Leutchen werden halt irgendwann 'n bisschen wacklich unter der Dusche. Geht uns sicher allen ma' so.» Die kleine Philosophin zog mit Schwung Garys AmEx durch eine Furche. «Und Sie? Über die Feiertage zu Hause, 'n bisschen aushelfen?»

«Wissen Sie, wozu sich diese Hocker richtig gut eignen würden?», sagte Gary. «Um sich aufzuhängen. Meinen Sie nicht?»

Das Leben wich aus dem Lächeln der jungen Frau. «Weiß nich.»

«Wiegt ja nichts – schön leicht wegzutreten.»

«Hier unterschreiben bitte, Sir.»

Er musste gegen den Wind ankämpfen, um die Ausgangstür aufzustoßen. Der Wind hatte Zähne heute, biss ihm durch die Kalbslederjacke ins Fleisch. Es war ein Wind, der von keinerlei nennenswerten Hindernissen zwischen der Arktis und St. Jude gebremst wurde.

Während Gary Richtung Norden zum Flughafen fuhr, die tief stehende Sonne gnädigerweise im Rücken, fragte er sich, ob er grausam zu der jungen Frau gewesen war. Vermutlich. Aber er stand unter Druck, und er fand, ein Mensch, der unter Druck stand, hatte das Recht, in den Grenzen, die er sich selbst gezogen hatte, streng zu sein – streng in seiner moralischen Buchführung, streng in der Frage, was er zu tun und zu lassen gedachte, streng in der Frage, wer er war und wer er nicht war und mit wem er sprechen wollte und mit wem nicht. Wenn irgendeine aufdringliche evangelikale Landpomeranze unbedingt mit ihm reden wollte, oblag die Wahl des Themas ihm.

Allerdings war ihm bewusst, dass er, hätte die Frau hübscher ausgesehen, weniger grausam gewesen wäre.

Alles in St. Jude strebte danach, ihn ins Unrecht zu setzen. Doch in den Monaten seit seiner Kapitulation vor Caroline (und seine Hand war gut verheilt, danke der Nachfrage, man sah die Narbe kaum) hatte er sich damit abgefunden, in St. Jude der Bösewicht zu sein. Wer von vornherein wusste, dass er für die eigene Mutter, egal, was er tat, der Bösewicht war, für den gab es keinen Anreiz mehr, sich an ihre Regeln zu halten. Er stellte seine eigenen Regeln auf. Tat, was getan werden musste, um seine Haut zu retten. Behauptete, wenn nötig, dass ein völlig gesundes Kind krank war.

In Wahrheit hatte Jonah selbst entschieden, nicht mit nach St. Jude zu fahren. Das stimmte mit den Bedingungen von Garys Kapitulation im Oktober überein. Fünf Flugtickets in der Hand, für die es keine Rückerstattung gab, hatte Gary seiner Familie mitgeteilt, er wünsche sich sehr, dass alle ihn über Weihnachten nach St. Jude begleiten würden, aber *niemand werde zum Mitfahren gezwungen*. Caroline, Aaron und Caleb sagten unverzüglich und laut nein danke; Jonah dagegen, noch im Bann des großmütterlichen Enthusiasmus, verkündete, er fahre «sehr gern» mit. Gary hatte Enid nie ausdrücklich versprochen, dass Jonah ihn begleiten werde, sie aber auch nie gewarnt, dass es vielleicht anders kommen könnte.

Im November kaufte Caroline vier Karten für einen Auftritt des Zauberers Alain Gregarius am 22. Dezember und weitere vier Karten für den *König der Löwen* am 23. Dezember in New York. «Wenn Jonah hier bleibt, kann er mit», erklärte sie, «sonst kriegt ein Freund von Aaron oder Caleb seine Karte.» Gary hätte sie gern gefragt, warum sie nicht, um Jonah eine schwierige Entscheidung zu ersparen, Karten für die Woche nach Weihnachten gekauft hatte. Doch seit seiner Oktober-Kapitulation erlebten er und Caroline ihre zweiten Flitterwochen, und obwohl sie sich einig waren, dass Gary als gehorsamer Sohn für drei Tage nach St. Jude fahren würde, fiel ein Schatten auf sein häusliches Glück, wann immer er von seiner Reise sprach. Je mehr Tage vergingen, ohne dass von Enid oder Weihnachten die Rede war, desto mehr schien Caroline ihn zu begehren, desto mehr bezog sie ihn in ihre Witzeleien mit Aaron und Caleb ein und desto weniger deprimiert fühlte er sich. Überhaupt waren sie auf das Thema seiner Depression seit dem Morgen von Alfreds Unfall kein einziges Mal zurückgekommen. Das Thema Weihnachten ruhen zu lassen schien ihm ein kleiner Preis für so viel häusliche Harmonie.

Eine Zeit lang sah es so aus, als übten die Extras und die Aufmerksamkeit, die Enid Jonah versprochen hatte, größere Anziehungskraft auf ihn aus als Alain Gregarius und der *König der Löwen*. Beim Abendessen dachte Jonah laut über das *Weihnachtsland* und den *Adventskalender* nach, von dem Grandma so oft erzählte; er ging darüber hinweg – oder bemerkte es tatsächlich nicht –, wie Caleb und Aaron sich zublinzelten und grinsten. Caroline aber ermunterte die älteren Jungen immer unverhohlener, über ihre Großeltern herzuziehen und Anekdoten über Alfreds Ahnungslosigkeit («Er hat Intendo gesagt!») und Enids Prüderie («Sie wollte wissen, welche *Altersbeschränkung* die Zauberer-Show hat!») und Enids Sparsamkeit («Zwei Bohnen waren noch übrig, und sie hat sie in Folie gewickelt!») zum Besten zu geben, und da auch Gary, seit seiner Kapitulation, meistens in das Gelächter einstimmte («Grandma ist komisch, oder?»), fing Jonah schließlich an zu schwanken. Im zarten Alter von acht Jahren geriet er unter den Einfluss des Tyrannen Cool. Zuerst hörte er auf, beim Abendessen von Weihnachten zu sprechen, und als Caleb ihn etwas später in seinem typischen, halb ironischen Tonfall fragte, ob er sich schon auf das *Weihnachtsland* freue, erwiderte Jonah mit bemüht garstiger Stimme: «Bestimmt ist es total *blöd*.»

«Jede Menge Fettwänste, die in großen Autos im Dunkeln rumfahren», sagte Aaron.

«Und sich gegenseitig erzählen, wie *härrrlich* das ist», sagte Caroline.

«Härrrlich, härrrlich», sagte Caleb.

«Ihr sollt euch nicht über eure Großmutter lustig machen», sagte Gary.

«Sie machen sich ja nicht über *sie* lustig», sagte Caroline.

«Genau», sagte Caleb. «Die Leute sind bloß so komisch in St. Jude. Stimmt's, Jonah?»

«Auf alle Fälle sind die Leute da ziemlich dick», sagte Jonah.

Am Samstag, drei Tage vor Garys Abreise, musste sich Jonah nach dem Abendessen übergeben und legte sich mit leichtem Fieber ins Bett. Am Sonntagabend waren seine Gesichtsfarbe und sein Appetit schon wieder normal, und Caroline spielte ihren letzten Trumpf aus. Sie hatte Aaron zum Geburtstag ein teures Computerspiel, *Gottesprojekt II*, geschenkt, in dem die Spieler Organismen erschaffen und sie in einem funktionierenden Ökosystem miteinander konkurrieren lassen mussten. Aber sie hatte Aaron und Caleb nicht erlaubt, damit loszulegen, bevor die Ferien anfingen, und nun, da es endlich so weit war, bestand sie darauf, dass Jonah «die Mikroben» sein dürfe, weil die Mikroben es in jedem Ökosystem am besten hatten und nie verloren.

Kurz vorm Schlafengehen stand Jonah bereits im Bann seines Killerbakterienteams und freute sich darauf, es am nächsten

Tag erneut in den Kampf zu schicken. Als Gary ihn am Montagmorgen weckte und fragte, ob er mit nach St. Jude kommen werde, antwortete Jonah, er bleibe lieber zu Hause.

«Es ist deine Entscheidung», sagte Gary. «Aber wenn du mitkämst, würde das deiner Großmutter sehr viel bedeuten.»

«Und was ist, wenn ich mich da langweile?»

«Eine Garantie, dass man sich irgendwo nicht langweilt, kann einem keiner geben», sagte Gary. «Aber du würdest deine Großmutter glücklich machen. So viel zumindest garantiere ich dir.»

Jonahs Gesicht umwölkte sich. «Kann ich's mir noch eine Stunde überlegen?»

«Na schön, eine Stunde. Aber dann müssen wir packen und aus dem Haus.»

Nach Ablauf einer Stunde war Jonah ganz in das *Gottesprojekt II* vertieft. Eine seiner Bakterienarten hatte achtzig Prozent von Aarons kleinen behuften Säugetieren das Augenlicht geraubt.

«Es ist in Ordnung, wenn du nicht mitfährst», versicherte Caroline Jonah. «Was zählt, ist, dass du selbst entscheidest. Es sind deine Ferien.»

Niemand wird zum Mitfahren gezwungen.

«Ich sag's ein letztes Mal», sagte Gary. «Grandma freut sich wirklich sehr auf dich.»

Da zeigte sich Gram auf Carolines Gesicht, ein tränenschweres Starren, was Erinnerungen an die harten Septemberzeiten wachrief. Sie stand wortlos auf und ging aus dem Zimmer.

Jonah antwortete mit einer Stimme, die nicht viel lauter als ein Flüstern war: «Ich glaube, ich bleibe hier.»

Wäre noch September gewesen, hätte Gary in Jonahs Entscheidung vielleicht ein Sinnbild für die allgemeine Krise des Pflichtbewusstseins in einer einseitig verbraucherorientierten Kultur gesehen. Er wäre vielleicht depressiv geworden. Doch diesen Weg war er bereits gegangen, und er wusste, dass ihn an dessen Ende nichts erwartete.

Er packte seine Sachen und küsste Caroline. «Schön, dass du bald wieder da bist», sagte sie.

Streng moralisch betrachtet, das wusste Gary, brauchte er sich nichts vorzuwerfen. Er hatte Enid nie versprochen, dass Jonah mitkommen würde. Und auf die Fieberlüge war er nur verfallen, weil er eine Auseinandersetzung vermeiden wollte.

Aus einem ähnlichen Grund, nämlich um ihre Gefühle zu schonen, hatte er Enid verschwiegen, dass seine fünftausend Axon-Aktien, für die er $ 60 000 gezahlt hatte, in den sechs Geschäftstagen seit dem Börsengang im Wert auf $ 118 000 gestiegen waren. Auch in diesem Fall brauchte er sich nichts vorzuwerfen, aber wegen des erbärmlichen Honorars, mit dem Axon Alfred abgespeist hatte, schien ihm Geheimhaltung die klügste Politik zu sein.

Dasselbe galt für das kleine Päckchen, das Gary in der Innentasche seiner Jacke hatte verschwinden lassen.

Jets sanken vom strahlend hellen Himmel, glücklich in ihrer metallenen Haut, während er den Olds durch den dichten Seniorenverkehr am Flughafen manövrierte. Die Tage vor Weihnachten waren die Sternstunde des Flughafens von St. Jude – seine Raison d'être beinahe. Jedes Parkhaus war voll und jedes Laufband verstopft.

Denise landete trotzdem auf die Minute pünktlich. Sogar die Fluggesellschaften taten das Ihre, um ihr die Peinlichkeit einer Verspätung oder eines inkommodierten Bruders zu ersparen. Nach familiärem Brauch stand sie an einem weniger überlaufenen Gate auf der Abflugebene. Ihr Mantel war eine verrückte granatrote Wollangelegenheit mit rosa Samtbesatz, und irgendetwas an ihrem Kopf schien Gary verändert – mehr Make-up als sonst vielleicht. Mehr Lippenstift. Jedes Mal wenn er Denise im vergangenen Jahr begegnet war (zuletzt an Thanksgiving), hatte sie deutlich weniger so ausgesehen, wie er sie sich früher als Erwachsene immer vorgestellt hatte.

Als er sie küsste, roch er Zigarettenrauch.

«Du rauchst ja», sagte er, während er im Kofferraum Platz für ihren Koffer und ihre Einkaufstüte machte.

Denise lächelte. «Schließ endlich auf. Ich erfriere.»

Gary klappte seine Sonnenbrille auseinander. Richtung Süden direkt ins Grelle fahrend, wurde er beim Einordnen fast abgedrängt. Selbst auf den Straßen von St. Jude nahm die Aggressivität zu; der Verkehr kroch auch hier inzwischen nicht mehr so, dass ein Ostküstler sich munter überall hindurchschlängeln konnte.

«Mom ist bestimmt selig, dass Jonah da ist», sagte Denise.

«Offen gestanden – Jonah ist nicht da.»

Sie wandte scharf den Kopf. «Du hast ihn nicht mitgebracht?»

«Er ist krank geworden.»

«Das kann nicht dein Ernst sein. Du hast ihn nicht mitgebracht!»

Sie schien nicht für einen Augenblick in Betracht zu ziehen, dass er die Wahrheit sagen könnte.

«In meinem Haushalt leben fünf Personen», sagte Gary. «Soweit ich weiß, lebt in deinem nur eine. Die Dinge werden komplizierter, je mehr Rücksichten man zu nehmen hat.»

«Ich finde es bloß schade, dass du Mom erst Hoffnungen machen musstest.»

«Ich kann nichts dafür, wenn sie unbedingt in der Zukunft leben will.»

«Da hast du Recht», sagte Denise. «Dafür kannst du nichts. Hätte mich nur gefreut, wenn es anders gekommen wäre.»

«Wo wir gerade von Mom sprechen», sagte Gary, «ich muss dir etwas sehr Merkwürdiges erzählen. Aber bitte versprich mir, dass du ihr nichts davon sagst.»

«Etwas Merkwürdiges?»

«Versprich mir, dass du's für dich behältst.»

Denise versprach es, und Gary zog den Reißverschluss seiner Jackeninnentasche auf und zeigte ihr das Päckchen, das Bea Meisner ihm tags zuvor gegeben hatte. Das Ganze war völlig bizarr gewesen: am Straßenrand Chuck Meisners Jaguar, im Leerlauf, inmitten von Walfontänen winterlicher Auspuffgase, auf der Herzlich-willkommen-Matte Bea Meisner in ihrem bestickten grünen Lodenmantel, die aus ihrer Handtasche ein ramponiertes und abgegriffenes kleines Paket hervorkramte, und im Türrahmen Gary, der die eingewickelte Sektflasche abstellte und die Lieferung der Konterbande entgegennahm. «Das ist für deine Mutter», hatte Bea gesagt. «Aber sag ihr, dass Klaus gemeint hat, man muss sehr vorsichtig damit sein. Er wollte es mir erst gar nicht geben. Er hat gesagt, es kann sehr, sehr süchtig machen, deshalb habe ich auch nur so wenig davon mitgebracht. Deine Mutter hatte von sechs Monaten gesprochen, aber Klaus hat mir nur was für einen gegeben. Also sag ihr, sie muss auf jeden Fall erst mit ihrem Arzt sprechen. Vielleicht solltest du es sogar bei dir behalten, Gary, bis sie das getan hat. Na ja, wie auch immer, fröhliche Weihnachten» – hier hupte der Jaguar – «und die besten Grüße an alle.»

Noch während Gary erzählte, öffnete Denise das Päckchen. Bea hatte ein Blatt aus einer deutschsprachigen Zeitschrift gefaltet und mit Tesafilm zugeklebt. Auf der einen Seite war eine bebrillte deutsche Kuh zu sehen, die Werbung für H-Milch machte. Innen drin befanden sich dreißig goldene Pillen.

«Mein Gott.» Denise lachte. «Mexican A.»

«Noch nie gehört», sagte Gary.

«Club-Droge. Nehmen junge Leute gern.»

«Und Bea Meisner bringt sie Mom einfach so zu Hause vorbei.»

«Weiß Mom, dass du sie hast?»

«Noch nicht. Ich hab ja nicht mal eine Ahnung, was das Zeug bewirkt.»

Mit ihren rauchigen Fingern hielt Denise eine Pille ganz nah an seinen Mund. «Probier mal eine.»

Gary zog ruckartig den Kopf weg. Seine Schwester schien selbst unter irgendeiner Droge zu stehen, irgendetwas Stärkerem als Nikotin. Sie war sagenhaft glücklich oder sagenhaft unglücklich oder auf irgendeine gefährliche Weise beides zugleich. An drei Fingern und einem Daumen trug sie silberne Ringe.

«Hast du die Dinger mal probiert?», fragte er.

«Nein, ich bleibe beim Alkohol.»

Sie faltete das Päckchen zusammen, und Gary nahm es wieder an sich. «Ich möchte sicher sein, dass wir am selben Strang ziehen», sagte er. «Bist auch du der Meinung, dass Mom keine illegalen Suchtmittel von Bea Meisner bekommen sollte?»

«Nein», sagte Denise. «Der Meinung bin ich nicht. Sie ist erwachsen und kann machen, was sie will. Und ich finde es nicht in Ordnung, dass du ohne ihr Wissen die Pillen einsteckst. Wenn du es ihr nicht sagst, tue ich's.»

«Entschuldige, aber ich glaube, du hast mir eben versprochen, es für dich zu behalten», sagte Gary.

Denise überlegte. Salzbespritzte Bordsteine flogen vorbei.

«Na schön, vielleicht habe ich das versprochen», sagte sie. «Aber wieso maßt du dir an, ihr Leben in die Hand zu nehmen?»

«Du wirst schon sehen», sagte er. «Die Situation ist außer Kontrolle. Höchste Zeit, dass jemand kommt und Moms Leben in die Hand nimmt.»

Denise widersprach ihm nicht. Sie setzte ihre Sonnenbrille auf und betrachtete die Hochhäuser von Hospital City am unbarmherzigen südlichen Horizont. Gary hatte gehofft, sie würde sich kooperativer zeigen. Er hatte bereits einen «alternativen» Bruder und brauchte von der Sorte nicht auch noch eine

Schwester. Es verdross ihn, dass manche so umstandslos aus der Welt der konventionellen Erwartungen aussteigen konnten; all die Freude, die er aus seinem Zuhause und seiner Arbeit und seiner Familie zog, wurde dadurch unterhöhlt; es war, als würde das Regelwerk des Lebens einseitig, und zwar zu seinem Nachteil, neu geschrieben. Besonders ärgerte ihn, dass der jüngste Überläufer zum Lager der «Alternativen» nicht irgendein spleeniger anderer aus einer Familie von anderen oder einer Schicht von anderen war, sondern seine elegante und begabte Schwester, die noch im September auf so konventionelle Weise reüssiert hatte, dass seine Freunde in der *New York Times* davon hatten lesen können. Jetzt war sie ihren Job los, trug vier Fingerringe und einen flammend roten Mantel und stank nach Tabak …

Den Aluminiumhocker in der Hand, folgte er ihr ins Haus. Er verglich ihren Empfang durch Enid mit seinem eigenen Empfang am Tag zuvor. Registrierte die Dauer der Umarmung, das Ausbleiben prompter Kritik, das allseitige Lächeln.

Enid rief: «Ich dachte, ihr würdet vielleicht Chip am Flughafen treffen und zu dritt nach Hause kommen!»

«Das Szenario ist in achtfacher Hinsicht unwahrscheinlich», sagte Gary.

«Hat er euch denn gesagt, dass er heute kommt?», fragte Denise.

«Heute Nachmittag», sagte Enid. «Allerspätestens morgen.»

«Heute, morgen, nächsten April», sagte Gary. «Egal.»

«Er hat von irgendwelchen Unruhen in Litauen gesprochen», sagte Enid.

Während Denise sich auf die Suche nach Alfred machte, holte Gary sich den *Chronicle* aus dem Arbeitszimmer. In einem Kasten mit Nachrichten aus aller Welt, eingequetscht zwischen langen Features («Neue ‹Pedi-Kuren› bescheren Hunden scharfe Krallen» und «Sind Augenärzte überbezahlt? Ärzte sagen nein, Optiker sagen ja»), fand er einen Absatz über Litauen:

Bürgerunruhen nach umstrittenen Parlamentswahlen und versuchtes Attentat auf Präsident Vitkunas ... Drei Viertel des Landes ohne Elektrizität ... Zusammenstoß rivalisierender paramilitärischer Gruppen auf den Straßen von Vilnius ... und der Flughafen –

«Der Flughafen ist geschlossen», las Gary voll Genugtuung vor. «Mutter? Hast du gehört?»

«Er war schon gestern am Flughafen», sagte Enid. «Ich bin sicher, dass er noch rausgekommen ist.»

«Warum hat er dann nicht angerufen?»

«Wahrscheinlich musste er sich beeilen, um sein Flugzeug zu kriegen.»

Ab einem bestimmten Punkt tat Gary die Unbeirrbarkeit, mit der Enid ihren Illusionen anhing, geradezu körperlich weh. Er öffnete sein Portemonnaie und reichte ihr die Quittung für Duschhocker und Haltegriff.

«Ich gebe dir später einen Scheck», sagte sie.

«Warum nicht gleich jetzt, ehe du's vergisst.»

Grummelnd und seufzend fügte sich Enid seinem Wunsch.

Gary studierte den Scheck. «Warum ist er auf den 26. Dezember datiert?»

«Weil du ihn frühestens am 26. in Philadelphia einlösen kannst.»

Ihr Geplänkel setzte sich auch beim Mittagessen fort. Gary trank langsam ein Bier und trank langsam ein zweites und kostete genüsslich die Qualen aus, die er Enid bereitete, indem er sich zum dritten und vierten Mal bitten ließ, doch endlich mit dem Duschvorhaben anzufangen. Als er schließlich vom Tisch aufstand, kam ihm der Gedanke, dass sein Impuls, Enids Leben in die Hand zu nehmen, die logische Reaktion darauf war, dass sie ihrerseits nicht aufhören wollte, das seine in die Hand zu nehmen.

Der Haltegriff war ein vierzig Zentimeter langes, beige

emailliertes Metallrohr mit geflanschten Ellbogen an beiden Enden. Die stummeligen Schrauben, die in der Packung lagen, hätten vielleicht gereicht, um den Griff an Sperrholz zu befestigen, aber bei Keramikfliesen taugten sie nichts. Um die Stange anzubringen, würde er fünfzehn Zentimeter lange Bolzen durch die Wand in den kleinen Schrank hinter der Dusche bohren müssen.

Unten in Alfreds Werkstatt fand er zwar Aufsätze für die elektrische Bohrmaschine, doch die Zigarrenkisten, die er als Füllhörner nützlicher Eisenwaren in Erinnerung hatte, schienen hauptsächlich verrostete, verwaiste Schrauben und Schließbleche und Spülkastenteile zu enthalten. Mit Sicherheit keine fünfzehn Zentimeter langen Bolzen.

Als er, mit seiner Ich-Blödmann-Grimasse, das Haus verließ, um zum Eisenwarengeschäft zu fahren, fiel sein Blick auf Enid, die am Esszimmerfenster stand und durch die hauchdünne Gardine spähte.

«Mutter», sagte er. «Freu dich bloß nicht zu früh auf Chip.»

«Ich dachte, ich hätte eine Wagentür gehört.»

Schön, mach nur weiter so, dachte Gary auf dem Weg zum Auto, *fixier dich auf die, die nicht da sind, und setz alle anderen unter Druck*.

Auf der Straße traf er Denise, die, mit Lebensmitteln beladen, aus dem Supermarkt zurückkam. «Ich hoffe, du lässt das alles Mom bezahlen», sagte er.

Seine Schwester lachte ihm ins Gesicht. «Was kümmert dich das?»

«Sie glaubt, sie kann sich alles erlauben. Das macht mich rasend.»

«Dann sei eben doppelt wachsam», sagte Denise und marschierte zum Haus.

Warum lief er eigentlich die ganze Zeit mit einem schlechten Gewissen herum? Er hatte nie versprochen, Jonah mitzubringen, und dafür, dass er den anderen dank seiner Axon-Investition gegenwärtig um $ 58 000 voraus war, hatte er sich schließlich schwer ins Zeug gelegt und war ein hohes Risiko eingegangen, und Bea Meisner hatte ihn beschworen, Enid das süchtig machende Medikament nicht zu geben; warum also lief er mit einem schlechten Gewissen herum?

Beim Fahren stellte er sich vor, wie die Nadel seines Schädeldruckmessers im Uhrzeigersinn vorankroch. Er bereute, Enid Hilfe angeboten zu haben. So kurz, wie sein Aufenthalt war, grenzte es an Idiotie, den Nachmittag mit einer Arbeit zu verbringen, für die sie einen Handwerker hätte ins Haus holen können.

Im Eisenwarengeschäft stand er hinter den fettesten und langsamsten Menschen der mittleren Staaten an der Kasse an. Sie waren hier, um Marshmallow-Weihnachtsmänner, Lamettapackungen, Stabjalousien, Föhne für acht Dollar und Topflappen mit Weihnachtsmotiv zu kaufen. Mit ihren Bratwurstfingern gruben sie in ihren winzigen Portemonnaies nach passendem Wechselgeld. Weiße Cartoon-Dampfwölkchen schossen Gary aus den Ohren. All die schönen Dinge, die er jetzt tun könnte, anstatt eine halbe Stunde Schlange zu stehen, um sechs Fünfzehn-Zentimeter-Bolzen zu kaufen, nahmen in seiner Phantasie verführerische Gestalt an. Er könnte sich in der Sammlerecke des kleinen Lädchens im Verkehrsmuseum umschauen oder die alten Brücken- und Gleiszeichnungen seines Vaters aus dessen ersten Jahren bei der Midland Pacific sortieren oder den Geräteschuppen unter der Veranda nach seiner lang vermissten Modelleisenbahn, Größe O, samt Zubehör durchforsten. Seit seine «Depression» verflogen war, hatte er mit dem Sammeln und Rahmen von Eisenbahnmemorabilien begonnen, seine neue Leidenschaft, hobbyähnlich in ihrer Intensität, und er hätte den ganzen Tag – die ganze Woche! – glücklich damit zubringen können, ihr zu frönen …

Zurück zu Hause, sah er, als er den Weg hinaufeilte, dass sich die hauchdünnen Gardinen ein wenig öffneten: Seine Mutter spähte wieder hinaus. Drinnen dampfte die Luft, erfüllt vom Duft der Speisen, die Denise backte, dünstete und briet. Gary gab Enid den Kassenzettel für die Bolzen, in dem sie das Symbol der Feindseligkeit erkannte, das er war.

«Kannst du dir etwa keine vier Dollar sechsundneunzig leisten?»

«Mutter», sagte er. «Ich erledige die Arbeit, um die du mich gebeten hast. Aber es ist nicht mein Bad. Es ist nicht mein Haltegriff.»

«Ich gebe dir das Geld später.»

«Dann vergisst du's vielleicht.»

«Gary, ich gebe dir das Geld *später*.»

Denise, mit Schürze, verfolgte den Wortwechsel von der Küchentür aus mit spöttischem Blick.

Als Gary zum zweiten Mal an diesem Tag in den Keller kam, saß Alfred schnarchend im großen blauen Sessel. Gary ging in die Werkstatt, da entdeckte er etwas, das ihn beinahe aus dem Gleis warf. Eine Schrotflinte in einer Segeltuchhülle lehnte am Labortisch. Er erinnerte sich nicht, sie vorher dort gesehen zu haben. War es möglich, dass er sie nicht bemerkt hatte? Eigentlich gehörte die Schrotflinte in den Geräteschuppen. Dass sie nun woanders war, machte Gary wahrlich zu schaffen.

Soll ich zulassen, dass er sich erschießt?

Die Frage stand so klar in seinem Kopf, dass er sie um ein Haar laut ausgesprochen hätte. Und er überlegte. Um Enids Gesundheit willen einzugreifen und ihre Suchtmittel zu beschlagnahmen war eine Sache; in Enid gab es Leben und Hoffnung und Freude, die es zu bewahren galt. Der alte Mann dagegen hatte abgewirtschaftet.

Andererseits war Gary nicht darauf versessen, irgendwann einen Schuss zu hören, nach unten zu gehen und in ein Blutmeer hineinzuwaten. Genauso wenig wollte er, dass seiner Mutter das widerfuhr.

Und dennoch, so fürchterlich der Schlamassel auch wäre – die Lebensqualität seiner Mutter würde daraufhin einen Quantensprung nach oben machen.

Gary öffnete die Schachtel Patronen, die auf dem Tisch lag, und sah, dass keine fehlte. Er wünschte, jemand anders, nicht er, hätte bemerkt, dass Alfred sich das Gewehr aus dem Schuppen geholt hatte. Doch seine Entscheidung, als sie denn gefallen war, stand so klar in seinem Kopf, dass er sie in der Tat laut aussprach. In die staubige, harnsaure, dumpfe Stille des Labors hinein sagte er: «Wenn es das ist, was du willst, bitte sehr. Ich halte dich nicht davon ab.»

Bevor er Löcher in die Wand bohren konnte, musste er die Regale des kleinen Badezimmerschranks leer räumen. Das allein war eine Aufgabe von beträchtlichem Umfang. In einem Schuhkarton hatte Enid jedes einzelne Wattebällchen aufgehoben, das sie je aus einer Flasche Aspirin oder verschreibungspflichtiger Medizin herausgenommen hatte. Da waren fünfhundert, vielleicht tausend Wattebällchen. Und versteinerte, halb ausgedrückte Salbentuben. Und Plastikkaraffen und Plastikbesteck (in noch schlimmeren Farben als Beige, falls das überhaupt möglich war) von Enids drei Krankenhausaufenthalten, einer Fußoperation, einer Knieoperation und einer Venenentzündung. Und niedliche Fläschchen essigsaure Tonerde und Zinksulfat-Tinktur, die irgendwann in den sechziger Jahren ausgetrocknet waren. Und eine Papiertüte, die Gary, um seiner Fassung willen, rasch ganz nach hinten auf eines der oberen Regale warf, weil sich anscheinend uralte Monatsbinden und Monatsbindenhalter darin befanden.

Das Tageslicht schwand bereits, als er den Schrank ausgeräumt hatte und beginnen konnte, die sechs Löcher zu bohren. Jetzt erst stellte er fest, dass die alten Bohraufsätze stumpf wie

Niete waren. Er lehnte sich mit seinem ganzen Gewicht gegen die Bohrmaschine, die Spitze des Aufsatzes wurde bläulich schwarz und verlor ihren Biss, und der alte Bohrer begann zu qualmen. Schweiß rann Gary über Gesicht und Brust.

Genau diesen Augenblick wählte Alfred, um das Badezimmer zu betreten. «Na, sieh mal einer an», sagte er.

«Ziemlich stumpfe Bohraufsätze, die du da hast», sagte Gary schwer atmend. «Ich hätte neue kaufen sollen, als ich im Laden war.»

«Zeig mal her.»

Den alten Mann und dessen Vorhut, die fünffingrigen Zwillingstiere, herbeizulocken war nicht Garys Absicht gewesen. Er scheute vor der Untauglichkeit und der Gier dieser Hände zurück, doch Alfreds Augen waren jetzt starr auf den Bohrer gerichtet, und sein Gesicht leuchtete, weil er die Chance witterte, ein Problem zu lösen. Gary gab den Bohrer her. Er fragte sich, wie sein Vater, so heftig, wie der Bohrer wackelte, überhaupt erkennen konnte, was er in den Händen hielt. Die Finger des alten Mannes krochen über die mattierte Oberfläche, tasteten umher wie augenlose Würmer.

«Du hast ihn auf Linkslauf gestellt», sagte er.

Mit seinem rissigen gelben Daumennagel legte Alfred den Schalter auf Rechtslauf um und gab Gary den Bohrer wieder, und zum ersten Mal seit seiner Ankunft trafen sich ihre Blicke. Das Frösteln, das Gary verspürte, kam nicht nur vom kühlenden Schweiß. Der alte Mann, dachte er, hat in seinem Oberstübchen doch noch ein paar Lampen brennen. Alfred sah richtig glücklich aus: glücklich, weil er etwas in Ordnung gebracht hatte, und noch glücklicher, vermutete Gary, weil er hatte beweisen können, dass er, in diesem geringfügigen Punkt, cleverer war als sein Sohn.

«Da siehst du mal, warum ich nicht Ingenieur geworden bin», sagte Gary.

«Was wird das hier?»

«Ich bringe einen Haltegriff an. Wenn wir auch noch einen Hocker reinstellen, benutzt du die Dusche dann?»

«Ich weiß nicht, was sie mit mir vorhaben», sagte Alfred, schon fast aus der Tür.

Das war mein Weihnachtsgeschenk, rief Gary ihm im Stillen hinterher. *Das Umlegen des Schalters war mein Geschenk für dich.*

Eine Stunde später war er im Badezimmer fertig und schon wieder schlecht gelaunt. Enid hatte an seiner Platzierung des Griffs herumgemäkelt, und als Alfred von ihm aufgefordert worden war, den neuen Hocker auszuprobieren, hatte der alte Mann verkündet, er ziehe Baden vor.

«Ich habe meinen Teil getan, und das war's», sagte Gary in der Küche, wo er sich einen Drink eingoss. «Morgen mache ich, wozu ich Lust habe.»

«Es ist herrlich geworden, eine große Verbesserung», sagte Enid.

Gary goss sich ordentlich ein. Goss und goss.

«Ach, Gary», sagte sie, «ich dachte, wir könnten den Sekt von Bea trinken.»

«Oh, lieber nicht», sagte Denise, die einen Stollen, einen Napfkuchen und zwei Laib Käsebrot gebacken hatte und jetzt, wenn Gary sich nicht täuschte, Polenta und geschmortes Kaninchen zubereitete. Mit hoher Wahrscheinlichkeit war es das erste Mal, dass diese Küche ein Kaninchen zu sehen bekam.

Enid kehrte zu ihrem Beobachtungsposten am Esszimmerfenster zurück. «Ich bin beunruhigt, weil er nicht anruft», sagte sie.

Gary, dessen Gliazellen nach der ersten alkoholischen Ölung behaglich schnurrten, gesellte sich zur ihr. Er fragte sie, ob ihr Ockhams Rasiermesser ein Begriff sei.

«Ockhams Rasiermesser», sagte er mit cocktailseliger Schulmeisterlichkeit, «lädt uns ein, von zwei Erklärungen für ein Phänomen die einfachere zu wählen.»

«Worauf willst du hinaus», sagte Enid.

«Ich will darauf hinaus», sagte er, «dass es vielleicht irgendeinen komplizierten, uns völlig unbekannten Grund gibt, warum er nicht angerufen hat. Oder aber einen sehr einfachen und uns allen bekannten Grund, nämlich seine sagenhafte Unzuverlässigkeit.»

«Er hat *gesagt*, er kommt, und er hat *gesagt*, er ruft an», antwortete Enid tonlos. «Er hat gesagt, ‹ich komme *nach Hause*›.»

«Na schön. Bestens. Bleib am Fenster stehen. Ganz, wie du willst.»

Da er die Familie zum *Nussknacker* chauffieren sollte, konnte Gary vor dem Abendessen nicht so viel trinken, wie er es vielleicht gern getan hätte. Deshalb trank er umso mehr, als sie vom Ballett zurück waren, und Alfred, praktisch im Laufschritt, nach oben verschwand und Enid ihr Lager unten im Arbeitszimmer aufschlug, weil sie wollte, dass alle in der Nacht auftretenden Probleme von ihren Kindern bewältigt würden. Gary trank Scotch und meldete sich bei Caroline. Er trank Scotch und suchte überall im Haus nach Denise und fand keine Spur von ihr. Aus seinem eigenen Zimmer holte er die Weihnachtsgeschenke, die er mitgebracht hatte, und verteilte sie unter dem Baum. Er schenkte allen das Gleiche: ein ledergebundenes Exemplar der Zweihundert definitiven Lamberts. Es hatte ihn viel Mühe gekostet, die vielen Bilder rechtzeitig zu Weihnachten abziehen zu lassen, und jetzt, wo das Album fertig war, wollte er seine Dunkelkammer ausräumen und einen Teil der Axongewinne dafür verwenden, im ersten Stock der Garage eine Modelleisenbahnanlage aufzubauen. Dieses Hobby hatte er sich selbst ausgesucht, und nicht ein anderer für ihn, und als er seinen scotchbenebelten Kopf auf das kalte Kissen legte und in seinem früheren Kinderzimmer in St. Jude das Licht löschte, ergriff ihn bei dem Gedanken, Züge durch Pappmachéberge und über hohe Eisstielbrücken fahren zu lassen, eine alte, vertraute Erregung …

Er träumte von zehn Weihnachten in seinem Elternhaus. Er träumte von Zimmern und Menschen, Zimmern und Menschen. Er träumte, dass Denise gar nicht seine Schwester war und vorhatte, ihn zu töten. Seine einzige Hoffnung war die Schrotflinte im Keller. Er war gerade dabei, diese Schrotflinte zu untersuchen, sich zu vergewissern, dass sie auch wirklich geladen war, als er hinter sich in der Werkstatt die Anwesenheit des Bösen spürte. Er wandte sich um und erkannte Denise nicht. Die Frau, die er sah, war eine andere Frau, die er töten musste, wenn er nicht selbst getötet werden wollte. Doch da war kein Widerstand am Abzug der Schrotflinte; er wackelte, schlaff und nutzlos, hin und her. Die Schrotflinte war auf Linkslauf gestellt, und bevor Gary den Schalter auf Rechtslauf umlegen konnte, kam die Frau bereits auf ihn zu, um ihn zu töten –

Er wachte auf, weil er pinkeln musste.

Die Finsternis in seinem Zimmer wurde einzig von den Leuchtziffern auf dem digitalen Radiowecker durchbrochen, doch Gary schaute nicht hin, wollte gar nicht wissen, wie früh es noch war. Undeutlich konnte er den Laib von Chips altem Bett an der gegenüberliegenden Wand sehen. Die Stille des Hauses wirkte, als würde sie nicht lange anhalten. Unfriedlich und wie gerade erst eingetreten.

Vorsichtig, um diese Stille nicht zu stören, stand Gary auf und schlich zur Tür; und hier befiel ihn das Grauen.

Er hatte Angst, die Tür zu öffnen.

Angestrengt lauschend, versuchte er auszumachen, was sich dahinter abspielte. Er meinte, ein Geraschel und Geschleiche zu hören, ferne Stimmen.

Er hatte Angst, ins Bad zu gehen, weil er nicht wusste, was er dort vorfinden würde. Er hatte Angst, die falsche Person, seine

Mutter vielleicht, oder seine Schwester oder seinen Vater, bei sich im Bett zu finden, wenn er zurückkam.

Jetzt war er überzeugt, dass sich draußen auf dem Flur Menschen regten. In seinem benebelten, nicht ganz wachen Zustand verknüpfte er die Denise, die sich in Luft aufgelöst hatte, bevor er ins Bett gegangen war, mit dem Denise-Phantom, das ihn im Traum hatte töten wollen.

Die Möglichkeit, dass die Phantom-Mörderin im Flur auf der Lauer lag, schien nur zu neunzig Prozent phantastisch.

Da war es in jeder Beziehung sicherer, dachte er, im Zimmer zu bleiben und in einen der dekorativen österreichischen Bierkrüge zu pinkeln, die auf seiner Kommode standen.

Aber was, wenn sein Geplätscher die Aufmerksamkeit dessen auf sich zog, der da draußen vor seiner Tür herumschlich?

Auf Zehenspitzen verschwand er mit dem Bierkrug in einem der begehbaren Kleiderschränke, die Chip und er, nachdem Denise in das kleinere Zimmer umgezogen war und sie sich ein Zimmer hatten teilen müssen, gemeinsam benutzt hatten. Er schloss die Schranktür, drängte sich an die chemisch gereinigten Kleider und die vor Krimskrams berstenden Nordstrom-Tüten, die Enid hier neuerdings aufbewahrte, und erleichterte sich. Er legte eine Fingerkuppe über den Rand des Bierkrugs, damit er rechtzeitig merkte, wann der Krug überzulaufen drohte. Gerade als die Wärme des ansteigenden Urins diese Fingerkuppe erreichte, war seine Blase endlich leer. Er stellte den Krug behutsam auf dem Schrankboden ab, zog einen Briefumschlag aus einer Nordstrom-Tüte und deckte das Gefäß damit zu.

Dann, leise, leise, wagte er sich aus dem Schrank hervor und setzte sich aufs Bett. Als er gerade seine Beine herumschwingen wollte, hörte er Denise' Stimme. Sie war so laut wie bei einem Gespräch und so deutlich, dass er hätte meinen können, seine Schwester sei bei ihm im Zimmer.

«Gary?», sagte sie.

Er versuchte, sich nicht zu bewegen, doch die Matratzenfedern quietschten.

«Gary? Tut mir Leid, dass ich dich störe. Bist du wach?»

Jetzt blieb ihm kaum etwas anderes übrig, als aufzustehen und die Tür zu öffnen. Denise stand gleich dahinter, bekleidet mit einem weißen Flanellpyjama und in einen Lichtstrahl getaucht, der aus ihrem Zimmer in den Flur fiel. «Tut mir Leid», sagte sie. «Dad ruft die ganze Zeit nach dir.»

«Gary!», kam Alfreds Stimme aus dem Badezimmer neben Denise' Zimmer.

Gary fragte, klopfenden Herzens, wie spät es sei.

«Keine Ahnung», sagte sie. «Ich bin aufgewacht, weil er dauernd nach Chip gerufen hat. Dann hat er angefangen, nach dir zu rufen. Nach mir nicht. Ich glaube, vor euch ist es ihm weniger unangenehm.»

Erneut roch ihr Atem nach Zigaretten.

«Gary? Gary!», tönte es aus dem Badezimmer.

«So ein Mist», sagte Gary.

«Vielleicht liegt es an seinen Medikamenten.»

«Quatsch.»

Aus dem Badezimmer: «Gary!»

«Ja, Dad, ist gut, ich komme schon.»

Enids körperlose Stimme schwebte vom Fuß der Treppe zu ihnen herauf.

«Gary, hilf deinem Vater.»

«Ja, Mom. Bin schon dabei. Leg dich wieder hin.»

«Was will er denn?»

«Leg dich einfach wieder hin.»

Als er über den Flur ging, konnte er den Weihnachtsbaum und den Kamin riechen. Er klopfte an die Badezimmertür und öffnete sie. Sein Vater stand in der Badewanne, von der Taille abwärts nackt, auf dem Gesicht der blanke Wahnsinn. Gesichter wie dieses hatte Gary bislang vor allem an den Bushaltestellen und auf den Burger-King-Toiletten im Stadtzentrum Philadelphias gesehen.

«Gary», sagte Alfred, «sie sind überall.» Der alte Mann deutete mit einem zitternden Finger auf den Boden. «Siehst du ihn?»

«Dad, du halluzinierst.»

«Fang ihn! Fang ihn!»

«Du halluzinierst, und es ist Zeit, dass du da rauskommst und wieder ins Bett gehst.»

«Siehst du sie?»

«Du halluzinierst. Leg dich wieder ins Bett.»

So ging es eine ganze Weile, zehn oder fünfzehn Minuten, ehe es Gary gelang, Alfred aus dem Bad zu lotsen. Im Elternschlafzimmer brannte ein Licht, und mehrere unbenutzte Windeln lagen verstreut auf dem Boden. Sein Vater schien, obwohl er wach war, einen Traum zu haben, der Garys eigenem Traum von Denise an Lebendigkeit in nichts nachstand, nur dass Alfred, um daraus aufzuwachen, nicht eine halbe Sekunde brauchte, so wie er, sondern eine halbe Stunde.

«Was ist ‹halluzinieren›?», fragte Alfred schließlich.

«Es ist, als ob du träumst, dabei bist du die ganze Zeit wach.»

Alfred zuckte zusammen. «Das macht mir Sorgen.»

«Tja. Sollte es auch.»

«Hilf mir mit der Windel.»

«Ja, gut», sagte Gary.

«Ich mache mir Sorgen, dass irgendetwas mit meinem Kopf nicht in Ordnung ist.»

«Ach, Dad.»

«Mein Verstand scheint nicht richtig zu funktionieren.»

«Ich weiß. Ich weiß.»

Aber Gary, da mitten in der Nacht, war selbst mit der Krankheit seines Vaters infiziert. Während die beiden sich gemeinschaftlich dem Problem der Windel widmeten, die sein Vater mehr als verrückten Gesprächsstoff zu betrachten schien denn als ein Stück Unterwäsche, das anzuziehen war, verstärkte sich Garys Gefühl, dass die Dinge um ihn herum sich auflösten und die Nacht aus Geschleiche und Geraschel und Metamorphosen bestand. Er meinte, jenseits der Schlafzimmertür viel mehr als zwei Personen zu hören; er spürte die Gegenwart einer ganzen Horde von Phantomen, die er nur undeutlich ausmachen konnte.

Als Alfred sich hinlegte, fiel ihm sein Eisbärenhaar in die Stirn. Gary zog ihm die Decke bis über die Schultern. Es war schwer zu glauben, dass er sich erst drei Monate zuvor mit diesem Mann gestritten, ihn als Gegner ernst genommen hatte.

Sein Radiowecker stand auf 2:55, als Gary in sein Zimmer zurückkehrte. Das Haus war wieder ruhig, Denise' Tür geschlossen, das einzige Geräusch ein Sattelschlepper auf der nur einige hundert Meter entfernten Schnellstraße. Gary fragte sich, warum sein Zimmer – schwach – nach jemandes Zigarettenatem roch.

Vielleicht war es gar kein Zigarettenatem. Vielleicht war es der österreichische Bierkrug voll Pisse, den er auf dem Boden des Kleiderschranks hatte stehen lassen!

Der morgige Tag, dachte er, *gehört mir. Morgen ist Garys freier Tag. Und Donnerstagvormittag wird hier endlich Tabula rasa gemacht. Dann setzen wir dieser Farce ein Ende.*

Nachdem sie von Brian Callahan gefeuert worden war, hatte Denise sich mit dem Tranchiermesser zerteilt und die Stücke vor sich auf den Tisch gelegt. Sie erzählte sich die Geschichte einer Tochter, deren Familie solchen Heißhunger auf eine Tochter verspürte, dass sie sie, wäre sie nicht davongelaufen, bei lebendigem Leibe verspeist hätte. Sie erzählte sich die Geschichte einer Tochter, die, in ihrem verzweifelten Wunsch zu entkommen, Zuflucht bei allem gesucht hatte, was auch nur vorübergehend

Schutz versprach – dem Beruf der Köchin, einer Ehe mit Emile Berger, einem Alte-Leute-Leben in Philadelphia, einer Affäre mit Robin Passafaro. Kein Wunder, dass sich all diese Unterstände, in Eile gewählt, auf lange Sicht als unbrauchbar erwiesen. Indem sich die Tochter vor dem Heißhunger ihrer Familie retten wollte, erreichte sie genau das Gegenteil: Sie sorgte dafür, dass ihr Leben just in dem Moment, wo der Hunger ihrer Familie auf dem Höhepunkt angelangt war, in Stücke ging und sie, ohne Mann, ohne Kinder, ohne Arbeit, ohne Verpflichtungen, vollkommen wehrlos dastand. Es war, als hätte sie es von Anfang an darauf angelegt, gerade dann, wenn ihre Eltern Pflege brauchten, auch verfügbar zu sein.

Unterdessen hatten ihre Brüder es darauf angelegt, gerade dann nicht verfügbar zu sein. Chip war in Osteuropa untergetaucht, und Gary ließ sich von Caroline am Gängelband führen. Sicher, Gary «übernahm Verantwortung» für seine Eltern, doch für ihn hieß Verantwortung übernehmen so viel wie einschüchtern und herumkommandieren. Die Aufgabe, Enid und Alfred zuzuhören und geduldig und verständnisvoll zu sein, lastete allein auf den Schultern der Tochter. Denise sah sich schon als das einzige Kind beim Weihnachtsessen in St. Jude, und auch als das einzige Kind, das in den Wochen und Monaten und Jahren danach zur Stelle wäre. Taktvoll, wie ihre Eltern waren, baten sie sie nicht, bei ihnen einzuziehen, aber Denise wusste, dass sie es sich wünschten. Seit sie ihren Vater für die Testphase zwei von Korrektal angemeldet und ihn eingeladen hatte, bei ihr zu wohnen, war Enid ihr gegenüber lammfromm geworden. Nie wieder hatte sie ihre ehebrecherische Freundin Norma Greene erwähnt. Nie hatte sie Denise gefragt, warum sie ihren Job beim Generator «aufgegeben» habe. Enid war in Schwierigkeiten, ihre Tochter erbot sich, ihr zu helfen, da konnte sie sich den Luxus, an ihr herumzunörgeln, nicht länger leisten. Und nun war, jedenfalls in der Geschichte, die Denise sich über sich selbst erzählte, die Zeit gekommen, da die Meisterköchin sich mit dem Tranchiermesser zerteilen und die Stücke an ihre hungrigen Eltern verfüttern musste.

In Ermangelung einer besseren Geschichte glaubte sie diese beinahe. Der einzige Haken daran war, dass sie sich darin nicht wieder erkannte.

Wenn sie eine weiße Bluse, einen gediegenen grauen Hosenanzug, roten Lippenstift und eine schwarze Pillbox mit kleinem schwarzem Schleier trug, dann erkannte sie sich wieder. Wenn sie ein ärmelloses weißes T-Shirt und Jeans anzog und ihr Haar so straff zu einem Pferdeschwanz zurückband, dass ihr der Kopf wehtat, erkannte sie sich wieder. Wenn sie Silberschmuck, türkisen Lidschatten, Leichenlippen-Nagellack, einen schreiend pinkfarbenen Pullover und orange Turnschuhe trug, erkannte sie sich als einen lebendigen Menschen wieder und war atemlos vor Glück, so lebendig zu sein.

Sie fuhr nach New York, um im Food Channel aufzutreten, und besuchte am Abend einen jener Clubs für Leute wie sie, die gerade erst anfingen, klar zu sehen, aber noch üben mussten. Sie wohnte bei Julia Vrais in deren umwerfendem Apartment an der Hudson Street. Julia berichtete, sie habe während ihres Scheidungsverfahrens, bei der Offenlegung wichtiger Dokumente, erfahren, dass Gitanas Misevičius das Apartment mit Geldern der litauischen Regierung bezahlt habe.

«Gitanas' Anwälte behaupten, das sei keine Unterschlagung, sondern ein ‹Versehen› gewesen», erzählte Julia Denise, «aber es fällt mir schwer, das zu glauben.»

«Heißt das, man wird dir das Apartment wegnehmen?»

«Nein», sagte Julia, «es erhöht sogar die Wahrscheinlichkeit, dass ich es einfach so behalten darf. Trotzdem, das ist doch schrecklich! Meine Wohnung gehört nach Recht und Gesetz dem litauischen Volk!»

Im Gästezimmer waren es dreißig Grad. Julia holte eine dicke

Daunendecke und fragte Denise, ob sie noch eine Wolldecke haben wolle.

«Danke, das reicht völlig», sagte Denise.

Julia gab ihr ein Flanelllaken und vier Kissen mit Flanellbezügen. Sie fragte, wie es Chip in Vilnius gehe.

«Es klingt, als wären er und Gitanas die besten Freunde.»

«Ich möchte nicht wissen, was die beiden über mich reden», sagte Julia versonnen.

Sie halte es für wahrscheinlicher, sagte Denise, dass Chip und Gitanas das Thema ganz und gar meiden würden.

Julia runzelte die Stirn. «Warum sollten sie nicht über mich reden?»

«Na ja, immerhin hast du sie beide ziemlich böse abblitzen lassen.»

«Aber sie könnten sich doch darüber austauschen, wie sehr sie mich hassen!»

«Ich glaube nicht, dass dich jemand hassen kann.»

«Ehrlich gesagt, hatte ich Angst, du könntest mich hassen, weil ich mich von Chip getrennt habe.»

«Nein, da war ich ganz leidenschaftslos.»

Offensichtlich erleichtert, das zu hören, vertraute Julia Denise an, dass sie jetzt öfter mit einem netten, wenn auch kahlköpfigen Rechtsanwalt ausgehe, den sie über Eden Procuro kennen gelernt habe. «Ich fühle mich geborgen bei ihm», sagte sie. «Er hat so ein selbstsicheres Auftreten in Restaurants. Und er hat unheimlich viel zu tun, sodass er nicht ständig, wie soll ich sagen, hinter mir her ist.»

«Weißt du», sagte Denise, «je weniger du mir von Chip und dir erzählst, desto besser.»

Als Julia sie dann fragte, ob eigentlich auch sie mit jemandem zusammen sei, hätte es nicht so schwer sein müssen, ihr von Robin Passafaro zu erzählen, aber es war schwer. Denise wollte ihre Freundin nicht in Verlegenheit bringen, wollte ihre Stimme nicht vor lauter Mitgefühl klein und weich werden hören. Sie wollte Julias Gesellschaft in all ihrer gewohnten Unschuld in sich aufsaugen, und deshalb sagte sie: «Ich bin mit niemandem zusammen.»

Mit niemandem außer, in der nächsten Nacht, in einer sapphischen Paschahöhle zweihundert Schritte von Julias Apartment entfernt, einer Siebzehnjährigen, die gerade im Bus aus Plattsburgh, New York, gestiegen war und eine irrwitzige Frisur und jeweils 800 Punkte in ihren zwei kürzlich abgelegten College-Eignungstests hatte (den offiziellen Ausdruck ihrer Ergebnisse trug sie mit sich herum wie eine Bescheinigung ihrer Zu- oder auch Unzurechnungsfähigkeit), sowie in der übernächsten Nacht, mit einer Studentin der Religionswissenschaft von der Columbia-Universität, deren Vater (behauptete sie jedenfalls) die größte Samenbank in Südkalifornien betrieb.

Als das geschafft war, begab sich Denise in ein Midtown-Studio und ließ dort ihren Gastauftritt in der Sendung *Pop-Food für Leute von heute* aufzeichnen, bei dem sie Lammfleisch-Ravioli und andere Mare-Scuro-Gerichte zubereitete. Sie traf sich mit einigen der New Yorker, die versucht hatten, sie Brian abspenstig zu machen – einem Billionärsehepaar aus der Central Park West Avenue, das sich ein Lehnsverhältnis mit ihr vorstellte, einem Münchner Bankier, der glaubte, sie sei der Weißwurst-Messias und könne die deutsche Küche in Manhattan zu ihrem einstigen Ruhm zurückführen, und einem jungen Gastronomen, Nick Razza, der ihr imponierte, indem er alle Gerichte, die er im Mare Scuro und im Generator gegessen hatte, der Reihe nach aufzählte und bis auf die letzte Zutat auseinander nahm. Razza stammte aus einer Lieferantenfamilie in New Jersey und hatte bereits ein beliebtes Fischrestaurant in der Upper East Side. Nun wollte er den Sprung in die kulinarische Szene der Smith Street in Brooklyn wagen und dort ein weiteres Lokal eröffnen, wenn möglich mit Denise in der Hauptrolle. Denise bat ihn um eine

Woche Bedenkzeit. An einem sonnigen Herbstsonntag fuhr sie am Nachmittag mit der U-Bahn hinaus nach Brooklyn, das ihr wie ein besseres Philadelphia vorkam, gerettet durch die Nähe zu Manhattan. In einer halben Stunde sah sie hier mehr schöne, interessante Frauen als bei sich zu Hause in einem halben Jahr. Sah deren Brownstones und deren schicke Stiefel.

Auf der Rückfahrt, per Amtrak, fragte sie sich wehmütig, warum sie sich so lange in Philadelphia verkrochen hatte. Der kleine U-Bahnhof unterhalb des Rathauses war leer und widerhallend wie ein eingemottetes Schlachtschiff; Fußboden und Wände und Holzbalken und Geländer, alles war grau gestrichen. Herzzerreißend der kleine Zug, der schließlich, nach fünfzehn Minuten, mit Passagieren, die in ihrer Geduld und Vereinzelung weniger Pendlern als Patienten in der Notaufnahme glichen, am Bahnsteig hielt. Aus dem Schacht des Federal-Street-Bahnhofs auftauchend, fand sich Denise zwischen Platanenblättern und zerrissenen Hamburger-Schachteln wieder, die in Wellen über den Bürgersteig der Broad Street fegten und gegen die bepinkelten Fassaden und vernagelten Fenster wirbelten und am Ende, zwischen den am Straßenrand parkenden Autos mit ihren Epoxydharz-Kotflügeln, liegen blieben. Die urbane Leere Philadelphias, die Hegemonie von Wind und Himmel kamen ihr wie verzaubert vor. Narnisch. Sie liebte Philadelphia, wie sie Robin Passafaro liebte: Das Herz ging ihr über, und ihre Sinne waren geschärft, doch ihr Kopf fühlte sich an, als müsse er im Vakuum ihrer Einsamkeit jeden Moment zerspringen.

Sie öffnete die Tür zu ihrem Backsteingefängnis und sammelte die Post vom Boden auf. Unter den zwanzig Nachrichten auf ihrem Anrufbeantworter war auch eine von Robin Passafaro, die das Schweigen brach und fragte, ob Denise nicht Lust habe, «ein bisschen zu plaudern», außerdem eine von Emile Berger, der sie höflich informierte, dass er Brian Callahans Angebot, Küchenchef vom Generator zu werden, angenommen habe und wieder nach Philadelphia ziehe.

Als sie das hörte, trat Denise mit dem Fuß gegen die gekachelte Südwand ihrer Küche, bis sie fürchtete, sich den großen Zeh gebrochen zu haben. «Ich muss hier weg!», sagte sie.

Doch wegzukommen war gar nicht so einfach. Robin hatte einen Monat Zeit gehabt, sich zu beruhigen und sich darüber klar zu werden, dass sie sich, wenn es denn eine Sünde war, mit Brian zu schlafen, selbst genauso schuldig gemacht hatte wie Denise. Brian hatte sich ein Loft in Olde City gemietet, und Robin war, wie von Denise vorausgesehen, fest entschlossen, das Sorgerecht für Sinéad und Erin zu erhalten. Um ihre Position zu stärken, rührte sie sich nicht aus dem großen Haus in der Panama Street und widmete sich noch einmal ganz dem Muttersein. Tagsüber jedoch, wenn die Mädchen in der Schule waren, und an den Samstagen, wenn Brian etwas mit ihnen unternahm, hatte sie Zeit für sich, und nach reiflicher Überlegung entschied sie, dass diese Zeit sich am besten im Bett von Denise verbringen lasse.

Denise schaffte es noch immer nicht, zur Robin-Droge nein zu sagen. Sie sehnte sich noch immer nach Robins Händen auf ihr und an ihr und unter ihr und in ihr, jenem präpositionalen Smörgåsbord. Aber irgendetwas an Robin – vielleicht ihre Neigung, sich selbst für das, was andere ihr antaten, die Schuld zu geben – forderte zu Betrug und Kränkung geradezu heraus. Denise rauchte gegen ihre sonstige Gewohnheit neuerdings im Bett, weil Zigarettenqualm Robins Augen reizte. Sie warf sich in Schale, wenn sie mit Robin zum Mittagessen verabredet war, sie tat ihr Bestes, um Robins Uneleganz herauszustreichen, und erwiderte die Blicke jedes Mannes und jeder Frau, die sich nach ihr umdrehten. War Robins Stimme zu laut, zuckte sie sichtbar zusammen. Sie benahm sich, wie ein pubertierendes Mädchen sich seinen Eltern gegenüber benimmt, nur dass ein pubertierendes Mädchen nicht anders kann, als die Augen zu rollen, während Denise' Verachtung eine bewusste, kalkulierte Form der Grausamkeit war. Sie herrschte Robin an, sich doch zusammenzureißen, wenn sie miteinander im Bett waren und Robin selbstvergessen zu schreien anfing. Sie sagte: «Sei nicht so laut. Bitte. *Bitte.*» Von ihrer eigenen Grausamkeit berauscht, starrte sie auf Robins Gore-Tex-Regenjacke, bis Robin fragte, was denn los sei. Denise sagte: «Ich würde bloß gern wissen, ob du je versucht bist, *ein bisschen* schicker auszusehen.» Robin antwortete, dass sie nie im Leben schick sein werde und es deshalb genauso gut richtig bequem haben könne. Denise erlaubte sich, die Lippen zu schürzen.

Robin wollte ihre Geliebte unbedingt wieder mit Sinéad und Erin zusammenbringen, doch aus Gründen, die Denise selbst nicht völlig klar waren, weigerte sie sich, die Mädchen zu besuchen. Sie wusste nicht, wie sie ihnen unter die Augen treten sollte; schon beim Gedanken an einen Vier-Mädel-Haushalt wurde ihr schlecht.

«Sie vergöttern dich», sagte Robin.

«Ich kann das nicht.»

«Warum?»

«Weil mir nicht danach ist. Darum.»

«Na gut. Egal.»

«Wie lange willst du das Wort ‹egal› eigentlich noch benutzen? Meinst du, dass du es irgendwann mal ausrangierst? Oder ist es dein Wort fürs Leben?»

«Denise, sie *vergöttern* dich», quiekte Robin. «Du fehlst ihnen. Und früher hast du doch so gern was mit ihnen unternommen.»

«Tja, im Moment bin ich eben nicht in Kinderlaune. Keine Ahnung, ob ich's je wieder sein werde. Also hör bitte auf, mich zu fragen.»

Spätestens jetzt wäre die Botschaft bei den meisten Menschen angekommen; die meisten Menschen hätten das Feld geräumt und sich nie wieder blicken lassen. Doch Robin fand Geschmack daran, grausam behandelt zu werden, das wurde immer deutlicher. Robin sagte, und Denise glaubte es ihr sogar, sie hätte sich nie von Brian getrennt, wenn Brian sich nicht von ihr getrennt hätte. Robin gefiel es, bis auf einen Mikrometer vor dem Orgasmus geleckt und gestreichelt und dann verstoßen zu werden und betteln zu müssen. Und Denise gefiel es, ihr das anzutun. Denise gefiel es, aufzustehen und sich anzuziehen und nach unten zu gehen, während Robin auf sexuelle Erlösung wartete, denn niemals hätte sie geschummelt und selbst Hand angelegt. Denise saß in der Küche, las ein Buch und rauchte, bis Robin, gedemütigt, zitternd, zu ihr herunterkam und bettelte. Die Verachtung, die Denise dann empfand, war so rein und so stark, dass sie fast besser war als Sex.

Und so ging es immer weiter. Je bereitwilliger Robin sich erniedrigen ließ, umso mehr genoss es Denise, sie zu erniedrigen. Sie ignorierte Nick Razzas telefonische Nachrichten. Sie blieb bis zwei Uhr nachmittags im Bett. Ihre Gewohnheit, nur in Gesellschaft zu rauchen, trieb Blüten der Sucht. Sie gab sich einer fünfzehn Jahre angestauten Faulheit hin und lebte von ihrem Sparkonto. Tag für Tag dachte sie an all die Dinge, die sie tun müsste, um das Haus für die Ankunft ihrer Eltern herzurichten – einen Haltegriff in der Dusche anbringen, einen Teppich auf der Treppe legen lassen, Möbel für das Wohnzimmer kaufen, einen besseren Küchentisch suchen, jemanden bitten, ihr Bett aus dem zweiten Stock nach unten, ins Gästezimmer, zu tragen –, nur um am Ende zu beschließen, dass ihr die Energie zu alledem fehlte. Ihr Leben bestand darin zu warten, bis das Henkersbeil fiel. Wenn ihre Eltern für sechs Monate zu ihr kamen, hatte es gar keinen Sinn, vorher noch etwas anderes auf die Beine zu stellen. Sie musste ihr ganzes Nichtstun *jetzt* erledigen.

Was genau ihr Vater von Korrektal hielt, war schwer zu sagen. Als sie ihn ein einziges Mal, am Telefon, danach gefragt hatte, war er die Antwort schuldig geblieben.

«Al?», hatte Enid nachgeholfen. «Denise möchte wissen, WAS DU VON KORREKTAL HÄLTST.»

Alfreds Stimme klang bitter. «Man sollte meinen, sie hätten sich einen besseren Namen ausdenken können.»

«Es wird ganz anders geschrieben», sagte Enid. «Denise möchte wissen, OB DU DICH AUF DIE BEHANDLUNG FREUST.»

Schweigen.

«Sag ihr, wie sehr du dich freust, Al.»

«Ich stelle fest, dass mein Leiden mit jeder Woche ein bisschen schlimmer wird. Was soll eine weitere Pille schon groß daran ändern können.»

«Al, es ist keine Pille, sondern eine völlig neue Therapie, die auf deinem Patent fußt!»

«Ich habe gelernt, mich mit einem gewissen Maß an Optimismus abzufinden. Also. Wir machen alles wie geplant.»

«Denise», sagte Enid, «ich kann dir *ganz viel* im Haushalt helfen. Ich werde mich um alle Mahlzeiten und um die ganze Wäsche kümmern. Das wird bestimmt ein richtiges Abenteuer! Es ist einfach herrlich, dass du das für uns tun willst.»

Denise konnte sich nicht vorstellen, sechs Monate in einem Haus mit ihren Eltern zu verbringen, noch dazu in einer Stadt, mit der sie abgeschlossen hatte: sechs Monate Unsichtbarkeit als jene gastfreundliche, pflichtbewusste Tochter, die zu sein sie kaum noch heucheln konnte. Aber sie hatte ein Versprechen abgegeben; und so ließ sie ihre Wut an Robin aus.

Am Samstagabend vor Weihnachten saß sie in ihrer Küche und blies Robin Rauch ins Gesicht, während Robin sie mit Aufheiterungsversuchen verrückt machte.

«Dass du deine Eltern einlädst, bei dir zu wohnen, ist doch ein Riesengeschenk für sie», sagte Robin.

«Das könnte es sein, wenn ich nicht so ein Wrack wäre», sagte Denise. «Man sollte nur anbieten, was man auch geben kann.»

«Das kannst du ja», sagte Robin. «Ich helfe dir dabei. Ich kann deinem Dad einige Vormittage Gesellschaft leisten, damit deine Mom mal Pause hat, und du kannst dann losgehen und tun, was immer du willst. Ich komme drei- oder viermal die Woche.»

In Denise' Augen wurde die Aussicht auf diese Vormittage durch Robins Angebot nur noch trostloser und beklemmender.

«Verstehst du denn nicht?», sagte sie. «Ich hasse dieses Haus. Ich hasse diese Stadt. Ich hasse mein Leben hier. Ich hasse Familie. Ich hasse Heimat. Ich will hier *raus. Ich bin kein guter Mensch*. Und so zu tun, als wär ich einer, macht alles nur noch schlimmer.»

«Ich finde, du bist ein guter Mensch», sagte Robin.

«Ich behandle dich wie den letzten Dreck! Ist dir das überhaupt noch nicht aufgefallen?»

«Das liegt daran, dass du so unglücklich bist.»

Robin kam um den Tisch herum und versuchte, ihr die Hand auf die Schulter zu legen; Denise stieß sie mit dem Ellbogen weg. Robin versuchte es erneut, und diesmal traf Denise sie mit den Knöcheln ihrer offenen Hand mitten auf der Wange.

Karmesinrot im Gesicht, als blute sie innerlich, rückte Robin von ihr ab. «Du hast mich geschlagen», sagte sie.

«Das weiß ich selbst.»

«Du hast mich ziemlich hart geschlagen. Warum hast du das getan?»

«Weil ich dich hier nicht haben will. Ich will nicht Teil von deinem Leben sein. Von deinem nicht und auch von keinem anderen. Ich habe es satt, mir dabei zuzugucken, wie grausam ich zu dir bin.»

Ineinander greifende Schwungräder des Stolzes und der Liebe rotierten hinter Robins Augen. Es dauerte eine Weile, ehe sie sich gefasst hatte. «Also schön», sagte sie. «Ich lasse dich in Ruhe.»

Denise machte nichts, um sie zum Bleiben zu bewegen, doch als sie die Haustür ins Schloss fallen hörte, wurde ihr klar, dass sie den einzigen Menschen verloren hatte, der ihr in der Zeit mit ihren Eltern hätte helfen können. Sie hatte Robins Gesellschaft verloren, ihre Tröstungen. Alles, was ihr noch vor einer Minute so verachtenswert erschienen war, wünschte sie sich jetzt zurück.

Sie flog nach St. Jude.

An ihrem ersten Tag dort, wie am ersten Tag jedes Besuchs bei ihren Eltern, wärmte sie sich an deren Wärme und tat alles, worum ihre Mutter sie bat. Sie winkte ab, als Enid ihr das Geld für den Einkauf geben wollte. Sie verkniff sich jeden Kommentar zu der Einliterflasche ranzigen gelben Kleisters, dem einzigen Olivenöl in Enids Küche. Sie trug den lavendelfarbenen Synthetik-Rollkragenpullover und die matronenhafte vergoldete Halskette, die ihre Mutter ihr kürzlich geschenkt hatte. Sie schwärmte, unaufgefordert, von den jungen Ballerinen im *Nussknacker*, sie hielt die behandschuhte Hand ihres Vaters, als sie den Parkplatz vorm Regionaltheater überquerten, sie liebte ihre Eltern mehr als alles andere auf der Welt; und kaum lagen die beiden im Bett, zog sie sich um und floh aus dem Haus.

Auf der Straße blieb sie stehen, eine Zigarette auf der Lippe, ein bebendes Streichholzheft *(Dean & Trish ◆ 13. Juni 1987)* zwischen den Fingern. Sie marschierte zu dem Rasenplatz hinter der Grundschule, wo sie und Don Armour einst gesessen und den Duft von Teichkolben und Verbenen gerochen hatten; sie stampfte mit den Füßen, rieb sich die Hände, sah die Wolken die Sternbilder verfinstern und sog mit tiefen, stärkenden Atemzügen ihr Selbst ein.

Später in der Nacht führte sie ein heimliches Manöver zugunsten ihrer Mutter durch: Während Gary mit Alfred beschäftigt war, ging sie in sein Zimmer, griff in die Innentasche seiner

Lederjacke, tauschte das Mexican A gegen eine Hand voll Advils aus und ließ Enids Droge an einem sichereren Ort verschwinden, bevor sie sich, brave Tochter, endlich schlafen legte.

An ihrem zweiten Tag in St. Jude, wie am zweiten Tag jedes ihrer Besuche, wachte sie wütend auf. Die Wut war ein autonomes neurochemisches Phänomen; nicht einzudämmen. Beim Frühstück setzte ihr jedes Wort, das ihre Mutter sagte, zu. Die Rippchen und das Sauerkraut nach alter Sitte zuzubereiten und nicht nach jener modernen, die sie beim Generator entwickelt hatte, machte sie wütend. (So viel Fett, so ein Substanzverlust.) Die bradykinetische Schwerfälligkeit von Enids Elektroherd, die sie tags zuvor nicht weiter gestört hatte, machte sie wütend. Die unzähligen Kühlschrankmagneten, welpenhaft-rührend in ihrer Ikonographie und derart schwach haftend, dass man kaum die Tür öffnen konnte, ohne einen Schnappschuss von Jonah oder eine Postkarte aus Wien zu Boden sausen zu lassen, trieben sie an den Rand des Wahnsinns. Sie ging in den Keller, um den alten Zehnliterkochtopf zu holen, und die Unordnung in den Waschküchenschränken brachte sie zur Weißglut. Sie zerrte einen Mülleimer aus der Garage herein und fing an, ihn mit dem Kram ihrer Mutter zu füllen. Ganz bestimmt war das hilfreich für ihre Mutter, und so machte sich Denise mit Hingabe an die Arbeit. Sie warf die koreanischen Brechbeeren weg, die fünfzig am allerwertlosesten aussehenden Plastikblumentöpfe, die Sammlung Sanddollarscherben und das Bündel Silberdollarpflanzen, von denen alle Dollars abgefallen waren. Sie warf den Kranz aus goldbesprühten Kiefernzapfen weg, den jemand auseinander gerupft hatte. Sie warf den Brandy-Kürbis-«Aufstrich» weg, der einen rotzigen Graugrünton angenommen hatte. Sie warf die neolithischen Dosen Palmenherzen und Babyshrimps und chinesischen Miniaturmaiskolben weg, den trüben schwarzen Liter rumänischen Weins, dessen Korken verrottet war, die Flasche Mai-Tai-Mix aus der Nixon-Ära, an deren Hals sich eine schlammige Kruste gebildet hatte, die Kollektion von Paul-Masson-Chablis-Karaffen mit Spinnenbeinen und Mottenflügeln auf den Böden, die vollkommen verrostete Aufhängung eines längst entsorgten Mobiles. Sie warf die Einliterglasflasche Diätcola weg, die mittlerweile die Farbe von Blutplasma hatte, das verschnörkelte Töpfchen Kumquatrosinen, das inzwischen zu einer Phantasie aus steinernem Kandis und amorpher brauner Masse geworden war, die übel riechende Thermoskanne, deren zerbrochenes Innenglas beim Schütteln klirrte, den verschimmelten Achtelscheffel-Warenkorb voll ebenso übel riechender leerer Joghurtbecher, die durch Oxydation klebrig gewordenen, vor abgetrennten Mottenflügeln strotzenden Sturmlaternen, die verschwundenen Königreiche aus Blumenerde und Blumendraht, die noch im Zerbröseln und Verrosten brüderlich zusammenhielten …

Ganz hinten im Schrank, zwischen den Spinnweben an der Rückwand des untersten Regals, fand sie einen dicken, unfrankierten Briefumschlag, der nicht sehr alt aussah. Er war an die Axon Corporation, 24 East Industrial Serpentine, Schwenksville, PA adressiert. Der Absender war Alfred Lambert. Vorne auf dem Umschlag stand außerdem PER EINSCHREIBEN. In dem Möchtegern-Bad neben dem Labor ihres Vaters rauschte der Wasserkasten der Toilette, schwache schwefelige Gerüche hingen in der Luft. Die Tür zum Labor war offen, und Denise klopfte an.

«Ja», sagte Alfred.

Er stand vor dem Regal exotischer Metalle, dem Gallium und Wismut, und schnallte sich den Gürtel zu. Sie zeigte ihm den Umschlag, erzählte, wo sie ihn gefunden hatte.

Alfred drehte ihn in seinen zitternden Händen, als könne ihm so, wie durch Zauberkraft, eine Erklärung einfallen. «Ein Rätsel», sagte er.

«Darf ich ihn öffnen?»

«Ganz, wie du willst.»

Der Umschlag enthielt drei Ausfertigungen eines auf den 13. September datierten Lizenzvertrags, den Alfred unterschrieben und David Schumpert notariell beglaubigt hatte.

«Was hat dieser Brief auf dem Boden des Waschküchenschranks zu suchen?», fragte Denise.

Alfred schüttelte den Kopf. «Das musst du deine Mutter fragen.»

Sie stellte sich an den Fuß der Treppe und hob die Stimme. «Mom? Kannst du mal kurz runterkommen?»

Enid tauchte oben am Treppenabsatz auf und trocknete sich mit einem Geschirrhandtuch die Hände ab. «Was ist denn? Kannst du den Topf nicht finden?»

«Doch, den Topf hab ich gefunden, aber könntest du trotzdem mal runterkommen?»

Alfred, im Labor, hielt die Axon-Schriftstücke, ohne sie zu lesen, locker zwischen den Fingern. Enid erschien mit schuldbewusster Miene im Türrahmen. «Was ist?»

«Dad möchte wissen, warum dieser Umschlag im Wäscheschrank lag.»

«Gib her», sagte Enid. Sie riss Alfred die Schriftstücke aus der Hand und zerknüllte sie. «Das ist alles längst geregelt. Dad hat drei andere Exemplare des Vertrags unterschrieben, und sie haben uns postwendend einen Scheck zugesandt. Kein Grund zur Aufregung.»

Denise kniff die Augen zusammen. «Hattest du nicht gesagt, du hättest die hier abgeschickt? Als wir in New York waren, Anfang Oktober? Da hast du doch gesagt, du hättest die hier abgeschickt.»

«Das dachte ich auch. Aber sie sind in der Post verloren gegangen.»

«In der *Post*?»

Enid wedelte vage mit den Händen. «Na ja, ich dachte, ich

hätte sie zur Post gebracht. Aber sie waren wohl im Schrank. Wahrscheinlich habe ich einen Stapel Briefe hier unten abgelegt, bevor ich zur Post gegangen bin, und dann ist der Umschlag rausgerutscht. Weißt du, ich kann nicht jede Kleinigkeit im Blick behalten. Es geht schon mal was verloren, Denise. Ich muss mich um den ganzen Haushalt kümmern, da geht schon mal was verloren.»

Denise nahm den Umschlag von Alfreds Werkbank. «Da steht ‹Per Einschreiben› drauf. Wenn du bei der Post warst, wie konntest du dann *nicht* bemerken, dass eine Sendung, die du per Einschreiben schicken wolltest, fehlte? Wie konntest du *nicht* bemerken, dass du keinen Zettel ausgefüllt hast?»

«Denise.» Alfreds Stimme hatte einen ärgerlichen Unterton. «Ist gut jetzt.»

«Ich kann mir das auch nicht erklären», sagte Enid. «Ich hatte damals viel um die Ohren. Mir ist das völlig schleierhaft, und damit hat sich's. Weil es keine *Rolle* spielt. Dad hat seine fünftausend Dollar ja bekommen. Es spielt keine *Rolle*.»

Sie knüllte die Lizenzverträge noch kleiner zusammen und verließ das Labor.

Ich kriege allmählich Garyitis, dachte Denise.

«Du solltest deiner Mutter nicht so zusetzen», sagte Alfred.

«Ich weiß. Tut mir Leid.»

Doch schon schrie Enid in der Waschküche auf, schrie im Tischtennisraum, kam zurück in die Werkstatt. «Denise», rief sie, «du hast den ganzen Waschküchenschrank auf den Kopf gestellt! Was in aller Welt machst du da?»

«Ich werfe Lebensmittel weg. Lebensmittel und anderes vergammeltes Zeug.»

«Gut, aber warum ausgerechnet jetzt? Wir haben doch noch das ganze Wochenende Zeit. Wenn du mir helfen willst, ein paar Schränke auszumisten – herrlich. Aber nicht *heute*. Lass uns nicht *heute* damit anfangen.»

«Die Lebensmittel sind verdorben, Mom. Wenn du sie zu lange stehen lässt, werden sie giftig. Anaerobe Bakterien sind tödlich.»

«Na schön, dann räum das jetzt noch zu Ende auf, aber die anderen Schränke nehmen wir uns am Wochenende vor. Heute haben wir nicht genug Zeit dafür. Ich möchte, dass du mit dem Essen vorankommst, damit alles fertig ist und du nicht mehr daran denken musst, und dann möchte ich *unbedingt*, dass du Dad bei seinen Übungen hilfst, wie du es versprochen hast!»

«Das mache ich noch.»

«Al», rief Enid an Denise vorbei, «Denise möchte dir nach dem Mittagessen bei deinen Übungen helfen!»

Er schüttelte, wie vor Ekel, den Kopf. «Wenn du meinst.»

Auf einer der alten Lambert'schen Tagesdecken, die lange als Überwurf gedient hatte, waren Korbstühle und Korbtische, in frühen Stadien des Abschmirgelns und Anstreichens, aufeinander gestapelt. Ein paar zugedeckte Kaffeedosen standen dicht beisammen auf einem aufgeschlagenen Zeitungsteil; an der Werkbank lehnte, in einer Segeltuchhülle, ein Gewehr.

«Was hast du mit dem Gewehr vor, Dad?», fragte Denise.

«Ach, das will er schon seit Jahren verkaufen», sagte Enid. «AL, WIRST DU DAS DUMME GEWEHR JEMALS VERKAUFEN?»

Alfred schien diesen Satz mehrmals in seinem Kopf hin und her zu wenden, um ihm einen Sinn zu entlocken. Ganz langsam nickte er. «Ja», sagte er. «Ich werde das Gewehr verkaufen.»

«Ich hab es schrecklich ungern im Haus», sagte Enid im Gehen. «Weißt du, er hat es nie benutzt. Nicht ein einziges Mal. Ich glaube nicht, dass je ein Schuss daraus abgegeben worden ist.»

Alfred kam lächelnd auf Denise zu, sodass sie in Richtung Tür zurückweichen musste. «Ich bin hier gleich fertig», sagte er.

Oben war es Heiligabend. Päckchen sammelten sich unter

dem Baum. Im Vordergarten schaukelten die fast kahlen Äste der weißen Sumpfeichen in einer Brise, die gedreht hatte und jetzt mit Schnee zu drohen schien; das tote Gras hielt tote Blätter gefangen.

Wieder spähte Enid durch die Gardinen. «Muss ich mir Chips wegen Sorgen machen?»

«Ich würde mir Sorgen machen, dass er nicht kommt», antwortete Denise, «aber nicht, dass ihm etwas zugestoßen ist.»

«In der Zeitung steht, dass rivalisierende Gruppen um die Kontrolle über die Innenstadt von Vilnius kämpfen.»

«Chip passt bestimmt gut auf sich auf.»

«Ach, komm mal mit», sagte Enid und führte Denise zur Haustür. «Ich möchte, dass du das letzte Dingelchen an den Adventskalender heftest.»

«Mutter, warum machst *du* das nicht.»

«Nein, ich möchte dir dabei zusehen.»

Die letzte Miniatur war das Christkind in der Walnussschale. Es an den Filzbaum zu heften war eine Aufgabe für ein Kind, für jemand Gutgläubigen und Hoffnungsvollen, und auf einmal wurde Denise deutlich bewusst, dass sie alles darangesetzt hatte, sich gegen die Gefühle in diesem Haus, gegen dessen Durchdrungensein von Kindheitserinnerungen und ihrer Bedeutsamkeit, zu wappnen. Sie *konnte nicht* das Kind sein, das diese Aufgabe übernahm.

«Es ist dein Kalender», sagte sie. «Du solltest es tun.»

Die Enttäuschung auf Enids Gesicht war unverhältnismäßig groß. Es war eine alte Enttäuschung über die ewige Weigerung der Welt im Allgemeinen und ihrer Kinder im Besonderen, ihre liebsten Luftschlösser zu bewohnen.

«Dann werde ich wohl Gary bitten», sagte sie mit düsterer Miene.

«Es tut mir Leid», sagte Denise.

«Früher, als du ein kleines Mädchen warst, da war es dein

Schönstes, die Dingelchen anzuheften. Dein *Allerschönstes*. Aber wenn du nicht willst, dann eben nicht.»

«Mom.» Denise' Stimme schwankte. «Bitte zwing mich nicht dazu.»

«Wenn ich gewusst hätte, dass es eine solche Zumutung ist», sagte Enid, «hätte ich dich gar nicht erst gefragt.»

«Lass mich zugucken, wie du es machst!», bat Denise.

Enid schüttelte den Kopf und wandte sich ab. «Ich werde Gary fragen, wenn er vom Einkaufen nach Hause kommt.»

«Es tut mir so Leid.»

Denise trat aus der Haustür und setzte sich auf die Außentreppe, um zu rauchen. Die Luft hatte etwas Aufgescheuchtes, ein südliches Schneearoma. Weiter unten an der Straße sah sie Kirby Root ein aus Kiefernzweigen geflochtenes Seil um den Pfahl seiner Gaslampe wickeln. Er winkte, und sie winkte zurück.

«Wann hast du angefangen zu rauchen?», fragte Enid, als Denise wieder hereinkam.

«Vor fünfzehn Jahren ungefähr.»

«Das soll wirklich keine Kritik sein», sagte Enid, «aber Rauchen ist eine schreckliche Angewohnheit – so ungesund. Es ist schlecht für deine Haut und, offen gestanden, für andere kein schöner Geruch.»

Denise wusch sich mit einem Seufzen die Hände und begann, das Mehl für die Sauerkrautsauce zu bräunen. «Wenn ihr bei mir einziehen wollt», sagte sie, «müssen wir noch ein paar Dinge klären.»

«Ich habe doch gesagt, es war keine Kritik.»

«Das eine ist, dass es mir im Augenblick ziemlich schlecht geht. Zum Beispiel habe ich meine Stelle beim Generator nicht gekündigt. Ich bin gefeuert worden.»

«Gefeuert?»

«Ja. Leider. Willst du wissen, warum?»

«Nein!»

«Bist du sicher?»

«Ja!»

Denise lächelte und rührte noch mehr Fett von dem Speck, den sie ausgelassen hatte, in den Topf.

«Denise, ich verspreche dir», sagte ihre Mutter, «wir werden dir nicht im Weg sein. Du zeigst mir einfach, wo der Supermarkt ist und wie deine Waschmaschine funktioniert, und dann kannst du kommen und gehen, wann du willst. Ich weiß, dass du dein eigenes Leben hast. Ich will dich in keiner Weise stören. Wenn es irgendeine andere Möglichkeit für Dad gäbe, an den Tests teilzunehmen, glaub mir, dann würde ich sie nutzen. Aber Gary hat uns nie eingeladen, und ich glaube, Caroline wären wir sowieso nicht willkommen.»

Das Fett und die gerösteten Rippchen und das schmorende Kraut dufteten gut. In dieser Küche zubereitet, hatte das Gericht wenig mit der hohen Kunst des Kochens zu tun, die sie für Tausende von Fremden im Generator praktiziert hatte. Die Generator-Rippchen und der Generator-Schwertfisch hatten mehr gemeinsam als die Generator-Rippchen und diese Hausmacher-Rippchen. Da glaubte man zu wissen, was Essen sei, hielt es für etwas Elementares, und dabei vergaß man, wie viel Restaurant in Restaurantessen und wie viel Zuhause in Hausgemachtem steckte.

«Warum erzählst du mir nicht die Geschichte von Norma Greene?», fragte sie ihre Mutter.

«Na ja, letztes Mal bist du so böse auf mich geworden», sagte Enid.

«Ich war hauptsächlich wütend auf Gary.»

«Ich möchte ja nur, dass du nicht solche Verletzungen davonträgst wie Norma. Ich möchte, dass du glücklich bist und endlich zur Ruhe kommst.»

«Mom, ich werde nie wieder heiraten.»

«Das weißt du doch gar nicht.»

«Doch, das weiß ich wohl.»

«Das Leben ist voller Überraschungen. Du bist jung und siehst ganz goldig aus.»

Denise ließ noch etwas Fett in den Topf; es gab jetzt keinen Grund mehr zur Zurückhaltung. Sie sagte: «Hörst du mir zu? Ich bin sicher, dass ich nie wieder heiraten werde.»

Doch da knallte auf der Straße eine Wagentür, und Enid eilte zum Esszimmerfenster, um die Gardinen beiseite zu schieben.

«Ach, das ist Gary», sagte sie enttäuscht. «Bloß Gary.»

Gary kam mit den Eisenbahnmemorabilien, die er im Verkehrsmuseum erstanden hatte, in die Küche geweht. Offensichtlich beflügelt von einem Vormittag für sich allein, tat er seiner Mutter mit Freuden den Gefallen, das Christkind an den Adventskalender zu heften; und blitzschnell wanderten Enids Sympathien von ihrer Tochter zu ihrem Sohn. Sie schwärmte von der herrlichen Arbeit, die Gary unten in der Dusche geleistet habe, und von der *enormen* Verbesserung durch den Hocker. Traurig beendete Denise ihre Vorbereitungen für das Abendessen, richtete ein leichtes Mittagessen an und spülte einen Berg von Geschirr, während der Himmel in den Fenstern vollends grau wurde.

Nach dem Essen ging sie in ihr Zimmer, das Enid mit den Jahren zu fast perfekter Anonymität umdekoriert hatte, und packte Geschenke ein. (Sie hatte für alle etwas zum Anziehen gekauft; sie wusste, was andere gerne trugen.) Dann faltete sie das Kleenex auseinander, das die dreißig sonnigen Kapseln Mexican A enthielt, und überlegte kurz, sie als Geschenk für Enid zu verpacken, aber die Grenzen des Versprechens, das sie Gary gegeben hatte, durften nicht überschritten werden. Also formte sie das Kleenex mit den Kapseln wieder zu einer Kugel, stahl sich aus ihrem Zimmer und die Treppe hinunter und stopfte die

Droge in die eben frei gewordene vierundzwanzigste Tasche des Adventskalenders. Gary und ihre Eltern waren im Keller. Sie konnte zurück nach oben schleichen und die Tür ihres Zimmers schließen, als hätte sie es nie verlassen.

Früher, als sie noch klein gewesen war und Enids Mutter in der Küche die Rippchen gebraten und Gary und Chip ihre unglaublich hübschen Freundinnen mit nach Hause gebracht und es allen Spaß gemacht hatte, möglichst viele Geschenke für Denise zu kaufen, da war dies der längste Nachmittag des Jahres gewesen. Ein dunkles Naturgesetz hatte bestimmt, dass die Familie vor Einbruch der Dämmerung nicht zusammentreffen durfte; alle hatten sich auf verschiedene Zimmer verteilt und gewartet. Manchmal, als Teenager, hatte Chip Erbarmen mit dem Nesthäkchen gehabt und Schach oder Monopoly mit ihr gespielt. Später hatten er und seine jeweilige Freundin sie mit ins Einkaufszentrum genommen. Mit zehn oder zwölf gab es kein größeres Glück für sie, als auf diese Weise einbezogen zu sein: sich von Chip über die Übel des Spätkapitalismus aufklären zu lassen, Couture-Details über seine Freundin zu sammeln, die Länge ihrer Ponyfransen und die Höhe ihrer Absätze zu studieren, eine Stunde allein im Buchladen zu verbringen und dann, vom Hügel oberhalb des Einkaufszentrums, zurückzublicken auf die stumme, bedächtige Choreographie des Verkehrs im schwindenden Tageslicht.

Selbst jetzt war es der längste Nachmittag. Schneeflocken, eine Nuance dunkler als der schneefarbene Himmel, fielen inzwischen in Mengen herab. Kälte drang durch die Sturmfenster, sie mogelte sich an den Strömen und Schwaden heizkesselwarmer Luft aus den Luftschlitzen vorbei, sie kam einem direkt an den Hals. Um nicht krank zu werden, legte Denise sich ins Bett und zog die Decke bis ans Kinn.

Sie schlief fest, traumlos, und erwachte – wo? um wie viel Uhr? an welchem Tag? – von zornigen Stimmen. Schnee hatte die Ecken der Fenster zugesponnen und die weiße Sumpfeiche gepudert. Am Himmel war Licht, aber nicht mehr lange.

Al, Gary hat sich SOLCHE Mühe gegeben –

Ich habe ihn nicht darum gebeten!

Kannst du es nicht wenigstens ein einziges Mal versuchen? Nach der ganzen Arbeit, die er sich gestern gemacht hat?

Ich habe das Recht, ein Bad zu nehmen, wenn ich ein Bad nehmen möchte.

Dad, es ist nur eine Frage der Zeit, bis du auf der Treppe stürzt und dir das Genick brichst.

Ich habe niemanden um Hilfe gebeten.

Da tust du auch verdammt recht daran! Ich habe Mom nämlich verboten – verboten, hörst du –, auch nur in die Nähe der Badewanne zu gehen –

Al, bitte, probier die Dusche doch wenigstens mal aus –

Mom, vergiss es, lass ihn, dann bricht er sich eben das Genick, das wäre für uns alle sowieso besser als –

Gary –

Die Stimmen wurden lauter, offenbar kam der peinliche Zwischenfall die Treppe herauf. Denise hörte den schweren Schritt ihres Vaters auf dem Flur. Sie setzte ihre Brille auf und öffnete die Tür, gerade als Enid, die wegen ihrer kaputten Hüfte nicht so schnell war, den oberen Treppenabsatz erreicht hatte. «Denise, was machst du?»

«Ich hab geschlafen.»

«Sprich du mal mit deinem Vater. Sag ihm, wie wichtig es ist, dass er die Dusche ausprobiert, wo sich Gary doch solche Mühe damit gegeben hat. Auf dich wird er hören.»

Die Tiefe ihres Schlafs und die Art und Weise ihres Erwachens hatten dazu geführt, dass Denise' Wahrnehmung nicht mehr synchron mit der äußeren Wirklichkeit lief; die Vorgänge im Flur und die Vorgänge in den Flurfenstern hatten undeutliche Antimaterienschatten; Geräusche waren gleichzeitig zu laut und kaum zu hören. «Warum –», sagte sie. «Warum muss das gerade heute sein?»

«Weil Gary morgen abreist und er sehen soll, ob Dad jetzt mit der Dusche zurechtkommt.»

«Und was sprach nochmal gegen die Badewanne?»

«Dass er nicht alleine wieder rauskann. Und dass er so unsicher auf der Treppe ist.»

Denise schloss die Augen, aber das verschlimmerte ihr Asynchronismus-Problem nur. Sie schlug sie wieder auf.

«Ach, und außerdem», sagte Enid, «du hast ihm gar nicht bei seinen Übungen geholfen, wie du's versprochen hattest!»

«Stimmt. Das tue ich noch.»

«Am besten jetzt gleich, bevor er sich frisch macht. Warte, ich hole schnell den Zettel von Dr. Hedgpeth.»

Enid humpelte die Treppe hinunter, und Denise hob die Stimme. «Dad?»

Keine Antwort.

Enid kam ein paar Stufen herauf und steckte einen violetten Bogen Papier («BEWEGUNG IST GOLD») durch die Geländerstäbe, auf dem Strichmännchen sieben Streck- und Dehnungsübungen vorführten. «Bring sie ihm richtig bei», sagte sie. «Bei mir wird er so schnell ungeduldig, aber auf dich wird er hören. Dr. Hedgpeth fragt mich immer wieder, ob Dad auch seine Übungen macht. Es ist sehr wichtig, dass er sie wirklich beherrscht. Ich hatte ja keine Ahnung, dass du die ganze Zeit geschlafen hast.»

Denise nahm den Übungsbogen mit ins Elternschlafzimmer, wo Alfred, von der Hüfte abwärts nackt, im Türrahmen seines begehbaren Kleiderschranks stand.

«Oh, entschuldige, Dad», sagte sie und wich zurück.

«Was gibt es?»

«Wir müssen uns deine Übungen anschauen.»

«Ich bin schon ausgezogen.»

«Zieh dir einfach eine Pyjamahose an. Lockere Kleidung ist sowieso besser.»

Sie brauchte fünf Minuten, um ihn so weit zu beruhigen, dass er sich, in Wollhemd und Pyjamahose, auf seinem Bett ausstreckte; und hier, endlich, kam die ganze Wahrheit ans Licht.

Bei der ersten Übung musste Alfred, auf dem Rücken liegend, mit beiden Händen sein rechtes Knie umfassen, es an die Brust ziehen und dann das Gleiche mit dem linken Knie wiederholen. Denise führte seine widerspenstigen Hände an sein rechtes Knie, und obwohl sie erschrocken zur Kenntnis nahm, wie steif er geworden war, gelang es ihm mit ihrer Hilfe immerhin, sein Bein um mehr als neunzig Grad anzuwinkeln.

«Und jetzt das linke Knie», sagte sie.

Alfred legte seine Hände erneut um das rechte Knie und zog es zu sich heran.

«Sehr gut», sagte sie. «Aber jetzt versuch das Gleiche mal mit dem linken.»

Er lag schwer atmend da und tat nichts. Sein Gesicht hatte den Ausdruck eines Mannes, der sich mit einem Schlag an etwas Fürchterliches erinnert.

«Dad? Versuch's mal mit dem linken.»

Sie berührte sein linkes Knie, vergebens. In seinen Augen las sie den verzweifelten Wunsch, zu begreifen und angeleitet zu werden. Sie führte ihm die Hände zum linken Knie, und augenblicklich fielen sie herunter. Vielleicht war seine Steifheit auf der linken Seite schlimmer? Sie legte seine Hände wieder an sein Knie und half ihm, es anzuheben.

Falls es überhaupt einen Unterschied gab, schien er auf der linken Seite eher beweglicher zu sein.

«Jetzt versuch es selbst», sagte sie.

Er grinste sie an und atmete wie jemand in großer Angst. «Was versuchen.»

«Die Hände um dein linkes Knie zu legen und es anzuheben.»

«Denise, ich habe jetzt genug davon.»

«Du wirst dich viel besser fühlen, wenn du dich ein bisschen dehnst und streckst», sagte sie. «Tu einfach nochmal, was du eben schon getan hast. Leg die Hände um dein linkes Knie und heb es an.»

Ihr Lächeln wurde als tiefe Ratlosigkeit zurückgespiegelt. Still trafen sich ihre Blicke.

«Welches ist das linke?», fragte er.

Sie berührte sein linkes Knie. «Das hier.»

«Und was muss ich damit machen?»

«Es mit den Händen umfassen und an die Brust ziehen.»

Seine Augen wanderten ängstlich umher, lasen schlimme Nachrichten an der Zimmerdecke ab.

«Dad, konzentrier dich mal.»

«Es hat nicht viel Sinn.»

«Na schön.» Sie holte tief Luft. «Na schön, dann lassen wir diese Übung und probieren es mit der nächsten. Einverstanden?»

Er sah sie an, als wüchsen ihr, seiner einzigen Hoffnung, Hauer und Hörner.

«Also, bei der zweiten Übung», sagte sie, bemüht, nicht auf seinen Gesichtsausdruck zu achten, «legst du dein rechtes Bein über das linke und lässt dann beide Beine so weit wie möglich nach rechts fallen. Die Übung gefällt mir», sagte sie. «Dabei wird der Hüftbeugemuskel gedehnt. Das ist ein richtig wohliges Gefühl.»

Sie erklärte sie ihm noch zweimal und forderte ihn dann auf, sein rechtes Bein anzuheben.

Er hob beide Beine ein paar Zentimeter von der Matratze.

«Nur das rechte», sagte sie sanft. «Und halt die Knie gebeugt.»

«Denise!» Seine Stimme überschlug sich vor Anstrengung. «Es hat keinen Sinn!»

«Komm», sagte sie. «So.» Sie drückte mit der Hand auf seine Füße, um ihm die Knie zu beugen. Dann hob sie, Ober- und Unterschenkel stützend, sein rechtes Bein an und legte es über sein linkes Knie. Zuerst war kein Widerstand zu spüren, doch dann, mit einem Mal, schien er sich heftig zu verkrampfen.

«Denise.»

«Dad, entspann dich einfach.»

Sie wusste bereits, dass er nie nach Philadelphia kommen würde. Jetzt stieg eine tropische Feuchtigkeit von ihm auf, ein scharfer Beinahegeruch des Loslassens. Der Pyjamastoff an seinem Schenkel war heiß und nass in ihrer Hand, und sein ganzer Körper zitterte.

«Oh, verdammt», sagte sie und zog ihre Hand weg.

Schnee wirbelte vor den Fenstern, Lichter leuchteten in den Nachbarhäusern auf. Denise wischte sich die Hand an ihrer Jeans ab und senkte die Augen, horchte, mit stark klopfendem Herzen, auf das angestrengte Atmen ihres Vaters und das rhythmische Geraschel seiner Glieder auf der Tagesdecke. In der Nähe seines Schritts hatte sich auf der Tagesdecke ein Nässebogen gebildet, und ein längerer Kapillareffekt-Fleck breitete sich an einem der Pyjamahosenbeine nach unten aus. Der anfängliche Beinahegeruch frischer Pisse war in der kühlen Luft des kaum geheizten Raums rasch einem unverkennbaren und angenehmen Aroma gewichen.

«Tut mir Leid, Dad», sagte sie. «Ich hole dir ein Handtuch.»

Alfred lächelte die Zimmerdecke an und sprach mit einer weniger aufgeregten Stimme. «Ich liege hier und kann es sehen», sagte er. «Siehst du es auch?»

«Was?»

Er wies mit einem Finger unbestimmt gen Himmel. «Untendrunter. Untendrunter unter der Bank», sagte er. «Da hingeschrieben. Siehst du?»

Jetzt war *sie* verwirrt, und er war es nicht. Er hob eine Augenbraue und schaute sie listig an. «Du weißt doch, wer das geschrieben hat, oder? Der Kä. Der Kä. Kerl mit dem du weißt schon.»

Ihrem Blick standhaltend, nickte er bedeutungsvoll.

«Ich weiß nicht, was du meinst», sagte Denise.

«Dein Freund», sagte er. «Der Kerl mit den blauen Wangen.»

Das erste Prozent des Begreifens wurde in ihrem Nacken geboren und begann nach Norden und nach Süden zu wachsen.

«Ich hol dir ein Handtuch», sagte sie und blieb, wo sie war.

Die Augen ihres Vaters rollten wieder zur Zimmerdecke hoch. «Auf die Unterseite der Bank hat er's geschrieben. Unununsunde. Unterseitederbank. Und ich liege hier und kann es sehen.»

«Von wem reden wir?»

«Deinem Freund aus der Abteilung Signale. Dem Kerl mit den blauen Wangen.»

«Du bist verwirrt, Dad. Du träumst. Ich hol dir jetzt ein Handtuch.»

«Siehst du, es hatte noch nie einen Sinn, irgendwas zu sagen.»

«Ich hol dir ein Handtuch.»

Sie ging quer durchs Schlafzimmer ins Bad. Ihr Kopf war noch in dem Mittagsschlaf, den sie vorhin gehalten hatte, und das Problem wurde zusehends schlimmer. Sie lief immer weniger synchron mit den Schwingungen der Wirklichkeitswellen, aus denen Handtuch-Weichheit, Himmels-Dunkelheit, Fußboden-Hartheit und Luft-Klarheit bestanden. Warum sprach er von Don Armour? Warum jetzt?

Ihr Vater hatte sich auf die Bettkante gesetzt und die Pyjamahose abgestreift, als Denise zurückkam. Er streckte eine Hand nach dem Frotteetuch aus. «Ich bringe den Schlamassel hier schon in Ordnung», sagte er. «Geh und hilf deiner Mutter.»

«Nein, ich mache das», sagte sie. «Du kannst so lange ein Bad nehmen.»

«Gib mir den Lappen. Das ist nicht deine Aufgabe.»

«Dad, nimm doch ein Bad.»

«Es war nicht meine Absicht, dich da hineinzuziehen.»

Seine Hände, immer noch ausgestreckt, zappelten in der Luft. Denise wandte die Augen von seinem anstößigen, feuchten Penis ab. «Steh bitte auf», sagte sie. «Ich möchte die Tagesdecke abnehmen.»

Alfred bedeckte seinen Penis mit dem Handtuch. «Überlass das deiner Mutter», sagte er. «Ich habe ihr gesagt, Philadelphia ist blanker Unsinn. Ich hatte nie die Absicht, dich in all das hineinzuziehen. Du hast dein eigenes Leben. Genieß es einfach und sei vorsichtig.»

Er blieb auf dem Bettrand sitzen, den Kopf gesenkt, die Hände wie große, leere, fleischige Löffel in seinem Schoß.

«Möchtest du, dass ich dir ein Bad einlasse?», fragte Denise.

«Ich wun-nunnnunn-un», sagte er. «Hab dem Kerl verklickert, dass er blanken Unsinn faselt, aber was soll's?» Alfred machte eine Ist-doch-logisch- oder Lässt-sich-nicht-ändern-Gebärde. «Dachte, er käme nach Little Rock! Du doch nicht. Hab ich gesagt! Geht nach Dienstalter. Na ja, alles blanker Unsinn. Ich hab ihm gesagt, er soll sich zum Teufel scheren.» Er sah Denise entschuldigend an und zuckte mit den Schultern. «Was hätte ich sonst tun sollen?»

Denise hatte sich schon manchmal unsichtbar gefühlt, aber noch nie so wie jetzt. «Ich weiß nicht genau, was du meinst», sagte sie.

«Na ja.» Alfred machte eine vage Schwer-zu-erklären-Gebärde. «Er hat mir gesagt, ich soll unter der Bank nachgucken. Ganz einfach. Soll unter der Bank nachgucken, wenn ich ihm nicht glaube.»

«Unter was für einer Bank?»

«Alles blanker Unsinn», sagte er. «Einfacher, meinen Hut zu nehmen. Für alle. Weißt du, an diese Möglichkeit hat er gar nicht gedacht.»

«Reden wir von der Eisenbahn?»

Alfred schüttelte den Kopf. «Nicht deine Sorge. Es war nie meine Absicht, dich in all das hineinzuziehen. Ich möchte, dass du dein Leben genießt. *Und vorsichtig bist.* Sag deiner Mutter, sie soll mit einem Lappen kommen.»

Und schon katapultierte er sich quer über den Teppich und schloss die Badezimmertür hinter sich. Um irgendetwas zu tun, zog Denise das Bett ab, rollte alles, einschließlich der nassen Pyjamahose ihres Vaters, zu einem Ball zusammen und brachte es nach unten.

«Wie läuft's denn da oben?», fragte Enid von ihrem Weihnachtskartenposten im Esszimmer aus.

«Er hat ins Bett gemacht», sagte Denise.

«Ach, du liebe Zeit.»

«Er kann sein linkes Bein nicht von seinem rechten unterscheiden.»

Enids Gesicht verfinsterte sich. «Ich dachte, auf dich würde er vielleicht hören.»

«Mutter, *er kann sein linkes Bein nicht von seinem rechten unterscheiden.*»

«Manchmal lässt ihn seine Medizin –»

«Ja! Ja!» Denise' Stimme schallte. «Die Medizin!»

Nachdem sie ihre Mutter zum Schweigen gebracht hatte, ging sie in den Keller, um die Wäsche zu sortieren und einzuweichen. Hier trat ihr, übers ganze Gesicht strahlend, Gary in den Weg und hielt eine Modelleisenbahn der Größe O in die Höhe.

«Ich hab sie gefunden.»

«Was gefunden.»

Gary schien gekränkt, dass Denise sein Wünschen und Treiben nicht aufmerksam verfolgt hatte. Er erklärte ihr, dass die Hälfte seiner Eisenbahnanlage aus Kindertagen – «die wichtige Hälfte, die mit den Zügen und dem Transformator» – seit Jahrzehnten unauffindbar und von ihm längst abgeschrieben gewesen sei. «Ich habe eben den gesamten Schuppen auf den Kopf gestellt», sagte er. «Und was glaubst du, wo ich sie gefunden habe?»

«Wo.»

«Rate mal.»

«Zuunterst in der Kiste mit den Seilen», sagte sie.

Gary riss die Augen auf. «Woher weißt du das? Ich suche sie seit *Jahrzehnten.*»

«Tja, du hättest mich fragen sollen. In der großen Kiste mit den Seilen ist eine kleinere Kiste mit Eisenbahnsachen.»

«Na ja, egal.» Gary schüttelte sich, um statt ihrer wieder seine Person in den Brennpunkt zu rücken. «Es ist zwar ein schönes Gefühl, sie gefunden zu haben, aber trotzdem wär's nett gewesen, wenn du mir was gesagt hättest.»

«Es wäre nett gewesen, wenn du mich gefragt hättest!»

«Weißt du, diese Eisenbahn ist ein richtig guter Zeitvertreib für mich. Man kann alle möglichen tollen Sachen dazukaufen.»

«Schön! Freut mich für dich!»

Gary blickte staunend auf die Lok in seiner Hand. «Ich hätte nie gedacht, dass ich die noch einmal wieder sehen würde.»

Als er fort war und Denise allein im Keller zurückgelassen hatte, ging sie mit einer Taschenlampe in Alfreds Labor, kniete sich zwischen die Yuban-Dosen und besah sich die Unterseite der Bank. Dort fand sie, verwischt, mit Bleistift gezeichnet, ein Herz von der Größe eines Menschenherzens:

Sie sackte zusammen, die Knie auf dem steinkalten Boden. *Little Rock. Dienstalter. Einfacher, meinen Hut zu nehmen.*

Gedankenverloren hob sie den Deckel einer Yuban-Dose an. Sie war bis zum Rand voll mit grelloranger, gegorener Pisse.

«O Mann», sagte sie zu der Schrotflinte.

Als sie in ihr Zimmer hinauflief und sich Mantel und Handschuhe anzog, tat ihr am allermeisten ihre Mutter Leid, denn gleichgültig, wie oft und wie bitter Enid sich bei ihr beklagt hatte, nie hatte es Denise in den Kopf gewollt, dass das Leben in St. Jude zu einem solchen Albtraum geworden sein könnte; und welches Recht hatte man, einfach weiterzuatmen, ja, schlimmer noch, zu lachen und zu schlafen und sich das Essen schmecken zu lassen, wenn man sich nicht einmal vorzustellen vermochte, wie schwer das Leben eines anderen war?

Enid stand schon wieder an der Gardine des Esszimmerfensters und hielt Ausschau nach Chip.

«Ich gehe spazieren!», rief Denise, bevor sie die Eingangstür hinter sich zumachte.

Auf dem Rasen vor dem Haus lagen fünf Zentimeter Schnee. Im Westen brachen die Wolken auf; wilde Lidschatten-Schattierungen, von Lavendel bis Rotkehlcheneierblau, markierten die Schnittkante der jüngsten Kaltfront. Denise wanderte mitten auf den dämmrigen, von Spuren überzogenen Straßen entlang und rauchte, bis das Nikotin ihren Kummer betäubt hatte und sie klarer denken konnte.

Vermutlich hatte sich Don Armour, nachdem die Wroth-Brüder die Midland Pacific gekauft und mit dem Personalabbau begonnen hatten und ihm der Sprung nach Little Rock nicht geglückt war, an Alfred gewandt, um Beschwerde einzulegen. Vielleicht hatte er ihm gedroht, überall damit zu prahlen, dass er Alfreds Tochter herumgekriegt hatte, oder aber er war so dreist gewesen, auf seine Rechte als Quasimitglied der Lambert'schen Familie zu pochen; so oder so hatte Alfred ihm gesagt, er solle sich zum Teufel scheren. Dann war Alfred nach Hause gegangen und hatte einen Blick auf die Unterseite seiner Werkbank geworfen.

Denise war überzeugt, dass es zwischen Don Armour und ihrem Vater einen höchst unerfreulichen Wortwechsel gegeben hatte, doch ihr grauste davor, ihn sich auszumalen. Wie musste Don Armour sich dafür verachtet haben, dass er zum Chef vom Chef seines Chefs gekrochen kam und bettelte und flehte oder ihn erpresste, um mit der Eisenbahngesellschaft nach Little Rock gehen zu dürfen; wie musste sich Alfred von seiner Tochter, die für ihren Arbeitseifer noch kurz zuvor so gelobt worden war, verraten gefühlt haben; was für eine grässliche Wendung musste das ganze unerträgliche Gespräch genommen haben, als auf einmal klar wurde, dass Don Armour ihr seinen Schwanz in diese und jene sündige, gar nicht erregte Öffnung gesteckt hatte. Ihr grauste, wenn sie sich vorstellte, wie ihr Vater vor seiner Werkbank gekniet und das Bleistiftherz entdeckt hatte; ihr grauste bei dem Gedanken, dass Don Armours dreckige Anspielungen auf die prüden Ohren ihres Vaters getroffen waren; ihr grauste, wenn sie sich überlegte, wie tief es einen Mann von Alfreds Disziplin, einen Mann, der so viel Wert auf seine Privatsphäre legte, gekränkt haben musste, zu erfahren, dass Don Armour nach Belieben in seinem Haus herumgeschnüffelt und -gestöbert hatte.

Es war nie meine Absicht, dich in all das hineinzuziehen.

Und tatsächlich: Ihr Vater war aus der Eisenbahngesellschaft ausgeschieden. Er hatte seine Hand schützend über Denise' Privatsphäre gehalten. Hatte nie ein Sterbenswort von alledem zu ihr gesagt, nicht die leiseste Andeutung gemacht, dass sein Bild von ihr Schaden genommen hatte. Fünfzehn Jahre lang hatte sie die tadellos verantwortungsvolle und umsichtige Tochter gegeben, und die ganze Zeit hatte er gewusst, dass sie es nicht war.

Sie ahnte, dass ein gewisser Trost in diesem Gedanken lag, wenn es ihr nur gelang, ihn im Kopf zu behalten.

Als sie das Viertel ihrer Eltern hinter sich ließ, wurden die Häuser neuer und größer und kastenförmiger. Durch Fenster, die keine Mittelsprossen oder unechte Plastikmittelsprossen hatten, sah sie leuchtende Bildschirme, manche riesenhaft, manche winzig. Offenbar war jede Stunde des Jahres, selbst diese, eine gute Stunde, um auf einen Bildschirm zu starren. Denise knöpfte sich den Mantel auf und kehrte heim, eine Abkürzung über den Rasenplatz hinter ihrer alten Grundschule nehmend.

Sie hatte ihren Vater niemals wirklich gekannt. Wahrscheinlich hatte das keiner. Mit seiner Scheu und seiner Förmlichkeit und seinen tyrannischen Wutausbrüchen verteidigte er erbittert sein Inneres, und wer ihn liebte, wie sie es tat, begriff bald, dass er ihm keinen größeren Gefallen tun konnte, als seine Privatsphäre zu achten.

Alfred wiederum hatte gezeigt, dass er an sie glaubte, indem er sie so akzeptierte, wie sie sich gab: indem er es ablehnte, hinter ihrer Fassade herumzuschnüffeln. Am glücklichsten war sie, als seine Tochter, immer dann gewesen, wenn sie seinen Glauben an sie vor aller Welt rechtfertigen konnte: wenn sie ein reines Einser-Zeugnis mit nach Hause brachte; wenn sie mit ihren Restaurants Erfolg hatte; wenn die Kritiker sie lobten.

Besser, als ihr lieb war, verstand sie, was für ein Desaster es für ihn gewesen sein musste, vor ihren Augen das Bett zu nässen. Auf einem schnell abkühlenden Urinfleck zu liegen entsprach sicher nicht der Art, wie er in ihrer Gegenwart sein wollte. Sie kannten nur eine einzige gute Art des Miteinanders, und deren Tage waren gezählt.

So seltsam es klingen mochte – für Alfred war Liebe nicht eine Sache der Annäherung, sondern des Abstandhaltens. Ihr war das weniger fremd als Chip und Gary, und deshalb empfand sie für ihn eine ganz besondere Verantwortung.

Chip, der dumme Junge, glaubte, dass Alfred sich nur dann für seine Kinder interessierte, wenn sie Erfolg hatten. Er war so damit beschäftigt, sich missverstanden zu fühlen, dass ihm überhaupt nicht auffiel, wie sehr *er* seinen Vater missverstand. In Chips Augen bewies Alfreds Unvermögen, zärtlich zu sein, dass Alfred nicht begriff, oder sich gar nicht darum scherte, wer Chip war. Er sah nicht, was für alle anderen offensichtlich war: Wenn es einen einzigen Menschen auf der Welt gab, den Alfred nur um seiner selbst willen liebte, dann war es Chip. Denise hatte längst erkannt, dass sie Alfred nicht so nahe stand; abgesehen von Äußerlichkeiten und ihrem Leistungsdenken hatten sie wenig miteinander gemein. Chip war es, nach dem Alfred mitten in der Nacht gerufen hatte, obwohl er wusste, dass Chip gar nicht da war.

Ich habe dir das, so gut ich konnte, klar zu machen versucht, sagte sie, während sie den verschneiten Rasenplatz überquerte, zu ihrem Trottel von Bruder. *Besser kann ich es nicht*.

Das Haus, in das sie zurückkehrte, war voller Licht. Gary, vielleicht auch Enid, hatte auf dem Gehweg Schnee gefegt. Denise trat sich die Füße auf der Hanfmatte ab, da flog die Tür auf.

«Ach, du bist es», sagte Enid. «Ich dachte schon, es wäre Chip.»

«Nein. Bloß ich.»

Sie ging hinein und zog die Stiefel aus. Gary hatte ein Feuer angezündet und saß in dem Lehnstuhl direkt am Kamin, einen Stapel alter Fotoalben vor sich auf dem Boden.

«Ich rate dir eins», sagte er zu Enid. «Schlag dir Chip aus dem Kopf.»

«Er muss in Schwierigkeiten stecken», sagte Enid. «Sonst hätte er angerufen.»

«Mutter, er ist ein Soziopath. Begreif das doch endlich.»

«Du weißt nicht das Mindeste von Chip», sagte Denise zu Gary.

«Ich weiß, ob einer sich weigert, sein Scherflein beizutragen.»

«Ich möchte doch nur, dass wir alle zusammen sind!», sagte Enid.

Gary stieß einen zärtlichen Seufzer aus. «Oh, Denise», sagte er. «Nein, so was. Guck dir das kleine Mädchen hier an.»

«Ein andermal vielleicht.»

Doch da kam Gary schon mit dem Fotoalbum quer durchs Wohnzimmer und hielt es ihr, auf ein Familienweihnachtsfoto deutend, unter die Nase. Das pummelige, wuschelhaarige, entfernt semitisch aussehende kleine Mädchen auf dem Bild war Denise mit ungefähr achtzehn Monaten. Nicht ein Fünkchen Sorge trübte ihr Lächeln oder das Lächeln von Chip und Gary. Sie saß zwischen ihnen auf dem Wohnzimmersofa, in seiner noch nicht wieder aufgepolsterten Erscheinungsform; beide hatten einen Arm um sie gelegt; ihre reinhäutigen Jungengesichter berührten sich fast über dem ihren.

«Ist das nicht ein süßes kleines Mädchen?», sagte Gary.

«Nein, wie goldig», sagte Enid, sich dazwischendrängend.

Aus der Mitte des Albums rutschte ein Briefumschlag mit einem PER EINSCHREIBEN-Aufkleber heraus. Enid hob ihn rasch vom Boden auf, ging zum Kamin und warf ihn, ohne zu zögern, in die Flammen.

«Was war das?», fragte Gary.

«Bloß diese Axon-Angelegenheit, die ist ja längst erledigt.»

«Hat Dad nun eigentlich die Hälfte des Geldes an Orfic Midland geschickt?»

«Er hat mich darum gebeten, aber ich hab's noch nicht geschafft. Diese Unmengen von Versicherungsformularen halten mich einfach zu sehr auf.»

Gary lachte. «Pass bloß auf, dass die Zweitausendfünfhundert keine Löcher in deine Tasche brennen», sagte er und verschwand nach oben.

Denise putzte sich die Nase und ging in die Küche, um Kartoffeln zu schälen.

Enid folgte ihr. «Nur für alle Fälle», sagte sie, «bitte sieh zu, dass genug für Chip da ist. Er hat gesagt, er komme spätestens heute Nachmittag.»

«Ich glaube, ganz offiziell ist es jetzt Abend», sagte Denise. «Wie auch immer, ich möchte *viele* Kartoffeln.»

Alle Küchenmesser ihrer Mutter waren buttermesserstumpf. Denise griff auf einen Karottenschäler zurück. «Hat Dad dir je erzählt, warum er damals nicht mit Orfic Midland nach Little Rock gegangen ist?»

«Nein», sagte Enid mit Nachdruck. «Warum?»

«Hat mich bloß mal interessiert.»

«Er hatte ja schon zugesagt. Und, Denise, finanziell gesehen hätte es für uns *enorm* viel ausgemacht. Seine Pension wäre, bloß durch die zwei Jahre, nahezu doppelt so hoch gewesen. Dann stünden wir jetzt erheblich besser da. Er hatte mir gesagt, er werde es tun, er hatte mir zugestimmt, dass es richtig sei, und dann kommt er drei Abende später nach Hause und erklärt, er habe es sich anders überlegt und gekündigt.»

Denise blickte in die Augen, die im Fenster über der Spüle undeutlich gespiegelt waren. «Und er hat dir nie gesagt, warum.»

«Na ja, er konnte diese Wroths nicht ausstehen. Ich glaube, von denen trennten ihn Welten. Aber mit mir darüber gesprochen hat er nicht. Er bespricht sich nie mit mir. Er entscheidet einfach. Selbst wenn es auf ein finanzielles Desaster hinausläuft – er fällt seine Entscheidung, und damit basta.»

Da öffneten sie sich, die Schleusen. Denise ließ Kartoffel und Schäler in die Spüle fallen. Sie dachte an die Kapseln im Adventskalender, dachte, dass sie ihr vielleicht helfen würden, die Tränen so lange einzudämmen, bis sie die Stadt verlassen hätte, doch sie war zu weit von dem Versteck entfernt. Es erwischte sie, kalt und wehrlos, in der Küche.

«Liebes, was ist denn?», fragte Enid.

Eine Zeit lang gab es keine Denise in der Küche, nur Rotz

und Wasser und Reue. Sie kniete auf dem Putzlappen vor der Spüle. Kleine klitschnasse Kleenexbäusche umgaben sie. Sie vermied es, zu ihrer Mutter aufzusehen, die neben ihr auf einem Stuhl saß und sie mit trockenen Taschentüchern versorgte.

«So vieles, was einem wichtig erscheint», sagte Enid unerwartet nüchtern, «erweist sich am Ende als überhaupt nicht wichtig.»

«Aber manches bleibt wichtig», sagte Denise.

Enid blickte schwermütig auf die ungeschälten Kartoffeln neben der Spüle. «Er wird nicht wieder gesund, oder.»

Denise war froh, dass ihre Mutter zu glauben schien, sie habe um Alfreds Gesundheit geweint. «Ich denke nicht», sagte sie.

«Es liegt wahrscheinlich nicht an der Medizin, oder.»

«Nein.»

«Und es hat wahrscheinlich keinen Sinn, nach Philadelphia zu fahren», sagte Enid, «wenn er nicht mal einfache Anweisungen befolgen kann.»

«Stimmt. Das hat wahrscheinlich keinen Sinn.»

«Denise, was sollen wir nur machen?»

«Ich weiß es nicht.»

«Dass irgendwas nicht in Ordnung war, habe ich schon heute Morgen gemerkt», sagte Enid. «Wenn du den Brief vor drei Monaten gefunden hättest, wäre Dad vor Wut explodiert. Aber du hast es ja selbst gesehen. Er hat keine Miene verzogen.»

«Tut mir Leid, dass ich dich so in Verlegenheit gebracht habe.»

«Das ist vollkommen gleichgültig. Er hat überhaupt nicht begriffen, worum es ging.»

«Es tut mir trotzdem Leid.»

Auf dem Herd fing der Deckel eines Topfs weißer Bohnen zu klappern an. Enid stand auf, um die Hitze herunterzudrehen. Immer noch kniend, sagte Denise: «Ich glaube, da ist etwas für dich im Adventskalender.»

«Nein, Gary hat das letzte Dingelchen schon angeheftet.»

«In der ‹Vierundzwanzig›. Da könnte etwas für dich drin sein.»

«Was denn?»

«Weiß nicht. Sieh doch einfach mal nach.»

Sie hörte, wie sich die Schritte ihrer Mutter entfernten und wieder näherten. Obwohl das Muster des Putzlappens kompliziert war, meinte Denise, es sich vom bloßen Daraufstarren bald eingeprägt zu haben.

«Wie sind die denn dahin gekommen?», fragte Enid.

«Keine Ahnung.»

«Hast du sie da reingesteckt?»

«Das ist ein Geheimnis.»

«Also hast du sie da reingesteckt.»

«Nein.»

Enid legte die Pillen auf die Arbeitsplatte, trat zwei Schritte zurück und betrachtete sie skeptisch. «Wer immer das war, er hat es bestimmt gut gemeint», sagte sie. «Aber ich möchte sie nicht in meinem Haus haben.»

«Das ist sicher eine gute Entscheidung.»

«Ich möchte entweder richtig leben oder gar nicht.»

Enid schob die Pillen mit der rechten Hand in ihre linke. Sie warf sie in den Abfallzerkleinerer, drehte das Wasser auf und zerkleinerte sie.

«Und was heißt für dich richtig leben?», fragte Denise, als der Lärm verhallte.

«Ich möchte, dass wir alle ein letztes Mal zusammen Weihnachten feiern.»

Gary, geduscht und rasiert und in seinem aristokratischen Stil gekleidet, betrat die Küche gerade rechtzeitig, um diese Erklärung aufzuschnappen.

«Gib dich lieber mit vier von fünfen zufrieden», sagte er und öffnete die Hausbar. «Was ist los mit Denise?»

«Sie sorgt sich furchtbar um Dad.»

«Na, das wird auch Zeit», sagte Gary. «Dazu besteht reichlich Anlass.»

Denise sammelte ihre Kleenexbäusche auf. «Schenk mir auch was ein, und möglichst viel», sagte sie.

«Ich dachte, wir könnten heute Abend Beas Sekt trinken!», sagte Enid.

«Nein», sagte Denise.

«Nein», sagte Gary.

«Dann heben wir ihn auf, für den Fall, dass Chip kommt», sagte Enid. «Also, was macht Dad eigentlich so lange da oben?»

«Er ist nicht oben», sagte Gary.

«Bist du sicher?»

«Ja, bin ich.»

«Al?» rief Enid. *«AL?»*

Gase knackten im unbeaufsichtigten Kaminfeuer. Weiße Bohnen köchelten bei mittlerer Hitze; aus den Heizungsschlitzen entwich warme Luft. Draußen auf der schneebedeckten Straße drehten die Räder eines Wagens durch.

«Denise», sagte Enid. «Schau doch mal nach, ob er im Keller ist.»

Denise fragte nicht *Warum ich?*, obwohl sie es gern getan hätte. Sie stellte sich an die Kellertreppe und rief nach ihrem Vater. Unten war Licht, und aus der Werkstatt hörte sie ein rätselhaftes leises Rascheln.

«Dad?», rief sie noch einmal.

Keine Antwort.

Ihre Angst beim Hinabsteigen in den Keller war wie eine Angst aus jenem unglücklichen Jahr ihrer Kindheit, als sie sich ein Haustier gewünscht und einen Käfig mit zwei Hamstern bekommen hatte. Ein Hund oder eine Katze hätte womöglich Enids Stoffe beschädigt, aber diese kleinen Hamster, ein Geschwisterpaar aus einem Wurf im Driblett-Haus, waren erlaubt.

Jeden Morgen, wenn Denise in den Keller ging, um ihnen Kügelchen und frisches Wasser zu geben, fürchtete sie sich davor zu entdecken, mit welcher über Nacht ausgeheckten Teufelei die Tiere sie, und speziell sie, diesmal quälen würden: einem Nest blinder, zappelnder, inzestroter Nachkommen vielleicht oder einem einzigen großen, in einem verzweifelten, sinnlosen Akt aufgeschichteten Haufen Zedernspäne, neben dem das Elternpaar zitternd auf dem nackten Metall des Käfigbodens hockte, aufgedunsen und verlegen, weil es alle seine Jungen aufgefressen hatte, was auch im Maul eines Hamsters keinen angenehmen Nachgeschmack hinterlassen haben konnte.

Die Tür zu Alfreds Werkstatt war geschlossen. Sie klopfte an. «Dad?»

Alfreds Antwort kam prompt, ein angestrengtes, ersticktes Bellen: «Nicht reinkommen!»

Hinter der Tür schabte irgendetwas Hartes über Beton.

«Dad? Was machst du da?»

«Nicht reinkommen, hab ich gesagt!»

Tja, sie hatte das Gewehr gesehen, und sie dachte: Klar, dass ausgerechnet ich hier unten bin. Sie dachte: Und ich habe keine Ahnung, was jetzt zu tun ist.

«Dad, ich muss reinkommen.»

«Denise –»

«Ich komme rein.»

Sie öffnete die Tür. Der Raum war gleißend hell. Mit einem einzigen Blick erfasste sie die alte, farbbekleckste Tagesdecke auf dem Boden und den alten Mann, der mit angehobener Hüfte und zitternden Knien auf dem Rücken lag, die weit aufgerissenen Augen starr auf die Unterseite der Werkbank gerichtet, während er mit dem großen Plastikklistier rang, das er sich in den After gesteckt hatte.

«Huch, Entschuldigung!», sagte sie und drehte sich, die Hände in der Luft, um.

Alfred atmete rasselnd und sagte nichts.

Sie zog die Tür halb hinter sich zu und füllte ihre Lungen. Oben klingelte es. Durch die Wände und die Decke hörte sie Schritte auf dem Weg vor dem Haus.

«Das ist er, das ist er!», rief Enid.

Lauter Gesang – «Am Weihnachtsbaum die Lichter brennen» – ließ ihre Seifenblase platzen.

Denise gesellte sich zu ihrer Mutter und ihrem Bruder an der offenen Haustür. Bekannte Gesichter drängten sich auf der verschneiten Veranda zu einer Traube zusammen, Dale Driblett, Honey Driblett, Steve und Ashley Driblett, Kirby Root mit mehreren Töchtern und Bürstenschnitt-Schwiegersöhnen und der gesamte Person-Clan. Enid schnappte sich Denise und Gary und drückte sie fester an sich, und von der Stimmung des Augenblicks getragen, wippte sie auf den Ballen. «Lauf und hol Dad», sagte sie. «Er liebt die Weihnachtssänger so.»

«Dad hat zu tun», sagte Denise.

War es nicht das Barmherzigste, den Mann, der so rücksichtsvoll gewesen war, ihre Privatsphäre zu schützen, und nie um etwas anderes gebeten hatte, als dass man die seine achtete, ganz für sich allein leiden zu lassen, damit er sich, zu all seinem Leid, nicht auch noch schämen musste? Hatte er sich nicht mit jeder Frage, die er ihr nie gestellt hatte, das Recht erworben, von allen unbequemen Fragen, die sie ihm jetzt stellen könnte, verschont zu werden? Etwa: *Was willst du mit dem Klistier, Dad?*

Die Weihnachtssänger schienen in erster Linie für Denise zu singen. Enid wiegte sich zu der Melodie, Gary hatte feuchte Augen, doch Denise kam es vor, als wäre eigentlich sie gemeint. Gern wäre sie hier oben geblieben, beim heitereren Teil ihrer Familie. Sie wusste nicht, was es mit dem Unglück auf sich hatte, dass es ihr so viel Loyalität abverlangte. Als aber Kirby Root, der den Chor der Methodistenkirche in Chiltsville leitete, die letzte Strophe des Lieds nahtlos in «Vom Himmel hoch, da komm ich her» übergehen ließ, fragte sie sich, ob sie es sich nicht ein bisschen zu leicht machte. Alfred wollte allein gelassen werden? Schön, wie angenehm für sie! Dann konnte sie ja getrost nach Philadelphia zurückkehren, ihr eigenes Leben führen und tun, was er ihr geraten hatte. Es war ihm peinlich, mit einer Plastikspritze im Hintern erwischt zu werden? Schön, das traf sich gut! Ihr war es nämlich auch verdammt peinlich!

Sie machte sich von ihrer Mutter los, winkte den Nachbarn zum Abschied zu und ging wieder in den Keller. Die Tür zur Werkstatt stand noch immer halb offen. «Dad?»

«Nicht reinkommen!»

«Es tut mir Leid», sagte sie, «aber es geht nicht anders.»

«Es war nie meine Absicht, dich da hineinzuziehen. Nicht deine Sorge.»

«Ich weiß. Aber ich muss trotzdem reinkommen.»

Seine Haltung war fast unverändert, nur dass er sich inzwischen ein altes Badehandtuch zwischen die Beine gestopft hatte. Sie kniete sich inmitten der Scheiß- und Pissgerüche neben ihn und legte ihm eine Hand auf die bebende Schulter. «Es tut mir Leid», sagte sie.

Sein Gesicht war schweißgebadet. Seine Augen glänzten vor Irrsinn. «Such ein Telefon», sagte er, «und ruf den Bezirksleiter an.»

Die große Erleuchtung war Chip am Dienstagmorgen gegen sechs gekommen, als er in fast völliger Dunkelheit eine mit litauischem Kies belegte Straße zwischen den winzigen Ortschaften Neravai und Miškiniai, ein paar Kilometer von der polnischen Grenze entfernt, entlangmarschierte.

Fünfzehn Stunden zuvor war er aus dem Flughafen gewankt und beinahe von Jonas, Aidaris und Gitanas, die ihren Ford Stomper schwungvoll an die Bordsteinkante lenkten, über den Haufen gefahren worden. Die drei Männer waren auf der Straße nach Ignalina unterwegs und schon fast aus Vilnius heraus gewesen, als sie im Radio gehört hatten, dass der Flughafen geschlossen worden war. Auf der Stelle hatten sie kehrtgemacht und waren zurückgefahren, um den armseligen Amerikaner zu retten. Der Laderaum des Stomper war mit Gepäck und Computern und telefonischer Ausrüstung voll gestopft, doch indem sie zwei Koffer auf dem Dach festschnallten, schafften sie Platz für Chip und seine Tasche. «Wir bringen Sie zu einem kleinen Grenzübergang», sagte Gitanas. «Die errichten im Augenblick Sperren auf allen großen Straßen. Wenn da ein Stomper vorbeikommt, fangen sie an zu sabbern.»

Dann war Jonas mit halsbrecherischer Geschwindigkeit auf situationsgemäß miserablen Straßen gen Westen gebraust, die Städte Jieznas und Alytus weiträumig umfahrend. Die Stunden waren im Stockdustern und unter Geschüttel dahingegangen. Nirgends sahen sie eine funktionierende Straßenlampe oder einen Polizeiwagen. Jonas und Aidaris saßen vorn und hörten Metallica, und Gitanas betätigte immer wieder die Tasten seines Funktelefons, in der schwachen Hoffnung, dass es Transbaltikum Mobil, dessen Hauptaktionär er, zumindest nominell, immer noch war, trotz des landesweiten Stromausfalls und trotz der Mobilisierung der litauischen Streitkräfte gelungen sein könnte, seine Relaisstationen wieder flottzumachen.

«Das Ganze ist eine Katastrophe für Vitkunas», sagte Gitanas. «Dass er die Streitkräfte mobilisiert, rückt ihn bloß noch mehr in die Nähe der Sowjets. Truppen auf den Straßen und keine Elektrizität: Damit macht sich eine Regierung beim litauischen Volk nicht gerade beliebt.»

«Wird eigentlich auch geschossen?», fragte Chip.

«Nein, das meiste ist reine Show. Eine zur Posse umgeschriebene Tragödie.»

Gegen Mitternacht bog der Stomper in der Nähe von Lazdijai, der letzten größeren Stadt vor der polnischen Grenze, um eine scharfe Kurve und fuhr an einem entgegenkommenden Konvoi dreier Jeeps vorbei. Jonas beschleunigte auf dem Knüppeldamm und beriet sich auf Litauisch mit Gitanas. Die Gletschermoränenlandschaft war hügelig, aber unbewaldet. Deshalb konnte man, wenn man sich umdrehte, sehen, dass zwei der Jeeps wendeten und die Verfolgung des Stomper aufnahmen. Ebenso konnte, wer in den Jeeps saß, sehen, dass Jonas jäh nach links auf eine Schotterstraße abbog und an der weißen Fläche eines zugefrorenen Sees entlangraste.

«Die hängen wir ab», versicherte Gitanas Chip, ungefähr zwei Sekunden bevor Jonas, in einer Ellbogenkurve, mit dem Stomper von der Straße abhob.

Wir haben einen Unfall, dachte Chip, während der Wagen durch die Luft flog. Er empfand im Rückblick große Sympathie für gute Bodenhaftung, niedrige Schwerpunkte und geradlinige Formen der Beschleunigung. Es war Zeit für stilles Nachdenken und Zeit zum Zähnezusammenbeißen und dann überhaupt keine Zeit, nur Aufprall nach Aufprall, Geräusch auf Geräusch. Der Stomper probierte verschiedene Varianten der Senkrechten aus – neunzig, zweihundertsiebzig, dreihundertsechzig, einhundertachtzig Grad – und blieb schließlich, mit abgewürgtem Motor und eingeschalteten Scheinwerfern, auf seiner linken Seite liegen.

Chips Hüften und Brust fühlten sich an, als hätten sie von seinem Becken- und Schultergurt ernsthafte Quetschungen davongetragen. Ansonsten schien er, genau wie Jonas und Aidaris, unversehrt.

Gitanas war hin und her geschleudert und von herumfliegenden Gepäckstücken hart getroffen worden. Er blutete aus Wunden an Kinn und Stirn. Eindringlich redete er mit Jonas, den er offenbar aufforderte, die Lichter auszumachen, doch es war schon zu spät. Auf der Straße hinter ihnen wurde lautstark heruntergeschaltet. Die Verfolgerjeeps hielten an der Ellbogenkurve, und uniformierte Männer mit Skimasken drängten ins Freie.

«Polizisten mit Skimasken», sagte Chip. «Ich gebe mir alle Mühe, das irgendwie positiv auszulegen.»

Der Stomper war in einen überfrorenen Sumpf gestürzt. In den sich kreuzenden Fernlichtkegeln zweier Jeeps umstellten ihn acht oder zehn maskierte «Polizeibeamte» und befahlen den Insassen auszusteigen. Als Chip die Tür über sich aufstieß, kam er sich wie ein Schachtelteufel vor. Jonas und Aidaris wurden die Waffen abgenommen. Alles, was sich im Wagen befand, landete auf der mit verharschtem Schnee und abgebrochenen Schilfhalmen bedeckten Erde. Ein «Polizist» drückte Chip eine Gewehrmündung in die Wange, und Chip empfing einen Ein-Wort-Befehl, den Gitanas übersetzte: «Er fordert Sie höflich auf, Ihre Kleider abzulegen.»

Der Tod, jener Verwandte aus Übersee, jener aus dem Mund stinkende Fremdenlegionär, war plötzlich ganz in der Nähe. Chip fürchtete sich ziemlich vor dem Gewehr. Seine Hände zitterten und wurden taub; er musste seine gesamte Willenskraft aufbieten, um sie dazu zu bewegen, Reißverschlüsse und Knöpfe zu öffnen. Es hatte ganz den Anschein, als ob seine hochwertige Lederkleidung daran schuld war, dass man gerade ihn für diese Demütigung auserkoren hatte. Niemand interessierte sich für Gitanas' rote Motocross-Jacke oder Jonas' Jeans. Um Chips Hose und Jacke hingegen drängten sich die maskierten «Polizisten» und befühlten deren feine Narbung. Mit seltsam dekontextualisierten Lippen Frost aus O-förmigen Mündern hauchend, prüften sie die Biegsamkeit seiner linken Stiefelsohle.

Ein Aufschrei war zu hören, als ein Bündel US-amerikanischer Devisen aus dem Stiefel fiel. Und wieder bohrte sich die Gewehrmündung in Chips Wange. Eisige Finger ertasteten den großen Umschlag mit Bargeld unter seinem T-Shirt. Die «Polizisten» prüften auch sein Portemonnaie, stahlen jedoch weder seine Litas noch seine Kreditkarten. Das Einzige, was sie wollten, waren Dollars.

Gitanas, an dessen Kopf an etlichen Stellen das Blut gerann, legte beim Hauptmann der «Polizisten» Protest ein. Die nun folgende Auseinandersetzung, in der Gitanas und der Hauptmann wiederholt auf Chip zeigten und die Wörter «Dollar» und «Amerikaner» gebrauchten, endete, als der Hauptmann seine Pistole auf Gitanas' blutige Stirn richtete und Gitanas die Hände hob, um einzuräumen, dass an dem, was der Hauptmann gesagt hatte, durchaus etwas dran sei.

Chips Schließmuskel hatte sich indessen so gelockert, dass man fast von bedingungsloser Kapitulation sprechen konnte. Es schien ihm jedoch von großer Wichtigkeit, dass er an sich hielt, und so stand er in Socken und Unterhose da und presste, so gut es mit seinen zitternden Händen ging, seine Pobacken zusammen. Presste und presste und bekämpfte die Krämpfe manuell. Wie lächerlich das aussah, war ihm egal.

Auch im Gepäck fanden die «Polizisten» vieles, was sich stehlen ließ. Chips Tasche wurde auf dem verschneiten Boden ausgeleert und sein Hab und Gut durchwühlt. Er und Gitanas mussten zuschauen, wie die «Polizisten» die Sitzpolster des Stomper aufschlitzten, Löcher in den Wagenboden hackten und Gitanas' Vorräte an Bargeld und Zigaretten entdeckten.

«Was ist hier eigentlich der Vorwand?», fragte Chip, immer noch heftig zitternd, aber auf dem besten Weg, die eigentlich entscheidende Schlacht zu gewinnen.

«Man wirft uns vor, Devisen und Tabak geschmuggelt zu haben», sagte Gitanas.

«Wer wirft uns das vor?»

«Ich fürchte, sie sind genau das, wonach sie aussehen», sagte Gitanas. «Mit anderen Worten: staatliche Polizisten mit Skimasken. Heute Nacht herrscht offenbar im ganzen Land so eine Art Fastnachtsatmosphäre. Eine Art Alles-ist-erlaubt-Stimmung.»

Es war ein Uhr morgens, als die «Polizisten» endlich in ihre Jeeps stiegen und davonrasten. Chip und Gitanas und Jonas und

Aidaris ließen sie mit tiefgefrorenen Füßen, einem zertrümmerten Stomper, nassen Kleidern und beschädigtem Gepäck zurück.

Immerhin habe ich mir nicht in die Hosen geschissen, dachte Chip.

Er hatte noch seinen Pass und die $ 2000 in der T-Shirt-Tasche, die die «Polizisten» übersehen hatten. Auch seine Sportschuhe, ein Paar weite Jeans, sein gutes Tweedsakko und sein Lieblingspullover waren noch da; all das zog er jetzt hastig an.

«Das dürfte das Ende meiner Karriere als krimineller Kriegsherr sein», bemerkte Gitanas. «Jedenfalls habe ich auf dem Gebiet keine weiteren Ambitionen.»

Mit Feuerzeugen inspizierten Jonas und Aidaris das Fahrgestell des Stomper. Aidaris verkündete das Urteil, Chip zuliebe, auf Englisch: *«Truck fucked up.»*

Gitanas bot Chip an, ihn zum Grenzübergang an der Straße nach Sejny, fünfzehn Kilometer Richtung Westen, zu begleiten, doch Chip war allzu bewusst, dass sich seine Freunde, wären sie nicht seinetwegen zum Flughafen zurückgefahren, vermutlich längst mit intaktem Auto und intakten Portemonnaies bei ihren Verwandten in Ignalina in Sicherheit befunden hätten.

«He», sagte Gitanas schulterzuckend. «Vielleicht wären wir auf der Straße nach Ignalina erschossen worden. Gut möglich, dass Sie uns das Leben gerettet haben.»

«Wagen im Arsch», wiederholte Aidaris mit Lust und Frust.

«Also dann, bis bald in New York», sagte Chip.

Gitanas setzte sich auf einen Siebzehn-Zoll-Monitor mit eingeschlagenem Bildschirm. Vorsichtig betastete er seine blutige Stirn. «Ja, genau. New York.»

«Sie können bei mir wohnen.»

«Ich überleg's mir.»

«Tun Sie's doch einfach», sagte Chip fast verzagt.

«Ich bin Litauer», sagte Gitanas.

Chip fühlte sich in einem Maße verletzt, enttäuscht und im

Stich gelassen, wie es die Situation gar nicht rechtfertigte. Aber er beherrschte sich. Er nahm eine Straßenkarte, ein Feuerzeug, einen Apfel und die aufrichtigen guten Wünsche der Litauer entgegen und machte sich auf den Weg in die Dunkelheit.

Kaum war er allein, ging es ihm besser. Je länger er marschierte, desto mehr wusste er die Vorzüge seiner Jeans und Sportschuhe, im Vergleich zu seinen Stiefeln und Lederhosen, zu schätzen. Sein Schritt war leichter, sein Gang beschwingter; am liebsten wäre er die Straße hinuntergehüpft. Wie angenehm es war, in diesen Sportschuhen hier draußen unterwegs zu sein!

Aber seine große Erleuchtung war das noch nicht. Die große Erleuchtung kam ihm ein paar Kilometer vor der polnischen Grenze. Er horchte angestrengt, ob nicht irgendwelche mordlustigen Hofhunde in der ihn umgebenden Finsternis von der Kette gelassen worden waren, er streckte die Arme nach vorn, er kam sich mehr als nur ein bisschen lächerlich vor, da fiel ihm plötzlich Gitanas' Bemerkung wieder ein: *eine zur Posse umgeschriebene Tragödie*. Mit einem Schlag verstand er, warum niemand, nicht einmal er selbst, sein Drehbuch gemocht hatte: Er hatte einen Thriller geschrieben, wo eine Posse am Platz gewesen wäre.

Allmählich umfing ihn schwaches morgendliches Dämmerlicht. In New York hatte er so lange an den ersten dreißig Seiten von «Akademische Würden» geschliffen und gefeilt, bis er sich nahezu bildhaft an jedes einzelne Detail erinnern konnte, und nun rückte er, während sich der baltische Himmel aufhellte, seiner geistigen Rekonstruktion dieser Seiten mit einem geistigen Rotstift zu Leibe, machte hier einen kleinen Schnitt, fügte dort ein wenig mehr Emphase oder eine Hyperbel hinzu, und endlich wurden die Szenen in seinem Kopf zu dem, was sie schon immer hatten sein wollen: lächerlich. Der tragische BILL QUAINTENCE wurde zum Narren.

Chip beschleunigte seine Schritte, als hätte er es eilig, an einen Schreibtisch zu kommen, an dem er auf der Stelle mit der Überarbeitung seines Texts würde beginnen können. Er gelangte auf eine Anhöhe und sah die, ohne Strom, völlig im Dunkeln liegende litauische Stadt Eisiskès sowie, in weiterer Ferne jenseits der Grenze, ein paar Straßenlaternen in Polen. Zwei Zugpferde, die Köpfe über einen Stacheldrahtzaun reckend, wieherten ihm optimistisch zu.

Er sagte laut: «Zieh es ins *Lächerliche*. Zieh es ins *Lächerliche*.»

Zwei litauische Zollbeamte und zwei «Polizisten» bewachten den winzigen Grenzübergang. Sie gaben Chip seinen Pass ohne das dicke Bündel Litas zurück, das er zwischen die Seiten gesteckt hatte. Aus keinem erkennbaren Grund außer kleinlicher Grausamkeit ließen sie ihn mehrere Stunden lang in einem überheizten Raum warten, während Betonmischfahrzeuge und Hühnerlaster und Radler kamen und wieder fuhren. Es war später Vormittag, als er die Grenze nach Polen zu Fuß überqueren durfte. In Sejny, ein paar Kilometer die Straße hinunter, kaufte er Zlotys und mit den Zlotys etwas zu essen. Die Läden waren gut bestückt, es war Weihnachtszeit. Die Männer der Stadt waren alt und sahen aus wie der Papst.

Mit drei LKWs und einem Taxi erreichte er am Mittwoch gegen Mittag den Warschauer Flughafen. Das erstaunlich apfelbäckige Personal am Ticketschalter der polnischen Fluggesellschaft LOT war hoch erfreut, ihn bedienen zu dürfen. LOT hatte für die Feiertage zusätzliche Maschinen bereitgestellt, um für die zigtausend polnischen Gastarbeiter, die aus dem Westen zu ihren Familien zurückfliegen wollten, gewappnet zu sein, und viele der Maschinen Richtung Westen waren nicht ausgebucht. Alle rotwangigen Mitarbeiterinnen trugen kleine Hüte wie Tambourmajoretten. Sie nahmen Chips Bargeld, gaben ihm ein Ticket und sagten *Schnell*.

So schnell er konnte, lief er zum Gate und stieg in eine 767, die dann vier Stunden lang auf der Startbahn stand, während Mechaniker ein möglicherweise fehlerhaftes Instrument im Cockpit überprüften und schließlich, widerstrebend, auswechselten.

Die Flugroute, nonstop, war ein großer Kreis, der sich bei der großen polnischen Stadt Chicago schloss. Chip schlief immer wieder ein, um zu vergessen, dass er Denise $ 20 500 schuldete, alle seine Kreditkarten überzogen waren und er weder einen Job noch die Aussicht hatte, einen zu finden.

Die gute Nachricht, nachdem er in Chicago den Zoll passiert hatte, war, dass zwei Autovermietungsfirmen noch geöffnet hatten. Die schlechte Nachricht, die er nach einer halben Stunde Schlangestehen erhielt, war, dass Leute mit überzogenen Kreditkarten keine Autos mieten konnten.

Er ging die Liste aller Fluggesellschaften im Telefonbuch durch, bis er eine fand – Prairie Hopper, nie gehört –, die am nächsten Morgen um sieben noch einen Platz in einer Maschine nach St. Jude hatte.

Inzwischen war es zu spät geworden, um in St. Jude anzurufen. Er suchte sich ein abgelegenes Stück Flughafenteppich zum Schlafen. Er begriff nicht, was sich zugetragen hatte. Er fühlte sich wie ein Stück Papier, das, einst mit verständlichen Sätzen beschrieben, in die Waschmaschine geraten war. Er fühlte sich aufgeraut, gebleicht und an den Falzen durchgescheuert. Im Halbschlaf träumte er von einzelnen Mündern und körperlosen Augen hinter Skimasken. Er hatte völlig aus dem Blick verloren, was er wollte, und da ein Mensch schließlich war, was er wollte, konnte man sagen: Er hatte sich selbst aus dem Blick verloren.

Wie merkwürdig daher, dass der alte Mann, der ihm am nächsten Morgen um halb zehn in St. Jude die Tür öffnete, offenbar genau wusste, wer er war.

Ein Stechpalmenkranz hing an der Tür. Schneehaufen und Besenspuren in gleichmäßigen Abständen säumten den Weg zum Haus. Die mittelwestliche Straße erschien dem Reisenden wie ein Wunderland aus Wohlstand und Eichen und erstaunlich viel verschenktem Platz. Der Reisende sah nicht, wie ein solcher Ort in einer Welt der Litauens und Polens existieren könnte. Dass der Graben, der zwischen diesen verschiedenen ökonomischen Voltspannungen lag, nicht einfach durch einen Energietransfer überbrückt werden konnte, war ein Beweis für den isolierenden Effekt politischer Grenzen. Die alte Straße mit ihrem Eichenholzrauch und den schneebedeckten, säuberlich gestutzten Hecken und vereisten Traufen kam ihm gefährdet vor. Wie ein Trugbild. Wie eine außergewöhnlich lebhafte Erinnerung an etwas, das geliebt und schon gestorben war.

«Na!», sagte Alfred mit leuchtendem Gesicht, als er Chips Hand in beide Hände nahm. «Wen haben wir denn da!»

Enid, die immer wieder Chips Namen rief, versuchte sich ins Bild zu drängeln, doch Alfred ließ Chips Hand nicht los. Er sagte es noch zweimal: «Wen haben wir denn da! Wen haben wir denn da!»

«Al, nun lass ihn doch reinkommen und die Tür zumachen», sagte Enid.

Chip stand zaudernd auf der Schwelle. Die Welt draußen war schwarz und weiß und grau und rein gefegt von frischer, kalter Luft; das verwunschene Innere des Hauses war voller Gegenstände und Gerüche und Farben, schwüler Luft, raumgreifender Persönlichkeiten. Er hatte Angst einzutreten.

«Komm rein, komm rein», quiekte Enid, «und mach die Tür zu.»

Um sich vor allen magischen Einflüssen zu schützen, sprach er im Stillen eine Zauberformel. *Ich bleibe drei Tage und fahre dann nach New York zurück, ich suche mir einen Job, ich lege mindestens fünfhundert Dollar im Monat auf die Seite, bis ich schuldenfrei bin, und jeden Abend arbeite ich an meinem Drehbuch.*

Die magische Kraft dieser Worte beschwörend, die jetzt alles waren, was er hatte, die erbärmliche Summe seiner selbst, trat er über die Schwelle.

«Du liebe Zeit, wie kratzig du bist, und wie du riechst», sagte Enid, als sie ihn küsste. «Und wo ist dein Koffer?»

«Der steht an einer Schotterstraße im westlichen Litauen.»

«Ich bin bloß froh, dass du heil nach Hause gekommen bist.»

Nirgends im ganzen litauischen Staatsgebiet gab es ein Zimmer wie das Lambert'sche Wohnzimmer. Nur in diesem Teil der Welt fand man so prächtige Wollteppiche, so große und solide gebaute und üppig gepolsterte Möbel in einem Zimmer, das ansonsten so schlicht und gewöhnlich war. Das Licht in den Holzrahmenfenstern, obwohl grau, strahlte Prärie-Gelassenheit aus; hier war im Umkreis von tausend Kilometern kein Meer, das die Lufthülle hätte stören können. Und der Wuchs der älteren Eichen, die sich nach diesem Himmel streckten, hatte einen Schmiss, eine Wildheit und einen Stolz noch aus einer Zeit lange vor der dauerhaften Besiedlung; die Kursivschrift ihrer Zweige erzählte von einer nicht eingezäunten Welt.

All das nahm Chip zwischen zwei Herzschlägen in sich auf. Den Kontinent, sein Heimatland. Im ganzen Wohnzimmer verstreut waren Nester geöffneter Geschenke, kleine Häufchen Geschenkbänder und Papierfetzen und Weihnachtsaufkleber. Zu Füßen des Kaminsessels, den Alfred stets für sich beanspruchte, kniete, neben dem größten Geschenkenest, Denise.

«Denise, sieh nur, wer da ist», sagte Enid.

Mit gesenkten Lidern stand Denise, wie aus Pflichtgefühl, auf und durchquerte das Zimmer. Doch sobald sie die Arme um ihn gelegt und er sie (immer aufs Neue überrascht, wie groß sie war) an sich gedrückt hatte, wollte sie ihn nicht mehr loslassen. Sie *klammerte* sich an ihn – küsste seinen Hals, sah ihm in die Augen und dankte ihm.

Gary kam herüber und umarmte Chip hölzern, mit abgewandtem Gesicht. «Hätte nicht gedacht, dass du's schaffen würdest», sagte er.

«Ich auch nicht», sagte Chip.

«Na!», sagte Alfred wieder und blickte ihn voller Verwunderung an.

«Gary muss um elf Uhr weg», sagte Enid, «aber wir können noch alle zusammen frühstücken. Du machst dich schnell frisch, und Denise und ich kümmern uns ums Frühstück. Ach, das ist genau das, was ich mir gewünscht habe», sagte sie, als sie in die Küche eilte. «Das ist das schönste Weihnachtsgeschenk, das ich je bekommen habe!»

Gary wandte sich, mit seiner Ich-Blödmann-Grimasse, Chip zu: «Da hörst du's», sagte er. «Das schönste Weihnachtsgeschenk, das sie je bekommen hat.»

«Ich glaube, sie meint, dass wir alle fünf zusammen sind», sagte Denise.

«Tja, dann sollte sie's lieber schnell genießen», sagte Gary. «Sie schuldet mir nämlich noch ein Gespräch, und ich bestehe auf Zahlung.»

Von seinem eigenen Körper losgelöst, trottete Chip ihm hinterher und fragte sich, was er wohl vorhatte. Er nahm einen Aluminiumhocker aus der Dusche im unteren Bad. Der Wasserschwall war stark und heiß. Seine Eindrücke hatten etwas so Frisches, dass er sie entweder sein Leben lang in Erinnerung behalten oder auf der Stelle vergessen würde. Ein Gehirn konnte nur eine bestimmte Anzahl von Eindrücken verkraften, bevor es die Fähigkeit verlor, sie zu entschlüsseln, sie in eine verständliche Form und Reihenfolge zu bringen. Seine beinahe schlaflose Nacht auf einem Stück Flughafenteppich zum Beispiel lebte noch in ihm fort und wollte verarbeitet werden. Und hier nun eine heiße Dusche am Weihnachtsmorgen. Hier die vertrauten braunen Kacheln der Dusche. Die Kacheln, wie jeder andere materielle Bestandteil des Hauses, waren davon durchdrungen, dass sie Enid und Alfred gehörten, waren gesättigt mit einer Aura Lambert'schen Familieneigentums. Das Haus war einem Körper ähnlicher als einem Gebäude – weicher, sterblicher und organischer.

Denise' Shampoo hatte die angenehmen, feinen Duftnoten des westlichen Spätkapitalismus. In den Sekunden, die Chip zum Einseifen seiner Haare brauchte, vergaß er, wo er war. Vergaß den Kontinent, vergaß das Jahr, vergaß die Tageszeit, vergaß die Umstände. Unter der Dusche war sein Gehirn ein Fisch- oder Amphibiengehirn, registrierte Eindrücke, reagierte auf den Moment. Es fehlte nicht viel, und er hätte Todesangst verspürt. Gleichzeitig fühlte er sich ganz passabel. Er hatte Appetit auf Frühstück und, insbesondere, Durst auf Kaffee.

Mit einem Handtuch um die Hüften schaute er kurz ins Wohnzimmer, wo Alfred sofort auf die Füße sprang. Der Anblick von Alfreds plötzlich gealtertem Gesicht, dessen fortschreitendem Verfall, den Rötungen und Asymmetrien, schnitten Chip ins Fleisch wie eine Bullenpeitsche.

«Na!», sagte Alfred. «Das ging ja schnell.»

«Kann ich mir ein paar Sachen zum Anziehen von dir ausleihen?»

«Das überlasse ich dir.»

Oben, im Kleiderschrank seines Vaters, fand Chip die alten Nassrasur-Utensilien, Schuhlöffel, elektrischen Rasierapparate, Schuhleisten und Schlipshaken allesamt an ihren angestammten Plätzen. In den fünfzehnhundert Tagen seit seinem letzten Besuch in diesem Haus hatten sie hier Stunde für Stunde ihren Dienst getan. Einen Moment lang war Chip wütend (wie hätte er es auch nicht sein können?), dass seine Eltern niemals umgezogen waren. Dass sie einfach beschlossen hatten, hier zu bleiben und zu warten.

Er nahm sich Unterwäsche, Socken, eine Wollhose, ein weißes Hemd und eine graue Strickjacke und trug die Sachen in das

Zimmer, das er in den Jahren zwischen Denise' Ankunft in der Familie und Garys Aufbruch ins College mit seinem Bruder geteilt hatte. Gary hatte eine winzige Reisetasche auf «sein» Bett gestellt und war dabei, sie zu packen.

«Ich weiß nicht, ob du's gemerkt hast», sagte er, «aber Dad ist in ziemlich schlechter Verfassung.»

«Ja, hab ich gemerkt.»

Gary legte eine kleine Schachtel auf Chips Nachttisch. Es war eine Schachtel Munition – .20er Schrotkugeln.

«Er hat sie sich zusammen mit dem Gewehr in die Werkstatt geholt», sagte Gary. «Hab ich heute Morgen entdeckt, und ich dachte mir, Vorsicht ist die Mutter der Porzellankiste.»

Chip musterte die Schachtel und sagte instinktiv: «Ist das nicht eher Dads Sache?»

«Das habe ich gestern auch erst gedacht», sagte Gary. «Aber wenn er es wirklich tun will, hat er ja noch andere Möglichkeiten. Heute Nacht sollen es um die minus 18 Grad werden. Da kann er doch mit einer Flasche Whiskey nach draußen gehen. Ich möchte nicht, dass Mom ihn mit weggeblasenem Kopf findet.»

Darauf wusste Chip nichts zu erwidern. Schweigend zog er die Kleider des alten Mannes an. Hemd und Hose waren wunderbar sauber und passten ihm unerwartet gut. Als er auch die Strickjacke anhatte, war er überrascht, dass seine Hände nicht zu zittern begannen, überrascht, ein so junges Gesicht im Spiegel zu sehen.

«Und was hast du in letzter Zeit so getrieben?», fragte Gary.

«Ich habe einem litauischen Freund geholfen, westliche Investoren zu betrügen.»

«Mein Gott, Chip. Das kann nicht dein Ernst sein.»

Alles andere auf der Welt mochte fremd sein, doch Garys Herablassung ärgerte Chip wie eh und je.

«Streng moralisch betrachtet», sagte er, «habe ich mehr Verständnis für Litauen als für amerikanische Investoren.»

«Du willst ein Bolschewik sein?», fragte Gary und machte den Reißverschluss seiner Tasche zu. «Gut, dann sei ein Bolschewik. Aber ruf nicht bei *mir* an, wenn du verhaftet wirst.»

«Das läge mir sowieso fern», sagte Chip.

«Seid ihr zwei da oben so weit, dass wir frühstücken können?», trällerte Enid auf halber Treppe.

Sie hatte eine festliche Leinendecke aufgelegt. Die Tischmitte war mit einem Gesteck aus Kiefernzapfen, weißer und grüner Stechpalme, roten Kerzen und silbernen Glöckchen geschmückt. Denise trug das Essen auf: texanische Pampelmuse, Rühreier, Speck, außerdem Stollen und Brot, die sie selbst gebacken hatte.

Die Schneedecke verstärkte das helle Präriellicht.

Nach alter Familiensitte saß Gary allein auf einer Seite des Tisches. Auf der anderen Seite saßen Chip und Denise – Denise neben Enid, Chip neben Alfred.

«Fröhliche, fröhliche, fröhliche Weihnachten!», sagte Enid und schaute jedem ihrer Kinder der Reihe nach in die Augen.

Alfred, den Kopf gesenkt, aß bereits.

Auch Gary fing, mit einem Blick auf seine Armbanduhr, hastig zu essen an.

Chip hatte fast vergessen, wie trinkbar der Kaffee in diesen Breiten war. Denise fragte ihn, wie er nach Hause gekommen sei. Er erzählte ihr die Geschichte, nur den bewaffneten Raubüberfall ließ er aus.

Mit missbilligendem Stirnrunzeln verfolgte Enid jede von Garys Bewegungen. «Nun schling doch nicht so», sagte sie. «Du musst erst um elf los.»

«Eigentlich habe ich Viertel vor gesagt», sagte Gary. «Jetzt ist es kurz nach halb, und wir haben noch ein paar Dinge zu besprechen.»

«Nun sind wir endlich alle zusammen», sagte Enid. «Lass uns das in Ruhe genießen.»

Gary legte seine Gabel hin. «*Ich* bin schon seit Montag hier, Mutter, und seitdem warte ich darauf, dass wir endlich alle zusammen sind. Denise ist seit Dienstagmorgen hier. Wenn Chip zu sehr damit beschäftigt war, amerikanische Investoren zu betrügen, um rechtzeitig zu uns zu stoßen, ist das nicht meine Schuld.»

«Ich habe gerade erklärt, warum ich erst jetzt gekommen bin», sagte Chip. «Falls du zugehört hast.»

«Tja, vielleicht hättest du etwas eher losfahren sollen.»

«Was meint er mit betrügen?», fragte Enid. «Ich dachte, deine Arbeit hätte etwas mit Computern zu tun gehabt.»

«Das erkläre ich dir später, Mom.»

«Nein», sagte Gary, «erklär es ihr jetzt.»

«Gary», sagte Denise.

«Nein, tut mir Leid», sagte Gary und warf seine Serviette auf den Tisch wie einen Fehdehandschuh. «Ich hab genug von dieser Familie! Ich habe das ewige Warten satt. Ich will ein paar Antworten, und zwar *sofort.*»

«Meine Arbeit hatte sehr wohl etwas mit Computern zu tun», sagte Chip. «Aber was Gary sagt, stimmt auch – das Ziel war, streng genommen, amerikanische Investoren zu betrügen.»

«Das kann ich überhaupt nicht gutheißen», sagte Enid.

«Schon klar», sagte Chip. «Obwohl das alles ein bisschen komplizierter ist, als du dir vielleicht –»

«Was ist so kompliziert daran, die Gesetze zu achten?»

«Gary, Herrgott nochmal», sagte Denise seufzend. «Heute ist Weihnachten, ja?»

«Und du bist eine Diebin», sagte Gary, auf sie umschwenkend.

«Wie bitte?»

«Du weißt genau, wovon ich rede. Du hast dich bei jemandem ins Zimmer geschlichen und etwas genommen, das dir nicht –»

«Entschuldige mal», sagte Denise aufgebracht, «ich habe etwas, das seinem rechtmäßigen Besitzer gestohlen wurde, *zurück*–»

«Blödsinn, Blödsinn, Blödsinn!»

«Oh, das höre ich mir nicht länger an», jammerte Enid. «Nicht am Weihnachtsmorgen!»

«Nein, Mutter, tut mir Leid, du gehst nirgendwohin», sagte Gary. «Wir bleiben alle schön hier sitzen und führen *auf der Stelle* unser kleines Gespräch.»

Alfred lächelte Chip verschwörerisch an und deutete auf die anderen. «Siehst du, was ich auszustehen habe?»

Chip verzog das Gesicht zu einem Faksimile des Verstehens und der Zustimmung.

«Wie lange bleibst du, Chip?», fragte Gary.

«Drei Tage.»

«Und Denise, du fährst –»

«Sonntag, Gary. Ich fahre am Sonntag.»

«Gut, was passiert also am Montag, Mom? Wie willst du am Montag mit diesem Haus fertig werden?»

«Darüber denke ich am Montag nach.»

Alfred, immer noch lächelnd, fragte Chip, wovon Gary eigentlich rede.

«Keine Ahnung, Dad.»

«Glaubst du wirklich, dass ihr nach Philadelphia kommt?», fragte Gary. «Glaubst du wirklich, dass mit Korrektal alles wieder gut wird?»

«Nein, Gary, das glaube ich nicht», sagte Enid.

Gary schien ihre Antwort gar nicht zu hören. «Dad, komm, tu mir mal einen Gefallen», sagte er. «Leg die rechte Hand auf deine linke Schulter.»

«Gary, hör auf damit», sagte Denise.

Alfred lehnte sich zu Chip hinüber und sagte in vertraulichem Ton: «Was will er?»

«Er möchte, dass du die rechte Hand auf deine linke Schulter legst.»

«Das ist doch blanker Unsinn.»

«Dad?», sagte Gary. «Komm schon, rechte Hand, linke Schulter.»

«Hör auf», sagte Denise.

«Los geht's, Dad. Rechte Hand, linke Schulter. Schaffst du das? Willst du uns nicht zeigen, wie gut du einfachste Anweisungen befolgen kannst? Komm! *Rechte Hand. Linke Schulter.*»

Alfred schüttelte den Kopf. «Eine Zweizimmerwohnung mit Küche und Bad, mehr brauchen wir nicht.»

«Ich *möchte* aber keine Zweizimmerwohnung, Al», sagte Enid.

Der alte Mann stieß sich mit dem Stuhl vom Tisch ab und wandte sich noch einmal an Chip. Er sagte: «Du siehst, die Sache hat so ihre Tücken.»

Als er aufstand, gaben seine Beine nach, und er fiel hin, seinen Teller und sein Platzdeckchen und seine Kaffeetasse und seine Untertasse mitreißend. Das Geschepper hätte der letzte Takt einer Symphonie sein können. Er lag inmitten der Trümmer auf der Seite wie ein verwundeter Gladiator, ein gestürztes Pferd.

Chip kniete sich hin und half ihm, sich aufzusetzen, während Denise in die Küche eilte.

«Es ist Viertel vor elf», sagte Gary, als wäre nichts Ungewöhnliches passiert. «Bevor ich abfahre, fasse ich zusammen. Dad ist geistig verwirrt und inkontinent. Mom kann ihn nicht ohne fremde Hilfe hier im Haus behalten, Hilfe, die sie nach eigenem Bekunden auch dann nicht haben wollte, wenn sie das Geld dafür hätte. Korrektal ist eindeutig keine Option, und deshalb möchte ich jetzt wissen, was ihr zu tun gedenkt. *Jetzt*, Mutter. Ich möchte es *jetzt* wissen.»

Alfred legte seine zitternden Hände auf Chips Schultern und betrachtete verwundert die Zimmereinrichtung. Obwohl er sehr erregt war, lächelte er. «Meine Frage», sagte er dann. «Ist, wem gehört dieses Haus? Wer kümmert sich hier um alles?»

«Es gehört dir, Dad.»

Alfred schüttelte den Kopf, als decke sich das nicht mit den Tatsachen, so wie er sie verstand.

Gary verlangte eine Antwort.

«Wir werden es wohl mit dem Pillenurlaub versuchen müssen», sagte Enid.

«Prima, tut das», sagte Gary. «Bringt ihn ins Krankenhaus, und dann warten wir ab, ob sie ihn da je wieder rauslassen. Und wenn du schon mal je dabei bist, kannst du selbst auch gleich so einen Pillenurlaub machen.»

«Gary, sie hat sie weggeworfen», sagte Denise, die mit einem Schwamm am Boden kniete. «Sie hat sie in den Abfallzerkleinerer geschüttet. Also reg dich ab.»

«Na, hoffentlich hast du was dabei gelernt, Mutter.»

Chip, in den Kleidern des alten Mannes, konnte der Unterhaltung nicht folgen. Die Hände seines Vaters lasteten schwer auf seinen Schultern. Zum zweiten Mal innerhalb einer Stunde *klammerte* sich jemand an ihn, als wäre er ein Mensch mit Substanz, als wäre etwas an ihm dran. In Wirklichkeit war so wenig an ihm dran, dass er nicht einmal zu sagen vermochte, ob seine Schwester und sein Vater sich in ihm täuschten. Er kam sich vor, als wäre sein Bewusstsein von allen individuellen Merkmalen kahl geschoren und, metempsychotisch, in den Körper eines verlässlichen Sohnes, eines vertrauenswürdigen Bruders hineintransplantiert worden …

Gary war neben Alfred in die Hocke gegangen. «Dad», sagte er, «es tut mir Leid, dass es so enden musste. Ich hab dich lieb, und wir sehen uns bald wieder.»

«Na. Wi dulst. Jau», antwortete Alfred. Er senkte den Kopf und blickte mit offenkundiger Paranoia um sich.

«Und *du*, mein nichtsnutziger Bruder.» Gary breitete seine Finger klauenartig auf Chips Kopf aus, eine anscheinend liebevoll gemeinte Geste. «Ich zähle darauf, dass du hier ordentlich mit anpackst.»

«Ich werd mir Mühe geben», sagte Chip, mit weniger Ironie als geplant.

Gary stand auf. «Es tut mir Leid, dass ich dein Frühstück ruiniert habe, Mom. Aber mir jedenfalls ist wohler, nachdem ich das mal losgeworden bin.»

«Warum du damit nicht bis nach den Feiertagen warten konntest», murmelte Enid.

Gary küsste sie auf die Wange. «Ruf gleich morgen früh Hedgpeth an. Und dann erzähl mir, was ihr besprochen habt. Ich werde das ganz genau kontrollieren.»

Chip war schleierhaft, wie Gary in dieser Situation – Alfred auf dem Fußboden und Enids Weihnachtsfrühstück in Trümmern – einfach so aus dem Haus spazieren konnte, doch als Gary sich den Mantel anzog und seine Tasche und Enids Tasche mit den Geschenken für Philadelphia hochnahm, zeigte er sich von seiner rationalsten Seite, seine Worte hatten etwas Förmlich-Hohles, und sein Blick war ausweichend, denn er hatte Angst. Hinter der Kaltfront dieses wortlosen Aufbruchs sah Chip es ganz deutlich: Sein Bruder hatte Angst.

Sobald die Haustür ins Schloss gefallen war, machte Alfred sich auf den Weg ins Bad.

«Da können wir ja alle froh sein», sagte Denise, «dass Gary das mal loswerden konnte und ihm jetzt so viel wohler ist.»

«Nein, er hat Recht», sagte Enid, die Augen trübselig auf das Stechpalmengesteck in der Tischmitte gerichtet. «Es muss sich etwas ändern.»

Nach dem Frühstück gingen die Stunden in der Kränklichkeit, dem siechen Warten eines großen Feiertags dahin. Chip hatte vor Erschöpfung Mühe, sich warm zu halten, sein Gesicht aber glühte von der Hitze aus der Küche und dem Duft des bratenden Truthahns, der das Haus einhüllte. Sobald er in den Gesichtskreis seines Vaters geriet, huschte ein Lächeln des Wiedererkennens und der Freude über Alfreds Züge. Dieses Lächeln hätte bedeuten können, dass Alfred Chip verwechselte, wenn er nicht jedes Mal seinen Namen gerufen hätte. Chip wurde von dem alten Mann ganz offensichtlich *geliebt*. Die längste Zeit seines Lebens hatte er sich mit Alfred in den Haaren gelegen und Alfred gegrollt und den Stachel von Alfreds Missbilligung gespürt, und jetzt waren seine persönlichen Niederlagen und politischen Ansichten eher noch extremer als früher, und trotzdem war es Gary, der mit dem alten Mann stritt, und Chip, der das Gesicht des alten Mannes leuchten ließ.

Beim Abendessen raffte er sich auf, mehr oder weniger ausführlich zu schildern, was er in Litauen erlebt hatte. Ebenso gut hätte er die Steuervorschriften herunterleiern können. Denise, normalerweise der Inbegriff der aufmerksamen Zuhörerin, hatte alle Hände voll damit zu tun, Alfred beim Essen behilflich zu sein, und Enid achtete die ganze Zeit nur auf die Unzulänglichkeiten ihres Mannes. Bei jedem herunterfallenden Bissen, jeder Entgleisung zuckte sie zusammen, oder sie seufzte oder schüttelte den Kopf. Es war nicht zu übersehen, dass Alfred ihr das Leben nun zur Hölle machte.

Ich bin die am wenigsten unglückliche Person an diesem Tisch, dachte Chip.

Er half Denise beim Abwasch, während Enid mit ihren Enkeln telefonierte und Alfred schlafen ging.

«Seit wann ist Dad schon so?», fragte er Denise.

«So wie jetzt? Seit gestern. Aber vorher war es nicht viel besser.»

Chip warf sich einen schweren Mantel von Alfred über und nahm eine Zigarette mit hinaus. Es war kälter, als er es in Vilnius je erlebt hatte. Wind rüttelte an den dicken braunen Blättern, die immer noch an den Eichen hingen, jenen konservativsten aller Bäume; Schnee quietschte unter seinen Füßen. *Um die minus 18 Grad heute Nacht*, hatte Gary gesagt. *Da kann er doch mit einer Flasche Whiskey nach draußen gehen.* Chip wollte über die wichtige Selbstmordfrage nachdenken, solange eine Zigarette seine geistige Leistungsfähigkeit steigerte, doch seine Bronchien und Nasenhöhlen standen bereits unter einem solchen Kälteschock, dass der Schock des Nikotins kaum noch zu Buche schlug, und der Schmerz in seinen Fingern und Ohren – diese verfluchten Niete – wurde rasch unerträglich. Er gab auf und hastete ins Haus, just in dem Moment, als Denise aufbrach.

«Wo willst du hin?», fragte Chip.

«Bin bald zurück.»

Enid, im Wohnzimmer am Kamin, biss sich in heller Verzweiflung auf die Lippen. «Du hast deine Geschenke noch gar nicht aufgemacht», sagte sie.

«Morgen früh, mal sehen», sagte Chip.

«Ich habe bestimmt nichts für dich, was dir gefallen wird.»

«Es ist nett, dass du überhaupt was für mich hast.»

Enid schüttelte den Kopf. «Das war nicht das Weihnachten, das ich mir erhofft hatte. Auf einmal ist Dad zu nichts mehr imstande. Zu gar nichts.»

«Jetzt soll er erst mal seinen Pillenurlaub machen, vielleicht hilft ihm das ja.»

Enid las offenbar schlechte Prognosen aus den Flammen. «Kannst du nicht eine Woche bleiben, so lange, bis ich ihn ins Krankenhaus gebracht habe?»

Chips Hand wanderte zu dem Niet in seinem Ohr wie zu einem Glücksbringer. Ihm war, als wäre er ein Kind aus Grimms Märchen, das sich von der Aussicht auf Wärme und Essen in ein verwunschenes Haus hatte locken lassen; und gleich würde ihn die Hexe in einen Käfig sperren, mästen und verspeisen.

Er wiederholte die Zauberformel, die er an der Eingangstür gesprochen hatte. «Ich kann nur drei Tage bleiben», sagte er. «Ich muss so bald wie möglich wieder zu arbeiten anfangen. Ich schulde Denise Geld, das ich ihr unbedingt zurückzahlen möchte.»

«Nur *eine* Woche», sagte die Hexe. «Nur eine Woche, bis wir sehen, wie es ihm im Krankenhaus geht.»

«Ich glaube nicht, Mom. Ich muss zurück.»

Enids trübe Stimmung verdüsterte sich weiter, aber zu überraschen schien seine Weigerung sie nicht. «Dann ist das wohl meine Angelegenheit», sagte sie. «Das habe ich irgendwie immer geahnt.»

Sie zog sich ins Arbeitszimmer zurück, und Chip legte noch ein paar Holzscheite nach. Kalte Zugluft drang durch die Fenster und bewegte sacht die offenen Vorhänge. Der Heizkessel lief fast ununterbrochen. Die Welt war kälter und leerer, als Chip gedacht hatte – die Erwachsenen waren fort.

Gegen elf kam Denise herein. Sie stank nach Zigarettenrauch und sah zu zwei Dritteln erfroren aus. Sie winkte ihm zu und wollte sofort nach oben gehen, doch Chip bestand darauf, dass sie sich zu ihm ans Feuer setzte. Denise kniete sich hin, neigte, unentwegt schniefend, den Kopf und streckte die Hände aus. Sie hielt den Blick starr auf das Feuer gerichtet, als müsse sie sich zwingen, ihn nicht anzuschauen. Mit einem feuchten Kleenex-Fetzen putzte sie sich die Nase.

«Wo warst du?», fragte er.

«Spazieren.»

«Langer Spaziergang.»

«M-hm.»

«Du hast mir ein paar E-Mails geschickt, die ich gelöscht habe, bevor ich sie richtig lesen konnte.»

«Oh.»

«Also, was ist los?»

Sie schüttelte den Kopf. «Einfach alles.»

«Am Montag hatte ich fast dreißigtausend Dollar in bar. Davon wollte ich dir vierundzwanzigtausend geben. Aber dann sind wir von uniformierten Männern mit Skimasken ausgeraubt worden. So absurd das klingen mag.»

«Ich möchte dir die Schulden gern erlassen», sagte Denise.

Chips Hand wanderte wieder zu dem Niet. «Ich habe vor, dir mindestens vierhundert im Monat zurückzuzahlen, bis alle Schulden getilgt sind, einschließlich der Zinsen. Das hat für mich Priorität. Absolute Priorität.»

Seine Schwester drehte sich um und sah zu ihm hoch. Ihre Augen waren blutunterlaufen, Stirn und Nase rot wie die eines Neugeborenen. «Ich habe gesagt, ich erlasse dir die Schulden. Du schuldest mir nichts.»

«Nett von dir», sagte er rasch und wandte den Blick ab. «Aber ich zahle dir das Geld trotzdem zurück.»

«Nein», sagte sie. «Ich werde dein Geld nicht annehmen. Ich erlasse dir deine Schulden. Weißt du, was das heißt: jemandem etwas erlassen?»

Mit ihrer seltsamen Stimmung, mit ihren unerwarteten Worten machte sie Chip nervös. Er zog an seinem Niet und sagte: «Komm, Denise. Bitte. Hab wenigstens so viel Respekt vor mir, dass du mich meine Schulden zurückzahlen lässt. Ich weiß, dass ich ein Arsch gewesen bin. Aber ich will nicht mein Leben lang ein Arsch sein.»

«Ich möchte dir deine Schulden erlassen», sagte sie.

«Ehrlich. Komm.» Chip lächelte gequält. «Du musst mich bezahlen lassen.»

«Kannst du's nicht ertragen, dass dir einer was erlässt?»

«Nein», sagte er. «Im Grunde nicht. Nein. Es ist in jeder Hinsicht besser, wenn ich dir alles zurückzahle.»

Immer noch kniend, beugte Denise sich vor, verschränkte die Arme und rollte sich zu einer Olive, einem Ei, einer Zwiebel zusammen. Aus dem Innern dieses kugelförmigen Etwas kam eine leise Stimme. «Begreifst du denn nicht, was für einen Riesengefallen du mir tun würdest, wenn ich dir die Schulden erlassen dürfte? Begreifst du nicht, dass es mir schwer fällt, dich darum zu bitten? Begreifst du nicht, dass der einzige andere Gefallen, um den ich dich je gebeten habe, der war, über Weihnachten hierher zu kommen? Begreifst du nicht, dass es mir nicht darum geht, dich zu kränken? Begreifst du nicht, dass ich nie an deinem Willen gezweifelt habe, mir das Geld wiederzugeben, und mir völlig klar ist, dass ich dich um etwas sehr Schwieriges bitte? Begreifst du nicht, dass ich dich nie um etwas so Schwieriges bitten würde, wenn es nicht wirklich, wirklich, wirklich nötig wäre?»

Chip blickte auf die zitternde menschliche Kugel zu seinen Füßen. «Erzähl mir, was los ist.»

«Ich hab nichts als Probleme an allen Fronten», sagte sie.

«Dann ist das jetzt der falsche Moment, um über das Geld zu reden. Vergessen wir's einfach für eine Weile. Erst will ich wissen, was mit dir los ist.»

Immer noch zusammengerollt, bewegte Denise mit Nachdruck den Kopf einmal hin und einmal her. «Ich möchte, dass du jetzt ja sagst. Sag: ‹Ja, danke.›»

Chip machte eine Geste äußerster Ratlosigkeit. Es ging auf Mitternacht zu, und oben hatte sein Vater zu rumoren begonnen, und vor ihm kauerte seine Schwester, zu einem Ei zusammengerollt, und flehte ihn an, ihn von der Hauptmarter seines Lebens befreien zu dürfen.

«Lass uns morgen darüber reden», sagte er.

«Würde es dir helfen, wenn ich dich um etwas anderes bitte?»

«Morgen, okay?»

«Mom möchte, dass nächste Woche jemand im Haus ist», sagte Denise. «Du könntest eine Woche bleiben und ihr helfen.

Das wäre eine Riesenerleichterung für mich. Ich sterbe, wenn ich noch länger als bis Sonntag hier bleiben muss. Ich höre buchstäblich auf zu existieren.»

Chip atmete schwer. Die Tür seines Käfigs schloss sich rasch. Die Ahnung, die ihn in der Herrentoilette auf dem Flughafen von Vilnius beschlichen hatte, das Gefühl, dass die Schulden, die er bei Denise hatte, keineswegs eine Last, sondern vielmehr seine letzte Rettung waren, kehrte jetzt als Angst, dass sie ihm erlassen würden, zu ihm zurück. Er hatte unter diesen Schulden gelitten, bis sie den Charakter eines Neuroblastoms angenommen hatten, das so mit seiner Gehirnarchitektur verwachsen war, dass er bezweifelte, die Operation, bei der es herausgeschnitten würde, zu überleben.

Er fragte sich, ob die letzte Maschine an die Ostküste wohl schon weg war oder ob er heute Nacht noch flüchten konnte.

«Wie wär's, wenn wir den Betrag halbieren?», sagte er. «Dann schulde ich dir nur noch zehn. Wie wär's, wenn wir beide bis Mittwoch bleiben?»

«Nein.»

«Wenn ich ja sage, hörst du dann auf, so komisch zu sein, und machst ein fröhlicheres Gesicht?»

«Sag erst ja.»

Oben rief Alfred nach Chip. «Chip, kannst du mir helfen?»

«Er ruft auch nach dir, wenn du nicht da bist», sagte Denise.

Die Fensterscheiben wackelten im Wind. Wann waren seine Eltern zu den Kindern geworden, die früh ins Bett gingen und oben an der Treppe standen und um Hilfe riefen? Wann war das passiert?

«Chip», rief Alfred. «Ich komme mit dieser Decke nicht zurecht. KANNST DU MIR HELFEN?»

Das Haus wackelte, und die Sturmfenster ratterten, und die Zugluft wurde stärker; und auf einmal wehte Chip die Erinnerung an die Vorhänge an. Er erinnerte sich an den Tag, als er St.

Jude verlassen hatte, um aufs College zu gehen. Er erinnerte sich, wie er die handgeschnitzten österreichischen Schachfiguren eingepackt hatte, ein Geschenk seiner Eltern zum Highschool-Abschluss, und die sechsbändige Lincoln-Biographie von Sandburg, die er zum achtzehnten Geburtstag bekommen hatte, und den neuen marineblauen Blazer von Brooks Brothers («Wie ein fescher junger Arzt siehst du darin aus!», hatte Enid bedeutungsvoll gesagt), und stapelweise weiße T-Shirts und weiße Jockey-Unterhosen und weiße lange Unterhosen, und ein Foto von Denise als Fünftklässlerin in einem Plexiglasrahmen, und dieselbe Hudson-Bay-Decke, die schon Alfred, vier Jahrzehnte früher, als Studienanfänger mit an die Universität von Kansas genommen hatte, und Lederhandschuhe mit wollenem Innenfutter, die ebenfalls aus Alfreds tiefster Kansas-Vergangenheit stammten, und ein Paar dicker Thermovorhänge, die Alfred bei Sears für ihn gekauft hatte. Beim Lesen der Informationsbroschüren von Chips College war Alfred der Satz *Die Winter in New England können sehr kalt sein* ins Auge gesprungen. Die Vorhänge von Sears bestanden aus einem synthetischen, rosabraunen, auf der Rückseite mit Schaumgummi beschichteten Stoff. Sie waren schwer und unhandlich und steif. «In einer kalten Nacht wirst du sie zu schätzen wissen», sagte er zu Chip. «Du wirst staunen, wie wenig Zugluft sie durchlassen.» Doch Chips Zimmergenosse war ein Privatschulprodukt namens Roan McCorkle, der schon bald Daumenabdrücke auf dem Foto von Denise hinterließ, allem Anschein nach mit Vaseline. Roan lachte über die Vorhänge, und Chip lachte auch. Er legte sie in den Karton zurück und verstaute den Karton im Keller des Wohnheims, wo sie in den nächsten vier Jahren Schimmel ansetzten. Er hatte gar nichts gegen die Vorhänge. Es waren bloß Vorhänge, die dasselbe wollten wie alle anderen Vorhänge auch – gut hängen; nach besten Kräften das Licht aussperren; weder zu klein noch zu groß für das Fenster sein, das abzudunkeln der ganze Zweck ihres Daseins war; am Abend in diese und am Morgen in die andere Richtung gezogen werden; sacht in den Brisen wehen, die an einem Sommerabend den Regen ankündigen; viel benutzt werden und wenig auffallen. Nicht nur im Mittelwesten, sondern auch an der Ostküste gab es zahllose Krankenhäuser und Altenheime und Billigmotels, in denen genau solchen braunen, mit Schaumgummi verstärkten Vorhängen ein langes und sinnvolles Leben beschieden gewesen wäre. Es war nicht ihre Schuld, dass sie nicht in ein Studentenwohnheim gehörten. Sie wollten gar nichts Besseres sein; Material und Musterung gaben nicht den geringsten Hinweis auf unziemlichen Ehrgeiz. Sie waren, was sie waren. Ja, als er sie am Vorabend seiner Examensfeier schließlich wieder hervorholte, erschienen ihm ihre zartrosa Stofffalten eher *weniger* synthetisch und spießig und searshaft, als er sie in Erinnerung gehabt hatte. Sie waren nicht annähernd so peinlich wie gedacht.

«Ich komme mit diesen Decken nicht zurecht», rief Alfred.

«Na schön», sagte Chip zu Denise, als er die Treppe hinaufging. «Wenn du dich dann wirklich besser fühlst, zahle ich dir das Geld eben nicht zurück.»

Die Frage war: Wie kam er raus aus diesem Gefängnis?

Die große schwarze Frauensperson, die Böse, der Bastard, sie war es, auf die er ein Auge haben musste. Sie wollte ihm das Leben zur Hölle machen. Sie stand am anderen Ende des Gefängnishofs und warf ihm viel sagende Blicke zu, damit er wusste, dass sie ihn nicht vergessen hatte, sondern immer noch wild dahinter her war, Rache zu üben. Sie war ein fauler schwarzer Bastard, und das spuckte er auch aus, mit lauter Stimme. Er verfluchte all die Bastarde, schwarz oder weiß, um ihn herum. Die gottverdammten hinterlistigen Bastarde mit ihren dämlichen Vorschriften. Unweltschutz-Bürokraten, paragraphenreitende

Gewerbeaufsichtsbeamte, unverschämte Sowiesos. Im Augenblick hielten sie sich zurück, logisch, sie wussten ja, dass er ihnen auf die Schliche gekommen war, aber wehe, wenn er auch nur für eine Minute eindöste, nur ein einziges Mal nicht aufpasste – dann würden sie ihm sonst was antun. Sie konnten es kaum abwarten, ihm zu sagen, dass er nichts wert sei. Sie konnten es kaum abwarten, ihm ihre Verachtung zu zeigen. Dieser fette schwarze Bastard von einer Frau, diese scheußliche schwarze Hexe da drüben, sie behielt ihn im Auge und nickte über die weißen Köpfe der anderen Gefangenen hinweg: *Ich kriege dich.* Das war es, was ihr Nicken ihm bedeutete. Und niemand sonst konnte sehen, was sie ihm antat. Die ganzen anderen waren angstschlotternde, nutzlose Fremde, die Unfug redeten. Er hatte einen der Kerle gegrüßt, ihm eine einfache Frage gestellt. Der Kerl verstand nicht das Geringste. Es hätte doch leicht sein können, eine einfache Frage stellen, eine einfache Antwort bekommen, aber nein. Er war sich selbst überlassen, in die Enge getrieben; und die Bastarde waren ihm auf den Fersen.

Er fragte sich, wo Chip war. Chip war ein Intellektueller und hatte seine eigenen Methoden, diesen Leuten ins Gewissen zu reden. Chip hatte das gestern gut gemacht, besser, als er es selbst hätte machen können. Hatte eine einfache Frage gestellt, eine einfache Antwort bekommen und das Ganze dann so erklärt, dass man es auch verstand. Aber jetzt war nichts von Chip zu sehen. Semaphorierende Häftlinge, die wie Verkehrspolizisten mit den Armen winkten. Wehe, man versuchte, diesen Leuten einen einfachen Auftrag zu erteilen, wehe. Sie taten so, als existiere man gar nicht. Der fette schwarze Bastard von einem Weib hatte sie alle in Angst und Schrecken versetzt. Wenn sie merken würde, dass die Häftlinge auf seiner Seite stünden, dass sie ihm auf irgendeine Weise geholfen hätten, würde sie sie dafür bluten lassen. O ja, sie hatte diesen Blick. Diesen *Ich werde dich leiden lassen*-Blick. Und er, er hatte an diesem Punkt seines Lebens allmählich genug von dieser unverschämten schwarzen Frauensperson, doch was konnte man schon tun? Es war ein Gefängnis. Es war eine öffentliche Anstalt. Hier würden sie jeden reinwerfen. Weißhaarige, semaphorierende Frauen. Schwule Schwuchteln, Händchen haltend. Aber warum *ihn*, Herrgott nochmal? Warum ausgerechnet *ihn*? Es war zum Weinen, dass sie ihn an einen solchen Ort verfrachtet hatten. Altwerden war die Hölle, auch ohne von so einer watschelnden schwarzen Sowieso verfolgt zu sein.

Und da war sie schon wieder.

«Alfred?» Frech. Unverschämt. «Lassen Sie mich jetzt Ihre Beine strecken?»

«Du bist ein verdammter Bastard!», sagte er zu ihr.

«Ich bin nu' mal, was ich bin, Alfred. Aber ich weiß, wer meine Eltern sind. Also, jetzt legen Sie mal schön brav Ihre Hände hin, dann kann ich Ihnen helfen, die Beine zu strecken, und dann geht's Ihnen gleich besser.»

Er wollte sich, als sie näher kam, auf sie stürzen, doch sein Gürtel klemmte am Stuhl fest, klemmte irgendwie am Stuhl, am Stuhl. Klemmte am Stuhl fest, und er konnte sich nicht bewegen.

«Wenn Sie so weitermachen, Alfred», sagte die Böse, «müssen wir Sie in Ihr Zimmer zurückbringen.»

«Bastard! Bastard! Bastard!»

Sie schnitt eine unverschämte Grimasse und ging fort, aber er wusste, sie würde wiederkommen. Sie kamen immer wieder. Seine einzige Hoffnung war, den Gürtel irgendwie vom Stuhl loszukriegen. Sich selbst loszukriegen, vorzuschnellen, dem Ganzen ein Ende zu bereiten. Schlechter Einfall vom Architekten, einen Gefängnishof in solcher Höhe zu bauen. Bis nach Illinois konnte man gucken. Große Fenster, gleich da neben ihm. Schlechter Einfall, hier Häftlinge unterzubringen. Sah nach Doppelverglasung aus, Thermopanescheiben. Wenn er mit dem

Kopf dagegen schlug und sich nach vorne fallen ließ, konnte er es schaffen. Aber zuerst musste er den verdammten Gürtel loskriegen.

Wieder und wieder, immer gleich, kämpfte er mit dem glatten Nylonband. Es hatte einmal Zeiten gegeben, da war er Hindernissen philosophisch begegnet, doch diese Zeiten waren vorbei. Die Finger, die er unter den Gürtel zu schieben versuchte, um daran zu ziehen, waren nicht stärker als Grashalme. Sie bogen sich wie weiche Bananen. Der Versuch, sie unter den Gürtel zu schieben, war so *offensichtlich und vollkommen hoffnungslos* – der Gürtel blieb, was Härte und Festigkeit betraf, so himmelweit im Vorteil –, dass seine Anstrengungen mehr und mehr zu einer Parodie auf Trotz und Wut und Untauglichkeit wurden. Er blieb mit den Fingernägeln am Gürtel hängen und *riss* die Arme auseinander, und seine Hände schmetterten gegen die Armlehnen des Stuhls, der ihn gefangen hielt, schossen, schmerzhaft abprallend, hierhin und dorthin, weil er so verdammt wütend –

«Dad, Dad, he, beruhige dich», sagte die Stimme.

«Fang den Bastard! Fang den Bastard!»

«Dad, he, ich bin's. Chip.»

Tatsächlich, die Stimme war ihm vertraut. Mit aller Vorsicht sah er zu Chip hoch, um sicherzugehen, dass der Sprecher auch wirklich sein mittleres Kind war, denn die Bastarde wollten einen überlisten, wann immer es ging. Und wäre der Sprecher irgendjemand anderes auf der Welt gewesen als Chip, hätte es sich nicht gelohnt, ihm zu trauen. Zu riskant. Doch Chipper hatte etwas an sich, das die Bastarde nicht nachmachen konnten. Ein Blick, und man wusste, dass er einen nie belügen würde. Er war auf eine Weise gutherzig, die sich von keinem vortäuschen ließ.

Während seine Annahme, Chipper vor sich zu haben, allmählich zur Gewissheit wurde, begann sich sein Atem zu beruhigen, und etwas wie ein Lächeln schob sich vor die anderen, sich bekriegenden Mächte auf seinem Gesicht.

«Na!», sagte er schließlich.

Chip rückte einen zweiten Stuhl heran und gab Alfred eine Tasse Eiswasser, auf das er, wie er merkte, tatsächlich Durst hatte. Er nahm einen langen Zug mit dem Strohhalm und gab Chip das Wasser zurück.

«Wo ist deine Mutter?»

Chip stellte die Tasse auf den Boden. «Sie ist heute Morgen mit einer Erkältung aufgewacht. Ich habe ihr gesagt, sie soll im Bett bleiben.»

«Wo wohnt sie jetzt?»

«Sie ist zu Hause. Genau wie vor zwei Tagen.»

Chip hatte ihm bereits erklärt, warum er hier sein musste, und die Erklärung hatte ihm eingeleuchtet, solange er Chips Gesicht sehen und seine Stimme hören konnte, doch sobald Chip fort war, brach die Erklärung in sich zusammen.

Der große schwarze Bastard umkreiste sie beide mit seinem bösen Blick.

«Das hier ist ein Raum für Physiotherapien», sagte Chip. «Wir sind im achten Stock der St.-Luke's-Klinik. Mom hatte hier ihre Fußoperation, weißt du noch?»

«Die Frau da ist ein Bastard», sagte er und streckte den Finger aus.

«Nein, sie ist Physiotherapeutin», sagte Chip, «und sie möchte dir helfen.»

«Nein, guck sie dir doch an. Siehst du nicht, wie sie ist? Siehst du das nicht?»

«Sie ist Physiotherapeutin, Dad.»

«Die was? Sie ist eine?»

Einerseits vertraute er der Klugheit und dem sicheren Auftreten seines so gebildeten Sohnes. Andererseits warf die schwarze Hexe ihm den *Blick* zu, um ihn vor dem Leid zu warnen, das sie ihm bei der erstbesten Gelegenheit antun würde; eine ungeheure Böswilligkeit lag in ihrer Art, das sah doch ein Blinder. Er war außerstande, den Widerspruch aufzulösen: hier sein Glaube, dass Chip mit Sicherheit Recht hatte, dort seine Überzeugung, dass die Hexe mit Sicherheit keine Physikerin war.

Der Widerspruch weitete sich zu einem bodenlosen Abgrund aus. Alfred starrte mit offenem Mund in die Tiefe. Ein warmes Etwas kroch an seinem Kinn abwärts.

Da griff die Hand irgendeines Bastards nach ihm. Er versuchte, nach dem Bastard zu schlagen, und gerade noch rechtzeitig bemerkte er, dass die Hand zu Chip gehörte.

«Ganz ruhig, Dad. Ich wische dir nur das Kinn ab.»

«Ach Gott.»

«Möchtest du noch ein bisschen hier sitzen, oder willst du lieber wieder in dein Zimmer?»

«Das stelle ich in dein Ermessen.»

Diese handliche Wendung kam ihm ganz und gar gebrauchsfertig in den Sinn, passender ging's nicht.

«Dann bringe ich dich jetzt zurück.» Chip langte hinter den Stuhl und hantierte dort herum. Offenbar hatte der Stuhl Schalter und Hebel von unfassbarer Komplexität.

«Sieh mal, ob du meinen Gürtel aufmachen kannst», sagte er.

«Warte, bis wir in deinem Zimmer sind, da kannst du dann herumlaufen.»

Chip schob ihn vom Gefängnishof herunter und den Gang entlang bis zu seiner Zelle. Alfred kam nicht darüber hinweg, wie luxuriös die Ausstattung war. Wie in einem erstklassigen Hotel, wenn man einmal von den Haltegriffen am Bett und den Fesseln und den Funkgeräten absah, dem Gefangenen-Überwachungssystem.

Chip stellte den Stuhl am Fenster ab, verließ das Zimmer mit einer Styroporkaraffe und kehrte ein paar Minuten später in Begleitung eines hübschen kleinen Mädchens in weißer Jacke wieder zurück.

«Mr. Lambert?», sagte sie. Mit dem lockigen schwarzen Haar und der Nickelbrille war sie hübsch wie Denise, nur eben nicht so groß. «Ich bin Dr. Schulman. Sie erinnern sich vielleicht, wir haben uns gestern kennen gelernt.»

«Na!», sagte er, breit lächelnd. Er erinnerte sich an eine Welt, in der es solche Mädchen gab, hübsche kleine Mädchen mit wachen Augen und klugen Gesichtern, eine Welt der Hoffnung.

Sie legte ihm eine Hand auf die Stirn und beugte sich herab, als wollte sie ihn küssen. Sie erschreckte ihn zu Tode. Fast hätte er sie geschlagen.

«Ich wollte Sie nicht erschrecken», sagte sie. «Ich möchte nur in Ihre Augen sehen. Ist Ihnen das recht?»

Unsicher schaute er zu Chip, aber der starrte das Mädchen an.

«Chip!», sagte er.

Chip wandte den Blick von ihr ab. «Ja, Dad?»

Na. Jetzt, wo er Chips Aufmerksamkeit auf sich gelenkt hatte, musste er wohl auch etwas sagen, und was er sagte, war dies: «Richte deiner Mutter aus, dass sie sich über den Schlamassel da unten nicht grämen soll. Ich kümmere mich darum.»

«In Ordnung. Ich richte es ihr aus.»

Die geschickten Finger und das sanfte Gesicht des Mädchens waren überall, rings um seinen Kopf herum. Sie bat ihn, eine Faust zu machen, sie kniff und pikte ihn. Sie sprach wie der Fernseher in einem Nachbarraum.

«Dad?», sagte Chip.

«Ich hab nicht verstanden.»

«Dr. Schulman möchte wissen, ob sie dich ‹Alfred› oder ‹Mr. Lambert› nennen soll. Was ist dir lieber?»

Er grinste gequält. »Ich kann nicht folgen.»

«Ich glaube, ‹Mr. Lambert› zieht er vor», sagte Chip.

«Mr. Lambert», sagte das Mädchen, «können Sie mir sagen, wo wir hier sind?»

Er schaute wieder zu Chip, dessen Miene erwartungsvoll, aber nicht hilfreich war. Er zeigte aufs Fenster. «Dahinten ist Illinois», sagte er. Sein Sohn und das Mädchen hörten jetzt sehr interessiert zu, und er hatte das Gefühl, er sollte weiterreden. «Da ist ein Fenster», sagte er, «das wäre … wenn man es öffnen könnte … genau, was ich will. Ich konnte den Gürtel nicht aufkriegen. Und dann.»

Er versagte, und er wusste es.

Das Mädchen blickte freundlich zu ihm herab. «Können Sie mir sagen, wer unser Präsident ist?»

Er grinste. Das war eine leichte Frage.

«Na», sagte er. «Sie hat so viel Zeug da unten. Ich bezweifle, dass sie es überhaupt merken würde. Wir sollten das einfach alles wegschmeißen.»

Das Mädchen nickte, als wäre das eine vernünftige Antwort. Dann hob sie beide Hände. Sie war hübsch wie Enid, aber Enid hatte einen Ehering, Enid trug keine Brille, Enid war in letzter Zeit älter geworden, und Enid hätte er wahrscheinlich wieder erkannt, obwohl die Tatsache, dass sie ihm so viel vertrauter war als Chip, es um so schwerer machte, sie zu sehen.

«Wie viele Finger halte ich hoch?», fragte ihn das Mädchen.

Er betrachtete ihre Finger. Wenn er sich nicht irrte, lautete deren Botschaft: Entspannen. Nicht so verkrampft. Lass dir Zeit.

Er lächelte, während sich seine Blase leerte.

«Mr. Lambert? Wie viele Finger halte ich hoch?»

Da, die Finger. Es war wunderschön. Die Erleichterung, für nichts verantwortlich zu sein. Je weniger er wusste, desto glücklicher war er. Überhaupt nichts zu wissen wäre der Himmel.

«Dad?»

«Ich sollte das eigentlich wissen», sagte er. «Ist es nicht unglaublich, dass ich so was vergessen kann?»

Das Mädchen und Chip tauschten Blicke und gingen hinaus auf den Flur. Das Entspannen war angenehm gewesen, doch nach einer Minute oder zweien fühlte sich alles klamm an. Er musste seine Kleider wechseln und konnte es nicht. Saß in seinem abkühlenden Schlamassel.

«Chip?», rief er.

Stille hatte sich auf den Gefängnistrakt gelegt. Auf Chip war kein Verlass, immer wieder verschwand er. Auf niemanden war Verlass, außer auf einen selbst. Ohne Plan im Kopf und ohne Kraft in den Händen versuchte er, den Gürtel zu lockern, um sich die Hose auszuziehen und sich abzutrocknen. Doch es war zum Auswachsen mit dem Gürtel. Zwanzigmal fuhr er mit den Händen daran entlang, und zwanzigmal fand er keine Schnalle. Er war wie ein Zwei-Dimensionen-Mensch, der in eine dritte Dimension flüchten wollte. Und wenn er sich bis in alle Ewigkeit bemühte, er würde die verdammte Schnalle doch nicht finden.

«Chip!», rief er, aber nicht laut, weil der schwarze Bastard da draußen lauerte und ihn hart bestrafen würde. «Chip, komm her und hilf mir.»

Am liebsten wäre er seine Beine gleich ganz losgeworden. Sie waren schwach und ruhelos und nass und gefangen. Er strampelte ein bisschen und schaukelte in seinem nicht schaukelnden Stuhl. Seine Hände waren in Aufruhr. Je weniger Gewalt er über seine Beine hatte, umso heftiger schwang er die Arme. Jetzt kriegten sie ihn, die Bastarde, er war verraten worden, und er begann zu weinen. Hätte er es bloß gewusst! Hätte er es bloß gewusst, dann hätte er etwas unternehmen können, er hatte doch das Gewehr gehabt, er hatte den tiefen kalten Ozean gehabt, hätte er es bloß gewusst.

Er schmiss eine Wasserkaraffe gegen die Wand, und endlich kam jemand herbeigeeilt.

«Dad, Dad, Dad. Was ist los?»

Alfred hob den Blick und sah seinem Sohn in die Augen. Er öffnete den Mund, doch das einzige Wort, das er herausbrachte, war «Ich –»

Ich –

Ich habe Fehler gemacht –

Ich bin allein –

Ich bin nass –

Ich möchte sterben –

Ich möchte mich bei dir entschuldigen –

Ich habe mein Bestes getan –

Ich liebe meine Kinder –

Ich brauche deine Hilfe –

Ich möchte sterben –

«Ich halte das hier nicht aus», sagte er.

Chip hockte sich auf den Boden neben dem Stuhl. «Pass auf», sagte er. «Du musst noch eine Woche bleiben, damit sie dich beobachten können. Wir müssen herausfinden, was mit dir los ist.»

Er schüttelte den Kopf. «Nein! Du musst mich hier rausholen!»

«Dad, es tut mir Leid», sagte Chip, «aber ich kann dich nicht mit nach Hause nehmen. Du musst noch mindestens eine Woche in der Klinik bleiben.»

Oh, wie Chip seine Geduld auf die Probe stellte! Sein Sohn hätte doch längst begriffen haben müssen, worum er ihn bat, auch ohne dass es ihm noch einmal erklärt wurde.

«Mach dem Spuk ein Ende, habe ich gesagt!» Er hieb auf die Armlehnen des Stuhls, in dem er gefangen war. «Du musst mir helfen, dem Spuk ein Ende zu machen!»

Er sah zum Fenster, aus dem hinauszuspringen er, endlich, bereit war. Oder jemand sollte ihm ein Gewehr geben, eine Axt, irgendetwas, Hauptsache, er kam hier raus. Das musste er Chip begreiflich machen.

Chip bedeckte Alfreds zitternde Hände mit den seinen.

«Ich bleibe bei dir, Dad», sagte er. «Aber das andere kann ich nicht für dich tun. So kann ich dir nicht helfen. Es tut mir Leid.»

Wie eine Ehefrau, die gestorben, oder ein Haus, das abgebrannt war, genauso lebhaft hatte er die Klarheit, die man zum Denken, und die Kraft, die man zum Handeln brauchte, noch in Erinnerung. Durch ein Fenster zur nächsten Welt konnte er sie sehen, diese Klarheit, konnte sie sehen, diese Kraft, nur knapp außerhalb seiner Reichweite, gleich hinter den Thermopanescheiben. Er sah, was er hatte erreichen wollen, das Ertrinken im Meer, den tödlichen Schuss, den Sturz aus großer Höhe, alles zum Greifen nah, und wollte nicht glauben, dass es ihm ein für alle Mal verwehrt sein sollte, sich selbst in den Genuss solcher Erleichterung zu bringen.

Er weinte über die Ungerechtigkeit seiner Strafe. «Herrgott nochmal, Chip», sagte er laut, denn er ahnte, dass dies vielleicht seine letzte Chance war, sich zu befreien, bevor er jede Verbindung zu jener Klarheit und jener Kraft verlor, und deshalb war es entscheidend, dass Chip das, was er wollte, *genau* verstand. «Ich bitte dich um Hilfe! Du musst mich hier rausholen! Du musst diesem Spuk ein Ende machen!»

Trotz roter Augen, trotz Tränenschlieren gingen von Chips Gesicht Kraft und Klarheit aus. Hier war ein Sohn, der ihn genauso verstand, wie er sich selbst verstand, darauf konnte er zählen; und deshalb war Chips Antwort, als sie denn kam, unwiderruflich. Chips Antwort bedeutete ihm, dass dies der Punkt war, an dem die Geschichte endete. Sie endete damit, dass Chip den Kopf schüttelte, sie endete damit, dass er sagte: «Das kann ich nicht, Dad. Das kann ich nicht.»

DIE KORREKTUREN

DIE KORREKTUR, als sie schließlich kam, war kein jähes Platzen einer Seifenblase, sondern ein viel sanfteres Nachgeben, ein Erschlaffen der Finanzschlüsselmärkte, eine Schrumpfung, zu allmählich, um Schlagzeilen hervorzubringen, und zu vorhersehbar, um irgendjemandem, mit Ausnahme von Dummköpfen und denen, die wenig Geld verdienten, ernsthaft zu schaden.

Enid hatte den Eindruck, dass die Tagesereignisse heute generell unspektakulärer oder langweiliger waren als in ihrer Jugend. Sie erinnerte sich noch an die dreißiger Jahre, sie hatte mit eigenen Augen gesehen, was einem Land widerfahren konnte, wenn die Weltwirtschaft andere Saiten aufzog; sie hatte damals ihrer Mutter geholfen, in der engen Gasse hinter der Pension Essensreste an obdachlose Männer auszuteilen. Doch Katastrophen dieser Größenordnung schienen die Vereinigten Staaten nicht mehr heimzusuchen. Sicherheitsvorkehrungen waren getroffen worden, wie diese Gummiquadrate, mit denen jeder Spielplatz neuerdings gepflastert war, um die Wucht eines Aufpralls zu mildern.

Dennoch, die Märkte brachen ein, und Enid, die nie geglaubt hatte, sie könnte jemals *froh* darüber sein, dass Alfred ihrer beider Vermögen in festverzinslichen Wertpapieren und kurzfristigen Schuldverschreibungen angelegt hatte, überstand das Tief mit weitaus weniger Ängsten als ihre hochfliegenden Freunde. Orfic Midland kündigte, wie angedroht, ihre bisherige Krankenversicherung und nötigte sie, einer Gesundheitspflege-Organisation beizutreten, doch ihr alter Nachbar Dean Driblett, der Gute, gruppierte sie und Alfred mit einem einzigen Federstrich höher ein, sodass sie die Wahlleistungen des DeeDeeCare-Plus-

Programms in Anspruch nehmen und die Ärzte ihres Vertrauens behalten konnte. Zwar kostete sie das Pflegeheim Monat für Monat eine beträchtliche Summe, die ihr nicht rückerstattet wurde, doch mit Alfreds Rente und den Pensionszuschüssen der Eisenbahngesellschaft kam sie, wenn sie jeden Cent zweimal umdrehte, gut über die Runden, und das Haus, das ihr inzwischen ganz gehörte, stieg weiter im Wert. Die einfache Wahrheit war die, dass sie nicht reich, aber auch nicht arm war. In den Jahren der Angst und Sorge um Alfred hatte sie diese Wahrheit aus dem Blick verloren, doch sobald er aus dem Haus war und sie ihren Schlaf nachgeholt hatte, sah sie sie deutlich.

Sie sah jetzt alles deutlicher, vor allem ihre Kinder. Als Gary ein paar Monate nach dem katastrophalen Weihnachtsfest wieder in St. Jude vorbeischaute, diesmal mit Jonah, war der Besuch von Anfang bis Ende eine einzige Freude für sie. Gary wollte immer noch, dass sie das Haus verkaufte, aber er konnte ihr nicht mehr damit kommen, dass Alfred über kurz oder lang die Treppe hinunterfallen und sich das Genick brechen würde, und außerdem hatte Chip in der Zwischenzeit viele der Arbeiten, die, solange sich niemand ihrer angenommen hatte, Garys zweites Argument für den Verkauf des Hauses gewesen waren (Korbmöbelanstreichen, Rohreabdichten, Abflüssereinigen, Rissekitten), erledigt. Wie gehabt zankten sich Gary und Enid über Geld, doch das war bloß ein Zeitvertreib. Gary saß ihr wegen der $ 4,96, die sie ihm für die sechs Fünfzehn-Zentimeter-Bolzen noch immer «schuldete», im Nacken, und sie konterte mit der Frage: «Ist deine Armbanduhr neu?» Ja, die Rolex sei ein Weihnachtsgeschenk von Caroline, gab er zu, aber erst kürzlich habe er mit einer Biotech-Aktie, die er nicht vor dem 15. Juni wieder abstoßen könne, ziemlichen Schiffbruch erlitten, und überhaupt gehe es hier ums Prinzip, Mutter, ums Prinzip. Enid aber weigerte sich, aus Prinzip, ihm die $ 4,96 zu geben. Sie freute sich an dem Gedanken, dass sie ihm das Geld für die Bolzen bis an ihr Lebensende nicht zurückzahlen würde. Welche Biotech-Aktie es denn sei, mit der er so einen Schiffbruch erlitten habe, fragte sie Gary. Das spiele keine Rolle, sagte er.

Kurz nach Weihnachten zog Denise nach Brooklyn und begann in einem neuen Restaurant zu arbeiten, und im April schickte sie Enid zum Geburtstag ein Flugticket. Enid bedankte sich und sagte, sie könne nicht kommen, sie könne Alfred auf gar keinen Fall allein lassen, das sei einfach nicht recht. Dann fuhr sie doch und verbrachte vier herrliche Tage in New York City. Denise wirkte im Vergleich zu Weihnachten so viel glücklicher, dass Enid beschloss, sich nicht darum zu scheren, dass sie immer noch keinen Mann hatte, geschweige denn den geringsten Wunsch erkennen ließ, einen zu finden.

Zurück in St. Jude, war Enid eines Nachmittags zum Bridgespielen bei Mary Beth Schumpert, als Bea Meisner anhob, ihrem christlichen Missfallen über eine berühmte «lesbische» Schauspielerin Luft zu machen.

«Sie ist doch ein *schreckliches* Vorbild für junge Leute», sagte Bea. «Wenn man in seinem Leben schon eine gottlose Entscheidung trifft, dann sollte man sich, finde ich, wenigstens nicht auch noch damit brüsten. Vor allem, wo es heutzutage alle möglichen Kurse gibt, in denen solche Leute Hilfe bekommen.»

Enid, die in diesem Rubber Beas Partnerin war und sich sowieso schon ärgerte, weil Bea auf ihre Zweier-Eröffnung nicht reagiert hatte, merkte milde an, sie glaube nicht, dass «Lesbierinnen» etwas dafür könnten, «lesbisch» zu sein.

«O doch, es ist eindeutig Willenssache», sagte Bea. «Es ist eine Schwäche, und die zeigt sich schon in der Pubertät. Gar kein Zweifel. Da sind sich alle Experten einig.»

«Dieser Krimi, in dem die Freundin von ihr und Harrison Ford die Hauptrollen spielen, war phantastisch», sagte Mary Beth Schumpert. «Wie hieß der noch gleich?»

«Ich glaube nicht, dass es Willenssache ist», sagte Enid ruhig.

«Chip hat mal etwas sehr Interessantes zu mir gesagt. Er sagte, wenn so viele Leute Homosexuelle hassen und auf dem Kieker haben, warum sollte sich da irgendjemand ohne Not dafür entscheiden, homosexuell zu sein? Ich fand, das war wirklich ein interessanter Gesichtspunkt.»

«Ach was, nein, die wollen doch bloß besondere Rechte haben», sagte Bea. «Die wollen ihren ‹Stolz›. Das ist der Grund, warum sie von so vielen abgelehnt werden, auch unabhängig davon, wie unsittlich ihr Verhalten ist. Es genügt ihnen nicht, eine gottlose Entscheidung zu fällen. Sie müssen sich auch noch damit brüsten.»

«Ich weiß gar nicht mehr, wann ich zum letzten Mal einen richtig guten Film gesehen habe», sagte Mary Beth.

Enid war keine Verfechterin «alternativer» Lebensformen, und was ihr an Bea Meisner missfiel, missfiel ihr schon seit vierzig Jahren. Sie hätte nicht sagen können, warum gerade dieses Bridgetisch-Gespräch sie zu dem Entschluss führte, nicht länger mit Bea Meisner befreundet sein zu müssen. Genauso wenig hätte sie sagen können, warum Garys Materialismus, Chips Versagen und Denise' Kinderlosigkeit, die sie über die Jahre ungezählte nächtliche Stunden des Grübelns und Richtens gekostet hatten, ihr so viel weniger zu schaffen machten, seit Alfred aus dem Haus war.

Was sicher dazu beitrug, war, dass ihr alle drei Kinder unter die Arme griffen. Insbesondere Chip wirkte auf geradezu wundersame Weise verwandelt. Nach Weihnachten blieb er ganze sechs Wochen bei Enid und besuchte Alfred jeden Tag, bevor er nach New York zurückkehrte. Einen Monat später war er, ohne seine grässlichen Ohrringe, schon wieder in St. Jude. Er schlug ihr vor, seinen Aufenthalt auf eine Länge auszudehnen, die Enid ebenso erfreute wie verblüffte, bis sich herausstellte, dass er sich mit der Chefärztin der neurologischen Station an der St.-Luke's-Klinik angefreundet hatte.

Die Neurologin, Alison Schulman, war eine kraushaarige und ziemlich unscheinbare junge Jüdin aus Chicago. Enid fand sie sogar recht nett, aber es war ihr ein Rätsel, was eine erfolgreiche junge Ärztin an ihrem Sohn, der keiner geregelten Tätigkeit nachging, finden mochte. Noch rätselhafter wurde das Ganze, als Chip ihr im Juni verkündete, er werde nach Chicago umziehen, wo er mit Alison, die sich in eine Gemeinschaftspraxis in Skokie eingekauft hatte, in einem unmoralischen eheähnlichen Verhältnis zusammenleben wollte. Weder bestätigte noch leugnete Chip, dass er keine feste Anstellung und auch nicht die Absicht hatte, einen Teil der Haushaltskosten mitzutragen. Er behauptete, er arbeite an einem Drehbuch. Er sagte, «seine» Produzentin in New York habe seine «neue» Fassung «großartig» gefunden und ihn gebeten, sie noch einmal umzuschreiben. Die einzige Tätigkeit, bei der er etwas verdiente, war, soweit Enid wusste, ein Teilzeitjob als Aushilfslehrer. Enid war ihm wirklich dankbar, dass er einmal im Monat von Chicago nach St. Jude gefahren kam und lange Tage bei Alfred verbrachte; sie war glücklich, eines ihrer Kinder wieder bei sich im Mittelwesten zu wissen. Doch als Chip ihr mitteilte, dass er und Alison, eine Frau, mit der er nicht einmal verheiratet war, Zwillinge erwarteten, und Enid dann zu einer Hochzeit einlud, bei der die Braut im siebten Monat schwanger war und die gegenwärtige «Arbeit» des Bräutigams darin bestand, dass er zum vierten oder fünften Mal sein Drehbuch umschrieb, und die Mehrzahl der Gäste nicht nur ausgesprochen jüdisch waren, sondern das glückliche Paar geradezu hinreißend fanden, da herrschte für Enid ganz gewiss kein Mangel an Dingen, über die sie die Nase hätte rümpfen und den Stab hätte brechen können! Und es machte sie wirklich nicht stolz, nein, sie fand, es sprach wirklich nicht für ihre fast fünfzigjährige Ehe, dass sie, wäre Alfred mit ihr zusammen auf der Hochzeit gewesen, in der Tat die Nase gerümpft und in der Tat den Stab gebrochen hätte. Wenn sie neben Alfred gesessen hätte, wäre die Menge, die auf sie zugesteuert kam, beim Anblick ihres säuerlichen Gesichtsausdrucks bestimmt gleich wieder abgedreht, und dann wäre sie bestimmt nicht mitsamt ihrem Stuhl hochgehoben und zu den Klängen der Klezmer-Musik durch den ganzen Raum getragen worden und hätte das alles bestimmt nicht so genossen.

Die traurige Tatsache schien die zu sein, dass das Leben ohne Alfred im Haus für alle besser war außer für Alfred.

Hedgpeth und die anderen Ärzte, einschließlich Alison Schulman, hatten, indem sie Orfic Midlands bald-schon-ehemalige Krankenversicherung nach Herzenslust zur Kasse baten, den alten Mann den ganzen Januar über und bis in den Februar hinein im Krankenhaus behalten und gründlich geprüft, welche Behandlungsmethode, von der Elektroschocktherapie bis zu Haldol, für ihn geeignet sei. Schließlich wurde Alfred mit der Diagnose Parkinson, Demenz, Depression sowie Nervenleiden der Beine und des Harnsystems entlassen. Enid fühlte sich moralisch verpflichtet anzubieten, dass sie ihn zu Hause pflegen würde, doch Gott sei Dank wollten ihre Kinder nichts davon wissen. Alfred wurde im Deepmire Home untergebracht, einem Langzeit-Pflegeheim gleich neben dem Country Club, und Enid machte es sich zur Aufgabe, ihn jeden Tag zu besuchen, sich um seine Kleidung zu kümmern und ihn mit hausgemachten Leckerbissen zu versorgen.

Sie war froh, wenigstens seinen Körper wiederzuhaben. Seine Größe, seine Gestalt, seinen Geruch hatte sie immer geliebt, und jetzt, da er im Rollstuhl saß, war er bedeutend nahbarer und außerdem unfähig, Einwände gegen ihre Zärtlichkeiten klar verständlich zu formulieren. Er ließ sich küssen und schreckte nicht zurück, wenn ihre Lippen ein wenig bei ihm verweilten; er zuckte nicht zusammen, wenn sie ihm übers Haar strich.

Sein Körper war es, wonach sie sich immer gesehnt hatte. Das Problem war der Rest von ihm. Sie fühlte sich unwohl, bevor sie aufbrach, um ihn zu besuchen, unwohl, während sie bei ihm saß, und unwohl für Stunden danach. Inzwischen war er vollends unberechenbar geworden. Manchmal, wenn Enid ins Zimmer kam, traf sie ihn in einem Zustand tiefster Niedergeschlagenheit an, das Kinn auf der Brust und einen keksgroßen Sabberfleck auf einem Hosenbein. Oder er plauderte gerade freundlich mit einem Schlaganfallpatienten oder einer Zimmerpflanze. Oder er schälte ein unsichtbares Stück Obst, das seine Aufmerksamkeit Stunde um Stunde in Anspruch nahm. Oder er schlief. Aber was auch immer er tat: Es ergab keinen Sinn.

Chip und Denise brachten die Geduld auf, bei ihm zu sitzen und sich mit ihm über jedes noch so irrsinnige Szenario zu unterhalten, in dem er gerade lebte, sei es ein Zugunglück oder eine Einkerkerung oder eine Luxuskreuzfahrt, doch Enid konnte ihm nicht den kleinsten Fehler nachsehen. Wenn er sie für ihre Mutter hielt, verbesserte sie ihn ärgerlich: «Ich bin es, Al, Enid, deine Frau seit achtundvierzig Jahren.» Wenn er sie für Denise hielt, waren ihre Worte dieselben. Sie hatte sich ihr Leben lang IM UNRECHT gefühlt, und jetzt hatte sie endlich die Chance, ihm zu sagen, wie sehr er IM UNRECHT war. Obwohl sie in anderen Lebensbereichen zusehends gelassener und duldsamer wurde, blieb sie im Deepmire Home ständig auf der Hut. Sie musste Alfred sagen, dass es unrecht von ihm war, Eiscreme auf seine saubere, frisch geplättete Hose zu kleckern. Es war unrecht von ihm, Joe Person nicht zu erkennen, wo Joe doch die Liebenswürdigkeit hatte, ihn besuchen zu kommen. Es war unrecht, sich die Schnappschüsse von Aaron und Caleb und Jonah nicht anzusehen. Es war unrecht, sich nicht zu freuen, dass Alison zwei untergewichtige, aber gesunde kleine Mädchen zur Welt gebracht hatte. Es war unrecht, weder glücklich noch dankbar, noch auch nur annähernd klar im Kopf zu sein, als seine Frau und seine Tochter die enorme Mühe auf sich nahmen, ihn zum Thanksgiving-Abendessen nach Hause zu holen. Es war unrecht, nach diesem Essen, als sie ihn ins Deepmire Home zurückgefahren hatten, zu sagen: «Besser, man geht hier gar nicht erst weg, als wieder herkommen zu müssen.» Wenn er im Kopf klar genug sein konnte, um immerhin einen solchen Satz zustande zu bringen, war es unrecht von ihm, sonst niemals klar im Kopf zu sein. Es war unrecht, in der Nacht zu versuchen, sich mit seinem Bettlaken aufzuhängen. Es war unrecht, sich gegen das Fenster zu werfen. Es war unrecht, sich mit einer Gabel das Handgelenk aufschlitzen zu wollen. Alles in allem war so vieles, was er tat, unrecht, dass sie es, abgesehen von ihren vier Tagen in New York und den beiden Weihnachtsbesuchen in Philadelphia und den drei Wochen, die sie brauchte, um sich von ihrer Hüftoperation zu erholen, keinen einzigen Tag versäumte, ihn zu besuchen. Solange noch Zeit war, musste sie ihm sagen, wie sehr er im Unrecht und wie sehr sie im Recht gewesen war. Wie unrecht es gewesen war, sie nicht noch mehr geliebt zu haben, wie unrecht, sie nicht auf Händen getragen und bei jeder Gelegenheit mit ihr geschlafen zu haben, wie unrecht, ihren finanziellen Instinkten nicht gefolgt zu sein, wie unrecht, so viel gearbeitet und so wenig Zeit mit den Kindern verbracht zu haben, wie unrecht, so freudlos, so schwarzseherisch gewesen zu sein, wie unrecht, vor dem Leben Reißaus genommen zu haben, wie unrecht, wieder und wieder nein gesagt zu haben anstatt ja: All das musste sie ihm sagen, Tag für Tag. Selbst wenn er nicht zuhörte, musste sie es ihm sagen.

Er lebte schon zwei Jahre im Deepmire Home, als er anfing, das Essen zu verweigern. Chip nahm Urlaub von seinen Vaterpflichten und seiner neuen Lehrtätigkeit an einer Privatschule und der achten Revision seines Drehbuchs, um aus Chicago herbeizureisen und Adieu zu sagen. Danach hielt Alfred länger durch, als es irgendjemand für möglich gehalten hätte. Er war ein Löwe bis zum Schluss. Als Denise und Gary eintrafen, war sein Blutdruck fast nicht mehr messbar, und trotzdem lebte er noch eine ganze Woche. Er lag zusammengerollt auf dem Bett und atmete kaum. Er rührte sich nicht und zeigte keine Reaktion, außer wenn Enid versuchte, ihm einen Eiswürfel in den Mund zu schieben – dann schüttelte er, mit Nachdruck, einmal den Kopf. Das war das Einzige, was er bis zuletzt nicht vergaß: wie man sich weigerte. Enids Versuche, ihn zu korrigieren, hatten allesamt nichts gefruchtet. Er war noch genauso stur wie an dem Tag, als sie ihn kennen gelernt hatte. Und doch, als er gestorben war, als sie ihm ihre Lippen auf die Stirn gedrückt hatte und mit Denise und Gary in die warme Frühlingsnacht hinausging, da spürte sie, dass es nun nichts mehr gab, was ihre Hoffnung zunichte machen konnte, nichts. Sie war fünfundsiebzig Jahre alt, und sie würde einiges in ihrem Leben ändern.